HIER IS JE BRUIDEGOM

Hannah Yakin

Hier is je bruidegom

Uitgeverij Atlas – Amsterdam/Antwerpen

Omslagontwerp: Roald Triebels, Amsterdam
Omslagillustratie: Abraham Yakin, *De weg naar Jeruzalem*, 1995

ISBN 90 450 0718 5
D/2004/0108/604
NUR 301

www.boekenwereld.com

Voor mijn nichtje Sanne Terlouw, die dit boek heeft gewild,
voor Abraham, onze kinderen en alle anderen die model hebben
gestaan voor portretten die soms wel en soms niet lijken,
en bovenal voor mijn zusje ALEXANDRA TERLOUW, die twee
jaar lang met eindeloos veel liefde en geduld ieder woord dat ik
schreef heeft gewikt en gewogen. Haar kan ik met geen
mogelijkheid genoeg bedanken.

Veel wat in dit boek staat is waar gebeurd. De rest had gebeurd kunnen zijn. Ik heb van al mijn kinderen en veel vrienden toestemming gekregen om fictieve personen te beschrijven in wie zij zich ondanks de verschillen zullen herkennen.

Mocht een personage in het boek niet direct aan de verwachting voldoen van degene die er tot op zekere hoogte model voor heeft gestaan, dan bied ik daarvoor mijn excuses aan. Van mijn kinderen en hun partners verwacht ik dat ze in dat geval, als ze het boek uit hebben, op andere gedachten zijn gekomen.

Ik heb namelijk het geluk gehad te mogen beleven dat mannen en vrouwen die in hun jonge jaren al evenmin iets van hun ouders begrepen als hun ouders van hen, toen ze eenmaal zelf ouders en grootouders waren, niet alleen inzagen maar ook durfden toegeven dat de vorige generatie het zo kwaad niet met ze meende.

1956

Als het aan Reinie had gelegen was ze na het uitroepen van de staat Israël, onmiddellijk op *aliyah** gegaan. Maar in 1948 zat ze nog op de middelbare school en haar vader had erop gestaan dat ze eerst haar eindexamen zou halen. En toen dat achter de rug was, had hij haar aangeraden in Nederland een vak te leren, zodat ze in Israël haar brood zou kunnen verdienen. De opleiding tot secretaresse moest het wezen: moderne talen, zoals dat heette, typen en stenografie. Duits vond ze vreselijk, zo vlak na de oorlog, maar Duits zou ze in Israël juist goed kunnen gebruiken, dacht vader. Vooruit, ze moest er dan maar een jaar aan opofferen.

In dat jaar leerde ze in de zionistische studentenvereniging Arnon kennen. Arnon zou nooit in Amsterdam zijn gaan studeren als er aan de Hebreeuwse universiteit in Jeruzalem een volledige medische faculteit was geweest, maar die was er niet omdat de orthodoxen bezwaar maakten tegen het opensnijden van lijken. Kinderziektes van de pasgeboren staat Israël, noemde Arnon dat. Het zou ooit wel anders worden, maar zo lang konden hij en zijn leeftijdgenoten hun studie niet uitstellen.

Vier jaar wachtte ze om samen met hem naar Israël te kunnen gaan. Ze zocht baantjes, volgde nog wat cursussen, en in het vijfde jaar, net toen ze zich in arren moede voor de akte tekenlerares had ingeschreven, kreeg hij de mogelijkheid om zijn studie in Jeruzalem te voltooien. Op het afscheidsfeestje dat ze op de medische faculteit voor hem gaven, had een katholieke studiegenoot in alle ernst gesmeekt of Reinie en Arnon zich alsjeblieft wilden laten dopen. Niet omdat hij iets tegen Joden had, maar omdat hij de gedachte niet kon verdragen dat hijzelf na zijn dood zalig zou worden en in het paradijs terecht zou komen, terwijl Reinie en Arnon, die toch zulke aardige mensen waren, naar de hel zouden worden gestuurd.

Reinie vond het vanzelfsprekend dat ze haar opleiding tekenlerares zou

* Achter in dit boek is een verklarende woordenlijst opgenomen.

afbreken om nu eindelijk samen met Arnon naar Israël te gaan, maar hij zei: 'Wees nou verstandig. Een jaar is toch zo om. Maak de cursus af. Zorg dat je trots kunt zijn op jezelf, en dat ik trots kan zijn op jou.'

Bij het afscheid op het perron in Amsterdam zei hij: 'Beloof me dat je nooit zult ophouden van me te houden.' Die woorden hadden in haar oren geklonken als een melodie, een geschenk dat ze haar hele leven zou koesteren. Het was haar niet opgevallen dat hij zorgvuldig had vermeden te zeggen: 'Ik beloof dat ik nooit zal ophouden van jou te houden.'

In het begin kwam er elke week een lange brief. Maar na een tijdje werden de brieven korter en kwamen ze minder vaak. Ze had zich gedwongen niets te begrijpen, niets te vermoeden. Ze had haar akte tekenlerares gehaald. Arnon kon trots op haar zijn.

Direct nadat ze met de nachttrein in Marseille was aangekomen, had ze haar bagage bij de scheepvaartmaatschappij ZIM afgeleverd.

'Hé juffie,' had een man geroepen. 'Telegram!'

Een ogenblik had ze durven hopen dat Arnon haar goede reis wou wensen, maar nee. 'Kom niet' stond er. Geen woord te veel. Geen cent te duur.

De hele dag had ze op de kade lopen knarsetanden. Wat dacht Arnon? Dat ze met hangende pootjes terug zou gaan naar Nederland alleen omdat hij genoeg van haar had? Bovendien, over vijf dagen zou ze hem in de armen vallen, en dan zou alles weer goed worden. Verder kon ze voorlopig niet denken.

Tegen de avond, toen de Artsa zich gereedmaakte om te vertrekken, was ze gewoon over de loopplank gewandeld. Alsof er niets aan de hand was. De Artsa zat boordevol jonge Argentijnen, die vrolijk en met vertrouwen hun toekomst in Israël tegemoet voeren. Ze hadden in Buenos Aires les gehad in landbouw, modern Hebreeuws, Joodse geschiedenis en zionisme. Ze spraken elkaar aan met bijbelse namen. 's Avonds vulden ze het schip met socialistische liederen, overdag dansten ze op het dek. Hun enthousiasme werkte aanstekelijk op Reinie, die door een zwarte krullenbol genaamd Sara pardoes in de kring werd getrokken.

De volgende dag liet ze Sara het telegram van Arnon zien. 'Canaille,' zei Sara, die ook zonder veel uitleg begreep wat er aan de hand was. Het feit dat Sara maar een paar woorden Frans en Reinie geen enkel woord Spaans sprak, had tot gevolg dat Reinie's povere Hebreeuws met een paar woordjes werd verrijkt. Zo leerde ze bijvoorbeeld het woord 'machaneh' voor tentenkamp.

‘De mensen van onze groep gaan allemaal naar een machaneh,’ vertelde Sara. ‘De mijne ligt tegen Jeruzalem aan en heet Machaneh-Yehoedah. Die kampen hebben natuurlijk allemaal de naam van één van de zonen van Jacob. Er zal ook wel een Machaneh Re’uven zijn, en een Machaneh Benjamin …’

‘Misschien ook wel een Machaneh Dina, ter herinnering aan Jacobs dochter?’ lachte Reinie. Even was Arnon uit haar gedachten geweest. Maar aan de overtocht kwam een einde, en op een vroege ochtend in mei liep de Artsa de haven van Haifa binnen. De Argentijnen hingen over de reling om de zon te zien opgaan boven de Carmel. Een paar religieuze passagiers hulden zich in gebedssjaal en spraken een dankgebed. Ondanks het vroege uur was de kade vol mensen die wuivend met bloemen en zakdoeken hun vrienden en familieleden woorden van welkom toeriepen in een kakofonie van talen.

Met kloppend hart tuurde Reinie naar de kade. Opeens zag ze Arnon. Maar in plaats van naar haar te wuiven, schudde hij zijn hoofd. Langzaam en definitief. ‘Doe of hij niet bestaat,’ zei Sara die naast haar stond. ‘Kom met ons mee naar Jeruzalem. Je mag bij mij in de tent slapen.’

Maar dat kon Reinie niet opbrengen. De fysieke aanwezigheid van Arnon daar op de kade werkte als een magneet. Als het had gekund, was ze regelrecht in zijn armen gevlogen. Maar ze kon niet van boord zonder immigratiepapieren. In de eetzaal van het schip hadden de ambtenaren van de immigratiedienst tafels opgesteld, en er stond nog een lange rij te wachten om te worden geholpen. De Argentijnen werden als groep het eerst afgehandeld. ‘Kom toch gezellig naar Jeruzalem,’ riep Sara vrolijk, en ze wuifde naar Reinie terwijl ze met haar vrienden de loopbrug af liep.

En nu was het dan eindelijk Reinie’s beurt. De ambtenaren zagen eruit als jeugdleiders. Ze droegen shorts en kaki hemden met opgerolde mouwen en openstaande kragen.

‘Voornaam?’ vroeg er een.

‘Reinie.’

‘Reinie? Wat is dat nou voor naam. Rijn? Is dat niet die grote rivier die dwars door Europa stroomt? Heet je naar een rivier? Weet je wat, we noemen je Jardena, naar de Jordaan.’

‘Jardena? Waarom niet gewoon Reinie?’

‘In dit land heeft iedereen een Hebreeuwse naam. Dat hoort zo. Achternaam?’

'Vreeland.'

'Wat? Hoe schrijf je dat in 's hemelsnaam?'

'Vreeland. Met een V.'

De man krabde met zijn balpen over zijn schedel. 'Ja, hoor 's, in 't Hebreeuws wordt dat automatisch een P. Kan ik ook niets aan doen. Perland, Parland, Paraland? Het kan van alles worden. Maar veel maakt het niet uit. Je trouwt toch binnen de kortste keren. Hier dan, Jardena Parland. Teken dit papier maar even, dan is het voor elkaar.'

'Wat is het?' vroeg Reinie, die van haar vader had geleerd nooit iets te tekenen als je het niet hebt gelezen.

'Een verklaring dat je afstand doet van de Nederlandse nationaliteit om de Israëlische te kunnen krijgen.'

'Afstand doen van mijn Nederlandse nationaliteit? Ik denk er niet over. Ik wil ze allebei. Ik ken genoeg mensen die twee nationaliteiten hebben. En ik heb mijn vader beloofd ...'

'Wat mij betreft mag je vijfentwintig nationaliteiten hebben. Het zijn niet de Israëlische autoriteiten die problemen maken, maar de Nederlandse. Je mag kiezen. Zeg het maar.'

''t Is dat ik mijn vader heb beloofd ...'

'Ook best,' zei de man, en hij hield Reinie een ander papier voor. 'Teken dan hier maar. Hier staat dat je afziet van de Israëlische nationaliteit ...'

'Afzien van de Israëlische nationaliteit, maar ik ben juist ...'

'... omdat je de Nederlandse wilt houden. Trouwens wel zo verstandig. Ben je zo onder de pannen. De aantrekkingskracht van een Europees paspoort ... enfin, je zult het wel merken.' De man likte zijn lippen. 'Dit papier moet je altijd in je paspoort bewaren, anders krijg je moeilijkheden. Goed zo. Klaar. Veel succes. Heb je je bagage? Koffer? Rugzak? Geld? Geen hulp nodig? Mooi. Shalom, Jardena. Volgende passagier.'

Daar stond ze op de kade van Haifa met in haar hand twee documenten, het ene: een verklaring dat de nieuwe emigrante Reinie Vreeland afzag van de Israëlische nationaliteit, en het andere: een tijdelijk identiteitsbewijs ten name van Jardena Parland dat ze na afloop van een jaar tegen een permanent exemplaar zou kunnen inwisselen. Om duizelig van te worden. Veel tijd om over haar identiteit na te denken had ze niet, want toen ze opkeek, stond Arnon voor haar. Bijna was ze hem om de hals gevlogen, maar hij maakte een afwerend gebaar en zei op matte toon: 'Je kunt bij mijn moeder logeren tot je besloten hebt wat je wilt doen. Zelf neem ik zolang mijn intrek bij de vriendin met wie ik binnenkort ga trouwen. Als je liever terug wilt naar Nederland, ben ik bereid de helft van je reis te betalen.'

De helft van de reis! Dat was alles wat hij te zeggen had. Er kon geen 'hoe gaat het met je' af. Canaille, zou Sara zeggen. Maar Reinie was Sara niet. Reinie schudde haar hoofd en zocht wanhopig naar woorden die meer met haar eigen gevoelens overeenkwamen. Kan men 'dank je' zeggen tegen een man die je de helft van de reiskosten naar Nederland aanbiedt omdat hij niet met je wil trouwen? Kon ze zeggen: 'Weet je nog hoe je me liet beloven dat ik altijd van je zou blijven houden?'

De tranen bleven opdringen. Ze sperde haar ogen open en staarde langs Arnon heen. In de verte zag ze een bord met het woord INFORMATION. Zonder op zijn reactie te wachten, liep ze er met rechte rug naar toe.

Niet omkijken, zei ze in zichzelf. Gewoon je ene voet voor je andere zetten. Lopen tot je bij dat bord bent. Pas toen ze zeker wist dat Arnon haar niet meer kon horen, zei ze stoer: 'Mannen zat op de wereld.' Met een zucht liet ze erop volgen: 'Maar ik wou deze.'

Omdat de juffrouw achter de informatiebalie haar vragend aankeek, stamelde ze het eerste wat haar te binnen schoot: 'Waar vertrekt de bus naar Jeruzalem?' Dat was makkelijk. De haven uit, tweede straat links, eerste straat rechts. En ja, er stond een bus klaar bij de halte. De chauffeur zei iets in het Hebreeuws en wapperde met zijn hand alsof hij Reinie de bus uit wou jagen. 'Je krijgt mij de bus niet uit,' zei ze in het Nederlands terwijl ze op de kaartjes wees en haar portemonnee openhield zodat hij er zelf het juiste bedrag uit kon nemen. De chauffeur haalde zijn schouders op, verkocht haar een kaartje en startte de bus. Pas toen ze goed en wel op weg waren, drong tot haar door dat de chauffeur had willen waarschuwen dat er geen zitplaatsen waren. Wat ze nog niet wist, was dat de bus onderweg nergens zou stoppen, zodat er ook geen zitplaatsen zouden vrijkomen, en dat de reis naar Jeruzalem ruim vijf uur zou duren.

Toen Reinie eindelijk in Jeruzalem aankwam, stond de zon al laag aan de hemel. En hoe moest ze nu Sara vinden in haar Yehoedahkamp? Ze sprak een voorbijganger aan. Hij bood direct aan haar koffer te dragen en babbelde erop los in rad Hebreeuws. Hoewel Reinie hem niet verstond, kon ze wel zo ongeveer raden wat hij vroeg: hoe ze heette, waar ze vandaan kwam, en of ze een vaste vriend had. Zelf heette hij Michael maar zijn vrienden noemden hem Mikki.

'Machaneh-Yehoedah,' was alles wat ze tot antwoord gaf. 'Naar Sara.' Mikki zette de koffer neer en zei in gebroken Engels: 'Here Machaneh-Yehoedah. Address Sara what?'

'Nothing address,' zei Reinie kribbig. 'Machaneh. Camp. Tents.'

De jongen barstte in lachen uit.

'Wat dacht je, halve gare, dat Machaneh-Yehoedah een tentenkamp is? Ga nou gauw. Jeruzalem is geen padvindersdorp. Machaneh-Yehoedah is een wijk met straten en winkels en een markt.' Hij maakte een wijds gebaar om haar al dat moois te laten zien, en zette toen zijn handen als een toeter aan zijn mond: 'Sara, joehoe, waar zit je?'

Toen Reinie begreep dat ze geen schijn van kans had om de Argentijnen te vinden, probeerde ze haar begeleider te vragen of hij haar dan een goedkoop hotelletje kon wijzen. Maar wat was ook alweer het woord voor hotel? *Malon? Melon? Milon?*

'Milon katan,' probeerde ze. 'Een klein hotel.' En om duidelijk te maken dat ze weinig geld had, keerde ze de zak van haar jasje binnenstebuiten. 'Katan, katan.'

Mikki straalde. Hij had het begrepen.

'Milon katan, milon kiss.'

Mijn hemel, dacht Reinie. Nu moet ik hem zeker een kus geven om hem zover te krijgen dat hij mij een hotel wijst.

'No kiss,' zei ze beslist. 'Only milon.'

Zonder aarzelen pakte Mikki de koffer weer op, en ging nu kennelijk met een bepaald doel op weg. Naar een hotelletje, hoopte Reinie. Ze was dan ook ontdaan toen Mikki onaangekondigd een sleutel te voorschijn haalde en een huis binnenging.

'Ik niet,' zei Reinie pertinent. 'Ani lo!'

Mikki zette haar koffer in de deuropening zodat de deur niet kon dichtvallen. Nog voor Reinie had bedacht wat ze nu moest doen, kwam hij alweer naar buiten met een zakwoordenboekje, een *milon kies*, waarin Reinie eerst maar eens het woord 'hotel' opzocht. Dat bleek malon te zijn. Ai, één lettertje verkeerd. Maar gelukkig kon ze nu eindelijk min of meer met Mikki communiceren. Hij bracht haar warempel naar een hotel, en het bleek nog goedkoop te zijn ook.

Na een rusteloze nacht op een matras vol kuilen, ging Reinie naar het kantoor van het Joods Nationaal Fonds. Ze verwezen haar naar kibboets Ein-Hashofeet ten noordoosten van Haifa. Daar was een *oelpan*, waar vrijwilligers de helft van de dag voor de gemeenschap werkten en in ruil daarvoor de andere helft van de dag Hebreeuwse les kregen. Sommige vrijwilligers werkten in de boomgaard of in de koeienstal, maar de meeste deden karweitjes waar de leden van de kibboets zelf geen zin in hadden, zoals dweilen en afwassen. Reinie's taak bestond uit het ophangen van de was. In de gloeiende zon waren wel vijftig waslijnen gespannen. Een vindingrijk lid van de kibboets had een soort parasolletje ontworpen dat je met riemen op je rug kon binden. Vier uur per dag zeulde ze onder haar parasolletje de zware manden vol was van waslijn tot waslijn. Tegen de tijd dat ze de laatste lijn had volgehangen, waren de kleren aan de eerste alweer droog, en kon ze van voren af aan beginnen.

In de eerste klas van de oelpan zaten zeven Marokkanen, twee Amerikanen, een Engelsman, een paar Argentijnen en een Libanees meisje. Bovendien was er nog een Nederlands meisje dat Trees heette en Tirtsa werd genoemd. Reinie en Tirtsa stonden al gauw bekend als de Neerlandinnetjes. Op de avonden dat ze samen de borden en het bestek van drieduizend mensen afwasten, hielden ze trots de eer van hun geboorteland hoog door schonere borden af te leveren en er korter over te doen dan enig ander afwasteam in de kibboets.

Ook zonder de afwaskunst van Tirtsa en Jardena had Nederland een uitstekende naam in de kibboets. Al zouden in later jaren de statistieken uitwijzen dat verhoudingsgewijs minder Nederlandse Joden de holocaust hadden overleefd dan Belgische en Franse, in de jaren vijftig was iedereen overtuigd van het tegendeel. Sommige Israëliërs wisten zelfs te vertellen dat de koning van Nederland zich zozeer met zijn Joodse onderdanen had geïdentificeerd dat hij met een gele ster op zijn jas te paard door Amsterdam had gereden. Anderzijds waren er nieuwe immigranten afkomstig uit Arabische landen die aarzelend vroegen of Nederland nu in Engeland of in Duitsland lag. In het begin hadden Tirtsa en Jardena daar hartelijk om gelachen, maar dat gebeurde niet meer nadat ze zelf op een dag Iran en Irak door elkaar hadden gehaald.

Intussen werd Tirtsa, die toch al nooit slank was geweest, onrustbarend dik, en op een avond bekende ze met horten en stoten dat ze al bijna zes maanden zwanger was. De schuldige, zoals ze hem noemde, was een vrijwilliger uit Casablanca, een jongen van nog geen twintig, met wie ze wekenlang iedere nacht had liggen vrijen, en die ze nu uit de grond van haar hart verafschuwde. Twee andere bewoners van de kibboets, de weduwnaar die de droogparasol had uitgevonden en een tot dat moment verstokte vrijgezel, boden aan om met haar te trouwen, maar zij snikte dat ze geen andere echtgenoot wou dan de vader van haar kind, omdat haar ouders het zo gewenst zouden hebben als de nazi's ze niet hadden vergast.

Toen de weduwnaar en de vrijgezel bij Tirtsa geen succes boekten, zochten ze een andere oplossing voor hun surplus aan hartstocht. Wou het ene Nederlandse meisje niet, dan misschien het andere wel. Zolang ze een buitenlands paspoort had en er qua uiterlijk mee door kon, was het hun om het even. Ze droomden van een reisje naar Europa of Amerika, en zagen geen andere mogelijkheid om dat te realiseren, daar ze voor toeristische doeleinden niet meer dan tien dollar mochten meenemen. Jardena herinnerde zich de woorden van de immigratiebeambte en kreeg het benauwd. Ze maakte plannen om zo gauw mogelijk uit de kibboets te vertrekken, maar intussen had Tirtsa de vader van haar kind zover gekregen dat hij eind september met haar zou trouwen, en ze smeekte Reinie om tot de bruiloft te blijven en haar surrogaatmoeder te zijn. Het lot bepaalde echter dat de baby, een gezonde jongen van bijna vier kilo, twee dagen voor de bruiloft van zijn ouders werd geboren, met het gevolg dat Reinie een huilende kraamvrouw moest ondersteunen, die zelfs onder het huwelijksbaldakijn nog in het Nederlands mompelde: 'En je vieze sokken moet je zelf maar wassen, als je dat maar weet!'

Een week na de *choepah* nam Reinie-Jardena afscheid van een wanhopige Tirtsa, een engel van een baby, een teleurgestelde weduwnaar, en een in zijn eer aangetaste vrijgezel.

Reinie, die naar huis had geschreven over haar wederwaardigheden in het beloofde land, had per omgaande post (dat wil zeggen een maand later), van haar tante Roos een lijstje met adressen gekregen van Nederlandse immigranten die ze in haar studententijd had gekend. Boven aan de lijst stond Mirjam Gerzon, die al sinds 1920 in het toenmalige Palestina woonde, en nog voor de Tweede Wereldoorlog met ingenieur Leib de Leeuw was getrouwd.

Van Mirjam werd verteld dat ze als jonge vrouw op een muilezel van nederzetting naar nederzetting was getrokken met de opdracht een rapport op te stellen over de omstandigheden waarin de Joodse pioniers leefden, en dat ze daarna een onkostenlijst had ingediend die zo laag was dat haar opdrachtgevers weigerden hem te accepteren.

Het was ook Mirjams idee geweest om het weinig productieve Palestijnse runderras nieuw leven in te blazen door aan de scharminkelige stieren goed gevulde Friese stamboekdames als partners aan te bieden. En het was Mirjam die zich, toen het schip met vee de rede van Jaffa naderde, door een Arabier erheen liet roeien om de eerste Nederlandse koeien in hun moedertaal welkom te heten.

Het was Mirjam bij wie Reinie op goed geluk aanbelde. Telefoon had haast niemand, dus een afspraak kon je niet maken.

Het echtpaar De Leeuw woonde op de tweede en bovenste verdieping van een oud huis in het statige Rechavia, een buitenwijk van Jeruzalem. Via een buitentrap bereikte je het platte dak waarop twee piepkleine kamertjes stonden. Hoewel deze kamertjes geen stromend water hadden, waren ze oorspronkelijk bedoeld voor de wasvrouwen, die geacht werden water van beneden naar boven te sjouwen, en het op een primusbrander aan de kook te brengen. Gedurende de zomermaanden zat zo'n wasvrouw met grote teilen om zich heen op het platte dak. In de winter behielp ze zich in het waskamertje. Het handige van dit systeem was dat de natte kleren zo vanuit de teilen konden worden opgehangen. Aan ander comfort voor de wasvrouw was kennelijk niet gedacht.

Zowel Mirjam als haar benedenbuurvrouw deed haar was buitenshuis, en verhuurde haar dakkamertje. De huurder kreeg ook een sleutel van de woning zelf, om badkamer en wc te kunnen gebruiken. Het toeval wou dat Mirjams waskamertje net was vrijgekomen, zodat Reinie het voor een habbekrats mocht huren en het direct kon betrekken.

De bewoner van het andere waskamertje op Mirjams dak heette Mennie Levie. Hij studeerde scheikunde aan de Hebreeuwse universiteit. Zijn hele familie was in Treblinka vergast, maar Mennie kon zich van het concentratiekamp niets herinneren behalve de schroeierige geur die dag en nacht boven het kamp had gehangen. Iedere keer als iemand in de buurt een geplukte kip boven de gasvlam hield om de laatste restjes veer eraf te branden, zakte Mennie weg in een diepe depressie. Op een avond openbaarde hij aan Jardena dat hij nog nooit met een meisje naar bed was geweest.

'Ik ben ook nog nooit met een man naar bed geweest,' troostte ze hem. 'Ik weet hoe je je voelt.'

'We zouden het samen kunnen proberen,' opperde Mennie met een rood hoofd. 'Misschien zouden we er allebei wat aan hebben.'

Daar had Jardena zo gauw geen antwoord op. Het principe 'eerst trouwen en dan pas gemeenschap hebben' zat er bij haar stevig ingehamerd.

Nu ze een kamer had, moest ze werk zoeken.

'Wat kun je?' vroegen Mirjam en Leib.

'Typen, stenograferen, kinderen tekenles geven.'

'Niet gek. Als je maar zelfvertrouwen hebt. Kom vanavond mee naar een verjaardagsfeestje bij Meir en Delly Perath. Zij kennen iedereen. Ze helpen je wel verder.'

Die avond zat Reinie naast een jonge psychiater die verbonden was aan het Jeruzalems ziekenhuis voor geesteszieken. Hij zou haar de volgende ochtend voorstellen aan de geneesheer-directeur, die mensen zocht voor arbeidstherapie. En zo had ze, nog geen week nadat ze in Jeruzalem was aangekomen, al een halve baan. Mirjam de Leeuw had gelijk gehad. Als je maar mensen kende die je voort konden helpen. Als je maar zelfvertrouwen had. Als je maar initiatief toonde en niet kieskeurig was. Ze kon meteen beginnen. Ze werkte afwisselend in de algemene dagzaal van het ziekenhuis en in de gesloten afdelingen waar de kleine ramen van tralies waren voorzien. Als de patiënten zich rustig gedroegen, mochten ze in de B-afdelingen verblijven. Zo niet, dan werden ze naar A verbannen. In de kamers van de A-afdelingen lagen sommige patiënten aan hun bed vastgebonden. Anderen plastten tegen de muren, schreeuwden, jankten of jammerden, en werden soms hardhandig tot zwijgen gebracht door een verpleger. Tussen de afdelingen waren deuren zonder deurkrukken, maar wie tot de staf hoorde, had een losse deurkruk in zijn zak.

Het bedrag dat Jardena ter beschikking kreeg om teken- en schildermateriaal voor de patiënten te kopen, was zo klein dat ze zich moest behelpen met het allergoedkoopste papier en met kleurstof die ze zelf met dextrine aanmaakte. De aldus bereide verf bewaarde ze in yoghurtpotjes waarvoor ze in heel Jeruzalem geen passende kurken kon vinden. Haar Libanese oelpangenote die intussen naar Tel Aviv was verhuisd, bracht uitkomst. Ze kocht een dozijn grote kurken ten behoeve van de geesteszieken in Jeruzalem en stuurde die per post naar het adres van Mirjam de Leeuw. De financieel directeur van het psychiatrisch ziekenhuis vond alles best, zolang het maar goedkoop was.

Sommige patiënten schilderden niet alleen de wonderbaarlijkste taferelen, maar gedroegen zich ook wonderbaarlijk. Rochele, die met haar veertien jaar de jongste patiënt in het ziekenhuis was, meende tijdens een van de werksessies dat de witte verf yoghurt was, en lepelde het hele potje leeg. Gelukkig is zinkwit niet giftig.

Salim, een Arabier van middelbare leeftijd, hield al jarenlang zijn ogen stijf dicht. Hij had zichzelf ervan overtuigd dat hij blind was. Jardena haalde hem over om toch te schilderen en beloofde zijn hand met de kwast te zullen leiden naar de kleuren die hij wenste te gebruiken. Tijdens de derde les werd Salim zo nieuwsgierig naar zijn eigen creatie, dat hij geheel per ongeluk zijn ogen opendeed en keek. Maar toen Jardena opgewonden de ene psychiater na de andere aansprak om hem van haar verrassende ervaring op de hoogte te stellen, stuitte ze op een teleurstellende onverschilligheid.

Hoe minder de patiënten van perspectief en proporties wisten, hoe geestdriftiger ze schilderden. Een vrouw die beweerde nog nooit een verfkwast in haar hand te hebben gehouden, schilderde niets dan catastrofale voorstellingen, zoals een woeste zee met in het midden een verdrinkend figuurtje, en bomen waar mensen aan hingen. Dertig jaar later zou de zoon van deze overlevende uit Sobibor uit het raam van het hoogste gebouw in Jeruzalem springen. Een jonge man uit Irak schilderde een gigantische hand, met in de palm het meisje van wie hij hield. Twee zelfuitgeroepen messiassen tekenden zichzelf op een troon in de hemel en scholden elkaar uit voor oplichter. Een derde messias, ongetwijfeld de intelligentste van het stel, weigerde één streep op papier te zetten, en zich aldus te verlagen tot het niveau van de sterfelijken.

Om wat extra geld te verdienen, paste Jardena op de kinderen van de secretaris van de Nederlandse ambassadeur in Jeruzalem. Twee- of driemaal per week zat ze van zes uur 's avonds tot middernacht in de woonkamer van de Van Vlaardingens, die haar hardnekkig Reinie bleven noemen. Vaak liep ze op haar tenen de kinderkamer binnen in de hoop dat één van de kleintjes eens wakker zou worden, maar dat gebeurde nooit.

Mevrouw Van Vlaardingen legde altijd één biscuitje en één theezakje voor haar babysitter klaar. Als ze koffie wou, moest ze die zelf maar meebrengen. Op een avond lag er een lekkere Friese koek in de keuken. Reinie sneed er een flinke plak af. Toen mevrouw Van Vlaardingen lang na twaalven thuiskwam, ging ze regelrecht naar de keuken en riep: 'Zeg Reinie, heb jij soms van die koek gegeten?'

Jardena schrok zich een ongeluk. Had het niet gemogen? In plaats van gewoon te zeggen dat ze trek had gehad, en dat een enkel koekje niet genoeg was voor zes of zeven uur babysitten, stamelde ze: 'Nee mevrouw, ik weet er niets van.'

'Je liegt,' zei mevrouw Van Vlaardingen. 'Kijk maar, ik heb vanmiddag de lengte van de ontbijtkoek afgezet op de deurpost. Hier zijn de potloodstreepjes. En hier is de koek. Nou? Wat heb je daarop te zeggen?'

Diep verontwaardigd, maar niet in staat zich te verdedigen, holde Jardena de deur uit zonder te wachten op het geld dat haar toekwam. Haar extra baantje was ze kwijt.

Op 25 oktober vroeg Mennie of hij met Jardena kon slapen.

'Kom maar,' zei ze met het fatalistische gevoel 'wat kan me gebeuren?' Ze gingen naast elkaar op haar bed liggen en wachtten af wat de ander zou doen. Jardena dacht intens aan Arnon. Mennie zei dat hij misselijk was en verborg z'n gezicht in zijn handen. Ten slotte deed Jardena maar of ze sliep, om op die manier Mennie de gelegenheid te geven stilletjes naar zijn eigen kamer terug te sluipen.

De volgende dag zag Jardena Mennie niet, en toen hij op Shabbat niet op het platte dak kwam om samen met haar koffie te drinken, rammelde ze aan zijn deur. Die vloog open. Jardena liep naar binnen. Mennie lag in bed, opgekruld als een poes, met zijn gezicht verborgen in zijn elleboog. Bevangen door een vreselijk voorgevoel, stond ze naar het bewegingloze lichaam van haar vriend te kijken. Hij had haar vertrouwd en zij had gefaald. Als hij haar een tweede kans wou geven, zou ze een onmogelijke herinnering niet meer stellen boven een mogelijke vriend. Maar in haar hart wist ze al dat haar goede voornemen te laat kwam. Mennie's hand was ijskoud en onder zijn kussen vond ze een leeg flesje. Ze zonk neer naast het bed en tranen stroomden over haar wangen.

'De wereldoorlog heeft ons in tweeën gehakt,' zei ze ten slotte zachtjes tegen de dode Mennie. 'En de stukken passen niet aan mekaar. We zijn opgevoed volgens vooroorlogse principes en worden geacht te functioneren onder naoorlogse omstandigheden. Vergeef me Mennie, vergeef me God, vergeef me Iemand, als er iemand bestaat die me heeft gemaakt zoals ik ben.'

Op 30 oktober ging Jardena plichtsgetrouw naar haar werk in het ziekenhuis. Tot haar verbazing was er geen enkele mannelijke arts of verpleger te bekennen. Het was Salim met zijn stijf toegeknepen ogen die samenzweerderig in haar oor fluisterde dat er oorlog was in de Sinaïwoestijn en dat alle mannen gedurende de nacht waren opgeroepen. Hoe hij het wist? Geruchten ... geruchten ... Zelfs de verpleegsters wisten er het fijne niet van. Lang niet iedereen had een radio, en zelfs degenen die kans zagen naar het nieuws te luisteren, kregen weinig te horen. Zoals iedere dinsdag, haalde Jardena haar materiaal uit de kast, en ging ermee naar de A-afdeling van de mannenvleugel. Om daar te komen, moest ze eerst door B, maar om in B te komen, moest ze door twee deuren die van elkaar waren gescheiden door een hokje van niet meer dan een meter in het vierkant, een sluis voor eventuele voortvluchtigen.

Jossi was een A-patiënt. Op de dag dat de Sinaïoorlog uitbrak, had hij het voor elkaar gekregen tot het kleine hokje tussen de B-afdeling en de gang door te dringen. Wist hij dat Jardena zou komen en stond hij háár op te wachten, of was hij van plan zodra iemand de deur opendeed de tuin in te rennen en over de muur te klimmen? In de vele nachten dat ze later wakker zou liggen, beleefde Jardena de gebeurtenissen van die ogenblikken opnieuw, maar ze zou er nooit achter komen. Toen ze met haar dienblad vol verfpotjes het hokje tussen de twee deuren binnenstapte en daar Jossi tegen het lijf liep, sloot hij zelf heel rustig de deur achter haar rug, waarna hij haar vastgreep met een paar armen als ijzeren tangen, en haar op de mond kuste met een hartstocht, zo overdonderend als ze in haar hele latere leven nooit meer zou ervaren.

Op het moment zelf vroeg ze zich niet af wat ze moest doen. Ze deed gewoon wat vanzelf kwam. Zo goed en zo kwaad als haar beetje ervaring het toeliet, beantwoordde ze Jossi's kus. Hij kuste haar uit alle macht, met heel zijn hart en heel zijn lichaam, alsof hij zich in haar wou laten leeglopen. En zij, met haar dienblad in de ene hand en de losse deurkruk in de andere, putte haar hartstocht uit het bodemloze medelijden dat in haar opwelde voor deze man die op dertigjarige leeftijd al gedoemd was tot een leven zonder enige hoop dat hij ooit een vrouw of een huis of een hond zou bezitten. Het duurde niet langer dan een minuut, hoogstens twee. Jossi liet haar los en nam het dienblad en de deurkruk uit haar trillende handen. Hij gaf haar even de kans bij te komen, en opende toen zelf de deur naar de B-afdeling waarna hij voor haar uit terugliep naar A.

In de A-afdeling kon ze haar aandacht nauwelijks bij het werk houden. Jossi zat in een hoek en staarde naar haar. Eén keer gluurde ze naar hem, maar zijn blik was zo schrikbarend dat ze snel wegkeek.

Even later schreeuwde iemand hartverscheurend. Iedereen rende op het geluid af. De enige verpleegster op de afdeling probeerde krijsend de nieuwsgierige menigte uit Jossi's kamer te weren. Maar de kamers van A hadden geen deuren en iedereen kon zien dat Jossi zijn laken had gebruikt om zich op te hangen aan de spijlen van het raam. De armen waarmee hij Jardena nog zo kort geleden zo hartstochtelijk had omhelsd, hingen levenloos langs zijn lichaam. Zijn gezicht was rood en gezwollen.

De les werd afgebroken. Jardena ging stilletjes naar haar kamer op het dak en worstelde de hele rest van de dag en de hele nacht met het vraagstuk wat ze had kunnen doen om Jossi en Mennie van hun wanhoopsdaad af te houden. Voor haar gevoel had ze hopeloos gefaald.

De volgende ochtend werd ze wakker met de gedachte: wat doe ik in dit schizofrene land waar de halve bevolking de holocaust met zich meesleept? Als ik toch nergens voor dien, waarom ga ik dan niet terug naar Nederland? En in plaats van naar haar werk te gaan, liep ze op een draf naar het postkantoor om haar vader op te bellen en hem te vragen geld te sturen voor de reis terug. Toen ze door de Arlozorofstraat rende, stond plotseling een auto stil langs het trottoir. Een man sprong eruit en holde in de richting van het kantoor van de minister-president. Noch de man, noch Jardena kon snel genoeg vaart minderen. Het gevolg was dat ze met een knal tegen elkaar aan botsten, waarop ze beiden door de schok achteruitvlogen. Aangezien ze precies even lang waren, stonden ze allebei verbouwereerd hun voorhoofd te wrijven. De man was David Ben-Gurion.

Jardena was de eerste die een woord kon uitbrengen.

'Heb ik u pijn gedaan?'

Ben-Gurion barstte in lachen uit. 'Jouw hoofd is van stevig materiaal gemaakt, zeg! Van jouw soort moeten we het in dit land hebben. Jij zult hier slagen! Let op mijn woorden.' En weg rende hij naar zijn kantoor.

Als Ben-Gurion zei dat het land haar nodig had, moest ze zichzelf een eerlijke kans geven.

1957

De Sinaïoorlog was voorbij, en de details druppelden binnen. De Egyptenaren hadden al maanden geweigerd schepen door het Suezkanaal en de Rode Zee te laten varen. Daarom hadden Frankrijk, Engeland en Israël Egypte aangevallen. Wie de eerste bom had geworpen wist niemand te vertellen. Wel was duidelijk dat de actie strategisch een succes was geweest. Behalve zesduizend krijgsgevangenen, was Israël honderden wapens, pantserwagens en kanonnen rijker geworden, plus een miljoen legerdekens en twee miljoen lakens. Maar ook betreurde Israël honderdzeventig en Egypte drieduizend doden, om van de gewonden aan beide zijden nog maar te zwijgen. Weliswaar hadden de vijandelijkheden niet langer dan acht dagen geduurd, maar dat wou nog niet zeggen dat alle ziekenbroeders en artsen onmiddellijk werden gedemobiliseerd. De patiënten in het psychiatrisch ziekenhuis waren onrustig. De directie vroeg aan Jardena om wat vaker te komen, hetgeen haar financieel goed uitkwam na het debacle bij de familie Van Vlaardingen. Toch bleef haar salaris verre van voldoende om zich extraatjes te kunnen veroorloven. Daar kwam nog bij dat de winter van 1956 ongekend guur was, zodat ze een petroleumkacheltje moest aanschaffen, en een blik om petroleum in te vervoeren. Bovendien kostte de petroleum zelf ook handen vol geld. Eén nacht had zich zelfs zoveel sneeuw tegen de deur van haar kamertje op het platte dak opgehoopt, dat ze hem 's morgens niet open kon duwen. Haar dringendste behoefte had ze toen maar in een lege jampot gedaan. Ze had haar hand tussen de tralies van het venster door gewrongen, en sneeuw van de vensterbank geschept om koffie te kunnen maken. Daarna was ze weer lekker in bed gekropen, totdat Leib de Leeuw haar met een sneeuwschep was komen bevrijden.

Ondanks de vele smeekbrieven van Trees, en Jardena's oprechte voornemen om haar oude kibboets op te zoeken, was het april voordat ze eindelijk kans zag twee dagen vrij te nemen, en op de trein naar Haifa te stappen. De reis duurde weliswaar veel langer dan per bus, maar je betaalde minder en kon bijna altijd een zitplaats bemachtigen.

Tegenover haar keek een verkreukeld vrouwtje in een grote gebloemde sjaal verrukt uit het raam. Voorbij Netanja, toen ze de zee konden zien, fluisterde ze ineens in het Jiddisch: 'We zijn bijna in het paradijs. Het duurt niet meer lang.'

Jardena sprak wel geen Jiddisch, maar met haar kennis van Duits en Hebreeuws kwam ze een eind. 'Het paradijs?' vroeg ze een beetje neerbuigend. 'Hoe komt u daar nou bij?'

'Maar zie je dan niet hoe blauw de hemel is?' vroeg het vrouwtje met een verheerlijkte blik. 'Hebben ze je niet verteld dat we al in het beloofde land zijn? Kijk maar hoe mooi het hier is. En geen Duitse soldaten ... geen wehrmacht ...'

Op slag verdween de spot uit Jardena's ogen. In een Duits waarvan ze de uitspraak bewust verdraaide, in de hoop dat het een beetje op Jiddisch zou lijken, vroeg ze vriendelijk: 'Waar komt u vandaan?'

'Sobibor,' fluisterde de vrouw geheimzinnig. 'Daar hebben ze me vergast, weet je. Maar nu ben ik op weg naar mijn kinderen. Die wachten op me in het paradijs.'

In Haifa werd Jardena's medereizigster afgehaald door een jongeman die haar hartelijk omhelsde. Een kleinzoon? Een sociaal werker? Een engel uit het paradijs? Jardena, die zich onderweg had zitten afvragen of ze, eenmaal in Haifa aangekomen, de vrouw wel alleen kon laten, zuchtte opgelucht, en stapte op de bus naar Ein-Hashofeet, waar ze Tirtsa in de keuken aantrof.

De leden van de kibboets, die niet zaten te popelen om de ontevreden Tirtsa en haar luie echtgenoot als gelijken te accepteren, maar zich toch verantwoordelijk voor hen voelden, hadden het stel voorlopig in een eenkamerwoninkje gehuisvest. Hun zoon groeide op in een kleuterverblijf waar hij uitstekend gedijde. Na het middagslaapje kwamen alle ouders hun spruiten ophalen in de diverse kinderhuizen. De tienervader dolde graag met zijn zoon op het grasveld, Tirtsa slenterde liever met het wandelwagentje door de kibboets. Om zeven uur werden de kinderen naar bed gebracht, meestal door één, soms door beide ouders, en altijd onder het wakend oog van een vakkundige kracht. Ieder lid van de kibboets had nu eenmaal een duidelijk afgebakende taak, en daar werd niet mee gesold. Hoewel het Jardena verbaasde dat zelfs instoppen en nachtkusjes geven als beroep golden, gaf ze heimelijk toe dat de regeling in Tirtsa's geval niet helemaal overbodig was. Lagen de kinderen eenmaal in bed, dan gingen de ouders naar de eetzaal. De rest van de avond waren ze vrij. In theorie was het ideaal, en veel kibboetsleden waren dan ook heel blij met deze regeling, maar Tirtsa mopperde zo mogelijk nog meer dan voorheen. Over alles.

Na een paar uur had Jardena er zo genoeg van, dat ze de volgende ochtend niet eens het geduld kon opbrengen om op de trein te wachten en de eerste bus terug naar Jeruzalem nam.

Naast haar zat iemand die zich alras voorstelde als Victor. Binnen vijf minuten vertrouwde hij haar toe dat ze sprekend leek op zijn zuster die onderweg van Marokko naar Israël van uitputting was bezweken. Even later vroeg hij of Jardena zijn grammofoonplaten wilde beluisteren. Ze was inmiddels lang genoeg in het land om te weten dat dit de standaardopening was van Israëlische mannen die proberen een meisje te versieren, en dus bleef ze hardnekkig uit het raam staren. Desalniettemin vatte Victors hart vlam. Jardena raadde hem aan een andere plaats in de bus te zoeken en haar terstond te vergeten, wat niet moeilijk moest zijn aangezien hij naar eigen zeggen diezelfde avond naar Haifa zou terugkeren. Het mocht niet baten, want toen de bus eenmaal in Jeruzalem was aangekomen, liep Victor gewoon met Jardena mee tot haar deur, die ze in zijn gezicht dichtsmeet.

Toen ze de daaropvolgende vrijdagmiddag thuiskwam van haar werk, zat hij op de trap die naar haar platte dak leidde. Hij beweerde dat hij speciaal uit Haifa was gekomen om het weekend met haar door te brengen. Woedend gaf ze hem te verstaan dat hij moest verdwijnen. Hij pleitte dat de laatste bus naar Haifa al was vertrokken, en dat geen enkele bus of trein Jeruzalem meer zou verlaten voor het einde van de Shabbat.

'Kan ik daar wat aan doen,' zei Jardena nijdig. 'Dan ga je maar in een park slapen!' Victor droop af, maar klopte de volgende ochtend om halfzeven alweer aan haar deur, koud, hongerig, terneergeslagen. Jardena liet hem niet binnen, maar kon het niet over haar hart verkrijgen hem zo weg te sturen, een stad in waar hij niets zou kunnen kopen voordat er drie sterren aan de hemel zouden zijn verschenen. Ze bracht hem koffie, een boterham met kaas en een olijf. Hij at alles dankbaar op en verklaarde haar zijn eeuwige liefde. Om tien uur was ze zo radeloos, dat ze naar de opening ging van de lentetentoonstelling in het Kunstenaarshuis. Victor kwam achter haar aan.

Hoewel de tentoonstelling niet bijzonder aantrekkelijk was, veinsde Jardena de grootste interesse, en liep ze steeds maar weer terug om dezelfde schilderijen voor de zoveelste maal te bestuderen, alleen maar om de tijd te bekorten die ze vreesde in haar eentje met Victor te moeten doorbrengen. Een van de kunstwerken hing tegen de deur van de wc. Ernaast stond een man met een onnozel snorretje. Kennelijk geïmponeerd door de intensieve manier waarop Jardena elke vierkante centimeter van het schilderij onderzocht, vroeg hij: 'Vind je het mooi?'

'Nee,' zei ze uit de grond van haar hart. 'Afschuwelijk.'

'Jammer,' zei de man. 'Ik heb het gemaakt. Mijn naam is Nathan Baghdádi.'

Puur om Victor te ergeren, begon Jardena aan een uiteenzetting over compositie en kleurverdeling alsof ze een deskundige van wereldreputatie was. De kunstenaar had daar wel van terug, en toen de deuren van het Kunstenaarshuis om één uur werden gesloten, waren de twee experts nog heftig aan het discussiëren. Nathan nodigde Jardena uit om met hem te lunchen in het vakbondsrestaurant, waar je mocht betalen met bonnen die je door de week kon kopen. Twee van zijn vrienden met net zulke domme snorretjes gingen mee, en Victor keek zo sip dat Nathan hem ook maar uitnodigde. Van het restaurant ging het hele gezelschap naar het atelier van de kunstenaar om daar meer van zijn werk te zien. Niet dat Jardena er veel van verwachtte, maar alles was beter dan tot de avond opgescheept zitten met Victor.

Het atelier stond op het terrein van het Franse klooster Ratisbonne. In tegenstelling tot de meeste Israëlische kinderen, waren Nathan en zijn broers daar op school geweest. Zijn moeder hechtte het grootste belang aan het beheersen van vreemde talen. Ze had daarom weinig op met de Israëlische scholen, waar de nadruk werd gelegd op modern en bijbels Hebreeuws. De kloosterlingen onderwezen behalve de normale lagereschoolvakken ook Frans, Engels en Arabisch. Tijd voor spelen was er niet, maar dat vonden Nathans ouders juist een voordeel. Van lanterfanten hielden ze niet.

Gedurende de Tweede Wereldoorlog diende Nathan in de Joodse Brigade. Daarna werd hij opgeroepen voor militaire dienst, en toen zijn diensttijd erop zat, schreef hij zich in aan de avondacademie voor schilderkunst en zocht contact met zijn vroegere leraren van Ratisbonne. Zodoende had hij de beschikking gekregen over de onderste verdieping van hun voormalig wachttorentje, een ronde kamer voorzien van één enkel raam. Als schildersatelier was het niet ideaal, en zitplaatsen waren er nauwelijks, maar romantisch was het ontegenzeggelijk.

Er was één stoel en die kreeg Jardena. Victor kwijnde aan haar voeten, en de twee besnorde vrienden zaten op het abnormaal smalle opklapbed. Nathan toonde aquarellen, penseeltekeningen en houtsneden, Jardena leverde uitgebreid commentaar, en de andere drie hielden zich gedeisd.

Toen Nathan al zijn mappen en laden had afgewerkt, en het bezoek aanstalten maakte om op te stappen, kwamen er ineens nog een paar schetsen te voorschijn die kennelijk in een dierentuin waren gemaakt.

'Een dierentuin in Jeruzalem?' vroeg Jardena verbaasd. 'Daar wil ik ook wel eens tekenen.'

'Dan maken we een afspraak.'

Jardena nam aan dat een afspraak om naar een dierentuin te gaan even louche was als een uitnodiging om naar grammofoonplaten te komen luisteren, maar ze kon niet nalaten Victor te ergeren.

'Goed,' zei ze. 'Zeg maar wanneer.'

'De eerste dag van *Pesach*. Dat is komende dinsdag. Om acht uur 's morgens. Dan hebben we de hele ochtend de tijd om te tekenen.'

Toen de Shabbat eindelijk voorbij was, schudde Jardena haar onafscheidelijke aanbidder op het centrale busstation van zich af. Ze keek toe hoe hij instapte en wachtte tot de bus met Victor erin goed en wel wegreed. Een pak van haar hart.

Op weg naar haar dakkamertje kwam ze een van de snorrenvrienden van Nathan tegen. Hij mompelde iets over grammofoonplaten. Ze had niet anders verwacht en had haar antwoord klaar: 'Ten eerste haat ik muziek en ten tweede ben ik doof. Bovendien,' riep ze hem in het Nederlands achterna, 'heb ik voor m'n leven genoeg van mannen. Als ik in dit land blijf wonen, word ik moeder van een weeshuis.'

Voor de sederavond was Jardena uitgenodigd bij Daan en Malka Blumenthal die ze nog uit Nederland kende. Daan was een erudiet van de oude stempel. Hij kénde niet alleen Latijn en Grieks, maar sprák het ook. Hij had verstand van muziek en kunst, en kon met eindeloos geduld uitweiden over filosofische en geschiedkundige onderwerpen. Hij hield van Israël, hij hield van symboliek, hij hield van vertellen, hij hield van zijn kinderen, en bovenal hield hij van Malka, hetgeen de sfeer in huize Blumenthal buitengewoon ten goede kwam.

De sederavond bij Daan en Malka doorbrengen was een voorrecht. Malka, die behalve aan het verleden van het Joodse volk, ook aan de toekomst van haar gasten had gedacht, was op het lumineuze idee gekomen om Jardena, die ze gezellig Reinie bleef noemen, naast een aardige Nederlandse vrijgezel te plaatsen, zodat ze tijdens de maaltijd onbevangen konden kennismaken. Maar hoezeer Reinie ook haar best deed, ze zag wel dat hier nu eens een man was die haar nooit zou uitnodigen om naar zijn grammofoonplaten te komen luisteren, niet omdat hij geen belangstelling had voor muziek, maar omdat hij geen belangstelling had voor Reinie.

Op sederavond is het de bedoeling dat de leden van de oudere generatie met behulp van teksten uit de *Hagadah* de jongeren ervan doordringen 'dat wij slaven waren in Egypte, en dat God ons uit deze slavernij heeft bevrijd, en ons tot een vrij volk heeft gemaakt in ons eigen land'. Ontegenzeggelijk heeft deze geschiedenis na de holocaust en de herleving van Israël een nieuwe dimensie gekregen. In de Hagadah zelf wordt erop gewezen dat degenen die er het langst over doen om het boekje van begin tot eind te lezen, omdat ze er het meest bij uitleggen, het hoogst zullen worden geprezen, en Daan behoorde tot de allerprijzenswaardigsten.

Toen het gezelschap lang na middernacht opbrak, en Reinie afscheid nam van haar hartelijke gastheer en gastvrouw en van haar onverschillige tafelgenoot, zei ze langs haar neus weg: 'Stel je voor, ik heb een afspraak met een of andere schilder Van der Klad, om morgenochtend in alle vroegte in de dierentuin te gaan tekenen, maar ik zie al aankomen dat ik een gat in de dag slaap.'

'Hoe kun je dat zeggen!' riep de jongeman verontwaardigd uit. 'Als je als Nederlandse je afspraken niet nakomt, schaad je niet alleen je eigen reputatie, maar de reputatie van het gehele Nederlandse volk, om niet te zeggen van Nederland zelf.'

'Je kan me nog meer vertellen,' zei Reinie, maar gedurende de nacht veranderde ze geleidelijk van gedachte, en tegen de ochtend vond ze dat de brave patriot toch wel een beetje gelijk had. Klokslag acht stond ze op de afgesproken plaats.

Met schetsblok en potlood wandelden Nathan Baghdádi en Jardena Parland van kooi naar kooi. Er waren minder dieren dan in Artis, en hun verblijfplaatsen waren kleiner en minder schoon. Ook waren er geen keurig afgebakende paden, geen bloemperken en geen grasvelden. Wel waren er overal oude olijfbomen en vijgenbomen, waartussen de hokken en kooien maar zo'n beetje leken neergekwakt.

Het langst bleven ze staan bij Jimmy, een jonge orang-oetan die eenzaam in een kooi van drie bij drie meter zat te treuren. Zijn oersterke armen en diepbedroefde ogen wekten bij Jardena hartverscheurende herinneringen op aan Jossi, die zo slim de gelegenheid te baat had genomen om een eind aan zijn lijden te maken. Arme Jimmy. Zelfs die optie was voor hem niet weggelegd.

Tegen de middag vroeg Nathan: 'Ga je mee eten bij mijn ouders? Ze wonen in Machaneh-Yehoedah.'

'Machaneh-Yehoedah? Echt waar?' En Jardena vertelde in geuren en kleuren hoe ze bijna een jaar geleden door Machaneh-Yehoedah had gedwaald, op zoek naar de tent van haar vriendin Sara.

Het huis van Nathans ouders was bepaald geen tent. Jardena liep achter haar begeleider een smalle straat in. Via een gammele houten deur in een oude muur kwamen ze op een binnenplaats met een stenen trap, die kennelijk al door heel wat voeten was betreden. Elke tree was in het midden uitgesleten. Boven liep langs het hele complex een smal balkon waar meerdere deuren op uitkwamen. De eerste stond een eindje open. Zonder kloppen of bellen stapten ze naar binnen. De kamer waarin ze terechtkwamen werd bijna geheel in beslag genomen door een enorme tafel, met op een geblokt zeildoek een hoge stapel borden. Achter de tafel was een bed waarop iemand lag te slapen met een kussen op zijn hoofd. Zonder zich aan de slaper te storen, wenkte Nathan Jardena naar de volgende kamer. Die was veel groter dan de eerste. Hij had een gewelfd plafond en de vloer was belegd met roodbruine plavuizen waarvan minstens de helft gebroken of gebarsten was. Langs alle wanden stonden bedden en kasten, en op elk bed lag iemand te lezen of te slapen. Op een van de bedden lag Nathans moeder, op een ander een jonge vrouw met een baby aan de borst. Drie kinderen zaten op de grond en speelden met stukjes papier.

'Dit is Jardena,' zei Nathan, maar nog voor hij was uitgesproken, sprongen de drie kinderen zo wild in zijn armen dat hij bijna zijn evenwicht verloor. Toen hij zich met moeite van hen had bevrijd, boog hij zich over de jonge vrouw en de baby en gaf beiden een zoen. Met een schok realiseerde Jardena zich dat ze de ochtend had doorgebracht met een getrouwde man. Ze zag nu ook een ingelijste foto aan de muur van een soldaat en een meisje in mantelpak, ongetwijfeld een huwelijksfoto genomen in oorlogstijd. Zonder moeite herkende ze Nathan en de moeder van al dat grut als het bruidspaar.

'Een gewaarschuwde vrouw telt voor twee!' zei ze hardop in het Nederlands. Niemand vroeg wat ze bedoelde. Noch de jonge, noch de oude moeder scheen zich er iets van aan te trekken dat Nathan met een vreemde vrouw op stap was geweest.

De oude moeder, die door de kinderen *Savta* werd genoemd, kwam overeind en verdween door weer een andere deur. Een voor een kropen de broers van onder hun dekens en kussens vandaan. Kennelijk gingen ze ergens hun gezicht en handen wassen, want opgefrist maar nog niet helemaal droog kwamen ze vervolgens in hun hemd en op blote voeten aan tafel. Even later kwam Savta met een grote pan die ze er midden op zette. Op het deksel stond in duidelijke rode letters de naam van de familie: Baghdádi.

'Waar is dat voor?' vroeg Jardena nieuwsgierig, 'en waarom zit het deksel met een touw aan de pan vast?'

'Omdat het *chamien* is,' legde Nathans moeder uit. 'Alle buren brengen vóór het ingaan van een Shabbat of andere feestdag hun pan met bonen, rijst en vlees naar de bakkersoven beneden in de straat. Daar suddert al dat eten de hele nacht in de smeulende kolen, en 's morgens haalt ieder zijn eigen pan op. Dan heb je op Shabbat lekker gaar en warm eten, zonder dat je er vuur voor hoeft te maken. Kennen jullie dat niet in jouw land?'

Na een minuut of vijf kwam als laatste de heer des huizes op pantoffels en in pyjama te voorschijn. Ergens vandaan.

Jardena moest denken aan de eindeloze aanmerkingen op tafelmanieren die over haar waren uitgestort, elke keer dat ze als kind met het kleinste mankement aan haar uiterlijk aan tafel was verschenen. En nog wel op een hoogtijdag! Vergeleken bij het vormelijke gedoe in Amersfoort was dit bepaald een verademing. Bovendien was het eten verrukkelijk. Consuela Baghdádi sprak Frans met haar gast, Arabisch met haar zoons en Italiaans met haar schoondochter. De broers maakten grappen in het Hebreeuws. De vader sprak helemaal niet.

Na het eten maakte Nathan aanstalten om Jardena naar huis te begeleiden, maar ze reageerde kribbiger dan haar bedoeling was: ''t Is nu wel mooi geweest. Het wordt tijd dat je je eens met je vrouw en kinderen gaat bemoeien.'

Op slag barstte de hele familie in schateren uit. Vrouw en kinderen? Goeie grap! De vrouw en kinderen waren van Nathans broer, die door niets had laten blijken dat hij een speciale relatie met hen had.

'Kijk maar op de foto,' zei Consuela trots. 'Die hebben ze me uit Rome gestuurd. Uit de tijd van de Joodse Brigade. Ze waren allebei achttien!'

Nu pas zag Jardena dat de bruidegom weliswaar veel op haar nieuwe vriend leek, maar toch onmiskenbaar een jongere broer was.

De volgende dag vond ze een briefje op haar deur waarin Nathan vroeg of ze met hem mee wou gaan naar een toneelvoorstelling. Om zes uur ging ze in haar mooiste jurk nog even op bed liggen. Ze viel in slaap en droomde dat er iemand op de deur klopte, en dat ze een stem hoorde roepen: 'Word wakker. Hier is je bruidegom.'

De klop kwam van buiten, maar de stem kwam van binnen. De deur ging open en daar was Nathan.

Ze gingen naar de schouwburg, maar schonken geen van beiden veel aandacht aan wat zich op het toneel afspeelde. Nathan niet omdat hij aldoor naar Jardena keek, en Jardena niet omdat ze zich er voortdurend van bewust was dat, van opzij gezien, haar kin te kort en haar neus te puntig was.

Na afloop van het stuk bracht Nathan Jardena naar huis zoals het een heer betaamt, en bleef bij haar slapen zoals het een heer niet betaamt. De volgende ochtend vroeg hij: 'Zullen we trouwen?' en antwoordde Jardena: 'Ja.'

Toen ze die avond naast elkaar in een cafeetje zaten, overlegden ze hoeveel kinderen ze zouden krijgen.

'Veel,' zei Nathan.

'Meer,' zei Jardena.

'Afgesproken. Wanneer zullen we trouwen dan?'

'Volgende week?'

'Was dat maar mogelijk, maar we zitten midden in de *Omer*, dus we moeten tot *Shevoeot* wachten, tenzij we op *Lag baOmer* trouwen.'

'Omer, Lag baOmer? Wat is dat allemaal?'

‘In de veertig dagen tussen Pesach en Shevoeot worden geen baarden geschoren, geen haren geknipt en geen huwelijken gesloten. Alleen op de drieëndertigste dag van de omerperiode worden in het hele land vreugdevuren ontstoken ter ere van Rabbi Meir Ba’al Hanès, en op die dag kun je ook trouwen.’

‘Maar kunnen we dan niet voor de burgerlijke stand trouwen? Of zouden je ouders dat naar vinden?’

‘Mijn ouders? Geen idee. Maar ik hoef het ze niet voor te leggen, want het kan helemaal niet. In dit land wordt alles wat met trouwen en doodgaan te maken heeft door het rabbinaat geregeld.’

Merkwaardig land, dacht Jardena. Maar zolang we het over trouwen hebben, en niet over doodgaan, is het mij best.

Op weg naar het rabbinaat liepen ze Arnon tegen het lijf. Jardena’s hart klopte als een bezetene. Met moeite kreeg ze het voor elkaar om hem de hand te drukken en te mompelen: ‘Dit is Nathan. We zijn op weg naar het rabbinaat. We gaan trouwen.’

Arnon was zo zichtbaar geschokt door dit onverwachte nieuws, dat het Nathan wel moest opvallen. Voordat ze naar binnen gingen, vroeg hij: ‘Wie was die man?’

Jardena vertelde hem de waarheid.

Hoewel Nathan zelf meerdere vriendinnetjes had gehad, moest hij hier toch even over nadenken. Ten slotte vroeg hij: ‘Wat gebeurt er als je over tien of vijftien jaar op een andere man verliefd wordt?’

Nu was het Jardena’s beurt om even na te denken. Toen antwoordde ze: ‘Dan zal ik mezelf eraan herinneren dat ik jou heb beloofd dat we samen een gezin zouden opbouwen, en dan zal ik proberen me aan mijn belofte te houden.’

Wijs geworden door haar ervaring met Arnon, vroeg ze vervolgens of haar aanstaande echtgenoot een soortgelijke verklaring kon afleggen.

‘Nee,’ zei hij. ‘Het is ondenkbaar dat ik ooit van een andere vrouw meer zal houden dan van jou.’

Hand in hand liepen ze het rabbinaat binnen. Een beambte in de zwarte kledij van de ultraorthodoxen vroeg: ‘Bent u Joods?’

Wetende dat volgens de Joodse religie iedereen die een Joodse moeder heeft Joods is, antwoordde Jardena met overtuiging: ‘Ja.’

‘Wat zijn de Joodse namen van uw ouders?’ vroeg de beambte.

‘Mijn moeder heette Perle naar haar overgrootmoeder, en mijn vader was niet Joods.’ Onder de tafel schopte Nathan tegen haar scheenbeen, maar te laat. De man fronste zijn wenkbrauwen.

‘Heeft uw vader zich vóór zijn huwelijk tot het jodendom bekeerd?’

‘Nee.’

‘Dus uw moeder heeft zich laten dopen?’

‘Nee.’

De man trok aan zijn baard. ‘Ja hoor eens, dat kan niet. Of uw vader is Joods geworden, en uw ouders hebben een choepah gehad. In dat geval bent u Joods. Of uw moeder is tot het christendom overgegaan en ze zijn in een kerk getrouwd, en in dat geval bent u niet Joods. Het een of het ander.’

‘Geen van beiden.’

‘Onmogelijk.’

‘Toch is het zo. Ze zijn in het stadhuis getrouwd.’

‘In Bulgarije kan dat niet.’

‘Ja maar in Nederland kan het wel.’

‘Daar weet ik niets van, maar als u mij twee Joodse getuigen brengt die op de bruiloft van uw ouders aanwezig waren en uw verklaring bevestigen, ben ik bereid deze voor waar aan te nemen.’

Gebelgd riep Jardena uit: ‘Wat denkt u nou? Hoeveel Joden die op de bruiloft van mijn ouders hebben gedanst, kunnen volgens u de holocaust hebben overleefd?’

De beambte wierp zijn handen ten hemel en zweeg.

‘Wacht eens, ik weet er twee!’ riep Jardena triomfantelijk uit. ‘De gezusters Bavli. Emma en Adèle! En ze wonen nog in Jeruzalem ook.’

Maar de man schudde zijn pijpenkrullen. ‘Vrouwen tellen niet mee. Als u geen twee mannelijke getuigen kunt vinden, moet u zich tot het jodendom bekeren voordat u met een Jood kunt trouwen.’

‘Mij tot het jodendom bekeren! Maar ik ben Joods!’

‘Bewijs het dan maar.’

Om van de schrik te bekomen, liepen de twee gelieven café Alaska binnen. De eerste die Jardena daar zag zitten, was Delly Perath, die haar had voorgesteld aan de jonge psychiater die haar had voorgesteld aan de geneesheer-directeur die haar had aangenomen als tekenlerares in het psychiatrische ziekenhuis. In een paar woorden vertelde ze van het gesprek dat ze net op het rabbinaat hadden gevoerd, waarop een man die aan hetzelfde tafeltje zat als Delly in het Nederlands zei: 'Ik ben Andries Davids. Ik heb je moeders zuster, Roos, vroeger goed gekend. Mag ik je eerste getuige zijn?'

'Maar bent u dan op de bruiloft van mijn ouders geweest?'

Andries Davids knipoogde. 'Nou, niet precies, maar als je me aan de nodige details kunt helpen ..., datum, plaats ...'

Nog geen tien minuten nadat het toekomstige bruidspaar het rabbinaat had verlaten zonder enige hoop ooit de twee vereiste getuigen te vinden, kwamen ze al terug met nummer één. Als de beambte verbaasd was, liet hij het niet merken. Wel vroeg hij de heer Davids hoe het kwam dat hij zich de details van de bruiloft zo goed herinnerde, en Andries Davids, voor geen kleintje vervaard, flanste een ingewikkeld verhaal in elkaar over twee bruiloften op dezelfde dag, de ene in Delft, de andere in Amsterdam, en hoe hij amper de tijd had gehad van het ene stadhuis naar het andere te reizen. Kortom, een dag om nooit te vergeten, en er kwam geen kerk aan te pas. De beambte accepteerde het verhaal.

Maar hoe nu aan een tweede getuige te komen?

'Geen probleem,' zei Andries Davids. 'We bellen Leib de Leeuw op en vragen hem te komen verklaren dat ik bekendsta als rechtschapen Jood, en dat hij voor de waarheid van mijn verklaring instaat.'

Wat Jardena en Andries Davids geen van beiden wisten, en wat Jardena pas in 1996 zou vernemen, was dat er in Israël wel degelijk een man woonde die op de bruiloft van haar ouders was geweest en die zich heel goed herinnerde dat dat niet in een kerk was geweest.

Maar in 1957 had Jardena nog nooit van deze authentieke getuige gehoord, en het was dankzij de list van Andries Davids en de overtuigingskracht van Leib de Leeuw dat ze zonder verdere strubbelingen in het huwelijk kon treden.

De datum van de bruiloft werd bepaald op Lag baOmer, drieëndertig dagen na Pesach, en zesendertig dagen na de opening van de lentetentoonstelling in het Kunstenaarshuis. Nathans ouders waren zo gelukkig dat hun oudste zoon eindelijk ging trouwen dat ze het jonge paar twee kamers in hun eigen huis aanboden. Nathan transformeerde twee derde van een balkon in een onmogelijk klein keukentje en het overige deel in een douchehokje.

Jardena vroeg Mirjam de Leeuw om haar onder het huwelijksbaldakijn te leiden, en Leib om als getuige haar huwelijkscontract te ondertekenen. Beiden waren gevleid en dankbaar voor de eer, maar maakten duidelijk dat ze onmiddellijk na de plechtigheid zouden vertrekken omdat Lag baOmer voor hen geen feestdag kon zijn. Hun enige zoon Amos was in 1952 op die dag om het leven gekomen toen hij als officier in het Israëlische leger vrijwillig op zich had genomen om een bom te ontmantelen.

'Dan verzetten we de bruiloft,' besliste Jardena spontaan. 'We stellen hem uit tot na de Omer.'

Aanvankelijk wou Nathans moeder van geen uitstel weten. Ze was bang voor het boze oog. Maar toen Jardena haar besluit toelichtte, vond Consuela dat haar aanstaande schoondochter gelijk had. En met een knipoog voegde ze eraan toe: 'Je bent een kei als je Nathan weet te overtuigen. Die jongen is geboren met een onuitroeibare *esprit de contradiction.*'

Toen de papieren in orde waren, en de nieuwe datum voor de bruiloft was vastgesteld op de eerste dag na het wekenfeest, schreef de gelukkige bruidegom in het Frans aan Jan Vreeland: 'Lieve schoonvader, Ik heb de eer u om de hand van uw dochter te vragen. We trouwen volgende week. Uw liefhebbende zoon, Nathan.'

En Jardena schreef in een collectieve brief naar huis: 'Mijn aanstaande schoonmoeder, een kleine pittige zwartogige vrouw die Consuela heet, is aan het eind van de negentiende eeuw geboren in Alexandrië waar haar vader rabbijn was. Ze heeft me verteld dat ze voor Izak Baghdádi viel, omdat hij lang en blond was en blauwe ogen had, en ook omdat hij een huis bezat in Jeruzalem. Izak en Consuela kregen een heleboel kinderen, die allemaal donkere ogen hebben, behalve één, en dat is degene met wie ik ga trouwen. Zo verspeel ik volgens Mendel mijn kans om zelf ooit een kind met zwarte ogen te krijgen. Jammer, maar niks aan te doen. Mijn aanstaande man kreeg het een week geleden in zijn hoofd om zijn naam te veranderen, omdat hij tenslotte niet uit Bagdad komt maar uit Jeruzalem. Mijn schoonouders heten Baghdádi, maar Nathan en sommige leden van zijn talrijke familie heten nu plotseling Jerushalmi, en dat wordt dus binnenkort ook mijn achternaam.'

Haar vader antwoordde: 'Gefeliciteerd, mijn dochter, ik vertrouw op je keuze.'

Zijn ongetrouwde zuster Kee schreef: 'Weet wat je doet, kind! Zo'n Levantijnse man, dat wordt ieder jaar een kind.'
'Hoe meer hoe beter,' schreef Jardena uitdagend terug.

* * *

Aangezien een religieus huwelijk de enige mogelijkheid was, en Jardena dat ook best vond, was het onvermijdelijk dat ze van tevoren naar een ritueel bad ging, en van de opzichtster of *rabbanit* een bewijsje voor de rabbijn kreeg dat alles naar wens was verlopen. Zo'n briefje moest hem op discrete manier vóór de huwelijksinzegening worden toegestopt, zo mogelijk door de moeder van de bruid, of anders door de moeder van de bruidegom. Sommige moderne vrouwen vonden de procedure vernederend. Een verpleegster op Jardena's werk fluisterde haar in het oor dat sommige rabbijnen veel liever een enveloppe met een ander soort inhoud ontvingen dan een briefje van de rabbanit, maar dat kon Jardena zich niet voorstellen. Bovendien vond ze het weerzinwekkender om een rabbijn om te kopen dan om een eeuwenoud ritueel te ondergaan. Daar kwam nog bij dat ze benieuwd was hoe het in zo'n *mikve* toeging. Er bleek er een te zijn in het straatje achter het huis van de familie Baghdádi. Vrome getrouwde vrouwen gingen daar na iedere menstruatie naar toe. Zij hoefden hun komst niet van tevoren te melden. Maar voor Jardena had Consuela een afspraak gemaakt, zodat de grootste en mooiste badkamer tot beschikking stond van de aanstaande bruid. Het werd een belevenis om nooit te vergeten.

Consuela en Jardena poedelden wel een uur in een overvloed aan warm water, borstelden elkaars ruggen en voetzolen, wasten elkaars haar en knipten elkaars nagels. Na een tijdje kwam de rabbanit binnen om de reinheidsgraad van Jardena's oren, tenen, tanden en navel te inspecteren. Toen die geheel naar tevredenheid was, en er geen plukje of pluisje meer aan de aanstaande bruid kleefde, nodigde ze Jardena uit om de paar treetjes af te dalen die leidden naar een betegeld, anderhalve meter diep bad, gevuld met een mengsel van bron- en kraanwater. Dit nu was het mikve, en daarin moest Jardena driemaal kopje onder gaan. Er mocht geen haar boven water blijven, en ze moest haar mond en ogen openhouden, zodat iedere millimeter van haar lichaam in contact kon komen met het rituele water. Driemaal sprak de rabbanit een zegenspreuk uit, en driemaal sprak Jardena deze na.

Daarna riep de rabbanit: 'Kosher, kosher, kosher', en onmiddellijk joelden en juichten alle vrouwen die zich in het gebouw bevonden, en die waren toegestroomd om mee te genieten. Consuela strooide met snoepjes, en iedereen klapte in de handen en riep: 'Mazal tov, gefeliciteerd, en moge je spoedig een zoon baren, dan komen we allemaal op de besnijdenis.'

De bruiloft vond plaats in het huis van Nathans ouders. 's Morgens leende Izak Baghdádi een huwelijksbaldakijn van een van de vele kleine synagoges in de buurt. De bruidegom en zijn broers kochten fruit, koekjes en limonade, huurden borden, glazen en stoelen, en veranderden de grote kamer in een trouwzaal. De bruid hield zich bezig met het vermaken van een zwarte kanten jurk die haar aanstaande schoonmoeder uit de mottenballen had gehaald, maar die haar sinds de vorige feestelijke gelegenheid niet meer helemaal paste. Voor Jardena zelf hing een lichtblauwe jurk van organdie van haar schoonzuster klaar. Veel liever was ze in haar eigen kleren getrouwd, maar tegen Nathans zuster kon niemand op.

En toen brak er ruzie uit.

Consuela had dagen tevoren een taart besteld met erbovenop een kleine bruid en bruidegom van celluloid. Nathan vond de taart belachelijk en de poppetjes burgerlijk. Jardena was het daar wel mee eens, maar vond het nog belachelijker en burgerlijker om ruzie te maken over een paar poppetjes. Toen haar aanstaande echtgenoot weigerde naar haar te luisteren, zei ze: 'Als de poppetjes belangrijker zijn dan de bruid, is het niet te laat om van het huwelijk af te zien.' Om haar standpunt kracht bij te zetten, vertelde ze haar vaders beruchte verhaal over het bruidspaar dat naar de kerk schreed, waarbij de bruidegom per ongeluk op de sleep van de bruid trapte. Woedend schold ze hem uit. Hij zei geen woord. Maar toen de dominee vroeg: 'Wilt u mejuffrouw zo-en-zo tot vrouw nemen,' antwoordde hij luid en duidelijk: 'Nee!'

Consuela smeekte haar aanstaande schoondochter om het boze oog niet te tarten. De bruidegom verloor zijn belangstelling voor de taart, en de poppetjes bleven waar ze waren.

Om vier uur kwamen de eerste gasten. Van de kant van de bruid was er een klein aantal vrienden, onder wie de Argentijnse Sara, die ze tot haar grote vreugde een paar dagen voor de trouwdag op straat was tegengekomen. Van de kant van de bruidegom waren er zijn vele broers en zijn ene zuster met hun kinderen, een oom uit Be'er sheva, en een aantal vrienden van de universiteit, waar Nathan een baan had als tekenaar van landkaarten en bodemprofielen.

Een zeer opvallende niet-gast was de overbuurvrouw, nicht Pua. Tien dagen voor de bruiloft had zij een zoon gebaard, en het was haar vaste overtuiging dat geen bruid ooit zwanger kon worden als een kraamvrouw op haar bruiloft aanwezig was. Ze stond aan haar open raam met haar zoon aan de borst en keek toe hoe de gasten de trap op de binnenplaats op kwamen. Tussen twee voedingen vond ze tijd om naar het postkantoor te rennen en een gelukstelegram te sturen. De rest van de middag bleef ze de gasten vanuit haar raam toeroepen, om zich ervan te vergewissen of het bruidspaar het wel had ontvangen.

Een imposante dame arriveerde met een al even imposante tweearmige shabbatkandelaar van geglazuurd zeegroen aardewerk. Zonder de bruid ook maar een blik waardig te gunnen, viel ze Nathan om de hals, waarbij het Jardena opviel dat de gast minstens een half hoofd groter was dan de toch bepaald niet kleine gastheer. 'Nathoesh,' riep de dame uit, 'erzähl doch aan je broid dat waj elkaar al kenden, lang voordat zaj op het toneel verschgain!'

'Waar het om gaat,' beet Jardena de indringster venijnig toe, 'is niet wie "Nathoesh" eerder gekant hat, maar wie hij zal blajven kennen tot de dood uns schaidt.' De gasten waren met stomheid geslagen, maar Consuela kon haar lachen niet houden.

Jardena had nog nooit een Joodse bruiloft meegemaakt, en ze vond het dan ook heel gewoon dat de ceremonie anders verliep dan bij de burgerlijke stand in Nederland. Ook vond ze het heel gewoon om niet in zo'n gehuurde witte verkleedjurk te trouwen. Daarentegen kon ze zich geen bruid zonder bruidsboeket voorstellen. Toen de rabbijn binnenkwam en Nathan haar nog steeds geen bloemen had overhandigd, besloot ze hem eraan te herinneren. Al begreep Nathan niet wat ze precies op het oog had, hij wou zijn bruid natuurlijk graag tevredenstellen. Hij vroeg daarom aan een van zijn broers om snel ergens bloemen te gaan kopen. De broer vroeg aan de fotograaf of hij hem achter op zijn motorfiets de stad in wou rijden. Rabbi Shlush, een piepkleine Marokkaan gehuld in een witte wollen mantel, begon zonder zich aan iemand te storen met het mummelen van het huwelijkscontract, dat tot overmaat van ramp grotendeels in het Aramees was. Zonder duidelijke aanleiding kreeg Jardena een slokje wijn te drinken. Daarna moest ze haar rechterwijsvinger uitsteken en schoof Nathan er een ring aan, waarbij hij in duidelijk Hebreeuws verklaarde: 'Hierdoor ben je aan mij gewijd.'

Niemand vroeg de bruid of ze daarmee instemde, laat staan of ze de bruidegom ook met een ring aan zichzelf wou wijden. Opeens legde iemand een glas op de grond en trapte Nathan het zonder enig gewetensbezwaar en tot grote vreugde van alle aanwezigen aan scherven. Vervolgens bekogelden de gasten het jonge paar met rijstkorrels, en stootten Consuela en haar vriendinnen jubel- en jodelkreten uit zoals alleen vrouwen uit oosterse landen dat kunnen. Iedereen omhelsde iedereen uitbundig. 'Mazal tov, mazal tov.'

Toen de rabbijn was vertrokken, kwamen de broer en de fotograaf terug met een bos rode gladiolen gewikkeld in krantenpapier. De fotograaf was teleurgesteld. Hij vroeg het bruidspaar opnieuw onder het baldakijn plaats te nemen, om toch nog wat plaatjes te kunnen schieten van het officiële gedeelte, dan maar niet authentiek. Op dat moment zag Consuela haar kans schoon. Behendig schoof ze het tafeltje met de controversiële taart voor het voetlicht, waardoor, zoals later zou blijken, op het merendeel van de bruidsfoto's haar celluloid poppetjes de hoofdrol speelden.

Om zes uur vertrokken de laatste gasten onder geroep en gewuif van nicht Pua die nog steeds uit het raam hing. Alleen een paar broers van de bruidegom en de Argentijnse Sara bleven om nog wat na te praten en de cadeaus te bewonderen. Dreigend spreidde de gigantische kandelaar zijn zeegroene armen uit over zijn bescheiden mede-cadeautjes. Had die lange trut werkelijk gedacht dat Jardena haar kandelaar ooit zou gebruiken voor het inwijden van de Shabbat? Ze tilde het opdringerige voorwerp van tafel, en liet het triomfantelijk uit haar handen vallen. Een ogenblik was het gezelschap doodstil.

'Bravo,' riep Consuela.

'Laat maar liggen,' zeiden Jardena's kersverse zwagers. 'Wij ruimen de boel wel op. Gaan jullie nu de vader van Jardena opbellen.'

Makkelijker gezegd dan gedaan. Eerst duurde het een uur voordat de pasgehuwden een postkantoor hadden gevonden dat nog open was, daarna duurde het nog twee uur voordat er verbinding met Nederland kon worden gemaakt. Toen Jardena de stem van haar vader hoorde, barstte ze in een niet te stelpen huilbui uit – maar niet van verdriet, verzekerde ze hem wel driemaal achter elkaar.

* * *

Op de ochtend na de bruiloft ging Jardena naar de markt om voor het geld dat ze hadden gekregen een paar aluminium pannen te kopen. Maar wat hing daar opzij van de marktkraam? Een beeldig blauw emmertje van plastic met een wit deksel. Zo mooi! En zo handig! De verkoper legde uit dat je het gewoon onder de kraan kon afspoelen. 'Roest niet, breekt niet, je kunt het voor warm en voor koud water gebruiken. Ideaal voor de was of om de vloer te dweilen. Het modernste van het modernste. Regelrecht uit Amerika.'

Al beet de prijs van het wonderemmertje een flinke hap uit haar fortuin, Jardena was er zo verrukt van dat ze het niet kon laten hangen. Ze zou zich die aanschaf in later jaren iedere keer herinneren als ze bij aankoop van een kilo waspoeder precies zo'n emmertje cadeau kreeg.

Thuisgekomen van de markt, sloeg ze een paar spijkers in de muur van haar keukentje om de pollepels te kunnen ophangen. Terwijl ze bezig was, merkte ze dat er iemand achter haar stond. Ze keek over haar schouder en zag Nathans vader, die sprakeloos stond te kijken wat zijn schoondochter uitvoerde. Na een tijdje bracht hij hoofdschuddend uit: 'Ik had nooit gedacht dat mijn zoon met een timmerman zou trouwen.'

Jardena begon haar leven als getrouwde vrouw met het vaste voornemen om het haar man zo gezellig mogelijk te maken. Lekker koken en het huis schoonhouden leken haar essentiële voorwaarden daartoe, en ze vervulde die taken dan ook met grote toewijding. Op haar dagelijkse tochten naar de markt kwam ze geregeld nicht Pua tegen, die nog steeds bezorgd was dat zij als kraamvrouw Jardena's kansen om zwanger te worden in de weg stond. Gelukkig kende ze niet alleen de kwaal maar ook de remedie. Die bestond uit het uitwisselen van geschenken, elke keer dat de kraamvrouw en de pasgehuwde elkaar tegenkwamen. Zelfs Consuela, die beweerde niet bijgelovig te zijn, vond het verstandiger om het zekere voor het onzekere te nemen. Ze raadde Jardena dan ook dringend aan altijd een speld op haar kraag te dragen, zodat ze nooit om een geschenkje voor Pua verlegen hoefde te zitten. Toen Jardena weigerde zich iets van het boze oog aan te trekken, speelden Pua en Consuela onder één hoedje. Pua ging het huis niet meer uit zonder twee spelden op haar kraag. Bij iedere ontmoeting gaf ze beide spelden aan Jardena, waarna ze haar vriendelijk verzocht er één van terug te geven. Zo was er toch een uitwisseling van geschenken.

Twee weken na de bruiloft stuurde Mirjam de Leeuw een briefkaartje van mevrouw Van Vlaardingen door naar het huis van de Baghdádi's en de Jerushalmi's, waarin deze Jardena verzocht langs te komen om een cadeau in ontvangst te nemen. Blij dat haar vroegere werkgeefster de ruzie blijkbaar wou bijleggen, belde Jardena vol verwachting bij mevrouw Van Vlaardingen aan. Ze deed zelf open.

'Wacht maar even,' zei ze. 'Ik kom zo terug.'

Verbaasd dat ze niet werd uitgenodigd binnen te komen, bleef Jardena op de stoep staan. Na een paar minuten kwam de vrouw van de secretaris van de Nederlandse ambassadeur in Jeruzalem terug met een paar oude regenlaarzen die ze Jardena overhandigde met de woorden: 'Deze heb ik niet meer nodig. Ik heb vorige week nieuwe gekocht.'

Het was de laatste keer dat Jardena mevrouw Van Vlaardingen zag. Ze zou zich haar leven lang niet vergeven dat ze het geschenk niet op de stoep had laten staan.

In juli kreeg Nathans zuster een dochter. Aangezien Nathans ouders al vijf kleinzoons hadden, dacht Jardena dat Consuela verguld zou zijn met deze vrouwelijke telg aan haar stamboom, maar het omgekeerde was het geval. Meisjes waren en bleven nu eenmaal tweede keus. Woedend riep Jardena uit: 'Daar zul je voor boeten. Van mij kunnen jullie veertien meisjes verwachten en niets anders.'

Dodelijk geschrokken trok de arme schoonmoeder zich de haren uit het hoofd. Ze had niet verwacht dat een intelligente Europese vrouw zichzelf zo'n vloek op de hals zou halen. Een week nadat Jardena haar overmoedige profetie had uitgesproken, werd ze ongesteld. Uit teleurstelling gingen de jonggehuwden bijna in de rouw. Ze hadden meer dan genoeg jongens- en meisjesnamen bedacht, ook voor tweelingen en drielingen, en nu dit! De toestand leek dan wel onrustbarend, maar het zou Jardena's laatste ongesteldheid in jaren zijn.

In augustus namen Nathan en Jardena beiden drie maanden onbetaald verlof. Ze gingen per trein naar Haifa, voeren naar Marseille, en vervolgden vandaar hun reis per trein naar Parijs, waar ze een paar dagen logeerden bij de zuster van Consuela.

Tante Jeanette, een weduwe die met twee volwassen dochters en een jongetje van elf in een pietepeuterig eenkamerflatje woonde, had een laken dwars door de kamer gespannen, om op die manier het jonggetrouwde stel de gelegenheid te geven zich zo nu en dan af te zonderen. Moeder en zoon sliepen aan de andere kant van het laken. De dochters hadden hun matrassen in de keuken gelegd. Jardena was diep onder de indruk van de manier waarop de leden van haar nieuwe familie zich wisten te behelpen met het weinige dat ze hadden. Ze zou zich later vaak dwingen een voorbeeld te nemen aan dit grondbeginsel van oosterse gastvrijheid.

In Amersfoort stond de hele familie Vreeland klaar voor een uitbundige ontvangst. Toen Reinie haar echtgenoot aan haar zusters voorstelde, hielden ze bij hoog en bij laag vol dat hij precies op Arnon leek. Ook de tantes maakten opmerkingen in die richting. Reinie ergerde zich daaraan. Keken ze dan niet verder dan de donkere krullen en de bril?

* * *

Op een avond had de familie Vreeland gasten voor het avondeten. De beste borden en het Leerdammer kristal stonden uitgestald op een spierwit damasten tafellaken. Het geheel werd beschenen door licht uit een grote matglazen lamp die aan het plafond hing.

Als nagerecht at men kersen. Zonder enige aanleiding en zeker zonder enige kwade bedoeling, spuugde Nathan onverhoeds een kersenpit nauwkeurig in de lamp, die blijkbaar op hem werkte als de maan op een slaapwandelaar. Niemand verroerde een vin. Niemand sprak een woord. De tijd stond stil.

Er moest iets gebeuren en wel onmiddellijk. En er gebeurde iets. De heer des huizes had het moment van collectieve verbijstering benut om een kers in zijn mond te nemen, en verbrak nu de spanning door ook zijn pit in een sierlijke boog naar de lamp te spugen. Helaas, de pit kaatste terug en veroorzaakte een rode vlek op het witte tafelkleed. Pandemonium. Met uitzondering van tante Kee en tante Mies spuugde iedereen om het hardst pitten naar de lamp. Niemand kon Nathan evenaren. Hij werd dan ook met algemene stemmen uitgeroepen tot Kampioen Pittenspuger van Nederland. Maar de ware held van de dag was ongetwijfeld Jan Vreeland.

Oktober kwam en het afscheid van de familie in Nederland kostte de nodige tranen. In plaats van regelrecht naar Napels te rijden en daar op de boot naar Israël te stappen, reisde het tweetal eerst nog een paar weken door West-Europa.

Onderweg hoorden ze dat de Russen de Amerikanen de loef hadden afgestoken door als eersten een ruimtevaartuig te lanceren. Het mirakel heette Sputnik en was volgens de berichten kogelrond.

Ondanks de zware mist stapten Jardena en Nathan in de kabelbaan die hen naar de top van de Jungfrau bracht. Daar aangekomen zagen ze absoluut niets van wat hun als schitterend uitzicht was voorgespiegeld, dus lieten ze zich met de volgende cabine weer naar de bewoonde wereld brengen.

In de trein naar Zürich kreeg Jardena de schrik van haar leven toen Nathan de route bestudeerde en volhield dat noord en zuid van richting veranderden als je de kaart op z'n kop hield. O hemel, dacht ze in paniek. Als hij zo gek is, heb ik misschien wel een onherstelbare fout begaan door mijn toekomst aan de zijne te koppelen. Even later realiseerde ze zich dat haar arme man gloeide van de koorts en dat hij ijlde. In het hotel in Zürich liet ze een arts komen, die een gemene longontsteking constateerde.

'Wees maar niet bang,' zei hij met een geruststellend klopje op Jardena's rug: 'We hebben tegenwoordig een wondermiddel. Het heet penicilline, en het zal je man binnen een week weer kerngezond maken.'

De zeven dagen die Nathan en Jardena in het hotel doorbrachten, kostten hun een flink deel van hun reisgeld, maar toch trokken ze daarna nog een aantal weken per bus of trein en grotendeels zelfs liftend door Frankrijk, Spanje en Italië, zonder zich ooit af te vragen of dat wel verstandig was in verband met Nathans longen en Jardena's veelbelovend groeiende buik.

1958

Zelfs toen Jardena al zeven maanden zwanger was, bleven zij en Nathan aan één stuk door vergeten dat ze zich een beetje moest ontzien. Op een dag wilden ze de bus nemen. Ze zagen hem al aankomen en holden hand in hand zo hard naar de halte, dat ze vielen en schaterend op straat lagen te spartelen. Voorbijgangers schoten te hulp, maar Nathan en Jardena konden van de slappe lach niet overeind komen.

'Wat is er zo geestig, halve gare?' riep een toeschouwer geërgerd. 'Weet je soms niet dat je zwanger bent?'

Consuela deed al het mogelijke om het de aanstaande moeder naar de zin te maken. In het algemeen waardeerde Jardena dat, maar soms werd het haar te gortig. Bijvoorbeeld als haar schoonmoeder haar dwong om alles wat in huis werd gekookt, gebakken of gebraden te proeven. Anders zou de ongeboren baby, aangetrokken door de geur van vis of vlees, misschien alvast naar buiten komen. Ongelukkigerwijs kon Jardena juist tijdens haar zwangerschap geen braadlucht verdragen, en dat leidde soms tot onenigheid. Enig respijt van haar schoonmoeders onverdeelde aandacht kreeg ze toen Nathans broer Moshe, die politieagent was, met een hoofdwond werd thuisgebracht. Er was in een niet-vrome buurt van Jeruzalem een gemengd zwembad geopend, en de orthodoxen waren er in drommen heen getrokken om tegen de sodomie te demonstreren. Ze hadden met stenen gegooid en Moshe was geraakt. Consuela Baghdádi was blij dat het zwembad openbleef, niet omdat ze van plan was te gaan zwemmen, maar omdat de agressors van haar zoon op die manier hun verdiende loon kregen. En toen ook nog bleek dat de wond goed herstelde, wijdde ze zich weer met verdubbelde energie aan de goede afloop van Jardena's zwangerschap. Ze vertelde keer op keer hoe een zwangere buurvrouw in Alexandrië haar man vergeefs om een keukentafel had gesmeekt, en toen uit puur verlangen naar het geweigerde meubelstuk, een kind baarde in de vorm van een keukentafel. Nee, ze had de baby niet met eigen ogen aanschouwd, maar ze had het verhaal uit betrouwbare bron vernomen.

Op een vrijdagavond, na een maaltijd bij haar schoonouders, waarbij dit verhaal en andere van hetzelfde genre weer eens waren verteld, ging Jardena onder de douche om daarna knus bij haar man in bed te kruipen. Ze deden wat ze nu eenmaal graag deden, maar alras klaagde Nathan: 'Ik weet niet wat het is. Ik kom er niet in.'

'Maakt niet uit,' suste Jardena. 'Je probeert het zo dadelijk gewoon nog een keer.'

Ze waren net in elkaars armen in slaap gedommeld, toen ze tegelijk wakker werden van een geweldige en ongebruikelijk soort bons in Jardena's buik. Jardena begon zo verschrikkelijk te klappertanden dat Nathan haar iets te drinken bracht. Ze kwam weer tot rust, maar voelde zich nog een beetje bibberig. Na een tweede hevige bons besloot het tweetal toch maar eens richting Profetenstraat te wandelen, waar het Hadassaziekenhuis was. Daar aangekomen voelde Jardena zich weer prima. Waarom zou ze het ziekenhuis dan binnengaan? Er was geen enkele reden voor. Ze kuierden terug naar huis, maar net toen ze hun eigen straat in wilden slaan, was er alweer een bons. Ze liepen terug naar de Profetenstraat. Weer niets aan de hand. Jardena had geen zin om voor schut te staan, dus wandelden ze terug. Zo bleven ze heen en weer lopen totdat de baby eindelijk zijn bons synchroniseerde met de aankomst bij het ziekenhuis, en op die manier zijn besluiteloze ouders ertoe bewoog toch maar naar binnen te gaan.

Achter witte gordijnen jammerden, jankten en zuchtten vrouwen. Sommigen riepen huilend om hun moeder. Een hese stem riep alsmaar: 'Dit is de laatste keer dat je me hebt aangeraakt met dat schunnig stuk speelgoed van je.' Het was de stem van de vrouw van de kruidenier, die in de komende jaren nog minstens een half dozijn kinderen ter wereld zou brengen.

De vroedvrouw was een indrukwekkend mens met een rood gezicht en een ruwe stem. Ze stelde zich voor als mevrouw Fleischauer, en was het levende bewijs dat namen invloed kunnen hebben op hun dragers. Ze onderzocht Jardena en zei: 'Wat voel je?'

'Niets. Ik haat mijn man niet, en ik verlang ook niet naar mijn moeder.'

'Des te beter. Moeders kunnen we hier niet gebruiken. Je bent groot genoeg om zonder haar een kind ter wereld te brengen.'

'Ik wil naar huis.'

'Komt niks van in. Maar stuur je man maar weg. Mannen zijn hier ook niet gewenst.'

'Denkt u dat het kindje vannacht wordt geboren?'

'Tijd genoeg. Je man moet gewoon naar bed gaan. Vóór morgenochtend is er geen vuiltje aan de lucht. Ga nu maar liggen, dan scheren we eerst je schaamhaar af.'

Ondanks de veertien kleindochters die haar te wachten stonden, had Consuela althans voor deze keer een zoon voorspeld, zich daarbij baserend op Jardena's bolle buik en haar nauwelijks gegroeide billen. Of het nu een jongetje of een meisje zou blijken te zijn, het enige wat Jardena vurig hoopte was dat haar baby twee handen zou hebben om vrienden mee vast te houden, en twee voeten om vijanden van zich af te schoppen, twee ogen om de wereld in te kijken, en een mond om mee te lachen. Na het scheren kreeg Jardena een lavement, en toen dat achter de rug was, kotste ze over mevrouw Fleischauers witte schort. Zelf bleef ze gespaard voor het minste spatje, maar Fleischauer riep boos: 'Doe je kleren uit en ga onder de douche.'

'Waarom?'

'Reglement. Vooruit.'

'Maar ik ben net thuis onder de douche geweest.'

'Dan ga je nog maar een keer.'

Nauwelijks voelde Jardena het warme water over haar dikke buik stromen, of ze kreeg alweer een geweldige stomp vanbinnen. Deze keer was het menens. Een nat zwart ding verscheen tussen haar benen.

'Help!' schreeuwde ze met meer overtuiging dan de vrouw van de kruidenier.

'Koest,' riep Fleischauer uit de verte. 'Je hebt nog minstens tien uur de tijd. Spaar je energie.'

Maar Jardena was zich te pletter geschrokken. Het zwarte ding puilde nu zo ver naar buiten, dat ze duidelijk kon zien hoe het van opzij afgeplat was en in een gekke punt uitliep. Het leek in niets, maar dan ook in helemaal niets op het roze hoofdje van een pasgeboren baby zoals ze zich dat voorstelde. Er moest iets heel erg mis zijn. Wijdbeens, piedelpoedelnaakt, en kletsnat waggelde ze het douchehokje uit, de vroedvrouw tegemoet.

'Ben je gek geworden?' riep mevrouw Fleischauer, en haar stem sloeg over. 'Wat denk je wel? Zo dadelijk valt het kind nog op de tegels. Hier iedereen! Alle hens aan dek!'

Als kannibalen die zich verdekt hadden opgesteld om de naïeve reiziger bij verrassing te overvallen, rende een troep verplegers en medisch studenten op Jardena af. Twee pakten haar bij de armen, twee anderen bij de benen, en terwijl ze haar in horizontale houding als een plank de verloskamer in droegen, schreeuwden ze door elkaar:

'Stil.'

'Voorzichtig!'

'Schiet op!'

'Langzaam!'

'Niet zo ruw!'

'Ademhalen!'

'Niet persen!'

'Je doet je best niet!'

'Ontspan!'

'Ontspan!'

'Ontspan!'

In de verloskamer kwakten ze Jardena pardoes op een tafel.

'Nu persen!'

'Als al die mannen erbij mogen zijn, wil ik dat iemand de mijne gaat halen,' protesteerde Jardena.

'Je man,' zei mevrouw Fleischauer. 'Dat mankeert er nog aan. Mannen in de verloskamer!'

Jardena tilde haar hoofd op en probeerde tussen haar benen te kijken.

'Liggen blijven,' schreeuwde een broeder. 'Moet je soms doodbloeden?'

'Maar ik wil zien hoe de baby geboren wordt.'

'Gaat je niets aan. Doe wat ik zeg.'

Op dat moment hoorde Jardena een hartbrekende, een hemeltergende gil. Hij kwam uit haar eigen keel. En daar was haar dochter, voor altijd uit het moederlichaam bevrijd.

Ze woog zes pond en werd onmiddellijk weggevoerd van Jardena, die toegesnauwd kreeg dat ze plat moest blijven liggen en geen vin mocht verroeren. Temidden van al deze hardhandigheid was er één lichtpuntje, en dat zou Jardena dan ook haar leven lang niet vergeten. Het was de sterke zoete thee die een verpleegster haar aanbood en die ze dronk door het tuitje van een wit stenen potje. Geen van Jardena's andere kinderen zou op zo'n gewelddadige manier ter wereld komen. Maar geen enkele drank zou ooit de zoetheid van die eerste slok thee na haar eerste bevalling evenaren.

Nathan, die 's morgens in alle vroegte al voor de deur van het ziekenhuis stond, kreeg te horen dat hij een dochter had, maar moeder en dochter zien? Ho maar! Izak en Consuela hadden 's nachts niets gemerkt, en toen hun zoon vertelde dat hij een dochter had, geloofden ze hem eerst niet. Dat had hij kunnen verwachten, gezien zijn gewoonte om altijd iedereen in de maling te nemen. Toen doordrong dat hij nu eens de waarheid zei, hield Izak bij wijze van horentjes zijn twee wijsvingers boven z'n hoofd, alsof het krijgen van een dochter gelijkstond met door je vrouw bedrogen zijn. Nathans broer, zelf vader van vier zoons, bracht hem een wortel en zei: 'Volgende keer meer succes.'

Intussen smeekte Jardena iedere verpleegster die langskwam om haar de baby te brengen. Het antwoord was steevast: 'Waarom zo'n haast? Je hebt toch nog geen melk. Je krijgt je kind heus wel.'

Het was avond toen haar smeekbeden eindelijk werden verhoord. Haar dochter was van top tot teen in een flanellen doek gewikkeld. Het hoofdje stak er als een knikker bovenuit, en zelfs dat was tot over de ogen bedekt door een muts, zodat er nauwelijks iets van een gezicht te zien was. Bovendien wou de verpleegster het witte bundeltje niet uit handen geven, waardoor Jardena in haar overtuiging werd gesterkt dat er iets essentieels aan haar kind mankeerde, en dat niemand haar de waarheid durfde te vertellen. Toen de verpleegster weer met het pakketje was vertrokken, zette de jonge moeder het op een brullen. Er kwam geen eind aan. Alle ambulante vrouwen van de kraamzaal kwamen om haar bed staan. 'Trek het je maar niet aan, dat het een meisje is', was hun raad. 'Volgende keer wordt het een jongetje. Dan is alles weer goed.'

De enige die dolblij was met zijn dochter was de jonge vader. Evenals de volgende dag de jonge moeder natuurlijk, toen ze eindelijk haar kindje aan de borst mocht leggen en constateerde dat alles erop en eraan zat.

Hoewel of misschien juist omdat Jardena weigerde waarde te hechten aan alle bijgelovige handelingen van haar buren, had ze het vaak moeilijk met hen. Alle vrouwen uit de buurt voelden zich onophoudelijk verplicht haar te leren hoe ze een luier moest vouwen, een fles moest vullen of haar kindje moest baden. Zelfs de cadeaus die men haar en haar dochter bracht, gingen vergezeld van nuttige wenken.

Nicht Pua kwam aanzetten met een gigantische doos zuurtjes. Ze was nog niet weg, of haar moeder kwam met een roze babydekentje. 'Wat een lelijke naam, Perla,' zei tante Shulamit bij wijze van felicitatie. 'Waarom noem je je dochter niet Nili? Trouwens, ik moet je waarschuwen voor de zuurtjes van mijn dochter. Het zou me niet verbazen als ze vergiftig zijn.' Nauwelijks was tante Shulamit vertrokken, of Pua keek alweer om de hoek. 'Leg de baby vooral niet onder het dekentje van mijn moeder,' zei ze samenzweerderig. 'Het zou me niet verbazen als ze het heeft vervloekt.' Jardena geloofde noch Pua, noch haar moeder, maar ze had zo genoeg van de twee bemoeizieke, ruziënde vrouwen dat ze de moeite nam naar een andere buurt te lopen, en daar zonder enige wroeging zowel de snoepjes als het roze dekentje op een vuilnisbak deponeerde. Een ander mocht ervan genieten.

Zwangerschap en geboorte waren zeldzaam makkelijk verlopen. De borstvoeding ging minder vlot. Dat was tot daaraan toe, en de buren kon ze nog enigszins ontlopen, maar de voortdurende bedilzucht en raadgevingen van haar schoonmoeder werkten Jardena op de zenuwen. Zo probeerde Consuela de melkproductie op te voeren door gedurende elke voeding een beker lauwe melk aan Jardena's lippen te houden, en haar aan te sporen in hetzelfde ritme te drinken als Perla zoog, met de bedoeling dat de melk dan regelrecht van de beker naar de borst zou stromen. Zelfs die strategie mislukte, en er zat niets anders op dan het onverzadigbare kind bij te voeden met de fles. Toen Perla daar eenmaal aan gewend was, achtte ze het beneden haar waardigheid zich nog met haar moeders borsten in te laten.

In het begin leed Jardena onder wat ze als een tekortkoming ervoer, maar weldra kreeg ze een glorieus idee: als ze dan toch geen melk had, kon ze net zo goed meteen opnieuw zwanger worden. Nathan vond het een uitstekend plan, en toen Perla drie maanden oud was, was nummer twee onderweg.

In de derde maand had Jardena een miskraam. Ze moest onmiddellijk naar het ziekenhuis. Consuela vond het geheel vanzelfsprekend dat zij de zorg voor Perla op zich nam, en Jardena moest toegeven dat samenwonen met je schoonouders ook zijn voordelen had.

Bij thuiskomst uit het ziekenhuis was Jardena blij Perla zo gezond en goed verzorgd terug te zien. Ze kon het dan ook niet over haar hart verkrijgen Consuela te verwijten dat ze van haar schoondochters afwezigheid gebruik had gemaakt om het kind aan een fopspeen te wennen, dat verafschuwde onhygiënische voorwerp, dat voorwerp vol bacteriën dat in Jardena's jeugd in Nederland volstrekt taboe was. Lange tijd zag ze het zwichten voor de speen als een offer aan de oosterse beschaving, al gaf ze heimelijk toe dat de kleine Perla, die maar zo kort van haar moeders borst had mogen genieten, grote vreugde aan het onding beleefde.

Dertig jaar later, toen Perla zelf in Nederland haar eerste kind had gekregen, kwam Jardena tot de ontdekking dat de in haar jeugd zo versmade fopspeen er weer in ere was hersteld.

Nicht Pua, die behalve de pasgeboren zoon ook drie allerliefste dochtertjes had, was desalniettemin ontzettend jaloers op haar broer en buurman Mordechai, die twee zoons en geen dochters had. Mordechai's vrouw Bruria, oorspronkelijk de Duitse Jodin Brunhilde, had beter moeten weten, maar ze sidderde voor de kwade invloed van haar jaloerse schoonzuster. Uit voorzorg kleedde ze haar zoontjes daarom tot hun zesde jaar als meisjes. Na Tobi en Kobi bracht ze twee dode jongetjes ter wereld. Ze voelde zich dan ook verplicht Jardena ernstig te waarschuwen voor Pua. Jardena had intens medelijden met Bruria, maar weigerde ten enen male zich iets aan te trekken van Nathans nicht en haar intieme relatie met het boze oog.

In augustus ging Bruria, na een normale zwangerschap van negen maanden, naar het ziekenhuis om voor de vijfde maal een kind ter wereld te brengen. Een paar uur later klopten Tobi en Kobi bij Jardena aan met het eigenaardige nieuws dat ze een broertje hadden dat maar één gram woog, en dat daarom in het ziekenhuis zou moeten blijven totdat hun ouders het over een paar jaar van de dokter mee naar huis zouden krijgen. De volgende dag kwam Bruria met lege handen en een gebroken hart thuis. Voor de derde maal had ze een dood jongetje gebaard. Wekenlang kwamen Tobi en Kobi bij Jardena binnen met de mededeling dat het nieuwe broertje nu twee of drie of vier gram woog. Na verloop van tijd verhuisde Mordechai met vrouw en kinderen. Het nieuwe adres kregen de bewoners van het huis in Machaneh-Yehoedah niet te horen.

Jardena verloor het gezin uit het oog. De eerstvolgende keer dat ze Bruria's zoons weer ontmoette, waren ze volwassen. Tobi leefde met een vrouw, Kobi met een man.

* * *

De vader van tante Shulamit en Izak Baghdádi, Nathan Baghdádi, naar wie de man van Jardena was genoemd, woonde aan het eind van de negentiende eeuw met zijn vrouw en zeven dochters in Syrië. Hij smeekte God hem alsnog een mannelijke nazaat te geven, en zwoer dat hij in ruil voor de vervulling van deze hartenwens met zijn hele familie, inclusief schoonzoons en kleinkinderen, naar Jeruzalem zou verhuizen.

Izak werd geboren, en na zes maanden was hij nog steeds in leven. Toen kwam de oude Nathan zijn belofte na.

Om zijn talrijke nageslacht onderdak te verschaffen, bouwde hij een flink eind buiten de muren van het toenmalige Jeruzalem een imposant complex met meerdere ingangen.

's Winters werd het regenwater via een ingenieus systeem van goten en pijpen van het rode pannendak naar twee ruime reservoirs onder het gebouw geleid. 's Zomers werd het door middel van twee slingerpompen vanuit deze reservoirs omhooggebracht. Het dak, de pompen en de reservoirs werden iedere herfst grondig schoongemaakt.

Het huis dat de oude Nathan bouwde was het eerste van de toen nog niet bestaande wijk die later Machaneh-Yehoedah zou worden genoemd.

In het midden van de twintigste eeuw verhuurden de meeste oorspronkelijke bewoners van het bouwwerk hun woning aan vreemden. Van alle kinderen van de oude Nathan Baghdádi hadden alleen Izak en Shulamit het ouderlijk huis nooit verlaten. Shulamit woonde in bij haar dochter Pua. In het aangrenzende pand woonde aanvankelijk Shulamits zoon, Mordechai, met zijn gezin. In de loop der jaren hadden Izak en zijn zoons stromend water en elektriciteit laten aanleggen. De twee beerputten die aan het eind van de negentiende eeuw voor alle bewoners van het grote complex waren gegraven, deden ook in de eerste helft van de twintigste eeuw nog dienst. Ze moesten geregeld worden geleegd en met lysol ontsmet, totdat ze in de jaren vijftig ten slotte werden dichtgemetseld en vervangen door moderne wc's. Izak beheerde de watermeter, en aan Consuela viel de twijfelachtige eer te beurt om maandelijks bij alle bewoners langs te gaan en te proberen hun bijdrage los te krijgen. Sommigen vonden het vanzelfsprekend dat ze moesten betalen. Ze deden het zonder morren. Anderen stribbelden altijd weer tegen, en één buurvrouw deed niet mee. Zij gaf er de voorkeur aan om het door haar benodigde water voor vijf *groesh* per emmer van Consuela te kopen. Deze vrouw, die Esther heette en Ster werd genoemd, was een oude weduwe van wie de enige dochter het zelf zo arm had dat ze haar moeder onmogelijk financieel kon bijstaan. Ster verdiende de kost met schoonmaken. Jarenlang dweilde ze iedere vrijdagmorgen Consuela's vloeren, terwijl haar werkgeefster met arendsogen achter haar aanliep om te kijken of Ster misschien een tegel oversloeg. Gedurende deze ceremonie was Ster niet alleen Consuela's slaaf, maar ook haar baas. 'Weg die meubels,' beval ze om zeven uur 's morgens, en Consuela haastte zich bedden en tafels naar het midden van de kamer te schuiven, en de stoelen er bovenop te zetten. 'Breng een emmer schoon water', was het volgende bevel, of 'Koop een nieuwe dweil'. Consuela voerde Sters bevelen onmiddellijk uit. Hoe harder ze liep en hoe sneller ze met het gevraagde terugkeerde, hoe eerder Ster immers klaar zou zijn met haar werk, en hoe minder de operatie zou kosten. Dat was van belang, want hoewel Consuela het financieel lang niet zo moeilijk meer had als in het begin van haar huwelijk, de armoede van de eerste jaren bleef toch altijd een stempel drukken op haar leefwijze.

Iedere vrijdagmorgen om tien voor zeven stak Consuela haar hoofd om de deur tussen haar kamers en die van haar zoon en schoondochter.

'Opstaan Jardena! Ster houdt niet van wachten!'

Aanvankelijk antwoordde Jardena dat ze in haar eigen kamers op haar eigen manier het huishouden wou doen, maar Consuela had er terecht op gewezen dat haar schoondochter geen talent had voor vloeren schoonmaken, althans niet op de manier waarop de vrouwen in Israël dat deden, namelijk door eerst een poos vrolijk met water te smijten alsof ze een bad vulden en vervolgens al dat water weer op te dweilen. En dat in een land waar bijna altijd een nijpend tekort aan water was. Bovendien voerde Consuela aan dat Ster niet kon worden ontslagen. Ze deed dit werk al jaren en had het geld broodnodig. Voor dat laatste argument zwichtte Jardena, maar ze stond erop Ster dan ook zelf te betalen voor het schoonmaken van de twee door haar en Nathan bewoonde kamers. Ook tegen dit nieuwe plan verzette Consuela zich met hand en tand, in de eerste plaats omdat ze haar zoon financieel wou helpen, en in de tweede plaats omdat ze wel wist dat Jardena liever te veel dan te weinig aan Ster zou betalen.

'Ster kan trouwens niet klokkijken,' mokte Consuela. 'Wat je haar ook betaalt, ze denkt toch altijd dat je haar te kort doet.'

Jardena vreesde dat het wekelijks weerkerende gekibbel over het dweilen zou uitlopen op een serieuze ruzie. Daarom probeerde ze haar echtgenoot over te halen om te verhuizen. Nathan mompelde een weifelend 'ja', maar bedoelde een hartgrondig 'nee', en bij nader inzien kon Jardena hem dat niet kwalijk nemen. Het huis waarin hij letterlijk was geboren en getogen had karakter. De geschiedenis van het huis was de geschiedenis van zijn voorouders. Het was het erfdeel van zijn vader en grootvader. Wie had zo'n huis. Bovendien genoot ze zo van het moederschap, dat ze voor niets ter wereld weer wou gaan werken in het psychiatrisch ziekenhuis, maar ze zag wel in dat ze zich de luxe van thuisblijven alleen kon veroorloven omdat haar schoonouders geen huur verlangden.

Toch moest er iets gebeuren aan het schoonmaakconflict. De eerstvolgende donderdagavond schoof Jardena de tafel voor de deur tussen hun kamers en die van haar schoonouders, want er was wel een enorm slot op de deur, maar de koperen vijftien centimeter lange sleutel was allang niet meer te vinden. Toen Consuela vrijdagmorgen wou binnenstormen met haar gebruikelijke: 'Opstaan, kinderen. Ster houdt niet van wachten', weigerde Jardena haar binnen te laten.

'Vandaag wordt er niet gedweild,' riep ze door de gesloten deur, en toen Nathan wou opstaan om zijn moeder binnen te laten, ging Jardena doodleuk boven op hem zitten. Hoe harder Consuela aandrong, hoe onmogelijker Jardena het haar man maakte om uit bed te komen.

'Schiet op, Jardena,' riep Consuela opgewonden. 'Ster komt zo boven. Nathan! Opstaan! Je moet naar je werk.'

'Werk?' riep Nathan, die maar al te graag inging op het initiatief van zijn vrouw. 'Ik ga vandaag niet naar mijn werk.'

'Wat zullen we nou hebben? Je bent toch niet ontslagen?'

'Nee hoor. Hoe kom je erbij? 't Is feest vandaag.'

'Feest? Wat voor feest?'

'De universiteit is jarig, weet je dat niet?'

Slap van het lachen rolden Nathan en Jardena over en onder elkaar in hun goedkope legerbed. Ze zwaaiden daarbij zo wild met armen en benen, dat het gammele geval met een oorverdovende klap op z'n zij kantelde. De twee gelieven vielen op de grond, en het bed kwam met matras en al boven op hen terecht. Op dat moment begon in de andere kamer

Perla te huilen, waarop niet alleen Consuela maar nu ook Izak eiste te worden binnengelaten. Maar het echtpaar Jerushalmi hield voet bij stuk. De universiteit was jarig en dat was dat. Zij zetten het bed weer overeind, namen Perla tussen zich in, en speelden met haar tot laat in de ochtend. Geen Ster deze keer. Geen gesleep met tafels en stoelen. Geen bezem, geen dweil, geen emmers met water. Lekker vies. Wat een luxe.

1959

Toen Perla tien maanden oud was, ontwierp haar vader een stoeltje waarin hij haar op zijn rug kon dragen. Dat was nog eens revolutionair! Niemand had ooit zoiets buitensporigs gezien. De opmerkingen die de ouders te horen kregen, varieerden dan ook van doodgevaarlijk, via onverantwoordelijk en niet goed snik, tot praktisch, slim en ingenieus. Consuela hoorde bij de sceptici, en toen Nathan op een ochtend in januari in alle vroegte de draagstoel met dochter en al op zijn rug hees voor een wandeling in de sneeuw, overstelpte ze hem met verwijten dat hij haar dierbare kleindochter een longontsteking wou laten oplopen. Jardena wees haar schoonmoeder erop dat een kwart van Perlaatjes genen uit Nederland afkomstig was, en een ander kwart zelfs uit het koude Rusland, maar Consuela was niet van haar standpunt af te brengen. Perla had nergens last van. Niet van de kou en niet van de botsende meningen. Ze genoot zichtbaar van de wandelingen op haar vaders rug, en het duurde dan ook niet lang of andere jonge Jeruzalemmers knutselden varianten van Nathans stoeltje in elkaar. Een jaar later arriveerden de eerste kant en klaar gekochte draagapparaten op de ruggen van Amerikaanse toeristen. Sommigen keken er bewonderend naar. Degenen die zelf iets hadden gewrocht, reageerden neerbuigend.

Wat Jardena betrof, die paradeerde liever met de kinderwagen. Op een dag wandelde ze met Perla door de Jaffastraat, toen ze achter zich onversneden Amsterdams hoorde praten. Ze keerde zich om en zag een man met een rugzak die een voorbijganger doodleuk de weg versperde en hem op indringende wijze aansprak. De voorbijganger gesticuleerde en probeerde in de ene na de andere taal kenbaar te maken dat hij de vreemdeling niet verstond, maar deze verhief zijn stem en praatte gewoon door. Jardena zag het spektakel een paar seconden aan. Toen stapte ze naar voren en vroeg in het Nederlands: ‘Kan ik misschien helpen, meneer?’ De man liet zijn prooi los en wendde zich met een gulle lach tot haar.

'Daar he'k nou persies op zitten wachten, juffrouw. In iedere stad is wel een tofferik die mijn verstaat. 't Hele eiereten is om de juiste persoon te vinden. De naam is Asser Pollak en ik stiefel rontelom de aardkloot.'

'Aangenaam,' zei Jardena, en ze was zo gek niet of ze nam Asser Pollak mee naar huis voor koffie. Hij zat direct op zijn praatstoel. In de Tweede Wereldoorlog had hij zijn hele familie, inclusief vrouw en kinderen, in de gaskamers van Auschwitz verloren. Bovendien hadden de Duitsers hem vreselijk toegetakeld.

'As man ken ik niet meer funksjenere,' zei hij laconiek. Hij had een pensioentje van de stichting veertig-vijfenveertig, dus financiële zorgen had hij niet, maar hij was zo depressief geworden, dat zijn arts hem had aangeraden z'n hebben en houwen van de hand te doen en gedurende de rest van zijn leven om de wereld te lopen.

'Me spullen verkope, dat was so gepiept. De moffen hadden toch het meeste al gerausd. En kuiere, ja, dat bevalt me. Maar ik mot wel me postzegel elke vier jaar in Holland laten zien, anders is 't dag met 't handje tegen me uitkering.'

'Je postzegel?'

'Nou ja, me ponem dan ...'

Hij was aan zijn tweede ronde bezig. De eerste keer was hij rechtsom gegaan, deze keer linksom. Maar je kwam toch altijd weer op hetzelfde plekje terecht. Z'n geld stond op de bank in Amsterdam.

'En as ik weer poen mot hebbe, laat ik 't tillegrafisch overkomen naar waar ik me eige dan sogeseid bevind.'

Een probleem was dat hij geen vreemde talen sprak, maar daar had hij de oplossing voor gevonden die hem zo comfortabel bij de Jerushalmi's had gebracht. 'Gewoon iemand bij z'n lurven grijpen en parrelevinken.'

Asser Pollak logeerde vier nachten bij Nathan en Jardena. Hij genoot van Jeruzalem. Daarna vertrok hij lopend naar Eilat, in de hoop daar een vliegtuig te vinden ergens heen waar Joden niet werden weggekeken, want hij wist wel dat je vanuit Israël nergens de grens over kon. Heen was hij met een boot uit Griekenland gekomen. Het heilige land kon je tenslotte niet overslaan.

'Ons eigen heilige land,' zei hij peinzend, en hij veegde waarachtig een traan weg. ''t Is dat de dokter me dat kuiere heb voorgeschreven, anders bleef ik geheid in ons eigen land. Maar Asser mot voort. 't Is m'n lot, en aan z'n lot ken geen mens se eige onttrekken.'

Hij schreef het adres van zijn nieuwe Jeruzalemse vrienden in een opschrijfboekje, maar beloofde niet het ooit te zullen gebruiken.

'Shieps det paas in de nait,' zei hij bij het afscheid nemen. Dat had hij van een Nederlandse boer in Joegoslavië geleerd, maar hij was vergeten wat het precies betekende.

Poerim, het feest waarop de Joden herdenken dat koningin Esther de slechterik Haman te slim af was, viel dit jaar drie dagen na Perla's eerste verjaardag. Iedereen verheugde zich er al weken op. Verkleedkleren werden geleend en genaaid, prachtig nieuw of in elkaar geflanst van oude jurken en gordijnen, met het resultaat dat geen twee kostuums op elkaar leken, en dat Jeruzalem op de grote dag onherkenbaar was van kleur en creativiteit. Geïnspireerd door Perla's draagstoeltje, naaide Jardena een kangoeroepak voor vader en dochter. Het stoeltje droeg Nathan voor de gelegenheid op zijn buik. Zijzelf, intussen opnieuw zwanger, vervulde de taak van staartdraagster. Verklede vertegenwoordigers van maatschappijen en organisaties liepen in optocht door de stad met vlaggen en spandoeken. Nathan en Jardena stonden er op de stoep naar te kijken. Plotseling kregen ze een echte ezel beschilderd met zebrastrepen in het oog, gevolgd door een echte dromedaris met een aangeklede aap op zijn bult, en een kudde echte geiten met geruite en gespikkelde hoorns. De dierentuinoppassers hadden zich uitgesloofd.

Vader-kangoeroe-met-kind-in-de-buidel aarzelde geen seconde. Hij sprong midden in de groep. Zonder overleg sleepte hij de staartdraagster met zich mee. De aandacht die ze trokken was overweldigend. Overal applaudisseerde het publiek. De volgende dag verschenen er foto's van het drietal in alle kranten, en werd vader kangoeroe geprezen als de origineelste verschijning van de hele dierentuin. De indringer had de show gestolen. De directeur van de dierentuin keek een beetje zuur, maar misgunde de kangoeroe zijn succes niet.

Hij had eens moeten weten hoeveel last de nog ongeboren kangoeroetjes hem negentien jaar later zouden bezorgen.

Kort na Pesach kwam er een briefkaart van Asser Pollak. Hij wandelde in India. 'Enorm land,' schreef hij, 'en al die kippetjes in sari. Maar van derlui preuvelementen verstaan ik niks. Ik zeg maar zo, geef mijn me eige heilige landje maar.'

In de jonge staat Israël groeiden tegenstellingen. Ze woedden ook in het gezin Jerushalmi. Ondanks zijn gehechtheid aan het ouderlijk huis, had Nathan het er vaak over dat hij het land wou verlaten om zich elders te vestigen. Vanwege Jardena's nationaliteit had hij in de eerste plaats Nederland in gedachten.

'Mij niet gezien,' zei Jardena. 'Joden hebben in Europa niets meer te zoeken. Ik ben hier gekomen om te blijven.'

'Jij luistert niet naar het nieuws. Jij weet niet wat er in dit land gaande is. 't Kan jou niet schelen dat de Sefarden door de Ashkenazen onder de duim worden gehouden. Jij bent zelf een Ashkenazische Jodin. Maar als Perla straks naar school gaat, wordt ze voor Sefardisch aangezien, als je dat maar weet, en dan wordt jouw eigen kind gediscrimineerd. Wacht maar! Wacht maar!'

'Wacht zelf maar. Tegen de tijd dat Perla naar school gaat, is alles allang anders. Die rellen en demonstraties overal in het land brengen heus wel iets teweeg. Natuurlijk is het onrechtvaardig dat de Sefardische Joden als tweederangsburgers worden beschouwd. Maar denk je dat ze het in Marokko of Koerdistan beter hadden? Daar vergeleken ze zich met hun moslimburen die net zo ongeletterd waren als zijzelf. Hier vergelijken ze zich met uit Polen afkomstige professoren en uit Rusland afkomstige politici. De kloof wordt heus wel overbrugd. Als eerst maar eens de generatie die hier geboren wordt, heeft leren lezen en schrijven. Bovendien, waarom moeten we alleen naar de Sefardische Joden kijken? Kijk ook eens naar de Roemeense Joden die sinds januari allemaal op aliyah zijn gekomen.'

'Allemaal! Had je gedroomd. Jij weet natuurlijk niet dat de Roemeense regering van meer dan duizend families een of meer leden heeft achtergehouden, al die artsen en wetenschappers die ze niet willen laten gaan zolang ze hun studie niet met arbeid hebben afbetaald. En dat op die manier zelfs elf echtparen uit elkaar zijn gerukt.'

'Ah! Nu zie je zelf eens wat de Europeanen het Joodse volk aandoen. Intussen hoeven de honderdvijftigduizend Roemenen aan wie het wel is gelukt het land te verlaten, nooit meer bang te zijn voor achtervolging.' Nathan bleef met de gedachte spelen om te emigreren, en toen Jardena een brief kreeg van een Nederlandse vriendin die naar Suriname was verhuisd, kwam hij met een nieuw idee: 'Laten we naar Suriname gaan. Met je Nederlandse paspoort moet dat mogelijk zijn.'

'Suriname? Wat moeten we in vredesnaam in Suriname?'

Nathan haalde zijn schouders op. 'Leven. Tekenles geven. Weg uit dit brandpunt van de wereld dat ieder moment kan ontploffen.'

Jardena zou liever haar tong afbijten dan toegeven dat Nathan gelijk had. Ze wist heus wel dat Israël met hulp van Frankrijk een kernreactor aan het bouwen was. De Gaulle had Ben-Gurion de belofte afgedwongen dat Israël de reactor alleen voor wetenschappelijk onderzoek en voor de productie van elektriciteit zou gebruiken, en onder geen voorwaarde voor het maken van atoomwapens, maar de Europese en de Arabische landen protesteerden om het hardst.

Nauwelijks waren de gemoederen wat bedaard, of een nieuw schandaal diende zich aan. Israël verkocht wapens aan West-Duitsland! De Sefardische Joden wonden zich over zo'n kleinigheid niet op, maar de Ashkenazen maakten zo'n kabaal dat de regering viel. Er werden nieuwe verkiezingen uitgeschreven.

Ben-Gurion werd glansrijk herkozen.

In huize Baghdádi-Jerushalmi werd nog een andere strijd gestreden. Zoals ieder jaar in september, verzamelde Izak Baghdádi schoonmaakspullen en gereedschap om vóór de eerste regens de pannen en goten te controleren. Hij stond op het punt om het dak op te gaan, toen Nathan zich ermee bemoeide.

'Ik wil het niet hebben, *Abba*! Je benen zijn te stram. Het is levensgevaarlijk.'

'Steek je neus niet in andermans zaken. Ik heb veertig jaar lang het dak schoongemaakt. Ik heb je nooit om toestemming gevraagd. En dat ga ik nu ook niet doen. Kom, laat de ladder los.'

Maar Nathan hield voet bij stuk.

'Vanaf vandaag maak ik het dak schoon, en daarmee uit!'

Toen de baby zich aankondigde, beloofden de grootouders een oogje op de slapende Perla te houden, zodat Nathan zijn vrouw naar het ziekenhuis kon begeleiden. Het aantal vrouwen dat graag in het Hadassaziekenhuis wou bevallen, was zo groot dat alleen wie een complicatie had en wie nooit eerder een kind had gebaard werd geaccepteerd. Daarom ging Jardena naar het Bikoer-Choliemziekenhuis dat op de rand van de allervroomste buurt van Jeruzalem lag. Daar maakte Nathan al helemaal geen kans om zijn vrouw te zien bevallen. Hij wenste haar bij de ingang veel succes en keerde snel terug naar huis, om samen met Perla het resultaat van Jardena's inspanningen af te wachten.

De vroedvrouw die deze keer dienst had, was dan misschien wat minder krijgshaftig dan mevrouw Fleischauer, ze was beslist veel zenuwachtiger. Ze gaf Jardena het gevoel dat alles zo snel mogelijk achter de rug moest zijn. Toen de geboorte eenmaal in volle gang was, beweerde ze dat het hoofdje niet door de opening kon, en of Jardena nu ook volhield dat het Perla toch ook was gelukt, er moest en zou worden geknipt. Naast Jardena lag een andere vrouw te baren, en ook bij haar was de vroedvrouw er niet van te weerhouden haar steriele schaar te gebruiken. In tegenstelling tot Jardena, die beleefd had getracht het tij te keren, zette Rachma een keel op, waarbij ze in het Marokkaans alle vroedvrouwen van de wereld hartgrondig vervloekte. De vroedvrouw in kwestie werd hoe langer hoe bozer, ten eerste omdat ze in haar eentje twee geboortes tegelijk moest begeleiden, en ten tweede omdat de barende vrouwen het in hun hoofd haalden zich met haar werk te bemoeien. Ondanks alle consternatie brachten Rachma en Jardena beiden een flinke dochter ter wereld. De knipjes waren zo klein dat ze niet eens hoefden te worden gehecht. Met drie nietjes voor Jardena en drie voor Rachma was de zaak bekeken.

Op de kraamzaal lagen hoofdzakelijk ultraorthodoxe Ashkenazische vrouwen, die zich verplicht voelden om de vreemde eend in de bijt wegwijs te maken in de Joodse zeden en gebruiken. Zo kreeg ze te horen dat een zwangerschap die teweeg wordt gebracht zonder dat de vrouw na haar laatste menstruatie het mikve heeft bezocht, niet kosher is, en dat dan ook de baby niet kosher is, wat tot de grootste ellende kan leiden. Ook kreeg ze van alles te horen over de taakverdeling in ultraorthodoxe gezinnen. Natuurlijk zorgden de moeders voor de kinderen en het huishouden. Ze vonden het vanzelfsprekend om bovendien als lerares of verkoopster geld in het laatje te brengen.

'En jullie mannen dan? Hoe kunnen jullie dat allemaal aan?' vroeg Jardena.

'Wat onze mannen doen, is veel moeilijker en veel belangrijker voor het welzijn van onze gezinnen,' antwoordden de vrouwen in koor. 'Onze mannen studeren en bidden de hele dag.'

Hoewel Jardena blij was dat haar eigen man er andere ideeën op na hield, voelde ze toch iets van afgunst vanwege de diepgewortelde overtuiging van deze vrouwen dat ze het bij het rechte eind hadden, en vanwege hun onwrikbaar vertrouwen in de kracht van het gebed. Ze zag in dat een traditioneel huishouden met een duidelijke taakverdeling rust gaf. Aan de andere kant zou ze nooit hebben toegestaan dat op de dag van haar huwelijk haar haar werd afgeschoren, zodat ze er voor de rest van haar leven zo onaantrekkelijk mogelijk zou uitzien. En waarom? Om maar geen vreemde mannen te verleiden. Had je dan geen eigen verantwoordelijkheid? En de mannen dan? Hadden die niet ook verantwoordelijkheid?

Uit dankbaarheid voor de hulp die ze destijds van tante Roos had gekregen, wou Jardena haar tweede dochter Rozette noemen. Nathan, die misschien liever een Hebreeuwse naam had gehad, was zo blij dat hij alles goed vond.

In tegenstelling tot Perla huilde Rozette dag en nacht. Ook kreeg ze direct na de geboorte een raar soort pukkeltjes die Jardena op advies van de arts met een groene smurrie insmeerde, zodat het arme wicht eruitzag als een rode paddestoel met groene stippen. Jardena, die zich negen maanden lang had verbeeld dat ze Perla een dienst bewees door zo snel mogelijk voor een zusje of broertje te zorgen, werd geplaagd door schuldgevoelens omdat ze zoveel aandacht aan Rozette moest besteden.

Consuela probeerde haar schoondochter zover te krijgen dat ze 's morgens allereerst achter het fornuis ging staan. Als Nathan van zijn werk thuiskwam, moest er eten op tafel staan. Maar Jardena voelde niets voor dit soort discipline. Iedere ochtend liep ze eerst met haar twee meisjes naar de speeltuin. De wandeling viel ook bij Rozette in de smaak, want in plaats van te huilen, kraaide ze van plezier in de houten kinderwagen op piepkleine wieltjes, die al van vijf neefjes en een nichtje was geweest. En terwijl Perla in de zandbak speelde, haalde Jardena tweedehands truien uit die ze op de markt had gekocht, en breide sokken voor het hele gezin.

Op weg naar de speeltuin kwamen ze dagelijks langs een kleuterklas, en op een dag liet Perla, die parmantig naast haar moeder liep, plotseling de kinderwagen los, rende door de openstaande deur het schooltje binnen en ging net als de andere kinderen aan een tafeltje zitten. Al was ze nog geen twee jaar oud, ze was niet te bewegen met haar moeder mee naar de zandbak te gaan. De kleuterleidster stelde Jardena voor om haar dochter een uurtje op school te laten, en haar op de terugweg weer op te halen.

'Hoe heet je?' vroegen de andere kinderen.

'Perla.'

‘Perla?’ De kleuterleidster trok haar neus op. ‘Dat is toch geen Hebreeuwse naam. Pnina. Zo heet je in het Hebreeuws.’

Vanaf die dag ging Perla iedere dag naar school, en als ze thuis eens echt ondeugend was, hoefde haar moeder maar te dreigen met ‘Je mag morgen niet naar school’, om haar direct weer in het gareel te krijgen. Wat Jardena tot haar spijt niet kon voorkomen, was dat haar dochter buitenshuis anders werd genoemd dan thuis.

1960

Afgezien van kleine onenigheden konden Nathan en Jardena het uitstekend met elkaar vinden. Jardena genoot van Nathans gekke invallen, en Nathan waardeerde dat Jardena overal voor in was. Dit in tegenstelling tot zijn nicht Lola, die door Consuela en haar broer jarenlang voor Nathan bestemd was geweest. Toen Lola een weekend op proef was gekomen, en Nathan haar zijn atelier had getoond, was ze gillend op de vlucht geslagen. Hij had op de muur een reusachtige boa constrictor geschilderd die zogenaamd door het raam naar binnen kwam glijden. Consuela had hem bezworen de muur onmiddellijk wit te kalken, maar Nathan had er de voorkeur aan gegeven een andere bruid te zoeken.

Aan de ene kant vroeg Nathan altijd om Jardena's mening, speciaal als het om zijn kunst ging, aan de andere kant kon hij slecht verdragen dat ze hem ronduit de waarheid zei. In plaats van ruzie met zijn vrouw te maken, reageerde hij zijn ergernis af op z'n dochter.

Toen Perla anderhalf jaar oud was, kreeg hij het op een keer zo te kwaad dat hij haar een klinkende oorvijg toediende. De klap kwam hard aan, zo erg dat uit het andere oortje bloed vloeide. Met een moordlustige blik naar haar man, tilde Jardena de beduusde Perla op en rende met haar naar de polikliniek. Een vriendelijke oude arts onderzocht beide oortjes.

'Er is gelukkig geen blijvende schade,' zei hij ten slotte. 'Maar hoe is het eigenlijk gebeurd?'

Het kwam niet bij Jardena op, en het zou ook in de toekomst in soortgelijke omstandigheden nooit bij haar opkomen, om de waarheid te vertellen. Ze keek de dokter recht in de ogen en loog: 'Het kind ging plotseling rechtop zitten en sloeg daarbij met haar hoofd tegen de muur.'

De arts kneep zijn ogen nauwelijks merkbaar een eindje dicht, en nam het antwoord voor lief.

In mei haalden agenten van de Israëlische geheime dienst in Argentinië een bravourestuk uit. Ze ontvoerden Adolf Eichmann, die al jaren onder de schuilnaam Ricardo Clement met zijn gezin in armelijke omstandigheden in Buenos Aires leefde. Isser Harel, die de leiding van de onderneming had, zou later toegeven: 'Ben-Gurion en ik hebben er behoorlijk over ingezeten of we wel buiten de Argentijnse regering om mochten handelen. Na rijp beraad, maar met een bezwaard hart, kwamen we tot de conclusie dat we geen keus hadden. Eichmann was de mastermind van wat door de nazi's als de Endlösung, de definitieve oplossing van het Joodse probleem, werd beschouwd, namelijk de algehele vernietiging van het Joodse volk, tot en met zijn laatste telg. Als we de Argentijnse regering op de hoogte stelden van zijn verblijf in hun land, zou hij daar zeker lucht van krijgen en met de noorderzon vertrekken, deze keer misschien voorgoed. Om te zorgen dat het recht zijn loop kon krijgen, moesten we hem in het geheim naar Israël brengen. Hoewel de jonge staat Israël het moeilijk genoeg had met binnenlandse problemen, besloot Ben-Gurion dat we ook deze taak op ons moesten nemen. Israël was tenslotte niet zomaar een land. Het was het land van het Joodse volk, dat de morele plicht had deze rechtszaak van opperst historisch belang in de hoofdstad van de Joodse staat te doen plaatsvinden. De ontvoering van Eichmann was niet het doel maar het middel. Het doel was het aan de grote klok hangen van een aartszonde die in de geschiedenis van de mensheid zijns gelijke niet had.'

De ontvoerders waren erop voorbereid geweest oog in oog te staan met een monster en ze waren ervan uitgegaan dat ze de grootste moeite zouden hebben zich niet door dat monster te laten intimideren. Op een duivels brein hadden ze gerekend, dat hen met zijn listen zou verrassen. Maar ze ontdekten al gauw dat degene die ze in Buenos Aires achter slot en grendel hielden, een miezerig, verachtelijk mannetje was, dat beslist niet uitblonk door opzienbarende hersencapaciteit. Weerzinwekkend was de manier waarop hij probeerde zijn nieuwe bazen te behagen. Ze konden niet bevatten dat dit bangelijk schepsel dezelfde man was die de vernietiging van miljoenen Joden had georkestreerd.

De enige opmerkelijke mededeling die hij zich liet ontvallen, was dat hij van Joden niet had verwacht dat ze in staat zouden zijn om een ingewikkelde operatie als zijn ontvoering foutloos te laten verlopen.

Toen Eichmann eenmaal in Israël was, en de media zijn ontvoering bekendmaakten, eisten de Argentijnen zijn onmiddellijke uitlevering, en probeerden ze zelfs de Verenigde Naties ertoe te bewegen Israël te veroordelen.

Maar Ben-Gurion hield vol: 'Het is onze morele plicht deze aartszondaar tegen het Joodse volk in het Joodse land door Joodse rechters te laten berechten. Deze rechtspraak is niet alleen het onweerlegbare bewijs dat het Joodse volk leeft en zal blijven leven, het is de gelegenheid bij uitstek om de persoonlijke en collectieve herinneringen van het Joodse volk te registreren. Onze kinderen en kleinkinderen moeten alles horen, zelfs de gruwelijkste details, zodat ze ervoor zullen zorgen dat zoiets verschrikkelijks nooit meer gebeurt.'

Herinneringen? Gruwelijke details? Ben-Gurion en het Joodse volk zouden er in de twee jaar die volgden meer te horen krijgen dan hun lief was. Ook Jardena, die tijdens de Tweede Wereldoorlog nog op de lagere school zat, droomde sinds de komst van Adolf Eichmann iedere nacht van de oorlog.

Tien mei 1940 had eigenlijk meer op een feestdag geleken dan op het begin van een catastrofe. Dwars door de gordijnen van de slaapkamer hadden zij en haar zusjes het vuurwerk boven Schiphol gezien: gele en oranje pijlen schoten door de hemel. Boven hun hoofd klonk slagwerk en geronk van vliegtuigen.

De meisjes sprongen uit bed en kropen onder de gordijnen door. Op blote voeten en met hun neus tegen de ruit gedrukt, genoten ze van het adembenemende schouwspel.

'Moet je zien,' riepen ze opgewonden. 'Net als op de verjaardag van de koningin.'

Ze waren zich van geen gevaar bewust, totdat hun moeder de slaapkamer binnenstormde.

'Oorlog, oorlog,' riep ze. 'Weg van het raam.'

Natuurlijk hadden Vera, Reinie en Eva van Hitler gehoord. Hun vader was een paar weken geleden voor reservedienst opgeroepen, maar het leven met moeder alleen was zo mogelijk nog gezelliger dan als ze haar met vader moesten delen. Iedere avond draaide Perle papillotten in Reinie's haar zodat ze meer op haar zusjes zou lijken, en iedere ochtend kleedde ze haar drie dochters in identieke jurken, alsof ze levensgrote poppen waren die onder haar toezicht met hun eigen poppen vadertje en moedertje speelden. Net als hun moeder had ieder van de dochters drie meisjespoppen. Bovendien hadden ze ieder een babypop. Ze wisten dat hun baby's jongens waren omdat ze roze slobbroekjes droegen, die moeder persoonlijk voor ze had gebreid. Roze, omdat Perle van blauw hield, en zich de vrijheid veroorloofde die kleur voor zichzelf en haar meisjes te reserveren.

Van achteren zagen moeder en dochters eruit als vier zusjes, en als ze met de poppenwagens naar het park gingen om eendjes te voeren, was er altijd wel iemand die riep dat ze niet zo dicht bij het water mochten staan. Zo klein was moeder en zo zorgeloos zag ze eruit. Maar op vrijdag 10 mei 1940 ontpopte het schijnbaar zorgeloze moedertje zich als een autoriteit in zaken van oorlog. Was ze niet zelf met haar ouders meerdere malen van het ene land naar het andere gevlucht, met over haar schouder een kussensloop vol potten en pannen? Had ze niet gezien hoe daken instortten en ruiten barstten? 'Er moet plakband op de ruiten,' besliste ze. En toen er geen plakband in huis bleek te zijn, zette ze de kinderen aan het werk met schaar en lijm, om van oude kranten repen te knippen en die op de ramen te plakken. Zo werkten de drie meisjes en hun moeder de eerste ochtend van de oorlog met evenveel plezier als wanneer ze hun huis voor een verjaardagspartij versierden.

Om tien uur belde Jan Vreeland uit Alkmaar, waar zijn regiment lag. 'Perle,' zei hij, 'neem een taxi en kom met de meisjes naar me toe. Ik wil afscheid van jullie nemen voordat ik naar het front vertrek.' Hij gaf een adres en drukte zijn vrouw op het hart geen tijd te verliezen.

Perle draaide het ene telefoonnummer na het andere, maar het was niet eenvoudig om een taxichauffeur te vinden die bereid was helemaal naar Alkmaar heen en weer te rijden. Hoewel de strijd boven hun hoofd na zonsopgang was geluwd, wist niemand wanneer en waar opnieuw gevechten konden uitbreken, en of het mogelijk zou zijn later op de dag naar Amstelveen terug te keren. De meeste mensen bleven het liefst dicht bij huis. Sommigen, die een adres ergens anders hadden en meenden daar veiliger te zijn, en die bovendien de middelen hadden om er te komen, verlieten hun huizen en hun bezittingen, misschien voor altijd, maar niemand had zin om een beetje door het land te gaan toeren, alleen omdat een romantische soldaat zijn vrouw en kinderen wilde omhelzen. Toen Perle eindelijk een chauffeur had gevonden die bereid was de reis te ondernemen, vroeg hij zo'n exorbitant hoog bedrag dat ze veel kostbare tijd verloren met het bij elkaar lenen ervan.

Op advies van Vera propten Reinie en Eva hun jaszakken vol zakdoeken voor het geval ze zouden willen huilen. Bovendien nam Vera een lege portemonnee mee want je weet maar nooit, en Reinie een po voor als ze wou overgeven. Eva jengelde de hele weg omdat ze niets had bedacht om mee te nemen.

Laat in de middag kwamen ze in Alkmaar aan. Vader stond bij het hek van de school waar zijn regiment was ingekwartierd. De lange soldaat en zijn vier poppetjes vielen elkaar in de armen en veranderden op slag in één grote, omhelzende, kussende menselijke kluwen. Na een minuut of tien zei de chauffeur: 'Ik ga naar huis. Instappen allemaal.'

'Hier is uw geld. Goede reis en wel thuis,' zei vader. 'Wij blijven bij elkaar.'

Maar nu klonk het appel. Hij zette zijn kaki pet op z'n kortgeknipte haar, sprong over het hek van de school, en verdween achter het gebouw. Perle en haar dochters klampten zich aan elkaar vast.

'Als ik ooit *shabbes*kaarsen had willen aansteken, zou het vandaag zijn,' zei Perle. Ze legde niet uit wat het woord 'shabbes' betekende en stak ook geen kaarsen aan. Na enige tijd kwam vader terug met het fantastische, heerlijke nieuws dat zijn regiment die nacht niet naar het front zou vertrekken zoals oorspronkelijk was gepland. Moeder huilde stilletjes. Was het van blijdschap om het onverhoopte uitstel, of omdat ze niet wist waar zij en de meisjes de nacht zouden doorbrengen?

Jan Vreeland was een tovenaar. Hij kon raden hoeveel lucifers er in een doosje zaten, en het alfabet achterstevoren opzeggen. Op verjaardagsfeestjes veranderde hij eieren in pingpongballetjes en pingpongballetjes in eieren. Toen hij zag dat zijn vier vrouwtjes het koud hadden en moe waren, beloofde hij dat hij ze een-twee-drie in een fijne warme slaapkamer zou hocuspocussen op voorwaarde dat ze ophielden met sip kijken.

Naast de school stond een nonnenklooster. Hoewel de luiken al gesloten waren voor de nacht, trok Jan Vreeland aan de bel. Er gluurde iemand door een kijkgaatje in de deur. Jan glimlachte charmant. Er werden grendels verschoven, de deur zwaaide naar binnen en daar stond een oude non. Jan wees naar zijn verkleumde vrouwtjes. Even later leidde de non het gezin Vreeland door een donkere gang naar een kamer met twee bedden. Moeder stopte Vera en Reinie in het ene bed, en ging zelf met Eva in het andere liggen. De non wachtte geduldig tot vader zijn vrouwtjes had toegedekt.

Aangezien Jan Vreeland van de ene dag op de andere naar het front kon worden gezonden, bleven Perle en de kinderen in het klooster. Als er luchtalarm was, moest iedereen in de gemeenschappelijke zaal komen, waar de nonnen net zo vaak 'ave maria' en nog iets zeiden als er kralen aan hun kettingen waren. De moeder-overste vroeg haar gasten om mee te bidden, maar Perle fluisterde de kinderen in het oor dat ze dat niet moesten doen, omdat ze niet in Jezus geloofden. Dat vond Reinie een vreemde opmerking. Moeder kon toch zien dat hij aan een groot houten kruis aan de muur hing. 'Maar het is een geheim,' voegde Perle eraan toe, 'en daarom moeten jullie je ogen dichtdoen en je handen vouwen en net doen of je iets prevelt, maar intussen moet je heel hard aan iets anders denken.'

'Aan wat, moeder? Aan wat moeten we denken?'

'Ssht. Maakt niet uit. Bedenk maar een sprookje.'

Dinsdagavond stonden de nonnen vader toe de kamer van zijn vrouwtjes te betreden voor een laatste vaarwel. Zijn regiment vertrok per bus naar het front en hijzelf zou achter het stuur zitten. Niet dat hij dat ooit eerder had gedaan, maar de andere soldaten konden niet eens met een gewone auto rijden.

Midden in de nacht wekte Perle haar dochters om hun te vertellen dat het Nederlandse leger zich had overgegeven. Vader hoefde niet naar het front. Reinie en haar zusjes maakten daaruit op dat de oorlog was afgelopen.

Jardena schrok op uit haar halfslaap. Rozette huilde. Het kind was waarachtig al meer dan een jaar oud, en nog altijd drensde ze iedere nacht om een fles. Jardena met haar degelijke Nederlandse opvoeding had haar graag een paar nachten laten huilen. Dan hield het vanzelf wel op. Maar Nathan dacht daar anders over, en het feit dat zijn ouders ook wakker werden van Rozettes gebrul, werkte niet in Jardena's voordeel. Iedere nacht, klokslag twee uur, werd Rozette wakker. Prompt klom Nathan dan uit bed om haar op haar wenken te bedienen. Het kind zou waarschijnlijk haar leven lang om twee uur 's nachts om een fles zijn blijven zeuren, als Jardena het probleem niet had voorgelegd aan een arts van Nederlandse afkomst.

'Als je dochter iedere nacht om twee uur wakker wordt,' zei hij, 'zet dan de wekker op kwart voor twee, en steek zonder haar wakker te maken een zetpil tussen haar billetjes, zodat ze over het kritieke moment heen slaapt. Doe dat gedurende één week, en als het niet helpt, doe dan hetzelfde bij je man.'

1961

Een derde kind was op komst, en het werd tijd om aan een grotere woning te denken. Nathans ouders deden het royale voorstel dat hun zoon een eenkamerwoning voor jonge echtparen zou kopen, om daarna met hen te ruilen. Behalve dat dit het jongere echtpaar uit de brand zou helpen, zou het ook de hoeveelheid tegels verminderen die Consuela sinds de dood van Ster iedere vrijdag persoonlijk dweilde, en Nathans moeder had haar rust ruimschoots verdiend.

Kennelijk waren de Baghdádi's en Jerushalmi's niet de enigen die op het briljante idee van een dergelijke ruil waren gekomen, want toen Izak en Consuela in hun flat voor jonge echtparen trokken, bleek dat de leeftijd van de meesten van hun buren dichter bij de tachtig lag dan bij de dertig.

Jardena, die nu de beschikking had over genoeg ruimte, organiseerde tekenclubjes voor kinderen en volwassenen, waarbij Nathan haar met alles hielp. Bovendien nodigden ze iedere woensdagavond een model uit, soms was dat een naaktmodel, soms een Jemenitische of Koerdische Jood in klederdracht, soms een balletstudente in maillot of tutu. Om kunstenaars en liefhebbers aan te moedigen tegen betaling aan deze avonden deel te nemen, deed ze iedere zondagochtend een stapeltje briefkaarten op de bus.

Behalve hun woning hadden Nathans ouders ook een aantal kasten achtergelaten. Jardena vroeg aan haar man om twee van de drie hangkasten van planken te voorzien, zodat ze wat orde op zaken kon stellen, maar Nathan weigerde, niet uit principe maar uit gewoonte. Hij was nu eenmaal de slaaf van zijn esprit de contradiction.

De volgende ochtend, toen hij naar zijn werk was, zocht Jardena tussen de stukjes hout die hij verzamelde voor het maken van houtsneden, naar een plankje dat met een beetje zagen en vijlen passend kon worden gemaakt. Hamer en spijkers kon ze best hanteren. Had haar schoonvader haar niet voor timmerman uitgemaakt? Toen Nathan 's middags thuiskwam, werd er over de hangkasten niet gerept, en de volgende ochtend herhaalde ze haar werkzaamheden met een tweede plankje. Dat ging zo een tijdje door, tot op een goede dag het onvermijdelijke gebeurde: Nathan deed een kast open en ontwaarde de metamorfose.

'Wat zullen we nou hebben?' riep hij uit, meer verbaasd dan verontwaardigd. 'Ik had toch gezegd ...'

'Natuurlijk, natuurlijk, het maakt niet uit,' viel Jardena hem in de rede. 'Doe maar zoals je zelf wilt. Wil je er een hangkast van maken? Ga gerust je gang.'

En warempel, de strategie werkte. Nathans aangeboren drang tot tegenspreken was sterker dan zijn zin voor logica. Hij sprak zijn veto uit over welke verandering dan ook, en dus bleven de kasten nu legkasten. Intussen had zijn vrouw een waardevolle ontdekking gedaan: niet vragen, gewoon doen!

In april begon het proces tegen Adolf Eichmann, en weer sprak de radio over niets anders. Iedere dag kon men horen hoe de overlevenden van Auschwitz en Bergen-Belsen getuigenissen aflegden, en ze waren zo pijnlijk dat de luisteraars hun oren niet konden en wilden geloven. Al waren Perla en Rozette waarschijnlijk nog te jong om de gruwelverhalen te bevatten, Jardena wou ze er toch niet aan blootstellen, maar zodra Perla naar de kleuterschool was en Rozette een slaapje deed, kon hun moeder het niet laten om naar de radio te luisteren. Daarna was het vaak moeilijk om over te gaan tot de orde van de dag. Te veel herinneringen brachten haar terug in het verleden.

Na de demobilisatie was de familie Vreeland teruggekeerd naar Amstelveen. Perle bracht haar dochtertjes iedere dag naar school en haalde ze iedere middag weer op. Ze was bang dat ze in het kanaal zouden vallen, dat mysterieuze zwarte water van Reinie's jeugd, waaruit baggeraars in oliejassen en lieslaarzen altijd maar weer bergen stinkende zwarte modder opvisten die ze op platte baggerschepen laadden. Waar kwam al die modder vandaan en waar ging hij naar toe, vroeg Reinie aan haar moeder, en Perle antwoordde steevast: 'Doorlopen, kind. Het stinkt hier.' Maar Reinie was als de vrouw van Lot uit de kinderbijbel. Of ze wou of niet, ze moest achteromkijken.

Op een dag nam Reinie haar schildpad mee naar school. Cora, die de koningin van de klas was, zei: 'Als je hem morgen weer meebrengt, breng ik de mijne ook. Dan mogen ze samen spelen.'

Reinie zou nooit hebben geweten dat haar schildpad een Jood was, als Cora het niet had uitgelegd.

'Als je twee knikkers hebt, of twee schildpadden, of twee bloemen, en de ene is verschillend, dan is dat de Joodse.'

Ze vergeleken hun schildpadden nauwkeurig, en hoewel Reinie het met Cora eens was dat ze niet identiek waren, vond ze het toch moeilijk te bepalen welke nu de verschillende was.

'Maar hoe weet je welke Joods is?' vroeg ze.

Cora trok haar neus op. 'Vraag maar aan Jezus.'

Onmiddellijk trok ook Reinie haar neus op, want ze had wel door dat het er op aankwam om hetzelfde te zijn.

'Mijn moeder zegt dat we niet in hem geloven,' bekende ze toch maar, want Cora was tenslotte haar vriendin.

'Wat? Vieren jullie zijn verjaardag niet? Met een boom en cadeautjes en de kerstman? Dan zijn jullie misschien zelf wel Joden. Wat vreselijk voor je!'

Die avond wierp Reinie haar pas verworven kennis pardoes op tafel.

'Vera is Joods!'

Perle legde haar vork neer en zei iets in het Duits tegen Jan. Reinie haatte het als haar ouders geheimtaal spraken.

'Cora heeft het me uitgelegd,' zei ze uitdagend. 'Degene die er anders uitziet is de Jood. Vera draagt een bril, dus die is de Jood. Als je 't niet gelooft, dan vraag je 't maar aan Jezus.'

'Wat zullen we nou hebben?' Jan Vreeland schoof met geweld zijn stoel achteruit. 'Er bestaat geen verschil tussen Joden en niet-Joden. Er bestaat alleen verschil tussen goede en slechte mensen.'

'En zit me niet in m'n eigen huis te Jezussen,' siste Perle.

'Ik zit je niet te Jezussen,' protesteerde Reinie. 'Ik zeg alleen dat we er verstandig aan zouden doen een boom te kopen voor zijn verjaardag, anders worden we straks allemaal nog Joden, of we dat leuk vinden of niet.'

'Het kind heeft gelijk,' gaf Jan toe. 'Als we niet willen dat de mensen over ons praten, moesten we de meisjes maar naar zondagsschool sturen.'

Zo vernamen Vera, Reinie en Eva Vreeland dat hun moeder Joods was, wat vóór de oorlog niet verboden was, maar nu wel vanwege de Duitsers, die haar uit huis zouden halen en misschien zelfs dood zouden maken als ze het wisten. En daarom mochten de meisjes net als hun klasgenootjes naar zondagsschool.

'Maar jullie moeten beloven niet te geloven wat de dominee vertelt,' stelde moeder als voorwaarde.

De dominee was jong en mooi. Ze componeerde liedjes en begeleidde zichzelf op de luit. Ze vertelde de prachtigste verhalen over het kindeke Jezus en deelde fotootjes van hem uit. Op één foto leek hij op Reinie's babypop, en op een andere stond hij gehuld in een mantel van stralen, en leek hij op Cora, met wie Reinie al spoedig wedijverde om de titel van beste leerling van de zondagsschool.

Plotseling vaardigden de Duitsers het bevel uit dat alle Joden een gele ster moesten dragen. Moeder ook. Op iedere jas moest ze er een naaien. Ze vond dat de kinderen weer van zondagsschool af konden, omdat nu iedereen het geheim toch kende, maar vader zei dat ze mochten blijven, want hij was van plan moeder te ontsterren. Een paar dagen later trok hij een lange leren jas aan zoals de Duitsers droegen, en reed op de fiets helemaal naar hun hoofdkwartier in Den Haag. Dat deed hij nog een paar keer, en toen hoefde moeder geen ster meer te dragen. Gewoon.

Reinie had zich toentertijd niet in 't minst verbaasd over deze nieuwe toverkunst van haar vader, maar na de oorlog had ze hem gevraagd hoe hij zomaar dat hoofdkwartier kon binnenstappen, en of er dan geen soldaat bij de deur stond die hem tegenhield.

'Ach kindje,' had vader gezegd, 'de soldaten die de wacht hielden, waren ook maar opgeschoten schooljongens die van toeten noch blazen wisten. Ik stak gewoon m'n kin omhoog en mijn rechterarm naar voren, en riep met een stalen gezicht "Heil Hitler". Dan gingen ze direct voor me opzij. Daarna liep ik een beetje door hun gebouw, naar de wc, naar de kantine, en zei tegen iedereen die ik tegenkwam "Heil Hitler". Na een paar dagen dachten ze allemaal dat ik een heel hoge piet was, al wist niemand precies wat ik eigenlijk voor functie had. Ik zocht uit wie de baas van het spul was en liep met een stalen gezicht zijn kamer binnen.

"Het Nederlandse volk is u zeer erkentelijk dat u de moeite neemt ons land van Joden te zuiveren," zei ik eerst maar eens om zijn vertrouwen te winnen. "Maar vergissen is menselijk, en u wilt toch niet per ongeluk een niet-Jood deporteren, want dat zou jammer zijn van dat waardevolle arische bloed. Daarom kom ik u waarschuwen dat mevrouw Perle Vreeland helemaal geen Jodin is. Het moet een misverstand zijn. Kijk maar naar de foto, dan ziet u het zo."'

'Maar wat zag je dan op die foto?' had Reinie gevraagd.

'Niks. Gewoon het gezicht van je moeder. Wisten de Duitsers veel. De meesten hadden nog nooit een Jood van dichtbij gezien. Ze hadden alleen gehoord dat Joden heel grote neuzen hadden en flaporen en platvoeten. Sommigen dachten zelfs dat ze hoorntjes hadden, en dat ze daarom altijd hun hoofd bedekt hielden.'

Vanaf de dag dat Perle Vreeland volgens officiële Duitse papieren niet Joods meer was, waren er iedere nacht logés in het huis in Amstelveen. Of ze nu oud waren of jong, vaag bekenden of wildvreemden, ze heetten allemaal Tante of Oom, en bleven bijna nooit langer dan twee of drie nachten.

Een gast die altijd weer terugkwam, en die gewoon bij daglicht op straat mocht, was oom Arie de Froe, een grote, enigszins flegmatische man, met zijn scheve neus, zijn brede grijns, en z'n pijp die naar surrogaattabak rook. Oom Arie was antropoloog en hij bracht hele nachten door met het opstellen van lijsten en tabellen van wat hij de kenmerken der Joden noemde. Hij bleef nogal eens in vaders werkkamer slapen, en soms mochten de kinderen zijn prachtige verzameling valse tanden, haarlokjes en glazen ogen bekijken. Oom Arie's hobby was om iedereen die bij de familie Vreeland logeerde met speciale linialen en passers te meten, en de uitkomsten van zijn metingen bij elkaar op te tellen of van elkaar af te trekken. Want Joden, zo hadden de nazi's al jaren geleden bekendgemaakt, waren niet alleen geestelijk, maar ook lichamelijk minderwaardige schepsels. Je moest daarom vakkundig te werk gaan, zei oom Arie. Je moest de afstand tussen hun ogen meten, en de kleur van hun nagels met allerlei staaltjes vergelijken. Er waren cijfers die de maximum- en minimumlengte van Joodse oren, wimpers en tenen aangaven. Om te weten of iemand al dan niet Joods was, moest je al die gegevens meten en vergelijken. Precies had Reinie het nooit begrepen, maar één ding was zeker: als de uitslagen van oom Arie's antropologische berekeningen niet overeenkwamen met de lijsten die hij zelf had opgesteld, dan kon de persoon in kwestie onmogelijk Joods zijn. De methode, zo verzekerde Jan Vreeland de Duitsers onder veel gesalueer van 'Heil Hitler', was zuiver wetenschappelijk en absoluut betrouwbaar, precies wat beschaafde Duitsers nodig hadden om geen onrechtvaardigheden te begaan, en per vergissing niet-Joden midden in de nacht in een trein naar Polen te proppen.

'Kijk toch naar de bevindingen van antropoloog De Froe,' zei Jan in het

Duits, 'en kijk toch naar meneer zus-en-zo. Jullie vinden toch zeker ook dat zijn geval moet worden onderzocht!'

En de Duitsers keken naar de lijsten, krabden zich op het hoofd, rekenden tabellen na, telefoneerden met hun meerderen en minderen, en consulteerden de dikke boeken die hun eigen experts al in 1933 over het onderwerp hadden gepubliceerd. Want zolang ze het druk hadden met delibereren en examineren en controleren, konden ze veilig in Nederland blijven, en hoefden ze niet naar de echte oorlog in Rusland, naar het slagveld, naar waar zelfs Duitsers niet levend vandaan kwamen.

Natuurlijk mislukten vaders goochelarijen ook weleens. Een enkele keer stelden de Duitsers in Den Haag vast dat een Jood werkelijk een Jood was. Dan feliciteerde vader hen met hun scherpzinnigheid, en sprak hij de hoop uit dat de Jood spoedig zijn verdiende loon kreeg. Geheel tegen de verwachting in, was de Jood of Jodin in kwestie dan plotseling nergens meer te vinden, maar dat was vaders schuld niet.

Hoewel Jan Vreeland altijd op zoek was naar nieuwe en betere onderduikadressen voor zijn beschermelingen, toch moesten sommige weleens een paar dagen in zijn eigen huis logeren. Als schuilplaats ontwierp hij een tweede wand op zolder, op zestig centimeter afstand van de bestaande wand, en identiek eraan.

Maar hoe moest hij zeventien vierkante meter baksteen in huis halen zonder dat de buren er iets van merkten? Ook daar wist hij raad op. Tweemaal per dag liepen drie kleine meisjes van school naar huis. Tweemaal per dag maakten ze een omweg door het park om bloemen te plukken. Tweemaal per dag vonden ze ieder een mooie rooie baksteen tussen de dorre bladeren onder de uitgebloeide rozenstruiken. Geen van de drie meisjes stopte ooit een baksteen in haar schooltas als iemand keek. Geen van drieën ontmoette ooit de geheimzinnige baksteenleverancier. Ze hadden geleerd om niets te vragen en niets te verklappen. Wat ze zagen, was een gestaag groeiende muur met een deurtje dat geen Duitser ooit zou kunnen vinden.

Op een middag moest Reinie schoolblijven. Zo kwam het dat ze later dan haar zusjes over de dijk naar huis ging. Twee mannen liepen op de brug. De ene viel. De andere, een Duitse soldaat, draaide hem om met zijn voet, mompelde 'tot', en vervolgde zijn weg. Reinie wachtte even en sloop toen naar de man die op de brug lag, om hem van dichtbij te bekijken.

Op zijn jas was een gele ster met het woord 'Jood'. Ze voelde in haar zak en vond een broodkorstje dat ze tijdens het speelkwartier niet had opgegeten. Ze legde het voorzichtig op de gele ster en rende toen zo hard mogelijk weg. Aan het eind van de dijk draaide ze zich om. Er was een meeuw op de man neergestreken. Hij pikte naar het brood. De Duitser stond weer op de brug. Hij schoot op de meeuw. Reinie verstijfde van schrik. De Duitser had zijn prooi gemist. De meeuw vloog op en draaide rondjes boven de dijk onder hartverscheurend gekrijs. 'Jood! Jood!' Reinie verstond het duidelijk. Ze wachtte tot de meeuw weg was en liep door naar het park. Toen ze bukte om onder de struik te voelen of er een baksteen lag, viel een late zonnestraal op haar hand. Ze keek op om te zien waar die vandaan kwam en zag, roodgoud en stralend, staande op een tak tussen de vurige herfstbladeren van een hoge boom: Jezus.

Zelfs na al die jaren herinnerde Jardena zich precies hoe het was geweest. Tegelijk wist ze dat het niet zo kon zijn geweest, maar hoe het dan wel was, begreep ze niet. Maar ja, er was zoveel wat ze niet begreep. Kon je begrijpen wat Eichmann en zijn trawanten had bezield? Kon hij het zelf begrijpen? Kon je begrijpen hoe het vader was gelukt om zoveel Joden onder de neus van de nazi's vandaan te grissen, en hoe het haarzelf was gelukt, aan het eind van de oorlog, de keukendeur op slot te draaien op het moment dat de Duitsers over het tuinhek klommen om vader te pakken? Kon je dat soort dingen begrijpen of moest je gewoon aanvaarden dat ze gebeurden? Want al kon ze vandaag niet meer verklaren hoe ze Jezus op die tak kon hebben zien staan, toch wist ze zeker dat ze hem daar had gezien. Precies zoals op de fotootjes die dominee uitdeelde, alleen veel groter en mooier. Precies zoals in de sprookjes die ze bedacht als moeder zei dat ze aan iets anders moest denken. Hij had heel stil gestaan in zijn lange jurk en hij had zijn beide armen naar voren gestrekt met de handpalmen naar beneden, alsof hij tweemaal 'Heil Hitler' salueerde.

'Je bent het dapperste meisje dat ik ken,' had hij gezegd, en Jardena kon zelfs nu nog zien hoe gouden sterretjes van zijn vingertoppen dwarrelden. Zijn stem had geklonken als de luit van dominee.

'Jij hebt je laatste korst brood aan de dode man op de brug gegeven, en je bent niet bang om heel alleen door het park te lopen en iedere dag een baksteen in je schooltas te stoppen. Ik heb jou uitverkoren om onder de Joden bekend te maken dat ze zich niet meer hoeven te verschuilen. Als ze allemaal in mij geloven, hoeven ze geen gele sterren meer te dragen, en dan zullen de Duitsers het verschil tussen Joden en gewone mensen niet eens kunnen zien. Ga uit in de wereld en maak onder de stervelingen bekend: er is een koning op aarde.'

Dat van die koning vond Reinie wel wat overdreven. Nu ze eraan terugdacht, kon Jardena haar lachen niet houden om de manier waarop Jezus daar op die tak had staan opscheppen. Koning van wie? Koning der Joden? Nou, dat was hij niet geworden, evenmin als alle messiassen die je ook in 1961 nog dagelijks in Jeruzalem tegen het lijf kon lopen.

Maar toen, twintig jaar geleden, toen had ze moeten toegeven dat zelfs vader met zijn knappe toverkunsten niet alle Joden in één klap kon redden, en dat iemand die dat wel kon, best een beetje mocht opscheppen. En was het niet veel praktischer om in Jezus te geloven dan om wekenlang tweemaal per dag stiekem een baksteen mee naar huis te nemen. Een probleem was dat ze niet tegen moeder wou zeggen dat ze Jezus had ontmoet. Schoolblijven was al erg genoeg. Bovendien zou moeder wel weer zeggen dat ze fantaseerde of misschien zelfs dat ze jokte. Moeder geloofde nooit iets. Moeder geloofde niet eens in Jezus. Zou ze het dan aan dominee vertellen? Die hoefde ze er niet van te overtuigen dat hij op die tak had gestaan. Die geloofde het heus wel. Die geloofde zelfs dat Jezus de doden weer levend kon maken, al had ze het hem nooit zien doen. Maar als ze het aan dominee vertelde, zou die misschien vragen wat Reinie nog zo laat in het park deed, en het allerbelangrijkste was om het geheim van de dubbele muur niet te verklappen.

Zonder er met iemand over te spreken, bedacht Reinie allerlei manieren om de raad van Jezus op te volgen, maar ze liet ze een voor een varen. Ze was gewoon te laf. Ze kon er niet van slapen. Op de brandstapel moest ze, net als Jeanne d'Arc uit het geschiedenisboek. Toen niemand haar strafte, besloot ze het zelf te doen door het schrift met haar dierbare verzameling bijbelse plaatjes aan Cora te offeren. Nog voordat ze een smoesje had bedacht waarom ze haar plaatjes niet langer wou hebben, griste Cora haar het schrift uit handen. Ze kneep haar ogen half dicht en spuwde als een slang haar gif in Reinie's oor.

'Je bent een Jodin. Dacht ik het niet!'

Vanaf dat moment kon Reinie niet alleen niet meer slapen, maar ook niet meer eten uit angst dat Cora het geheim aan de Duitsers zou verklappen. Ze probeerde Jezus te voorschijn te toveren door op haar blote knieën op de badkamervloer te knielen en een kralenketting tussen haar vingers rond te draaien zoals ze de nonnen in Alkmaar had zien doen. Ze verzekerde hem bij iedere kraal dat ze niet uitverkoren wou zijn, en dat ze zijn eervolle opdracht niet kon uitvoeren, maar hij luisterde niet. Er was maar één oplossing. Ze moesten zijn verjaardag vieren met een boom en cadeautjes.

'Nee,' zei moeder. Maar Reinie verankerde haar rechten als Jood, Christen en mens door op zondagsschool te verkondigen dat ze de kerstman was tegengekomen en dat hij had beloofd een cadeautje te geven aan iedereen die bij haar thuis op een kerstpartij kwam. Hoe meer moeder en de onderduikers tegenstribbelden, hoe meer Reinie zich inzette voor hun redding. In haar eentje zou ze het hoogverraad afwenden door de verrader in eigen persoon binnen te halen. Noch Cora, noch de andere gasten zouden vermoeden dat slechts een dun plafond hen scheidde van Joden, die zo echt waren dat zelfs vader ze niet kon ontsterren, en die boven, op straffe des doods, hun adem zaten in te houden. Ze had zelfs een spelletje bedacht waarbij degene die hem was, met een bezemsteel tegen het plafond moest kloppen. Terwijl boven de spanning ondraaglijk zou oplopen, zou Cora haar kerstcadeau uit Reinie's handen ontvangen, want kinderen van Reinie's leeftijd waren te oud om nog in de kerstman te geloven, en Reinie zou met een baard van watten in zijn plaats optreden, gehuld in vaders paarsbruine kamerjas en met moeders geruite theemuts op haar hoofd. Omdat ze had aangekondigd dat elke gast een cadeau zou krijgen, besteedde ze al haar zakgeld aan verf, gekleurd karton en kralen, voor zover die nog te krijgen waren. Iedere middag na schooltijd ging ze rechtstreeks naar haar vaders werkkamer om ansichtkaarten te tekenen, puzzeltjes te zagen, kettingen te rijgen en oude zakdoeken van initialen te voorzien. Soms hielp vader haar een handje, en toen ze haar laatste zaagje had gebroken, gaf hij haar een kwartje om een heel nieuw pakje te kopen. Ze overlegden ook samen over het programma. Omdat er geen eieren waren, kon hij de truc met de pingpongballen niet uitvoeren, maar hij beloofde het aantal lucifers in een doosje te raden, en hij hielp Reinie een lang gedicht te schrijven, dat ze bij het uitdelen van de cadeaus zou voordragen.

Het grootste probleem was de kerstboom. Moeder wou er niets van weten. Zoals altijd kwam vader te hulp. Hij gaf Reinie geld om een mooie sparrentak te kopen, en hielp haar ook om hem rechtop tegen een kistje te spijkeren. Nog na al die jaren was Jardena trots op het resultaat. Vera, die moeders kant koos, had op alles kritiek, maar Eva, die maar al te trots was dat haar oudere zusje haar diensten kon gebruiken, hielp Reinie met het knippen en vouwen van versieringen. Van ijzerdraadjes knutselden ze een ster van Bethlehem. Een kruis maakten ze van twee potloden. Toen moeder inzag dat het kerstpartijtje onvermijdelijk was, capituleerde ze en beloofde zelfs surrogaatthee te zetten, op voorwaarde dat het kruis werd onttakeld. Reinie had dat graag voor haar moeder over. Ze was zelf ook niet weg van het kruis.

Het kerststalletje daarentegen was grandioos. Een pop gekleed als Maagd Maria stond rechtop tegen een grijze pluchen olifant en een giraffe op wieltjes, die de ezel en de os voorstelden. Een wollen aap was Jozef, een pinguïn van gebreide katoen en twee donzen kuikens speelden voor schaapherder en schaapjes. Andere speelgoedbeesten traden op als de drie koningen. Reinie's babypop in zijn roze slobbroekje vervulde de hoofdrol. Hij was de Heiland op het magische moment dat hij aan een gouden ceintuurtje uit de hemel afdaalde en boven zijn kribbe bengelde. De krib was het beste van alles. Om hem te bouwen hadden Reinie en Eva vier bakstenen geleend van het heiligste der heiligen, de nog niet geheel afgebouwde tweede muur op zolder. Zelfs moeder vond het geniaal.

Eindelijk kwam de grote dag. Alles liep volgens plan, behalve dat vader de Joden naar de zolder verbande, zodat Reinie's spel met de bezemsteel niet meer spannend was. Overigens moesten de Joden zelfs op zolder hun eeuwige kibbelpartijen opschorten tot het feest voorbij was.

Na afloop van het feest was Reinie tevreden over alles, behalve over één ding: al die weken dat ze zo hard had gewerkt aan de voorbereidingen voor het feest, had ze gehoopt dat Jezus zo beleefd zou zijn om op zijn eigen verjaardagsfeest te verschijnen, en dat hij zou toegeven dat ze toch niet helemaal een mislukkeling was. Wel honderd keer had ze in stilte gerepeteerd hoe ze hem zou aanraden haar uit zijn dienst te ontslaan en Cora in haar plaats aan te stellen. Maar Jezus kwam niet. Toen niet en later ook nooit meer. Hoewel Reinie diep beledigd was, was ze ook opgelucht.

* * *

In juni stierf Nathans vader. Waren de verhuizing en het verlies van zijn ouderlijk huis te ingrijpend geweest? Jardena verweet zich dat ze het aanbod om van woning te ruilen had aangenomen.

Zoals voorgeschreven door de Joodse religie, vond de begrafenis op dezelfde dag plaats. Jardena bleef thuis met de kinderen. Rozette was nog te klein om te begrijpen wat er was gebeurd, maar Perla had veel van haar grootvader gehouden, en Jardena wist niet goed hoe ze het onderwerp moest aanroeren. Ten slotte zei ze maar wat haar eigen moeder had gezegd toen háár vader stierf: 'Sabba slaapt in de hemel.'

Perla keek omhoog en dacht enige tijd na voor ze met zichzelf de volgende dialoog hield: 'Maar hoe is Sabba in de hemel gekomen? Nou, met een ladder natuurlijk. Maar waar is de ladder dan? Aan de andere kant natuurlijk. Aan de andere kant? O ja, nu snap ik het.'

O ja, dacht Jardena. Nu snapt ze het. Als je vier bent, snap je die dingen. Maar als je twaalf bent niet meer. En als je volwassen bent, snap je alleen nog maar dat er niets te snappen valt. Zelf was ze twaalf geweest toen haar moeder stierf. Het was een maand voor het einde van de oorlog, en een maand nadat de Duitsers het huis hadden doorzocht maar de verstopte Joden niet hadden gevonden. Ook moeder hadden ze niet te pakken gekregen. Ze was ziek geworden en doodgegaan. Gewoon doodgaan was in de oorlog een voorrecht, vooral voor Joden.

Omdat de Duitsers vader niet meer vertrouwden, was hij de twee laatste maanden van de oorlog ondergedoken geweest. Hij had grote risico's moeten nemen om moeder in het ziekenhuis op te zoeken. Daarom liep hij met die baard en die gekke bril, en die pet als van een postbode.

Op een nacht droomde Reinie dat moeder haar de bloedkoralen ketting gaf die ze zelf van vader had gekregen toen zij, Reinie, was geboren.

'Dank je wel voor dat mooie dochtertje,' had Jan gezegd.

'Dank je wel voor die mooie ketting,' had Perle geantwoord. 'Als ze trouwt, krijgt ze hem van mij.'

Toen ze wakker werd, kwam vader met z'n baard en z'n pet zeggen dat moeder was overleden. Nou hoef ik niet te trouwen om de bloedkoralen ketting te krijgen, dacht Reinie, en ze huilde, niet om moeder, maar omdat ze zich schaamde dat ze dat had gedacht van die ketting.

De volgende dag gingen Jan Vreeland en zijn drie dochters naar het ziekenhuis. Daar lag Perle in een kartonnen doos, gekleed in een soort bruidsjurk. Hoewel het een groot geheim was dat ze Joods was, had vader haar handen over elkaar gelegd, en niet gevouwen zoals bij Christenen. Ze leek op een pop die met haar ogen dicht in de doos in de etalage lag. Vader deed de doos dicht en laadde hem op een tweewielig wagentje dat hij achter zijn fiets bond. Over de doos legde hij een zwarte doek. Hij stuurde de fiets. Vera en Eva liepen elk aan een kant van de doos en Reinie liep erachter met een punt van de zwarte lap in haar hand. Drie vrienden volgden de stoet op enige afstand, maar dat had Reinie pas na de oorlog gehoord. Op de dag zelf wist ze het niet. En dus wist ze ook niet dat een van de vrienden een pistool in zijn zak had.

'Als de Duitsers mij pakken,' had vader gezegd, 'dan moet je me recht in het hart schieten. Anders verraad ik misschien de onderduikers en mijn vrienden van de illegaliteit.'

De tocht door de sneeuw leek eindeloos. Reinie vroeg zich af of vader wist hoe koud ze het had. Ze vroeg zich af of moeder in die witte bruidsjurk niet bevroor. Ze vroeg zich af langs welke weg ze in de hemel kon komen, of ze door een tunnel moest kruipen of dat ze vleugels zou krijgen net als de engelen op de plaatjes van de zondagsschool. Ze vroeg zich af of de Duitsers een dode Jood zouden vermoorden als ze er een te pakken kregen die naar de hel kroop of naar het paradijs vloog, en hoe lang het zou duren voor iemand verbrandde als hij eerst moest smelten. Ze vroeg zich af of moeder nog iets had gezegd over de bloedkoralen ketting. Ze probeerde te huilen, maar het leek wel of haar tranen al bevroren voordat ze te voorschijn kwamen.

Ze lieten Amsterdam achter zich en liepen langs de witte velden naar de begraafplaats. Terwijl ze zwijgend door de sneeuw ploegden, kwam een man op een fiets hen achterop.

'Hé jongens,' riep hij vrolijk. 'Wat zit er in die grote doos? Als het een lekker varkentje is, mag ik dan vanavond bij jullie eten?'

Ze bereikten de begraafplaats en legden hun pop, hun bruid, hun varkentje in een diep gat. Iemand vulde het gat met aarde en sloeg een kruis. Ze hadden bij de zwarte plek gestaan tot hij onder de sneeuw was verdwenen. Daarna liepen ze terug naar Amsterdam. Voordat vader weer onderdook gaf hij Reinie de koralen ketting.

'Weet je wel, mijn koralen ketting, Perla?' vroeg Jardena. 'Die is later voor jou.' Perla was diep in gedachten verzonken. Ze zou nog jaren blijven zoeken naar de andere kant en naar de ladder waarlangs haar grootvader naar de hemel was geklommen.

Na de begrafenis van haar schoonvader hoorde Jardena van Consuela Baghdádi dat Nathan als oudste zoon wel *kaddish* voor zijn vader had gezegd, maar dat alleen zij, haar dochter en een klein aantal vrienden Izak tot het open graf hadden begeleid. 'Een man is nu eenmaal een man,' onderwees ze haar schoondochter. 'Met of zonder opzet stort hij zijn zaad weleens waar het niets te zoeken heeft. Al dat onbenutte zaad verandert in duiveltjes die jaloers blijven rondhangen in de buurt van de zonen. Mocht het zo'n duiveltje lukken in het open graf van zijn vader te springen, dan zou de dode ook na zijn heengaan geen rust krijgen. En hoe kunnen de duiveltjes het graf van hun vader vinden, als de zonen de weg niet wijzen? Begrijp je wat ik bedoel?'

Omdat het huis voor jonge echtparen, waar Izak de laatste maanden van zijn leven had gewoond, te klein was om al zijn kinderen een week te herbergen, boden Nathans broer en diens vrouw hun huis aan voor de gebruikelijke rouwweek. Jardena en de twee kleine meisjes bezochten de familie iedere middag.

In het rouwhuis waren de spiegels bedekt met doeken, en de leunstoelen en divans waren uit de zitkamer verwijderd. De vijf zonen van Izak zaten op matrassen tegen de ene muur, Consuela en haar dochter tegen een andere. Als er nog broers of zusters van Izak in leven waren geweest, zouden die ook gedurende een week op de grond hebben gezeten. Shulamit was een jaar eerder overleden, en dus was Izak de laatste van de kinderen van de oude Nathan Baghdádi, die uit dank voor de geboorte van deze zoon met zijn hele familie in Jeruzalem was komen wonen. Een week lang kwamen vrienden, buren en familieleden condoleren. De ene bracht een pak koffie mee, de ander koekjes of een kilo rijst. Het was de taak van de schoondochters om al deze gasten te ontvangen, en om de allernaaste verwanten van de gestorvene van maaltijden te voorzien.

Daar de zonen van een overledene zich gedurende een hele maand niet mochten scheren, zagen Nathan en zijn broers er al gauw uit als bosjesmannen. Uit solidariteit liet de man van hun zuster eveneens zijn baard staan, maar toen Consuela dat merkte, zei ze bestraffend: 'Ik apprecieer je goede bedoelingen maar ik verbied je rouw te dragen voor mijn man zolang je eigen ouders in leven zijn. Na hun dood – mogen zij honderdtwintig jaar worden – zul je gelegenheid genoeg hebben om je baard te laten staan.'

Toen Jardena vijf maanden zwanger was, nam ze hulp voor het zware werk. Dina Ohana was negentien jaar oud, en ze was een jaar geleden met haar schoonfamilie naar Israël geëmigreerd. Haar eigen familie was in Marokko achtergebleven, in afwachting van emigratiepapieren. Aangezien noch Dina, noch haar bloedverwanten konden lezen of schrijven, was er geen briefwisseling, en wist Dina niet hoe de zaken er in Marokko voor stonden. Dina was zelf ook zwanger, maar ze wou wat verdienen, en hield bij hoog en bij laag vol dat wassen en dweilen voor haar een tweede natuur was. Zes weken vóór haar werkgeefster bracht ze een dochtertje ter wereld. Jardena ging naar het ziekenhuis om haar te feliciteren. Op de kraamzaal kreeg ze echter te horen dat Dina in het hokje voor moeilijke gevallen lag.

'Wat is er, Dina?' riep ze geschrokken. 'Waarom lig je niet op de grote zaal?'

'Kom binnen,' riep Dina vrolijk terug. 'Kijk eens wie er in het andere bed ligt? Mijn moeder! Ik heb niet alleen een dochter, ik heb er ook een zusje bij.'

Terwijl Dina bezig was geweest haar eerste kind te krijgen, waren haar ouders met hun overige kinderen per boot in Haifa gearriveerd. De hoogzwangere moeder had nog maar net vaste grond onder de voeten, of ze voelde de eerste wee. Dina's vader bleef met zijn kroost in de rij staan voor de immigratiepapieren, maar haar moeder werd ijlings naar Jeruzalem vervoerd, waar zij direct na aankomst in het ziekenhuis haar negende kind baarde, minder dan een halfuur na de geboorte van haar eerste kleinkind. De artsen en verpleegsters hadden zo'n plezier in deze samenloop van omstandigheden, dat ze besloten moeder en dochter een beetje te verwennen en ze samen in het aparte hokje te leggen.

1962

In de krant van vrijdag 5 januari publiceerde de in Jeruzalem woonachtige Joodse filosoof Martin Buber een officiële verklaring, waarin hij Ben-Gurion ervan beschuldigde dat hij de Arabische minderheid discriminerend behandelde, en waarin hij de regering tartte het militaire bewind op te heffen. De spanningen liepen weer eens hoog op, maar het echtpaar Jerushalmi had op dat moment wel wat anders aan het hoofd. Die nacht ging Jardena namelijk voor de derde keer naar het ziekenhuis om een kind te krijgen en mocht Nathan voor de derde keer de kraamkamer niet in. Op het moment dat ze afscheid namen, herinnerde hij zich de geschiedenis van een man die zó graag de geboorte van zijn kind wou bijwonen, dat hij zich met handboeien aan zijn vrouw had vastgeklonken en het sleuteltje door de wc had gespoeld. Dat was iets voor Nathan. Hij kondigde aan dat hij het voorbeeld van deze moedige man zou volgen, maar Jardena lachte hem hartelijk uit.

'Handboeien? Waar wou je die zo gauw vandaan halen? Dacht je dat ik tot zondagochtend kon wachten?'

Tot haar verrassing ontmoette ze in de verloskamer haar oude bekende, Rachma, die ook op dat moment bezig was een kind te krijgen.

'Wat doen die nietjes hier?' riep de vroedvrouw toen ze Rachma onderzocht.

'Weet ik veel. Misschien blijven zitten van de vorige keer.'

'Bedoel je dat je daar twee jaar mee hebt rondgelopen? Hoe hebben jullie dan in vredesnaam dat kind voor mekaar gekregen? Was het niet pijnlijk?'

'Pijnlijk? Natuurlijk is kinderen maken pijnlijk. Wat had je anders verwacht?'

'Maar je man, klaagde hij niet?'

'O, die! Wat maakt dat nou uit? Die klaagt altijd.'

Zonder veel moeite bracht Jardena een gezonde dochter ter wereld. Op de kraamzaal lag ze naast een praatgrage ultraorthodoxe vrouw, die ook net haar derde kind had gekregen. Haar oudste was veertien en de tweede zeven.

'Dat komt doordat ik iedere maand tijdens de ovulatie een paar druppels bloed verlies,' vertrouwde ze Jardena toe. 'Als dat voorbij is moet ik een week wachten tot ik naar het mikve kan om me te reinigen. En zolang dat niet is gebeurd, mogen mijn man en ik zelfs niet naast elkaar aan tafel zitten. Kort daarna menstrueer ik natuurlijk en dat betekent opnieuw twee weken onthouding.'

In de bijna twintig jaar dat ze getrouwd waren, was het maar driemaal voorgekomen dat ze tijdens de ovulatie geen bloed had gezien. Alle drie de keren was het raak geweest, en zo waren ze uiteindelijk gezegend met drie kinderen.

Nathan en Jardena waren zo blij met hun derde dochter dat ze haar *Simcha* noemden. De buren vonden het zielig voor Consuela dat Nathan nog steeds geen zoon had, maar ja, dan moest zijn vrouw ook maar niet zo eigenwijs zijn. Ze hadden haar genoeg voor Pua gewaarschuwd.

Toen Jardena op een ochtend bezig was de natte luiers om de petroleumkachel te hangen, vloog de voordeur, die nooit op slot was, plotseling open en een heer stapte kordaat de kamer in.

''t Zal niet waar zijn!' riep Jardena uit. 'Andries Davids! Mijn getuige voor het rabbinaat.'

'In eigen persoon!' zei de bezoeker. 'En ik heb heel weinig tijd. Ik heb maar één vraag: ben je gelukkig, ja of nee?'

'Gelukkig? Hoezo?'

'Neem me niet kwalijk, kind, maar ik wil maar één woord. Ben je gelukkig, ja of nee?'

'Ja!'

'Oké, dan ga ik er meteen weer vandoor. Een Nederlands meisje heeft me zojuist gevraagd om net zo'n getuigenis voor haar af te leggen als ik destijds voor jou heb gedaan. Zoiets kun je maar één keer in je leven spontaan doen. Als je me had gezegd dat je niet gelukkig was, had ik het niet nog een keer kunnen doen, maar nu je antwoord "ja" is, ga ik gauw naar het rabbinaat. Het meisje staat op me te wachten. Aju.' En weg was Andries Davids.

Consuela ging bijna elke week naar de markt en maakte dan van de gelegenheid gebruik om bij haar schoondochter aan te wippen.

'Heb je 't gehoord?' riep ze op een dag. 'Van broeder Daniël? Z'n moeder was Joods. Maar om haar leven te redden, is ze in de Tweede Wereldoorlog Katholiek geworden, en nu is hij een Karmeliter monnik. Nou wil hij in Israël komen wonen, en hij beroept zich bij de rechtbank op de Wet van de Terugkeer. Een ophef dat ze ervan maken op de markt! Belachelijk gewoon.'

Jardena duwde haar schoonmoeder zachtjes richting bank.

'Ga nou eerst eens zitten. Hier, een glas water.'

Consuela was niet tot bedaren te brengen. 'Hoe kunnen ze daar nou een probleem van maken. Dat hou je toch niet voor mogelijk!'

'Je hebt gelijk, *Imma*. Wij hoeven toch geen belasting te betalen om kloosterlingen te onderhouden! Ook al was zijn moeder Joods, hij heeft toch duidelijk zelf voor het katholicisme gekozen. Dat moet hij weten, maar dan is hij geen Jood meer.'

Consuela zette haar glas met een klap op tafel. 'Dus jij bent ook tegen hem? Laat je dit voor gezegd zijn, meisje: een Jood is een Jood, wat er ook gebeurt en wat hij ook doet, en Joden laten elkaar nooit in de steek.'

'Tja, als je het zo bekijkt ...'

'Toen ik jong was en in Alexandrië woonde, is mijn eigen neef Katholiek geworden. De verrader. Mijn oom en tante hebben om hem gerouwd alsof hij dood was, maar dat wil nog niet zeggen dat hij geen Jood meer is! En weet je waar hij vandaag woont?'

'Nou?'

'In Jeruzalem. Hij is het hoofd van het klooster Ratisbonne. We hangen het natuurlijk niet aan de grote klok, maar nu weet je het dus!'

Jardena's mond viel open.

Ten slotte vroeg ze: 'En spreken jullie elkaar nog weleens?'

'Hem spreken? Ik dank je feestelijk. Wat heb ik met Katholieken te maken?'

Een paar dagen later las Jardena in de krant dat de hoge rechtbank broeder Daniël in het gelijk had gesteld, en dat hij met de status van nieuwe immigrant in het land kon komen wonen.

Omstreeks dezelfde tijd hadden de heren rechters nog een andere controversiële zaak in behandeling. Omdat in de Israëlische grondwet de doodstraf is uitgesloten, was speciale wetgeving nodig om hem in het geval van Eichmann toch te kunnen opleggen. Meerdere slachtoffers van de holocaust boden zich aan om het vonnis met eigen handen te voltrekken. Martin Buber, die zelf op tijd uit Duitsland was ontkomen, bulderde weer eens met zijn profetenstem: 'Moet men kwaad met kwaad vergelden? Is het aan ons, aan Israël, om de ketting des doods verder te slingeren?'

Maar zijn aanbeveling om de aartsvijand van de Joden levenslang te geven, vond geen weerklank. Tot opluchting van zijn slachtoffers werd Eichmann op 31 mei opgehangen. Zijn laatste woorden waren al even banaal als de man zelf: 'Leve Duitsland, leve Argentinië, leve Oostenrijk, de landen waar ik me mee verbonden heb gevoeld.'

In juli had Nathan een tentoonstelling in het Chagall Museum in Haifa. Natuurlijk ging zijn hele gezin mee. Direct na de opening moest hij opkomen voor reservedienst. Jardena en de kinderen zouden zonder hem naar huis gaan. Omdat Nathan de reis per bus of trein te vermoeiend voor hen vond, hielp hij ze in de enige *sheroet* die bij de standplaats klaarstond. Hij was nog helemaal leeg. Een nadeel was dat het misschien lang zou duren eer hij vol was, een voordeel dat Jardena kon gaan zitten waar ze wou. Ze koos de hele achterbank voor zichzelf en de drie meisjes.

Na twintig minuten arriveerde een oud echtpaar. De vrouw legde uit dat haar man hevige pijn aan zijn rechterschouder had, en dat hij alleen in de rechterhoek op de achterbank kon zitten. Aangezien zijzelf haar man aan zijn linkerkant wou ondersteunen, verzocht ze Jardena om met haar kinderen te verhuizen naar de minder comfortabele middenbank. Hoewel Jardena dat jammer vond, kon ze niet weigeren. De volgende passagier die zich meldde, was een zwaar gehandicapte dame met stijve knieën en een beugel om haar linkerbeen. De enige plaats waar zij kon zitten was naast de chauffeur.

Na drie kwartier meldde zich eindelijk een laatste gegadigde voor de tocht naar Jeruzalem: een miezerig mannetje in chassidische kledij met pijpenkrullen tot zijn middel. Zijn baard was zo pril dat je de pukkels op z'n kin kon tellen. Als hij nu maar gauw in de linkerhoek op de achterbank wou gaan zitten, dan kon de chauffeur eindelijk wegrijden.

Maar dat wou hij niet. Hij was namelijk zo orthodox dat hij onmogelijk naast een vrouw kon zitten. Eerst trachtte hij het oude echtpaar over te halen onderling van plaats te wisselen, zodat hij naast de man kon zitten. Toen dat niet lukte, probeerde hij de dame met de stijve knieën ervan te overtuigen dat ze best op de achterbank kon zitten, zodat hij de plaats naast de chauffeur kon krijgen. Ook dat liep op niets uit. De chauffeur plofte bijna uit elkaar. Natuurlijk kon de jonge fanatiekeling met een volgende sheroet meerijden, maar dan moest het gezelschap nog langer wachten, want volgens de chauffeur loonde het niet om met zes reizigers de tocht naar Jeruzalem te ondernemen.

Toen Rozette en Simcha ook nog begonnen te jengelen, opperde Perla: 'Imma, als ik op de achterbank ga zitten, kan Rozette tussen jou en de meneer met de pijpenkrullen op de middenbank.'

Maar de Chassied was van mening dat een tweejarig meisje ook een vrouw was. Hij verlangde dat Rozette op de schoot van haar moeder zou reizen, en dat de baby, waarvan hij het geslacht niet zo duidelijk kon onderscheiden, als buffer optrad tussen hemzelf en de rest van de mensheid. Het was langzamerhand zo laat geworden, en iedereen was zo moe van het wachten, dat Jardena toegaf. Had ze het maar niet gedaan. De hele reis klaagde de chauffeur dat zijn passagiers hem tijd hadden gekost en dus inkomsten hadden doen derven, en vreemd genoeg gaf hij Jardena daarvan de schuld.

'We hadden toch afgesproken dat je met je kinderen op de achterbank zou zitten?' snauwde hij. 'Waarom moest je zo nodig de hele plaatsverdeling in mijn auto in de war schoppen?'

In een poging hem tot rede te brengen, zei ze dat hij zonder haar toegeeflijkheid nog altijd in Haifa op cliënten zou staan wachten. Dat maakte de zaak nog erger en ook al deed ze er verder het zwijgen toe, ze kon ze gedurende de hele reis geen goed meer bij hem doen.

Ze vroeg de chauffeur om bij de markt te stoppen, maar hij negeerde haar verzoek en reed door tot het centrum waar hij al zijn reizigers gebood uit te stappen. Daar stond Jardena. Met drie kinderen, een wandelwagentje en een koffer die ze nauwelijks kon tillen. Om thuis te komen, moest ze bovendien bergopwaarts lopen. Het was geen doen.

Zonder iets te zeggen, pakte de kleine Chassied de zware koffer op en begon richting markt te lopen. Met zijn vrije hand wenkte hij achter z'n rug dat het vrouwvolk moest volgen. Snel zette Jardena Simcha in de wandelwagen, en liet Perla en Rozette ieder een kant ervan vasthouden. Ze moesten hard lopen om hun opzienbarende kruier bij te houden. Iedere paar meter stopte hij om de koffer van z'n ene in z'n andere hand te nemen, en dit zonder ook maar één keer te kijken of de karavaan wel volgde. Toen hij bijna bij de markt was, riep Jardena, die behoorlijk achterop was geraakt: 'Zet maar bij de apotheek. Ik haal hem later wel op.'

De Chassied gaf geen enkel teken dat hij haar had gehoord, maar toen ze bij de apotheek aankwam, zag ze nog net hoe de oude apotheker en zijn broer in adoratie voor de deur van hun zaak stonden te buigen, terwijl haar orthodoxe galant haastig zijn weg vervolgde.

'Wat was dat?' stamelden de in witte schorten gehulde broers toen ze Jardena en de kinderen zagen aankomen. 'Wat heeft dit te betekenen? Heeft hij je koffer gedragen? Hij? De zoon van Amram Bleuy? Wat zeg je? Weet je niet wie Amram Bleuy is? Amram Bleuy, de leider van de *Naturei-Karta*!'

Jardena had geen idee.

'Naturei-Karta, de ultraorthodoxe gemeenschap in *Mea Shearim*! De gemeenschap die weigert de Staat Israël te erkennen zolang de Messias er nog niet is ... Hoe kon je dat in vredesnaam doen?'

'Ik heb helemaal niks gedaan,' sputterde Jardena. 'Het was zíjn idee om mijn koffer te dragen.'

Nu was het voor Jardena dat de twee apothekers bogen, het gezicht naar de aarde.

'Hoor je dat?' zei de een tegen de ander. 'Zij heeft niets gedaan. Hij, de zoon van Amram Bleuy zelf, heeft aangeboden om haar koffer te dragen. Dan laat de Messias toch werkelijk niet lang meer op zich wachten!'

Thuis vond Jardena een kaart van Asser Pollak. Hij had in Nieuw-Guinea gewandeld. 'Maar jongens wat een geitenbreiers, die Papoea's! Geen één die ook maar een pietsie Hollands parlevinkt. Ik dus pleite naar Australië. Die kangoeroes! Springe dat se kenne! Een jofel land. Maar niks noppes vergeleke bij ons eigenste Joodse vaderlandje.'

Toen Jardena haar vierde kind verwachtte, besloot ze dat Nathan nu toch werkelijk eens een geboorte moest bijwonen, en dat ze het niet kon laten afhangen van handboeien die hij wel of niet op tijd zou aanschaffen. Ze vroeg de Nederlandse ambassade om een lijst van musea in Nederland en stuurde brieven en foto's van Nathans werk naar elk adres, met het verzoek of hij er in de loop van 1963 een tentoonstelling kon houden. Het eerste positieve antwoord kwam van de directeur van het Goois Museum in Hilversum. Hij beloofde de Israëlische kunstenaar bij zijn collega's van de Vereniging van Kleine Musea in Nederland aan te bevelen, op voorwaarde dat hijzelf de primeur kreeg. Nathan was natuurlijk graag bereid dat toe te zeggen, en het duurde niet lang of er kwamen inderdaad uitnodigingen van andere musea binnen. Om het geld voor de reis bij elkaar te krijgen, hield hij uitverkoop aan huis. Alle werken die niet mee naar Nederland zouden gaan, werden voor een derde van de prijs verkocht. Vrienden, buren, kleuterleidsters, winkeliers en hun familieleden, iedereen maakte van de gelegenheid gebruik om een origineel kunstwerk aan de muur te kunnen hangen. Zo kon de vereiste som bij elkaar worden geschraapt.

1963

Nathans broer Elchanan, die nog nooit in het buitenland was geweest, zou met het gezin Jerushalmi meegaan. Hij dacht erover om een galerie te openen en wou zijn geluk als kunsthandelaar eerst eens in Europa beproeven.

De ZIM Maatschappij nam geen hoogzwangere vrouwen aan boord. Het gezin Jerushalmi kon daarom niet later reizen dan in februari. Elchanan stapte aan boord met een koffer die voor de helft gevuld was met werken die hij van een paar jonge Israëlische kunstenaars in consignatie had. Nathan en Jardena hadden veertien stuks bagage, waarvan het grootste een enorme map vol kunstwerken van Nathan, en het kleinste een po voor Simcha.

Uit voorzorg had Jardena drie stevige tuigjes met leidsels genaaid. De meisjes mochten onder geen voorwaarde aan dek zonder dat een volwassene hen vasthield. Sommige passagiers vonden dat de ouders hun kinderen als honden behandelden, maar daar trokken Nathan en Jardena zich niets van aan. En dat was maar goed ook, want op een regenachtige ochtend gleed Perla uit op het gladde dek, en kon haar vader haar ongedeerd uit het trapgat vissen, als een emmer uit een put.

Na vijf dagen regen, storm en zeeziekte, legde de boot voor dag en dauw in Marseille aan. De trein naar Amsterdam zou pas laat in de avond vertrekken, en dus nam Nathan een kamer in een hotel in de hoop dat het gezin een beetje zou kunnen rusten. Dat lukte niet best, want de kinderen vroegen veel aandacht, en de volwassenen waren dan ook opgelucht toen het tijd was om naar het station te gaan. Daar wachtte hun een teleurstelling. Alle zitplaatsen tot Parijs waren uitverkocht, en zelfs staanplaatsen waren nauwelijks te bemachtigen. Natuurlijk was Nathans eerste idee om kaartjes voor de volgende trein te kopen, maar er bleek slechts eenmaal per etmaal een trein van Marseille naar Parijs te gaan, en zitplaatsen moest je op z'n minst een maand van tevoren reserveren. Er zat niets anders op, de familie moest zich zien te behelpen zonder zitplaatsen, en dat terwijl Jardena bijna zes maanden zwanger was. Ze installeerden zich zo goed mogelijk tegen elkaar en op de koffers en tassen, en Nathan en Elchanan ontfermden zich om de beurt over Simcha.

In Parijs stapte Elchanan uit. Hij wou tante Jeanette opzoeken om daarna zowel in Parijs als in Brussel te proberen een basis te leggen voor zijn toekomstige carrière als kunsthandelaar-galeriehouder.

Zes dagen nadat Jardena met haar gezin uit Jeruzalem was vertrokken, kwam Reinie met haar gezin in Amersfoort aan. Jan Vreeland was hertrouwd. Hij en zijn vrouw Nora woonden samen met Jans twee ongetrouwde zusters Mies en Kee en zijn enigszins zonderlinge nicht Jennekie. Toen Jan de bedachtzame Perla, de chronisch verkouden Rozette en de vastberaden Simcha een paar dagen had geobserveerd, voorspelde hij: 'Als Perla later een muur op haar weg vindt, denkt ze net zo lang na tot ze een manier heeft bedacht om aan de andere kant te komen. Als Rozette later op een muur stuit, maakt ze rechtsomkeert en gaat hulp halen. En als Simcha tegen een muur op loopt, gaat ze er dwars doorheen alsof er niets aan de hand is.' Hoe beeldend Reinie's vader de metafoor ook had bedacht, de toekomst zou uitwijzen dat hij het met twee van zijn drie voorspellingen mis had.

Een week nadat het gezin in Amersfoort was aangekomen, belde Elchanan op. Hij had in Parijs niet veel voor elkaar gekregen, en vroeg Nathan om hem in Brussel te ontmoeten, in de hoop dat ze samen meer succes zouden hebben. Wat de broers niet wisten, was dat Brussel een station in het noorden en een station in het zuiden heeft. Vijf uur nadat Nathan uit Amersfoort was vertrokken, belde hij vanaf Brussel-Noord Reinie op. Hij had Elchanan niet aangetroffen.

'Blijf waar je bent,' raadde ze aan. 'Als Elchanan je niet vindt, zal hij zeker naar Amersfoort bellen, en dan leg ik hem uit waar hij je kan vinden.'

Nauwelijks had ze de hoorn neergelegd, of Elchanan belde op vanaf Brussel-Zuid.

'Ga naar Brussel-Noord,' zei Reinie. 'Nathan staat daar op je te wachten.'

Na enige tijd belde Nathan opnieuw: 'Ik heb wel een halfuur gewacht, maar hij kwam niet. Toen heb ik een taxi genomen naar Brussel-Zuid. Maar hier is hij ook niet.'

'Je moet niet zo ongeduldig zijn. We hadden toch afgesproken dat ik hem naar Brussel-Noord zou sturen? Elchanan zal zo wel weer bellen, en dan leg ik hem uit wat er is gebeurd. Ik stuur hem naar je toe. Blijf alsjeblieft waar je bent, ook als het een beetje lang duurt.'

Een paar minuten later belde Elchanan op vanaf Brussel-Noord.

'Misverstand,' zei Reinie. 'Neem een taxi en ga terug naar Brussel-Zuid. Nathan staat op je te wachten.'

Binnen een halfuur belde Nathan op: 'Hij kwam niet, toen ben ik maar teruggegaan naar Brussel-Noord. Maar ik zie hem nergens.'

Toen tegen de avond Nathan, moe van het heen en weer hollen, eindelijk besloot om naar Reinie's raad te luisteren, zat zijn broer al goed en wel in de trein naar Nederland.

In Amsterdam zette Elchanan zijn zware koffer even op het perron om te zien hoe laat een trein naar Amersfoort vertrok. Toen hij zich omdraaide was de koffer verdwenen. De schrik sloeg hem om het hart. Hoe had dat zo snel kunnen gebeuren? En hoe moest hij zich in Israël verantwoorden tegenover de kunstenaars die hem hun werk hadden toevertrouwd?

Reinie raadpleegde haar oude schoolvriend Jack, die zich als gentlemanoplichter had ontpopt. Jack legde uit dat er dieven op perrons rondlopen, met grote, bodemloze koffers, die ze over kleinere, onbewaakte koffers heen zetten, waarna ze doodgemoedereerd met beide koffers wegwandelen.

'Ik bel de politie,' riep Reinie meteen.

'Verkeerde tactiek,' zei Jack. 'Je moet een beroep doen op het hart van de dief. Laat mij maar begaan.'

De volgende dag stond er een advertentie in de krant: 'Wie heeft een koffer gevonden met prenten waaraan de eigenaar om sentimentele redenen zeer verknocht is? Zou de eerlijke vinder deze koffer willen neerzetten bij de deur van de Israëlische ambassade in Amsterdam, en als dank voor de moeite het elektrisch scheerapparaat en het fototoestel willen accepteren?'

Een paar dagen later kreeg Jan Vreeland een telefoontje van de Israëlische ambassade: 'Iemand heeft hier een lege koffer laten staan, met uw adres.'

'Leeg?'

'Nou ja, bijna. Er zitten wat plaatjes in. Komt u hem afhalen of zullen we hem opsturen?'

Elchanan was overgelukkig. Hij had al afspraken gemaakt in Kopenhagen, en nu had hij de prenten net op tijd terug om ze mee te kunnen nemen.

Nathan ging aan het werk, want de reeks tentoonstellingen moest grondig worden voorbereid. De directeur van het Goois Museum had zijn etsen en aquarellen zo hemelhoog geprezen, dat journalisten en museumdirecteuren massaal naar Amersfoort kwamen om de exotische kunstenaar uit het beloofde land persoonlijk de hand te drukken. De lijst van steden waar tentoonstellingen werden gehouden was indrukwekkend, en het succes onverwacht groot. Alleen een uitnodiging voor Amsterdam ontbrak. Nadat in meerdere kranten lovende kritieken hadden gestaan, stuurde Reinie een brief met documentatie aan de directie van het Stedelijk Museum in Amsterdam. Het antwoord kwam per kerende post:

'Tot onze spijt kunnen wij uw mans werk niet tentoonstellen, aangezien er niets bijzonders valt te vertellen over zijn privéleven. De publieke belangstelling gaat dezer dagen uit naar homoseksualiteit en driehoeksverhoudingen.'

Diezelfde maand opende het Stedelijk Museum een tentoonstelling, bestaande uit een levende naakte man op een voetstuk. De show duurde de hele zomer en het publiek kwam van heinde en ver om het wonder te aanschouwen en zelfs aan te raken.

De baby, die half mei was verwacht, was eind mei nog steeds niet geboren. Reinie voelde zich net een overrijpe watermeloen. Ze kon nauwelijks tot de hoek van de straat lopen zonder voor de rest van de dag totaal uitgeput te zijn. Soms begeleidde Jan Vreeland zijn dochter op haar dagelijkse wandelingetjes. Bij een van die gelegenheden merkte hij op: 'Vreemd hoe de dingen soms lopen. Kijk nou naar mij. Hoewel ik in een land woon waar man en vrouw zelf kunnen beslissen of de man tijdens het baren bij zijn vrouw is, heb ik geen van mijn kinderen geboren zien worden.' Reinie begreep de hint en zei dat haar vader hartelijk welkom was om het grote gebeuren bij te wonen. De volgende dag – was het toeval? – liet tante Mies zich ontvallen dat zij ooit aan Reinie's zuster had gevraagd of ze de geboorte van haar kind mocht bijwonen, maar dat het jonge paar er geen buitenstaanders bij had willen hebben.

'Je helpt me al drie maanden zo geweldig met de meisjes,' zei Reinie. 'Ik beschouw je niet als buitenstaander. Kom er gerust bij.' Nauwelijks een uur later vroeg tante Kee of ze Reinie even alleen mocht spreken. Ze had gehoord dat haar broer en zuster ... en ook zij had nog nooit een geboorte gezien ... kortom ...

'Kom er maar bij hoor,' lachte Reinie. 'Je hebt net zoveel rechten als de anderen. Nora was de volgende belangstellende, en ten slotte kwam ook nog heel verlegen de wereldvreemde Jennekie. Kon Reinie de één weigeren wat ze de ander toestond? En eerlijk gezegd, was dit niet een unieke gelegenheid om haar dankbaarheid te tonen voor de fantastische hulp die ze van al deze kinderloze vrouwen ontving?

De kraamkamer leek wel een warenhuis. Onder de poten van het bed waren op verzoek van de vroedvrouw bierkratjes gezet. Luiers, veiligheidsspelden, een badhanddoek met Tom Poes en Ollie B. Bommel, een geëmailleerd babybadje, een weegschaal, een elektrisch kacheltje, een wieg met roodgeruite gordijntjes, alles stond strategisch opgesteld, maar waar bleef de baby? Op het laatst zei de vroedvrouw dat het zo niet langer kon.

'We gaan de gladde spieren eens aan het werk zetten. Giet honderd cc wonderolie en honderd cc lauwe melk in een flesje. Schud dat goed door elkaar. Drink het morgenochtend. Neem na iedere slok een droog koekje tegen de vettige smaak. Blijf thuis en hou je een beetje rustig. Vroeg in de middag zul je je darmen willen legen en 's avonds baar je je kind. Morgennacht lig je schoon en voldaan in je bed.'

Reinie maakte bij alle huisgenoten bekend dat de geboorte op de volgende avond was gesteld. Donderdagmorgen nam ze haar drankje en iedereen bleef vol verwachting thuis. Maar waar bleef de baby?

Vrijdagmiddag reed Jan Vreeland naar Eindhoven voor een bijeenkomst van vrijmetselaren, en aan de stemming in huis te oordelen zou je denken dat het plan om een baby te krijgen geheel van de baan was. Tegen middernacht gingen de lichten uit. Er heerste diepe stilte in huis. Het was toen dat Reinie heel flauw de eerste wee voelde opkomen en weer verdwijnen. Zo zachtjes mogelijk kroop ze over haar slapende man uit bed. Op haar tenen sloop ze de twee trappen af naar de benedenverdieping. Deze nacht, wist ze, zou een van de mooiste van haar leven worden. Nooit eerder had ze de kans gehad zich tijdens het voorbereidende werk op iedere beweging van het zich naar buiten worstelende kindje te concentreren. In het ziekenhuis was ze altijd een nummer geweest, één van meerdere vrouwen die allemaal tegelijk, temidden van lawaai en antiseptische luchtjes, dezelfde stunt uithaalden. Vroedvrouwen en verpleegsters hadden heen en weer gerend, hier een barende vrouw aanmoedigend harder te persen, daar iemand vermanend omdat ze te hard of helemaal niet perste. Fel licht had haar verblind, irrelevante gesprekken hadden haar afgeleid. Ze had zich zelfs nooit gerealiseerd dat al die commotie averechts werkte op de ontspanning van lichaam en geest die de vroedvrouwen niet ophielden aan te bevelen, en zelfs verlangden van hun cliënten, die ze veeleer als slachtoffers beschouwden dan als roemrijke heldinnen op het hoogtepunt van hun glorie.

Voor de eerste keer in haar leven kon Reinie zich veroorloven geduld te hebben en te letten op de eisen en wensen van het nieuwe mensje dat zich langzaam maar onstuitbaar door de tunnel in haar lichaam werkte, en het in zijn eigen tempo deed, zonder te hoeven gehoorzamen aan de onredelijke bevelen van beroepslieden in uniform. Langzaam liep ze van de woonkamer door de gang naar de keuken, waar ze op het aanrecht leunde om steun te vinden tijdens een wee. Toen die was weggeëbd, liep ze terug naar de woonkamer waar ze de tafel als volgend steunpunt gebruikte. Zo bleef ze heen en weer lopen tot halfvier. De weeën volgden elkaar nu snel op, maar bij Reinie kwam geen gedachte aan haar man of aan de vroedvrouw op. Het enige wat ze wou, was zo lang mogelijk alleen zijn met haar kind om zich voor te bereiden op de laatste overweldigende krachtsinspanning van hen beiden. Ze ging op de divan liggen en hoopte ineens vurig dat het een jongen zou zijn. 'Een jongen, laat het deze keer een jongen zijn.' Blijkbaar was ze even in slaap gevallen, want ze schrok wakker doordat de vliezen waren gebroken en het vruchtwater tussen haar benen liep. Met moeite hees ze zich de trap op naar de kraamkamer. Onderweg bonsde ze op de eerste de beste deur.

'Wakker worden, het is zover!'

Ze ging op bed liggen en hoorde hoe tante Kee op de gang de vroedvrouw belde: 'Nee hoor, het heeft helemaal geen haast. 't Is nog maar net begonnen.'

In minder dan geen tijd hield Nathan haar hand vast. Geen van de meisjes werd wakker. Tante Kee, die in haar jonge jaren verpleegster was geweest, plantte zich op beide benen in de smalle kraamkamer. Het bed stond langs een muur, zó dat Reinie met haar hoofd naar de deur lag en met haar voeten naar het balkon. De drie andere genodigden realiseerden zich dat de kamer ook zonder hen veel te vol was. Geïnspireerd door hun vurige wens niets van het schouwspel te missen, trokken ze de gordijnen open en gingen naast elkaar op het balkon staan, vanwaar ze een beter zicht op het toneel hadden dan wanneer ze kaartjes voor een loge hadden weten te bemachtigen.

Alleen de heer des huizes was afwezig. Hij was in Eindhoven blijven slapen, althans dat dacht Reinie. Ze kon niet weten dat haar vader op het juiste moment een gelukkige inval had gehad, en dat hij om drie uur 's nachts de bijeenkomst van vrijmetselaren had verlaten om in een uur de meer dan honderd kilometer naar Amersfoort te rijden.

De deur van de kraamkamer zwaaide open. Hoewel Reinie uit alle macht aan het baren was, draaide ze toch haar hoofd, om te zien of het de vroedvrouw was die binnenkwam. In de deuropening zag ze haar vader in rok en glanzend zwarte hogehoed. In twee reusachtige stappen stond Jan Vreeland aan het voeteneind van het bed, precies op tijd om zijn hoed af te kunnen nemen en een diepe buiging te maken voor zijn kleinzoon die met de vaart van een kanonskogel op hem afschoot.

Nathan drukte Reinie's hand. Dankbaar beantwoordde ze zijn gebaar. De tranen liepen hem over de wangen.

Op het balkon applaudisseerden de drie gratiën. Op dat moment kwam de vroedvrouw binnen.

Zoals alle Joodse jongetjes werd ook dit op de achtste dag besneden, en zoals alle Joodse moeders stond Reinie erbij te huilen omdat ze haar kind pijn deden. Toen aan Nathan werd gevraagd om zijn zoon een naam te geven, noemde hij zonder aarzelen de naam van zijn vader: Yitshaq. De oude Yitshaq was altijd Izak genoemd, de nieuwe zou Itsik zijn. Reinie had graag haar eigen vader de eer gegund zijn kleinzoon tijdens de besnijdenis op schoot te houden, maar dat mocht niet van de *moheel*. De *sandak* moest een Jood zijn. Reinie vond dat heel naar, maar als iemand er begrip voor had dat bepaalde regels in acht werden genomen, was het nu juist Jan Vreeland, die als vrijmetselaar waarde hechtte aan rituelen en eeuwenoude traditie.

Nathan ontwierp een prachtige geboortekaart en stuurde hem trots naar al zijn vrienden en familieleden in Israël. Felicitatiebrieven bleven niet uit.

'Een zoon, toch gelukt dus.'

'Wat goed dat Jardena Pua deze keer om de tuin heeft geleid.'

Er kwam ook een brief van Barbara Buber. Ze vertelde onder andere over haar grootvader die voor de tweede maal de Nobelprijs was misgelopen. 'Ach,' had de vijfentachtigjarige filosoof gezegd. 'Op die manier heb ik in het hiernamaals nog iets om me op te verheugen. Dat is ook wat waard.'

Maar nu kwamen Barbara en haar grootvader naar Nederland, waar hij uit handen van Prins Bernhard en in tegenwoordigheid van koningin Juliana de Erasmusprijs zou ontvangen. Tante Kee, een vurig bewonderaarster van Bubers theorieën én van het Nederlandse koningshuis, bood aan om Barbara en haar grootvader Amsterdam te laten zien. Telegrammen vlogen heen en weer. Barbara Buber, graag tot wederdienst bereid, zorgde dat tante Kee bij de prijsuitreiking aanwezig kon zijn. Tante Kee was de koningin te rijk.

Afscheid nemen van haar Nederlandse familie was moeilijker dan Reinie had gedacht. Op de avond voor het vertrek was ze zo ontroostbaar dat haar vader vroeg: 'Wat kan ik voor je doen, kindje?'

'Ik wil Eva zien,' snikte Reinie, en al had Jan Vreeland nog zo'n inspannende werkdag achter de rug, hij herinnerde zich hoe hij Perle en zijn dochters een taxi naar Alkmaar had laten nemen, en hij reed Reinie en haar kinderen van Amersfoort naar Utrecht, alleen maar omdat ze haar zuster nog een laatste keer wou omhelzen. De twee jonge vrouwen vielen in elkaars armen en jammerden erbarmelijk, terwijl hun kinderen verschrikt toekeken.

'Moest dat nou?' huilde Eva. 'Had je niet ook in Nederland een goede man kunnen vinden en een gelukkig leven kunnen leiden?' Maar al had Reinie op de vooravond van haar vertrek uit Nederland nog zo'n hartzeer, ze wist helemaal zeker dat haar thuis en haar toekomst in Israël lagen. Het was voor haar na de Tweede Wereldoorlog niet langer mogelijk om half Joods te zijn en half niet-Joods. Het lag niet in haar aard om haar leven lang tussen twee identiteiten te balanceren. Je moest 'ja' of 'nee' zeggen tegen het jodendom, vond ze. En als je 'ja' zei, was Israël de logische consequentie. Mocht er ooit een nieuwe Hitler opstaan, of een nieuwe Eichmann, dan had het Joodse volk ten minste één plek op aarde van waaruit het zich kon verdedigen, in plaats van zich klakkeloos naar de slachtbank te laten voeren.

'Nee,' zei Reinie, terwijl ze zich uit Eva's omhelzing losmaakte. 'De prijs die ik betaal voor de toekomst van mijn kinderen en kleinkinderen is wel hoog, maar niet te hoog.'

1964

Terug in Jeruzalem had het gezin Jerushalmi het niet makkelijk. Om te beginnen was de jongeman die op hun huis had gepast spoorloos verdwenen. Maar dat was nog niet alles. Het leek wel of hij in de woonkamer een vuurtje had gestookt, want de muren waren zwart van het roet en je struikelde over de troep.

Natuurlijk hadden de tentoonstellingen wel wat geld opgebracht, maar zoveel was daar niet van over nadat ze de reis voor zes mensen hadden bekostigd. Nathan had acht maanden onbetaald verlof genomen, dus zijn bankrekening was leeg, en veel eten was er niet in huis.

Moreel echter stonden hij en Jardena er goed voor. Ze waren naar Nederland vertrokken met drie kinderen en een map vol prenten. Nu hadden ze vier kinderen en een map vol recensies waar ze lang op zouden kunnen teren.

Perla en Rozette gingen beiden naar de kleuterschool. Perla heette weer Pnina, en ook de kleuterleidster van Rozette maakte korte metten met de on-Israëlische naam van haar leerling. Rozette? Rosa? O, *Vered* dus.

'Weten jullie wat de juf zegt?' vroeg de nieuwbakken Vered op een vrijdagmiddag aan haar ouders.

'Wat dan?'

'Dat de opperrabbijn van hoe heten die mensen ook alweer zondag op bezoek komt en dat we daar heel blij om moeten zijn omdat hij ons dan gaat erkennen.'

Jardena en Nathan keken elkaar lachend aan. Die kleuterleidster toch! Met 'de opperrabbijn van hoe heten die mensen ook alweer' bedoelde Vered natuurlijk Paus Paulus VI, die nog geen halfjaar na het aanvaarden van zijn ambt een bezoek aan het Heilige Land had aangekondigd.

'Toch wel overdreven,' zei Jardena, meer tegen haar man dan tegen haar dochter, 'dat ze dat leuke pad naar de top van de Zionsberg hebben geasfalteerd, alleen omdat de paus anders de tocht naar boven te voet moet ondernemen.'

'Tja,' zei Nathan half in ernst, half spottend. 'De paus is nu eenmaal geen gewone sterveling.'

'O? Wat is hij dan?'

'De paus is de opperrabbijn van de Katholieken, nu weet ik het weer,' beantwoordde Rozette haar moeders vraag. 'Dat heeft de juf gezegd. Maar wat zijn Katholieken eigenlijk voor dingen?'

Nathan sloeg zijn ogen ten hemel, maar Jardena moest denken aan de tijd dat ze ongeveer zo oud was als haar dochter nu, en dat ze haar hoofd had gebroken over het vraagstuk: 'Wat zijn Joden eigenlijk voor dingen?'

Voordat ze een passend antwoord op Rozette's vraag kon bedenken, kwam Perla van school thuis en vlogen de meisjes elkaar tegemoet alsof ze elkaar in geen jaren hadden gezien. In een flits dacht Jardena aan Eva, maar Itsik begon te huilen en Simcha moest een plas. Het was bijna Shabbat. Ze moest snel naar de keuken.

Op zondag vond het historische bezoek plaats. Een hele stoet journalisten en fotografen begeleidde de paus op zijn pelgrimstocht naar Nazareth, maar het Joodse volk werd diep in hem teleurgesteld. Hoewel de pontifex maximus had laten weten dat hij voor en na zijn bezoek aan Israël in Jordanië wenste te overnachten, had men toch gerekend op een positieve uitspraak over de jonge staat als vaderland van de Joden. Een van degenen die niet door het geschitter verblind werden, was de Sefardische opperrabbijn Rav Nissim. Toen hem gevraagd werd op welke tijd van de dag het hem zou schikken naar de paus toe te gaan, antwoordde hij beleefd. 'Ik ben helemaal niet van plan naar hem toe te gaan. Als ik in Rome ben, en ik wens de paus te ontmoeten, dan ga ik bij hem op audiëntie. Als de paus in Israël is, en hij wenst mij te ontmoeten, dan kan hij bij mij komen.'

Eerbiedig stond de burgemeester van Jeruzalem zijn hoge gast aan de ingang van de stad op te wachten met brood en zout.

'Waarom brood en zout?' vroeg Jardena.

Nathan schudde zijn hoofd. 'Zal wel om dezelfde reden zijn als waarom we iedere vrijdagavond brood en zout zegenen.'

'Nu je het zegt ... waarom eigenlijk?'

'Brood als symbool voor de dieren die in de tijd van de eerste en tweede tempel geofferd werden.'

'En zout?'

'Om het vlees te reinigen en te conserveren.'

'Een offer aan de paus brengen? Is dat wat de burgemeester bedoelt?'

'Ik betwijfel of hij zelf weet wat het voorstelt. Hij doet waarschijnlijk gewoon wat hem gezegd wordt.'

Papa Paulus ontving het offer genadiglijk, maar liet gedurende de hele dag dat hij in Israël doorbracht niet eenmaal de naam van het land over zijn heilige lippen komen. Integendeel, hij liet heel uitdrukkelijk weten dat zijn bezoek zuiver religieus van aard was. Men mocht er geen enkele politieke of staatkundige bedoeling achter zoeken.

'Anti-semiet,' mompelde Jardena.

Nathan haalde zijn schouders op. 'Wat had je verwacht? Dat de Heilige Stoel Israël tot Heilig Voetenbankje zou uitroepen?'

Bij het opruimen van haar paperassen vond Jardena de kaart die Asser Pollak indertijd uit Nieuw-Guinea had gestuurd. 'Hoe zou het met hem gaan?' vroeg ze zich af. Prompt de volgende dag kwam er een kaart uit Texas.

'Mensekinderen, wat Asser nou weer heb motte beleven. Ik kuier op me gemakkie temidden van de coiboys, en daar brengt me zo'n smuigerd z'n eigenste prissident om zeep. Hartstikke pierelemortes. Wat een sittewaasie! Ik bivakkeerde net in Dallas bij een stel jofele gabbers uit De Pijp, en daar hebben ze me haarfijn uiteengeëxpliceerd wat of er loos was. Te goed voor de nikkers en te goed voor de Joden was die Sjon F. Kennedy. Nebbisj. Had ie Israël maar niet al die anti-projectieliaanse Hawks moeten verpatsen, zegge ze. Hebbie ze eigenste doodvonnis mee getekend.'

Iedere avond als de kinderen in bed lagen, waste Jardena de luiers in een zinken teiltje en kookte intussen de flessen voor de volgende dag uit. Daarna moesten de flessen gevuld en de luiers opgehangen worden. Nathan hielp zo veel mogelijk. Hij stond altijd als eerste op om voor het ontbijt te zorgen terwijl Jardena de baby voedde. En op weg naar zijn werk nam hij altijd de vuilnisemmer mee naar de container die dagelijks door de stadsreinigingsdienst werd geleegd.

Op een avond was ze zo moe na het wassen en wringen, dat ze de luiers in de emmer liet liggen met de gedachte: uithangen doe ik morgen wel. Maar de volgende ochtend waren de luiers verdwenen.

'Mijn luiers, waar zijn m'n luiers,' riep ze wanhopig. Het enige wat ze vond was de lege emmer. Ze begreep dat Nathan in zijn ijver de schone luiers voor vuilnis had aangezien en ze in de container had gekieperd. En die was al uren geleden leeggegooid.

'Wat moeten we doen,' zei ze tegen haar man toen hij thuiskwam. 'Waar halen we geld voor nieuwe vandaan?'

Er kwam geen antwoord.

'Zouden we wat kunnen lenen van je broer?'

'Ik ga morgen na m'n werk wel naar Tel Aviv met aquarellen en etsen bij galeries leuren,' beloofde hij. Jardena wist wat voor een hekel hij daaraan had.

De volgende avond kwam hij opgetogen thuis. Hij had voor tweehonderd pond verkocht. Maar toen hij het geld op tafel wou leggen, bleek hij zijn portefeuille te hebben verloren. Of hij dat nu leuk vond of niet, nu moest hij toch bij zijn broers gaan lenen.

Het was in de dagen van de grootste armoede van het gezin, dat Elchanan een kunstgalerie met tentoonstellingsruimte en telefoon opende. Zijn oude nummer deed hij over aan zijn broer en schoonzuster. Zo kregen Nathan en Jardena als eersten in Machaneh-Yehoedah telefoon, en dat zonder maandenlang op een wachtlijst te hoeven staan, en zonder honderden ponden te hoeven betalen. Een telefoon en een zoon! Wat kon Jardena meer wensen. Zij, die een jaar geleden nog voor onnozel was uitgemaakt omdat ze alleen dochters kon baren, werd zonder slag of stoot gepromoveerd tot de mevrouw van Machaneh-Yehoedah. Zelfs de kruidenier op de hoek bewees haar alle eer. Hij had nog nooit van pindakaas gehoord, maar zorgde op haar verzoek dat hij het in zijn assortiment kreeg. De lichtbruine pasta maakte furore in de buurt en stond lange tijd bekend als *pindak*. Pas jaren later bedachten de leden van de Academie voor de Ontwikkeling van de Taal er een Hebreeuws woord voor.

In juni trouwde Elchanan met Chava, een immigrante uit de Verenigde Staten. Jardena en Chava waren beiden zwanger, met het verschil dat Jardena trots met haar buik vooruitliep, en Chava alles deed om haar toestand geheim te houden.

De dag voor het huwelijk begeleidden de vrouwelijke leden van de families Baghdádi en Jerushalmi de aanstaande bruid naar het mikve. Om de aandacht van de rabbanit af te leiden van Chava's buik, plensden de dames elkaar uitbundig nat in de ruime badkamer, waarbij ze onafgebroken zongen, dansten, met tamboerijnen rinkelden en snoep strooiden.

Na de choepah dronken sommige mannen, waaronder de bruidegom, een beetje te veel. Zo kwam het dat een van hen met luide stem een populair liedje aanhief over een jong stel dat niet kan wachten tot ze zijn getrouwd, met na ieder couplet als refrein: 'Het is allemaal de schuld van die kleine deugniet.' Chava, die haar geheim angstvallig had weten te bewaren, schrok, maar de meeste gasten schonken geen aandacht aan de lawaaiige mannen, en degenen die dat wel deden en de toespeling begrepen, kwamen een voor een naar Chava toe om haar stilletjes ten tweede male te feliciteren.

In augustus kreeg Jardena onverwacht bezoek van haar vroegere schoolvriendin Esther. In de zesde klas van de middelbare school was Esther smoorverliefd geweest op Leo, maar Leo's beste vriend Wouter had haar ervan weten te overtuigen dat Leo niet deugde, en dat ze beter met hem kon trouwen. Direct na de geboorte van hun dochter Maryse, was Wouter er met een andere vrouw vandoor gegaan.

Na haar scheiding waren Esther en Maryse met een *liftvan* vol boeken, grammofoonplaten, keukengerei en meubilair naar Israël geëmigreerd en in kibboets Sde Nehemiah gaan wonen.

'Maar in een kibboets wonen,' vertrouwde Esther haar vriendin toe, 'is net alsof je op een schip zit. Je loopt in kringetjes om de eetzaal heen en ziet altijd weer dezelfde gezichten. Iedereen weet wie met wie heeft geruzied of gevrijd. Ik hou het niet uit.'

'Kom maar bij ons,' zei Nathan. 'Je kunt zolang op de bank slapen, en voor Maryse maken we een plekje bij onze kinderen. Ben je eenmaal in Jeruzalem, dan zoek je werk en een huis. En zolang je bij ons woont, kun je Jardena misschien een beetje helpen met de huishouding. Er is genoeg te doen met vier kinderen, en de vijfde op komst.'

Jardena was blij met het voorstel van haar man, en twee weken later trok Esther bij hen in. Maryse was net zo oud als Rozette en iedereen zag ze voor tweelingen aan, wat zowel de kinderen als de moeders prachtig vonden.

Maryse mocht met Vered mee naar de kleuterschool. Ze kwam thuis als Myriam. Beide meisjes stonden erop om ook in de familiekring bij hun nieuwe naam te worden genoemd.

Esther schreef zich in voor een oelpan omdat het bijna onmogelijk was een baan te vinden voor iemand die geen Hebreeuws sprak, maar al gauw kregen Esther en haar dochter beiden geelzucht. Jardena, die vooral vreesde voor de gezondheid van haar ongeboren baby, raadpleegde de kinderarts. Deze drong erop aan dat de hele familie Jerushalmi zich zou laten inenten.

'Terwijl ik zwanger ben?' vroeg Jardena ongerust.

'De inenting is minder gevaarlijk voor de baby dan de ziekte.'

Gelukkig hadden Esther en Maryse een zeer lichte vorm van geelzucht, en na korte tijd was alles weer achter de rug. Om haar herstel te vieren, trakteerde Esther zichzelf op een dagje uit in Tel Aviv. Slenterend over de Dizengof Boulevard, liep ze Leo tegen het lijf. Hij was met vakantie en had er geen flauw vermoeden van dat zijn voormalige liefje gescheiden was en nu in Israël woonde. Ter plekke vroeg Leo Esther ten huwelijk. Ter plekke stemde ze toe.

'We vliegen samen terug naar Nederland,' besliste Leo. 'Neem niets mee. Ik heb alles wat je nodig hebt, en wat ik niet heb, kopen we. Geld zat.'

Zo kwam het dat Esther en Maryse, die als het ware met de westenwind waren komen aanwaaien, met de oostenwind weer wegvlogen. Hun bedden, stoelen, potten en pannen, en een groot aantal boeken en grammofoonplaten bleven achter bij de familie Jerushalmi. Jardena was blij voor Esther, maar ze zat wel opnieuw zonder hulp. Na de geboorte van Itsik in Nederland, kon ze er slecht in berusten dat alles weer helemaal op z'n Israëlisch zou gaan. Dat de bevalling in een ziekenhuis moest plaatsvinden, daar was niets aan te doen, maar dat ze na thuiskomst overspoeld zou worden met ongevraagde raadgevingen, en geen moment de gelegenheid zou krijgen de dingen op de Nederlandse manier te doen, dat wou ze deze keer voorkomen. Ze dacht aan haar tantes, die voor en na de geboorte van Itsik zoveel voor haar hadden gedaan, en van wie ze zo duidelijk had gemerkt hoe graag ze zelf kinderen hadden willen hebben. Zou een van de twee niet een tijdje naar Jeruzalem willen komen? Ze vroeg het aan tante Kee.

Voor de Tweede Wereldoorlog, toen Reinie een jaar of vijf was, hadden Jan en Perle Vreeland hun kinderen meegenomen naar een tentoonstelling van het Groene Kruis in Utrecht. Tante Kee, toen een jonge, uitzonderlijk mooie vrouw met een voorhoofd dat de helft van haar gezicht besloeg, had hen rondgeleid.

Naast elkaar stonden twee wiegjes. In elk ervan lag een babypop. De ene pop was met de armpjes stijf tegen het lichaam gedrukt in een doek gewikkeld, precies zoals Consuela Baghdádi haar kleinkinderen zou hebben ingebakerd als Jardena het had toegelaten. Hij lag met een fopspeen in zijn mond naar het plafond te staren. Boven zijn hoofd hing een kaartje met het woord 'fout'.

De andere pop droeg een schattig wit babyjasje en een flanellen broekje. Hij lag vrolijk met zijn armpjes en beentjes te spartelen. Boven zijn hoofd hing een kaartje met het woord 'goed'.

Tante Kee, die allang meester in de rechten was toen nog niet veel meisjes aan een universitaire opleiding dachten, was ten tijde van de tentoonstelling met de babypoppen gekleed in de blauwe katoenen jurk en het witte schort van leerling-verpleegsters. Ze was van mening dat ze als juriste beter voor de rechten van zwakken, zieken en geestelijk ontspoorden zou kunnen opkomen als ze hun problemen van binnen uit leerde kennen. Om die reden was ze van onderen af aan met deze tweede opleiding begonnen. Zo was tante Kee. Bereid tot het uiterste te gaan om de wereld te verbeteren en de onderdrukten te helpen. Zou zij Jardena niet een steuntje in de rug willen geven in haar moeizame strijd tegen wat tante Kee zelf ooit de Levantijnse gewoonten van haar schoonfamilie had genoemd.

Het antwoord kwam per kerende post. Tante Kee was direct te vinden voor een bezoekje aan het heilige land. Ze verheugde zich iedereen weer te zien. Eind augustus arriveerde ze, en vóór de komst van de baby, die pas in november werd verwacht, had ze nog tijd genoeg om van alles te bekijken. Op haar verlanglijstje stonden onder andere een bezoek aan Bethlehem en Gethsémané.

'Het eerste wat je dan moet doen,' zei Nathan, 'is een vergunning aanvragen om naar Jordanië te mogen.' Bethlehem, en Oost-Jeruzalem met daar vlak buiten Gethsémané, lagen in Jordanië. Alleen niet-Joodse toeristen konden vanuit Israël de Jordaanse grens over, en dat alleen als ze zes maanden van tevoren een visum hadden aangevraagd. Vóór eind februari of begin maart zou tante Kee dus niet de Jordaanse grens over kunnen. Jardena was blij. Hoe langer tante Kee bleef, hoe liever het haar was.

Geheel ten onrechte meende Jardena dat haar kinderen intelligenter waren dan de meeste andere uit de buurt. Toen Perla naar de eerste klas moest, haalde ze Nathan over om hun dochter op een van de beste scholen van de stad in te schrijven. Als regel bezocht de Jeruzalemse jeugd de openbare lagere school in de eigen buurt, maar Nathan speelde het spelletje van de gediscrimineerde Sefard, wiens nazaten geen kans kregen hun talenten te ontwikkelen. Helaas brachten de goede bedoelingen van Jardena Perla en later ook Vered en Simcha in een onaangename uitzonderingspositie. Terwijl de meeste kinderen elkaar al van de kleuterklas kenden, zouden die van Nathan en Jardena acht jaar lang iedere dag met de bus naar school moeten, en konden ze na schooltijd niet met hun klasgenoten op straat spelen. Aangezien de school in een gegoede buurt lag, en Machaneh-Yehoedah als een van de armste wijken van Jeruzalem gold, zouden de kinderen Jerushalmi jarenlang onder het aangeboren of aangeleerde snobisme van hun schoolmakkers lijden.

Perla's eerste juf intimideerde het kind zozeer dat ze nauwelijks haar mond durfde opendoen. Maar al hield Perla, die op school natuurlijk Pnina werd genoemd, niet van haar juf, toch had deze één pluspunt en dat was haar accordeon. Iedere middag zette Pnina, die thuis door haar moeder consequent Perla werd genoemd, haar zusjes en hun poppen op stoeltjes voor een door Nathan gefabriceerd schoolbord en leerde hun liedjes, waarbij ze een afgedankte broodtrommel met de korte kant op haar schoot hield, en op de maat open- en dichtklapte.

Simcha, die nog te jong was voor de openbare kleuterschool, ging een paar uur per dag naar een privémeisjesklasje vlak bij huis. De kleuterleidster, Ahoeva, was een zeer orthodoxe getrouwde vrouw, die zoveel verschillende pruiken bezat, dat Jardena moeite had haar te herkennen als ze haar in de stad tegenkwam. Soms zag Ahoeva eruit als een blozende Gretchen met blonde vlechten tot haar middel, op andere dagen liep ze erbij als Elizabeth Taylor met strikken en linten in haar zwarte krullen. Op shampoodag konden de buren al die pruiken op Ahoeva's vensterbank in de zon zien drogen.

Verbaasd vroeg Jardena: 'Als getrouwde vrouwen hun haar niet mogen tonen om geen vreemde mannen te verleiden, hoe kan het dan dat die schitterende pruiken wel zijn toegestaan?'

'Dat moet je mij niet vragen,' antwoordde Ahoeva geenszins uit 't veld geslagen. 'Er staat geschreven dat een vrouw die haar hoofd niet bedekt, is als een vrouw die naakt loopt. Maar er staat nergens geschreven waarméé ze haar hoofd moet bedekken. Zolang mijn man tevreden is met mij, ben ik tevreden met hem. Geloof me, Jardena, het is in de religie – net als in het huwelijk – vaak het beste om niet al te veel vragen te stellen.'

Drie weken voor de datum waarop de baby werd verwacht, kwam het water bij bakken uit de hemel. De storm rukte telefoonkabels en elektriciteitskabels los. Tante Kee was met Barbara Buber op pad en niemand wist hoe laat ze zou thuiskomen. Nathan, die zonder jas naar zijn werk was gegaan, wachtte met naar huis gaan tot het ergste voorbij was. Tegen vijven was hij er eindelijk. Toch nog drijfnat. Jardena stond hem in regenjas en laarzen op te wachten.

'Blijf bij de kinderen. Ik moet opschieten. Het kind is op komst.' En daar ging ze, zo snel ze kon naar het ziekenhuis, dat net als de rest van Jeruzalem in duister was gehuld. Natuurlijk had het ziekenhuis een noodaggregaat, maar de enige lamp waar de kraamafdeling over beschikte, werd gebruikt bij een vrouw die bezig was een kind met een waterhoofd te baren. Zo kwam het dat Jardena's vierde dochter in het pikkedonker en met een minimum aan hulp ter wereld kwam. Jardena was overgelukkig met de kleine Consuela, en deze keer was ook haar schoonmoeder dik tevreden.

Zozeer zelfs dat ze op slag besloot een paar weken bij haar zoon in te trekken. Dat was nou net niet Jardena's bedoeling geweest. Ze had tante Kee uitgenodigd in de hoop een langdurig bezoek van haar schoonmoeder te vermijden en wat meer westers georiënteerde hulp voor zichzelf en de baby te krijgen. Maar ook had ze de kinderloze tante Kee zo graag de kans gegund om haar theoretische kennis eens aan de praktijk van een rumoerig, kinderrijk gezin te toetsen. Dat plan werd danig in de war geschopt, nu Consuela Baghdádi de scepter in huize Jerushalmi was komen zwaaien. Bij ieder probleem liepen de kinderen automatisch naar hun grootmoeder.

In december kwam er een felicitatiebrief van Esther. Zij en haar dochter hadden het heerlijk. Ze woonden sinds zes weken met Leo in zijn luxueuze herenhuis in Ouderkerk aan de Amstel. Tussen de regels door las Jardena dat haar vriendin zich ongerust maakte, omdat Leo het afgesproken huwelijk aldoor uitstelde. 'Maak je geen zorgen,' zei hij tegen Esther. 'Alles op z'n tijd. Waar het op aankomt, is dat jij en ik van elkaar houden en dat we samen gelukkig zijn. Wat kan het je schelen of we al of niet officieel getrouwd zijn?'

Maar het kon Esther schelen.

1965

Drie maanden na de geboorte van Consuela bracht de voltallige familie Jerushalmi tante Kee naar de Mandelbaumpoort in de Profetenstraat. Dat was de grenspost waarvandaan buitenlandse diplomaten en toeristen Jordanië in mochten. Ze moest lang in de rij staan. Het duurde wel twintig minuten voordat Nathan, Jardena en de kinderen zagen hoe aan de andere kant van het prikkeldraad haar paspoort werd afgestempeld, waarna ze vrolijk wuivend in de bus naar Bethlehem stapte. Perla, die op school net over Jacob en Esau had geleerd, stond met een vinger in de mond te kijken.

'Maar Imma,' vroeg ze zorgelijk, 'toen onze aartsmoeder Rebecca een tweeling had, en Jacob was een Jood en Esau een Arabier, kreeg ze toen van de regering een speciale pas waarmee ze net zo vaak door de Mandelbaumpoort kon als ze maar wou?'

Toen tante Kee een paar dagen later vol enthousiaste verhalen over haar bezoek aan Jordanië terugkeerde, lagen Nathan en Jardena beiden met een flinke griep in bed.

Tante Kee, die oprecht probeerde haar nicht te helpen, stond urenlang Consuela's luiers te strijken. Haar credo was: Reinheid, Rust en Regelmaat. Merkwaardig genoeg waren eten en drinken daar niet bij inbegrepen. De Israëlische keuken vond ze maar raar, en de Nederlandse keuken durfde ze niet te introduceren, met het kritische oog van Nathan en zijn moeder altijd op de achtergrond.

Morele steun of wat ze daarvoor hield, gaf ze daarentegen des te meer.

'Het is volkomen natuurlijk dat veel dingen in dit land je tegen de borst stuiten,' zei ze tegen Jardena, die scheel zag van de koorts. Intussen repareerde tante Kee een deurkruk die al jaren stuk was zonder dat iemand zich er ooit om had bekommerd.

'Je bent tenslotte grootgebracht in één van de meest progressieve landen ter wereld. Maar dat een uit Nederland afkomstige vrouw geen actie onderneemt tegen sociaal onrecht, dat is onvergeeflijk. Heb je er nooit aan gedacht protestbrieven naar de kranten te sturen?'

'Protestbrieven tegen wat, tante Kee? Tegen de lawaaiige manier waarop mijn familieleden me verwelkomen als ik met een nieuwe baby uit het ziekenhuis kom? Protest tegen de fopspeen, protest tegen het feit dat Israëlische vrouwen meer tijd besteden aan eten koken en vloeren dweilen dan aan luiers strijken en zakdoeken vouwen? Protest tegen de Levantijnse mentaliteit in het Midden-Oosten, terwijl ik hier toch uit vrije wil ben komen wonen?'

In maart werd Perla zeven. Met hulp van tante Kee organiseerde Jardena een verjaardagspartijtje voor zestien kinderen, maar na afloop stortte ze in. De volgende ochtend stuurde de huisarts haar naar het Hadassaziekenhuis, dat inmiddels in een prachtig modern gebouw even buiten de stad was gevestigd. Daar bleek ze, ondanks de inenting, geelzucht te hebben, en niet zo zuinig ook.

Aanvankelijk voelde het alsof ze stenen had ingeslikt die, als ze maar even bewoog, in haar buik door elkaar werden geschud. Toen ze een paar dagen later eindelijk voorzichtig haar ogen opendeed, kwam ze tot de ontdekking dat alles om haar heen geel was. De muren van de kamer waarin ze lag waren lichtgeel, de gordijnen waren hardgeel, en haar vier kamergenoten waren zo mogelijk nog geler dan zijzelf. Hun tanden waren geel, hun ogen waren geel, hun nagels waren geel, en zelfs de grijze haren van een dame die toevallig mevrouw Gelberman heette waren citroengeel.

Al was Jardena niet de ernstigste patiënt van haar zaal, ze was er wel slecht aan toe. Het grootste deel van de dag sliep ze of lag ze wat te suffen. Zo nu en dan zag ze Nathan of tante Kee naast haar bed zitten, maar zin in praten of lezen had ze niet. Het enige lichtpunt in die dagen was het doktersbezoek. Het kwam haar voor dat het hoofd van de afdeling, de uit Amsterdam afkomstige professor Groen, een oude boskabouter was die alle tranen kon drogen en alle pijn kon stillen. Zijn jonge assistent hield ze voor een engel. 's Nachts droomde ze van hem, overdag verlangde ze naar hem met de hartstocht van een bakvis. Als hij haar pols voelde of zijn hand op haar voorhoofd legde, werd ze week vanbinnen vanwege dat onweerstaanbare bruine vlekje onder zijn linkeroog.

Toen de koorts was gezakt en Jardena weer wat helderder kon denken, deed ze actief haar best om zo gauw mogelijk beter te worden. Intussen had ze toch tijd genoeg om zich voor te stellen hoe Kee Vreeland en Consuela Baghdádi samen het huishouden deden.

'Je enthousiasme werkt aanstekelijk en dat zal zeker ook op je patiënten een prima uitwerking hebben,' had tante Kee haar in 1956 geschreven als antwoord op een brief over haar werk in de psychiatrische inrichting. 'Toch is er juist in dit verband een probleem, waar ik dikwijls over heb gepiekerd. 't Is namelijk zo, dat juist vreugde, gezondheid, en kracht op depressieve mensen veelal een averechtse uitwerking hebben. Ze voelen er nog sterker hun eigen onmacht door. Voor bepaalde mensen is 't een geluk nog zwakkere medeschepselen te ontmoeten. Ook een hulpeloos dier kan soms meer voor iemand doen dan een knappe psychiater, die vaak zo irritant zelfverzekerd is.'

Met dat soort redeneringen kon je bij Jardena's schoonmoeder natuurlijk niet aankomen. Jardena, die haar tante en haar schoonmoeder in haar hart de lange en de korte noemde, kon zich levendig voorstellen hoe het tussen die twee boterde. Of niet zo boterde. De korte, die nu eenmaal niet veel respect had voor vrouwen die niet aan de man waren gekomen, voelde zich uit hoofde van haar moederschap superieur en dus vanzelfsprekend de baas in huis. De lange werd zo veel mogelijk met de twee kleintjes de hort op gestuurd, wat ze op zichzelf geen straf vond. Zo ging ze met Itsik en Consuela bij Martin Buber op bezoek en kreeg gedaan dat de oude heer de kinderen zegende.

Consuela Baghdádi begreep niet waar dat nou weer goed voor was. De man was tenslotte geen rabbijn. Wat was hij eigenlijk wel? Een ketter? Een oproeikraaier? Maar Jardena was ontroerd door het initiatief van haar tante.

De meest welkome hulp kwam van Elchanans vrouw Chava, die onlangs haar eerste kind had gekregen en die, in tegenstelling tot Jardena, meer dan genoeg borstvoeding had. Gedurende de moeilijke tijd dat Jardena in het ziekenhuis lag, wandelde Chava bijna elke dag met de kinderwagen naar Machaneh-Yehoedah om de kleine Consuela van haar moedermelk te laten profiteren.

Toen Jardena na vier weken op het punt stond uit het ziekenhuis te worden ontslagen, en de artsen verklaarden dat ze thuis nog maandenlang rust zou moeten houden en dus zeker niet zelf voor haar kinderen zou kunnen zorgen, zei tante Kee: 'Ik wil eigenlijk niet nog langer in Jeruzalem blijven, maar ik ben van harte bereid om Itsik en Consuela mee naar

Nederland te nemen, en daar gedurende de zomer voor ze te zorgen.'

Jardena, die evenals Nathan haar toestemming voor deze reis moest geven, kon de gedachtegang van haar tante wel volgen, en ze waardeerde het aanbod. Maar Nederland was zo ver weg. Ze kon er maar niet toe besluiten haar handtekening te zetten.

Toen ten slotte haar geliefde boskabouter en zijn engelachtige assistent druk op haar uitoefenden, en ook de eigen kinderarts van het gezin naar het ziekenhuis werd geloodst om haar te verzekeren dat Itsik en Consuela veel te jong waren om van de scheiding narigheid te ondervinden, had ze te weinig weerstand om nog tegen te stribbelen. Pas jaren later zou ze tot haar verdriet ontdekken hoezeer Itsik en Consuela uit balans waren geraakt door de abrupte en langdurige scheiding van ouders, zusjes, huis, taal en land, en hoe moeilijk het bleek het evenwicht te herstellen.

Rozette en Simcha werden tijdelijk ondergebracht bij vrienden en alleen Perla bleef bij vader en moeder thuis. Dat was op zichzelf niet gek, want Perla, die geregeld de verantwoordelijkheid had gedragen voor haar jongere zusjes en broertje, kon wel wat extra aandacht gebruiken. Ze had het niet makkelijk op school, en het was dan ook pas tegen het eind van het eerste leerjaar dat ze na een poosje in een boek te hebben zitten turen, verbaasd uitriep: 'Kijk, Imma, als je deze woorden achter elkaar hardop zegt, dan hoor je het verhaal van Assepoester.' Jardena, die nog heel labiel was, barstte prompt in huilen uit. Haar dochter had ontdekt wat het betekende om letters tot woorden te combineren, woorden tot zinnen, zinnen tot verhalen. Was er iets mooiers te bedenken?

Niet alleen aan het lezen beleefden moeder en dochter grote vreugde, ook aan muziek. Nathan had twee blokfluiten gekocht en een boek met oefeningen en eenvoudige liedjes. Urenlang volgden Jardena en Perla samen op bed de aanwijzingen in het boekje, en na een tijdje speelden ze eenvoudige tweestemmige wijsjes.

Op een middag waren ze bezig een nieuw liedje in te studeren toen er op de deur werd geklopt. Het was monsieur Cohen, die in een klein kamertje onder Nathan en Jardena woonde. Hij was een lange, enigszins druilerige man op leeftijd, die al jaren gescheiden was en zonder vrouw en kinderen uit Turkije was geëmigreerd. Hij sprak slecht Hebreeuws maar verstaanbaar Frans. Izak Baghdádi had hem de kamer lang geleden voor sleutelgeld en drie Israëlische ponden per maand verhuurd. Wat in de jaren veertig een redelijk bedrag was, was in de jaren zestig bijna niets, maar de wet stond aan de kant van de huurder.

Volgens Nathans moeder had monsieur Cohen sinds de dag dat hij de kamer had betrokken, nooit een raam opengezet of een muur gewit, laat staan een emmer water over de vloer gegooid. Jardena vermeed zorgvuldig bij hem naar binnen te gaan, maar als zijn deur toevallig openstond terwijl ze langskwam, meende ze te ruiken dat haar schoonmoeder de waarheid sprak. Ze nodigde de bezoeker dan ook niet uit om te gaan zitten, maar vroeg met tegenzin wat ze voor hem kon doen.

'Dat zit zo,' begon monsieur Cohen verlegen.

'U weet dat ik al meer dan twintig jaar gescheiden ben. Ik wist niet beter of m'n ex-vrouw woonde in Ankara, maar laat ik haar nu een maand geleden op de markt tegen het lijf lopen. Goed, we praten en we praten, ik vraag hoe het met de kinderen gaat, en dat gaat goed zegt ze, de oudste werkt aan het consulaat in Japan, de tweede studeert voor schoolmeester, en van het een komt het ander, een man alleen is toch maar alleen zeg ik, en een vrouw alleen is toch maar alleen zegt zij, in 't kort, we gaan naar 't rabbinaat om opnieuw te trouwen. Hoe of ik heet vragen ze me. Cohen zeg ik. Cohen? Maar dan stamt u toch af van Aharon de Hoge Priester. En ik: nogal wiedes, maar dat was in de tijd van Mozes dus die heb ik nooit ontmoet. En die rabbijn: ja, maar een Cohen mag niet met een gescheiden vrouw trouwen, dat weet u toch wel? En ik: ja, maar ze is de moeder van m'n kinderen en de eerste is consul in Japan en de tweede studeert voor schoolmeester, en hij: niks mee te maken. *Halachah* is halachah en daarmee uit.'

Perla stond met open mond naar het Franse gekoeterwaal te luisteren, en Jardena wist ook niet zo gauw wat ze daar nu op moest antwoorden.

Ten slotte kwam ze met een voorzichtig: 'Ik begrijp dat u een probleem hebt, monsieur Cohen, maar wat kan ik daaraan doen?'

'Dat zit zo, mevrouw Jerushalmi. Aangezien we niet kunnen trouwen, en m'n ex-vrouw toch de moeder van m'n kinderen is, zei ik: kom dan bij me wonen, wat maakt het uit? Dan kun je gelijk wat schoonmaken en ik zal de muren witten, het is toch een prima kamer, en maar drie pondjes per maand. Maar zij zegt: iedereen kent jou in Machaneh-Yehoedah, en als ik bij je intrek is het roddelen niet van de lucht, dat we niet getrouwd zijn en alles, dus laten we in Tel Aviv gaan wonen waar niemand ons kent, en dan laten we ons gewoon monsieur en madame Cohen noemen en geen haan die ernaar kraait, want je bent toch de vader van m'n kinderen, en de ene is consul in Japan ...'

'Ja, ja, en de andere studeert voor schoolmeester. Ik weet het,' viel Jardena hem gauw in de rede. 'Maar wat wilt u nu? Dat ik u mijn zegen geef? Die kunt u krijgen. Veel geluk in Tel Aviv.'

'Maar als ú nu de kamer wilt huren en mij het sleutelgeld ervoor geven, dan...'

Dát was het dus. Monsieur Cohen kon inderdaad proberen de kamer voor sleutelgeld aan een nieuwe huurder over te doen. Van het hoogste bedrag dat hij kon krijgen, kwam hem twee derde en Consuela Baghdádi een derde toe. Maar hij begreep heel goed dat geen zinnig mens zijn verwaarloosde kamer voor een interessant bedrag zou willen overnemen. Daarom probeerde hij Jardena over te halen om de kamer bij hun eigen woning in te lijven, en hem te betalen wat ze ervoor overhad. Met Nathans moeder moesten ze het zelf maar regelen.

Jardena overlegde met Nathan. Nathan overlegde met zijn moeder. Elchanan streek weer eens over zijn portemonnee, en Nathan kreeg een atelier onder het huis.

In september kwamen Vered en Simcha weer thuis.

Lichamelijk voelde Jardena zich een stuk beter, maar ze verlangde erg naar Itsik en Consuela. Jan Vreeland stuurde geregeld foto's, maar dat maakte de zaak nog erger. Iedere keer als er een brief kwam, huilde Jardena tranen met tuiten.

Nathan zou de kinderen gaan ophalen. Hij wou van de gelegenheid gebruik maken om een nieuwe tentoonstellingsronde te organiseren, maar daarvoor moest hij nog veel voorbereidend werk doen. Daardoor kon hij pas half oktober vertrekken. Hij had nog nooit van zijn leven gevlogen, en was doodzenuwachtig. Jardena en de drie meisjes brachten hem naar het vliegveld. Ze bleven op de balustrade staan tot het vliegtuig een stipje was geworden en barstten toen alle vier in tranen uit. Wat een afschuwelijke gewaarwording om je man en vader, je steun en toeverlaat, zomaar in de wolken te zien verdwijnen.

Nathan bleef een volle maand in Nederland. Toen ze eindelijk de terugtocht zouden aanvaarden, bedelde tante Kee om een paar extra dagen, zodat Consuela haar eerste verjaardag bij hen kon vieren, en toen dat gebeurd was, belde tante Mies op en smeekte: 'Alsjeblieft, Reinie, geef Itsik de kans om Sinterklaas te ontmoeten. Hij zal er zo van genieten!'

Ten slotte besloot tante Mies om met Nathan en de kinderen mee terug te vliegen en een maand bij de familie Jerushalmi te logeren om de overgang voor de kinderen makkelijker te laten verlopen. Jardena vond het een prachtige regeling. Ze had deze keer geen reden om een confrontatie met haar schoonmoeder te vrezen. En ook al was dat zo geweest, tante Mies was een mannetjesputter die met beide benen op de grond stond. Die zou zich door geen oriëntaals huismoedertje van de wijs laten brengen. In de dagen voordat Itsik en Consuela thuis zouden komen, poetste Jardena het hele huis op. 's Avonds, als de kinderen in bed lagen, schilderde ze de kamerdeuren en raamkozijnen. Toen de grote dag eindelijk was aangebroken, vroeg ze aan een vriendin om samen met de meisjes thuis te wachten, zodat ze in haar eentje naar Lydda kon gaan om haar twee jongste kinderen af te halen. Daar aangekomen kreeg ze te horen dat het vliegtuig zoveel vertraging had, dat het nog niet eens uit Nederland was vertrokken. De reis naar Lydda was te lang en te duur om op en neer naar huis te gaan, dus bleef ze zes uur lang, op van de zenuwen, op het vliegveld wachten. Om twee uur 's nachts landde het KLM-toestel. Even later zag ze haar kinderen in de aankomsthal. Zonder zich van iemand iets aan te trekken, rende ze door de glazen deur om ze te omhelzen. Een agent probeerde haar tegen te houden. Ze duwde hem gewoon opzij. Ze had negen maanden geduld gehad. Nu kon ze geen minuut meer wachten. De kinderen daarentegen moesten hun moeder opnieuw leren kennen. Dat was moeilijk te verkroppen voor Jardena. Maar doordat tante Mies zich met veel tact afzijdig hield, duurde die pijnlijke situatie niet lang.

Natuurlijk bracht Nathan voor Perla, Rozette en Simcha ieder een cadeau mee. Simcha had maar één wens: een jongenspop. Haar liefde ging uit naar alles wat man was. Zij was dan ook van de kinderen degene die haar broertje het meest had gemist. Itsik was nog geen vijf minuten thuis of Simcha strompelde haar bed uit om hem te verwelkomen met een la vol half afgekloven zuurtjes, koekjes en chocolaatjes, wormstekige appels en beschimmelde bananen, die ze al die maanden in het geheim voor hem had bewaard. Consuela, die als baby van vier maanden naar Nederland was meegenomen, kon bij haar terugkomst lopen, en Itsik sprak alleen nog maar Nederlands. Waar was het jaar gebleven?

1966

Op nieuwjaarsdag kwam er een brief van Esther. Leo had zich verdronken in de Amstel. Hij had een krabbeltje achtergelaten op tafel: 'Het was allemaal toch niet zoals ik me het had voorgesteld.'

Esther was radeloos. Leo's wettige erfgenamen waren zijn ouders. Ze verzochten Esther vriendelijk maar dringend het mooie huis aan de Amstel zo spoedig mogelijk te verlaten. Met lege handen.

Kort daarna hoorde Jardena van een wederzijdse vriend dat Esther Leo's voorbeeld had gevolgd. Van de weinigen die de concentratiekampen hadden overleefd, werden velen geplaagd door een knagend schuldgevoel ten opzichte van hun vermoorde vrienden en verwanten. Ook Leo en Esther zaten zo boordevol schuldgevoelens, dat ze jaren na de oorlog Hitler een handje hielpen door de 'eindoplossing van het Joodse probleem' op zichzelf in praktijk te brengen.

En wat moest er nu met Maryse gebeuren, vroeg Jardena aan de wederzijdse vriend. Kon ze het meisje laten overkomen en samen met haar kinderen grootbrengen?

Het kind heeft een vader, schreef de vriend terug. Wat gek, daar had Jardena niet aan gedacht.

Vlak voor haar vertrek zei tante Mies: 'Weet je Reinie, toen Jan, Kee en ik klein waren, hadden we nooit met Joden te maken. Ik denk niet dat er Joodse kinderen op onze school zaten, maar als dat al zo was, had niemand daar erg in. Joden waren voor ons mensen met wie onze ouders niet omgingen. Toen Jan dan ook met een Joodse verloofde kwam aanzetten, waren vader en moeder daar helemaal niet blij mee. Moeder haalde vader zelfs over te dreigen dat hij Jan zou onterven als hij met Perle trouwde. Maar Jan lachte vader uit en zei: "Je doet maar!" En hij had gelijk. Hij zag toen al wat veel Nederlanders pas na de oorlog begrepen, en waar ik zelf in de laatste jaren het overtuigende bewijs van heb gekregen, namelijk dat Joden gewone mensen zijn. Er zijn goede Joden en slechte

Joden, net zoals er goede en slechte Christenen bestaan, goede en slechte Amerikanen, Nederlanders, Mohammedanen ... En natuurlijk hebben jullie recht op een eigen land, ik bedoel maar ...'

Ineens liep tante Mies de kamer uit. Jardena hoorde haar in de badkamer heel hard haar neus snuiten. Toen ze terugkwam, omhelsde ze Jardena en elk van de kinderen innig, en gaf ze ook Nathan een verlegen zoen.

De volgende ochtend bracht de hele familie tante Mies naar het vliegveld. Ze stonden met z'n zevenen aan de railing van het lange terras vanwaar je reizigers mocht uitwuiven en de vliegtuigen kon zien opstijgen. Toen Itsik de tante die bijna tien maanden voor hem had gezorgd naar het vliegtuig zag lopen, riep hij luidkeels: 'Daag, daag, dag lieve tante Mies.' Tante Mies keerde zich om en bleef net zo lang wuiven tot een stewardess haar zachtjes naar het vliegtuig loodste. De kinderen beseften niet dat ze tante Mies in geen jaren zouden zien, maar Jardena kon zich levendig indenken hoe haar tante in het vliegtuig heimelijk tranen zou vergieten. Ook zijzelf zat de hele weg terug in de bus naar Jeruzalem te snotteren.

De spanningen tussen Israël en Egypte escaleerden snel. Al sinds 1963 wist men dat Duitse wetenschappers in Egypte bezig waren langeafstandsraketten te bouwen, en al in maart 1964 had een Engelse journalist in *The Guardian* geschreven dat Nasser binnen twee jaar over genoeg van die moordwerktuigen zou beschikken om de hele Israëlische bevolking in één klap uit te roeien.

Op 28 februari vond de uit India afkomstige Joodse restauranthouder Aby Nathan het welletjes. Hij bezat een veertig jaar oud eenpersoonsvliegtuig waarmee hij, geheel op eigen houtje en zonder voorafgaande kennisgeving, naar Egypte vloog om Nasser tot rede te brengen. 'Aby Nathan is een meelijwekkende clown,' zeiden de Egyptenaren in Port Said. 'Hij is zelfs niet waard dat we hem gevangennemen. Stuur maar rechtsomkeert.'

Bij thuiskomst vond de Israëlische Don Quichot duizenden Sancho Panza's die voor zijn restaurant stonden te juichen.

De hoogleraren van de Hebreeuwse universiteit gingen van lieverlee over op het gebruik van dia's om hun colleges aanschouwelijk te maken. Dat had tot gevolg dat er voor Nathan hoe langer hoe minder te doen was. Hij kreeg er zo genoeg van om hele ochtenden op kantoor te zitten duimendraaien, dat hij in overleg met Jardena besloot zijn baan op te zeggen en zich geheel aan zijn schilderkunst te wijden. Hij liet zich ontslaan, en van het geld dat hij als schadevergoeding kreeg, kochten ze hun eerste wasmachine.

Er was nog iets anders dat Jardena het leven makkelijker maakte. Nathan had tijdens zijn verblijf in Nederland uitgekeken naar iemand die tegen kost en inwoning plus een redelijk zakgeld bereid was haar in de huishouding te helpen. Meerdere jongedames hadden zich gemeld. De keus was op Christa gevallen. Ze studeerde aan de kunstacademie in Den Haag en wou er graag een jaar tussenuit. Ze arriveerde in mei, en wist zich al gauw geliefd te maken door altijd daar te zijn waar iemand haar nodig had.

Perla, die toch intelligent en creatief genoeg was, kon op school niet goed meekomen. Ze was zo bang voor haar lerares dat ze uit pure angst helemaal niet naar haar kon luisteren, en na de les dan ook geen idee had waarover hij was gegaan. Jardena hoopte dat een eigen kamertje haar zou helpen zich te concentreren. Nathan vond dat natuurlijk onzin. Hij verweet het kind dat ze niet genoeg haar best deed. Gedachtig aan de stelregel 'Niet vragen, gewoon doen', schoven Jardena en Christa net zo lang met kasten en bedden tot ze voor Perla een hoekje hadden afgeschut. Vanaf dat moment nam Perla de gewoonte aan om 's middags tegen haar moeder te zeggen: 'Je hoeft me niet met mijn huiswerk te helpen, je moet alleen achter mij staan, anders begrijp ik het niet.' Soms deed het kind zo lang over haar huiswerk, dat Nathan zijn geduld verloor en haar een paar klinkende oorvijgen toediende, met het voorspelbare gevolg dat Jardena hem schreeuwend aanvloog. Ze wist wel dat dat averechts werkte, en dat Nathan waarschijnlijk minder agressief zou zijn als zijzelf niet zo fel reageerde, maar net zo goed als hij niet kon laten zijn kinderen te slaan, kon zij niet laten hen met haar eigen lichaam te beschermen. Merkwaardigerwijs deden deze veldslagen zich nooit voor als er vrienden of kennissen in de buurt waren. Zelfs Christa was er nooit getuige van. Zo kwam het dat de naam van het gezin Jerushalmi door de jaren heen bijna synoniem werd met harmonie en wederzijds begrip. Gesprekken tussen de echtelieden over dit pijnlijke onderwerp liepen altijd uit op hooglopende ruzie, waarbij Nathan met zijn vuist op tafel sloeg en schreeuwde: 'Wie is hier de baas in huis?' en Jardena tergend terugschreeuwde: 'Had je maar met een Bedoeïenenvrouw moeten trouwen!'

In tegenstelling tot haar oudere zusje vreesde Rozette, die nu door iedereen Vered werd genoemd, noch haar juf, noch het hoofd van de school in eigen persoon. De klassenleidster had de kinderen gevraagd een doosje afgebrande lucifers van huis mee te brengen, ter vergemakkelijking van de eerste optel- en aftreksommetjes. Na een week had Vered nog steeds geen lucifers bij zich.

'Wat mankeert je toch?' vroeg de juffrouw ten slotte geërgerd. 'Waarom heb je nu alweer die lucifers niet meegebracht?'

'Wat dacht u wel?' antwoordde Vered zonder blikken of blozen. 'Dacht u soms dat mijn ouders zo rijk waren, dat ze een heel doosje lucifers kunnen opbranden, alleen maar om er sommen mee te maken?'

Die middag belde de verbouwereerde schooljuffrouw Jardena op om haar zo tactvol mogelijk te laten weten dat de school over bepaalde fondsen beschikte voor hulpbehoevende gezinnen. Jardena schoot in de lach en beloofde persoonlijk een doosje afgebrande lucifers in Vereds schooltas te stoppen.

Toch had ook de zelfverzekerde Vered het niet altijd zo makkelijk als haar ouders wel wilden geloven. Aangezien ze geen enkel probleem had met haar huiswerk, schreef Nathan haar in voor extra schoolactiviteiten in de middag. Om het afstandsprobleem op te lossen, belde Jardena de moeder van een van Vereds klasgenootjes op om te vragen of haar dochter tweemaal in de week tussen de middag bij haar mocht overblijven.

'Natuurlijk,' zei de moeder. 'Dat is toch geen moeite!'

Jardena, die niet anders had verwacht, bedankte de vriendelijke gastvrouw met: 'Als ik eens iets voor u kan doen ...' waarbij ze als vanzelfsprekend aannam dat de gastfamilie haar zevenjarige dochter met hen zou laten meelunchen. De werkelijkheid, die Vered overigens jarenlang voor haar ouders verzweeg, was heel anders: als de familie aan tafel ging, werd het arme paupertje uit Machaneh-Yehoedah naar een zijkamer verwezen, om daar met knorrende maag te wachten tot het tijd was om weer naar school te gaan. Te loyaal om over de ouders van haar vriendinnetje te klikken, rapporteerde Vered geregeld over de verrukkelijke maaltijden die bij hen werden opgedist, zodat Jardena zelfs niet op het idee kwam om haar dochter op die dagen een zakje boterhammen mee te geven.

Itsik was een ondernemend jongetje. Ofschoon hij nauwelijks drie jaar oud was, liep hij geregeld in zijn eentje de straat op. 's Nachts ging er weliswaar een zware ijzeren balk voor de deur, maar de wc was net buiten die deur. Toen Jardena op een nacht haar bed uit moest, vond ze een krukje bij de voordeur en de ijzeren balk was van zijn plaats geschoven. Geschrokken liep ze naar de kinderkamer, en waarachtig, Itsik was er niet. In paniek wekte ze Nathan, en beiden liepen in hun nachtgoed de straat op. Juist op dat moment kwam de man van Pua met de kleine voortvluchtige de hoek om gelopen. De buurman was naar de bioscoop geweest. Hij had de laatste bus naar huis genomen, en had slaperig door het raampje zitten kijken. Tot zijn verbazing had hij ineens de kleine Itsik op blote voeten en in pyjama op z'n dooie eentje in de stad zien kuieren. Onmiddellijk had hij de chauffeur gevraagd hem te laten uitstappen. Gelukkig had die er op dat late uur geen bezwaar tegen om tussen twee haltes te stoppen. Daarna was de buurman de hele weg bergopwaarts naar huis gelopen met het kind aan de hand. Het verloren schaap en de eerlijke vinder werden beiden omhelsd. Om herhaling te voorkomen, voorzag Nathan de voordeur van een degelijk modern slot.

Toen Jardena na haar geelzucht uit het ziekenhuis was ontslagen, hadden de artsen haar op het hart gedrukt minstens zeven jaar geen bloeddonor te zijn en niet zwanger te raken. Ofschoon zowel Nathan als Jardena graag nog meer kinderen had willen hebben, waren ze beiden verstandig genoeg om deze dringende raad ter harte te nemen. Tante Kee, die van het vonnis op de hoogte was, en ook afgezien daarvan vond dat het echtpaar Jerushalmi zich niet als vader en moeder muis moest gedragen, stuurde Jardena een Nederlands boekje, geschreven door de gynaecoloog Jan Holt, waarin deze aangaf hoe een vrouw kon vermijden zwanger te worden, door aan de hand van haar lichaamstemperatuur nauwkeurig vast te stellen wanneer ze ovuleerde. Voor het eerst sinds haar huwelijk voelde Jardena zich baas in eigen buik, hetgeen tot op zekere hoogte opwoog tegen het dringende advies om geen kinderen te krijgen. Het was dan ook louter en alleen met het oog op haar eigen gezondheid dat ze ieder halfjaar haar bloed wou laten controleren. Maar al bij de derde controle verklaarde de arts dat haar bloed zuiver was en dat ze niet hoefde terug te komen.

Het duurde even tot Jardena de logische conclusie trok: 'Bedoelt u dat ik weer veilig kan proberen nog een kind te krijgen?'

'Mijn zegen heb je,' lachte de arts.

Maar Jardena was aan haar maandelijkse temperatuurdiagrammen gehecht geraakt. Nu ze eenmaal wist dat ze weer met een gerust hart kon proberen kinderen te krijgen, zag ze niet in waarom ze haar pas verworven vrijheid zo gauw al zou prijsgeven. Ze was tenslotte pas drieëndertig. Er was tijd genoeg voor het één zowel als het ander.

Intussen boden vrienden, die dicht aan zee woonden en een reisje naar het buitenland planden, haar voor de zomer hun huis aan. Ze aanvaardde het aanbod met beide handen, en nam behalve de vijf kinderen en Christa ook Chava en haar zoon mee. Noch Elchanan, noch Nathan hield van de zee. Bovendien moest Nathan in juli weer opkomen voor reservedienst. Na twee weken kreeg hij de kans om een Shabbat met zijn gezin door te brengen. Dankzij het boekje van Jan Holt wist Jardena haarscherp dat dit de dag van de ovulatie was. 'Als we het doen,' zei ze tegen haar man, 'dan wordt het een baby. Wat denk je?'

'Hartelijk welkom,' zei hij.

'Doen,' besloot ze.

Na een heerlijk ontspannen zomer zonder mannen, keerden de vakantiegangers opgewekt en in goede gezondheid terug naar Jeruzalem. De enige die niet helemaal gelukkig was, was Christa. Ze had erge heimwee naar Nederland en dacht er over haar verblijf in Israël te bekorten. Dat kwam Jardena onder de omstandigheden slecht uit, maar ze kon Christa er natuurlijk niet van weerhouden om in september weer naar de kunstacademie in Den Haag te gaan.

Haar laatste zondag wilde Christa benutten om het pas geopende nieuwe gebouw van de *Knesset* te bezoeken, en daar de enorme wandtapijten en mozaïeken te gaan bezichtigen die Marc Chagall aan het Joodse volk en aan Israël had geschonken, met de woorden: 'Door dit werk ben ik deel van het land geworden. Het is alsof ik herboren ben. Van nu af aan ben ik een ander mens.'

Christa, die onderweg verdwaalde, vroeg aan een voorbijganger de weg. Deze man was de enige zoon van twee Poolse Joden die allebei als enige overlevende van hun familie na de holocaust naar Amerika waren geëmigreerd. Hij was voor beide ouders niet alleen een zoon maar ook het symbool van de overleving van het Joodse volk: hun hoop voor de toekomst. Aangezien Thomas op zijn vierendertigste nog steeds ongetrouwd was, hadden zij hem aangeraden een gastdocentschap aan de Hebreeuwse Universiteit in Jeruzalem te aanvaarden. Misschien vond hij in Israël het ideale Joodse bruidje. Wie had kunnen voorspellen dat hij midden in Jeruzalem op het eerste gezicht verliefd zou worden op een meisje van katholieke komaf dat hem de weg vroeg naar het parlementsgebouw? Diezelfde avond bezocht Thomas Christa in het huis van Nathan en Jardena. Maar Christa zat al op haar koffers met haar reisbiljet in de hand, en Thomas had geen schijn van kans. Vastbesloten om nog een poging te doen, vloog hij tijdens de *chanoeka*vakantie naar Nederland om haar ten huwelijk te vragen. Maar Christa, die zich met moeite had losgemaakt van het katholicisme, voelde er niets voor om door een huwelijk in een concurrerende religie verstrikt te raken.

Jardena zat weer zonder hulp. Tweemaal per week kwam een werkster het zware werk doen, maar dat was, gezien de geschiedenis van Jardena's gezondheid, niet voldoende. In de galerie van zijn broer ontmoette Nathan een Engelse studente die, om de kost te verdienen, kiezelstenen verzamelde en daar met zwarte inkt gezichten op schilderde. Hij bood haar Christa's kamer aan in ruil voor hulp in de huishouding. Jardena kon Nathans beschermeling vanaf het eerste moment niet uitstaan. Bovendien stak het wicht geen vinger uit om haar kamer te verdienen. Na twee weken vol ergernis, verbrak Jardena de overeenkomst zonder enig gewetensbezwaar. De kiezelkunstenares, die totaal met zichzelf overhooplag, was niet zozeer beledigd als wel hogelijk verbaasd over de gang van zaken. Ze bood Jardena als afscheidscadeau een van haar beschilderde stenen aan: een Bedoeïenenvrouw met een ring door haar neus, die Jardena haar leven lang zou bewaren als symbool van wat zijzelf ten opzichte van haar man niet was en niet van plan was ooit te worden.

1967

Omdat het jaar 5727 een schrikkeljaar was – dertien maanden in plaats van twaalf – viel Poerim pas aan het eind van maart. Desalniettemin lag op die dag Jeruzalem zo vol natte sneeuw dat de kinderen niet in hun verkleedkleren naar buiten konden. Maar twee dagen later was de lente in de lucht en wist Jardena dat het zover was met de baby.

's Middags stuurde ze Nathan met de drie oudste meisjes naar een poppenkastvoorstelling. Vervolgens stalde ze de twee kleintjes bij een buurvrouw, en liep op haar gemak naar het ziekenhuis, waar ze te horen kreeg dat ze al een opening van zes vingers had. Toen Nathan bij thuiskomst hoorde dat zijn vrouw naar het ziekenhuis was vertrokken, was hij er zo van overtuigd dat het nog lang niet zover was, dat hij op de klaarliggende geboorteaankondigingen de datum van de volgende dag invulde. Maar de baby werd nog diezelfde avond geboren. Het was een jongen, waar niemand aan had getwijfeld, omdat Pua al een jaar geleden in een gesticht voor geesteszieken was opgenomen.

De politieke situatie was desastreus. Nathan, die veel naar de Egyptische radio luisterde, was diep geschokt door de haat waarmee Nasser dag in dag uit de wereld injecteerde, niet alleen jegens de Joden, maar ook jegens de Jordaniërs en hun koning Hoessein, die hij voor schijtluis uitschold, omdat hij niet stond te trappelen van ongeduld om Israël aan te vallen.

In mei gebood Nasser de vertegenwoordigers van de Verenigde Naties Egypte te verlaten. Ze deden het zonder protest.

Direct daarop zette Nasser kanonnen op het eilandje Tiran aan de zuidpunt van de Sinaï, om daarmee Israëlische schepen die vanuit de Rode Zee naar Eilat wilden varen te kunnen bestoken. Hij hield een opzwepende speech: 'De Straat van Tiran is van ons. Als Israël en generaal Rabin oorlog willen, laat ze maar komen. We staan klaar voor de ontvangst.'

De Sovjet-Unie, die in 1947 als een van de eersten had gestemd voor het oprichten van de staat Israël, stond geheel achter Nasser en zijn plannen om diezelfde staat nu te verdelgen. Oorlog was onvermijdelijk.

Nathan werd opgeroepen voor reservedienst.

Elchanan, die in de onafhankelijkheidsoorlog een oog had verloren, werd niet opgeroepen, maar meldde zich vrijwillig om met zijn vrachtwagentje soldaten naar hun legereenheden te vervoeren.

Zes weken na de bevalling verloor Jardena nog steeds grote hoeveelheden bloed. Ze zag wel in dat ze zich moest laten onderzoeken, maar dat was niet eenvoudig nu ze er alleen voor stond. Haar schoonmoeder, die altijd bereid was in te springen, kon niet komen helpen omdat Chava net haar tweede zoon had gekregen. Dus vroeg Jardena aan een buurvrouw om een oogje op de kinderen te houden, zodat ze op zoek kon gaan naar een nog niet gemobiliseerde arts. Degene die haar ten slotte te woord stond zei: 'Het gaat wel over. En zo niet, kom dan morgen maar terug. Dan maken we je even schoon vanbinnen.'

De volgende ochtend ontsnapte er een klont bloed zo groot als een vuist. Vastbesloten om een eind aan deze toestand te maken, liep ze naar de apotheek en kocht daar vierentwintig babyflessen. Thuisgekomen met haar vracht kookte ze ze allemaal uit, waarna ze elke fles vulde met de juiste hoeveelheid melk voor één voeding. Hoewel ze zich nooit echt had verzoend met het feit dat ze niet genoeg borstvoeding had voor haar kinderen, was ze deze keer toch blij dat Jannai nauwelijks hinder zou hebben van haar afwezigheid.

Tegen de zevenjarige Vered, die beter tegen vieze luiers kon dan haar negenjarige zusje, zei ze: 'Ik moet een dag of twee naar het ziekenhuis. Geef Jannai overdag iedere vier uur een fles, en 's nachts alleen als hij erom vraagt. Hier is het elektrische flessenwarmertje, hier zijn luiers, hier is babyzalf voor zijn billetjes. Hij hoeft niet in bad.'

En tegen Perla zei ze: 'Pas op Simcha, Itsik en Consuela. Stuur ze niet naar school. Hier heb je brood, melk, kaas, pindakaas en chocoladepasta. Daar moeten jullie het twee dagen mee doen. Blijf bij elkaar. Doe onder geen voorwaarde het gas aan. Je bent mijn grote dochter. Ik vertrouw op je.'

Toen dit was geregeld, had Jardena zoveel bloed verloren dat ze de tocht naar het ziekenhuis haast niet meer kon volbrengen. Daar hees ze zich met de grootste moeite naar de afdeling gynaecologie op de derde verdieping, waar ze te horen kreeg dat de arts geen tijd voor haar had. Ze strompelde de trappen weer af, stak de straat over en liep ten einde raad een polikliniek binnen waar ze nooit eerder was geweest. Een verpleegster die haar zag, vroeg niet eens naar haar naam of ziekenfondskaart, maar bracht haar regelrecht naar een vrouwenarts, die op zijn beurt alle wachtende patiënten in de steek liet om deze hem onbekende vrouw in vliegende vaart in zijn privéauto naar een klein ziekenhuis te rijden, waarvan hij geneesheer-directeur was. Onderweg stelde hij een paar vragen. Zijn diagnose was dat de placenta destijds niet in z'n geheel naar buiten was gekomen, en dat de grote klont die Jardena die ochtend had gezien, daar een gedeelte van was. 'We hebben geen moment te verliezen,' zei hij rustig. Op het feit dat de voorbank van zijn auto onder het bloed zat, gaf hij geen commentaar.

Een moment later lag Jardena op een tafel met haar benen wijd. Een verpleegster gaf haar een injectie. De arts vroeg: 'Wat zijn de namen van je kinderen?'

'Perla,' mompelde Jardena. 'Perla, Rozette, Vered, Simcha ... Vered ... Itsik ... Pnina, Consuela, Rozette ... Perla ... Jannai ...'

'Ga verder,' beval de dokter. 'Je zei dat je zes kinderen hebt. Zeg me hun namen. Al hun namen.'

Simcha ... Itsik ... Con... Con... su... Consu... Jan... nai ...'

'Nog een keer, van voren af aan. Van de oudste af.'

'Vered ... Itsik ... Perla ... Pnina ...'

Tussen haar wijd gespreide benen zag ze het gezicht van de arts verschijnen en verdwijnen als een vollemaan aan een bewolkte hemel. 'De namen van je kinderen,' eiste de vollemaan. 'De namen! De namen! Wat zijn hun namen? Ga door. Niet stoppen!'

'Nog niet beginnen!' riep Jardena in paniek uit. 'Ik ben nog niet in slaap!'

De maan lachte. 'Nog niet of niet meer? Goeiemiddag, mevrouwtje, hoe gaat het met u?'

Toen Jardena de volgende dag thuiskwam, was Vered bezig Jannai te verschonen, terwijl Perla met een streng gezicht Itsik en Consuela de tafel van twee liet opdreunen, en Simcha rustig onder de tafel besnijdenisje zat te spelen, waarbij niet alleen haar jongenspop maar ook een assortiment speelgoedbeesten onder het mes ging.

Ondanks de overbezette telefoonverbindingen, lukte het Jan Vreeland om zijn dochter aan de lijn te krijgen. 'Iedereen in Nederland is ervan overtuigd dat er oorlog uitbreekt,' zei hij. 'We vragen ons af of Israël een kans maakt tegen al die Arabieren die in alle toonaarden roepen dat ze de Joden de zee in gaan drijven.'

Toen Jardena hem vertelde dat ze net een nacht in het ziekenhuis had doorgebracht en dat Nathan in dienst was, decreteerde hij: 'Kom onmiddellijk hier met de kinderen. Ik maak het geld voor vliegtickets nú over naar je reisbureau.'

'Ik ben bang,' stamelde Jardena in de hoorn. 'Ik heb nog nooit gevlogen.'

'Eén keer moet de eerste zijn. Die keer is nu,' besloot haar vader voor haar.

Nathan, die vlakbij in een school was ingekwartierd, was blij met het aanbod van zijn schoonvader. Al vond hij het vreselijk om voor onbepaalde tijd van zijn gezin te worden gescheiden, het was een hele zorg minder voor hem. Hij spijbelde een halfuur om even bij vrouw en kinderen te kunnen zijn.

'Het wordt oorlog,' zei ook hij. 'Niet alleen de vijand maar ook onze eigen mensen zijn niet meer te houden. De soldaten hebben al wekenlang niets te doen. Ze klitten rond de gelukkige eigenaar van zo'n modern radiootje op batterijen, en popelen van ongeduld om toe te slaan.'

'Oorlog,' zuchtte Jardena. 'Alweer oorlog.' En er begon een nieuwe ronde van nachtmerries over Eichmann, onderduikers, schildpadden, en gele sterren met het woord 'Jood' erop. Als het de Duitsers niet waren, dan waren het de Arabieren wel. Dat ene kleine stukje grond, die paar vierkante kilometer op de grote wereldbol, werden die het Joodse volk ook niet gegund?

Op vrijdagochtend liet Consuela Baghdádi haar andere schoondochter Chava een paar uur in de steek om op de kinderen van Jardena te passen, zodat die naar het ministerie van Binnenlandse Zaken kon gaan voor de reisdocumenten. Toeristen uit alle werelddelen wilden het land verlaten voordat het te laat was. Een Amerikaans meisje stond in de rij omdat ze de Israëlische nationaliteit wou krijgen.

'Kun je dat niet op een andere dag komen doen?' vroeg de beambte kribbig. 'Zie je niet hoe druk ik het heb met urgentere zaken? Op een vrijdag nog wel!'

'Nee,' zei ze. 'Als het land in gevaar is, is de meest urgente zaak niet om te vluchten, maar om solidariteit te verklaren. De anderen kunnen wachten. Ik niet.'

Toen Jardena elf jaar geleden op aliyah ging, had haar vader erop gestaan dat ze haar Nederlandse nationaliteit zou behouden. Het papier dat ze toen had ondertekend, lag nog steeds in haar paspoort. Ofschoon het nu goed van pas kwam, was ze verre van trots op het document. Had het Amerikaanse meisje gelijk? Moest ze in Israël blijven? Het was een stuk eenvoudiger om heldhaftig te zijn zolang je geen kinderen had.

Als ik geen kinderen had, vroeg Jardena zich af terwijl ze in de rij stond, zou ik dan hier blijven? Natuurlijk, beantwoordde ze haar eigen vraag. Ik ben tijdens de Sinaïoorlog toch ook gebleven!

Bovendien was er niets heldhaftigs aan om een tweede nationaliteit aan te vragen als je de oude daarvoor niet hoefde op te geven. Die Amerikanen hadden het maar makkelijk. Ook Nederlanders die vóór 1952 naar Israël waren gekomen, hadden twee nationaliteiten. Pas daarna had Nederland de nieuwe wet ingevoerd.

En als ze met zes kinderen in Jeruzalem bleef en er brak oorlog uit? Zou ze dan anderen kunnen helpen, of zou zij degene zijn die hulp nodig had?

Moest ze blijven en het souterrain inrichten als schuilkelder voor haar gezin? Of moest ze weggaan en de sleutels bij de buren laten, zodat die het souterrain voor zichzelf konden inrichten?

Ze piekerde hier nog steeds over toen ze aan de beurt was en de reisdocumenten in handen gedrukt kreeg.

Gezien de speciale omstandigheden, en tegen de gewoonte van het land, zouden op Shabbat meerdere vliegtuigen het land verlaten. Jardena had plaatsen gekregen in een KLM-vliegtuig.

Hoewel het eind mei was, zou ieder kind een warme jas aantrekken voor het geval ze lange tijd in Nederland moesten blijven. Voor Nederlanders, van wie het halve geschiedenisboek over de Tachtigjarige Oorlog gaat, was oorlog een zaak van jaren.

Ieder kind mocht één voorwerp meenemen. Perla koos haar blokfluit, Vered de Hebreeuwse vertaling van Erich Kästners *Das doppelte Lottchen*, Simcha koos haar jongenspop, Itsik en Consuela ieder hun teddybeer en de kleine Jannai koos helemaal niets. Hij vond alles best, zolang hij maar bij Vered op schoot mocht.

’s Avonds lukte het Jardena haar vader telefonisch te bereiken. Ze had de gegevens van de vlucht op een papiertje geschreven, en moest ze schreeuwend voorlezen om zich verstaanbaar te maken. Nauwelijks was ze klaar of de verbinding werd verbroken.

Nathan had kort verlof van het leger gekregen om thuis te kunnen slapen en de volgende ochtend mee te kunnen rijden naar het vliegveld. Bij het instoppen van de kinderen klapten de poten van het ijzeren onderschuifbed om. Het gevaarte viel op Simcha's voet. Ze schreeuwde van de pijn. Nathan nam een taxi en haastte zich met haar naar het ziekenhuis dat die avond spoedgevallen behandelde. Daar moest hij urenlang wachten voordat een arts constateerde dat Simcha's kleine teen was gebroken. Ze moest er maar gewoon mee doorlopen. Hij zou vanzelf genezen. Vanaf het moment dat Simcha dat had begrepen, klaagde ze er met geen woord meer over.

Toen Nathan en het zwaar hinkende kind thuiskwamen, was het al bijna tijd om naar het vliegveld te vertrekken.

Ondanks zijn drukke bezigheden voor het leger had Elchanan aangeboden de familie met zijn bestelwagen weg te brengen. Savta Consuela, die voor de gezelligheid was blijven slapen, werd door groot en klein innig omhelsd, en weg reden ze.

Op het vliegveld werd Jardena aangesproken door een niet heel jonge moeder met een baby op de arm.

'Gaat u naar Nederland?' vroeg de vrouw met tranen in haar ogen. 'Zou u mijn baby willen meenemen? Ik ben verpleegster en mijn man is arts. We vinden dat we hier moeten blijven, maar vrienden in Nederland hebben aangeboden ons kind te verzorgen. Ze zullen hem op Schiphol komen afhalen.' Als een soort verontschuldiging voegde ze eraan toe: 'We hebben beiden een concentratiekamp overleefd, ziet u, en dit kind is alles wat we hebben.'

Gedurende de vlucht zat Jardena met de kleine vreemdeling, van wie ze had vergeten de naam te vragen, tussen Simcha en Consuela in. Toen het vliegtuig nog aan de grond stond, was ze al gespannen als een veer, en dat werd er niet beter op toen het zich losmaakte van de startbaan, maar ze probeerde het de kinderen niet te laten merken. Heel ergens anders zaten Vered met Jannai op schoot en Perla, die ze verantwoordelijk had gesteld voor Itsik. Op Schiphol werd de onbekende baby afgehaald. Aangezien de ontvangster van het levende pakket zich niet voorstelde, en Jardena het te druk had om vragen te stellen, verdween de baby net zo abrupt uit haar leven als hij erin was verschenen.

Jan en Nora Vreeland stonden ook in de aankomsthal van Schiphol. Ze woonden nu in een eigen huis en hadden meerdere kamers voor Reinie en de kinderen vrijgemaakt. Zelfs voor speelgoed was gezorgd. Bovendien hadden ze iets wat zich in Israël pas een jaar tevoren schuchter had gemanifesteerd, en dan alleen nog maar als leermiddel voor middelbare scholieren: televisie. Hoe ook hun leven zou verlopen, en wat voor prachtige theatervoorstellingen en films ze nog zouden zien, Perla, Vered, Simcha en zelfs Itsik zouden Pipo de Clown en Mammaloe hun leven lang niet vergeten.

Bovendien had het echtpaar Vreeland voor de twee oudste meisjes een school gevonden. Natuurlijk hoefde geen enkele schooljuffrouw in mei een nieuw kind in de klas te accepteren, en zeker niet als dat nieuwe kind nauwelijks een woord Nederlands sprak. Iedereen had echter zo te doen met Reinie, wier land volgens hen binnenkort zou ophouden te bestaan, dat de leraren die niet een kleine vluchteling in hun klas hadden, jaloerse blikken wierpen op hun collega's die dat wel hadden.

Na verrassend korte tijd had Perla zich grondig ingeleefd in de rol van Nederlandse schooljuffrouw en had Vered zich ontpopt als degelijke Nederlandse huismoeder. Alleen voorlezen voor het naar bed gaan, deed ze in het Hebreeuws. En aangezien ze maar één Hebreeuws boek had meegebracht, en dat aldoor weer van voren af aan las, kenden Simcha, Itsik en Consuela *Het dubbele Lotje* na enige tijd woordelijk uit hun hoofd.

Op 6 juni 1967 werd bekend dat gedurende de nacht de oorlog was uitgebroken. Toen Reinie om twaalf uur haar dochters van school haalde, werd ze opgewacht door een heel stel lange blonde moeders die haar vol bewondering aankeken, alsof ze eigenhandig de complete Egyptische luchtmacht had uitgeschakeld, want dat was wat Israël die eerste nacht had gedaan. Later zou ze te weten komen dat een van de heldhaftige piloten de zoon was van Daan en Malka Blumenthal, bij wie ze haar eerste Seder in Israël had gevierd, en dat hij bij iedere terugkeer uit Egypte een duikvlucht boven het huis van zijn ouders had gemaakt, om hun te laten weten dat hij nog leefde.

'Vandaag ben ik tien jaar getrouwd,' mompelde Reinie als antwoord op het enthousiasme van de Nederlandse moeders. 'En ik weet niet eens of mijn man nog leeft.'

's Middags belde Christa op uit Den Haag. Ze had een plaats geboekt in het eerstvolgende vliegtuig naar Israël. 'De oorlog heeft me de ogen geopend,' zei ze. 'Ik hoor bij Thomas. Ik ga naar hem toe.' Weer voelde Reinie zich machteloos, maar ze wenste Christa goede reis en veel geluk.

Reinie hoorde niets van Nathan. Niet dat ze dat had verwacht, maar verdriet had ze wel. Op een avond zat de hele familie naar het nieuws te kijken. In de berichtgeving over de oorlog kwam ook Jeruzalem in beeld. Een grote vrachtwagen vol soldaten reed het scherm op. Middenvoor, recht de huiskamer in kijkend, zat Nathan. Het duurde maar één seconde. Kon het waar zijn? Ja, het was waar. Anderen hadden hem ook herkend. De telefoon stond die avond niet stil. Iedereen wou Reinie gelukwensen. 'Hij leeft, je man leeft. We hebben hem zelf gezien!'

Na zes dagen was de oorlog afgelopen. Israël had al zijn vijanden verslagen. Reinie en de kinderen werden als helden beschouwd. Een reusachtige foto van de familie Jerushalmi minus de kunstenaar-soldaat verscheen in *De Gooi- en Eemlander*. Het bijbehorend artikel ging zogenaamd over moderne kunst. In werkelijkheid was het een ongebreidelde lofzang op de heroïek van het Israëlische volk, gezien door een oranje bril.

De telefoon ging, en Nathan was aan de lijn. De telefoniste had hem gezegd dat er een lange wachtlijst was, en dat het uren kon duren voordat het gesprek zou doorkomen, maar toen ze hoorde dat hij soldaat was en een halfuur verlof had gekregen om te proberen zijn vrouw in Nederland op te bellen, gaf ze hem voorrang boven alle andere wachtenden, op voorwaarde dat hij het kort zou houden. Hij was gezond, zei hij. Waar hij geen melding van maakte, was de diepe depressie waarin hij was geraakt, nadat hem duidelijk was geworden dat niet alleen de vijand, maar ook zijn eigen vrienden en zelfs Elchanan zo angstaanjagend strijdlustig waren, terwijl hijzelf er niet aan moest denken ooit een mens te moeten doden.

Zijn militaire divisie had tot het uitbreken van de oorlog als taak gehad mijnen langs de Jordaanse grens te leggen, en was nu tewerkgesteld bij het afbreken van de muur die sinds 1948 Jeruzalem in tweeën deelde. Het bleek dat de Jordaniërs hun kant van de muur tot de nok hadden volgestopt met ammunitie, genoeg om het hele Joodse gedeelte van de stad in één klap te verwoesten.

Nathan verlangde naar Jardena en de kinderen, maar zou nog lang niet gedemobiliseerd worden. Hij raadde zijn vrouw dan ook aan rustig in Nederland te blijven en de zomer met haar familie aan zee door te brengen.

Eind augustus reisde het zevental per nachttrein naar Venetië, waar ze de boot naar Israël zouden nemen. Jan Vreeland had zijn dochter en de kinderen, zorgzaam en gul als hij was, een vliegreis aangeboden, maar Reinie was nog niet over haar angst voor vliegen heen. Als het niet per se hoefde, leek haar de boot toch veiliger. Hadden Perla en Vered niet afdoende bewezen dat ze groot genoeg waren om haar met de kleintjes te helpen?

Op de ochtend dat ze zich moesten inschepen, stond ze geduldig in de rij om de papieren in orde te laten maken, terwijl de kinderen iets verderop op de bagage pasten. Ineens kwam Vered aanstormen, wild gebarend en roepend: 'Waar is Simcha? Simcha is weg! Heb je Simcha gezien?'

'Ga in de rij staan,' schreeuwde ze tegen Vered, en weg holde ze langs de kade.

'Simcha, Simcha, waar ben je?' Wat moest ze doen? De boot laten vertrekken en in Venetië blijven tot ze haar kind had gevonden? Maar waar moest ze met de anderen naar toe? Hoe lang konden ze het uithouden met het weinige geld dat ze op zak had? Moest ze de politie waarschuwen en terugkomen nadat ze de andere kinderen eerst veilig bij hun vader had afgeleverd? Maar wat kon de politie doen tegen de onderwereld? Hier blijven dan toch maar en haar vader om geld telegraferen? Maar waar moest ze zoeken? Waar moest ze beginnen? 'Simcha, Simcha, waar ben je.' Het ergste was nog niet eens dat zij Simcha niet kon vinden, maar dat Simcha haar niet kon vinden, dat Simcha nooit zou weten dat haar moeder haar haar leven lang zou blijven zoeken, dat Simcha ...' Het was zo verschrikkelijk dat ze de gedachten met geweld terugdrong. Eerst kijken, misschien was Simcha alweer terug bij de anderen. Maar nee, Vered stond beduusd in de rij, terwijl Perla bij de bagage de andere kinderen stevig bij elkaar hield. Consuela huilde en Itsik stond luidkeels te roepen: 'Simcha, Simcha, kom terug!'

Verslagen keek Jardena naar het schip dat over een uur zou vertrekken. Niet ver van de loopplank waarlangs de passagiers één voor één naar boven liepen, zag ze een tweede loopplank waarlangs matrozen met trossen bananen, kisten vol verse groenten en zakken vol brood naar beneden liepen. Haar blik volgde de matrozen en bleef rusten op een wit puntje diep in het ruim. Haar ogen waren zo vol tranen dat het even duurde voor ze kon onderscheiden wat het was: een koksmuts die vooroverhelde in de richting van een ander, nauwelijks zichtbaar, lichtblauw puntje laag bij de grond. Lichtblauw! De jurk van Simcha.

'Simcha, Simcha!' Jardena duwde de zwaarbeladen matrozen bijna het water in, zo wild liep ze de loopplank af en het ruim in. En daar stond

Simcha, in een diepgaand gesprek gewikkeld met de kok en zijn maat. Simcha, die geen woord Italiaans sprak. Simcha, als altijd gefascineerd door mannen.

In het hart van Jardena bleef het nog lang stormen, maar de Middellandse Zee was rustig. Het was mooi vast weer. De kinderen waren makkelijk. Gedurende de hele reis verloor Jardena Simcha geen moment uit het oog. Wat een kind!

Op de vijfde dag kwamen ze in Haifa aan. Alle kinderen hingen over de railing. Ieder wou de eerste zijn die Nathan ontdekte, maar hoe ze ook in de menigte tuurden en spiedden, ze zagen hem niet. Toen ze ten slotte op de kade stonden, was er nog steeds geen spoor van hem. Jardena was teleurgesteld. Ze wist wel dat haar man altijd en overal te laat kwam, maar had hij niet voor één keertje een wekker kunnen zetten? Tot overmaat van ramp stond een brutale Arabier, gehuld in een wijde zwarte *abaya*, en met een zwart-wit geblokte *kafiya* diep over zijn voorhoofd getrokken, door zijn zonnebril naar haar te staren. 'Blijf vlak bij me, jongens. Simcha, geef me een hand. En kijk alsjeblieft niet naar die enge kerel die achter ons aanloopt. Ik denk er niet over om hier een beetje te blijven staan. Als Abba niet de moeite kan nemen om ons af te halen, gaan we wel op eigen houtje naar huis!'

Maar achter haar rug had de brutale Arabier zijn bril afgenomen en was hij bezig gezichten te trekken tegen Itsik, die zich plotseling aan de greep van zijn moeder ontworstelde en luide kreten van vreugde uitstootte: 'Abba, Abba.' Toen trok de engerd ook zijn kafiya van z'n hoofd. Alle kinderen sprongen hem om de hals. Hoewel Jardena het helemaal geen leuke grap vond, omhelsde ook zij haar man innig.

Nathan, die een vreselijke tijd had doorgemaakt, was zo gelukkig dat hij zijn gezin weer veilig onder z'n hoede had, dat hij net zo'n vurige minnaar werd als in het begin van zijn huwelijksleven. Het boekje van Jan Holt en het periodieke onthoudingssysteem maakten hem wild. Jardena vond het even welletjes, dus vroeg ze raad aan de gynaecoloog die haar na Jannai's geboorte het leven had gered. Hij maakte haar attent op het spiraaltje. Als je dat in je baarmoeder droeg, kon je niet zwanger worden, verzekerde hij haar.

Ofschoon Jardena aanvankelijk huiverde van het idee om met zo'n ding in haar lichaam te lopen, kwam ze tot de ontdekking dat je er niets van merkte, en dat het leven, althans voor Nathan, aanmerkelijk plezieriger was geworden.

Kort na haar terugkomst uit Nederland hoorde Jardena voor het eerst van de kleine liberaal-Joodse gemeente Har-El, waar de shabbatdiensten op een voor haar toegankelijke wijze werden geleid. Ze had altijd het gemis gevoeld van een Joods-georiënteerd gezinsleven, en begon nu met de oudere kinderen op vrijdagavonden naar deze synagoge te gaan. Het interessantste deel van de dienst was altijd de preek van Schalom Ben-Chorin, die weliswaar geen rabbijn was, maar toch als spiritueel leider van de gemeente optrad. Soms werd deze taak overgenomen door de uit Nederland afkomstige Jochanan Eldad, die, in een tijd dat hij nog anders heette, theologie had gestudeerd, met de bedoeling predikant te worden.

In zijn werkkamer hing een portret van dominee Horas de Haas, die in de oorlog, toen de Joden door de nazi's uit hun huis werden gesleurd, vrijwillig met ze was meegelopen. Ernaast hing een portret van Martin Buber, de Joodse filosoof die zich verzette tegen het liberalisme, omdat dat volgens hem tot assimilatie leidt.

Jo was tijdens zijn studie steeds meer geïnteresseerd geraakt in het jodendom, en ten slotte keerde hij zich af van de christelijke drie-eenheid Vader, Zoon en Heilige Geest, om zich te richten op die andere drie-eenheid: de God van Israël, het volk Israël, en het land Israël.

Van lieverlee ontwikkelde hij zich tot een zeer geleerde, overtuigde en wijze Jood.

Al drong Jardena er nog zo vaak op aan dat Nathan eens mee zou gaan naar de synagoge, hij wou niets met religie te maken hebben. Wel was hij altijd bereid op de kleintjes te passen. En dat was eigenlijk best handig. Jardena had er plezier in om na de dienst een gezellige vrijdagavondmaaltijd op te dienen en voor zover haar dat lukte, herhaalde ze aan tafel de inhoud van de preek voor de thuisblijvers. Na het eten mochten de kinderen laat opblijven. Dan werden ze aangemoedigd om kleine toneelstukjes op te voeren of liedjes te zingen. Ook werd er volop door het hele gezin geschilderd. Zo ontstond een indrukwekkende collectie afbeeldingen, die al spoedig dienst zou doen in de eerste diaproductie van de familie Jerushalmi, ter gelegenheid van Perla's *bat-mitsvah*-feest.

* * *

Lang voor de zesdaagse oorlog had Nathan al een tentoonstelling in het Kunstenaarshuis gepland. Die tentoonstelling ging gewoon door, maar er waren nauwelijks toeristen in het land, en de enkelen die kwamen, bezochten – nu men zonder vergunning door Oost-Jeruzalem kon lopen – liever de Klaagmuur dan een tentoonstelling van moderne kunst. Het zag ernaar uit dat Nathan deze keer niets zou verkopen. Op een dag kwamen echter twee toeristen in Elchanans galerie, en daar het ook bij hem niet stormliep, nam hij het echtpaar mee naar de tentoonstelling van zijn broer. Een enkele blik op de zaal vol etsen en aquarellen in het Kunstenaarshuis was voor Dobbele Goldberg uit Miami genoeg om uit te roepen: 'Ship it all.' Dat zinnetje zou legendarisch worden in het gezin Jerushalmi, en Dobbele Goldberg zou zijn leven lang hun vriend blijven.

1968

Elchanan wreef zich in de handen. Het idee dat Israël de bezette gebieden aan hun vorige eigenaars zou teruggeven in ruil voor een duurzame vrede, was van de baan. De meeste Israëliërs waren verbaasd. In de verwachting dat de grenzen binnenkort weer als voorheen zouden worden, waren veel mensen in de afgelopen maanden naar de graven van de aartsvaders in Hebron gegaan en naar de Sinaïberg waar Mozes de stenen tafelen in ontvangst zou hebben genomen. Maar de nieuwe realiteit begon door te dringen: ze hadden zich niet hoeven haasten, ze zouden nog alle tijd krijgen om een bezoek te brengen aan deze plaatsen, die voor allen historisch en voor velen heilig waren. De deelnemers aan de topconferentie van Arabische staten in Khartoum hadden uitdrukkelijk bekendgemaakt: 'Geen vrede, geen onderhandelingen, geen erkenning van de staat Israël.' En dus besloot Israël dat de gebieden die in de zesdaagse oorlog waren bezet, voorlopig niet zouden worden teruggegeven.

'Geen vrede?' vroeg men zich af. 'Wat dan wel?'

Elchanan wist het antwoord. Wat hem betrof waren de gebieden niet bezet maar bevrijd. Overal zouden hij en zijn vrienden Joodse nederzettingen stichten en dan moesten de Arabieren maar opkrassen. Plaats genoeg in Jordanië, Saoedia en nog wel twintig andere Arabische landen, om niet te spreken van de vijftig of meer landen waarvan de bevolking weliswaar niet Arabisch van afkomst, maar wel mohammedaans van geloof was. In werkelijkheid, zei Elchanan, strekte het beloofde land zich uit tot ver over de Jordaan, maar hij en zijn vrienden waren bereid zich tevreden te stellen met de westelijke Jordaanoever, de Gazastrook en de Golanhoogte. De Sinaï was een handige bufferstrook tussen Israël en Egypte, maar had voor hen geen sentimentele waarde.

'Mijn broer is knettergek,' zei Nathan. 'Gelukkig zijn er niet zoveel die zo denken. De hemel geve dat ze geen onheil over het land brengen met hun grootheidswaanzin.'

'Ja, maar wij moeten toch ook ergens wonen,' opperde Jardena aarzelend. 'Als het waar is dat de Moslims zoveel landen hebben, waarom kunnen de Arabieren van de Westbank dan niet ergens anders gaan wonen?'

'Omdat ze dat niet willen. Velen van hen zitten al sinds de onafhankelijkheidsoorlog in vluchtelingenkampen, en als de UNRWA huizen of scholen voor ze bouwt, breken ze die eigenhandig af om duidelijk te maken dat ze zich niet bij de toestand neerleggen.'

'Dan hadden ze ons maar niet moeten aanvallen, eerst in 1948, en vorig jaar weer. Nu zitten ze met de gebakken peren.'

'En wij met de gebakken appels. Indertijd waren het er een paar honderdduizend, nu zijn het er miljoenen. Al die kinderen die in vluchtelingenkampen zijn geboren, en die niet beter weten, worden met opzet door hun ouders grootgebracht met het idee dat wij hun land hebben gestolen. Dat krijg je er zo makkelijk niet uit.'

'Maar al die nieuwe vluchtelingen dan? Die waren toch vorig jaar nog Jordaanse burgers? Waarom kunnen ze niet gewoon een eindje opschuiven? Kunnen de Jordaniërs hun eigen mensen niet helpen?'

'Moslims zijn nu eenmaal geen Joden. Onze normen zijn niet de hunne. Voor hen is een mensenleven niet wat het voor ons is. Hun eigen leiders laten hen creperen, en sturen het UNRWA-geld regelrecht naar hun privérekening in Zwitserland.'

Bij het opmaken van Simcha's bed vond Jardena tot haar verbazing onder het kussen een papieren zakje met antibiotica. Toen ze later die dag Simcha ernaar vroeg, zei het kind zonder blikken of blozen: 'O ja, ik had vorige week keelpijn. Toen ben ik vanuit school even langs de polikliniek gegaan. De dokter gaf me die pilletjes. Ik neem er drie per dag.'

Zelfs toen Jardena vroeg of ze dat niet had kunnen zeggen, begreep Simcha niet dat het haar moeder kon schelen of ze al of niet pillen slikte.

Op school was Simcha noch verlegen zoals Perla, noch bijdehand zoals Vered, noch onhandelbaar zoals Itsik. Ze deed gewoon zo goed mogelijk wat haar werd opgedragen, en ook al leerde ze pas laat lezen en had ze moeite met rekenen, alle leraren waren dol op haar. Tot haar zevende jaar had geen enkele kleuterleidster of schooljuffrouw haar ooit straf of zelfs maar een standje gegeven.

Het hoofd van de school loofde een prijs uit voor de klas die ter gelegenheid van Poerim het mooist zou zijn versierd. Vanaf dat moment werden de deuren zorgvuldig dicht gehouden, zodat niemand kon zien wat de anderen voor schitterends produceerden. Toch bleek op de grote dag dat het enige andere lokaal waar Simcha's klassenlerares ook geregeld lesgaf, praktisch dezelfde versieringen had als het lokaal waarin haar eigen klas huisde. Simcha verklaarde beheerst, maar goed verstaanbaar: 'Juf, je bent een varken.' Een ergere benaming dan van dat bij uitstek *treife* dier had ze niet kunnen bedenken.

'Ga onmiddellijk in de hoek staan,' viel de juffrouw uit. 'Hoe durf je zo tegen mij te spreken?'

Zonder zich ervan bewust te zijn dat ze ver buiten haar boekje was gegaan, legde Simcha uit: 'Omdat jij het verklapt hebt. Je bent dus echt een varken. Zie je dat zelf niet in?'

Ter gelegenheid van Israëls twintigste Onafhankelijkheidsdag trok een legerparade door Jeruzalem, compleet met de modernste tanks, een keur aan moordwerktuigen, en met als grootste attractie twee van de drie gigantische projectielen die de Israëlische soldaten een jaar tevoren letterlijk uit Egypte hadden gestolen, vlak voordat de Egyptenaren de kolossen gratis de grens over hadden willen schieten. De mensen waren verbluft toen ze zich realiseerden welke catastrofe hun door de moed en de vindingrijkheid van hun soldaten bespaard was gebleven.

Door het gewicht van de raketten scheurde het wegdek open, maar dat kon niemand wat schelen. Er waren sinds de annexatie van Judea, Samaria en de Gazastrook meer dan genoeg Arabieren voorhanden om het asfalt, en zo nodig het hele land, te repareren.

Een roepende in de woestijn was de orthodox-Joodse professor Yeshayahu Leibovitch, die erop hamerde dat Israël de controversiële gebieden zo snel mogelijk aan hun vorige eigenaren moest teruggeven. 'Het gaat niet om het land, dat velen van ons begrijpelijkerwijze graag willen houden', was zijn stelling. 'Het gaat om de anderhalf miljoen Arabieren die we op de koop toe krijgen. Binnenkort zijn dat er drie miljoen, op z'n best een niet te verwaarlozen minderheid in het vaderland van de Joden. Tegen die tijd zijn we een gemeenschap van Joodse politieagenten en Arabische ondergeschikten.'

Maar wie luisterde nu naar zo'n doemdenker. Arabieren uit de 'gebieden' maakten er een gewoonte van om kleine voorwerpen, zoals knopen, pennen, lucifersdoosjes en zelfs enveloppen waar wat geld uitstak, op straat te leggen. Als iemand zo'n voorwerp opraapte, ontplofte het. Op die manier verloren vooral kinderen vaak vingers of zelfs een hele hand. Ondernemende, nieuwsgierige kleuters zoals Itsik, liepen groot gevaar. Je kon niet genoeg op ze letten.

Hij was en bleef een moeilijk kind. Op een dag bracht Jardena hem zoals gewoonlijk naar de kleuterschool. Terwijl ze de poort van hun binnenplaats achter zich dichttrok, riep een bouwvakker die bezig was de straat open te breken: 'Hé Itsik, wat doe jij hier?'

'Hij woont hier,' antwoordde Jardena voor haar zoon. 'Wat doen jullie hier zelf, als ik vragen mag?'

'Wij repareren de waterleiding,' legde de man uit. 'Gisteren waren we aan het werk in een straat hier minstens drie kilometer vandaan, en Itsik heeft ons daar een groot gedeelte van de ochtend gezelschap gehouden, waar of niet jochie?' Itsik knikte. Jardena schudde ongelovig het hoofd. Ze zou het de kleuterjuffrouw weleens vragen. Maar toen ze het vroeg, kreeg de kleuterleidster een hoogrode kleur. Ja, het kwam wel voor dat Itsik er in de loop van de ochtend vandoor ging, maar aangezien hij altijd vóór één uur weer op school was, had ze het niet nodig gevonden zijn ouders ervan op de hoogte te stellen.

Jardena sprong bijna uit haar vel van woede, maar verzweeg het voorval angstvallig voor Nathan, anders ging het pak slaag dat de juffrouw verdiende met verdubbelde kracht naar Itsik, en dat wou ze niet riskeren.

Een keer, tijdens een wandeling door de stad, zagen Itsik en zijn vader een man op een paard.

'Man, man,' riep Itsik, terwijl hij hard achter het paard aan rende. 'Man, leer mij op dat paard rijden!'

'Welja,' zei de man. 'Als je vader het goed vindt, kom je maar op les. Veertig pond voor tien lessen. Ik heb m'n stallen tegenover de dierentuin. Vraag maar naar Yuda Alaffi.'

Hoewel de familie Jerushalmi het geld niet kon missen, betaalde Nathan het niet-geringe bedrag voor tien lessen. Het werd een grandioos succes. Itsik had een natuurlijk talent om met de paarden om te gaan en genoot zichtbaar van de lessen. Maar toen hij na de tiende les zijn vader smeekte om ermee door te mogen gaan, was Nathan onverbiddelijk. Itsik moest eerst maar eens beter zijn best doen op de kleuterschool. Het was een schande zo lui als hij was. Andere kinderen van zijn leeftijd konden allang cijfers lezen en hun eigen naam spellen. Nathan nam de taak op zich om zijn zoon persoonlijk die paar tekentjes te leren, maar hoe hij zich ook inspande, het lukte niet. Het kind kreeg hoe langer hoe vaker slaag, en Jardena werd hoe langer hoe opstandiger tegenover haar man. Ze ging zelfs zo ver dat ze Itsik in het geheim naar Yuda Alaffi stuurde voor paardrijlessen, en het eind van het liedje was dat Nathan erachter kwam en Itsik nog meer slaag kreeg.

Als hij dan niet mocht paardrijden, dan wou Itsik een hond, maar Nathan zei: 'Geen sprake van. Dieren horen in de dierentuin.'

'Een poes dan?'

'Ook niet! Katten horen op het dak, of in de vuilnisbak om muizen te vangen.'

Maar een paar goudvissen in een kom, dat mocht. Dat was wel niet precies wat Itsik zich had voorgesteld, maar het was zeker beter dan niets en hij was er blij mee.

Op een ochtend voor schooltijd dwaalde Itsiks blik naar de kom op de vensterbank. De twee goudvissen zwommen als gewoonlijk rusteloos in de rondte. Maar wat was dat gouden puntje dat daar tussen de waterplanten bewoog? 'Imma, Imma, kijk toch eens, wat is dat? Een klein visje?' Kon het waar zijn? Jardena was even verrukt als haar zoon. Hoe was het mogelijk! Een babyvisje, zomaar uit zichzelf geboren in hun eigen territoriale wateren. Een wereldwonder. Itsik was die ochtend niet naar school te krijgen.

Enige dagen na zijn wonderbaarlijke verschijning in het aquarium, was het kleine visje verdwenen. Jardena en Itsik gingen samen naar de vissenwinkel om te vragen hoe dat had kunnen gebeuren. Ze kregen tot hun schrik te horen dat vader vis het kleine diertje waarschijnlijk had ingeslikt. Itsik was er zo kapot van dat hij zijn moeder vroeg om de kom met inhoud naar de winkel terug te brengen.

Korte tijd daarna gebeurde er iets wat gelukkig wel goed afliep en wat noch Itsik noch zijn moeder ooit zou vergeten.

Itsik, die op het balkon een appel had staan eten, had geen zin om het klokhuis naar de vuilnisbak te brengen, en gooide het gewoon de lucht in. Schuin tegenover het balkon, op een uitstekende richel, had een stel tortelduiven zijn nest gebouwd. Het duivenechtpaar wisselde elkaar al dagen af bij het broeden. Als dat gebeurde, kon je zien dat er twee eitjes in het nest lagen.

Op het moment dat Itsik zijn projectiel lanceerde, vond net het wisselen van de wacht plaats. Het klokhuis belandde in het nest, waardoor er een eitje uitwipte. Het rolde over de richel en bleef op de uiterste rand liggen. De ouders fladderden verschrikt heen en weer en streken ten slotte naast elkaar neer op een afdakje tegenover hun nest. Itsik zag welk onheil hij had aangericht en rende naar zijn moeder.

'Imma, Imma, help! Het eitje. Het eitje!' Maar wat kon Jardena doen? De richel waarop de tortelduiven hun nest hadden gebouwd, was veel te hoog om er vanaf de straat bij te kunnen. Er was maar één oplossing. En ze moesten nog vlug zijn ook, want het ei kon elk moment van de richel af tuimelen. Zo vlug ze konden renden Jardena en Itsik de stenen trap af naar de binnenplaats, tilden de zware lange ladder van de muur en sleepten hem door de poort over de straat naar de plaats des onheils. Itsik, die het liefst eigenhandig de schade had hersteld, was niet groot genoeg om bij het nest te komen, zelfs niet vanaf de bovenste sport van de ladder, en Jardena leed aan hoogtevrees.

'Alsjeblieft, Imma, klim naar boven. Doe je ogen maar dicht, ik hou de ladder vast,' smeekte Itsik. Het moet, zei Jardena tegen zichzelf. Ze zette haar tanden op elkaar en klom tot op de allerhoogste sport van de wiebelende ladder. Trillend van angst strekte ze haar hand uit en legde het kostbare ei terug in het nest. Het klokhuis gooide ze eruit. Toen moeder en zoon even later weer op hun balkon stonden, zat één van de tortelduiven op het nest. Itsik sprong z'n moeder om de hals en hield niet op haar te knuffelen.

Een dag of tien later werden er twee vogeltjes geboren. Het was één van de weinige dagen dat Itsik echt gelukkig was.

'Post,' riep Nathan met zijn handen achter z'n rug. 'Je raadt nooit van wie.'

'Man of vrouw?' begon Jardena geduldig.

'Man.'

'Iemand van de familie?'

Langer dan een minuut kon Nathan zijn geheimen nooit bewaren.

'Niet precies, maar wel iemand die ons zijn familie noemt. Iemand die lang niets van zich heeft laten horen, iemand die ...'

'Asser Pollak.'

'Hoe raad je 't!'

'Geef op die kaart.'

‘Ben door heel Zuid-Amerika gebanjerd,’ schreef Asser Pollak. ‘Toen weer in Mokum geweest en weerom in Amerika. Kom ik me daar in de stad van Elvis Presley, en schieten ze d’r alweer een voor z’n kanis. Een zwarte dit keer. Ten name van Maarten Luther King die een dag tevoren nog de gotspe had om te verkondigen dat hij boven op een berg had gestaan en het beloofde land had gezien. Geintje, dacht ik. Maar nee, hij was bloedserieus. Goeie ogen mot die goser gehad hebben.’

Eind december werd er luidruchtig op de deur geklopt. Het was de oude apotheker van om de hoek die een half in elkaar gezakte vrouw ondersteunde. ‘Hier,’ zei hij. ‘Een toeriste uit Nederland. Ik zal nooit vergeten hoe de zoon van Amram Bleuy uw koffer voor u droeg. U bent een bijzondere vrouw. U zult deze dame kunnen helpen want u verstaat haar taaltje.’

Hij duwde de vrouw naar binnen en rende zo snel zijn oude benen hem konden dragen de trap af. Hij had zijn *mitsve* gepleegd. De rest moest een ander maar doen. Mooie boel, dacht Jardena. Zo’n vies mens.

‘Kom eerst maar eens binnen,’ zei ze toch maar. ‘Wat kan ik voor u doen?’

Met veel moeite bracht de ongenode gast uit: ‘Alstublieft ... opknappen ... tot het jodendom bekeren ... schoon ondergoed ... niet gewassen sinds ik uit Nederland ben vertrokken ...’

‘Wanneer was dat dan wel?’

‘Op een donderdag ... lang geleden ... enkel verzwikt ... mag ik hier slapen?’

Jardena fronste haar wenkbrauwen en vroeg: ‘Wilt u douchen? Ik zal u een handdoek brengen en shampoo. Kom maar, dan wijs ik u de badkamer.’

De vrouw plensde rijkelijk met water terwijl ze zichzelf en haar ondergoed waste. Ze hing de was op het balkon in de zon en vroeg om een borstel en schuurpoeder.

‘... Van moeder geleerd ... altijd bad reinigen,’ mompelde ze.

Hoe lang geleden was het dat Jardena het bad voor ’t laatst had geschrobd? Wat was er van haar degelijke Nederlandse opvoeding overgebleven? Om van onderwerp te veranderen, bracht ze haar gast de gele bloes met bloemetjes waar ze toch niks aan vond. ‘U mag hem houden. Kom, dan maak ik koffie voor u. Hoe heet u?’

Haar naam was Hommel. En ze zag er ook uit als een hommel, maar wel een afgepeigerde, een die veel te ver van huis was gevlogen en nu met geknakte vleugels in Jeruzalem was geland.

Door de douche was mevrouw Hommel enigszins opgeknapt. Hoe oud zou het mummelmensje zijn? Zestig, negentig? Honderdtwintig?

'Hoe oud bent u, mevrouw Hommel?' Het antwoord kwam aarzelend, alsof de spreekster haar eigen woorden niet geloofde. Drieëndertig. Twee jaar jonger dan Jardena! En ze had een lang verhaal. Wou Jardena het horen?

'Niet nu. Eerst iets eten. Hier, een broodje en een stuk koude kip. Suiker in de koffie?'

De koffie verdween in minder dan geen tijd, maar van kip scheen mevrouw Hommel niet te houden. Terwijl ze het voedsel tussen haar vingers om en om draaide, prevelde ze haar levensverhaal. Hoewel ze normaal Nederlands sprak, had Jardena de grootste moeite haar te verstaan.

'... Omdat ik mijn gebit niet in heb ...,' zei de gast verontschuldigend.

Vered stond achter de gast grimassen te trekken.

'Waar is uw gebit dan?' vroeg Jardena om maar iets te zeggen. 'In uw tas?'

Mevrouw Hommel trok haar schouders op. '... Gebroken ... kon niet meer gemaakt worden ... weggegooid ... wat moet ik doen om de Joodse nationaliteit te krijgen ...?'

Jardena deed of ze Vered niet zag en legde uit: 'De Joodse nationaliteit bestaat niet. Je kunt Joods zijn van religie als je het van geboorte bent. Het is ingewikkeld.'

'Hindert niet ... kan wachten ... Hebreeuws leren ... werken ... kijk, goede handen ...' Mevrouw Hommel spreidde haar vingers. Je kon zien dat ze geen doetje was. Toch waren haar nagels brandschoon.

'... Ben eindelijk hier ... de rest komt wel ...'

'Alles is mogelijk. Ik hoop dat u niet wordt teleurgesteld. Hebt u een retourticket naar Nederland?'

'... Weet niet ... niet op gelet ...'

'Zullen we eens in uw tas kijken?'

Mevrouw Hommel opende haar gigantische handtas van imitatiekrokodillenleer en haalde een lege KLM-enveloppe te voorschijn.

' ... Geen biljet ... misschien bij het reisbureau laten liggen ... kan ik morgen wel ophalen ... waar is het ook alweer ... mag ik hier slapen?'

Vered en Perla stonden nu samen achter de stoel van de gast. Ze verstonden genoeg Nederlands om het gesprek te kunnen volgen. Ze schudden allebei gedecideerd het hoofd.

'Mijn huis is geen hotel,' zei Jardena, met een blik op haar dochters alsof zij daar wat aan konden doen.

Mevrouw Hommel zakte een beetje in elkaar. 'Sorry ... wil niet tot last zijn ... zo moe ... weet u waar Gethsémané is? ... Nederlandse dominee ... kan misschien helpen ...'

Geen slecht idee, dacht Jardena. De Nederlandse dominee in Gethsémané had onlangs nog een lezing gehouden voor de vereniging van Nederlandse immigranten in Jeruzalem. Nathan had haar erheen gesleept. Hij was nog altijd bezeten van alles wat buitenlands was.

De dominee was zo onder de indruk van Israëls prestaties in de zesdaagse oorlog, dat hij zijn zoon had laten besnijden.

'God staat aan de kant van de Joden,' had hij gejuicht. 'De Messias kan ieder moment komen.'

'... Of in een kibboets werken ...' kabbelde mevrouw Hommel voort. 'En Joods worden ... mijn voet doet pijn. ... Naar Gethsémané brengen?'

Simcha was op de grond gaan zitten om mevrouw Hommels enkel te masseren. Itsik maakte van Jardena's verwarring gebruik om er met Jannai's rammelaar vandoor te gaan. Waar was Nathan nou toch? Waarom moest hij zo nodig juist vandaag met Consuela naar zijn moeder gaan? Had dat niet een dag kunnen wachten?

'Ik heb geen auto. We kunnen met een taxi gaan.'

Perla en Vered hieven hun handen ten hemel en schudden van nee.

'Ik bedoel, ik kan u in een taxi zetten en tegen de chauffeur zeggen waar u zijn moet. Gethsémané is niet ver van de oude stad, de Klaagmuur, de Tempelberg, u weet wel, al die plaatsen die alle toeristen altijd willen zien. Hebt u geld?'

Mevrouw Hommel zocht in haar tas. Als je maar genoeg rommelde, dacht ze waarschijnlijk, vond je vast wel wat. Voor zover Jardena kon zien was de tas leeg, maar misschien was wat mevrouw Hommel zocht wel onzichtbaar: moed, geloof, fantasie ...

'Bent u uw geld ook verloren?'

Ze glimlachte mysterieus. '... Niet verloren ... uitgegeven ... een taxi aan het vliegveld. Naar de stad van de vrede, zei ik. ... chauffeur begreep mij niet ... reed naar Mekka ...'

'Wat?'

Perla en Vered barstten nu hardop in lachen uit. Simcha keek verwijtend naar haar zusjes.

'U moet u vergissen,' zei Jardena. 'Mekka is heel ver weg. In een ander land.'

'... Echt waar? ... Het was een stad vol Arabieren ... durfde niet op straat te slapen. ... Moest naar een hotel ... vreselijk duur ... ben de hele weg naar Jeruzalem komen lopen ... enkel verzwikt ... om Joods te worden ...'

'Maar waarom? Waarom wilt u zo graag Joods worden?'

'Waarom? U weet heel goed waarom.' Mevrouw Hommel sprak ineens samenhangend en zo driftig dat zelfs Simcha ervan schrok. 'Jullie zijn het uitverkoren volk. Ik wil erbij horen ... net als jullie zijn ...'

'Het uitverkoren volk. Ja dat hebt u goed bekeken.' Plotseling had Jardena er genoeg van. 'Onze soldaten zijn uitverkoren om aan het Suezkanaal beschoten te worden. Doden en gewonden bij de vleet. Onze vliegtuigen zijn uitverkoren om naar Algiers te worden ontvoerd. Ons centraal busstation in Tel Aviv is uitverkoren voor bomaanslagen. Uitverkoren om dood te vallen. Allemaal. Kom er maar bij. Hartelijk welkom. En die auto die vorige week op de markt van Machaneh-Yehoedah ontplofte, zegt u dat ook iets? Twaalf doden, zeventig gewonden. Gelijk hebt u. Ik zou me maar gauw tot het jodendom bekeren. Oké, mevrouw Hommel, als u Gethsémané voor donker wilt bereiken, moeten we gaan.'

En haar dochters beet ze toe: 'Vooruit, Perla, haal mevrouw Hommels was van de lijn. Gooi maar in die tas. En jij Simcha, hou op met masseren. 't Is nu wel mooi geweest. Ga liever kijken waar je broer uithangt. Ik ga met mevrouw Hommel mee om een taxi voor haar aan te houden. Ben zo terug.'

Op straat gaf ze mevrouw Hommel geld voor de taxi. 'Naar Gethsémané,' zei ze tegen de chauffeur. 'Dag mevrouw Hommel, de groeten aan de dominee.'

Thuis rolden Perla en Vered over de grond van het lachen. Simcha was in alle staten omdat ze de krijsende Jannai niet tot bedaren kon brengen. Itsik kloof op het kippenboutje dat mevrouw Hommel had laten liggen. Natuurlijk kon ze het niet eten, bedacht Jardena beschaamd. Ze had immers geen tanden? Zou de dominee in Gethsémané haar iets te eten geven?

‘Hou op met dat gegrinnik,’ schreeuwde ze tegen Perla. ‘En jij ook, Vered. Ga wat doen.’

‘Doen? Wat dan?’

‘Moet ik je laten zien wat?’

Tot laat die avond schrobde Jardena de badkamer.

1969

Op 26 februari stierf minister-president Levi Eshkol aan een hartaanval. Zijn twee politieke erfgenamen waren Yig'al Alon en Moshe Dayan. Als die twee reuzen met elkaar gingen wedijveren, was het eind zoek. Dat kon Israël in een tijd van voortdurende onrust aan alle grenzen echt niet hebben. Wat nodig was, was een neutrale plaatsvervanger van de overleden premier, die het roer kon overnemen totdat in oktober democratische verkiezingen zouden uitwijzen wie van de twee charismatische concurrenten de meeste stemmen kreeg.

'Had ik het niet gedacht,' zuchtte Elchanan toen hij een paar dagen later aquarellen voor zijn galerie kwam ophalen. 'In plaats van onmiddellijk nieuwe verkiezingen uit te schrijven en de oppositie nu eens een kans te geven, moeten ze zo nodig dat ouwe mens er met de haren bij slepen.'

Golda Meir, die een actief politiek leven achter de rug had, zat er bepaald niet op te wachten om op haar zeventigste jaar nog eens voor eerste minister te gaan spelen, maar omdat de staat Israël, waarvoor ze zich haar hele leven met hart en ziel had ingezet, haar nu uitdrukkelijk om deze heel speciale dienst vroeg, zwichtte ze. Het ging trouwens maar om acht maanden.

Haar eerste daad als interimpremier was bekendmaken dat ze te allen tijde bereid was om met vertegenwoordigers van de omringende staten over vrede te praten. Als antwoord liet Nasser weten dat hij zich niet langer door de wapenstilstand gebonden achtte.

In een Jordaanse krant kon men kort daarna lezen dat Golda Meir zich gedroeg als een grootmoeder die haar kinderen voor het slapengaan sprookjes voorleest.

'Dat doet ze ook,' zei Nathan. 'Dat mens is niet realistisch. We moeten eerst maar eens al die gebieden teruggeven.'

'Man, laat naar je kijken,' zei Elchanan. 'We geven geen vierkante centimeter terug. Hadden ze ons maar niet moeten aanvallen. Eigen schuld plaagt het meest!'

Jardena vroeg zich af wie gelijk had, haar man of haar zwager. Als Nasser de Sinaï terugkreeg, zou hij daar dan genoegen mee nemen, of had hij, zoals hij al jaren luidkeels verkondigde, zijn zinnen ook op Tel Aviv gezet?

'Je doet alsof je geen Arabisch verstaat,' zei ze tegen Nathan. Je vertaalt nota bene zelf iedere avond al die opruiende redevoeringen voor me. Moet ik jou vertellen dat Nasser maar één doel heeft: het werk van Hitler afmaken?'

Daar had Nathan niet van terug.

Dagelijks werd er hevig over het Suezkanaal heen en weer geschoten. Koning Hoessein van Jordanië, die blijkbaar niet nog eens door Nasser wou worden uitgescholden, liet zijn soldaten voor de zekerheid alvast een paar raketten op Eilat afvuren. Ook hij had tenslotte een groot stuk van zijn land verloren, een stuk dat voor Israël nog belangrijker was dan de Sinaïwoestijn. Niet alleen bevonden zich op de Westbank meerdere historische plaatsen, maar ook gaf de annexatie ervan de staat Israël een normalere, beter verdedigbare vorm. Vóór de zesdaagse oorlog was een grote middenmoot van het land maar twintig kilometer breed geweest, terwijl Jeruzalem aan de noord-, oost- en zuidkant door Jordanië omsloten was.

'Nooit ofte nimmer geven we de Westbank terug,' zwoer Elchanan, die uit puur fanatisme zijn naam officieel liet veranderen in Elnakam, God zal ons wreken.

Intussen was het Midden-Oosten niet de enige plek ter wereld waar mensen elkaar uitmoordden. In Afrika lag het kleine Biafra met het grote Nigeria overhoop. Het nieuws daarover hoorden Nathan en Jardena vooral van hun vriend Dominique, een Biafraanse student die aan de Hebreeuwse Universiteit studeerde. Dominique vertelde in het Frans over de verschrikkelijke toestanden in zijn land. Hij was van plan om als arts naar Biafra terug te keren en zich dan in te zetten voor zijn volk, maar de toestand in Afrika verslechterde zo snel dat hij vertrok voordat hij zijn studie had beëindigd. Er kwam nooit meer een levensteken. Jarenlang vroegen Nathan en Jardena zich af: leeft Dominique? Of is hij net als zijn land in de ongelijke strijd ten onder gegaan?

Aby Nathan, die in 1966 op eigen houtje naar Egypte was gevlogen om vrede met Nasser te sluiten, vloog nu in zijn eenmansvliegtuigje naar Biafra om daar voedsel en medicijnen uit te delen die hij had gekocht van geld van zijn bewonderaars. Er gingen zelfs geruchten dat hij uitgehongerde kinderen mee terug naar Israël zou nemen. Veel mensen stuurden geld. Enkelen boden aan kinderen in huis te nemen. Ook Perla en Vered schreven een briefje waarin ze Aby Nathan vroegen hun een paar broertjes en zusjes uit Afrika te brengen. Hoewel Jardena het verzoek van haar dochters onderschreef, kwam er nooit antwoord. Er kwamen ook geen kinderen. Aby was een idealist, een padvinder, een vreemde snuiter, maar wel een lichtend voorbeeld. Volbrengen kon hij niet veel, maar proberen was ook wat waard.

Eind juni was de laatste dag van Itsiks kleuterklas. Toen zijn juf in het bijzijn van de ouders aan haar leerlingen een soort diploma uitreikte, wou Itsik het zijne onder geen voorwaarde in ontvangst nemen.

'Het komt mij niet toe,' zei hij gelaten. 'Ik heb hier niets geleerd.'

Hij kon inderdaad nog altijd zijn eigen naam niet schrijven. Wie, in Israël, had in die dagen van dyslexie gehoord?

In de grote vakantie trok Jardena met de zes kinderen naar Achziv aan de Middellandse Zee in het noordwesten van Israël, waar ze voor een week een rieten bungalowtje had gehuurd. Nathan wou als gewoonlijk niet mee, maar hij bracht zijn gezin natuurlijk naar de trein. Daar gingen ze met z'n zevenen, met als bagage deze keer zeven rugzakken, de grootste voor Jardena, de kleinste voor Jannai, met daarin alleen zijn eigen dekentje.

Terwijl de familie Jerushalmi in Achziv was, landde de eerste man op de maan. Nog bijna niemand in Israël had televisie, dus mochten de kinderen tot laat in de nacht aan zee zitten om naar de maan te turen en naar een kleine draagbare radio te luisteren. Duidelijk hoorden ze Neil Armstrong zeggen: 'That's one small step for man, one giant leap for mankind.' Zozeer waren Jardena en de grotere meisjes onder de indruk, dat zelfs de tweejarige Jannai zijn ouders jaren later verzekerde dat hij zich die nacht op het kiezelstrand aan de Middellandse Zee herinnerde.

Amerika was het heelal aan het veroveren en intussen begaven duizenden sovjetinstructeurs zich met wapens ter waarde van miljoenen dollars naar het Midden-Oosten om vooral Egypte maar ook Syrië en Irak te helpen zich voor te bereiden op een nieuwe oorlog tegen Israël.

De Engelsen waren bijna net zo pro-Arabisch als de Russen, en de Fransen waren het zo mogelijk nog meer.

De toestand was zo kritiek dat Grootmoeder Premier besloot naar Washington te vliegen voor een persoonlijk onderhoud met president Nixon. Ze kwam terug met de boodschap dat Israël een ware vriend had op wie men in tijden van nood zou kunnen rekenen. Een zucht van verlichting voer door het land.

Het politieke nieuws bereikte de familie Jerushalmi niet alleen via Nathans radio. Ook Itsik, die er nog altijd vaak alleen op uit ging, was een nimmer opdrogende bron van informatie. Kort na de terugkeer van Golda Meir uit de Verenigde Staten, kwam hij met een verheugend bericht: 'Imma, Abba, moet je horen, Israël heeft een nieuw soort koe gefokt! Een koe met een hals die zo lang is dat ze in Amerika kan grazen, en in Israël kan worden gemolken.'

In september ging hij naar de eerste klas van de lagere school, en Consuela naar de verplichte kleuterklas. Zoals gewoonlijk vroeg de juffrouw op de eerste dag hoe haar nieuwe leerling heette. Jardena was op de vraag voorbereid geweest. Ze had haar dochter aangeraden om zich Nechama te noemen. De juffrouw knikte goedkeurend.

'Ja, maar eigenlijk heet ik Consuela,' voegde het kind er onmiddellijk aan toe. 'Net als Savta.'

'Waarom laat je je dan niet gewoon Consuela noemen?' vroeg de kleuterleidster verbaasd. Niet iedereen hoeft toch een Hebreeuwse naam te hebben? Nechama heten zoveel meisjes. Maar Consuela is heel apart. Als ik jou was ...'

'Ja Imma, ja Imma, alsjeblieft Imma, mag het?' Consuela trappelde van verlangen.

Jardena keek vreemd op. Nou had ze het eens goed willen doen, en nu was het weer verkeerd. 'Natuurlijk kind,' zei ze. 'Blijf jij maar gewoon Consuela. Dat is een prachtige naam.' Werden de Israëlische schooljuffrouwen eindelijk wat minder chauvinistisch? Beter laat dan nooit.

Toen in oktober de verkiezingen plaatsvonden, was de strijd tussen de twee politieke reuzen geenszins geluwd. De leden van de Arbeiderspartij smeekten Golda Meir om toch vooral partijleider te blijven. Hoewel ze vast van plan was geweest om zich na de interimperiode terug te trekken, kon ze zo'n grote meerderheid van stemmen binnen haar eigen partij niet negeren. Daarmee zou ze immers de kansen van de oppositie aanmerkelijk verhogen. Toen ze eenmaal had toegestemd om partijleider te blijven, twijfelde niemand aan de uitkomst van de verkiezingen. Zo populair was Golda sinds haar bezoek aan Amerika geworden.

Met frisse tegenzin begon ze aan de vierjarige ambtstermijn.

Eind oktober herinnerde de vrouwenarts Jardena eraan dat ze het spiraaltje niet langer in haar baarmoeder kon houden. Het ding moest er direct na de eerstvolgende menstruatie uit, en dan zou ze pas na een maand een nieuw krijgen. Gedurende een maand zou het haar eigen verantwoordelijkheid zijn om niet zwanger te worden. Dat leek haar geen probleem. Wat was nu een maand vergeleken met een heel leven?

In diezelfde tijd hadden alle kinderen van de familie Jerushalmi maden. Het jeukte en kriebelde zo verschrikkelijk dat niemand een oog dichtdeed. De kinderarts schreef pillen voor, sterk en afdoende. Eenmaal één pil per iedere tien kilo lichaamsgewicht, en dat was het. Om te voorkomen dat de leden van het gezin elkaar over en weer bleven besmetten, moesten ze allemaal, ouders en kinderen, de pillen op dezelfde ochtend innemen. Meteen daarna moest Jardena al het beddengoed en ondergoed en alle handdoeken uitkoken. Succes verzekerd. Jardena, die met haar zesenvijftig kilo vijfeneenhalve pil moest slikken, zag daar ontzettend tegen op. Om nu vergif tegen maden in te nemen, net in de maand dat ze zonder spiraaltje zat ... Ten slotte bedacht ze met de arts de volgende oplossing: de anti-wormceremonie zou plaatsvinden tijdens een menstruatie, zodat ze onmogelijk zwanger kon zijn. De pillen werden geslikt op 1 november, en drie dagen later verwijderde de gynaecoloog het spiraaltje. De hele maand november liet Jardena haar man nauwelijks in haar buurt komen. Omdat ze vier weken later tijdens de volgende menstruatie een nieuw spiraaltje zou krijgen, keek ze vol verwachting uit naar de eerste paar druppels bloed. Die bleven uit, maar zwanger kon ze niet zijn, dat wist ze wel zeker. Daar had ze de hele maand te goed voor opgepast.

'Niks aan de hand,' zei de arts. 'Na het verwijderen van een spiraaltje komen er wel vaker onregelmatigheden voor. Wacht maar rustig af. Volgende maand is alles weer bij het oude.'

Hoewel ze toch een beetje ongerust begon te worden, werd haar aandacht afgeleid door alweer een bravourestuk van Isser Harel en zijn mensen. Israël had vijf oorlogsschepen bij Frankrijk besteld en er het volle pond voor betaald. De schepen lagen in de haven van Cherbourg, maar de Fransen waren zulke goede maatjes met de Arabische wereld, dat ze vertikten om aan hun verplichtingen jegens Israël te voldoen.

Op kerstavond verkleedden Israëlische officieren zich als Noren, en gingen aan boord van de oorlogsschepen om er doodgemoedereerd mee naar Israël te varen. Weliswaar vreesden ze dat ze achtervolgd zouden worden, en dat er misschien pogingen zouden worden ondernomen om de schepen tot zinken te brengen, maar er gebeurde niets van dat al.

Onderzeeboten, militaire vliegtuigen, en een groot aantal journalisten in vliegtuigen van verschillende landen begeleidden de vijf uit Cherbourg gekaapte schepen tot ze veilig bij hun rechtmatige eigenaar de haven binnenliepen. Na een moeilijk jaar was dit voor het Israëlische volk een geweldige opsteker.

1970

De onrust aan de grenzen was langzamerhand oud nieuws. In het noorden werd een man ontvoerd, in het zuiden werd er een doodgeschoten. Israël nam represaillemaatregelen, Egypte sloeg terug. Hier ontplofte een bom, daar werd een raket afgeschoten. Jardena wachtte op haar menstruatie. Zolang die niet kwam, kon ze geen nieuw spiraaltje krijgen. Januari en februari gingen voorbij. In maart constateerde de gynaecoloog dat mevrouw Jerushalmi zwanger was. Had ze zich dan verrekend? En als ze werkelijk zwanger was, hoe moest dat dan met die sterke pillen tegen wormen? Maar nee, die had ze op 1 november geslikt, en dat was tijdens haar menstruatie, dus de ovulatie kon niet voor 10 of 12 november plaats hebben gevonden, en ze wist toch zo zeker dat ze de hele maand ... Ze werd ziek van het piekeren. Maar de arts stelde haar gerust: 'Maak je geen zorgen. De pillen tegen maden laten hoogstens achtenveertig uur sporen in je bloed achter, en er liggen minstens tien dagen tussen de dag dat je ze hebt geslikt en de dag dat je zwanger bent geworden. Er is geen vuiltje aan de lucht.'

In maart werd Perla bat-mitsvah. Al een halfjaar van tevoren was de familie Jerushalmi begonnen zich op het feest voor te bereiden. Ze zouden een voorstelling houden met dia's en een bandrecorder. Het onderwerp moest bijbels zijn, en het zou een mengsel worden van kindertekeningen begeleid door bijbelteksten en verkleedpartijen begeleid door zelfgemaakte liedjes en commentaren. De keuze viel op het huwelijk van Jacob met Lea en Rachel, de problematische verhoudingen tussen de zonen van Jacob, tot en met Jozefs verblijf in Egypte en de dood van Jacob. Geen sinecure dus. Hoewel het oorspronkelijk de bedoeling was geweest een overzicht te geven van de origines van het Joodse volk, kreeg de voorstelling ten slotte de naam 'Wie is een Jood?'. Over dat onderwerp stonden alle kranten vol, speciaal in verband met mensen die een Joodse vader hebben maar geen Joodse moeder. Hoewel de nazi's in de Tweede Wereldoorlog deze mensen evenzeer hadden vervolgd als degenen bij wie het omgekeerde het geval was, bestaat er volgens de Joodse wet niet zoiets als een halve Jood. Kinderen van een Joodse moeder zijn Joden, kinderen van een niet-Joodse moeder zijn dat niet. Nu wil het bijbelse verhaal dat Jacobs meest geliefde zoon, Jozef, in Egypte getrouwd was met de dochter van de priester van On, en dat Jacob zelf op zijn sterfbed vaststelde dat Jozefs zonen uit dit huwelijk, Efraïm en Manasse, gelijke rechten zouden hebben als zijn eigen oudste zonen Ruben en Simeon. Deze uitspraak van de aartsvader was te mooi om er niet een opvoedkundig liedje over te maken. Zo eindigde de voorstelling voor Perla's bat-mitsvahfeest met een loyaliteitsverklaring aan die 'half-Joden' die zichzelf als Jood beschouwden, maar daarbij tegenstand ondervonden van het rabbinaat.

Twee weken voor het feest werden er uitnodigingen gedrukt en verzonden. Er zouden meerdere voorstellingen zijn voor vrienden en familie, en bovendien werden de kinderen van Perla's klas op een aparte middag uitgenodigd. Perla zelf was in alle staten. Ze huilde de hele dag en voorspelde dat niemand zou komen, ten eerste omdat ze niet populair was, en ten tweede omdat de kinderen de bus zouden moeten nemen, wat natuurlijk geen mens overhad voor een partijtje in de armste buurt van de stad. De juffrouw, die ook een uitnodiging had ontvangen, had aan het begin van het schooljaar al aangekondigd dat ze op geen enkel bat- of bar-mitsvahfeest zou verschijnen, omdat ze dan wel aan de gang kon blijven.

Of Perla nu in de klas toch veel geliefder was dan ze zelf dacht, of dat de kinderen in die prille televisietijd nog te verleiden waren door de belofte van iets wat op een muur werd geprojecteerd, al waren het maar dia's, een feit was dat op de bewuste middag niet alleen de voltallige klas om vier uur bij Nathan en Jardena op de stoep stond, maar dat ook de juffrouw voor één keer een uitzondering op haar eigen regel had gemaakt. Een voorstelling genaamd 'Wie is een Jood?'. Wie wou dat missen?

Er was plaats genoeg voor veertig kinderen in de ruime woonkamer die de patriarch Nathan Baghdádi zo'n tachtig jaar eerder had gebouwd in wat toen het zeer dunbevolkte Jeruzalem-buiten-de muren was. En stoelen hadden de jonge bezoekers niet nodig. Ze zaten op kussens, vloerkleden en dekens, en keken hun ogen uit naar de plaatjes die Jardena op de muur toverde, en die nu eens lang, dan weer kort te zien waren, afhankelijk van de duur van de bijbehorende tekst, die de Jerushalmikinderen via de bandrecorder ten gehore brachten. De techniek was eenvoudig, het resultaat verbluffend. De meeste gasten hielden later bij hoog en bij laag vol dat ze een bewegende film hadden gezien. De enige die bij deze vertoning schitterde door afwezigheid was Perla. Van pure zenuwen verstopte ze zich in de keuken, waar ze pas weer uit te voorschijn kwam nadat de laatste gast was vertrokken.

Het grote succes van de klassenvoorstelling beloofde wat voor de officiële première, die op de daaropvolgende Shabbat zou plaatsvinden. Er zouden drie voorstellingen overdag zijn, en nog twee in de avonduren, zodat ook religieuze mensen gelegenheid kregen de voorstelling te zien. Op vrijdagmiddag, vlak voor het ingaan van de Shabbat, vloog een cederboom in de straat in brand. Elektriciteitsdraden die er vlak langs waren gespannen, vatten vlam en de hele buurt zat zonder elektriciteit. Deze keer was het niet Perla maar haar moeder die de zenuwen kreeg. De invloed van de orthodoxen op het stadsbestuur kennende, verwachtte ze niet dat de stroomvoorziening nog voor het ingaan van de Shabbat zou zijn gerepareerd. Hoe moest dat nou de volgende dag? Moest ze de tientallen genodigden onverrichter zake naar huis sturen?

Ze had zich geen zorgen hoeven te maken. Of het nu God was die deze keer aan de kant van de 'half-Joden' stond, of de arbeiders van het elektriciteitsbedrijf, die minder strikt waren dan de religieuze partij wel had gewild, alles liep op rolletjes. Een groot deel van de gasten die de ochtendvoorstelling hadden gezien, kwam 's middags terug met buren en vrienden, en die buren en vrienden kwamen 's avonds terug met ooms en tantes. Het was zo'n gedrang aan de deur dat Nathan en Jardena tussen de aangekondigde voorstellingen, die elk drie kwartier duurden, er nog zo veel mogelijk inlasten.

En nog was het daarmee niet afgelopen. In de week die op het feest volgde, bleven er mensen opbellen om te vragen wanneer men de 'film' 'Wie is een Jood?' nog eens zou kunnen zien.

Perla kwam uit de strijd te voorschijn met tweehonderd Israëlische ponden, waarvoor ze een elektrische platenspeler kocht. Nakomers brachten haar langspeelplaten vooral van fluitconcerten, omdat ze zelf na de blokfluit-vreugde met zoveel plezier dwarsfluit was gaan spelen. Wat was ze gelukkig met haar buit!

Intussen groeide in Jardena's buik nummer zeven. Consuela Baghdádi kon aan de vorm duidelijk zien dat het een jongen was. De buurvrouwen waren het ermee eens. Maar Jardena was niet van de wijs te brengen. 'Ik geloof noch in de waarzeggerij van mijn schoonmoeder, noch in Pua's boze oog. Ik geloof alleen in mijn eigen gevoel. Ik heb vier dochters en twee zonen ter wereld gebracht, en ik ken het verschil. Het is een meisje. Ik weet het zeker.'

Nauwelijks was Perla's feest achter de rug of Jardena kondigde aan dat de volgende diaserie zou gaan over de wederwaardigheden van Mozes.

'Gun jezelf toch wat rust,' was Nathans raad. 'We hebben nog tijd genoeg voordat Vered bat-mitsvah wordt.'

'Je vergist je,' zei Jardena. 'Ik wil de voorstelling beginnen met het verhaal van Mozes in het biezen mandje. Als we die episode niet van de zomer fotograferen, moeten we wachten tot de volgende baby, en ik betwijfel of die ooit zal komen.'

Itsik en Vered zouden de ouders van de kleine Mozes voorstellen, Jannai en Simcha zouden zijn broer en zusje zijn, Perla kreeg de rol van de dochter van de farao toegewezen, en Consuela zou haar dienstmaagd zijn. Het enige wat Jardena te doen stond, was verkleedkleren naaien en liedjes schrijven. Ze zou gebruik maken van bekende wijsjes.

'Alles goed en wel,' wierpen de kinderen tegen, 'maar je hebt zelf gezegd dat de nieuwe baby een meisje wordt. Hoe kun je nu zo'n heel klein meisje aan haar verstand brengen dat ze voor jongetje moet spelen?'

Itsik bleef een probleemkind. Op school leerde hij niets. Huiswerk weigerde hij te maken. Dom was hij niet, maar hij was anders dan de anderen.

Net als zijn oudere zusjes kreeg hij iedere ochtend geld om heen en terug met de bus naar school te kunnen gaan. Hij droeg dat in een zakje om zijn hals om het niet te verliezen. Toch kwam hij 's middags vaak pas laat thuis. Dan had hij van het geld een ijsje gekocht, waarna hij de hele weg naar huis had geslenterd of gehold, al naargelang zijn bui. Energie had hij in overvloed. En liefde voor zijn medeschepselen al evenzeer. Op een dag kwam hij huilend thuis.

'Maar kind,' vroeg zijn moeder, 'wat is er gebeurd?'

'De juf zegt dat Theodor Herzl dood is, en nu kan hij niet zien dat we een eigen staat hebben.' En daar stroomden de tranen weer.

Eens, toen de klas gedurende een schoolreisje een snoepfabriek bezocht waar ze allemaal interessante machines te zien kregen en waar bovendien ieder kind royaal werd getrakteerd, was alles wat Itsik later in een opstelletje te vertellen had: 'We zaten in het gras en ik gooide mijn schoenen in het water.' Zelfs in dat korte zinnetje had hij een dozijn spelfouten weten te maken.

Maar toen Nathan een bezemsteel op het been van zijn zoon kapotsloeg, omdat het kind zijn huiswerk weer eens niet wou maken, en de juffrouw de volgende dag vroeg waarom hij mank liep, zei Itsik zonder blikken of blozen dat hij was gevallen toen hij uit de bus stapte. Het kostte Jardena jaren om in te zien dat de manier waarop Nathan de kinderen behandelde, speciaal als het met hun huiswerk te maken had, misschien enigszins te verklaren was aan de hand van zijn eigen ervaringen op dezelfde leeftijd.

Toen Nathan zelf negen jaar was, hadden zijn ouders hem en zijn broertjes op de Franse kloosterschool Ratisbonne gedaan. De eerste dag werd hij getest door de directeur van de school (van wie Jardena inmiddels had ontdekt dat hij de neef van zijn moeder was), en een klas teruggezet omdat hij geen Arabisch kon lezen en schrijven, hoewel hij het vloeiend sprak. De schooluren waren van halfacht 's morgens tot vijf uur 's avonds, iedere dag behalve zaterdag en zondag. De meeste Arabische leerlingen waren Christenen, maar er waren ook een paar Moslims. De paar Joodse leerlingen op de school hoefden niet mee te doen aan de dagelijkse godsdienstlessen. In plaats daarvan leerden ze Hebreeuws en bijbelgeschiedenis van Joodse leraren. De Arabische leraren sloegen de kinderen voor de kleinste overtredingen, bijvoorbeeld als ze hun huiswerk niet af hadden, of als ze in de klas zaten te praten. De Joodse leraren sloegen niet, en dat was volgens Nathan de reden dat er in hun lessen weinig of niets werd geleerd.

De leraar die het beste orde kon houden had de breedste liniaal. Op de eerste dag dat hij in de klas verscheen zei hij: 'Dit is George. Hij wordt jullie beste vriend. Als jullie niet goed opletten, zal George jullie mores leren.' En zo was het ook. Voor iedere gewone fout die de jongens in hun dictee maakten, kregen ze een tik van George op hun vingers, maar voor iedere echt stomme fout kregen ze twee meppen. Had een leerling meer dan tien fouten gemaakt, dan nam de leraar het hoofd van de boosdoener tussen zijn knieën, waarna hij George toestond op het gevangen achterwerk tekeer te gaan. Op dagen dat George en zijn baas in de klas werden verwacht, droegen sommige jongens wel zes onderbroeken over elkaar, vertelde Nathan.

Soms gaf de leraar de jongens een proefwerk. Dan stond hijzelf zogenaamd naar buiten te kijken. In werkelijkheid bespioneerde hij de leerlingen in de weerspiegeling van het raam. Plotseling keerde hij zich met een ruk om en riep tegen een van hen: 'Jij kijkt af. Kom hier. George zal het je betaald zetten.' Na vieren moesten de leerlingen van alle klassen die om de een of andere reden straf hadden verdiend, drie kwartier doodstil op de gang staan met het gezicht naar de muur en een boek in de handen. Het toezicht bij deze dagelijkse strafoefening werd uitgevoerd door monsieur Kamal, een Moslim die zich bekeerd had tot het christendom en daarvoor was beloond met een aanstelling bij de kloosterschool, ondanks het feit dat hij geen onderwijsbevoegdheid had. Monsieur Kamal genoot van zijn machtspositie. Als een jongen ook maar een vinger bewoog, kende hij geen genade.

Als een leraar meende dat een jongen had gelogen of gestolen, of dat het smoesje niet deugde waarom hij zijn huiswerk niet had gemaakt, moest de verdachte in de pauzes rondlopen als sandwichman, met een bord op zijn buik en een bord op zijn rug, waarop geschreven stond: 'leugenaar' of 'dief' of 'luilak' al naargelang de aard van zijn vermeende misdaad.

Op een keer was Nathan een leerboek kwijt. Zijn eigen vader was hem toen gaan aangeven bij de directeur, die hem voor straf in 'de gevangenis' had gezet. De gevangenis was een smerig zwart hok onder de trap, met als enig luchtgat een getralied venstertje van tien bij tien centimeter boven in de deur. Afhankelijk van de overtreding moesten de jongens daar een halve of een hele dag zitten. Hun behoefte deden ze op de betonnen vloer. Van eten of drinken was natuurlijk geen sprake.

Ondanks al deze verschrikkingen ging Nathan graag naar school. De eigenaar van George was op de stille, ijverige leerling gesteld, en hij beloofde: 'Na de achtste klas zal ik je helpen om verder te studeren aan de Hebreeuwse Universiteit.' Voordat het zover was, brak de Tweede Wereldoorlog uit. De leraar verliet Israël en kreeg niet de kans zijn belofte na te komen. Maar ook al was hij in het land gebleven, dan nog zou Nathan niet hebben kunnen studeren. Hij was de oudste zoon van zijn ouders, en hij moest hoognodig geld gaan verdienen om te helpen zijn jongere broertjes en zusje groot te brengen.

Aan het eind van het eerste schooljaar, toen Itsik nog altijd zijn naam niet goed kon schrijven, kwam hij op een dag de keuken binnen. Jardena stond af te wassen.

'Maar wie is eigenlijk mijn echte moeder?' vroeg hij op de man af.

'Je echte moeder?' Jardena brak van verbazing een glas. 'Hoe bedoel je? Ik natuurlijk.'

Zo gauw was Itsik niet tevreden.

'Ik bedoel,' legde hij uit, 'dat ik in Nederland geboren ben. En ik herinner me heel goed dat ik met Abba en tante Mies in een vliegtuig naar Israël ben gekomen. Consuela was er ook bij. Jij stond bij het vliegtuig om ons af te halen. En je huilde. Waarom is alleen mijn vader met ons meegekomen? Waar is mijn moeder?'

Hoe Jardena ook haar best deed om het misverstand uit de weg te ruimen, ze bleef lang het gevoel houden dat Itsik aan haar woorden twijfelde.

In al die jaren dat Itsik zo ongelukkig was, waren er maar drie mensen bij wie hij zich op z'n gemak voelde. De ene was Jochanan Eldad van de Har-El synagoge, die in een dorpje net buiten de stad woonde, en hem vaak meenam op lange zwerftochten door de bergen rondom Jeruzalem. Dan was er Nathans broer Moshe, de politieagent. En ten slotte was er Vered, die hem iedere avond bij zich in bed liet kruipen en hem dan voorlas. Maar zelfs dat mocht niet van Nathan. Een broertje bij een zusje in bed. De hemel beware ons! En hij deelde klappen uit. En Jardena ging hem te lijf. Het was het oude liedje.

Midden juli kwam Dobbele Goldberg uit Miami weer over. De volgende dag werd de baby geboren. Precies een maand eerder dan uitgerekend. Een prachtzoon van maar liefst zeven pond! Zwaarder dan alle andere kinderen Jerushalmi bij hun geboorte waren geweest. Was dit jongetje werkelijk een hele maand te vroeg geboren?

'Welnee,' zei de vroedvrouw. 'Dat hoeft niet, hoor. Sommige vrouwen worden nog wel een keer ongesteld als ze al zwanger zijn.'

'Maar ik droeg een spiraaltje. Dat is pas in de eerste week van november verwijderd.'

'Tja, een spiraaltje is een goed voorbehoedsmiddel. Maar honderd procent zekerheid geeft het toch niet.'

Vanaf dat ze dat had gehoord, waren de anti-wormpillen geen moment uit Jardena's gedachten. Al zag de baby er nog zo gezond uit, ze bleef vrezen dat er iets mis mee was. Hoewel ze beweerde niet bijgelovig te zijn, stelde ze voor de zekerheid voor om hem Jifrach te noemen: hij zal bloeien. Nathan vond het een prachtige naam.

Op de dag dat Jardena met Jifrach thuiskwam, wachtte haar een verrassing. Nathan, die gedurende dertien huwelijksjaren, inclusief zeven zwangerschappen van zijn vrouw, steevast had geweigerd de veertig centimeter hoge stenen drempel weg te hakken die de keuken van de eetkamer scheidde, had plotseling de geest gekregen en aan haar wens voldaan. Zo gebeurde het dat Jardena een enorme pan soep van de keuken naar de eetkamer droeg, en uit pure gewoonte op de plek van wijlen de drempel haar voet veertig centimeter te hoog optilde. Ze kwam met een smak op de vloer van de eetkamer terecht. De schade viel gelukkig mee. Een zere knie, en een geschaafde elleboog. En de soep kon worden opgedweild.

Toen de onvermoeibare Dobbele de nieuwe baby zag, en zich realiseerde dat het gezin Jerushalmi best een extraatje kon gebruiken, kocht hij nogmaals een grote hoeveelheid schilderijen en prenten. Hij logeerde in het King David Hotel, en kwam bijna iedere dag op bezoek. Stukje bij beetje kregen Nathan en Jardena het levensverhaal van hun vriend te horen.

In de jaren dertig had de toen zestienjarige Dobbele besloten dat hij niet langer onder de plak van zijn moeder wenste te leven. Hij liep weg van huis, vond een baantje op een stoomboot, en bereikte zo op eigen houtje het toenmalige Palestina. Daar ging hij als boer in een kibboets werken. Zijn moeder, een *jiddische mamme* van de oude garde, kon de eigengereidheid van haar zoon niet appreciëren. Ze schreef hem meerdere malen een ultimatum, maar hij negeerde ze allemaal. Toen de moeder zich ten slotte realiseerde dat alleen brute kracht het gewenste effect teweeg zou brengen, kwam ze op hoge poten naar Palestina om haar minderjarige zoon voor de Engelse rechtbank te slepen. De rechter vond het geval nogal potsierlijk, maar hij beval de jongen wel met mamá naar huis terug te keren.

Nauwelijks was de vernederde Dobbele terug onder moeders vleugels, of ze bekonkelde een huwelijk voor hem met een Joods meisje van goeden huize. Haar tweelingzuster werd bij dezelfde gelegenheid aan Dobbeles broer uitgehuwelijkt. 'Mama duldde geen tegenspraak,' zuchtte Dobbele. 'Zo ging dat in die tijd.'

Na een paar minuten diep stilzwijgen, gevolgd door gefrummel met een zakdoek en het luidruchtig snuiten van z'n neus, voegde hij er makjes aan toe: 'Ach, ik heb niets te klagen over mijn Soerke. In de veertig jaar dat we getrouwd zijn, heeft ze me nooit één keer tegengesproken. Alleen, ze heeft niet het karakter van een pionier. Toen ik eenmaal met haar getrouwd was, was Israël voorgoed van de baan.'

De tweelingzusters vestigden zich in tweelinghuizen met tweelingtuintjes en tweelingmeubelen. Alleen aan de echtgenoten kon je zien wie wie was. In de loop van de jaren werden beide families steenrijk.

'Het geheim van succes,' verklaarde Dobbele, 'is om dag en nacht paraat te staan, nooit nee te zeggen, geen onnodige vragen te stellen, en zelfs de onwaarschijnlijkste opdrachten met een stalen gezicht te aanvaarden.'

Uit het resultaat van dit regime viel af te leiden dat Dobbele het bij het rechte eind had, althans materieel gesproken. Wat de zielenrust van haar zoon betrof, had de voortvarende jiddische mamme hem beter in zijn kibboets kunnen laten. Tot groot verdriet van Dobbele en Soerke allebei, waren hun beide kinderen met niet-Joodse partners getrouwd, en gaven hun kleinkinderen geen zier om Israël en het jodendom.

'Maar Jifrach,' riep Dobbele enthousiast uit, 'Jifrach zal in mijn voetsporen treden. Hij zal zich inzetten voor de opbouw van de Joodse staat. Wat zeg ik! Hij zal de Joodse staat tot bloei brengen. Hij wordt generaal in het beste leger van de wereld! Hij wordt mijn geestelijke kleinzoon, hij wordt minister-president! Zolang mijn gezondheid het toelaat, kom ik iedere zomer naar Jeruzalem om Jifrach te zien opgroeien. En jij, kerel,' zei hij boven de wieg, 'jij moet zorgen dat je ieder jaar groter en flinker en verstandiger bent dan het jaar ervoor. Wat denk je ervan?'

Wat Jifrach dacht kwam er op dat moment niet op aan. Belangrijker was wat Jardena dacht. Ze bleef maar piekeren. Was ze werkelijk al half oktober zwanger geworden? En was dat ondanks het spiraaltje gebeurd? Kon Jifrach als embryo van twee weken het verwijderen van dat instrument hebben overleefd? En had hij geen schade ondervonden van die pillen tegen wormen? Ze bestookte de artsen met vragen, maar kreeg altijd hetzelfde antwoord: 'Ook artsen weten niet alles. Wees blij dat je zoon gezond en normaal is.'

Maar was hij gezond en normaal? Kon hij zien? Kon hij horen? Wel tien keer per dag stond ze naast zijn wieg om zijn gehoor en gezichtsvermogen te testen door een plotseling geluid te maken, of een brandende kaars voor zijn ogen heen en weer te bewegen. Hoewel ze nooit iets zei over haar angst, had haar schoonmoeder al spoedig door dat Jardena zorgen had. Ze durfde geen vragen te stellen, maar schreef een gebed voor de gezondheid van haar jongste kleinzoon op een papiertje, en vroeg Elnakam, die zij onverstoorbaar Elchanan bleef noemen, het naar de Klaagmuur te brengen, en het daar in een spleet tussen de stenen te stoppen. Pas veel later, toen Jifrach allang had bewezen dat hij een flinke, gezonde jongen was, durfde Consuela Baghdádi haar kritische schoondochter deelgenoot te maken van haar persoonlijke interventie bij God.

Gedurende de eerste twee maanden van Jifrachs leven maakte Jardena zich zoveel zorgen, dat ze niet genoeg aandacht schonk aan Consuela, die met hoge koorts in bed lag. Ze gaf haar thee en een drankje om de temperatuur te laten zakken, maar belde niet direct de kinderarts op. Toen ze dat na drie dagen eindelijk 's avonds nogal laat deed, was het vooral om te klagen dat ze haar dochter de hele dag niet wakker had kunnen krijgen. Ondanks het late uur kwam de arts onmiddellijk. Het kind had over de veertig graden koorts. Hij droeg Jardena op om haar een poosje in een lauw bad te leggen en daarna de temperatuur opnieuw te meten. 'En je belt me direct op,' beval hij.

Zelfs in het bad werd Consuela nauwelijks wakker, maar de koorts zakte tot negendertig-vijf. Om zes uur 's ochtends stond de arts alweer voor de deur. Hij sloeg een blik op het zieke kind en zei dat de ouders haar naar het ziekenhuis moesten brengen. Dit was geen raad, maar een bevel.

De diagnose was hersenvliesontsteking, gelukkig een milde variant. Na een week in het ziekenhuis te zijn geweest, kwam Consuela gezond weer thuis. Jardena, die al die tijd van pure spanning geen traan had gelaten, barstte in huilen uit. Ze had een waardevolle les geleerd: als je ene kind een probleem heeft, mag je je aandacht voor zijn broertjes en zusjes niet laten verslappen.

Begin augustus werd eindelijk een wapenstilstand met Egypte gesloten. Aan de slopende, steeds weerkerende schermutselingen kwam officieel een einde. Voor het eerst sinds 1967 had Israël althans theoretisch vrede in het zuiden. In het noorden verstoorden de Syriërs de rust nog af en toe met een raket.

Wel was het intussen duidelijk geworden dat Jardena zich over Jifrachs gezondheid geen zorgen hoefde te maken.

Het werd tijd om serieus aan het project van Mozes in het biezen mandje te gaan werken. Op een mooie ochtend vlak voor het eind van de vakantie huurde Nathan een vrachtwagentje met chauffeur, en reed de voltallige familie Jerushalmi met fototoestel, verkleedkleren en een plastic teiltje bij wijze van biezen mandje, naar Ein-Fescha bij de Dode Zee. De chauffeur zat rustig achter het stuur te wachten, terwijl Nathan de kinderen hielp met verkleden, Jifrach in het plastic teiltje ronddreef, en Jardena een filmrolletje van zesendertig diapositieven afwerkte.

Weliswaar staat de Dode Zee bekend om zijn hoge zoutgehalte, maar de vele beekjes die ernaar toe stromen, voeren helder, zoet water aan. Aan beide oevers van die beekjes groeien grote bossen bamboe. Simcha, in haar rol van Myriam, stond tussen de lange gelige stengels en hield het biezen mandje waarin haar broertje lag nauwlettend in het oog. Als entourage voor het eeuwenoude verhaal was de plek ideaal. Alles verliep dan ook volgens plan. Er werd noch tijd, noch film verkwist. Het enige intermezzo was dat de hoofdpersoon een onverwachte beweging maakte en in de zogenaamde Nijl tuimelde. De kordate twaalfjarige prinses, die er vlakbij stond, aarzelde geen moment en redde de luid krijsende drenkeling in een handomdraai.

'Minuutje,' riep Jardena. 'Sta stil. Hou hem omhoog. Klik. Klaar. Bedankt. Nu gaan we hem afdrogen.'

Het werd een van de mooiste dia's van de serie.

'Hommeles bij de buren,' zei Nathan in september.

'Bij de buren? Aan de overkant?' Jardena was bezig haar dia's te sorteren.

'Ja hoor, aan de overkant … In Jordanië. Denk jij ooit aan iets anders dan aan de uittocht uit Egypte? Koning Hoessein voert oorlog tegen zijn eigen volk.'

'O ja? Waarom?'

'Omdat hij zich bedreigd voelt. Die mensen hebben er genoeg van om in vluchtelingenkampen te zitten. Ze worden opstandig.'

'Burgeroorlog bedoel je?'

'Ik weet niet of je 't zo kunt noemen. 't Is ingewikkeld. In november 1947 besloten de Verenigde Naties Palestina in twee staten te delen, de Gazastrook en de Westbank van de Jordaan plus het middenstuk van Galilea voor de Arabieren, en de onvruchtbare Negev plus een smalle strook aan de Middellandse zee en een stuk van Galilea aan het Meer van Tiberias voor de Joden. Zoals iedereen weet waren wij door het dolle heen ...'

'Wij ook. Wat had je gedacht. Ook in Amsterdam sprongen de Joden elkaar om de hals van plezier.'

'... en heeft Ben-Gurion alles in het werk gesteld om de Arabieren die in het aan ons toebedeelde stuk woonden over te halen in het land te blijven en hier in goede verstandhouding met ons te leven. Maar de Arabische wereld weigerde in alle talen de verdeling te aanvaarden. Niet alleen maakten ze ons het leven zuur, maar ook wreekten ze zich op de Joden die eeuwenlang ongestoord in hun midden hadden geleefd.'

'Bedoel je Marokko?'

'En Irak en Egypte bijvoorbeeld. De broers van mijn moeder zijn er midden in de nacht in hun pyjama uit gegooid. Heb ik je dat nooit verteld?'

'Nee, maar ga nu even door met je verhaal.'

'Mijn ooms en andere Joden in hun positie hadden geen keus. Ze lieten al hun bezittingen achter en vluchtten naar het Joodse deel van Palestina, praktisch gesproken de enige plek waar ze welkom waren. In mei 1948, toen de Engelsen voorgoed vertrokken en de staat Israël werd uitgeroepen, verklaarden alle Arabische staten ons de oorlog. Dat weet je natuurlijk wel. De moefti van Jeruzalem, die zelf in Libanon woonde, raadde de Arabieren in ons stuk aan om tijdelijk de Jordaan over te steken, zodat ze niet voor de voeten zouden lopen van de legers van Irak, Egypte, Jordanië, Libanon en Syrië, die ons even snel de zee in wilden drijven.'

'Ons de zee in drijven ... Hadden ze gedacht. Wij lieten ons niet kisten.'

'Nee, maar het ging hard tegen hard, en toen er in 1949 eindelijk een wapenstilstand kwam, had Egypte de Gazastrook veroverd, Jordanië de Westbank en wij het middenstuk van Galilea. De plaatselijke Arabieren kregen elk de nationaliteit van het land dat ze had ingelijfd. Geen enkel stuk van het land heette meer Palestina, en Palestijnse Arabieren waren er niet meer. Toen de Jordaniërs ons in 1967 opnieuw aanvielen, en we de Westbank van ze afpakten, zijn er opnieuw een heleboel Arabieren naar de overkant van de Jordaan gevlucht of verhuisd of hoe je het noemen wilt. En daar hebben ze zich flink vermenigvuldigd. Velen van hen wonen in de steden en een deel woont in vluchtelingenkampen, en ze hebben er genoeg van om te worden geregeerd door koning Hoessein en de Bedoeïenen, met wie ze geen enkele verwantschap voelen. Bovendien zou

Hoessein graag vrede sluiten met Israël, en daarvan willen de Arabieren aan beide kanten van de Jordaan niets weten. Ze krijgen voortdurend wapens uit Syrië en hebben bovendien sinds enige tijd een militante leider, zoiets als Arafat Yassir of Yasser, die nogal furore maakt en ze aanzet om de koning weg te jagen zodat hij het heft in handen kan nemen. Dat kan de koning natuurlijk niet over z'n kant laten gaan. Het gevolg is dat die Jordaanse Arabieren of Palestijnen of hoe ze zich dan ook mogen noemen, er bij bosjes aangaan. Maar dat is natuurlijk allemaal langs je heen gegaan.'

'Sorry, het is ook zo'n volle zomer geweest.'

'Dat weet ik wel, maar het zou je geen kwaad doen om zo nu en dan naar het nieuws te luisteren. Dan bleef je tenminste een klein beetje op de hoogte van wat er in je eigen land gebeurt.'

'Ach wat, als ik iets wil weten, vraag ik het toch gewoon aan jou. Moet je 's tegen het licht kijken wat een prachtige opname ik hier heb van de prinses met de kleine Mozes.'

Nathan lachte. ''t Zal jou kennelijk een zorg zijn of de Jordaniërs een paar duizend man een kopje kleiner maken.'

'Zo'n vaart zal het toch niet lopen? Wat zeggen de andere moslimlanden daar dan van? Komen die hun geloofsgenoten niet te hulp?'

'Moslims die elkaar het leven redden! Dat zou wereldnieuws zijn.'

'De Amerikanen dan, weet ik veel, de Fransen, de Engelsen, de Verenigde Naties.'

'Die? Die zijn allang blij als de bevolking in deze contreien weer wat wordt uitgedund. Weet je wat, zorg jij maar voor de dia's. Dan zorgen de Verenigde Naties wel voor de moraal.'

'Niet zo cynisch, man. Als ik ergens mee kan helpen zal ik het graag doen, maar zolang dat niet het geval is, hoef ik toch niet de hele dag over het leed in Jordanië te treuren?'

Perla kwam binnen met een kaart van Asser Pollak. Hij was nu wel zowat overal geweest. Behalve dan in de landen die voor Joden verboden waren.

'As 't effe kan kom ik bij jullie me afgepeigerde kanis te ruste legge,' schreef hij. 'As ik toch moet krampeire dan gaarne in ons eigenste landje. Graaf maar vast een kuiltje voor Asser Pollak.'

'Die zien we niet terug,' zei Jardena, en er prikten tranen in haar ogen.

1971

Gedurende de winter werkte het gezin dagelijks aan de productie voor Vereds bat-mitsvahfeest, dat in september zou plaatsvinden. De 'film' heette 'Exodus'. Er was veel te tekenen en te schilderen. Nog steeds fotografeerde Jardena met haar oude fototoestel waarmee ze geen close-ups kon maken. Daarom moest alles op grote vellen papier worden gemaakt. Ze rolden het vloerkleed in de woonkamer op, om meer plaats te maken op de terracotta tegels die zoveel jaren door Consuela en Ster waren geschrobd. Perla tekende eerst nauwkeurig de omtrekken van de voorstelling die ze wou weergeven, en vulde daarna alles geduldig in. Ze koos haar kleuren met zorg, en het resultaat was altijd decoratief en gedetailleerd. Vered lette minder op de details en meer op het geheel, koos de kleuren minder zorgvuldig, en schilderde met meer vaart. Simcha tekende helemaal geen contouren. Ze werkte met dikke kwasten waarmee ze de verf spontaan op het papier kwakte al naargelang de beelden die in haar hoofd opkwamen. Simcha kon wel vier reusachtige schilderwerken produceren in de tijd dat Vered er twee van normale afmetingen maakte en Perla een heel klein hoekje afwerkte. Daarentegen was alles wat uit Perla's handen kwam perfect, terwijl wat Vered en Simcha maakten soms wel, maar soms ook niet lukte. Vered probeerde in zo'n geval verbeteringen aan te brengen, Simcha begon gewoon opnieuw.

Itsik, die zeven was, kon minder goed tekenen dan zijn zusjes, maar had een ongebreidelde fantasie. Terwijl de drie oudere meisjes, ieder op hun manier, altijd probeerden om iets te schilderen wat met de uittocht uit Egypte te maken had, trok Itsik zich van het onderwerp totaal niets aan. Hij schilderde mensen zonder hoofden, bomen die met hun takken in de grond en hun wortels in de lucht groeiden, en vliegmachines in de vorm van gestreepte neushoorns. Aangezien Jardena en Nathan er hun zinnen op hadden gezet om werk van álle kinderen in hun productie op te nemen, moesten ze zich in bochten wringen om althans voor enkele van Itsiks creaties een passende interpretatie te vinden.

Consuela, die in de eerste klas van de lagere school zat, tekende hoofdzakelijk prinsesjes met hoepelrokken en kroontjes op hun hoofd. Jannai was uitsluitend geïnteresseerd in dieren, en tekende ze zo wetenschappelijk en nauwkeurig als zijn vier jaren dat toelieten. Soms ging hij zelfs naar de dierentuin of zocht in naslagwerken om te kijken hoe een oor of poot precies in elkaar zat. Voor hem was een neushoorn met zebrahuid of een aap met drie staarten een abominatie. Hij kreeg dan ook slaande ruzie met Consuela, die er altijd op uit was om zijn verzameling plastic beesten in te pikken, en dan zonder gewetensbezwaar moeder tijger met vader olifant liet trouwen, om het gelukkige echtpaar te zegenen met zoon aap en dochter ijsbeer.

Wie had kunnen voorspellen dat Jannai later een sprookjesverteller zou worden, terwijl Consuela er een overtuigd voorstandster van werd om vragen van kleine kinderen zo waarheidsgetrouw mogelijk te beantwoorden, en niet bij ze aan te komen met allerlei fantasieën.

Iedere ochtend, als de kinderen op school waren, maakte Jardena een lijst van de episodes die nog niet waren geïllustreerd. Als ze dan 's middags thuiskwamen kozen degenen die daar zin in hadden een onderwerp uit de lijst. Verreweg de meeste afbeeldingen die ten slotte deel uitmaakten van de 'film' kwamen van Simcha die, net als haar vader, schijnbaar moeiteloos de prachtigste werken produceerde.

Elnakam, die zijn broer – ondanks de kloof tussen hun meningen over politiek – als kunstenaar geweldig bewonderde, kwam bijna dagelijks langs om te zien waarmee hij bezig was. Op een dag riep hij al vanaf de trap: 'Weet je wie er bij me op bezoek is geweest?'

Nathan stond met een penseel in zijn mond zijn palet af te krabben. 'Nou?'

'Monsieur Kamal.'

De penseel viel op de grond. 'Niet waar.'

'Wel waar. Monsieur Kamal. Dé monsieur Kamal van Ratisbonne.'

'Hoe wist hij je adres?'

'Hij zegt dat hij me op straat heeft herkend. Hij woont ook in Oost-Jeruzalem, vlak bij mij.'

Dat Elnakam na de zesdaagse oorlog in het huis van een gevluchte Arabier was getrokken, was Nathan een doorn in het oog, maar hij was te nieuwsgierig om er op dit moment iets over te zeggen.

'Wat moest hij van je?'

'Hij kwam binnen en gelijk begon hij met "Baghdádi, het ministerie van Binnenlandse Zaken ..." dit en dat, iets over zijn verblijfsvergunning, weet ik veel. "Baghdádi, je moet me helpen. Je bent toch niet vergeten ... Om der wille van de oude vriendschap ..." De slijmerd.'

Jardena zag wel dat alleen al de naam Kamal de mannen in alle staten bracht.

'Wat heb je gezegd?' stamelde Nathan ten slotte.

'Gezegd? Geduwd bedoel je. De deur uit geduwd heb ik hem. En nageroepen: "Monsieur Kamal, ik ben u niet vergeten, en ik zal u nooit vergeten, en ook niet wat u ons hebt aangedaan. Het enige waar ik u aan kan helpen is een schop onder uw achterwerk." Hij was zo weer weg.'

'Gelijk heb je,' zei Nathan. 'Deze keer geef ik je groot gelijk.'

In april werd Simcha ziek. De kinderarts vermoedde dat het een blindedarmontsteking was en stuurde haar door naar het Bikoer-Cholimziekenhuis dat die dag spoedgevallen behandelde. Hoewel de artsen geen specifieke diagnose stelden, waren ze het erover eens dat Simcha's klachten niet door een ontstoken blindedarm konden worden veroorzaakt. De pijn zat immers aan de linkerkant. Het kind werd met de dag zieker. Ze gaf over, kreeg hoge koorts, en had vreselijke pijn. De eigen kinderarts kwam haar in het ziekenhuis opzoeken, en herhaalde zijn mening dat de blindedarm ontstoken was, maar de ziekenhuisarts liet hem weten dat Simcha niet langer zijn patiënt was, en dat zijn aanwezigheid in het ziekenhuis niet op prijs werd gesteld.

Na twee weken had een pas geïmmigreerde Franse arts nachtdienst. Deze man, die geen woord Hebreeuws sprak, en Simcha's dossier niet had ingekeken, had geen drie minuten nodig om vast te stellen dat het kind aan acute blindedarmontsteking leed. Zonder iemand te raadplegen, stuurde hij haar midden in de nacht per ambulance naar het beter voor operaties toegeruste Hadassaziekenhuis, waar de artsen vaststelden dat de blindedarm was gebarsten en dat het onmogelijk was onder deze omstandigheden te opereren. 'Het had maar een haar gescheeld, of ze was er helemaal niet meer geweest', kregen Nathan en Jardena de volgende ochtend te horen.

Simcha kreeg een sonde in haar buik, en verloor in twee dagen meer dan een liter pus. Een paar dagen later kon ze naar huis, onder voorwaarde dat ze om de andere dag een antibiotica-injectie kreeg, waarbij de Shabbat niet mocht worden overgeslagen. Een aan de polikliniek verbonden verpleegster kon haar de injecties bij zichzelf thuis geven. Na een tijdje waren de verpleegster en haar patiëntje zo goed op elkaar ingespeeld, dat als Simcha aanbelde, de verpleegster met de injectiespuit in de hand opendeed, en Simcha gewoon op de stoep haar rokje omhoogtilde, haar onderbroekje liet zakken, haar billetje presenteerde, waarna ze zonder een kik de prik incasseerde.

'Dag zuster, dank u wel.'

'Dag kindlief, tot overmorgen maar weer!'

Twee maanden nadat Simcha voor het eerst in het Hadassaziekenhuis was behandeld, werd haar blindedarm weggehaald. Dat de artsen in het Bikoer-Cholimziekenhuis het euvel niet hadden onderkend, kwam doordat de blindedarm bij Simcha links in de buik zat. Toen Jardena na de goede afloop naar het Bikoer-Cholimziekenhuis ging om daar de specialisten eraan te herinneren dat haar eigen kinderarts al vanaf de eerste dag de juiste diagnose had gesteld, zeiden ze van niets te weten en dat was dat. Er viel met geen van hen over te praten.

Nu Israël eindelijk in zogenaamde vrede leefde, ontstonden er interne problemen. Jeruzalemse straatjongens, van wie er meerderen met de politie overhooplagen, eisten sociale rechten, en probeerden zelfs een politieke partij op te richten.

'Wat een afgang,' riep Nathan toen hij hoorde dat de Zwarte Panters niet mochten demonstreren. 'Net iets voor Golda om ze dat te verbieden. Voor haar hebben alleen de Ashkenazen recht van spreken.'

'Ze kan ook geen goed bij je doen,' zei Jardena boos.

'Alles wat dat wijf over de Zwarte Panters weet te zeggen is: "Het zijn geen aardige jongens". Wat is dat nou voor opmerking.'

De Zwarte Panters, hoofdzakelijk Sefardische jongens uit arme buurten zoals Machaneh-Yehoedah, lieten zich niet afschepen. Ook zonder toestemming hielden ze hun demonstratie, waarbij ze uiting gaven aan hun grieven tegen de premier die zo weinig begrip toonde voor alles wat ze niet persoonlijk kende, door met borden rond te lopen waarop stond: Golda, leer ons Jiddisch.

Golda's opmerking dat de Zwarte Panters geen aardige jongens waren, werd uiteindelijk hun grootste troef. Hij ging van mond tot mond en van oor tot oor en gaf zoveel bekendheid aan de beweging, dat de regering wel moest luisteren, en dat aan de sociale diensten een veel groter bedrag werd toegewezen dan in eerdere jaren het geval was geweest. De aandacht was gevestigd op het gestaag groeiende verschil tussen arm en rijk, waarbij nog steeds het gouden ei in Ashkenazische vestzakjes zat.

Jardena en Chava vonden een zomerhuisje ten noorden van Netanja, in een nogal arme wijk genaamd Ein-Hatchelet. Het huis behoorde aan een vrijgezel, die gedurende de zomermaanden bij zijn ouders introk, en door het verhuren van zijn huisje wat extra geld probeerde te verdienen. Het was zo goedkoop dat de schoonzusters besloten het voor vijf weken te huren. De echtgenoten waren niet te spreken over 'dat gegooi met geld om de hele zomer aan zee te zitten luieren', maar de vrouwen hielden voet bij stuk en het contract werd gesloten. Beide echtgenoten waren ook wel weer groothartig genoeg om met de volksverhuizing te helpen, want natuurlijk moesten er voor twee moeders en negen kinderen heel wat matrassen en beddengoed worden meegenomen. Bovendien had Jardena een reusachtige koffer volgestouwd met verkleedkleren en kleurige lappen om de uittocht uit Egypte te fotograferen en gedeeltelijk te filmen.

Vijf weken lang werkten de bewoners van het zomerhuisje eerst een paar uur aan hun productie, en gingen ze 's middags naar het strand. Vaak bleven ze aan zee tot lang na zonsondergang. Dan kwamen talloze krabben, kreeften en waterschildpadden te voorschijn uit de holen en spleten waarin ze zich overdag tijdens de warmte hadden schuilgehouden. Voor Itsik en Jannai was het strand tijdens die uren een paradijs.

Op een avond zaten de twee families Jerushalmi vol bewondering te kijken naar de blauwe lucht waartegen in het westen een rode zon langzaam in zee leek te zinken. Tegelijkertijd kwam in het oosten een glanzend witte volle maan op. De combinatie was adembenemend. Chava koos dit sublieme moment om het verhaal te vertellen van Abraham de aartsvader, die als jonge man geloofde dat het grote licht God was. Maar toen hij zag dat het grote licht verdween en het kleine licht verscheen, zei hij bij zichzelf: 'O, als het kleine licht het grote licht kan verjagen, dan is het kleine licht zeker God.' Maar toen ook het kleine licht verdween, legde Abraham de grondslag van het Joodse geloof: 'God is noch de zon, noch de maan, maar Hij die over beide lichten heerst.'

Iedere ochtend verkleedde Jardena een paar kinderen voor de episode van die dag. Vered en Simcha speelden voor Mozes en Aharon, Itsik had de rol van de boosaardige farao, Perla was Myriam, de zuster van Mozes. Bovendien speelden alle kinderen nu eens de Egyptische waarzeggers, dan weer de wrede Egyptische slavendrijvers of de afgetobde Israëlitische piramidebouwers, al naargelang deze personages in het verhaal voorkwamen.

Alle inwoners van Ein-Hatchelet, en vooral de kinderen, werden uitgenodigd om op een ochtend naar het strand te komen en daar, gehuld in sjaals en doeken, en met kussens op hun rug bij wijze van bagage, het moment van de uittocht te spelen.

Het was een heel gedoe om dit gedeelte tot een goed einde te brengen. En als Jardena had gedacht dat film een vooruitgang betekende boven dia's, had ze zich vergist. Jaren later zou ze tot de conclusie komen dat het omgekeerde het geval was. Toen de film allang vol scheuren en krassen zat, waren de dia's nog altijd even mooi.

Perla speelde dwarsfluit. Ze had les van een privéleraar en maakte goede vorderingen. Vered had meer zin om in het jeugdorkest te spelen, en koos saxofoon. De lessen waren gratis, maar daar stond tegenover dat de jonge musici zich verplichtten om bij speciale gelegenheden, zoals Onafhankelijkheidsdag of het bezoek van een hooggeplaatste persoon, in blauwwitte kleding door de straten van Jeruzalem te marcheren met de bladmuziek op hun instrumenten geklemd.

Jardena ging naar het kantoor van het orkest om Vered te laten inschrijven. Ze wist niet dat de dirigent dezelfde man was die ook als muziekrecensent aan *The Jeruzalem Post* verbonden was.

Jaren geleden had ze eens een brief geschreven naar de redactie van deze krant naar aanleiding van een recensie waarin een concert werd afgekraakt waarvan ze zelf met volle teugen had genoten. 'Maar het publiek was als gewoonlijk laaiend', zo eindigde Jochanan Boehm zijn kritiek. 'Ze hadden tenslotte flink in de buidel getast voor een plaats, en bedelden liever om een toegift dan ervoor uit te komen dat ze hun geld hadden weggegooid.'

'Geeft uw vrijkaartje, meneer de recensent, u het recht neer te kijken op muziekliefhebbers die bereid zijn geld te betalen voor hun zitplaats?' had Jardena geschreven. 'Geeft het feit dat uzelf een geflopte musicus bent, u volmacht om het enthousiasme van jonge kunstenaars de grond in te boren, en hun ontluikende carrière met één pennenstreek te vernietigen?'

Toen de dirigent van het jeugdorkest Jardena's handtekening op het registratieformulier voor Vered zag, vroeg hij: 'Jardena Jerushalmi? Bent u de persoon die mij jaren geleden een brief hebt geschreven naar aanleiding van een recensie?' Het bloed steeg Jardena naar het hoofd, maar ze dwong zich de man recht in de ogen te kijken, en te antwoorden: 'Ja, dat ben ik! En u hebt nooit de moeite genomen om mijn brief te beantwoorden.'

'Dat is waar,' zei Jochanan Boehm met een bijna onhoorbare zucht. 'Maar ik heb de inhoud van uw brief wel degelijk ter harte genomen. Is het u niet opgevallen dat ik sindsdien nooit meer de kunstenaars zelf bekritiseer, maar me altijd beperk tot het beschrijven van de muziek en iets te vertellen over het leven van de componisten? Ik ben u dank verschuldigd, mevrouw Jerushalmi, want ik slaap tegenwoordig heel wat beter dan vroeger.'

In september was Vereds bat-mitsvahfeest en ter ere daarvan de première van 'Exodus'. De serie dia's werd op drie plaatsen afgewisseld door een stukje film, en het geluid zat op een aparte tape. Het synchroniseren van de apparaten was iedere keer een doffe ellende. De kleinste afwijking aan het begin leidde tot de bespottelijkste situaties verderop.

Degenen die het jaar daarvoor 'Wie is een Jood?' hadden gezien, en ervan hadden genoten, waren dat niet vergeten. Ze kwamen in drommen aanzetten. De nieuwe voorstelling eindigde met een stukje film waarop men Myriam en de maagden zag dansen, en het danklied hoorde dat ze volgens de overlevering aan de Rode Zee hadden gezongen. Bij één van de voorstellingen kwam Perla's fluitleraar. Tot Jardena's vertwijfeling was juist die keer tegen het einde de geluidsband totaal van slag. Na afloop van de vertoning ging ze naar de leraar toe met de bedoeling zich te verontschuldigen voor de rampzalige non-synchronisatie tijdens de dans aan de Rode Zee, maar de musicus was haar voor.

'Wat een prachtige voorstelling,' zei hij terwijl hij in zijn geestdrift haar beide handen in de zijne nam. 'Wat mij speciaal heeft getroffen was de schitterende synchronisatie van beeld en muziek tijdens de dans aan de Rode Zee. Ik ben blij dat er nog meer voorstellingen zijn. Dit moeten mijn vrouw en kinderen zien!'

Jardena slikte haar woorden in en nam het compliment met gratie in ontvangst.

Pas toen alle gasten weg waren nam ze de tijd om over het gebeurde na te denken. Dat Perla's leraar, die eerste fluitist bij het Jeruzalemse Symphonie Orkest was, geen gevoel voor ritme zou hebben was uitgesloten. Had hij maar wat gezegd om de moeder van zijn leerlinge te vriend te houden? Ach nee, die man had meer leerlingen dan hij aankon. Bovendien, als hij de voorstelling onmuzikaal had gevonden, dan had hij toch later op de avond zijn vrouw en kinderen niet gestuurd.

De enige verklaring die de opmerking volgens Jardena kon hebben, was tegelijk misschien wel de verklaring van bijna elk verschil van mening tussen mensen en volkeren: er zijn meerdere manieren om op een en dezelfde melodie te dansen, en wie kan zeggen wat de beste is?

In de herfst ontdekte Jardena een reusachtige oude cactus in een verwaarloosde tuin in de stad. De plant leek op een kolonie slangen die langs de muur van een gebouw van twee verdiepingen omhoog klommen. Sommige slangen rezen regelrecht de lucht in, andere wonden zich onderweg om tralies en regenpijpen, en splitsten zich in drie of vier koppen, die in verschillende richtingen snuffelden om de beste steun, het beste licht, de beste lucht te vinden. De oude slangen waren vaalgrijs, maar de glanzend groene jonkies deden eerder aan kleine meervallen denken die hun tentakeltjes uitstaken. Eén klein kopje had zich per ongeluk tussen een regenpijp en de muur gedrongen, en kon niet meer voor, of achteruit. 'Arm kereltje,' mompelde Jardena. 'Zal ik aan de eigenaar van het huis vragen of ik je van de stam af mag snijden om je op mijn balkon te verzorgen?' Maar er was niemand aan wie ze iets kon vragen, en ze durfde de zielige kleine meerval niet zomaar van de stam te breken. Die nacht was ze in haar dromen tien jaar oud. Moeder had haar en haar zusjes ieder een vierkante meter grond in de tuin toegewezen. Als middelste dochter had Reinie het middelste stukje gekregen. Haar zusjes hadden Oost-Indische kers gezaaid, maar Reinie maakte er een gewoonte van om op straat kleine plantjes uit te graven, die tussen de stenen van het trottoir hun kopje opstaken, en door voetgangers dreigden te worden vertrapt. Ze koesterde een grote liefde voor die kleine verschoppelingen en bracht ze voorzichtig over naar haar eigen tuintje waar ze naar hartenlust mochten groeien en bloeien. Al gauw kropen de fel oranje bloemen van haar zusters Oost-

Indische kers alle kanten uit, en stond Reinie voor het oeroude dilemma: agressief zijn en oorlog voeren tegen de indringers, of tolerant zijn en toelaten dat de sterken de zwakken onder de voet lopen?

Jardena schrok wakker. Het was twee uur 's nachts. Nu zou er niemand op straat lopen. Ze kroop voorzichtig uit bed. Op haar tenen sloop ze door het huis. Uit Nathans la haalde ze een Japans instrumentje. Als je aan een schroef draaide kwam, als een slak uit zijn huisje, een vlijmscherp mesje te voorschijn. Daarmee gewapend liep ze in haar peignoir het huis uit, naar de oude cactus toe. Hoewel ze niemand tegenkwam, bonsde haar hart in haar keel. Er viel net genoeg schijnsel van de maan op het stukje muur waar ze zijn moest. 'Neem me niet kwalijk,' mompelde ze. 'Het doet even pijn, maar het is voor je eigen bestwil.' Net had ze de operatie volbracht, of het schroefje viel uit het messenhoudertje. In plaats van te betreuren dat ze het eigendom van Nathan onbruikbaar had gemaakt, sloeg de angst haar om het hart dat de eigenaar van de cactus de volgende ochtend zou ontdekken dat één van zijn slangen was onthoofd, en dat hij, zoekend naar voetstappen van de dief, het schroefje met haar vingerafdrukken zou vinden. Ze tastte een hele poos over de donkere grond. Tevergeefs. Ten slotte gaf ze het op. Maar bij het eerste ochtendlicht sloop ze opnieuw het huis uit naar de cactus, en nu zag ze het corpus delicti liggen.

Haar kleine beschermeling zette ze in een bloempot, die ze wel driemaal per dag verplaatste om te zorgen dat hij aan het begin van zijn nieuwe leven niet te veel en niet te weinig zon op zijn groene bolletje kreeg.

Een week later liep ze weer langs de plaats van haar misdaad.

Het huis was afgebroken en de hele slangenkolonie was met wortel en al uit de grond gerukt en onder het puin verpletterd.

Jannai was vierenhalf en zat in een voorbereidend kleuterklasje. Hij was pas laat begonnen met praten, maar had zich sindsdien een schat van woorden eigen gemaakt die de meeste kinderen van zijn leeftijd nog niet kenden. De kleuterleidster klaagde steen en been dat hij altijd het laatste woord moest hebben. Als zij een lesje gaf over kleuren, en zich tevredenstelde met de benamingen rood en blauw, moest en zou Jannai verschil maken tussen bordeaux en fuchsia, of tussen ultramarijn en turkoois.

'Maar waarom mag dat niet?' vroeg Jardena verbaasd. 'Er is toch niets verkeerd aan? Als het kind het nu bij het rechte eind heeft?'

'Mijn beste mevrouw Jerushalmi,' antwoordde de kleuterleidster. 'Je weet kennelijk niet in wat voor buurt je woont. Mag ik je uitnodigen om morgenochtend een beetje aan de vroege kant te komen, en aanwezig te zijn als ik de ouders van mijn leerlingetjes een paar vragen stel?'

Nieuwsgierig naar wat ze te zien of te horen zou krijgen, ging Jardena de volgende ochtend met haar zoon mee de klas in.

'Ga maar zitten,' zei de kleuterleidster. Ze wees haar een piepklein stoeltje. Overal hingen plaatjes en kindertekeningen. Er was een doktershoekje met zieke poppen in witte bedjes, en een winkelhoekje met een toonbank vol trommeltjes en pakjes. Meisjes en jongetjes kwamen binnen en hingen hun jasjes aan lage haakjes bij de deur. Jannai liep direct naar de boekenplank en pakte een boek over dieren.

De juffrouw riep een moeder die net was binnengekomen: 'Mag ik u even wijzen hoe u thuis uw dochtertje een beetje kunt helpen? Kijk, hier zijn gekleurde kaartjes, en hier zijn plaatjes van vruchten en bloemen. Wat wij de kinderen op het ogenblik leren, is om bij iedere vrucht of bloem het bijpassende gekleurde kaartje te leggen. Doe het zelf maar even, dan begrijpt u het zo.' Na enig aarzelen legde de moeder een roze kaartje bij een goudsbloem, en een oranje kaartje bij een tomaat. 'Hoe zou u deze kleur noemen?' vroeg de kleuterleidster naar het oranje kaartje wijzend. 'Rood,' zei de moeder zonder aarzelen.

'En deze?' was de vraag bij het rode kaartje.

'Ook rood natuurlijk', kwam prompt het antwoord.

'En deze dan?' Bij het roze kaartje weifelde de moeder even.

'Ook rood,' zei ze ten slotte. 'Ze zijn toch allemaal hetzelfde?'

'Dank u wel,' beëindigde de kleuterleidster het gesprek. 'Als u wilt kunt u uw dochter zo nu en dan vragen naar de kleuren van verschillende voorwerpen in huis. Ze heeft daar enige moeite mee.'

In het bijzijn van Jardena herhaalde de juf het experiment bij meerdere ouders. Al doorstonden sommigen de test beter dan anderen, over het algemeen was het resultaat bedroevend.

'Zie je wat ik bedoel?' zei de kleuterleidster. 'Als ik vóór de zomer de kinderen van deze ouders het verschil kan bijbrengen tussen oranje en roze, ben ik meer dan tevreden. Aan het verschil tussen fuchsia en bordeaux zijn we echt nog niet toe. En hetzelfde geldt voor het verschil tussen een vierkant en een rechthoek. Deze kinderen weten niet eens het verschil tussen een vierkant en een cirkel.'

Het was inderdaad een probleem, maar was het wel redelijk om Jannai, die de waarheid zo hoog in 't vaandel had, in zijn ontwikkeling te remmen?

Thuis was hij ook niet bepaald een makkelijk kind. Eén van zijn stokpaardjes was het beschermen van wie niet voor zichzelf kon opkomen. Toen hij erachter kwam dat zijn vader 's nachts zout op het aanrecht strooide tegen de slakken, deed hij stiekem suiker in de zoutpot. En toen hij ontdekte dat er af en toe een ketel kokend water in de afvoer van de badkuip ging om de kakkerlakken te doden, raasde hij: 'Als jullie het huis niet kunnen delen met schepselen die allang in dit land leefden toen er nog helemaal geen mensen op de wereld waren, waarom verhuizen jullie dan niet?'

Niets deed de wijsneus meer plezier dan wanneer je hem met een dier vergeleek. Als zijn moeder riep: 'Geen winden laten in de kamer, stinkdier', sprong hij op en neer van vreugde. 'Ik ben een stinkdier, wat fijn, wat heerlijk!' En als hij een fout maakte en iemand schold hem uit voor ezel, kon hij zijn geluk niet op.

Een keerpunt in Jannai's leven, en daarmee in het leven van het hele gezin Jerushalmi, kwam toen hij tijdens een maaltijd ontdekte dat vlees afkomstig was van dieren, en dat die nog wel speciaal voor dat doel werden gedood. Rood van woede rende hij het huis uit, stak de straat over, en holde de markt op. Bij de slagerskraam bleef hij staan. 'Mensen,' schreeuwde hij tegen de klanten, 'koop niet van deze man. Jullie weten niet wat hij je aansmeert. Dode beesten! Hij doodt koeien en snijdt ze in stukjes om die aan jullie te verkopen.'

Niet alleen weigerde Jannai vanaf dat moment om vlees te eten, hij maakte ook zijn broers en zusters het leven zo zuur dat ze al spoedig geen van allen meer een hap vlees door de keel konden krijgen.

Toen Jannai een been brak en drie weken niet naar de kleuterschool kon, gebruikte hij zijn tijd om, aan de hand van Perla's grammofoonplaten, te bepalen van welke muziek hij het meest hield. Winnaar was de negerzanger Paul Robson met zijn diepe warme stem.

Toen het been geheeld was en het kind weer naar school kon, begonnen de ruzies met de kleuterleidster van voren af aan.

De explosie kwam toen een moeder die een televisietoestel had de hele klas uitnodigde om een kinderprogramma over het onderwerp angst te komen zien. Na afloop stelde de juffrouw voor dat ieder kind zou zeggen waar hij of zij bang voor was. Al gauw gingen de vingertjes omhoog. Het ene kind was bang voor honden, het andere voor muizen. Een derde kind was bang om alleen over te steken, en een vierde was bang in het donker.

'En jij, Jannai?'

'Ik ben nergens bang voor,' zei het heldhaftige kereltje.

'Dat bestaat niet,' zei de juffrouw geïrriteerd. 'Je bent heus weleens bang. Je bent gewoon te koppig om het toe te geven.'

Maar Jannai hield voet bij stuk.

De volgende ochtend zat hij in de klas rustig op de grond te spelen, toen de juffrouw stilletjes achter hem ging staan en ineens heel hard 'boe' riep. Het kind sprong op.

'Zie je wel dat je bang was,' zei de juffrouw triomfantelijk.

Vol minachting antwoordde Jannai: 'Ik was niet bang, ik schrok. Jij weet het verschil niet tussen bang zijn en schrikken!'

Jardena zou dit verhaal nooit te horen hebben gekregen, als de juffrouw het haar niet zelf had verteld. 'Brutale rekel,' voegde ze er met een rood hoofd aan toe. 'Ik krijg hem wel klein.'

'Had je gedroomd,' siste Jardena. 'Ik hou hem mooi thuis. Aju!'

Enige tijd ging het goed, maar na een week of drie kreeg Jannai kennelijk behoefte om weer naar school te gaan. Toen hij een keer met zijn ouders in Oost-Jeruzalem liep, en daar in de nauwe, donkere straatjes Arabische kinderen zag lopen, allemaal in dezelfde schooluniformpjes, keurig achter de juffrouw aan, vroeg hij of hij alsjeblieft naar hun kleuterschool mocht.

'Dan leer ik meteen Arabisch,' pleitte hij. 'Is dat geen goed idee?' Jardena en Nathan keken elkaar aan. In theorie klonk het prachtig, maar in de praktijk was het jammer genoeg te gevaarlijk om de vierjarige Jannai als enig Joods kind op een Arabische school te doen.

'Waren de tijden maar anders,' zuchtten ze uit de grond van hun hart. 'Konden Joden en Arabieren elkaar maar vertrouwen.'

Nathan zocht een alternatief voor Jannai en ontdekte de anglicaanse school, die gehuisvest was in wat voor de onafhankelijkheidsoorlog het missie-hospitaal was geweest, en daarna de voorloper van het mooie nieuwe Hadassaziekenhuis. Ziekenzalen waren tot klassen omgetoverd. De reusachtige kraamzaal waar Jardena na Perla's geboorte zo had gehuild omdat niemand haar de baby wou brengen, was nu als kapel ingericht.

'Als we je niet naar een Arabische school kunnen sturen, wil je dan soms Engels leren?' vroeg Nathan aan zijn zoon. Ja, dat wou Jannai wel. En Jardena dacht heimelijk: als de juffrouw Engels spreekt, kan hij haar niet de hele tijd in de rede vallen. Dat is mooi meegenomen.

De eerste dag dat Jannai thuiskwam van de Engelse school, klom hij op de tafel, strekte een vinger uit naar zijn moeder, en verklaarde met aplomb: 'You are a pencil!' Wat hij daar precies mee bedoelde bleef een duistere zaak, maar het was glashelder dat hij zijn eerste Engelse woorden in praktijk wou brengen. De volgende dag herhaalde zich het tafereel met de uitspraak: 'You are an accident!'

'Wel, wel,' zei Jardena. 'En wat zullen we morgen hebben?'

Inderdaad klom Jannai de derde dag weer op de tafel en wees zijn moeder met de wijsvinger aan. Deze keer sprak hij op besliste toon: 'You are the mother of God!'

'Tja,' zei Jardena. 'Eigenlijk wilden we alleen een disciplinair probleempje uit de wereld helpen. Hebben we nu een complete religie binnengehaald?'

Maar tegen Kerstmis, toen alle kinderen bij handenarbeid een houten kruis fabriceerden, maakte Jannai bekend dat hij een chanoekakandelaar wenste te maken. De leraar had geen bezwaar, en gaf hem alle hulp die hij nodig had. En toen het tot Jannai doordrong dat Jezus onder het voetballen aan één stuk door werd aangeroepen met het verkleinwoordje 'Jee', verving hij voor eigen gebruik deze kreet door 'Mo'.

'Ik ben een Jood,' legde hij uit. 'Onze Jezus heet Mozes.'

Jannai, die nu behalve op Shabbat ook op zondag vrij van school was, vond het heerlijk om die dag in de dierentuin door te brengen. Het was voor Jardena een kleine moeite om het kind 's morgens met een paar boterhammen en een flesje water tot de ingang van de dierentuin te brengen, en hem in de loop van de middag op dezelfde plek af te halen. Alle bewakers en verzorgers van de dieren hielden van het vierjarige bezoekertje, en hetzelfde gold voor de apen, de olifanten, en veel andere dieren.

Toen bleek dat een vrouwtjeschimpansee die in gevangenschap was geboren, niet wist wat ze met haar pasgeboren baby moest doen, mocht Jannai geregeld met het jonge aapje in de kooi spelen. Een paar jaar later, toen Jardena weer eens met de kinderen in de dierentuin wandelde, herkende de inmiddels flink uit de kluiten gewassen jonge aap zijn jeugdvriend al uit de verte. Toen het gezelschap zijn kooi naderde, smeet hij met kracht een stuk brood zo hard als een steen naar Jannai's hoofd. De tranen schoten het jochie in de ogen.

'Nare aap,' riep Jardena kwaad. 'Kijk nou toch, hij huilt van de pijn.'
'Welnee, Imma,' zei Jannai geërgerd over zoveel onbegrip. 'Je snapt er helemaal niets van. Ik huil van geluk, omdat mijn vriend mij een cadeau geeft.'

Op een vrijdagavond in november las Jardena in *The Jeruzalem Post*:

> Alleen op de wereld. Pienter jongetje, bijna vier jaar oud, wordt waarschijnlijk binnen een paar jaar blind. Wie wil hem adopteren?

Nog voordat ze het stukje uit had, toonde Perla haar dezelfde advertentie in de Hebreeuwse krant. Moeder en dochter keken elkaar aan en wat hen betrof was de beslissing genomen.
Nathan was, zoals gewoonlijk, terughoudender maar Jardena redeneerde: 'Hoe vaak heb je niet beweerd dat alle mensen gelijke rechten hebben? Nu vraag ik je, hebben onze kinderen meer recht op een huis en ouders dan dit jongetje, dat alleen op de wereld is, en bovendien ook nog binnenkort blind wordt? Hier is de kans van je leven om te bewijzen dat je meent wat je zegt.'
Nathan zat niet bepaald te wachten op een geadopteerde zoon, maar hij had tegen het argument van zijn vrouw niet veel in te brengen. Bovendien was hij ervan overtuigd dat ze het kind toch niet zouden krijgen.
'De religieuze partijen zorgen heus wel dat zo'n jong naar een orthodoxe familie gaat,' zei hij smalend. 'Maar als je zo graag een weeshuis wilt beginnen, beproef je geluk dan maar. We zullen wel zien wat ervan komt.'
Jardena prikte de advertentie aan de muur en elke keer als ze er langsliep, bleef ze staan en keek er in gedachten naar. Op zondagochtend maakte ze een afspraak om meer over het kind te horen te krijgen. Een paar uur later al zat een sociaal werkster bij haar aan de keukentafel.
'Hij heet Tomer,' zei ze. 'Met zijn rechteroog ziet hij niets en met zijn linker ook niet veel.'
'Is hij zo geboren?'
'Dat weten we niet. Toen hij vijf maanden was, gaf zijn moeder hem op voor adoptie. De man van wie ze beweert dat hij de vader is, ontkent het vaderschap ten stelligste, maar was wel bereid een verklaring te tekenen dat hij, zelfs als het tegendeel ooit wordt bewezen, geen enkele aanspraak op het kind zal maken. Pas nadat de baby in een kindertehuis was opge-

nomen, ontdekten de artsen dat zijn ogen ernstig beschadigd waren, maar toen hadden we niet langer het recht om contact met de moeder op te nemen. We zijn dus nooit achter het fijne van de zaak gekomen.'

'Het fijne van de zaak?'

'Wat er precies gebeurd is. Mishandeling? Een ongeluk?'

'Mishandeling? Door zijn moeder?'

De sociaal werkster haalde haar schouders op. 'Misschien. Misschien ook niet. Maar wat maakt het uit? Ze is niet meer zijn moeder. De schade is zo goed mogelijk hersteld. Hij is meerdere malen geopereerd. Meer kunnen de artsen niet doen.'

Jardena dacht aan de kleine Tomer, alleen in het ziekenhuis, zonder moeder om zijn handje vast te houden.

'Een paar maanden geleden hebben we hem tijdelijk bij mensen kunnen plaatsen die wel meer moeilijke of zieke kinderen in huis nemen, maar de pleegouders klagen dat hij iedere nacht schreeuwt en de andere kinderen uit hun slaap houdt. Ze willen hem niet langer houden. Ik ben erheen gereisd om het kind te ontmoeten, en kreeg de indruk dat hij intelligent en gevoelig is. Daarom denk ik dat hij een permanent gezin nodig heeft.'

Jardena vertelde over hun zeven kinderen. Qua leeftijd zou Tomer tussen de twee jongsten passen. In plaats van Jannais kleertjes voor Jifrach te bewaren, zou ze ze eerst voor Tomer kunnen gebruiken. Het zou allemaal vanzelf lopen.

Perla, die bijna veertien was, had net als haar moeder haar hart al bij voorbaat verpand aan het blinde jongetje. Wat betreft de anderen: het zou alleen maar goed voor ze zijn om eens aan den lijve te ondervinden dat niet alle kinderen zo bevoorrecht waren als zijzelf.

'Zolang Tomer kan zien, zou het misschien een goede oplossing zijn,' zei de sociaal werkster. 'Maar een blind kind kan een zware belasting betekenen in zo'n groot gezin als het uwe. Die moeten we niet onderschatten. Zelfs nu heeft hij al extra aandacht nodig, want we zouden van zijn adoptieouders verwachten dat ze hem zo veel mogelijk laten zien voor het te laat is. Ik bedoel kleuren, de horizon, wolken ... Het is misschien beter als we ouders voor hem vinden die bereid en in staat zijn al hun tijd aan hem te besteden. Natuurlijk hebben we het niet voor het kiezen. Alles hangt af van wie op onze advertentie reageert. Tot nu toe bent u de enige.'

Een week later belde de sociaal werkster op om Jardena te vertellen dat ze het winnende lot had getrokken. Nathan was toevallig in de kamer en begreep aan de reactie van zijn vrouw waar het gesprek over ging.

'Zeg haar dat we niet gelovig zijn,' fluisterde hij keihard in haar oor. 'Zeg dat we op Shabbat reizen.'

'We reizen op Shabbat,' herhaalde Jardena gedwee in de hoorn. De sociaal werkster was niet onder de indruk.

'Zeg dat we varkensvlees eten,' drong Nathan aan.

Jardena bedekte de hoorn met haar hand en beet beledigd terug: 'Varkensvlees? Ik zou niet eens weten waar ik het kon kopen.'

'In Tel Aviv. Zeg haar dat we speciaal naar Tel Aviv reizen om varkensvlees te kopen. Op Shabbat! Als ze ons dat kind dan nog steeds wil aansmeren, nemen we hem. Dat beloof ik!'

Jardena nam haar hand van de hoorn en mompelde: 'We eten varkensvlees.'

'De studente die Tomers zaak behandelt heet Dvora,' zei de sociaal werkster alsof ze niets had gehoord. 'Ze zal het kind eenmaal in de week bij jullie brengen tot jullie besluiten of je hem wel of niet wilt adopteren.'

In een telefoongesprek met Dvora stelde Jardena voor dat ze elkaar de volgende woensdagmiddag in de dierentuin bij de giraffe zouden ontmoeten.

Op de afgesproken dag zette ze Jifrach in het wandelwagentje, en ging met haar vier jongsten naar het eerste rendez-vous met het nieuwe broertje. Nathan weigerde van de partij te zijn, maar ging ermee akkoord dat Jardena de kleine Tomer met zijn begeleidster na afloop van het bezoek aan de dierentuin mee naar huis bracht.

Op het moment dat Jardena met haar kroost bij de giraffe aankwam, zag ze hem: een minkukeltje in een vaal ribfluwelen broekje en een tot op de draad versleten blauw regenjasje. In de uiteinden van zijn dikke bril waren gaatjes geboord, en het ding zat met een vettige schoenveter om zijn hoofd gebonden. Dvora en Jardena stelden zich aan elkaar voor en Jardena vroeg: 'Welk beest wil je graag zien, Tomer?' Tomer gaf geen antwoord, maar Jannai riep enthousiast uit: 'Jimmy. Je moet Jimmy zien.'

Jimmy, de oude orang-oetan die Jardena had leren kennen op de eerste dag dat ze met Nathan in de dierentuin had geschetst, en die nog net zo aan de tralies van zijn hok zat te bedelen om voedsel als vijftien jaar geleden, strekte zijn harige hand naar de kinderen uit. Itsik gaf Tomer een korstje oud brood. 'Gooi het maar naar Jimmy,' zei hij, maar Tomer stak het brood in zijn eigen mond en week vanaf dat moment niet meer van Itsiks zijde.

Toen het gezelschap thuiskwam, lag Nathan ziek in bed. De kinderen kregen limonade en koekjes in de keuken. 'Kom je volgende woensdag bij ons spelen?' vroeg Jardena aan Tomer bij het afscheid. Het kind zei noch ja noch nee.

1972

In de tijd dat Tomer maar eens per week bij de familie Jerushalmi op bezoek kwam, beschouwde Jannai, die maar een paar maanden ouder was dan hij, hem als een soort tweelingbroer, en daarom als zijn privé-eigendom. In afwachting van de dingen die komen gingen, wende Jannai zich er alvast aan om aan het uiterste randje van zijn bed te slapen, zodat er te zijner tijd plaats zou zijn voor het blinde broertje.

'Hoe moet hij u noemen?' vroeg Dvora.

Daar moest Jardena even over nadenken. Ze kon moeilijk verwachten dat het kind haar zonder meer Imma zou noemen, temeer daar hij op dat moment een andere, weliswaar tijdelijke, Imma had. Als ze de relatie begonnen met tante Jardena en oom Nathan zouden ze daar nooit meer van afkomen. 'Als je met het kind over mij praat, noem me dan nu eens de Imma van Itsik, dan weer de Imma van Jannai of Vered of Jifrach,' besloot ze. 'Of noem me de Imma van de kinderen, of de Imma van het gezin. Maak mijn naam zó onduidelijk en ingewikkeld dat Tomer het aanhangsel wel moet laten vallen.'

Iedere week bereidde Jardena het bezoek van Tomer zorgvuldig voor met kleurpotloden, puzzels en gezelschapsspelletjes, maar Tomer wou alleen maar op het vloerkleed zitten en de speelgoedjes één voor één oppakken om ze op tien centimeter van zijn linkerbrillenglas te houden, ter inspectie.

Toen Jannai erachter kwam dat Tomer lang niet zo zielig was als hij zich had voorgesteld, en dat het kind bovendien aldoor aan zijn geliefde plastic beestjes zat, was het gauw uit met de grote liefde voor het blinde broertje. Om het minste of geringste was er ruzie en dan koos Jannai Jifrach als bondgenoot. Itsik en Consuela, die elkaar meestal in de haren zaten, bundelden op zo'n moment hun krachten om het op te nemen voor de nieuweling. Op die manier waren Tomer en de twee grotere kinderen iedere woensdagmiddag aan het vechten tegen de twee kleinere. Toch kwam Jannai meestal als winnaar uit de strijd. Lang voordat Jardena zich er zelf van bewust was, had de slimmerik namelijk in de gaten hoe het werkte: degene die aan de kant van Jifrach vocht, won, omdat Jardena automatisch partij trok voor haar baby.

Nathan, Dvora en de drie grote meisjes sloegen deze verwikkelingen gade alsof het wekelijkse afleveringen van een soap waren.

Toen Tomer de familie Jerushalmi een keer of zeven had bezocht, stelde Jardena voor dat hij eens een weekend zou blijven logeren. Aangezien zijn pleegfamilie in een dorp even buiten Jeruzalem woonde, zou Dvora het kind op een vrijdag van de kleuterschool ophalen en hem per bus naar het gezin Jerushalmi brengen. Op zondag zou ze hem in alle vroegte ophalen om hem weer op tijd bij zijn schooltje af te leveren.

Hij kwam zonder bril en stootte onmiddellijk tot bloedens toe zijn hoofd tegen de tafel. Jardena wou ernaar kijken, maar hij sprong als een wildeman naar de hoek van de kamer en krijste met de opgewonden stem van een kat in het nauw.

'Kom maar Tomer,' probeerde Jardena hem te sussen, 'dan krijg je een pleister van me. En een zoen. Kom nu, lieverd.'

Hij greep een krukje en gooide het naar haar hoofd.

Perla en Vered giechelden.

Dvora stamelde: 'Ze zeggen dat hij urenlang ligt te schreeuwen iedere nacht, maar zoiets ...'

Het was nu of nooit, realiseerde Jardena zich. Als ze hem vandaag aankon, zouden ze hem houden. Anders gaf ze het op. Nog een geluk dat Nathan niet thuis was.

'Iedereen naar buiten,' beval ze met een zelfverzekerdheid die ze niet van zichzelf kende. Perla en Vered namen hun broertjes en zusjes bij de hand en verdwenen zonder een woord te zeggen.

'Jij ook,' zei Jardena tegen Dvora. 'Weg. Vooruit. Dit los ik alleen op.'

Dvora deed een laatste poging om behulpzaam te zijn: 'Misschien moest u toch maar liever ...'

'Laat het aan mij over,' besliste Jardena, daarbij de verschrikte Dvora letterlijk over de drempel duwend. Toen iedereen weg was deed ze de voordeur op slot. De telefoon ging. Ze smoorde hem onder een kussen. Tomer, die nog steeds aan het gillen was, had zich achter een leunstoel verschanst en smeet nu boeken naar Jardena. Jardena sleepte de brandende petroleumkachel buiten schot en probeerde zich in zijn plaats te stellen. Zag hij zonder bril haar gezicht of alleen de omtrekken? Kon ze maar even door dat ene oog van hem gluren. Ze nam een prentenboek op en las hardop: 'Er was eens een egeltje dat helemaal alleen in een oude schoen woonde.' Zou het kind weten wat een egel was? Toen Tomer alles wat binnen zijn bereik was in Jardena's richting had gekeild, ging hij plat op zijn buik liggen en bonsde met zijn bloedende hoofd tegen de tegels in de ergste driftbui die Jardena ooit had meegemaakt. Straks brak hij zijn schedel. En zíj was verantwoordelijk. Moest ze hem misschien gewoon een flink pak slaag geven? In plaats daarvan ging ze aan tafel zitten met haar rug naar het destructieve monster en las hardop over de egel die in een schoen woonde. Ze hoopte maar dat haar stemgeluid hard genoeg was om het kind te bereiken, maar toch zacht genoeg om de indruk te geven dat ze gewoon voor haar eigen plezier zat te lezen.

Naarmate het verhaal vorderde, namen het geschreeuw en gebons in kracht af. Ze verhief haar stem een klein beetje en las: 'Het was niet de schuld van het egeltje dat hij stekels had.' Achter haar ging het geschreeuw over in gehik.

Ze sloeg de laatste bladzij om. Een vingertje trok aan haar mouw.

'Hij wou de andere dieren niet bang maken.' Tomer klom op haar schoot.

'Hij wou gewoon met ze spelen.' Tomer legde zijn hoofd op haar schouder. Ze omhelsde hem zwijgend.

De kinderen kwamen terug. Eerst Jannai die, zoals Noachs duif, door zijn zusjes was uitgestuurd om poolshoogte te nemen. Daarna de anderen, en ten slotte kwam ook Nathan die, nietsvermoedend, de kinderen aanspoorde om op te ruimen terwijl hij de tafel dekte. Het was nog erg vroeg voor de avondmaaltijd, maar na alle spanning was het heerlijk om met het hele gezin te kunnen gaan eten. Niemand plaagde, niemand kibbelde. Na het eten mochten de kleintjes in bad. Nadat ze een hele tijd muisstil waren geweest en zich als engeltjes hadden gedragen, plensden en spatten ze met water tot de badkuip leeg was en de badkamer op een zwembad leek. Jannai, die nu weer erg met het nieuwe broertje te doen had, gaf hem zijn mooiste pyjama, maar Tomer hield het kledingstuk op tien centimeter van zijn linkeroog, en ontdekte een vlekje op de kraag. Hij wees ernaar met een beschuldigende vinger, maar zijn gezicht drukte eerder angst uit dan woede. Langzaam rees een gil op uit zijn keel, eerst laag als de openingsnoten van de *Rhapsody in Blue*, en toen, terwijl de hele familie verstarde, hoger en hoger tot hij de hoogste noot van zijn register had bereikt. Hij stopte midden in die noot alsof er in zijn keel een snaar was gesprongen. Zonder dat iemand begreep wat er aan de hand was, rende hij naar de woonkamer en wierp zich in de hoek waar hij die middag zijn driftbui had gehad. Daar simuleerde hij het bonzen met zijn hoofd tegen de tegels, voorzichtig deze keer om zich niet te bezeren. Na een paar pseudo-bonzen stond hij op en vroeg aan Jardena om de vlek uit de pyjama te halen. Toen ze dat had gedaan liet hij zich gedwee klaarmaken voor de nacht. Als een gedresseerde aap vouwde hij zijn ondergoed, sokken, bloesje en broek, waarna hij een stoel naar zijn bed sleepte, en de kleren er in een keurig stapeltje op legde. Zijn schoenen kwamen precies midden onder de zitting te staan.

Jardena kuste de kinderen goedenacht en deed het licht in hun kamer uit. Ze had Tomers bed zo geplaatst dat hij door de wijd openstaande deur de woonkamer in kon kijken. Denkende dat hij haar beter zou kunnen onderscheiden als ze bewoog dan wanneer ze stilzat, begon ze de kamer op te ruimen. Urenlang zat het kind rechtop in bed, doodstil maar klaarwakker. Om de paar minuten liep Jardena op haar tenen de kinderkamer in, zogenaamd om een kledingstuk of speelgoedje in de kast te leggen, of om de dekens van een der kinderen glad te strijken. Elke keer dat ze Tomer zachtjes neerlegde en hem instopte, liet hij haar begaan, maar zodra ze de kamer uit was, veerde hij weer overeind. Lang na middernacht viel hij eindelijk rechtop en stijf als een standbeeld in slaap. Jardena legde hem neer en bleef bij zijn bed staan tot ze er zeker van was dat hij niet meer omhoog zou komen.

Op Shabbat regende het pijpenstelen. De kinderen konden niet buiten spelen, en aangezien Tomer zijn bril niet bij zich had, kon Jardena ook geen gezelschapsspelletjes met ze doen. De meisjes hielden zichzelf bezig, maar de jongens gedroegen zich als een roedel wolven die elkaar de prooi niet gunden. Toen Itsik Tomer ook nog begon te kietelen, verloor Jardena haar geduld, en ging ze tekeer als een helleveeg. Hoewel ze wist dat ze een groot deel van Tomers zo zorgvuldig opgebouwde vertrouwen in één klap vergooide, kon ze zich onmogelijk beheersen. Het was ook wat, vier roofdieren in je huiskamer.

Op zondag lag Jeruzalem onder de sneeuw. Noch de bevolking, noch de natuur was erop voorbereid. Het water in de leidingen was bevroren. De Jeruzalemse bomen, waarvan de meeste hun bladeren ook in de winter niet verloren, konden zulke zware vrachten niet torsen. Grote takken en zelfs hele bomen braken af en sleurden in hun val elektriciteitsdraden en telefoonkabels mee. Het verkeer lag stil, winkels bleven gesloten. De kleintjes moesten maar thuisblijven vond Jardena, maar ze zag niet in waarom de oudere kinderen niet naar school zouden gaan. Waren ze soms bang voor een beetje sneeuw? Hadden ze dan geen winterjassen en laarzen? En als er geen bussen reden, konden ze dan niet lopen? Wat dachten ze dat hun moeder had gedaan in de hongerwinter, toen ze iedere ochtend drie kilometer naar school moest lopen in de ijzige kou, met niets anders in haar maag dan een beetje half bevroren waterpap zonder suiker?

Perla en Vered waren de enige kinderen die, een uur later dan gewoonlijk, voor een dichte school stonden, en die na tien minuten gelaten de tocht terug naar huis ondernamen. Zelfs de leraren waren thuisgebleven. Natuurlijk verscheen ook Dvora niet.

Tegen de middag nam Nathan de kleintjes voor een uurtje mee naar buiten, terwijl Jardena een maaltijd improviseerde van rijst en soep uit een pakje, gekookt in sneeuwwater. Omdat nu alle kinderen ijskoud en doornat waren, en Tomer geen extra kleren had meegebracht, stond ieder kind een kledingstuk af voor het goede doel, totdat ze met z'n allen een aardig uitzetje voor hem hadden verzameld. Verguld met al dat moois trok hij aan wat hem het best beviel, waarna hij nog zoveel overhad dat Jardena de onderste plank van de klerenkast voor hem uitruimde. Daarna kwam ieder kind uit zichzelf met een pop, een speelgoedbeest, een prentenboek of kleurkrijtjes aandragen.

Op maandagochtend kwam Dvora Tomer halen. Maar het kind zat op de grond voor de open kast en bewaakte zijn schatten. 'Ik kan niet met je mee,' legde hij uit 'want nu ben ik al van ons.'

De teerling was geworpen.

In februari tooiden de amandelbomen de bergen rond Jeruzalem met hun wit-roze bloemenpracht. De schoolkinderen aten gedroogde vruchten en plantten stekjes ter gelegenheid van *Toe biShwat*, de datum waarop Israël de verjaardag van de bomen viert. De lente zat in de lucht. Een vriendin die een auto bezat, nodigde het hele gezin uit voor een tochtje naar het Keltdal, en naar het riviertje dat daar na de regentijd wild kolkend doorheen stroomde. Nog vóór de volwassenen de picknicktassen en manden uit de achterbak hadden geladen, renden de kinderen al naar het water.

'Voorzichtig jongens,' riep Nathan. 'De stroom is sterker dan je denkt.' Een vlinder fladderde voor Tomers linkerbrillenglas. Gefascineerd sprong hij erachteraan en verdween met een plons in de diepte. In drie reuzenstappen was Jardena op de brug en ze sprong stroomafwaarts het water in, net op tijd om het kind bij een been te grijpen op het moment dat hij, door het water meegesleurd, van onder de brug te voorschijn kwam. Drie weken nadat ze haar nieuwe zoon in ontvangst had genomen, had ze hem bijna voorgoed verloren.

'Als we het kind houden,' waarschuwde Nathan op dreigende toon, 'dan moet hij naar de kleuterschool.' Er was maar één openbare kleuterschool voor drie- en vierjarigen in de buurt, en dat was de school waar alle kinderen Jerushalmi op hadden gezeten. In de hoop dat de kleuterleidster groothartig genoeg zou zijn om de onenigheid over Jannai als vergeten en vergeven te beschouwen, en zich alleen haar positieve ervaringen met de oudere kinderen te herinneren, ging Jardena met Tomer naar haar toe. De kleuterleidster wierp één blik op het schichtige jongetje met de dikke bril, dat zich aan Jardena vastklemde alsof zij een reddingsboei was, en vroeg op onheilspellende toon: 'En wat stelt dat voor?'

'Dit is Tomer. We zijn bezig hem te adopteren.'

De kleuterleidster schudde haar hoofd. 'Bezig zijn betekent niks voor de wet. Ik ben niet verplicht ieder probleemgeval dat jullie uit de goot vissen te accepteren, althans niet voordat hij formeel als jullie zoon staat ingeschreven.'

Zonder een woord te zeggen nam Jardena de kleine verschoppeling mee terug naar huis. Een paar dagen later ontdekte Nathan een privéschooltje voor vrome jongetjes. De kleuterleidster was bereid Tomer toe te laten, mits hij een keppeltje droeg. Het kon Tomer niet schelen wat hij droeg, als het maar vlekkeloos schoon was. Wat hem betrof was het schooltje ideaal, omdat het nog geen twee minuten van het huis van zijn nieuwe moeder vandaan was, wat hem de gelegenheid bood ieder moment weg te lopen en naar haar toe te rennen.

Het liefst zat hij bij Jardena op schoot. 'Je verwent hem,' zei Nathan. 'Ben je vergeten dat je een eigen baby hebt?'

Op een dag stoeide Nathan met Jannai en Jifrach, toen Tomer plotseling riep: 'Ik ook, Abba, ik ook!' Tot Jardena's ontzetting flapte Nathan er spontaan uit: 'Ik ben je Abba niet!' Het kind negeerde de opmerking, maar Jardena barstte in tranen uit en rende naar de keuken met Perla achter zich aan.

'Huil maar niet, Imma. Je weet toch hoe Abba is. Hij zegt maar wat. Hij meent het niet.' Maar Jardena was ontroostbaar. Hoe konden ze het kind een eerlijke kans geven als Nathan zich niet beheerste?

Perla kuste en omhelsde haar moeder tot ze weer tot bedaren was gekomen. 'Eerst moet je jezelf een eerlijke kans geven,' zei ze. 'Als je een nieuwe baby hebt, heeft het gezin ook tijd nodig om zich aan te passen. Ik zal je helpen. Je zult zien, we krijgen het voor mekaar.'

'Ik geef mezelf zes maanden,' besloot Jardena. 'Als Abba niet aan Tomer kan wennen, heeft het geen zin hem te houden.'

Nathan was niet de enige die zijn hart uit alle macht probeerde te sluiten. Consuela Baghdádi zei: 'Neem het kind in huis als je dat zo graag wilt. Liefdadigheid is prijzenswaardig. Maar adopteer hem niet officieel. Waarom zou een vreemdeling de erfenis met jullie eigen kinderen delen?'

'Erfenis? Wat voor erfenis?' vroeg Jardena geërgerd. 'Hebben we iets om de kinderen te laten erven?'

'Wat niet is, kan nog komen,' voorspelde haar schoonmoeder. 'Tegen het einde van jullie leven zijn jullie misschien miljonairs.'

'Als dat zo is, zal er genoeg zijn voor acht.'

Maar Consuela Baghdádi was koppig. Met Poerim bracht ze zeven cadeautjes mee.

'We hebben acht kinderen,' fluisterde Jardena geschrokken. Haar schoonmoeder schudde het hoofd. 'Doe wat je wilt, maar verwacht niet van mij dat ik dat lelijke jonge eendje als mijn kleinzoon beschouw.' Jardena rende naar de speelgoedwinkel en kocht een rode bal met witte stippen. Tomer accepteerde het cadeau zonder een woord van dank. Hij was wel goed maar niet gek.

Die avond stopte Jardena de kinderen voor het slapengaan als gewoonlijk in. Toen het Tomers beurt was, had ze ineens de neiging om hem te bijten. Het duurde niet langer dan een onderdeel van een seconde, maar dat was lang genoeg om haar voor haar eigen ambivalentie te waarschuwen. Ze nam het voorval zo serieus, dat ze zondag, de dag waarop telefoneren met Nederland in verhouding goedkoop was, Vera opbelde om te vragen: 'Ben ik een ontaarde moeder?'

'Welnee kind,' zei Vera. 'Je haalt twee dingen door elkaar: je gevoelens voor het kind, en je gevoelens over wat hij bij je teweegbrengt, namelijk teleurstelling over het gedrag van je man. Het probleem ligt tussen jou en Nathan, niet tussen jou en Tomer. Nathan is jaloers. Mannen zijn nu eenmaal kinderen. Dat weet je toch. In plaats van hem op zijn kop te geven, moet je hem extra verwennen. Ik raad je aan om een dagboek bij te houden over alles wat je meemaakt met die adoptie. Het zal je helpen om de dingen op een rijtje te zetten.'

Maar dat zag Jardena niet zitten. Als ze iedere dag een uur moest besteden aan het opschrijven van haar wederwaardigheden met Tomer, moest ze die tijd afnemen van de wederwaardigheden zelf, en wat was nu belangrijker: leven of je leven opschrijven? Wel krabbelde ze zo nu en dan aantekeningen en data op vodjes papier. Die bewaarde ze in een schoenendoos. Je kon nooit weten. Misschien zou ze later toch willen weten hoe het precies was geweest.

Voor Tomers vierde verjaardag gaf Jardena hem een teddybeer. De volgende dag miste het beest een poot. Ze naaide hem zorgvuldig weer vast. De derde dag was er een oor weg. Het dook op onder het kussen van Jannai. Zonder iets te zeggen repareerde Jardena ook deze schade. De vierde dag was de beer een oog kwijt. Opnieuw lag het verloren voorwerp in Jannai's bed.

De vijfde dag brak er brand uit in de kinderkamer. De schuimrubber matrassen, beddengoed, vloerkleed, een stoel, alles stond in lichterlaaie. Gelukkig was Nathan thuis.

'Vlug,' riep hij. 'Vul de badkuip. Gooi er een deken in. Hou de kinderen uit de buurt. Hou de bezem onder de kraan!'

Terwijl hij het brandende beddengoed op het vloerkleed gooide, en de meubels die nog geen vlam hadden gevat zo ver mogelijk wegsleepte, belde Jardena de brandweer op. Nathan trok de smeulende gordijnen van de ramen en smeet ze op de brandende hoop, duwde de tafel tegen de muur, gooide met één hand het geraamte van een stoel op de tafel, en met de andere de brandende zitting op het vuur. Brandende boeken, speelgoed en kleren werden aan de vlammen prijsgegeven, alles wat niet brandde werd ervandaan gegooid. Jardena bracht hem een drijfnatte deken. Met het meesterlijke gebaar van een toreador slingerde hij hem op het vuur. Een strijd op leven en dood. Man tegen vuurspuwende draak. Het ondier stortte sissend in elkaar toen de stierenvechter de laatste ongehoorzame vlammen met de kletsnatte bezem de kop indrukte. Zwarte rook nestelde zich in neuzen en haren. Ogen traanden, kelen kuchten, maar de kinderen waren ongedeerd en Nathan had het huis gered. Terwijl de familie naar adem hapte, arriveerden de brandweerlieden. Nathan stuurde ze weg, maar moest toch de rekening betalen.

Onder Jannai's bed vond Jardena Tomers teddybeer vol gaatjes, die onmiskenbaar door brandende lucifers waren veroorzaakt. Het was overduidelijk hoe de brand was ontstaan en wie de aanstichter was.

Die nacht werd er op de grond in de woonkamer gebivakkeerd. Toen Tomer en Jifrach erin lagen, nodigde Nathan Jannai uit voor een geheimzinnige onderneming buitenshuis. Hoewel Jardena precies wist wat ze gingen doen, hield ze zich van den domme toen vader en zoon de voordeur uit slopen met een bundeltje verpakt in oude kranten. Ze gingen een vuurtje stoken om daarin de verbleekte ribfluwelen broek en het tot op de draad versleten blauwe jasje van Tomer te verbranden. Door dit nogal lugubere ritueel hoopte Nathan zijn zoon de gelegenheid te geven zijn opgekropte haat tegen het nieuwe broertje te lozen. Jardena hoopte vurig dat hetzelfde ook voor haar man zou gelden. Alleen al het feit dat vader en zoon kompanen waren in deze plaatsvervangende misdaad, moest er volgens haar toe bijdragen dat ze er enigszins gelouterd uit te voorschijn zouden komen. Ze had er heel wat voor overgehad om vanachter een boom toe te kijken hoe vader en zoon hun jaloezie aan de vlammen prijsgaven. Toen de samenzweerders na gedane zaken weer stilletjes het huis inslopen, verwachtte Jannai kennelijk dat Jardena hem vragen zou stellen, maar ze deed of ze niet eens had gemerkt dat hij weg was geweest. Ten slotte hield Jannai het niet meer uit: 'Vind je niet dat ik vreemd ruik, merk je niet iets van brandlucht?'

Toen zijn moeder nog steeds niet reageerde, voegde hij er ongevraagd aan toe: 'Abba en ik hebben een ommetje gemaakt om een sigaretje te roken.'

'O ja?' zei Jardena. 'Rookt Abba dan? Dat wist ik niet. Ik hoop dat het jullie beiden goed heeft gedaan.'

Hoewel de spanning thuis langzaam aan wat afnam, moest Jardena de kinderen nog voortdurend met arendsogen in de gaten houden. Om te beginnen was Jannai's jaloezie na de nachtelijke ceremonie met zijn vader niet als bij toverslag verdwenen. Op een dag smeet hij een metalen prullenbak naar Tomers hoofd en verwondde hem zo ernstig dat Jardena hem in allerijl naar de EHBO moest brengen om de wond te laten hechten. Minder serieuze aanslagen konden meestal met pleisters en kusjes worden verholpen. Vaak was het trouwens Tomer zelf die de schade aan zijn lichaam aanrichtte door tegen meubels op te denderen of in kuilen te vallen. Om de haverklap liep hij een wond op die moest worden gehecht of verbonden. Hij werd een bekende van alle artsen van de EHBO.

Behalve dat Jardena voortdurend in angst verkeerde door de honderd-een manieren waarop Tomer zichzelf wist te verwonden, bezorgde hij haar ook de zenuwen door zijn bizarre gewoonte om alles op te eten waar hij de hand op wist te leggen. Op een avond had Nathan per ongeluk zout in de chocolademelk gedaan in plaats van suiker. Geen van de kinderen was in staat een slok naar binnen te krijgen, behalve Tomer, die niet alleen zijn eigen beker gretig leegdronk, maar vervolgens ook nog die van Jifrach. Een andere avond trakteerde Nathan de hele familie op warme falafel, waar de verkoper gewoontegetrouw een stukje krantenpapier met *sgoek* bij had gevoegd, een spul zo scherp dat alleen mensen uit oosterse landen het kunnen eten, en dan nog alleen in kleine hoeveelheden. Nog voordat Jardena kans had gezien het pakje te verdonkeremanen, had Tomer de inhoud ervan al naar binnen gewerkt. Die nacht kotste hij zijn ziel uit zijn lichaam.

Toen Tomer een week of zes bij zijn nieuwe familie woonde, kwam Jardena op het idee hem mee te nemen voor een bezoek aan zijn vorige pleegouders. Het liep uit op een teleurstelling. Noch Tomer, noch de pleegouders toonden enige vreugde bij het weerzien. Jardena en Tomer namen de eerste de beste bus terug naar Jeruzalem. En daarmee was het prehistorische tijdperk van Tomer afgesloten.

'De naam Tomer is te ongebruikelijk,' zei Nathan. 'Als de moeder van het kind ons wil chanteren, hoeft ze alleen maar alle kleuterscholen van Jeruzalem af te lopen en naar een jongetje met slechte ogen te vragen die Tomer heet. Laten we hem Tsoer noemen.' Het stuitte Jardena tegen de borst om ook de laatste band die Tomer met zijn verleden had af te breken. Ze hadden hem gekregen zonder één stukje speelgoed, zonder ook maar één extra onderbroekje of zelfs maar een eigen tandenborstel. Z'n broek en jasje waren verbrand, de andere kleren die hij droeg toen hij kwam, waren zo versleten dat ze zelfs niet meer als poetslap konden dienen. Wat had hij nog over behalve zijn mooie naam, die palmboom betekende? Moest hij die nu inwisselen voor een naam waarvan de betekenis rots was?

Hoewel het niet waarschijnlijk was dat Tomers moeder na zoveel jaren zou proberen haar zoon terug te vinden, moest Jardena erkennen dat het een ramp zou zijn als het haar lukte. Het probleem kostte haar slapeloze nachten, en het feit dat ze ten slotte besloot Nathan zijn zin te geven, had niets te maken met het kind zelf of met de vrouw die hem had gebaard. Het was het resultaat van een simpele rekensom: als ze op dit punt toegaf, zou ze Itsik wekenlang naar Yuda Alaffi en zijn paarden kunnen sturen, en kon Perla na Shabbat met haar vriendinnetjes de stad in gaan, zonder dat Nathan er wat op aan te merken had. Ze beloofde Tomer dus dat hij een mooie nieuwe naam zou krijgen zodra Abba en Imma er een voor hem konden bedenken.

Die gelegenheid deed zich al gauw voor. Shai en Batsheva de Jong die, zoals vele uit Nederland afkomstige Joden, in kibboets Sde-Nechemia woonden, hadden 'Wie is een Jood?' en 'Exodus' gezien, en nodigden het gezin Jerushalmi uit om gedurende de pesachweek bij hen te logeren en hun producties in de kibboets te vertonen. De reis naar het noorden vond plaats op de eerste dag van Pesach. Natuurlijk was er op die dag geen openbaar vervoer, maar Nathan vond een Arabische taxichauffeur die bereid was tot Tiberias te rijden met twee volwassenen, acht kinderen en genoeg kleren om het een week mee uit te houden, plus twee bandrecorders en twee projectors, één voor de film en één voor de dia's.

Na drie uur rijden zette de taxichauffeur zijn passagiers af aan de oever van het Meer van Tiberias, waar Nathan de kinderen een uurtje in het water liet poedelen alvorens hij met de hele troep op zoek ging naar een volgende taxi die hen naar Sde-Nechemia zou brengen. Nathan was beladen als een kameel. Ook de kinderen droegen tassen en rugzakken, ieder naar zijn of haar leeftijd en krachten. Aangezien er geen trottoirs waren, drukte Jardena de kinderen op het hart dat ze als ganzen achter elkaar aan de uiterste rand van de rijweg moesten lopen. Jannai liep voorop, Jardena sloot de rij met Jifrach, die op haar schouder in slaap was gevallen. Langzaam bewoog de karavaan in de hete middagzon. Plotseling trok iets Jannai's aandacht. Hij sprong vooruit. 'Voorzichtig, Jannai,' riep Jardena uit de verte. 'Aan de kant!' Zonder achterom te kijken of zijn pas in te houden, stak Jannai de weg over precies op het moment dat er een auto passeerde. De chauffeur wierp zich op het stuur en maakte een complete U-bocht, waarbij hij op wonderbaarlijke manier een tegenligger wist te vermijden. In de berm bleef hij staan om zijn raampje te laten zakken en een rij vloeken ten beste te geven van een soort dat noch de kinderen, noch de ouders Jerushalmi ooit hadden gehoord.

'Ben je helemaal gek geworden,' schreeuwde Jardena op haar beurt tegen Jannai. 'Hoorde je me niet roepen: "Aan de kant!"?'

'Ik hoorde je juist wel,' zei de schuldige met trillende stem. 'Maar dat hád je immers al gezegd, dus dat deed ik al. Toen je het opnieuw riep, dacht ik dat je wou dat ik aan de andere kant van de weg ging lopen ...' Alweer een waardevolle les, dacht Jardena bij zichzelf. Eenmaal een instructie geven is noodzakelijk, tweemaal kan te veel zijn.

Op de avond na aankomst in Sde-Nechemia vertoonde Jardena 'Wie is een Jood?' in de grote gemeenschappelijke eetzaal van de kibboets. Het leek nergens op. De afstand tussen de projector en het doek was zo groot, en het doek zelf zo enorm, dat de jonge acteurs, die in de huiskamer levendig en kleurig op de muur waren verschenen, in deze omgeving meer leken op een paar bloedeloze reuzen. Shai de Jong vond een kleiner zaaltje en maakte een nieuw schema. Hoewel dat tweemaal zoveel voorstellingen inhield als het oude, hetgeen betekende dat Jardena de eerste dagen van hun verblijf in de kibboets nauwelijks een uurtje voor zichzelf had, was het de moeite waard. Niet alleen kwamen veel kibboetsbewoners een voorstelling meerdere malen zien, maar ook kwam er bijna iedere dag wel een of andere oude dame naar Jardena toe om haar met tranen in de ogen te vertellen hoezeer ze op haar moeder leek, die ze als klein meisje of jonge vrouw goed had gekend.

Toen ieder die de voorstellingen wou zien daartoe de kans had gekregen, bleven er ook voor Jardena nog een paar echte vrije dagen over. De familie Jerushalmi bezocht de kinderboerderij en de speelplaats, of wandelde door de kibboets en keek naar de huizen en de tuintjes, die sommige bewoners met veel zorg en liefde hadden aangelegd. Er waren zeer veel honden, sommige van indrukwekkende afmetingen. Tomer wilde ze allemaal aaien.

'Als je groot bent, krijg je een hond,' beloofde Jardena. Ze zei er maar niet bij dat hij over een paar jaar waarschijnlijk zonder hond geen stap zou kunnen verzetten.

Op een van hun wandelingen zagen ze hoe de fundering werd gelegd voor een grotere eetzaal. Een prachtige oude palm, die op z'n minst twaalf meter hoog was, groeide precies op de plek die de inwoners van de kibboets voor het nieuwe gebouw hadden uitgezocht. Wel tien mannen met machines en touwen waren bezig de palm met wortels en al naar een andere plek over te brengen. Onder de indruk van de overgave waarmee de mannen dit zware werk deden, zei Jardena: 'Is het niet bewonderenswaardig dat die mensen er een hele ochtend aan besteden om die boom te redden?' De kinderen waren het er roerend mee eens. Allemaal, behalve één. Stampvoetend en met zijn vuist zwaaiend, schreeuwde Jannai tegen de mannen: 'Durven jullie wel! Omdat die boom niet kan praten, denken jullie zeker dat je het recht hebt hem weg te halen van de plaats waar hij is geboren. Heeft een eetzaal die nog niet eens gebouwd is meer rechten dan een boom die hier zijn hele leven heeft gestaan?'

Op dat moment zag iedereen ineens hoe bedroefd de palm was met zijn groene haren in de war en zijn dikke bemodderde voet in de lucht. De uitbarsting van Jannai die, nauwelijks vijf jaar oud, altijd opkwam voor de verdrukten, ontheemden, bedreigden, stuurde Jardena's gedachten regelrecht naar de bewoners van de vluchtelingenkampen op de Westbank.

De kinderen genoten van de vakantie. Tomer was zo onder de indruk van de bijna twee meter lange Shai, die hem zonder enige moeite tot het plafond van zijn huis tilde, dat hij tegen zijn ouders zei: 'Ik mocht toch een nieuwe naam hebben? Mag ik Shai heten?'

Zowel Nathan als Jardena waren in de wolken. Het kind had zijn eigen naam gekozen: Shai, het Hebreeuwse woord voor geschenk. Had hij iets mooiers kunnen kiezen?

Naar welke kleuterschool konden Nathan en Jardena hun Geschenk in september sturen? Consuela kwam met de oplossing. Zij zat in de eerste klas van een nieuw, modern schooltje dat als oefenschool diende voor de studenten aan de onderwijzersopleiding. Op een ochtend klampte ze de directeur op de trap aan, en zei: 'Ik heb een nieuw broertje.'

'Zo! Welgefeliciteerd. Wanneer is hij geboren?'

'Hij is niet geboren. Hij was al een jongen toen we hem kregen, en hij wil na de vakantie met mij mee naar school.'

'Ik ben bang dat dat niet mogelijk is. Er zijn een heleboel jongetjes en meisjes die op onze school willen leren. Ik schrijf hun namen op een wachtlijst. Weet je wat een wachtlijst is?'

'Ja, maar Tomer is mijn broertje. Hij heeft prioriteit.'

'Prioriteit! Wel, wel, jij weet waar je 't over hebt. Weet je wat, vraag je moeder of ze eens bij me wil komen, dan zullen we er over praten. Maar beloof je broertje niets.'

Jardena ging naar de directeur van het seminarium en vertelde hem de geschiedenis van Shai, of liever gezegd, van Tomer, want de naamsverandering wou nog niet goed vlotten.

'Hij ziet heel slecht,' eindigde Jardena haar relaas. 'Maar hij is niet blind, althans nog niet. Zolang hij kan zien, moet hij zo veel mogelijk gestimuleerd worden, zodat hij zich vormen en kleuren zal kunnen herinneren als hij ...'

'Als het kind blind is, of zeer spoedig blind zal worden, kunnen we hem niet nemen,' sneed de directeur haar betoog af. 'Ik wil dus eerst een medisch rapport van zijn toestand zien. Als daarin staat dat hij naar een gewone school kan, ben ik bereid hem een kans te geven.'

Jardena maakte een afspraak met de oogkliniek van het ziekenhuis waar Tomer indertijd was geopereerd. Aangezien men daar van mening was dat een vierjarig kind te klein was om mee te werken, moest hij worden verdoofd. Omdat dat nu eenmaal de regel was, nam de verpleegster eerst zijn temperatuur op. Hij had een heel klein beetje verhoging. Ze raadde Jardena aan een nieuwe afspraak te maken en de volgende keer zelf Tomers temperatuur te meten alvorens de tocht naar het ziekenhuis te ondernemen. Toen ze thuiskwamen, had Tomer geen streepje verhoging.

Jardena maakte een nieuwe afspraak, en deze keer kreeg Tomer zijn injectie. 'Wacht u maar hier tot ik u roep,' zei de verpleegster.

Aangezien alle stoelen en banken in de wachtkamer bezet waren, wandelde Jardena met het kind in haar armen heen en weer tot hij vast in slaap was. Ze legde hem neer op de vloer en ging op zoek naar de verpleegster. Deze zei dat er nog heel wat patiënten vóór haar waren, en dat ze maar rustig haar beurt moest afwachten.

Toen er een arts de wachtkamer binnenkwam, wees Jardena op het slapende kind met de woorden: 'Alstublieft, dokter, zo dadelijk wordt hij weer wakker.' De arts zei dat ze haar klachten maar bij de verpleegster moest indienen. De verpleegster zei dat ze niet gestoord wou worden. Toen Tomers naam eindelijk werd afgeroepen, was hij klaarwakker. Jardena maakte een derde afspraak.

De derde keer lukte de onderneming. De specialist die Tomer onderzocht, was de oude dame die hem zelf twee jaar geleden had geopereerd. 'Prachtig,' zei ze. 'Ik ben trots op mijn werk.'

'Maar hij is bijna blind,' protesteerde Jardena. De oude professor hief haar handen ten hemel en zei: 'Als u eens wist in welke staat zijn ogen vóór de operatie waren. Vandaag kan zelfs het slechte oog het verschil tussen licht en donker onderscheiden. En het goede oog ziet. Hij ziet! Nee, nee, de operatie is beter gelukt dan ik had durven hopen.'

'Kunt u me iets vertellen over hoe het is gekomen?'

De professor schudde haar hoofd. 'We vermoeden dat hij in de eerste paar maanden van zijn leven een ongeluk heeft gehad. Wat gerepareerd kon worden is gerepareerd. Meer was niet mogelijk. Van nu af aan heeft het kind iemand nodig die hem helpt hopen dat zijn toestand niet zal verergeren.' Ze keek naar Jardena en zuchtte. 'Daarvoor is heel veel liefde nodig. Het is niet makkelijk, ik weet het.'

'Kunt u mij een brief geven waarin staat dat hij naar een normale kleuterschool kan gaan?'

De oude dame schreef haar rapport met grote, duidelijke letters op briefpapier van het ziekenhuis, en ondertekende het met haar volle naam en titel. Jardena bracht de brief aan de directeur van de kleuterschool.

'Breng de jongen morgenochtend maar op proef', was zijn reactie. 'De kleuterleidster die eventueel volgend jaar de zijne zal zijn, heeft het laatste woord.'

De volgende ochtend zat Jardena op de rand van een zandbak waarin een groepje kinderen de prachtigste zandkastelen aan het bouwen was. De kleuterleidster sprak met Tomer.

'Wil je met de kindertjes in het zand spelen? Kom, zullen we samen een zandtaart bakken?'

Tomer reageerde als een stilleven dat met een klem aan de rok van Jardena zat vastgeklonken. Het zag er niet naar uit dat hij veel kans maakte in dit leuke moderne kleuterschooltje te worden geaccepteerd.

Tegen het einde van een morgen waarin Tomer niet één keer zijn mond had opengedaan, verzamelde de kleuterleidster de kinderen in een halve cirkel om zich heen. 'Jij ook, Tomer,' zei ze. 'Neem een stoel en ga zitten.'

Jardena ging zitten, maar Tomer verkoos om half achter haar te gaan staan en haar mouw vast te houden. Eigen schuld dacht Jardena woedend. Als je dan ook niks voor jezelf kunt doen, ga je volgend jaar maar naar een school voor blinden. Ik heb mijn best gedaan. De juf sprak met de kinderen over wat ze die ochtend hadden geleerd. 'En nu wil ik weleens weten hoe jullie allemaal naar huis gaan,' eindigde ze haar betoog. Het antwoord dat ze verwachtte was zonneklaar, althans voor Jardena. 'Rustig, zonder herrie te maken en zonder duwen en douwelen.' Niemand zei wat. 'Kom nou, Iris, hoe denk jij dat we naar huis gaan?' Iris wist het niet. 'Danny dan, weet jij het?' Ook Danny bleef het antwoord schuldig.

'Ik weet het,' klonk plotseling Tomers stem. 'Alle kinderen gaan naar huis zonder hun moeder, en ik mét mijn moeder.'

De kleuterleidster en Jardena keken elkaar aan. Allebei hadden ze tranen in de ogen. Jardena omhelsde haar zoon, die niet eens in de gaten had dat hij glansrijk was geslaagd.

* * *

Op 31 mei belde Consuela Baghdádi in alle vroegte op. Haar kinderen hadden pas een televisietoestel voor haar gekocht. Ze genoot vooral van de door Jordanië uitgezonden Arabische speelfilms, maar volgde ook aandachtig het nieuws.

'Maar wat er vannacht gebeurd is,' riep ze zo hard dat Jardena de hoorn een eindje van haar oor af moest houden. 'Japanners! Japanners zeg ik je. Mogen hun namen voor alle eeuwigheid worden uitgewist. Japanners, waar bemoeien ze zich mee?'

'Wat dan Imma, wat is er gebeurd?' Jardena kon zich levendig voorstellen hoe haar schoonmoeder zich de haren uit het hoofd stond te trekken, maar aan haar verhaal kon ze geen touw vastknopen.

Pas toen Nathan de radio aanzette en het nieuws hoorde, begrepen ze dat drie Japanners de vorige avond laat in een Air Francetoestel op Lydda waren geland en uit hun bagage die op de lopende band was komen aanzetten kalasjnikovgeweren te voorschijn hadden gehaald, waarop ze als wilden door de aankomsthal waren gaan schieten. De hal was zo vol reizigers dat de veiligheidsofficieren moeite hadden om de terroristen uit te schakelen. Voordat twee Japanners dood waren en de derde was ingerekend, waren vijfentwintig reizigers dood en eenenzeventig gewond. De gevangengenomen Japanner, Kozo Okamoto, bekende dat hij en zijn vrienden huursoldaten waren die door de PLO betaald en in Zuid-Libanon getraind waren.

De zomer aan zee met Chava en haar kinderen in hetzelfde huisje als het vorig jaar, werd deze keer benut voor het wennen aan de naam Shai en voor het filmen van 'Jonas in de Walvis'.

Toen Shai de Middellandse Zee voor het eerst van zijn leven zag, raakte hij over zijn toeren van opwinding. Hij sprong op en neer als een kikvors, waarbij hij het water met zijn vuisten sloeg, en een gescandeerd gezang aanhief dat bestond uit de woorden: 'Dank je wel, dank je wel, dank je wel.' Een badgast riep lachend: 'Nou zeg, jij hebt tenminste plezier in je leven!'

'Ja,' schreeuwde Shai geestdriftig terug. 'En als ik groot ben, krijg ik een badpak zoals mijn moeder, met twee van die grote ballen voorop!'

Chava en Jardena sliepen weer in de enige normale slaapkamer en voor de kinderen werden iedere avond tien matrassen op de woonkamervloer neergelegd. Chava's baby sliep in een speciaal uit Jeruzalem meegebracht kinderbedje. 's Nachts was er geen centimeter van de betonnen vloer zichtbaar. Overdag werden de matrassen langs de muren opgestapeld om als zitplaatsen te dienen bij het eten.

Chava's baby en Jifrach waren nog zo jong dat ze iedere avond voor het slapen een flesje kregen. Shai wierp er jaloerse blikken op, totdat Jardena op het idee kwam om te zeggen: 'Jij mag ook wel een fles hoor, als je daar zo'n zin in hebt.' Shai was zielsgelukkig. Jannai en zijn neefje, die allebei vijf waren, maakten er een sport van om de flessen van hun broertjes af te pakken en ermee onder hun eigen deken te verdwijnen. Om een einde aan dit gekibbel te maken, nam Chava de bus naar Netanja en kocht er twee extra babyflessen. Nu begonnen Consuela en Chava's oudste zoontje te zeuren. Waarom mochten de anderen met flesjes naar bed, en zij niet? 'Oké jongens,' zei Chava. 'Ik moet toch nog even naar de stad. Meer gegadigden?'

Itsik knikte enigszins beschaamd, en toen durfde Simcha ineens ook te knikken. Een dag later gaf ook Vered toe aan de verleiding. Ook zij kreeg een zuigfles, maar ze gaf hem na één nacht terug. Jardena en Chava stelden een voorwaarde aan het losbandig drinkgelag. Zes dagen per week mochten alle kinderen naar hartenlust op de grond liggen en zich als pasgeboren baby's gedragen, maar op Shabbat, als één of beide vaders op bezoek kwamen, mochten de flessen noch worden gebruikt, noch worden getoond, noch ook maar worden genoemd, behalve door de twee allerkleinsten. Gedurende de hele zomer overtrad niet één van de kinderen deze regel.

Toen Nathan op bezoek kwam, vroeg Jardena: 'Wat zou je ervan denken als we één kind hadden dat nooit anders had geweten dan dat Shai vanaf het begin onze zoon was geweest?'

'Als je bedoelt dat je er zo eentje wilt proberen te krijgen, heb je mijn zegen,' zei Nathan. Jardena had niet anders verwacht. Haar volgende baby was dan ook al spoedig onderweg.

Aangezien de kinderen zich nu toch eenmaal aan een vlaag van infantiliteit te buiten gingen, lieten de moeders ze ook maar naar hartenlust met water en modder spelen in het totaal verwaarloosde voortuintje van het vakantiehuisje. Shai kreeg het zelfs in zijn hoofd om een jong hondje tot z'n hals in de modder te begraven. Jardena was diep geschokt door wat haar op dat moment als een uitermate wreed trekje in het karakter van haar nieuwe zoon voorkwam. Maanden later, toen hij de gewoonte aannam een jong poesje iedere ochtend voor het naar school gaan in een la te stoppen, drong tot haar door dat hij bang was de diertjes te verliezen, zoals hij in de eerste vier jaren van zijn leven altijd alles en iedereen had verloren.

Op een van de laatste ochtenden van augustus droomde Jardena dat het regende. Ze hoorde het water met golven door de straten stromen en werd wakker van het lawaai. Het duurde even voordat ze zich realiseerde dat het in Israël onmogelijk tijdens de zomervakantie kon regenen. Wat was er dan aan de hand? Itsik rende de slaapkamer binnen en riep: 'De waterleiding! De waterleiding is gesprongen! De hele kamer staat onder water!'

Onmiddellijk sloot de handige Itsik, die altijd alles wist te vinden, de hoofdkraan af, maar de woonkamer had meer weg van een Nederlandse polder na een dijkdoorbraak dan van een Israëlisch vakantiehuisje. Matrassen, dekens, kleren, kinderen, alles was drijfnat. Van filmen kwam die ochtend niets. Alle kinderen werden aan het werk gezet om de spullen zo goed mogelijk te redden. Lakens en dekens werden over schuttingen gehangen. Matrassen werden voor het huis te drogen gelegd, waardoor het pad naar de hoofdweg volkomen werd geblokkeerd. De buren, grotendeels Marokkaanse nieuwe immigranten die hun huizen spiksplinterschoon plachten te houden, keken met groeiende afkeer naar de Jeruzalemse vagebonden.

Op de voorlaatste dag van augustus wasten en schrobden de kinderen de vloeren van het huis als echte Marokkanen. Ongelukkigerwijs schrobden ze ook de muren, waardoor de verf in grote plakken losliet. Het was geen gezicht, maar er was geen tijd om de schade te herstellen. Op 31 augustus moesten alle vakantiegangers naar huis, want ook al viel 1 september dit jaar op een vrijdag, toch moest iedereen weer naar school.

In Jeruzalem verstopten de twee moeders Jerushalmi hun arsenaal aan zuigflessen voor het volgend jaar. Ze wisten nog niet dat ze nooit in hun paradijs op aarde zouden terugkeren, omdat de keurige buren de eigenaar van het huisje een proces dreigden aan te doen als hij ooit zijn huis weer aan die onaangepaste familie uit Jeruzalem verhuurde.

Na de vakantie ging Shai naar zijn nieuwe kleuterschool. Het enige nadeel van dit overigens zo geslaagde initiatief van zijn zusje was de afstand. Ook hij moest nu iedere dag met de bus naar school. Consuela – zelf nog geen acht jaar oud – kreeg tot taak haar broertje mee heen en terug te loodsen. Aangezien hij eerder klaar was dan zij, moest hij iedere dag na schooltijd een uur op de speelplaats wachten, samen met nog een paar kinderen in gelijke omstandigheden.

Nog was de eerste schoolweek niet voorbij, of Israël kreeg een van de zwaarste slagen sinds zijn bestaan te verduren. In München, waar de Olympische Spelen plaatsvonden, namen acht Arabische terroristen negen Israëlische sportlieden gevangen, waarbij ze twee andere, die weerstand boden, doodden. Na enige vergeefse onderhandelingspogingen probeerden Duitse soldaten de negen gekidnapten te bevrijden. Ze deden dat naar Israëlische maatstaven zo klungelig dat de terroristen die het eerste Duitse schot overleefden, meer dan tijd genoeg hadden om de twee gelande helikopters met daarin de negen geknevelde Israëliers, met de grond gelijk te maken. De Duitsers doodden ten slotte vijf terroristen en namen er drie gevangen. Ook twee Duitsers kwamen om het leven. Verslagen vloog de rest van de Israëlische delegatie met elf doodkisten naar huis. Ofschoon alle landen tegen de misdaad protesteerden, ging de olympiade gewoon door.

Onder druk gezet door bondgenoten van de moordenaars, liet Duitsland zes weken later zijn drie gevangenen vrij. Israël was diep gegriefd.

Op een koude winterdag kwam Consuela in tranen thuis. Ze had Shai niet op de speelplaats gevonden, en niemand wist waar hij was. Jardena belde op naar de school. De secretaresse beloofde buiten op de speelplaats, en binnen in de gangen van het gebouw rond te kijken, en daarna terug te bellen. Een uur later was het kind nog niet terecht. Nathan zou ongetwijfeld op speurtocht zijn gegaan als hij niet op herhaling was geweest. Jardena belde met kramp in haar handen de politie op. Ze vroegen om een beschrijving van het kind. Ze zouden terugbellen. Om vier uur kwam Nathan onverwachts voor een halfuurtje thuis. Hij was nog meer ontdaan dan Jardena. Voorbij waren de dagen dat hij met man en macht probeerde zich tegen zijn groeiende liefde voor het lelijke jonge eendje te verzetten. Terwijl hij zich afvroeg wat hij het best kon doen, ging de telefoon. Aan de lijn was een buschauffeur die vroeg of Nathan soms een jongetje met een dikke bril kwijt was. Hij gunde zich nauwelijks tijd om van opluchting zijn vrouw te omhelzen, zoveel haast had hij om zich naar het opgegeven adres te spoeden. Daar zat Shai op een stoel, met bungelende beentjes en een blikje cola. Nathan kreeg het volgende verhaal te horen: aan de halte bij de school was zoals gewoonlijk een heel stel kinderen in de bus gestapt. Aangezien kinderen onder de vijf jaar gratis reisden mits vergezeld van een ouder broertje of zusje, had de chauffeur geen aandacht geschonken aan het kleine jongetje dat niet betaalde. Pas toen de bus bij de eindhalte was, viel zijn oog op het kind op de achterbank dat sip zat te kijken. Hij was naar hem toe gegaan en had zijn naam en adres gevraagd, maar alles wat het kind kon vermelden, was de naam van zijn vroegere pleegmoeder en het feit dat zijn vader met een geweer door de stad liep. Niet in staat het raadsel ter plekke op te lossen, had de chauffeur het kind voor de rest van zijn diensttijd alsmaar meegenomen op zijn ritten. Pas toen zijn werk voor die dag erop zat, was hij met Shai naar het hoofdkantoor van de busmaatschappij gegaan vanwaar hij de politie had opgebeld.

'Het wordt tijd dat je weet wie je moeder is,' zei Nathan op bestraffende toon. 'Je mag nooit meer vergeten dat ze Jardena Jerushalmi heet. En wat je vader betreft, die loopt alleen met een geweer door de stad als het absoluut niet anders kan. Wil je dat goed in je oren knopen?'

Jardena vroeg aan Shai waarom hij niet op Consuela had gewacht.

'Ik dacht dat ik haar de bus in zag stappen,' stamelde het kind. 'Ik dacht dat ze me vergeten was. Toen ben ik gauw achter haar aan gerend, en ineens zag ik haar niet meer.'

'Maar hoe kon je nu toch denken dat Consuela je zou vergeten? Dat zou ze toch nooit doen!'

Hij haalde zijn schouders op.

Hadden zijn vorige families hem niet verschopt of vergeten? Had hij enig bewijs dat zijn nieuwe familie dat niet zou doen?

1973

Jardena was bijna veertig. Omdat ze nu waarschijnlijk echt voor de laatste maal in verwachting was, genoot ze er heel bewust van. De arts die de zwangerschap begeleidde, legde een pas uitgevonden instrumentje op haar buik, waardoor ze zelf de hartslag van haar nog ongeboren kind kon beluisteren. Het klonk als een voorbijsnellende trein: takketak, takketak, takketak.

Op een dag zat ze in de wachtkamer naast een vrouw met een schattig jongetje van een maand of tien. Ongevraagd legde de vrouw uit dat ze moeilijk zwanger werd en dat de arts die haar behandelde alle eer toekwam. Hij had haar de vorige keer ook geholpen en nu wou ze graag een tweede kind. Tegen de tijd dat ze aan de beurt was, waren de twee vrouwen zulke goeie maatjes dat de baby tevreden op Jardena's schoot bleef zitten, terwijl zijn moeder de spreekkamer in ging.

'Is het goed gegaan?' vroeg ze toen ze klaar was.

'Ja hoor, we zijn dikke vriendjes. Hoe heet hij eigenlijk?'

'Houssein.'

Houssein? Een Arabische naam? Er ging een lichte schok door Jardena, maar ze beheerste zich onmiddellijk. Natuurlijk. Waarom zou een Joodse arts niet een Arabisch kind helpen verwekken?

Plotseling zette de kleine Houssein een keel op. Zijn moeder haalde iets uit haar tas. Een zwart glanzend speelgoedpistool. Het zag er zo echt uit dat Jardena geschrokken uitriep: 'Een pistool? Maar hij is nog geen jaar oud.'

'Jong geleerd, oud gedaan,' lachte de moeder. 'En bedankt voor het oppassen.'

Op een ochtend was Jardena bezig de vaat te doen, toen ze een vreemde, onbekende beweging in haar buik voelde. Het was net of er iets knapte. Daarna voelde ze niets meer. Ze wist dat haar ongeboren baby dood was. Natuurlijk geloofde niemand haar.

'Je bent zo zenuwachtig dat de baby geen vinger meer durft te verroeren,' zei Nathan. 'Ontspan je en geef het kind wat levensruimte.'

Tegen de avond kon Jardena de spanning niet langer verdragen. Ze vroeg aan Perla en Vered om op de jongere kinderen te passen, en ging met Nathan naar de gynaecoloog.

'Kom nou toch, mevrouwtje,' zei hij. 'Je bent toch geen hysterische bakvis meer? Je zou waarachtig denken dat dit je eerste zwangerschap was.'

'Maar ik voelde vanmorgen hoe de baby doodging!'

De arts schudde meewarig zijn hoofd, maar nadat hij Jardena had onderzocht, moest hij haar gelijk geven. Hij stelde voor dat ze de volgende ochtend naar het ziekenhuis zou gaan, waar hij de geboorte zou proberen op te wekken.

Ze kreeg om de andere dag een infuus en injecties, maar na twee weken was er nog steeds niets gebeurd. Behalve dat ze om haar dode baby treurde, was ze ook van slag omdat haar vader en zijn vrouw eindelijk hadden besloten de reis naar Israël te ondernemen, en bij de familie Jerushalmi te komen logeren.

'Hoe moet dat nou als vader komt, en ik lig in het ziekenhuis?' vroeg ze aan de arts. 'Alstublieft, kan het niet met een keizersnee?'

Maar hij hield voet bij stuk.

'Als ik het minste teken van bloedvergiftiging bespeur, opereer ik onmiddellijk, maar zolang je zelf gezond bent, ga ik echt niet in je snijden. Ik heb mijn principes. Voor de baby kan ik niets meer doen, maar voor de moeder des te meer. Maar waarom ga je niet een paar dagen naar huis? Ga alles maar in orde maken voor je vaders bezoek. Misschien zetten de weeën dan vanzelf in. Zo niet, dan proberen we het volgende week nog eens met injecties.'

Hoewel ze er helemaal niet voor in de stemming was, probeerde Jardena die raad op te volgen. Ook lichamelijk viel het haar zwaar. Toen ook nog een vage kennis onverwacht op de stoep stond, zag ze het helemaal niet meer zitten. De bezoekster bleek echter een geschenk uit de hemel. Ze had meteen door dat Jardena in de put zat, ze zei niets, ze vroeg niets, ze deed haar jas uit en ging aan het werk. Dat hielp.

De hele ochtend werkten de twee vrouwen zwijgend naast elkaar. Ze sopten de stoelen, klopten de kleedjes, schrobden de vloeren en haalden zelfs deuren uit hun scharnieren om ze in de badkuip af te sponzen tot er geen vetvlek en geen potloodkras meer op te bespeuren viel. Jardena begon er plezier in te krijgen, maar ze dacht een beetje mismoedig dat het niemand zou opvallen dat het overal zo schoon was. Alles was zo oud en kapot. Maar toen Jan Vreeland binnenstapte, was het eerste wat hij uitriep: 'Kind, wat is het hier schoon! Wat moet jij hard hebben gewerkt!'

Zelfs later, toen hij allang was gestorven, geloofde Jardena niet dat haar vader werkelijk had gemeend wat hij zei. Wat hem vooral moest zijn opgevallen was ongetwijfeld dat alles vergaan en krakkemikkig was, dat het plafond bladderde en dat alle vloertegels gebarsten waren. Eén ding was zeker: hij had op het juiste moment de juiste woorden weten te vinden. Ze zou nooit meer een raam zemen of een deur boenen zonder om hem te huilen.

Twee dagen na de komst van Jan en Nora Vreeland, ging Jardena opnieuw naar het ziekenhuis. De baby was al drie weken dood en er moest nodig iets gebeuren. Dit was niet om uit te houden. De arts ging onverstoorbaar door met zijn injecties, maar Jardena's baarmoeder reageerde er nog steeds niet op. Toen herinnerde ze zich de raad die de vroedvrouw in Nederland haar vóór de geboorte van Itsik had gegeven: wonderolie en lauwe melk, en tussendoor biscuitjes tegen de nare smaak.

Nathan bracht het vieze spul naar het ziekenhuis. Jardena sloot zich op in de badkamer en dronk het flesje achter elkaar leeg. Die nacht werd het dode kindje geboren.

De dageraad bracht geen vreugde. Jardena kreeg pillen tegen koorts, tegen melkproductie, en tegen depressiviteit.

Nathan kreeg het dode kind in een schoenendoos, en het adres van een begrafenisonderneming. Daar kreeg hij te horen dat een mannelijke foetus niet als Joods kon worden beschouwd, en dus ook niet op een Joodse begraafplaats kon worden begraven, als hij niet was besneden. Joodse foetussen werden keurig begraven, niet-Joodse werden voor onderzoek aan de wetenschap gegeven. De begrafenis was kosteloos, maar de besnijdenis niet. Jardena vroeg haar man niet wat hij ten slotte had gedaan. Wat het ook was geweest, ze gaf hem gelijk.

Ze vroeg aan de arts hoe haar dit had kunnen overkomen. Hij trok zijn schouders op. 'Wat je moet vragen is niet hoe het komt dat het deze keer fout is gegaan, maar hoe het komt dat je zevenmaal achter elkaar een gezonde baby ter wereld hebt gebracht. Is dat niet het werkelijke wonder?'

De nasleep van de betrekkelijk makkelijke geboorte was rampzalig. Dagenlang had Jardena vreselijke krampen, die nog verergerd werden doordat ze absoluut niet in staat was haar darmen te legen. Jan en Nora Vreeland, voor wie ze de beste slaapkamer in orde had gemaakt, zochten een andere plek in huis. Jardena had geen idee waar ze sliepen, misschien met Nathan in de woonkamer, of op matrassen op de grond in de kinderkamer. Dagen en nachten lag ze te krimpen en te kreunen van de pijn. Ze kon er niet van slapen, maar van pure uitputting dommelde ze zo nu en dan wat. Als ze haar ogen opendeed, zag ze haar vader aan haar bed zitten. Dat was de plaats die Jan Vreeland had gekozen om zijn vakantie in Israël door te brengen.

* * *

De buren waren zo langzamerhand aan het nieuwelingetje in de familie Jerushalmi gewend. Toch gebeurden er soms schokkende dingen. Op een dag stapte een buurman op Jardena af en zei: 'Ik hoop dat u me niet kwalijk neemt, maar bent u er wel honderd procent zeker van dat dat kind dat u zo liefdevol in huis hebt genomen geen Arabier is?'

Jardena had de neiging om uitdagend te antwoorden: 'Integendeel, ik heb expres een Arabiertje in huis genomen, omdat ik dat nu juist graag wou. Hebt u er iets op tegen?' Gelukkig wist ze zich te beheersen. Wat voor leven zou Shai hebben als zo'n gerucht de ronde deed?

'Hij is een Jood,' antwoordde ze zo beleefd als haar verontwaardiging toeliet. Ik weet de naam van zijn moeder.'

Een andere keer kwam er een koper voor een van Nathans etsen. De kinderen zaten om de tafel.

'Wat leuk, zo'n groot gezin,' zei hij. 'Zijn al die kinderen van jullie?'

'Ja, ze zijn allemaal van ons.'

Zonder naar het uitdrukkelijk uitgesproken antwoord te luisteren, volgde de gast zijn eigen gedachtegang.

'Behalve die kleine met de zwarte ogen natuurlijk. Dat kan ik zo wel zien.'

Jardena hapte naar adem, maar Shai, die drommels goed begreep wie 'die kleine met de zwarte ogen' was, klom op zijn stoel, klopte zichzelf trots op de borst, en verklaarde met luide stem: 'Mij hebben wij geadopteerd.'

Gelukkig was niet iedereen zo tactloos. Een zeer welkome gast was Max, de zoon van Vera, die laat op een avond onaangekondigd kwam binnenlopen. Het bleek dat hij al wekenlang als vrijwilliger in een kibboets werkte, maar niet eerder in de gelegenheid was geweest zijn tante Reinie in Jeruzalem op te zoeken. Hij was bijna onherkenbaar met z'n afrohaardracht, die maakte dat zijn hoofd wel driemaal zo groot leek. De kinderen sliepen al, en ook Max was doodmoe. Nathan legde een matras op de grond in de kinderkamer. 'Slaap lekker. Tot morgen.'

De volgende ochtend ontdekte Jardena dat Shai en Jifrach gedurende de nacht stilletjes bij Max onder de dekens waren gekropen. Jannai zat peinzend aan het hoofdeinde van de dikke bult met de geweldige bos kroezig haar op het kussen. 'Imma,' zei hij zorgelijk. 'Ik geloof dat ik een schaap heb gevonden.'

Max voelde zich zo thuis bij zijn familie in Jeruzalem, dat hij vroeg of hij een poosje mocht blijven. Iedereen was opgetogen over dit plan en nadat hij zijn zaakjes in de kibboets had afgewikkeld, nam hij voor onbepaalde tijd zijn intrek bij Nathan en Jardena.

Op de middelbare school in Amsterdam was Max een drop-out geweest, maar in Jeruzalem zat hij uren in de *Britannica* te lezen. Of hij repareerde op kunstzinnige manier zijn spijkerbroek met kleurrijke lapjes uit Jardena's onuitputtelijke voorraad.

Ook leerde hij al gauw etsen en houtsneden afdrukken, zodat Nathan blij was hem als assistent te hebben. Hij sliep in het atelier en werd een zeer geliefde huisgenoot. Op dagen dat Nathan geen werk voor hem had, hielp Max bij de opnamen voor 'Jonas in de Walvis'. Simcha's twaalfde verjaardag lag in het verschiet. De opnamen werden deze keer van begin tot eind gefilmd.

Ofschoon Jardena het liefst met Kodak had gewerkt, moest ze zich met andere merken behelpen. Want wat was het geval? De directie van Kodak had toegegeven aan de eis van hun Arabische cliënten om Israël te boycotten. Ze waren wél bereid om in Israël materiaal te verkopen waarbij de prijs voor het ontwikkelen was inbegrepen, maar níét om een laboratorium te beheren dat ze in staat stelde aan hun verplichtingen te voldoen.

Op een keer was Itsik tegen bedtijd nergens te vinden. Jardena nam aan dat hij in het geheim naar Yuda Alaffi en zijn paarden was gegaan. Het verbaasde haar in 't geheel niet dat hij geen toestemming had gevraagd.

Hij wist immers maar al te goed dat zijn vader altijd nee zei, en dat zijn moeder hem daarom niet altijd rijgeld kon geven. Soms liet Yuda hem ook wel gratis een poosje rijden. Als tegenprestatie deed Itsik dan wat klusjes voor Yuda, die met zijn vrouw in het dal tussen de bebouwde kom en het Jeruzalemse bos woonde. Ze hadden noch elektriciteit, noch telefoon, en de weg vanuit het dal naar de stad kon 's nachts pikkedonker zijn. Jardena overwoog om naar Yuda te gaan, maar zag ertegen op in haar eentje de tocht te maken. Zou ze Max vragen om met haar mee te gaan? Maar eigenlijk wist ze niet eens zeker of Itsik daar wel was. Om halfelf belde Nathan Moshe op het politiebureau. Binnen een paar minuten bracht een dienstwagen twee agenten. Terwijl deze bezig waren de ouders uit te horen over hun verloren zoon, stapte Max binnen met op zijn schouders een hoogst opgewonden Itsik. Zonder zich af te vragen wat die twee agenten in de huiskamer deden, barstte het kind los in een kleurrijk verslag van wat hij had aanschouwd: de geboorte van een veulen! Natuurlijk had hij bedacht dat zijn ouders ongerust zouden zijn, maar de dichtstbijzijnde telefooncel was op z'n minst twintig minuten rennen van Yuda's huis, en hij was bang dat hij het grote evenement zou missen als hij zo lang wegbleef. Toch was hij maar wat blij geweest toen hij halverwege de terugweg zijn grote neef op zich af had zien komen.

Nathan en de agenten spraken de tienjarige Itsik streng toe, maar Jardena wist zeker dat ze zelf net zo zou hebben gehandeld. Een portie slaag zou hij hoe dan ook niet ontlopen, maar de herinnering aan de geboorte van het veulen zou hem zijn hele leven bijblijven. Of het nu te maken had met deze ervaring, of dat Itsik behept was met een ongewoon sterke drang naar nieuw leven, één ding was zeker: vanaf die dag was hij bezeten van het verlangen zelf een kind te krijgen.

Voor de zomer huurde Jardena dit jaar een huisje met twee slaapkamers, niet ver van waar ze de voorgaande jaren waren geweest. Chava en haar kinderen waren deze keer niet van de partij. Direct na aankomst gingen Vered en Itsik naar het postkantoor om Nathan op te bellen en te zeggen dat alles in orde was. Daar gaf een wildvreemde man hun een witte foxterriër cadeau, compleet met halsband, ketting en hondenpenning, als bewijs dat hij was ingeënt. Het beestje was zes maanden oud en al helemaal zindelijk. De kinderen waren zo blij met het levende geschenk, dat Jardena het hart niet had om te protesteren, vooral niet toen ze Vered en Itsik tegen elkaar hoorde fluisteren dat zij als enigen voor de hond zouden zorgen, zodat hij alleen hun zou gehoorzamen en alleen van hen zou houden.

Ze noemden het beestje Apollo.

Aan het eind van de vakantie ging Apollo met de familie mee naar Jeruzalem. Nathan verwelkomde hem ruimhartiger dan Jardena had durven hopen. Al spoedig bleek dat Apollo niet bepaald een dier waarmee je van mening moest proberen te verschillen. Hij eigende zich de enige luie stoel in huis toe, en zou daar gedurende de twaalf jaren van zijn leven de exclusieve rechten over blijven opeisen. Soms nodigde een van de kinderen hem uit voor een wandeling, maar in het algemeen verkoos hij zijn uitstapjes zelf te regelen. De bewoners van Machaneh-Yehoedah, een conglomeraat van seculiere, orthodoxe en traditionele Sefardische en Ashkenazische Joden die elkaar al zo lang kenden dat ze in het algemeen moeiteloos met elkaar omgingen, tolereerden Apollo zoals ze een excentrieke buurman zouden hebben getolereerd. Machaneh-Yehoedah mocht dan één van de armste buurten van de stad zijn, er heerste daar in tegenstelling tot in veel andere buurten sinds jaar en dag de stelregel 'leven en laten leven'.

Zoals Jardena wel had verwacht, vergaten Vered en Itsik na korte tijd hun grootse voornemen om als enigen voor Apollo te zorgen. Hoewel ze van de kinderen eiste dat ze om de beurt de hond zijn avondeten gaven, kwam het erop neer dat alleen Jannai zich om het beest bekommerde.

Desondanks trok Apollo niemand voor. Hij behandelde al zijn huisgenoten beleefd, maar niet uitbundig.

Eén keer kreeg Apollo bijna een zenuwtoeval. Dat was toen Nathan en Jardena samen het huis verlieten en hij hen gewoontegetrouw tot de hoek van de straat begeleidde. Daar aangekomen ging Jardena naar links en Nathan naar rechts. Dat had Apollo niet verwacht. Hij rende als een gek heen en weer, blaffend, huilend, smekend om hem niet voor een van de ergste keuzes te stellen die een levend wezen kan worden opgelegd: de keus tussen vader en moeder.

Jannai ging naar de eerste klas van de Engelse school. Hij had op de kleuterschool al een beetje leren lezen, maar nu ging hij met grote sprongen vooruit. Op de dag dat het hem voor het eerst was gelukt op eigen houtje een verhaal te lezen, bleef hij midden op het zebrapad staan.

'Imma, ik heb wat ontdekt.' Een auto toeterde.
'Kom Jannai, vertel het me op de stoep.'
'Nee, nee. Nu. Het is belangrijk.'
Jardena trok aan de arm van haar zoon, maar hij trok terug. Wat hij wou zeggen kon geen minuut wachten.
Intussen toeterden al twee auto's.
'Zeg het dan maar vlug, je houdt het hele verkeer op.'
'Moet je horen: als ik voor mezelf wil leven, kan ik de hele dag boeken lezen. Maar als ik voor anderen wil leven, moet ik zelf een boek schrijven!'
Kort na deze openbaring liep Jannai in gedachten verzonken tegen een rijdende auto en brak voor de tweede keer zijn been. Deze keer moest hij niet drie maar zes weken in het gips, en het verband liep van lies tot hiel. Weer luisterde hij urenlang geduldig naar grammofoonplaten, of keek hij naar de vissen en waterplanten in zijn keurig verzorgde aquarium.

Grote Verzoendag begon deze keer op vrijdag 5 oktober. Hoewel lang niet alle leden van de familie Jerushalmi van plan waren een etmaal te vasten, aten ze die avond toch net als ieder jaar vóór het ingaan van de vastendag, om daarna gezamenlijk naar de liberale synagoge te wandelen en de *chazan* 'Kol Nidrei' te horen zingen: 'Kol Nidrei', de eeuwenoude Aramese tekst waarin de Joden God vragen om niet na te komen geloften die ze in hun onnadenkendheid gedurende het volgende jaar misschien zullen afleggen, al van tevoren als onuitgesproken te beschouwen, een tekst die de oorsprong is van veel anti-semitisme.
Hoe vaak had Jardena niet te horen gekregen: 'Jullie Joden maken het je maar makkelijk. Nog voordat je iets belooft, vraag je aan God om je van je belofte te ontslaan.'
Hoe vaak had ze niet geduldig uitgelegd: 'In het gebed "Kol Nidrei" vragen we niet aan God om ons te ontslaan van schulden en beloften aan onze medemensen, maar geven we deemoedig toe dat we soms te hoog grijpen en een eed afleggen die we niet kunnen nakomen.
Er wordt ons van kinds af aan ingehamerd, en de rabbijnen herhalen ook in hun preken gedurende de hoogtijdagen voortdurend, dat we van God geen begrip voor onze zwakheden mogen verwachten als we niet eerst in het reine zijn gekomen met onze medemens. De periode tussen Rosh-Hashanah en Jom-Kippoer is bij uitstek de gelegenheid om schulden af te

betalen, geleende zaken naar hun eigenaars terug te brengen, ruzies bij te leggen en beloften na te komen. Als we dat niet hebben gedaan, kunnen we om zo te zeggen op de vooravond van Jom-Kippoer wel thuisblijven.'

Zoals altijd op deze allerheiligste dag van het Joods religieuze jaar, was de algemene sfeer op straat plechtig, terwijl kleine meisjes, bij wijze van secundair ritueel, midden op de rijweg touwtjesprongen. Dat hoorde erbij. Het was een soort bevestiging van het feit dat het verkeer absoluut stillag.

Op de terugweg, toen ze al dicht bij huis waren, reed plotseling totaal tegen de ongeschreven regels van respect voor de medemens een legerwagen luid toeterend door de Jaffastraat. De meisjes stoven verschrikt de stoep op.

'Heb je ooit! Wat een onbeschoftheid,' zeiden de voorbijgangers tegen elkaar. 'Wat een onopgevoede lomperiken. Hun officieren moesten ze eens wat manieren bijbrengen.'

Intussen stopte een tweede legerwagen met knarsende remmen. Een soldaat sprong eruit, smeet het portier dicht, en rende naar een huis, waar hij aan de bel rukte alsof de stad in lichterlaaie stond. Oprecht gechoqueerd door de manier waarop de jongere generatie de vrede van Grote Verzoendag verstoorde, ging de familie Jerushalmi naar huis en naar bed.

De volgende ochtend was Itsik zoals gewoonlijk als eerste buiten. Na tien minuten kwam hij ontredderd thuis met de boodschap dat er een vrouw stond te huilen.

'Ze zegt dat er oorlog is, en dat haar zoon dood is. Alle kinderen zeggen dat ze gek is.'

Jardena probeerde Itsik tot rede te brengen.

'Misschien is haar zoon werkelijk gestorven. Het is vreselijk voor een moeder om haar kind te verliezen, en het kan best zijn dat ze door het verdriet niet weet wat ze zegt. Zeg tegen je vriendjes dat ze die arme vrouw nu even met rust moeten laten. Gaan jullie maar ergens anders spelen.'

Ook Jannai was vroeg op. Vanaf de dag dat hij op de anglicaanse school zat, spande hij zich in om te bewijzen dat hij een Jood was. Hoewel hij nog geen Hebreeuws kon lezen, vroeg hij zijn vader om hem naar de synagoge tegenover hun huis te dragen. Hij wou de dag doorbrengen met bidden en vasten. Nathan zette hem in de synagoge op een stoel vlak bij de open deur, zodat er vanaf het balkon een oogje op hem kon worden gehouden. Hij zat de hele ochtend tussen twee oude mannen, die met merkbaar plezier het kind lieten meekijken in hun gebedenboeken.

Om twee uur 's middags loeiden de sirenes. Dat kon alleen oorlog betekenen. Hoewel Grote Verzoendag de enige dag in het jaar is dat alle Israëlische radiostations uit de lucht zijn, draaiden sommige mensen toch direct aan de knoppen, en al gauw hoorde men de stem van Golda Meir, die meedeelde dat Syrië en Egypte deze allerheiligste dag van het Joodse jaar hadden uitgekozen om Israël gelijktijdig op twee fronten aan te vallen.

Itsik kwam binnenhollen. 'Zie je wel, zie je wel, die vrouw had toch gelijk!'

Nathan haalde Jannai naar huis. De synagoge werd haastig gesloten. Toen om vier uur de middaggebeden gewoon werden hervat, was de jongen niet te houden.

'Juist omdat het oorlog is, moet ik gaan,' zei hij. 'Juist daarom kan ik vandaag mijn vrienden niet in de steek laten.'

Meteen na Jom-Kippoer werd Nathan, die toch al negenenveertig was, voor actieve dienst opgehaald. Het duurde niet lang of men sprak over 'de oorlog van vaders en zoons', want het was geen uitzondering dat vaders en zoons aan elkaars zijde vochten.

Er brak een periode aan van romantische solidariteit met het leger zoals je alleen in oorlogstijd meemaakt. Een vrouwencomité stuurde pakketten naar het front. Wie geen koekjes voor de soldaten bakte, breide kaki mutsen, niet van goedkoop ontvlambaar materiaal maar van pure wol.

In de bus viel een soldaat op Jardena's schouder in slaap. Ze moest er na drie haltes uit maar ze had het hart niet de soldaat te wekken, en dus bleef ze tot het eindpunt zitten om daarna met dezelfde bus weer terug naar de stad te rijden.

Er waren ook uitzonderingen op de algemene solidariteit. Toen Jardena een keer, tegen haar gewoonte, in lange broek in een nogal religieuze buurt liep, spuugde een Chassied in haar richting en zei: 'Het is de straf omdat vrouwen in mannenkleding rondlopen. Daarom doet de Almachtige ons deze oorlog aan.' Om dat te horen uit de mond van iemand die vanwege zijn geloof niet in dienst hoefde, was schokkend.

Sommige seculieren gedroegen zich trouwens niet beter. Machtiger dan hun verering voor ieder die met een geweer rondliep, was hun verachting voor jonge mannen van weerbare leeftijd die dat niet deden. Max, de geboren non-conformist, geneerde zich zo om in burgerkleding over straat te gaan, dat hij zijn afrokapsel opofferde, en een kaki overhemd en broek kocht om maar zo min mogelijk op te vallen.

Toen het duidelijk werd dat deze oorlog langer zou duren dan zes dagen, paste de bevolking zich aan. Moeders deden het werk van vaders, oudste dochters deden het werk van moeders. Kleine kinderen gingen weer naar school. Vered en Itsik, verreweg de meest ondernemende leden van de familie Jerushalmi, deelden limonade en pita's met *choemoes* en olijven uit aan soldaten die buiten de stad stonden te liften.

Max, die zonder Nathan niet veel kon doen, en die wel zag dat niemand in de stemming was om aan 'Jonas in de Walvis' te denken, voelde zich overbodig. Uit pure frustratie ging hij terug naar Nederland.

Op de vijfde dag van de oorlog had het Israëlische leger de Egyptenaren en de Syriërs teruggedreven tot de grenzen van 1967, maar er waren heel wat soldaten gevallen, en er was een nijpend tekort aan tanks, wapens en ammunitie. Israël verloor het ene vliegtuig na het andere, niet in luchtgevechten, maar door sovjetraketten die aan beide fronten onophoudelijk werden afgevuurd.

Nathan las dagelijks voor uit de krant. Syrië en Egypte werden letterlijk bedolven onder sovjetwapens en ammunitie, terwijl Engeland en Frankrijk dit kritieke moment in de geschiedenis van de Joden hadden gekozen om een embargo te leggen op militaire leveringen aan Israël, en president Nixon van Amerika weliswaar met de hand op het hart hulp beloofde, maar treuzelde alsof het om suikerklontjes ging.

Pas op de tiende dag na het uitbreken van de oorlog stuurde Amerika eindelijk het beloofde materiaal per luchtbrug, en dat was geen dag te vroeg.

In het heetst van de strijd kwamen Leonard Cohen en Danny Kaye naar Israël om, zoals ze dat zelf noemden, in actieve dienst te gaan bij het Israëlische leger, liefst in de voorhoede. Ze traden op in legerkampen en ziekenhuizen, voor gezonde en zieke soldaten.

'Geweldig, dat die beroemdheden dat doen,' zei Jardena.

'Zo hoort het,' zei Consuela Baghdádi. 'Joden laten elkaar nooit in de steek.'

Zes weken nadat Jannai was aangereden, mocht het gips van zijn been. Te voorschijn kwam een spillebeen bedekt met een dikke vacht zwart haar. Afhankelijk van de manier waarop Jannai zich gedroeg, leek hij op een jongen met een apenstaart of een aap met een mensenbeen. In beide gevallen bewoog hij zich voort door korte sprongetjes te maken op het normale been, waarbij hij het harige been zwabberend achter zich aan sleepte. Iedereen maakte er opmerkingen over: 'Als je zo doorgaat, moet je been eraf', of 'Als je zo doorgaat, krijg je een nieuw gipsverband, niet voor zes weken maar voor zes jaar'.

Jannai hield vol dat hij niet anders kon. Na een paar dagen had Jardena er genoeg van. Ze riep Nathan en de zeven andere kinderen bij elkaar en zei: 'Het woord been mag twee weken lang niet worden gezegd. Niemand mag ook maar naar Jannai's been kijken. Over twee weken zien we verder.'

Alle kinderen en zelfs hun vader hielden zich aan de spelregels. Na drie dagen liep Jannai normaal, en na een tijdje zag hij er weer normaal uit ook.

De oorlog duurde voort, maar het leven in de stad ging gewoon door. Het Loofhuttenfeest kwam en ging. Vanwege de verplichte verduistering kon men 's avonds niet in het hutje op het balkon zitten, maar de avond die de hoogtijdagen afsloot, en waarop overal ter wereld Joden met de prachtig versierde torahrollen ronddansen, liet niemand zich ontnemen.

Nathan, die nog steeds in dienst was, kon niet mee op een rondje langs de verschillende synagoges om met de jongens te dansen terwijl Jardena met de meisjes toekeek. De liberale synagoge was onder de omstandigheden te ver van huis. Daarom nam Jardena de kinderen mee naar een orthodoxe synagoge in de buurt.

Hoewel alle deuren potdicht moesten vanwege de verduistering, dansten de mannen en zwaaiden de vrouwen vrolijker dan ooit. Maar toen het feest afgelopen was, was het nog niet zo makkelijk om weer thuis te komen. Nergens brandde een straatlantaarn, en er kwam geen straaltje licht door de hermetisch gesloten gordijnen. Shai, die geen steek zag, klemde zich aan Jardena vast. Ook de anderen hielden elkaar allemaal bij de hand. Langzaam schuifelde de levende ketting van negen schakels in de richting van huis. Na een tijdje wenden de ogen aan de duisternis. De hemel, zo ontdekten alle kinderen behalve Shai, bleek bezaaid te zijn met miljarden sterren waarvan ze het bestaan niet hadden vermoed.

In november kwam het aarzelend tot een wapenstilstand met Egypte. Maar er heerste een zeer verslagen stemming. De oorlog was dan wel gewonnen, maar hij had niets opgelost, hij had alleen maar slachtoffers gekost. Israël telde zeshonderd doden en zevenduizend gewonden. De tweehonderddrieëndertig Israëlische krijgsgevangenen werden uitgewisseld tegen drieëntachtighonderd Egyptische. Bovendien wist Syrië van geen ophouden.

Op de zogenaamde vredesconferentie in Genève weigerde de Egyptische delegatie niet alleen om met de Israëliërs aan één tafel te zitten, ze maakten er zelfs bezwaar tegen dat de tafels naast elkaar werden geplaatst.

De verkiezingen werden gesteld op 31 december. Gebelgd over de al of niet terecht naar hun hoofd geslingerde kritiek over het beleid vóór en gedurende de oorlog, traden verscheidene ministers af. Ook binnen de socialistische partij beschuldigde men elkaar van van alles en nog wat. Vanzelfsprekend voer de oppositie daar wel bij. Golda Meir maakte bekend dat ze ermee wou stoppen, maar haar partij liet haar niet gaan. Ze werd herkozen, maar omdat de Arbeiderspartij veel stemmen had verloren, was het een zwaar karwei om een regering samen te stellen.

De Amerikaanse minister van Buitenlandse Zaken, Henry Kissinger, kwam en begon zijn moeizame stoelendans in het Midden-Oosten. Het was niet de juiste tijd om Simcha's bat-mitsvahfeest te vieren. De familie Jerushalmi had tot Grote Verzoendag twee jaar lang bijna dagelijks aan de film 'Jonas in de Walvis' gewerkt, maar het resultaat werd voorlopig alleen in huiselijke kring vertoond. De officiële viering moest wachten op betere tijden.

1974

Op een middag klopten twee orthodoxe Joden in zwarte kledij bij de familie Jerushalmi aan de deur. Ze vroegen Jardena beleefd of ze haar onder vier ogen konden spreken. Jardena stuurde de kinderen de kamer uit en keek haar bezoekers vragend aan. De twee keken niet naar hun gastvrouw maar naar elkaar. Kennelijk hadden ze iets op het hart.

'Er zijn misschien dingen die u voor uw kinderen niet wilt weten,' begon de eerste terwijl hij verlegen over zijn baard streek. 'Dat is de reden dat we u gevraagd hebben ze even de kamer uit te sturen.' Jardena knikte beleefd, al had ze geen idee waar ze op doelden.

'Bent u Joods?' vroeg de tweede. Stomverbaasd keek Jardena van de één naar de ander.

'Ja, ik ben Joods. Hoezo?'

Nu nam de eerste Chassied weer het woord. 'Het probleem is uw zoon die op de anglicaanse school zit. Als u zelf niet Joods was geweest, zelfs als uw kinderen dat niet hadden geweten, waren wij nu opgestapt. Maar nu wij weten dat u wel Joods bent, en dat uw kinderen dus ook Joods zijn, zouden we graag willen weten wat u ertoe heeft gebracht Jannai op een christelijke school te doen.'

Het zou jaren duren voor Jardena enig begrip kon opbrengen voor de bemoeizucht van haar orthodoxe bezoekers. Op het moment zelf zei ze koel: 'Ik verzoek u mijn huis te verlaten.'

In april moest Shai bij het seminarium worden ingeschreven voor de lagere school. De secretaresse, als vertegenwoordigster van het ministerie van Onderwijs, wenste zijn geboortebewijs te zien, maar de sociaal werkster van het adoptiebureau, als vertegenwoordigster van het ministerie van Sociale Zaken, weigerde het af te geven. Adoptie hield in dat het originele geboortewijs met de namen van de biologische ouders ten overstaan van een rechter werd vernietigd, waarna een nieuw geboortebewijs met de namen van de adoptieouders werd uitgeschreven.

Voor Shai was dat tot Jardena's verdriet nog steeds niet gebeurd.

Hoewel Shai en de jongere kinderen meenden dat ze broers en zusters waren, had de officiële adoptie nog steeds niet plaatsgevonden.

Erop vertrouwend dat Nathan nu niet meer zou tegensputteren, belde Jardena het adoptiebureau op met het verzoek om de status van Shai zo spoedig mogelijk te legaliseren. De persoon aan het andere eind van de lijn zei dat ze daarvoor het huwelijkscontract van de adoptieouders nodig had. Jardena bezorgde haar dat nog diezelfde dag.

Een week later vroeg ze: 'Jullie zijn het toch niet vergeten?'

'Maak u geen zorgen. We bellen binnen een paar dagen op.' Maar een week later kreeg ze te horen dat het oorspronkelijke geboortebewijs van baby Tomer nergens te vinden was. Degene die over het dossier ging, vermoedde dat het document verkeerd was opgeborgen tijdens of na één van de vele verhuizingen van het kind, uit het ziekenhuis waar hij was geboren naar het kindertehuis waar hij zijn eerste levensjaren had doorgebracht, daarvandaan naar het Hadassaziekenhuis waar hij was geopereerd, of naar een van de pleegfamilies die hem daarna in huis hadden genomen. Tot overmaat van ramp was het ziekenhuis waar hij was geboren afgebrand. Het archief bestond niet meer.

Jardena kon haar oren niet geloven: 'Bedoelt u dat als een ziekenhuis ophoudt te bestaan, alle mensen die daar geboren zijn ook ophouden te bestaan?'

Nu ging Nathan zich ermee bemoeien. Na een reeks woedende telefoongesprekken met de sociaal werkster van het adoptiebureau, bemachtigde hij een tijdelijk document waarmee Shai op de lagere school kon worden ingeschreven. De secretaresse van het seminarium nam daar voorlopig genoegen mee, maar ze drong erop aan dat het officiële geboortebewijs zo spoedig mogelijk aan haar zou worden getoond.

Op 15 mei infiltreerden terroristen vanuit Libanon het dorp Ma'alot. Ze gingen een huis binnen en schoten een vierjarig jongetje en zijn ouders dood. Vervolgens drongen ze een school binnen en schoten daar eenentwintig kinderen dood en verwondden er tientallen. Israël was in shock.

Jardena, die er nog steeds niet toe kwam om geregeld naar het nieuws te luisteren, ging zoals gewoonlijk naar Nathan met haar vragen: 'De Libanese grens is toch altijd rustig geweest? Had de Libanese regering niet laten doorschemeren dat ze in principe vrede wilden met Israël? Waarom dan deze agressie nu ineens?'

Nathan schudde het hoofd over zoveel onwetendheid. 'De Libanese regering bestaat hoofdzakelijk uit christelijke Arabieren. Maar in het zuiden van Libanon wonen veel Moslims die gedurende onze onafhankelijkheidsoorlog uit Galilea zijn gevlucht. En die zitten nog steeds in kampen, en hebben van de Libanezen nooit het recht gekregen in het land te werken en geld te verdienen. Dus worden ze al zesentwintig jaar door de UNRWA onderhouden, ook al weet iedereen dat ze zich bezighouden met smokkelen, onder andere van drugs. Ze hebben ook inderdaad een uitzichtloos bestaan. En nu reageren ze hun frustraties af op Israël. Zal ik voortaan op vrijdag de Engelse krant voor je kopen?'

Na de tragedie in Ma'alot hadden schoolhoofden en leraren de schrik te pakken. Om alle scholen werden hekken gebouwd, en bij elke ingang werden bewakers geposteerd. Natuurlijk ging dat gepaard met onkosten die geen enkele gemeente langer dan een paar weken kon opbrengen. Alle ouders werden daarom verplicht om eenmaal per maand de school van hun eigen kinderen te bewaken. Dan zaten soms vaders, maar meestal moeders, met z'n tweeën aan de binnenkant van het schoolhek, dat zij met een gewichtig gezicht weigerden te openen voor bezoekers die zich niet konden identificeren. Hoe een jonge, goed getrainde, zwaarbewapende terrorist zou reageren als een gezellig breiende moeke hem de toegang tot de school weigerde, daar dacht men maar niet over na.

De kranten stonden vol van de bevindingen van de Agranatcommissie, die onderzocht had wie wel en wie niet schuldig was aan de blunder op Jom-Kippoer, hoe het kwam dat de regering van tevoren niet geweten had dat er oorlog dreigde, waarom het leger niet beter was voorbereid, hoe het kwam dat de Bar-Levlijn, ten oosten van het Suezkanaal, waar men zich zo op had verlaten, op de eerste dag al was gevallen, en hoe het kwam dat de geheime dienst niet beter ingelicht was geweest.

Ministers en generaals traden af, anderen namen hun plaats in. Yitshaq Rabin werd leider van de Arbeiderspartij, en als zodanig minister-president.

En weer huurde Jardena een huisje aan zee. Hetzelfde als het jaar ervoor. Apollo mocht mee. Zodra ze aankwamen rende hij naar het postkantoor en snuffelde rond alsof hij aannam dat zijn oorspronkelijke baas daar een jaar lang op hem had staan wachten. Toen dat niet het geval bleek te zijn, ging hij er nooit meer heen.

Vered was dit jaar niet van de partij. Zij was als saxofoniste van het jeugdorkest op tournee door Europa. Daarentegen kwamen de zoontjes van Chava om de beurt een paar dagen logeren. Tegen het eind van de vakantie kreeg Jifrach, die inmiddels vier was, een ziekte die de plaatselijke arts diagnostiseerde als zandmalaria. Het kind had hoge koorts en zijn hele lichaam jeukte. Hij mocht onder geen voorwaarde naar het strand.

Perla en Simcha waren oud genoeg om in hun eentje naar zee te gaan. Itsik en Consuela beloofden plechtig dat ze hun oudere zusters en de badmeester zouden gehoorzamen. Maar wat moest Jardena doen met Jannai en Shai, die ze al nauwelijks met zichzelf vertrouwde? Op een middag bood Perla aan om bij Jifrach te blijven, zodat haar moeder de gelegenheid kreeg met de andere kinderen naar zee te gaan. Om daar te komen hoefden ze alleen de straatweg over te steken en af te dalen naar een klein strandje met ondiepe poeltjes tussen de rotsen, maar zonder badmeester. Toen de kinderen klein waren, speelden ze graag in die poeltjes, maar nu ze ouder waren, wilden ze liever in de echte zee zwemmen.

Ten zuiden van het kleine strandje was een brede strook gereserveerd voor de gasten van het ultraorthodoxe Hotel Sanz. Nog verder naar het zuiden was een tweede brede strook strand voor algemeen gebruik. Dat stuk heette De Vier Seizoenen, naar het dichtstbijzijnde hotel. Op het Sanzstrand zaten nooit tegelijk mannen en vrouwen. Als het de beurt van de mannen was, lagen ze met ontbloot bovenlijf languit in het zand of op ligstoelen, met zonnebrillen en kranten. Alleen aan hun pijpenkrullen en keppeltjes kon je zien dat ze vrome Joden waren. De vrouwen droegen op het strand badjassen die tot aan hun kin waren dichtgeknoopt, en met mouwen tot over hun polsen. In het water droegen ze regenjassen tot hun enkels over hun zwempakken heen. De badmeester voor beide seksen was een man wiens brede gebronsde borstkas provocerend uitstak boven een onmogelijk strak zwembroekje.

Op uren dat de vrouwen en kleine kinderen aan de beurt waren, kon de familie Jerushalmi zonder bezwaar over het Sanzstrand lopen, maar als het mannenbeurt was, konden ze of op het kleine strandje aan de noordkant blijven, of ze moesten een omweg maken langs de hete, gevaarlijke rijweg, om zo bij De Vier Seizoenen te komen, waar ze onder toezicht van een andere badmeester, eveneens uitgedost in supergeil zwembroekje, naar hartenlust konden zwemmen.

Op de middag dat Perla met Jifrach thuisbleef, bleek het mannenbeurt te zijn op het Sanzstrand, zodat Jardena en de kinderen de onaangename omweg moesten maken. Na een paar gezellige uren aan zee, werd Jardena bevangen door een vlaag van ongerustheid over haar jongste. Plotseling kon ze het niet meer uithouden. Ze wou zo gauw mogelijk naar huis. Simcha, de geboren regisseur van familievoorstellingen, stelde voor dat zijzelf en haar moeder hun jurk over hun badpak zouden aantrekken, en dat de hele groep, inclusief Consuela, die met haar korte haren en piepkleine badbroekje graag voor jongen doorging, gewoon non-stop langs het verboden strand zou hollen. Simcha legde de kinderen het plan uit, Jardena verdeelde de bagage, en daar gingen ze in dichte formatie: 'Eén twee, één twee, links rechts, links rechts, doorlopen jongens, niet op- of omkijken, niet stoppen.'

Nauwelijks hadden de kordate leden van Simcha's stoottroep de verboden zone betreden of ze stuitten op tegenstand.

'Ga weg! Vrouwen, vrouwen! Wegwezen!'

Sommige mannen gooiden met zand, andere schudden dreigend met hun vuisten. Zelfs de badmeester, hoog op zijn toren, blies opgewonden op zijn fluitje. Maar de familie Jerushalmi rende door. Boven het lawaai uit hoorden de leden van de patrouille de opzwepende stem van hun aanvoerster: 'Links rechts, links rechts. Niet laten afleiden. Niet stilstaan. Niet antwoorden. Doorlopen!'

Een man op leeftijd met een verwaaide baard probeerde Jardena terug te duwen in de richting vanwaar ze was gekomen, maar ze was niet in de stemming om zich door wie dan ook te laten dwarsbomen. Hij duwde haar, en zij duwde hem. Hij sloeg haar, en zij sloeg hem. In minder dan geen tijd liep het gedouwel uit op een serieus handgemeen. Toen Jardena later aan het voorval terugdacht, vroeg ze zich lachend af hoeveel vrouwen ooit in de surrealistische situatie waren geweest van slaags raken met een ultraorthodoxe Jood in badbroek. Maar op het moment zelf viel er niets te lachen. De agressor was sterker dan het slachtoffer. Bovendien naderden zijn handlangers in groten getale. Jardena maakte rijkelijk gebruik van haar vuisten, maar het was best angstig.

Alweer was Simcha de reddende engel. 'Zondaar,' schreeuwde ze in het oor van de woedende man. 'U raakt een vrouw aan! U begaat een doodzonde.' De man kwam plotseling tot bezinning. Geschrokken door de aanklacht, trok hij zijn handen terug en schudde ze met afschuw.

'Hollen!' riep Simcha en daar gingen ze weer: één twee, links rechts.

Thuis lag Jifrach in een diepe gezonde slaap en had Perla stilletjes het huis opgeruimd en voor de hele familie pannenkoeken gebakken.

Op 24 juli drongen terroristen een huis in Nahariyya binnen en doodden daar een moeder en haar twee kinderen. Als tegenactie zetten de volgende dag honderden Israëliërs waaronder zelfs enige parlementsleden hun tenten op bij Sebastia in Samaria. Het was tegen de wet. Ze hadden geen vergunning. Dat kon ze niets schelen. Het leger jaagt jullie weg, zei de regering. We verzetten geen poot, zeiden de pioniers. Elnakam was een van de raddraaiers. Nathan schudde gegeneerd zijn hoofd. Na vier dagen sleepten Israëlische soldaten hun ongezeggelijke broeders letterlijk terug over de 'groene lijn', zoals Israël zijn grenzen van vóór de zesdaagse oorlog noemde.

Een paar dagen later werd de Italiaanse aartsbisschop Kaputchi op heterdaad betrapt toen hij in zijn auto, die kerkelijke onschendbaarheid genoot, revolvers, geweren, en tweehonderd kilo springstoffen voor terroristen naar Judea en Samaria vervoerde.

'Heb je ooit! Ik zie die man elke dag langs mijn huis rijden,' riep Elnakam verbluft uit.

Nathan had zijn antwoord gereed. 'Wie in vijandelijk gebied gaat wonen, ziet vijanden om zich heen.'

'Gelukkig heb ik een pistool,' grinnikte Elnakam. 'Maar dat hoef ik Kaputchi niet voor z'n neus te houden. Die gaat mooi achter de tralies.'

'Dat valt nog te bezien. Hij is tenslotte aartsbisschop. Wedden dat de paus zich ermee gaat bemoeien?'

Kaputchi kreeg twaalf jaar, maar hij zou al na drie jaar naar Italië worden uitgewezen als gebaar van goede wil tegenover het Vaticaan.

Intussen bleven Nathan en Elnakam elkaar over alles tegenspreken.

'Ach kind, ik ben aan hun gekissebis gewend,' zei Consuela Baghdádi tegen haar schoondochter. 'Dat doen ze al van jongs af aan, en ik hou van allebei. En wat misschien nog belangrijker is, ze houden van elkaar. Waarom zouden ze anders hun leven zo hebben ingericht dat ze totaal van elkaar afhankelijk zijn met die kunstzaak van ze?'

'Welja,' beaamde Jardena. 'Er zijn broers die het een stuk bonter maken. Neem nou die leraar van Perla. Hij is een broer van opperrabbijn Ben Eliyahu. Niet alleen loopt hij zonder keppeltje, maar hij draagt zijn haar in een paardenstaart en kan zijn handen niet van de meisjes afhouden.'

'Dat is nog niks vergeleken bij Bruno Kreiski en zijn broer', vond Consuela Baghdádi. 'Kanselier van Oostenrijk is die Bruno! Hij moest zich schamen! Een Jood wiens halve familie door de nazi's is uitgeroeid. Onpartijdig wil hij zijn! Dat betekent voor hem zeker heulen met de Arabieren. De Russische Joden, die na zoveel jaar eindelijk druppelsgewijs hun land uit mogen ... hoe haalt de man het in z'n hoofd om die nu te verbieden over Wenen te reizen. En dat terwijl hij heel goed weet dat ze geen enkele andere mogelijkheid hebben om op aliyah te komen. Maar het ergste vind ik nog dat hij zijn eigen broer in Jeruzalem laat creperen! Een orthodoxe Jood in Mea Shearim die moet bedelen. De broer van de Oostenrijkse kanselier. Een schande is het!'

Na de zomervakantie moest Jifrach, die gelukkig weer helemaal de oude was, naar een kleuterschool. Hoewel de meeste schooltjes in de buurt al waren volgeboekt, vond Nathan toch een leuk klasje waar nog twee plaatsen beschikbaar waren. Toen hij echter zijn zoon wou inschrijven, beweerde de kleuterleidster dat ze die twee plaatsen vrij moest houden voor mogelijke Russische immigranten. Jardena was woedend. Het was waar dat Joden uit de Sovjet-Unie het vorige jaar geleidelijk aan hun weg naar Israël hadden gevonden, maar het was net zo waar dat Kreiski de kurk nu weer stevig op de fles had gedrukt. Hadden hypothetische immigranten, die hun kinderen al of niet, en eventueel in de toekomst, in een kleuterklasje in Machaneh-Yehoedah zouden willen plaatsen, meer rechten dan een vader van acht in het land geboren en getogen kinderen, die aan alle Israëlische oorlogen actief had deelgenomen?

Inderdaad, zo waren de instructies.

Maar waar moest Jifrach nu naar school?

Nathan speurde verder. Hij vond een plaatsje in de klas van Tamar, een kleuterleidster die zo vriendelijk en vrolijk was dat hij en Jardena zich achteraf gelukkig prezen dat ze bot hadden gevangen bij de andere kleuterklas. Ze waren trouwens niet de enigen die in Tamar iets bijzonders zagen. De ambtenaren van het ministerie van Sociale Zaken dachten er net zo over. Zij kozen haar uit voor een experiment. Op een avond werden de ouders van alle kinderen uitgenodigd voor een vergadering met een psychologe, die uitlegde dat drie blinde jongetjes in het kleuterklasje geplaatst zouden worden, in een poging hen vanaf hun prilste jeugd in een normale omgeving te laten opgroeien. Veel ouders waren tegen dit plan, omdat ze bang waren dat het intellectuele peil van de kleuterschool zou dalen. Eén van de moeders hield echter een warm betoog waarin ze aanvoerde dat de kleuters tijd genoeg zouden hebben om feiten en wetenswaardigheden te vergaren als ze op de universiteit studeerden, maar dat ze door dagelijkse omgang met blinde kinderen een unieke gelegenheid zouden krijgen om zich in mededogen en respect voor minder bevoorrechten te oefenen. Nathan en Jardena en nog een groot aantal ouders stemden er van harte mee in en de blinde jongetjes kwamen.

Zelfs de onvolprezen Tamar en haar trouwste bondgenoten, onder wie Jardena, moesten toegeven dat er vaak geen land mee te bezeilen was. De blinde jongens waren verwend en agressief. De meeste kleuters losten het probleem op door zo ver mogelijk uit hun buurt te blijven. Jifrach hoorde tot de weinigen die hen aankon. Als één van hen wilde spelen, bood hij zich als toegewijde partner aan. Maar als een blind jongetje er driftig op los sloeg, zette Jifrach hem meedogenloos op z'n nummer. Al spoedig leerden de blinde jongetjes de regels van het spel in een gemeenschap van zienden. Aan het eind van het jaar kon Tamar rapporteren dat het experiment was geslaagd.

Jannai ging nu naar de tweede klas van de internationale anglicaanse school die – gezien de nationaliteiten die er waren vertegenwoordigd – de inmiddels aan zijn naam toegevoegde aanduiding 'internationaal' ruimschoots verdiende. Op een dag hoorde Jardena een klasgenootje van Jannai, de Duitse Gerhard, in het Engels verkondigen: 'Ik word later beroepsofficier. Ik hou van al die medailles en van geweren, weet je wel. Ik wil mijn leven lang soldaat zijn.'

Waarop Jannai antwoordde: 'Als je je leven lang soldaat wilt zijn, vrees ik dat je leven niet lang zal zijn.'

Ook Jardena ging na de grote vakantie naar school. Ze had een halve baan aangenomen als tekenlerares op de school van Vered, de Open School in het voormalige Arabische dorpje Lifta, even ten noorden van de weg tussen Jeruzalem en Tel Aviv. Het dorp bestond uit een handjevol vervallen huizen, die door de bewoners in 1948 gedurende de onafhankelijkheidsoorlog waren verlaten.

Een aantal voornamelijk uit de Verenigde Staten afkomstige intellectuelen die niet tevreden waren met de bestaande middelbare scholen in Israël, had twee huizen van het dorp aangekocht en laten opknappen. Vervolgens richtten zij met behulp van pedagogen en leraren een van staatswege erkende school op. Volgens het door de ouders gepropageerde systeem mocht iedere leerling zijn of haar eigen lesprogramma samenstellen. Had een bepaalde leerling zijn zinnen gezet op een vak dat in de regel niet op de middelbare school werd onderwezen, dan werd alles in het werk gesteld om aan zijn wens tegemoet te komen. Zo kwam een oude, sinds jaar en dag gepensioneerde Française tweemaal per week naar Lifta om een drietal leerlingen Frans te onderwijzen. Vered, die al jarenlang probeerde om met haar grootmoeder Consuela Frans te spreken, was één van de bevoorrechten. Ontstellend vaak was zij de enige leerling die verscheen.

Een andere lerares liep mank, en kon onmogelijk de steile weg naar en van het dal op eigen kracht afleggen. De oudercommissie schafte een ezel aan op de rug waarvan de oude lerares iedere ochtend voor schooltijd door een paar leerlingen naar beneden, en na schooltijd weer naar boven werd geleid. Jardena, die grote verwachtingen had van de Open School, stelde zich voor dat ze kleine groepjes uitermate creatieve en gemotiveerde tieners zou onderwijzen die, net als zijzelf vroeger, ook na schooltijd maar niet konden ophouden met tekenen en schilderen.

Op de eerste dag van het nieuwe schooljaar kreeg iedere leraar een klaslokaal toegewezen, waarin hij of zij het programma voor de komende maanden uiteenzette. Een twintigtal geïnteresseerden kwam luisteren naar wat de nieuwe tekenlerares te vertellen had. Hoewel Jardena haar introductie zorgvuldig had voorbereid, en ze de voorgeschreven tien minuten niet overschreed, hadden de leerlingen noch het geduld, noch de beleefdheid om haar tot het eind toe aan te horen. Eén voor één verlieten ze het klaslokaal, hetzij om te gaan kijken wat zich elders afspeelde, hetzij om op de trap te gaan zitten roken. Aan het eind van de tien minuten bestond haar gehoor alleen nog uit de identieke tweelingen Tobias en Melchior, twee jongens die in alle vakken zo knap waren dat zelfs de beste leraren ze weinig nieuws konden bieden.

Er was een tweede stel identieke tweelingen op de school. Dat waren de blonde langharige El Grecoachtige Gabriël en Katriël, wier beste vriend een iets donkerder individu was van eendere lichaamsbouw en met eendere haardracht. In de eindeloze wekelijkse lerarenvergaderingen droeg dit pittoreske drietal de collectieve naam de Jezussen.

Jardena had nooit het genoegen de ouders van de donkere vriend te ontmoeten, maar de ouders van de blonde Jezussen kwamen soms op school om naar de vorderingen van hun spruiten te informeren, vorderingen die helaas non-existent waren, aangezien de jongens nooit wat uitvoerden. In één van haar gesprekken met de kleine, mollige, fysiek aardse maar geestelijk zweverige moeder van dit wonderlijke tweetal, vernam Jardena dat zij de enige kinderen waren van hun allang niet meer jonge ouders, en dat ze in Afrika waren geboren. Hoewel hun moeder in psychologieboeken had gelezen dat het niet wenselijk is om identieke tweelingen bij elkaar in de klas te doen, had ze geen keus gehad, daar er in het oerwoud nu eenmaal geen parallelklassen bestonden.

Al op zeer jonge leeftijd besteedden Gabriël en Katriël meer energie aan het misleiden van hun medemensen dan aan pogingen iets van hen op te steken. Het gerucht ging dat ze sinds hun zestiende geregeld met dezelfde meisjes naar bed gingen, zonder dat de uitverkorenen wisten dat ze niet één maar twee minnaars hadden.

Het interesseerde Jardena niet met wie de Jezussen naar bed gingen. Haar probleem was dat hun apathische houding en smachtende blikken niet stimulerend werkten, noch voor de andere leerlingen, noch voor de leerkrachten. Ze lieten een gordijn van inertie neer rondom de school. Al spoedig bepaalden de drie Jezussen en hun gestaag groeiend aantal discipelen de sfeer in Lifta. Tot de zeer weinigen die zich niet in de amorfe massa lieten opnemen, hoorden de geniale Tobias en Melchior, die hun energie hoofdzakelijk uit elkaar putten.

De vader van deze tweeling woonde in Londen. Hun moeder was speciaal van Be'er sheva naar Jeruzalem verhuisd om haar wonderkinderen in de gelegenheid te stellen de educatieve voordelen van de Open School in Lifta te genieten. Ieder die het fijngebouwde moedertje met haar jongenskop en grote blauwe ogen, in T-shirt en jeans in de stad zag lopen, geflankeerd door haar twee forse zoons, zou gezworen hebben dat hij een identieke drieling aanschouwde waarvan de middelste enigszins in ontwikkeling was achtergebleven.

Al gauw ontdekte Jardena dat het verschil tussen leraren en leerlingen in de Open School eruit bestond dat de leerlingen niet verplicht waren in de klas te verschijnen als ze er toevallig geen zin in hadden, terwijl de leraren, die immers voor hun aanwezigheid werden betaald, niet weg konden blijven zonder een briefje van de arts. In weer en wind liep ze driemaal in de week naar school, om er vaak twee uur moederziel alleen in het tekenlokaal door te brengen. Een enkele keer had ze de eer daar twee meisjes te ontmoeten. Als echter de les hun niet binnen vijf minuten boeide, verdwenen ze alras om met de Jezussen te gaan zonnebaden of bij de kachel te klitten, al naargelang de tijd van het jaar.

De enige die voordeel trok uit de absurde situatie, was de tweeëntwintigjarige zuster van een Amerikaanse jongen die als leerling aan de Open School stond ingeschreven. De jongedame was in Israël met vakantie, en had toestemming gekregen aan de teken- en schilderlessen deel te nemen, met het gevolg dat zij privélessen kreeg op kosten van de school.

Een van de leraren van de Open School introduceerde de nieuwe tekenlerares bij het merkwaardige echtpaar John en Vera Wood. Beiden waren geboren in Engeland en hadden lang in India gewoond. Ze waren fel tegen iedere vorm van religie, en toch kon men ze onmogelijk atheïsten noemen. Veeleer leek het of John en God een unieke relatie hadden, die zo rechtstreeks was dat er geen kerk of synagoge aan te pas hoefde te komen. Jardena veronderstelde dat God op een goede dag vanuit een brandende braamstruik had gezegd: 'John Wood, sta op, ga naar het land dat ik je zal wijzen, en bak daar brood voor mijn uitverkoren volk.' Dat was in elk geval wat John deed: hij bakte gezond brood voor de Joden, en onderwees ze gelijktijdig hoe ze het zelf konden doen. John, die wel wist dat hij het eeuwige leven niet had, hoopte op deze manier iets wezenlijks bij te dragen aan de gezondheid en de zielenrust van het Israëlische volk. Hij had één enkele oven, waarin hij per keer niet meer dan elf broden kon bakken. Hij verkocht elk brood voor het symbolische bedrag van één enkel Israëlisch pond aan degenen die er het eerst om kwamen. Bovendien verkocht hij aan niemand, zelfs niet aan de premier, zei John, meer dan één brood per dag. Ook was het niet mogelijk een brood te reserveren. Wie een van zijn heerlijke broden wou bemachtigen, moest vroeg genoeg komen om tot de elf eersten van die dag te horen, want waar het John om was begonnen, was dat je zelf aan het werk ging. Hij verzocht de wachtenden altijd om iets te doen: meel voor de volgende dag zeven of ingrediënten sorteren en afwegen of graan malen met de grote handmolen. En hij deed dat zo beminnelijk dat je onmogelijk kon weigeren. Zodoende leerde je alle stappen van het proces, of je dat nu wilde of niet, en of het je interesseerde of niet. Het was Johns vurige wens dat zijn cliënten de gewoonte zouden aannemen thuis hun eigen gezonde brood te bakken, en dat ze in de loop van de tijd de kunst van het bakken ook aan hun vrienden en buren zouden doorgeven.

Lange tijd ging Jardena ten minste tweemaal per week naar Johns bakkerij. Als op een zondag het weer zo slecht was dat Jannai niet naar de dierentuin kon gaan, nam ze hem mee. Fanatiek als het kind was, stond hij soms nog aan de reusachtige handmolen te draaien, als zijn broertjes en zusjes thuis het heerlijke brood al hadden opgesmikkeld.

Iemand die John dikwijls hielp in de bakkerij, en met wie Jardena het goed kon vinden, was de niet-Joodse, Duitse Hilde, met haar goudblonde lokken en melancholieke glimlach. Ze was iets over de dertig en het was niet moeilijk te berekenen hoe oud haar ouders in de Tweede Wereldoorlog ongeveer waren geweest.

Als jong meisje had Hilde literatuur gestudeerd. Als studente had ze deelgenomen aan linkse relletjes in haar geboortestad, waarbij ze zwaargewond was geraakt. Na een bijna miraculeus herstel had ze zo de pest aan Duitsland gekregen dat ze in Londen was gaan wonen. Daar was ze met een Engelsman getrouwd en had ze een zoon gekregen. Ze kon echter geen rust vinden en bleef behoefte voelen om te boeten voor de zonden van de vorige generatie.

Ze verliet man en kind om door de wereld te dwalen, op zoek naar de heilige graal die haar leven zin zou geven. Ergens in Europa had ze de Israëlische clown Joël ontmoet die, al even rusteloos als zij, op straat kunstjes vertoonde en met de pet rondging. Het was liefde op het eerste gezicht. Hilde leidde uit deze samenloop van omstandigheden af dat haar toekomst in het vaderland der Joden lag, en dat zij moest helpen dat tot bloei te brengen. Hier zou ze kinderen krijgen, Joodse kinderen, en zo zou ze mee helpen bouwen aan de toekomst van Israël. Evenals de Duitsers van haar vaders generatie, wist zij niet beter of de kinderen van een Joodse vader waren net zo Joods als de zoon van een Engelse vader Engels was. Het kwam niet bij haar op dat het Joodse volk een andere visie had op de overerving van het jodendom. Eenmaal in Israël, begon ze in te zien dat er heel wat struikelblokken op haar weg lagen. Joden willen helpen was niet genoeg. De Joden moesten de hulp ook willen accepteren. Geleidelijk aan veranderde het lichamelijke werk dat Hilde bij John en Vera verrichtte in een straf die ze zichzelf oplegde als boetedoening voor wat haar landgenoten hadden gedaan. Een andere straf die ze voor zichzelf had bedacht, was het verbod om elektriciteit te gebruiken. Een buurvrouw wou haar een tweedehands wasmachine cadeau geven, maar ze stond erop de was met de hand te doen, en in plaats van een tweedehands naaimachine te gebruiken, naaide en verstelde ze kleren tot diep in de nacht met de hand en bij kaarslicht. Joël werkte als clown, timmerman en manusje-van-alles. Toen het jonge paar min of meer gesetteld was, lieten ze Hildes Engelse zoon uit Londen komen en veranderden zijn naam in David.

In de tijd dat Jardena en Hilde elkaar bij John en Vera Wood leerden kennen, verwachtte Hilde een kind van Joël. Het meisje werd thuis bij kaarslicht geboren. Jardena bracht Hilde haar oude kinderwagen, maar ze weigerde het geschenk, omdat haar strafwetten voorschreven dat ze het kind dag en nacht op de arm moest dragen. Vera's pogingen om Hilde bij te staan hadden al even weinig succes.

De enige van wie ze weleens steun aanvaardde, maar alleen op het morele plan, was John, die door zijn bijna heilige persoonlijkheid uit iedereen het beste wist te halen.

Intussen was het alweer december. Terwijl de Christenen 'Vrede op Aarde' zongen, wierp een Moslim een granaatbom in een bioscoop in Joods Jeruzalem. Twee doden. Eenenvijftig gewonden.

1975

Geïnspireerd door het idealisme van John Wood, bleef Jardena, ondanks de ongemotiveerde leerlingen, lange tijd positief ingesteld met betrekking tot de Open School in Lifta. Ze begon zelfs te dagdromen dat ze tot directrice van de school werd benoemd, waarna ze met grote toewijding en autoriteit orde op zaken stelde, waarvoor eenieder haar eeuwig dankbaar was.

Om reëel te blijven, organiseerde ze eerst maar eens een happening op Toe biShwat, het verjaardagsfeest van de bomen, dat deze keer in januari viel. Ze bracht op de dag van het feest een enorme lading goedkoop papier, goedkope verf en dikke kwasten naar school. Daar vroeg ze aan iedereen om op de vellen papier met forse trekken een groen boomblad of een kleurige fantasiebloem te schilderen. De volgeverfde vellen papier werden met wasknijpers aan touwen gehangen, die kriskras door de grote zaal waren gespannen. Op die manier moest er een soort sprookjesbos ontstaan, waarin leraren en leerlingen samen zouden picknicken.

Het programma was lang van tevoren aangekondigd. Als resultaat liet op de dag zelf meer dan de helft van de leerlingen én leraren verstek gaan. Degenen die waren komen opdagen, schilderden één of twee bloemen, maar daarna begon het spelletje hun al te vervelen. Jardena deed haar best iedere potentiële artiest die zich in de deuropening vertoonde aan te moedigen met de woorden: 'Kom binnen, help ons een handje! Je mag schilderen wat je wilt. Het hoeft niet eens iets voor te stellen. Gewoon gekleurde vlekken zijn ook welkom. Maar probeer eens een margriet, een tulp, een paddestoel, een groen blad, wat je maar wilt.' Nimrod, een reus van een kerel uit de hoogste klas, wiens vader een bekende kunstenaar was, pakte een pot zwarte verf en wandelde langzaam naar de beschilderde vellen papier die al aan de lijnen hingen. Met een zorgvuldig gebaar trok hij een dik zwart kruis over ieder blad. 'Nee,' riep Jardena verschrikt uit. 'Niet doen!' Maar de spelbreker ging onverstoorbaar door. 'Heb je niet gezegd dat we mochten schilderen wat we wilden?' vroeg hij uitdagend. 'En als ik nou zin heb om zwarte kruisen te zetten? Hè? Wat doe je daar dan tegen?'

'Hou onmiddellijk op!' riep Jardena boos. Met een minachtende blik leegde Nimrod de pot zwarte verf over de bladeren en bloemen die op de grond lagen te drogen, waarop hij het klaslokaal verliet, gevolgd door de laatste paar leerlingen die nog geprobeerd hadden iets te maken van het feest. Lang voordat het sprookjesbos uit de grond was getoverd, bleef Jardena niets anders over dan te gaan dweilen. Dweilen en huilen. Als een klein kind zat ze in haar eentje in het mislukte bos. Wat had ze zelf vroeger veel van school gehouden. Zelfs in de oorlog, vooral in de oorlog, toen school het enige was waar je nog houvast aan had. Zelfs toen er geen papier meer te krijgen was, wou ze zo graag huiswerk maken dat ze met potlood schreef in plaats van met pen en inkt, en haar schriften keer op keer leeggumde om ze opnieuw te kunnen gebruiken. Het was onder het huiswerk maken, op een dag dat alleen de onderduikers en zijzelf thuis waren, dat ze de Duitse soldaat over het hek van de achtertuin had zien klimmen. Op hetzelfde moment belde iemand aan de voordeur. Jarenlang had Jan Vreeland zijn dochters gedrild voor precies dit moment. Jarenlang had hij gehoopt dat de situatie zich nooit zou voordoen. Jarenlang had Reinie heimelijk het omgekeerde gehoopt, niet omdat ze de onderduikers iets vreselijks toewenste, maar omdat ze hen zo ontzettend graag wilde redden. En toen, op die ijzig koude dag in januari 1945, was het moment gekomen. Haar lichaam reageerde sneller dan haar verstand. Het was alsof haar benen uit zichzelf naar de keuken renden, en alsof haar hand uit zichzelf de achterdeur op slot draaide.

'Aufmachen. Openmaken die deur,' riep de Duitser.

'Het lukt niet,' riep Reinie terug. 'De sleutel wil niet. Wacht, er wordt aan de voordeur gebeld.'

Maar op weg naar de voordeur schoof ze haar hand achter de jassen aan de kapstok, om daar het schakelaartje driemaal aan en uit te knippen om de onderduikers, die een verdieping hoger zaten, te waarschuwen. Het zoemertje zat in de poot van hun bed, en de constructie werkte op een batterijtje, want elektriciteit was er allang niet meer. Aan uit, aan uit, aan uit. Dat was het sein.

In plaats van vervolgens de voordeur te openen, ging ze terug naar de woonkamer en gumde twee hele bladzijden van haar rekenschrift uit. Twee bladzijden, dat was de tijd die de onderduikers nodig hadden om te verdwijnen als afwaswater door de gootsteen. Als een onzichtbare poppenspeler die aan alle touwtjes trok, regisseerde ze het stuk. Langzaam deed ze het schrift in haar schooltas en slenterde met tas en al naar de voordeur om de Duitser en zijn Nederlandse handlanger binnen te laten. Alsof ze voor een spiegel stond, zag ze zichzelf aan de voordeur staan: een schoolmeisje met vlechten en een schooltas, die de bezoekers glimlachend uitnodigde om binnen te komen. De Duitser rende naar de achterdeur en liet zijn maat binnen. De NSB'er stelde vragen in het Nederlands. 'Waar is je vader?'

'Weet ik niet.'

'Waar is je moeder?'

'In het ziekenhuis.'

'Welk ziekenhuis?'

'Weet ik niet.'

'Schiet op, naar boven.'

In vaders werkkamer waren de onderduikers bezig geweest waterige soep te koken op een piepklein potkacheltje.

'Wie heeft de kachel aangemaakt?'

'Ik.'

'Wie is die soep aan het koken?'

'Ik.'

Op dat moment kwam Vera thuis. De Duitsers sloten de meisjes op in vaders werkkamer en doorzochten het huis. Vera scheurde de twee schoongegumde bladzijden uit Reinie's schoolschrift. Met grote letters schreef ze op de ene: 'WAARSCH.' en op de andere 'VADER'. Samen wachtten de zusjes bij het raam tot de betrouwbare buurman, die links van hen woonde, voorbijkwam. Vera klopte hard op het raam. De buurman keek naar boven, knikte bijna onmerkbaar en liep door.

De NSB'er stormde de kamer binnen en vroeg wat het lawaai te betekenen had, maar de beschreven bladzijden waren al in het potkacheltje verdwenen. De buurman had geen idee waar hij Jan Vreeland kon bereiken, maar op dat moment kwam Eva de straat in lopen. Hij riep haar binnen, en Eva, die met haar negen jaar net zo goed gedrild was als haar zusjes van elf en dertien, wist het wel, en kreeg het voor elkaar om vader te waarschuwen.

Plotseling hoorden Vera en Reinie een vreugdekreet. Hadden de Duitsers het schuilhok ontdekt? De zusjes beefden van angst om het lot van de onderduikers. Maar nee, de huiszoeking had iets veel beters opgeleverd: de schildpadden, die al jaren de geliefkoosde huisdieren van de familie Vreeland waren en die in een kistje in de kelder lagen te overwinteren. In optocht marcheerden de heren huisdoorzoekers vaders werkkamer in. Eén van de Duitsers, zo bleek, was kok van beroep. 'Mes,' snauwde hij de NSB'er toe. De NSB'er bracht een mes uit de keuken en het duurde niet lang of de schildpadden lagen in de soep te koken. Reinie en Vera wendden kokhalzend hun blik af. De NSB'er zag het en lachte minachtend.

'Proeven?' vroeg hij.

Nadat de indringers hun buik hadden volgegeten, gingen ze voldaan weg. Diep in de nacht kwam Jan Vreeland en bracht de onderduikers, die nog steeds in het schuilhok zaten, naar een ander adres. Alle drie overleefden ze de oorlog. De kinderen gingen de volgende dag bij vrienden logeren.

'Maar dat was dertig jaar geleden,' zei Jardena hardop. 'Toen dacht ik dat ik in mijn eentje de wereld kon hervormen. Vandaag weet ik dat ik nog niet eens één enkele school kan hervormen.'

Ze wrong de dweil uit en leegde de emmer met het pikzwarte water in de wc. Wat maakte het allemaal uit? Het bos was geen echt bos, de bloemen waren geen echte bloemen, en Nimrods kruisen waren geen hakenkruisen. Het geluk bestond niet uit papieren bomen van eigen makelij. Het geluk was een levend bos vol bomen en planten die soms bloeiden en soms niet. Het enige wat je kon doen was zorgen dat al dat levende spul genoeg water kreeg, en hopen dat je niet net naar links keek als er rechts iets bloeide.

Een plantje dat haar volle aandacht vroeg was Shai. De secretaresse van zijn school belde iedere week op om te vragen hoe het nu met dat geboortebewijs zat. Als ze het niet zeer binnenkort kreeg, zou het kind van school moeten.

Als reactie op het dreigement, belde Jardena tweemaal in de week het adoptiebureau op om de sociaal werkster tot actie te manen, maar er zat totaal geen schot in de zaak. Zou die arme Shai na alle verhuizingen en overplaatsingen, nu ook nog van school moeten veranderen? En welke school zou hem accepteren als zijn ouders geen geboortebewijs konden overleggen?

Intussen kondigde de directeur van de Open School een bio-energetisch weekend aan, niet voor de leerlingen deze keer, maar uitsluitend voor de leraren. Een soort bonus dus, een herhalingscursus, stelde Jardena zich voor. Ze had nooit van het woord 'bio-energie' gehoord, maar het zou wel iets te maken hebben met biologie en met energie. Machtig interessant dus. Ze was best aan een verzetje toe en wou er graag aan meedoen. Toen ze te horen kreeg dat de deelnemers aan de cursus een trainingspak moesten meebrengen, leidde ze daaruit af dat er blijkbaar experimenten in de natuur zouden worden gedaan. Haar verwachtingen groeiden met de dag.

Zo kon het gebeuren dat ze totaal onvoorbereid in een psychische put viel, waar ze slechts na jaren en met vakkundige hulp weer uit zou weten te klimmen.

De meeste deelnemers aan de cursus waren helemaal geen leraar aan de Open School. Ze bleken elkaar niet eens te kennen. Sommigen kwamen zelfs van buiten de stad. De leider heette zoiets als Roland of Roger en sprak uitsluitend Frans. Jardena was één van de weinigen die hem zo'n beetje verstond. Ze werd dan ook onmiddellijk tot vertaalster gebombardeerd. Roland deelde de aanwezigen mee dat ze gezamenlijk een intensief weekend zouden beleven, met emotionele uitbarstingen, en dat alles afhing van de wederzijdse hulp die de deelnemers elkaar zouden bieden. Als een deelnemer in de loop van het weekend voelde dat hij of zij het niet langer aankon, was die persoon vrij om de groep te verlaten, maar terugkomen was niet toegestaan. Toen dat duidelijk was, liet Roland de deelnemers wat ademhalingsoefeningen doen. Daarna verdeelde hij de groep willekeurig in paren, waarna elke persoon geacht werd diep in de ogen van de ander te kijken en precies te vertellen wat hij of zij van die ander dacht. Andere oefeningen bestonden uit schreeuwen, fluisteren, springen, met de armen zwaaien, gezichten trekken, en vrij door de zaal wandelen, waarbij je ieder die je tegenkwam met aandacht moest bekijken en aanraken. Zo nu en dan kregen de deelnemers aan het evenement een paar slokjes water te drinken, maar een lunchpauze was er niet bij. Na enige tijd viel iemand flauw. Daarop had Roland gewacht. Onmiddellijk gaf hij aan dat alle deelnemers om de uitgeputte vrouw heen op de grond moesten gaan zitten, en haar moesten overstelpen met alle warmte en sympathie die ze konden opbrengen. Hij moedigde de deelnemers aan om hun handen op haar koude lichaam te leggen om op die manier haar temperatuur weer op peil te brengen. Terwijl ze in een soort trance was, stelde hij de vrouw vragen, die Jardena zo goed en zo kwaad als ze kon in het

Hebreeuws vertaalde. De antwoorden kwamen soms spontaan, soms met grote moeite naar boven borrelen, alsof ze een lange weg door modderig water moesten afleggen alvorens Jardena ze in het Frans op het droge kon leggen. Met grote zorg bracht Roland de vrouw weer tot bewustzijn, waarbij hij er de nadruk op legde dat de hele groep verantwoordelijk was voor haar welzijn.

Tegen de avond ging Jardena zelf van haar stokje. Hoewel ze later geen idee had wat Roland haar had gevraagd, en wat ze hem had geantwoord, kon ze zich wel de grote warmte herinneren die de kring van onbekenden maar oprecht belangstellenden om haar heen uitstraalde, en dat ze het als een groot voorrecht had ervaren het centrum te mogen zijn van zoveel liefhebbende bezorgdheid.

Op de ochtend van de tweede dag vroegen een paar deelnemers aan Roland of zij ook een beurt konden krijgen, maar hij legde uit dat hij onmogelijk de loop van de gebeurtenissen kon bepalen. De geest kwam over een deelnemer of niet. Dat was alles. Toen het weekend voorbij was, probeerde Jardena te begrijpen wat haar was overkomen. Ze kon het alleen vergelijken met verliefd worden. Men wordt niet verliefd met voorbedachten rade, het gebeurt gewoon. Tien van de twintig of dertig deelnemers waren tegen de vlakte gegaan. Jardena zelfs twee keer.

Na zijn slag te hebben geslagen, keerde Roland terug naar Frankrijk. De deelnemers van de groep gingen ieder huns weegs. Namen en adressen werden niet uitgewisseld. Thuisgekomen, had Jardena het gevoel te ontwaken uit een diepe slaap. Alsof ze zwaar had gedroomd. Maar ze kon zich van die droom geen enkel beeld meer herinneren. Hoewel ze zich ook Rolands gezicht niet voor de geest kon halen, liep ze wekenlang als een slaapwandelaarster door Jeruzalem naar hem te zoeken. Op een dag ontmoette ze in de stad iemand die haar herkende van het bio-energetische weekend.

'Hoe gaat het met u?' vroeg Jardena zonder veel animo.

'Niet goed,' antwoordde de vrouw. 'Er is een grote leegte in mij. Een groot verlangen naar iets wat waarschijnlijk niet bestaat, iets waar ik de naam niet van ken, maar wat ik dag en nacht mis. Het was mooi zolang het duurde, maar nu het er niet meer is, is het verlies ondraaglijk. Ik vraag me af waar het goed voor is geweest.'

Jardena vroeg zich hetzelfde af.

Om te proberen Roland of Robert of hoe hij mocht heten van zich af te zetten, wierp ze zich op een nieuwe filmproductie: 'De Toren van Babel', ter gelegenheid van Itsiks dertiende en Consuela's twaalfde verjaardag. De wekelijkse telefoongesprekken over Shai's geboortebewijs waren inmiddels routine geworden. Het was ergerlijk dat er geen schot in de zaak zat, maar gelukkig leek Shai zelf er niet onder te lijden.

Op een shabbatmorgen, midden onder het filmen, ging de telefoon. Het was Eva, die uit Amersfoort belde met twee boodschappen in één: 'Ik had de internationale telefoondienst al opgeroepen om verbinding met Jeruzalem te krijgen. Ik wou je vertellen dat vader in het ziekenhuis ligt en dat ik je aanraad om te komen. De tweede boodschap is nog verdrietiger. In de twee uren dat ik op de verbinding moest wachten, is Nora totaal onverwacht aan een hersenbloeding overleden. Omdat vader erg ziek is, vreest de hartspecialist dat het nieuws noodlottig voor hem zal zijn. Als je onmiddellijk komt, kunnen we misschien nog een dag wachten voordat we het hem vertellen.'

'Ik kom er aan,' riep Jardena. 'Zeg tegen vader dat hij op mij moet wachten. Ik bel je terug zodra ik weet welk vliegtuig ik neem.'

De activiteiten voor 'De Toren van Babel' werden stilgezet. Voorbereidingen werden getroffen voor Jardena's vertrek. Nathan belde een vage kennis die bij een reisbureau werkte, en die de enige was die op zo korte termijn kon helpen. De kennis wist de tijdschema's van de verschillende vliegmaatschappijen uit haar hoofd en zei dat er op zondagochtend een rechtstreekse vlucht naar Amsterdam was. Jardena zei tegen haar kinderen dat haar vader voor haar was wat zij hoopte voor hen te zijn. Ze draaide het nummer voor internationale gesprekken en ook zij moest twee uur wachten voordat er een verbinding met Eva tot stand kwam. Ze noemde haar vluchtnummer en de tijd van aankomst. Eva zei: 'De arts heeft zich niet aan zijn belofte gehouden. Ik had uitdrukkelijk tegen hem gezegd dat we nog even zouden wachten voor we vader vertelden dat Nora is overleden, en dat ik degene was die dat zou doen. Hij beloofde plechtig niks te zeggen. En Reinie, heus, die man wist precies wat hij deed toen hij me meteen daarop vroeg even op de gang te wachten, en vervolgens snel naar binnen ging om het zelf aan vader te vertellen. Het spijt me verschrikkelijk dat het zo is gelopen, voor vader dat hij het van een vreemde moest horen, voor hem en jou dat je nu misschien te laat zult komen. Vader verwerkt het nieuws heel slecht. Ik ben blij dat je morgen komt.'

Opnieuw riep Jardena: 'Zeg tegen vader dat hij op mij moet wachten.' Maar wat als hij het niet deed? Niet kon? Als hij stierf voordat ze in Nederland aankwam?

Ze was zo rusteloos dat Nathan opnieuw de kennis van het reisbureau opbelde en vroeg of zijn vrouw nog diezelfde dag kon vertrekken. Dat kon. Er werd tegenwoordig ook op Shabbat gevlogen, hoewel niet door de Israëlische luchtvaartmaatschappij. Over drie uur zou er een vlucht naar Frankfurt zijn, vanwaar bijna ieder uur vliegtuigen naar Amsterdam vertrokken.

'Ik ga nu naar kantoor om de papieren klaar te maken en ik kom ze persoonlijk bij jullie thuis afleveren,' zei de kennis, die hierdoor haar hele verdere leven op de warme vriendschap van Jardena kon rekenen. 'Maak je geen zorgen om het geld. Ik schiet het voor. We rekenen later wel af.'

Niet alleen kwam ze na twintig minuten met het reisbiljet aanzetten, maar ze bood ook aan Jardena naar het vliegveld te rijden, dat na Ben-Gurions dood naar hem was genoemd. Jardena kuste haar man en kinderen, en stapte in de auto.

Het vliegtuig was bijna leeg. Ze zat aan een raampje. Hoewel het februari was, was de hemel helder. Toen ze over Griekenland vlogen, zag ze een vurige zon majesteitelijk in de Middellandse Zee zinken, aan het uiteinde van het lange rode tapijt dat hijzelf had gespreid. Een paar minuten later ging het vliegtuig op iets grotere hoogte vliegen en zag Jardena de hele voorstelling van voren af aan. Nauwelijks was de zon ten tweeden male ondergegaan of het vliegtuig steeg nog verder, en het adembenemende schouwspel voltrok zich voor de derde maal. Het leek een droom, of een herinnering die zich tot in den treure herhaalde, zoals de verhalen uit de oorlog, toen haar vader altijd maar weer in Den Haag opdook om Joden uit de klauwen van de nazi's te grissen, totdat ze zijn list doorhadden en hij tot het einde van de oorlog moest onderduiken.

Er was niets meer te eten. Als je geluk had, vond je rozenbottels aan de struiken in het park, of tulpenbollen die eruitzagen als uien, maar weeïg zoet smaakten. Sommige gewetenloze mensen vingen elkaars honden en katten. Reinie's grijze poesje was één van de eerste slachtoffers geweest.

De vrienden van haar ouders bij wie zij en Eva na de huiszoeking woonden, hadden nog een zak bedorven meel waarvan ze iedere avond pap kookten voordat het armetierige vuurtje uitging. Wie van de meisjes in de vroege schoolploeg was ingedeeld, liep op haar tenen in het donker naar beneden, en werkte een paar happen van het koude stijfselachtige brouwsel zonder zout of suiker naar binnen, om daarna een halfuur over de besneeuwde dijk naar school te lopen. Op zo'n ochtend, net toen Reinie de brug naderde waar ze de dode Jood een korst brood had gegeven, kwam een fietser op haar af. Hij reed langzaam door de sneeuw, die het licht van de maan weerkaatste zodat ze duidelijk kon zien dat hij een kort puntbaardje had. Hij droeg een bril en een leren pet met oorkleppen. Hoe nader hij kwam, hoe langzamer hij reed. Reinie herinnerde zich haar moeders waarschuwingen voor slechte mannen die iets vreselijks deden, en het bloed stolde haar in de aderen. Toen de man heel dichtbij was, stapte hij van zijn fiets en staarde haar aan zonder met zijn ogen te knipperen. Reinie wilde wegrennen, maar haar voeten weigerden dienst. Dit is het einde, wist ze. Nu gaat hij het doen. Op dat moment nam de man zijn pet en bril af en zei: 'Reinie! Ik ben het, vader.' Hij had willen zien of zijn eigen dochter hem zou herkennen in z'n vermomming.

Hoewel hij na de huiszoeking was ondergedoken, droeg hij nog steeds de verantwoordelijkheid voor een groot aantal Joden. De mensen die hun onderdak verleenden, moesten van eten worden voorzien. Hij kon niet maar zitten niks doen op zijn onderduikadres. Op de dag dat Reinie hem op de dijk ontmoette, was hij op één van z'n voedseltochten.

De hemel veranderde van lichtblauw in staalblauw in zwartblauw in diepzwart. Jardena bleef in het verleden staren tot het vliegtuig in Frankfurt landde. Zo nu en dan schoot haar een gedachte van het heden door het hoofd: als hij maar volhoudt, of: je belofte breken! Hoe durfde die arts! En niet in het Levantijnse Israël, maar in het verlichte Nederland. Daar zou tante Kee met haar verering van de Nederlandse ethiek van hebben opgekeken. Maar tante Kee was inmiddels gestorven.

Omdat Jardena geen tijd had gehad om Eva voor haar vertrek nogmaals op te bellen, ging ze in Frankfurt op zoek naar wat Duits geld en een publieke telefoon. Een vriendelijke reiziger hielp haar. Maar nu ontdekte ze dat ze haar adresboekje niet bij zich had, en dat ze zich haar zusters telefoonnummer ineens niet meer kon herinneren. Het enige nummer dat in haar hoofd opkwam, was dat van tante Roos. Ze draaide het en kreeg haar tantes oude huishoudster aan de lijn. Tante Roos was niet thuis en de huishoudster was bijna doof. Jardena schreeuwde: 'U spreekt met Reinie uit Jeruzalem. Ik sta in Frankfurt.' Ze hoorde een klik en de verbinding was verbroken. Het vliegtuig naar Amsterdam stond op het punt te vertrekken. Ze moest opschieten. Op Schiphol zou ze wel verder bedenken hoe ze zo laat in de avond nog in Amersfoort kwam. Maar eenmaal op Schiphol hoefde ze niet verder te denken. Eva's man stond haar op te wachten. 'Reinie,' riep hij al uit de verte. 'Ik rij je regelrecht naar het ziekenhuis. Je vader ligt op je te wachten.'

Hoe wist hij dat ze er zou zijn? De huishoudster van tante Roos, die totaal in verwarring was door het geschreeuw via de telefoon, had Eva opgebeld. 'Ik snap er niets van,' had ze gezegd, 'maar de telefoon ging en ik hoorde iemand roepen dat ze Reinie uit Frankfurt was. Maar Reinie woont toch in Jeruzalem?' De rest was een kwestie van een eenvoudig rekensommetje, en van de bereidwilligheid om op het juiste moment hulp te bieden.

Klokslag middernacht betrad Reinie het ziekenhuis. De nachtzuster van de afdeling voor hartpatiënten was op de hoogte van het late bezoek. Reinie's zwager leidde haar regelrecht naar de kamer waar haar vader rechtop in bed zat, gesteund door kussens. Hij zag er zo onwezenlijk uit dat Reinie in de deuropening verstarde. Kennelijk had een welwillende maar niet al te snuggere verpleegster hem opgekalefaterd ter ere van de komst van zijn dochter: een beetje rouge op z'n wangen, wat zwart om z'n ogen. Het feit dat hij niet had geprotesteerd, meer nog dan de poppenkasterij zelf, maakte dat Reinie begreep hoe ernstig zijn toestand was.

Eva, die naast het bed had gezeten, kwam Reinie tegemoet. De zusjes omhelsden elkaar zonder woorden. Daarna schudde Eva de kussens op, hielp haar vader om te gaan liggen, en zei: 'Kom Reinie, je bent vast doodop. Waarom ga je niet even naast vader liggen, zo boven op de deken. Ik doe het soms ook. Blijf bij hem zolang je wilt. Als je denkt dat het genoeg is geweest, kom dan naar ons huis. Je loopt het in vijf minuten. Ik zal een bed voor je opmaken en ik laat de achterdeur open.'

Reinie ging naast haar vader liggen. Ze spraken nauwelijks. Zo nu en dan zei hij een paar woorden over Nora, die al jaren geleden maatregelen had getroffen om haar stoffelijk overschot in dienst van de wetenschap te stellen. Kort nadat ze aan een hersenbloeding was overleden, was haar lichaam dan ook uit het huis verwijderd. Het feit dat er geen begrafenis zou zijn, was voor de familie moeilijk.

Toen Reinie om twee uur 's nachts stilletjes het huis van Eva binnenglipte, kwam deze de trap af om haar haar kamer te wijzen. Reinie droomde de hele nacht van haar vader, die onderging en opkwam, onderging en opkwam, onderging en opkwam tegen een achtergrond die langzaam van kleur veranderde, van lichtblauw naar staalblauw naar zwartblauw naar diepzwart.

Gedurende de vijf weken dat ze in Nederland kon blijven, zag ze haar vader iedere dag. Hij sprak niet veel, maar als hij het deed, was het om over zijn liefdes, zijn verwachtingen en zijn teleurstellingen te spreken. Over vrienden die hij gewonnen en verloren had, sommige aan de dood, een enkele door betreurenswaardige misverstanden. Eén van hen kwam hem in het ziekenhuis opzoeken om op de valreep vrede te sluiten. Dat deed hem wel goed, maar het gaf hem de wil om te leven niet terug. Die was vervlogen op het moment dat hij hoorde dat hij Nora had verloren.

Bij één gelegenheid zag Reinie nog iets van haar vaders oude vechtlust en vindingrijkheid. Dat was toen ze hem vertelde over het probleem om Shai geadopteerd te krijgen. Ziek als Jan Vreeland was, bedacht hij toch een plan voor haar. Voor het overige besteedde hij alleen nog wat energie aan het zijn dochters afdwingen van een belofte dat ze hem niet in de steek zouden laten als hij ooit hulp nodig had om een eind aan zijn leven te maken.

Bij het afscheid wisten Jan Vreeland en Reinie dat ze elkaar niet meer zouden zien.

Eind maart stapte Reinie op Schiphol in een vliegtuig. Vijf uur later landde Jardena op Ben-Gurion bij Tel Aviv.

De volgende dag draaide ze het nummer van het adoptiebureau, schraapte haar keel, en viel meteen met de deur in huis: 'Kunt u Tomer alstublieft zo spoedig mogelijk komen ophalen? We hebben besloten dat we hem niet willen adopteren.'

Ze hoorde hoe de persoon aan het andere einde van de lijn haar adem inhield, waarna ze stamelde: 'Wat? Wat? Wat bedoelt u?'

'Wat u gehoord hebt. Het spijt me als ik u en uw afdeling in moeilijkheden breng, maar het kan niet anders.'

Om haar woorden kracht bij te zetten, fantaseerde ze erop los: 'Ons gezin gaat een jaar in het buitenland wonen. Mijn man is uitgenodigd voor een aantal belangrijke tentoonstellingen in Europa. Natuurlijk kunnen we het land niet verlaten met een kind dat niet het onze is, dus...'

De sociaal werkster kwam enigszins op adem. 'Maar hoort u nu eens, mevrouw Jerushalmi, denk toch eens aan dat arme kind. Dat kunt u toch niet doen ...'

'Hoezo niet? Ik denk al drie jaar aan dat arme kind. Nu moet ik aan de carrière van mijn man denken.'

Een uur later arriveerde de sociaal werkster van het ministerie van Sociale Zaken bij Jardena thuis met een enveloppe en een raadselachtig verhaal dat eindigde met de woorden: 'Laat ik nou net vanmorgen het zoekgeraakte document hebben gevonden!'

De adoptie vond plaats op Lag baOmer. Aangezien de kinderen op die dag vakantie hadden, gingen ze mee naar het gerechtshof, allemaal in hun beste plunje.

'In zekere zin is een adoptie gewichtiger dan een huwelijk,' legde Jardena de kinderen uit. 'Als een huwelijk niet slaagt, kan een echtpaar scheiden. Maar als je een kind eenmaal hebt geadopteerd, is dat voor altijd.'

Andere echtparen stonden op hun beurt te wachten om een kind te adopteren. Het waren allemaal baby's. Broertjes en zusjes waren er niet bij. Jardena voelde iets wat het midden hield tussen gêne en triomf toen ze met haar man en acht kinderen bij de rechter naar binnen stapte.

'Wel heb ik van m'n leven,' riep de rechter verbaasd uit. 'Ter ere van wie vieren jullie vandaag feest?'

Zonder een moment te aarzelen deed Shai – intussen zeven jaar oud – een stap naar voren. Met een weids gebaar wees hij achter zich met de woorden: 'Ter ere van mij. Ik adopteer ze allemaal!'

Tijdens Jardena's verblijf in Nederland, had Nathan de lessen op de Open School voor haar waargenomen. Ook hij was gechoqueerd door het gebrek aan belangstelling van de leerlingen. Het scheen hem en Jardena toe dat Vered een van de weinigen was die de kans had waargenomen om gedurende het afgelopen schooljaar iets op te steken. Toch had ook zij genoeg van het algemene geluiwammes. Ze wilde naar de Middelbare Muziekschool, net als Perla.

Jardena was haar dagdromen om directrice van de Open School te worden ontgroeid. Ze nam ontslag, en wou de hele ervaring maar liefst zo snel mogelijk vergeten.

In de grote vakantie ging ze weer met de kinderen naar het huisje aan de Middellandse Zee. Op 1 augustus kwam er een telegram van Eva's man: 'Jan Vreeland pijnloos ontslapen.'

Perla nam haar broers en zusjes mee voor een lange strandwandeling. Jardena bleef alleen thuis en huilde.

Toen Vera en Eva later vroegen of Jardena iets speciaals wilde hebben dat van hun vader was geweest, vroeg ze om zijn bril. Ze liet de glazen eruit halen, en gebruikte het montuur voor haar eerste leesbril.

Na alles wat haar in de laatste maanden was overkomen, had ze schoon genoeg van lesgeven. Waarom zou ze niet voor zichzelf eens wat gaan tekenen? Ze maakte wat schetsjes van Vered met haar saxofoon, en van Perla met haar fluit, en zo kwam het plan bij haar op om toestemming te vragen tijdens de repetities van het Jeruzalems Symfonie Orkest de musici te mogen tekenen. Dat mocht.

Haar eerste kennismaking met het orkest was overweldigend. Opgewonden en vervuld van de muziek, schetste ze de musici en hun instrumenten. Dag na dag kwam ze terug. Zo nu en dan gaf ze een van de leden van het orkest een schetsje cadeau. In de pauze dronk ze koffie met hen in de koffiekamer. Soms kreeg ze een vrijkaartje voor het abonnementsconcert van die week. Een enkele keer kreeg ze er twee. Dan ging ze met Nathan of met een van de kinderen. Perla en Vered hadden ieder zelf een abonnement van school. Van de jongere kinderen had alleen Jannai belangstelling.

De eerste keer dat hij mee mocht keek hij zijn ogen uit. Om elf uur, toen de laatste noot had geklonken, en de meeste toehoorders langzaam uit hun gezapige dutjes ontwaakten, riep Jannai verontwaardigd: 'Niet ophouden. Het klonk juist zo mooi!'

Na een ander, uitzonderlijk mooi concert, zei hij tegen z'n moeder: 'Vannacht kunnen we niet met de bus naar huis. We zullen moeten lopen.'

'Welnee, jongen. Het is minstens een uur lopen. En morgen moet je weer vroeg naar school.'

Jannai schudde zijn hoofd. 'Maar begrijp je het dan niet? De bus maakt veel te veel lawaai in mijn oren. En mijn oren ... Ze zijn vol muziek ...'

Zwijgend liepen moeder en zoon door de nachtelijke stilte.

Op een dag gaf Nathan geld aan Jannai om naar de kapper te gaan. Hij kwam thuis met een gemillimeterde schedel en twee dikke pijpenkrullen langs zijn oren, precies zoals de ultraorthodoxen hun haar plegen te dragen. Aangezien zijn dikke, roodbruine haar veel te lang was geweest, waren zijn pijpenkrullen indrukwekkend.

'Jannai,' zeiden zijn ouders, 'je kunt zo niet naar school gaan. Of je knipt je pijpenkrullen af, of je draagt een keppeltje. Zoals je er nu bij loopt, lijkt het net of je de spot drijft met de orthodoxe bevolking. Dat mag niet.'

Maar Jannai hield vol dat Israël een vrij land was en dat ieder zich kon kleden en zijn haar kon laten groeien zoals hij dat zelf wou.

Volgens zijn redenering deed hij niemand kwaad, en spotte hij ook met niemand door met pijpenkrullen, maar zonder hoofddeksel te lopen.

'Oké,' zei zijn moeder, 'we maken een afspraak. Je mag kiezen: óf je knipt de pijpenkrullen af, óf je loopt met bedekt hoofd, óf je gaat het huis niet uit.'

'Niet eens om naar school te gaan?'

'Niet eens om naar school te gaan! Ik kan je niet als een levende belediging voor de halve bevolking van Jeruzalem door de stad laten lopen.'

Twee dagen bleef Jannai thuis. Jardena stond hem zelfs niet toe op het balkon te staan. Het kon hem geen zier schelen. Hij zat lekker verhalen over dieren te lezen.

Op de derde avond belde de drummer van het orkest op om te zeggen dat hij twee plaatsen had voor het concert dat een uur later zou beginnen. 'Wil er iemand met me mee?' vroeg Jardena, terwijl ze de hoorn nog in haar hand hield.

Jannai sprong op. 'Ikke!'

Zijn moeder schudde haar hoofd. 'Geen denken aan.'

Voor ze wist wat er gebeurde had Jannai de schaar uit haar naaidoos gegrist en zijn pijpenkrullen afgeknipt. Pas toen realiseerde Jardena zich hoezeer ze heimelijk de pijpenkrullen van haar zoon had bewonderd, niet alleen om hun prachtige roodbruine kleur, maar ook als symbool van Jannai's onafhankelijke geest en originele denkwijze. Had ze er maar een foto van gemaakt ...

Jannai was nu acht en oud genoeg om zelf een instrument te leren spelen. Cello zou het worden. Dat stond voor Jannai vast. Perla's fluitleraar werd geraadpleegd bij het zoeken van iemand die hem zou willen lesgeven.

'Het komt goed uit dat Jannai Engels spreekt,' zei hij. 'Er is een jonge Amerikaanse cellist bij het orkest. Zijn naam is Robin. Probeer die eens.'

Jardena wist om wie het ging: een nogal stille, in zichzelf gekeerde jonge man met zwarte krullen en een bril. In de pauze van de eerstvolgende repetitie van het orkest sprak ze hem aan: 'Bent u Robin?' Hij sprong op alsof ze hem met een mes had gestoken.

'Ik ben achtentwintig, vrijgezel, musicus en Jood. Wilt u nog meer weten?'

Jardena was verbluft. Als die jongen zo'n kruidje-roer-me-niet was, was hij als leraar voor Jannai waarschijnlijk niet geschikt. Ze moest maar een ander zoeken. Maar wat ze zei was: 'Ik ben op zoek naar een celloleraar voor mijn zoontje.'

'O. Dan is het goed.' Ze maakten een afspraak.

De eerste vraag die Robin aan zijn nieuwe leerling stelde was: 'Waaróm wil je cello leren spelen?'

'Dat wil ik helemaal niet,' antwoordde Jannai prompt.

Robin keek naar Jardena met een gezicht van: had ik het niet gedacht? Daar heb je weer zo'n ambitieuze moeder die zo nodig van haar zoontje een wonderkind moet maken.

'Wat wil je dan?' vervolgde hij zijn gesprek met Jannai.

'Contrabas spelen,' verklaarde deze. 'Dat klinkt het meest als Paul Robsons stem. Ik wil spelen zoals hij zingt.'

'Hm, ja,' moest Robin toegeven, 'dan is cello geen slecht begin.'

Ondanks deze tegemoetkoming bleef hij Jardena gedurende die eerste les en ook later vaak toespreken alsof ze zijn aartsvijandin was. Zo nu en dan zei ze tegen zichzelf dat ze niet vastzat aan een leraar die er genoegen in schiep haar onhebbelijk te behandelen, maar onmiddellijk daarna moest ze toegeven dat hij met Jannai buitengewoon vriendschappelijk en verstandig omging. Jannai ging dan ook met het grootste plezier tweemaal in de week een halfuur naar les, en daar was het toch om begonnen. Natuurlijk was het kind te klein om zijn cello zelf mee te sjouwen, en dat nog wel per bus. Daarom ging Jardena iedere zondag- en woensdagmiddag met hem mee. Robin vroeg haar altijd uitdrukkelijk om mee naar binnen te komen en de les bij te wonen, zodat ze haar zoon bij het studeren wat kon helpen. Hoewel ze deze methode nogal ongebruikelijk vond, werkte ze er met alle liefde aan mee.

Ze genoot ervan om stil in een hoekje te zitten en te zien hoe Robin Jannai's vertrouwen won. Aan de ene kant net een grote broer, dacht ze, maar aan de andere kant een leraar die respect afdwingt, die weliswaar fouten met een vriendelijk woord vergeeft, maar slordigheden niet door de vingers ziet. Je kon zien dat ze van elkaar hielden, de grote en de kleine jongen.

'Nauwkeurigheid van ritme en zuiverheid van toon zijn je paspoort tot het land van de muziek,' zei Robin, en Jannai knikte ernstig.

Soms, als het kind met een verheven gezicht over de snaren streek, ontmoetten de ogen van zijn moeder en die van zijn leraar elkaar over zijn hoofd. Jardena zou in zo'n geval een knipoogje van verstandhouding hebben verwacht. Wat ze in Robins ogen las, was een mengsel van wanhoop over zijn eigen onmacht en snakken naar contact, dat haar aan Goethe's antiheld uit *Die Leiden des jungen Werthers* deed denken. Dat ontroerde haar zo, dat haar hart overvloeide, niet zozeer van medelijden als wel van drang om de zwartgallige clown te beschermen tegen de wreedheid van deze wereld. Net als Shai. Net als het cactusje, net als de onderduikers in de oorlog.

Wat ook de oorzaak was van Robins weltschmerz, en al moest ze er de wereld de verkeerde kant voor uit laten draaien, Jardena zou niet rusten voordat ze de melancholieke jongeling zag glimlachen.

Intussen had de wereld Jardena's bovennatuurlijke krachten niet nodig om de verkeerde kant uit te draaien, althans voor zover het de Joden en Israël betrof. Op 10 november aanvaardde de Algemene Vergadering van de Verenigde Naties met grote meerderheid van stemmen een resolutie waarin was vastgelegd dat Zionisme een vorm van racisme en raciale discriminatie is. Daarmee waren de sluizen weer eens wagenwijd geopend voor anti-semitisme.

Chaim Herzog, die Israël in de Algemene Vergadering vertegenwoordigde, verscheurde het document met een groots gebaar ten aanschouwen van zijn collega's uit meer dan honderddertig landen. Desalniettemin zou het zestien jaar duren voordat de resolutie officieel werd ingetrokken.

1976

Jannai was in de zevende hemel over de mogelijkheden die de muziek hem bood. Nauwelijks had hij geleerd om noten te lezen, of hij componeerde een 'symfonie voor cello solo', bestaande uit één enkele maat. Maar die was dan ook zo stampvol hoge en lage noten, dat zelfs Robin, aan wie het meesterwerkje was opgedragen, hem niet kon spelen. Hij schudde mismoedig zijn hoofd en vroeg ten slotte maar of Jardena en Jannai zin hadden in thee. Dat hadden ze, Jannai omdat hij het fijn vond om nog een beetje bij zijn grote vriend te blijven, en Jardena omdat ze blij was dat Robin toenadering zocht.

'Het enige wat mijn ouders aan het jodendom deden, was mij verbieden op Grote Verzoendag naar school te gaan, want wat zouden de buren er anders van zeggen?' verzuchtte hij zonder enige inleiding. En meteen daarop volgde: 'Laten we samen eens een tochtje maken.' Verbouwereerd door de manier waarop Robin van de hak op de tak sprong, en ontroerd omdat hij haar eindelijk de kans gaf iets voor hem te doen, riep Jardena uit: 'Oh ja, Robin, laten we samen ergens naar toe gaan.'

'Naar Shangri La,' zei Robin. 'Laten we naar Shangri La gaan en nooit meer terugkomen.' Jardena kon met Robin meevoelen. Ook zij wilde soms naar James Hiltons denkbeeldige klooster in het Himalayagebergte vluchten, waar leeftijd, afkomst en sekse van geen belang waren. Een plaats van eeuwige vrede en cultuur. Boeken, muziek, rust.

'Laten we gaan, Robin,' zei ze met een lichte rilling. 'Laten we gaan en nooit meer terugkomen.'

Voorlopig spraken ze af dat Robin de volgende maandag bij de familie Jerushalmi zou komen lunchen. Vanaf dat moment dacht Jardena alleen nog aan de lekkere hapjes waarmee ze hem zou verwennen. Op de bewuste maandag zat het hele gezin om de tafel. Robin at als een varken. Er waren geen andere woorden voor. Hij praatte met zijn mond vol. Hij smakte. Hij slikte zo gulzig dat zelfs de kinderen er vreemd van opkeken. Jardena had maar één zorg: Robin niet te kwetsen. Hem niet te laten merken dat haar man en kinderen gechoqueerd waren. Wat haarzelf betrof kon hij net zo vies doen als hij wou, zolang hij haar eten maar lekker vond. Alles wat ze wou was hem verwennen, hem vertroetelen, hem bemoederen.

Na de lunch wou ze hem de tekeningen tonen die ze van de orkestleden had gemaakt, maar hij had ineens haast om weg te komen. De enige tekening waar hij naar keek was een potloodschetsje dat hemzelf moest voorstellen.

'Mag ik het alsjeblieft hebben?' smeekte hij als een kind.

Jardena was zelf ook dol op het krabbeltje, maar het lukte haar niet Robin iets weigeren.

In de weken die volgden stormde hij op de meest onmogelijke tijden bij de Jerushalmi's binnen. Nathan, anders altijd zo gastvrij, ergerde zich er weleens aan, maar Jardena kon haar vreugde nauwelijks verbergen. Aan uitvluchtjes voor zijn onverwachte bezoekjes had Robin nooit gebrek. Nu eens moest hij dringend de betekenis van een Hebreeuws woord weten, dan weer zocht hij een passende knoop voor zijn jasje, maar als Jardena aanbood de knoop voor hem aan te naaien, werd hij nukkig.

Hij maakte gekheid met de meisjes, sprak met Jannai over muziek en literatuur, en ging op de grond zitten om met Shai en Jifrach te spelen. Hij genoot van hun verzameling legoblokjes, en Jardena genoot ervan haar beschermeling zo onbevangen bezig te zien.

Eind maart zouden Nathan en Jardena met een aantal kinderen een tochtje maken naar de watervallen van Ein-Gedi. Robin zou ook van de partij zijn. Hij zou om acht uur bij de familie Jerushalmi zijn, maar was er om negen uur nog niet. Nathan werd driftig en liet het afweten. Het was halftien toen het gezelschap eindelijk de deur uit ging. Bij de bushalte toonde Robin Jardena foto's van zijn oom en tante in de Verenigde Staten. 'Dit is mijn familie,' zei hij. 'Ik ben een wees.' Even later voegde hij eraan toe dat hij de vorige avond een lang telefoongesprek had gehad met zijn geliefde in Amerika, en dat hij de hele nacht niet had geslapen omdat ze gezegd had niet meer van hem te houden.

Voordat ze wist wat ze deed, flapte Jardena eruit: 'Ík hou van je, Robin!' en gaf ze hem een zoen op zijn wang. 'Wees niet verdrietig. Je zult gelukkig worden. Daar sta ik voor in!'

Robin gaapte haar aan. 'Hoe kun jij je verantwoordelijk stellen voor mijn geluk?'

Hoe Jardena dat kon? Dat wist ze zelf niet, maar ze geloofde in haar eigen macht. Als ze iets heel graag wou, als ze er al haar geestelijke krachten voor inzette, dan zou ze het kunnen. Het was haar immers in de oorlog ook gelukt om de onderduikers door haar wil en uiterste concentratie het schuilhok in te krijgen.

In Ein Gedi speelden de kinderen in het water terwijl Robin praatte en Jardena luisterde. De situatie was superromantisch: zij zat op een rotsblok, hij hurkte en keek haar in de ogen. Hij vertelde hoe ongelukkig hij was, en zij voelde een onmetelijke trots in zich opkomen om dat mooie, gezonde jonge lichaam, dat daar voor haar zat, en haar in vertrouwen nam.

Tegen het eind van de ochtend noemde hij haar Imma. Dat opende de weg voor een omhelzing. Nu kon ze hem naar hartenlust vertroetelen.

Maar toen ze even later in een cafeetje zaten en ze aan ieder kind, en vanzelfsprekend ook aan haar nieuwbakken pleegzoon, vroeg wat ze voor hen mocht bestellen, snauwde hij: 'Ik ben oud genoeg om voor mezelf te zorgen!' De tranen schoten haar in de ogen.

Toen ze die avond thuiskwamen, was Perla in de huiskamer bezig een fluitconcert van Mozart te spelen. Ze liet zich niet afleiden, en speelde gewoon door. Robin was stomverbaasd. 'Gewoon doorspelen als er gasten binnenkomen? Dat zou ik niet kunnen. Bravo!'

'Ach,' zei Perla later, 'Robin is toch geen vreemde? Ik beschouw hem meer als een oudere broer.'

Ze had haar moeder geen groter plezier kunnen doen. Als ook de kinderen Robin in hun hart sloten, zou hij werkelijk één van hen worden.

Op Shabbat regende het pijpenstelen. Jardena dacht de hele dag aan Robin. Ze stelde zich voor dat zij en Nathan hem als zoon zouden adopteren, dat hun huis het zijne zou zijn, dat hij zou trouwen met de knappe, begaafde eerste celliste van het orkest, en dat zijzelf de gelukkige grootouders zouden worden van hun talrijke, muzikale kroost.

Hoezeer haar fantasie een loopje met haar nam, zou ze pas jaren later doorhebben, toen diezelfde eerste celliste in een brief over Robin opmerkte: 'Als ooit iemand de waarheid zou schrijven over die hopeloze lomperik, zou geen mens geloven dat hij echt bestaat.' Een probleem bleef dat Nathan op z'n zachtst gezegd niet dol was op de nieuwe beschermeling van zijn vrouw, maar daar trok ze zich niet veel van aan. Ze kende haar man. Hij had voor de adoptie van Shai ook vlagen van jaloezie vertoond. Hij zou wel bijdraaien.

Robin belde bijna iedere avond op, nu eens om een les te verzetten, dan weer om een afspraak te bevestigen, één keer gewoon om te vragen hoe laat het was. Als hij niet opbelde, sloot Jardena zich in de keuken op om hem met dichte ogen te bezweren: 'Bel op, Robin, bel nu op!' Meestal werkte het, en hoewel ze wel wist dat hij gevolg gaf aan zijn eigen wens en niet aan de hare, toch versterkte het haar gevoel dat ze de situatie beheerste.

Op een avond belde Robin een uur vroeger dan gewoonlijk om te zeggen: 'Vanavond geeft Rubinstein een recital in de grote concertzaal, en ik heb twee vrijkaartjes. Ik nodig je uit. En breng je alsjeblieft iets te eten mee? Ik rammel van de honger.'

Ze snelde naar de keuken en legde haar hele hart in de verrukkelijkste sandwiches, maar toen ze hem het pakje overhandigde had hij ineens geen honger meer.

Tussen twee delen van een Beethovensonate maakte hij alles weer goed door te fluisteren: 'Als ik van de zomer naar Amerika ga, neem ik je mee.'

Na het concert gaf Jardena hem de uitnodiging voor het dubbele feest ter ere van Itsiks bar-mitsvah en Consuela's bat-mitsvah. Robin had geen idee wat het woord 'bar-mitsvah' betekende.

'Een feest,' legde Jardena uit. 'Voor hun verjaardagen, en met een religieuze achtergrond.'

'Daar geef ik niet om', was Robins prompte reactie. Maar even later corrigeerde hij zich: 'Laat ik het zo zeggen, als jij erom geeft, geef ik er ook om.'

'Maar voor die tijd krijgen we nog de sederavond.'

'Mag ik dan ook komen?' vroeg Robin uit zichzelf.

Zoals gewoonlijk had het gezin Jerushalmi wel veertig gasten voor de sederavond. Vanaf het moment dat ze wist dat Robin van de partij zou zijn, zweefde Jardena boven de wolken. Robin belde nu wel twee keer per dag. 'Hoe gaat het met je,' tetterde hij in haar oor, en als ze bescheiden antwoordde: 'Dank je', overdonderde hij haar met verwijten. 'Dank je is geen antwoord. Ik vraag hoe het met je gaat omdat ik daar belang in stel. Omdat ik wil weten hoe je je voelt.' Het enige wat ze daarop kon zeggen was: 'Ik ben gelukkig als ik je stem hoor.'

Op de ochtend van de Seder belde hij om te vragen of ze al op was van de zenuwen. 's Avonds arriveerde hij als eerste. Jardena was zo gelukkig met de drie rode rozen die hij haar bracht, dat ze de bloemblaadjes jarenlang zou bewaren.

Nathan zat aan het hoofd van de tafel en las voor uit de Hagadah. Jardena, die aan het andere einde van de kamer zat, vertaalde de belangrijkste gedeelten in het Engels. Ze had zelf de tafel gedekt en de naamkaartjes neergelegd, maar ze had Robin niet naast zich durven plaatsen. Wel had ze hem met de kinderen aan haar einde van de tafel gezet. Het was voor hem dat ze vertaalde, voor hem dat ze uitlegde, voor hem dat ze zong, naar hem dat ze ieder ogenblik keek. En Robin was over z'n toeren van opwinding. Hij lachte met het schrille geluid van een fluitketel, dat Jardena voorkwam als het zingen van de nachtegaal. Toen het tijd was om te eten, en de meisjes bezig waren de gasten te bedienen, ging ze naast Robin zitten en zei: 'Eet, eet lieverd. Het maakt me gelukkig om je te zien eten.' En Robin schranste en was tevreden.

Om de vele gasten, onder wie de directeur van de anglicaanse school en zijn vrouw, tijdens het diner te vermaken, voerden de kinderen het verhaal van Mozes in het biezen mandje op. Zoals ook in de diaproductie het geval was geweest, traden Perla en Consuela op als de dochter van de farao en haar dienstmaagd, en speelden Vered en Simcha voor de moeder en zuster van de kleine Mozes. De enige die een nieuwe rol had in deze versie was Jannai die, verstopt in een grote wastobbe, voor baby Mozes speelde. Als reactie op de vraag van de prinses: 'Wat zou daar toch in dat biezen mandje liggen', werd hij geacht een bekend en toepasselijk Hebreeuws liedje te zingen. Maar Jannai was niet iemand die gedwee een voorgeschreven rol opdreunde. Tot verbazing van alle aanwezigen zong hij in het onmiskenbare Oxfordaccent van de directeur van zijn school: 'Little Jack Horner sat in a corner eating a Christmas pie', waarbij hij op het woord 'Christmas' een geweldige uithaal gaf.

Alle aanwezigen barstten in lachen uit. De stemming werd hoe langer hoe vrolijker en behaalde het toppunt van uitbundigheid bij de afsluitende liederen, die gasten en kinderen luidkeels meezongen. Voor Robin was het de eerste Seder van zijn leven. Voor Jardena was het de mooiste die ze ooit had meegemaakt.

De volgende dag sliep het gezin Jerushalmi lang uit. 's Middags belde Robin. 'Dank je wel voor gisteren,' zei hij. 'Jij en ik hebben veel gemeen. Kunnen we elkaar niet ergens in de stad ontmoeten?'

Al moest Jardena er thuis om liegen, ze kon, nee ze wou deze kans om een uurtje met Robin door te brengen niet laten lopen. Het was een feestdag, dus alles was dicht. Ze wandelden een park in en zaten als twee gelieven op een bankje.

Robin praatte en Jardena luisterde. Hij had Bergmans film *Beelden uit een huwelijk* gezien en was er kapot van. 'Is seks het enige belangrijke in ons leven?' wou hij weten.

'Welnee, Robin,' suste Jardena hem. 'Er zijn andere dingen. Er is vriendschap, begrip, gemeenschappelijke belangstelling in kunst en literatuur. Er zijn honderd-en-een mogelijkheden waarop mensen elkaar gelukkig kunnen maken.'

'Ik haat mijn moeder,' flapte Robin er onverwacht uit.

'Maar je zei dat ze dood was ...'

'Haar lichaam leeft, maar ze heeft geen ziel. En ze haat mij.'

Er volgde een monoloog over haat en liefde waar Jardena geen touw aan vast kon knopen.

'Ik geloof niet dat je moeder je haat,' zei ze ten slotte. 'Geen enkele moeder haat haar zoon.'

Robin plukte een bloem voor Jardena en zei: 'Je weet niet hoe bang ik ben om van de zomer naar Amerika te gaan. Ik wil mijn geliefde weerzien, maar ik ben bang dat ze me afwijst. Dan moet ik in mijn eentje terugkomen, en ik ben zo bang voor de eenzaamheid. Jouw kinderen hebben tenminste een echte moeder. Maar ik heb niet eens een thuis.'

'Robin,' beloofde Jardena spontaan. 'Als je me schrijft met welk vliegtuig je terugkomt, haal ik je aan het vliegveld af, en dan neem ik je mee naar huis. Zolang ik leef hoef je niet alleen te zijn.'

Opnieuw overviel haar dat gevoel van oppermachtigheid. Door haar wil zou ze Robin beschermen.

Ongelovig keek hij haar aan.

Op de eerste Shabbat in mei las Itsik de *parashah* van die week op de traditionele melodie in een traditionele synagoge. Jardena en Nathan waren trots en ontroerd dat hun zoon, die het op school moeilijk had, zich zo goed van zijn taak kweet.

's Middags waren er drie voorstellingen van de film 'De toren van Babel'. Er zouden in de loop van de week nog enige voorstellingen zijn en de finale zou plaatsvinden op de volgende Shabbat ter gelegenheid van de bat-mitsvahceremonie van Consuela. Tussen de twee huiselijke feesten van het gezin Jerushalmi viel dit jaar Israëls Onafhankelijkheidsdag. Hoewel er dus thuis veel te doen was, kon Jardena het niet laten om iedere ochtend naar de repetities van het orkest te gaan. Ze zei tegen zichzelf dat ze verslaafd was aan de muziek en aan het schetsen, maar ze wist wel dat ze eigenlijk verslaafd was aan Robin.

Ter gelegenheid van Onafhankelijkheidsdag stonden er twee concerten op het programma: een ernstig concert onder leiding van de beroemde dirigent Alexander Schneider, en een humoristisch concert onder leiding van de niet minder beroemde komiek Danny Kaye. De leden van het orkest hadden dubbel werk. 's Morgens repeteerden ze met Danny Kaye, 's middags met Alexander Schneider.

Het concert met Danny Kaye was nog maar net officieel aangekondigd, of de zaal was al uitverkocht. In de dagen voor Onafhankelijkheidsdag probeerden tientallen teleurgestelde Kaye-fans het concertgebouw binnen te sluipen om ten minste een repetitie te kunnen meemaken, maar Danny Kaye had de directie van het orkest laten weten dat afgezien van de uitvoerenden geen levende ziel een repetitie mocht bijwonen, om te verhinderen dat zijn grappen en spitsvondigheden vóór het concert bekend zouden worden. Zelfs Jardena, die maandenlang vrije toegang tot alle repetities had gehad, werd door de almachtige directeur van het concertgebouw buitengesloten. Haar bezetenheid van Robin maakte gedurende korte tijd plaats voor haar wens om Danny Kaye te kunnen zien optreden en hem te mogen tekenen.

Op een middag zat ze zoals gewoonlijk temidden van de musici op het podium Alexander Schneider te schetsen. Toen ze opkeek, ontwaarde ze Danny Kaye. Hij zat in de halfduistere zaal, op de hoogste rij, en immiteerde stilletjes de bewegingen van zijn concurrent en model, de professionele dirigent.

Tijdens een korte pauze beklom Jardena de treden van het gangpad tussen de stoelen. Bij elke stap voelde ze de blikken van de orkestleden in haar rug. Kon hun collectieve wilskracht Danny Kaye beïnvloeden? Boven aangekomen ging ze naast de superstar zitten. Ze stak haar zaklantaarntje aan en wees op haar schetsboek. 'Kijk,' zei ze. 'Een portret van Alexander Schneider.' Danny Kaye was geenszins onder de indruk.

'Ik teken hier iedere dag,' ging Jardena voort. 'Ik heb toestemming om alle musici te schetsen. Ik wou u ook zo graag tekenen terwijl u aan het werk bent. Als het mag.'

Danny Kaye trok een gezicht. Jardena voelde zich belachelijk. 'Alstublieft,' probeerde ze met haar allerlaatste vleugje moed. 'Mag ik u morgenochtend tekenen?'

'Als je zo graag wilt tekenen, dan moet je dat maar doen,' zei Danny Kaye op lijzige toon.

'Maar ze laten me het gebouw niet in. Wilt u niet een paar woorden opschrijven, dat u mij toestaat ...' Ze hield hem haar potlood en schetsboek voor. Hij verwaardigde zich niet op haar suggestie in te gaan, maar herhaalde uit zijn mondhoek: 'Als je zo graag wilt tekenen, ga dan je gang.' Als een orakel dat een ondoorgrondelijke wijsheid heeft verkondigd, wendde hij zich van Jardena af. Het onderhoud was beëindigd. Jardena had geen zin meer in tekenen en ging ontmoedigd naar huis.

Ze had zich heilig voorgenomen de volgende ochtend thuis te blijven, maar toen het zover was, kon ze het niet laten toch naar het concertgebouw te gaan. Zoals de dag tevoren, stond er ook nu weer een hele menigte aan de ingang te drommen. Ze wrong zich erdoorheen en klopte op de deur. Een opgeschoten jongen spotte: 'Moet je die dame zien. Ze denkt zeker dat ze Alibaba is, en dat de deur in het midden zal splijten als ze hem met haar elegante pinkje aanraakt.'

De deur spleet niet in het midden, maar ging wel op een kiertje open. Een wenkende vinger kwam eruit en een geaffecteerde stem riep: 'Only the lady!'

Niemand van de aanwezigen scheen eraan te twijfelen wie 'the lady' was. Jardena perste zich door het kiertje, en de deur sloeg achter haar dicht. Ze zag nog net hoe de persoon die haar had binnengelaten zwaar hinkend in het duister verdween.

De repetitie stond op het punt te beginnen. Ze haastte zich naar het toneel waar de musici al bezig waren hun instrumenten te stemmen, en viel neer op een lege stoel tussen de harp en de hoorns, net op tijd om te zien hoe Danny Kaye met veerkrachtige tred het toneel op kwam en het dirigeerstokje ter hand nam. De orkestleden speelden de openingsnoten van Beethovens vijfde symfonie: Tatata tie ... tatata taa ...

Nauwelijks hadden ze de eerste maten gespeeld of Danny Kaye tikte af, sloeg zich in het gezicht en riep: 'Onvergeeflijk! We kunnen niet verder gaan. Wie is verantwoordelijk voor de organisatie? Gewalt! Gewalt!'

'Wat is er aan de hand?' riepen de musici verschrikt, maar Danny Kaye was te radeloos om een woord uit te brengen. Hij wrong zich de handen en leek ontroostbaar. Een altist en een hoboïst botsten tegen elkaar op in hun ijver om de toneelknecht te halen, terwijl Danny Kaye zich de haren uit het hoofd trok en in het Jiddisch begon te jammeren dat hij per se de directeur in eigen persoon moest spreken.

De directeur en de toneelknecht kwamen aanrennen. 'Wat is er toch? Wat kunnen we voor u doen? Wat is er voor vreselijks gebeurd?'

'Er was een dame,' bracht Danny Kaye eindelijk uit. 'Ze had beloofd me te tekenen ... Oh, waar is ze? Wat moeten we beginnen?'

De directeur en de toneelknecht snapten er niets van. De leden van het orkest bliezen op hun trompetten, en stampten met hun voeten, tot Danny Kaye persoonlijk aftikte om aan het oorverdovend lawaai een eind te maken. Rood als een communistische vlag sprong Jardena op van haar stoel. Ze moest hard schreeuwen om zich verstaanbaar te maken. 'Hier ben ik, Danny Kaye. Ik ben al bezig u te tekenen.'

Met zijn hand op zijn hart boog de superstar, eerst voor Jardena, daarna voor de directeur, de toneelknecht en de juichende orkestleden. Toen de kalmte was weergekeerd, hief hij zijn dirigeerstaf op en kon de repetitie beginnen. Na afloop ervan wou Jardena Danny Kaye bedanken en hem haar schetsboek laten zien, maar hij liep langs haar heen alsof ze lucht was.

Hoewel Jardena geen kaartje had voor Danny Kaye's concert, was ze niet van plan het te missen. Afgepeigerd en oververmoeid door de feestelijkheden thuis, ging ze op de bewuste avond naar het concertgebouw, gekleed in een zwarte jurk van Perla, en met een lege vioolkist onder de arm. Omgeven door tientallen musici ging ze via de artiesteningang naar binnen. Ze was van plan om in de artiestenkamer te wachten tot vlak voor het concert, en dan een plaatsje op de trap te bemachtigen, maar het noodlot wilde dat ze regelrecht opbotste tegen de directeur, die kennelijk op de loer stond om infiltranten te betrappen. Hij stond op het punt haar tegen te houden, maar herkende haar nog net op het laatste moment. Hij staarde haar recht in het gezicht, en ze staarde uitdagend terug. Zonder een spier te vertrekken stapte hij opzij om haar door te laten.

De deuren van de zaal werden gesloten. Het concert stond op het punt te beginnen. Wie te laat kwam had pech gehad. Jardena ontdekte één enkele lege zitplaats in het midden van de vijfde rij. 'Neem me niet kwalijk, pardon, pardon.' Struikelend over knieën en enkels bereikte ze deze luxezetel. Danny Kaye kwam het toneel op. Een daverend applaus verwelkomde hem. In de seconde tussen het lawaai en de eerste noten van ouverture

Egmond hoorde Jardena achter zich iemand iets in het Nederlands fluisteren. Ze draaide zich om en keek recht in het gezicht van prinses Beatrix, die incognito samen met prins Claus het concert van Danny Kaye bijwoonde. Net als iedereen schoten ze van de ene lachbui in de andere. Maar de verrassing van de avond kwam direct na de pauze, toen de onverbeterlijke komiek op geheel onverwachte en onbekende manier het toneel op kwam wandelen en bescheiden op een gewone stoel ging zitten met zijn gezicht naar het publiek.

'Alvorens we verder gaan met feestvieren moet ik u wat zeggen,' begon hij op serieuze toon. 'Dit is voor ons Joden geen gewone dag. Dit is de dag waarop de onafhankelijkheid van ons volk en onze staat wordt gevierd. Het betaamt ons om vrolijk te zijn, maar we moeten ook stilstaan bij de feiten die aan het ontstaan van de staat zijn voorafgegaan: de Tweede Wereldoorlog, de holocaust, de zes miljoen Joden die op de wreedste manier zijn omgebracht alleen omdat ze Joden waren.'

Er volgde een rede van een kwartier waarin Danny Kaye zijn hart uitstortte over het lot van de Joden door de eeuwen heen en de miraculeuze wederopstanding van de staat Israël. Hij sprak zo eerlijk en hartveroverend dat weinig toehoorders hun tranen konden bedwingen, en dat ook sommige musici op het podium hun zakdoeken te voorschijn haalden. Ofschoon Jardena te gespannen luisterde om aan Beatrix en Claus te denken, hoorde ze op een goed moment een snik die onmiskenbaar prinselijk was.

Toen iedereen tot in het diepst van zijn wezen geroerd was, sprong Danny Kaye op van zijn stoel en riep hij opgewekt: 'Muziek, muziek. We hebben een eigen staat. Dat moeten we vieren.' En voort ging het weer met moppen en grappen, tot het publiek buikpijn had van het lachen.

Drie dagen later las Consuela haar parashah uit de Torah. Omdat vrouwen in een traditionele synagoge het woord niet mogen voeren, vond haar ceremonie plaats in de liberale synagoge. Net als Itsik had ze maandenlang les gehad van een rabbijn, en net als hij bracht ze haar tekst feilloos en op de bijbehorende melodie ten gehore. Niet alleen Nathan maar ook Jardena werd opgeroepen om het lezen van hun dochter met een korte zegenspreuk in te leiden. Voor Jardena was het de eerste keer dat ze een officiële functie bekleedde in een religieuze ceremonie. Ze was zenuwachtig, maar had haar tekst en de melodie goed uit het hoofd geleerd, en maakte geen fouten. Haar schoonmoeder zat op de eerste rij in de synagoge. Ondanks het feit dat ze de dochter en kleindochter van orthodoxe rabbijnen was, had ze niets dan lof voor de liberale dienst. Alle aanwezigen, maar in de eerste plaats de vrouwen, waren trots op Consuela, die op haar rechten had gestaan, en uit de Torah had gelezen 'als een man', hoewel het idee om dat te willen bij geen van haar drie oudere zusters was opgekomen.

Daan Blumenthal, bij wie Jardena twintig jaar geleden haar eerste Seder in Israël had gevierd, drukte na afloop van de ceremonie haar hand met de woorden: 'Ja, dit is de richting waarin onze religie moet gaan. Het is niet langer aanvaardbaar om vrouwen de Torah te ontzeggen.'

In mei en juni gaven Isaac Stern en Alexander Schneider masterclasses aan tienermusici in het auditorium van Mishkenot-Sheananim. Ieder die dat wou kon de lessen gratis bijwonen. Jardena was bij alle sessies aanwezig met haar schetsboek. Ze tekende de leraren, de leden van het exclusieve kamerorkest, en de begaafde jongens en meisjes die om beurten de eerste vioolpartij speelden van Bachs dubbelconcert, met Isaac Stern als tweede solist en Alexander Schneider als dirigent. Het kwam haar voor dat wat er in Mishkenot-Sheananim gebeurde kunst was in de puurste, creatiefste vorm, en dat ieder die er geen deel aan had, hetzij als musicus, hetzij als luisteraar, het mooiste muzikale evenement van het jaar miste. Ze belde Robin op om hem erover te vertellen, maar hij was niet thuis.

Die week zou het Jeruzalems Symphonie Orkest de *Symphonie phantastique* van Berlioz uitvoeren. De paukeniste had Jardena een vrijkaartje bezorgd. Hoewel Jardena als een der eersten de zaal binnenging, zat Robin al op zijn plaats in het orkest. Ze wipte het podium op en liep op hem af: 'Robin, je hebt vanmorgen iets prachtigs gemist, maar je kunt het morgen nog meemaken. Ik vertel het je straks in de pauze.'

'Mevrouw Jerushalmi, wilt u het podium onmiddellijk verlaten,' schreeuwde Robin haar toe. 'U hebt geen recht hier te zijn. En in de pauze heb ik geen tijd. Dan moet ik studeren. Ik geef volgende week een concert.'

Jardena maakte dat ze wegkwam, en in plaats van zoals gewoonlijk op één van de voorste rijen een plaatsje te zoeken, zodat Robin en zij naar elkaar konden glimlachen tijdens het concert, ging ze zo ver mogelijk achter in de zaal zitten. Haar lichaam deed pijn alsof ze bont en blauw geslagen was. In de pauze kon ze het niet opbrengen om koffie te gaan halen in de foyer. Perla's fluitleraar reikte de reddende hand. Hij kwam naast haar zitten en hield een tirade waar ze nauwelijks naar luisterde. Robin verliet het podium niet. Hij studeerde ook niet voor zijn concert. Hij praatte en lachte luidkeels met een jonge altiste. Het was duidelijk dat hij alles deed om Jardena met zijn overdreven lachsalvo's te imponeren.

Na afloop van het concert stond ze zo zichtbaar ontdaan bij de uitgang dat één van de blazers aanbood haar naar huis te rijden. Onderweg vertelde hij haar dat hij het orkest uit de grond van zijn hart haatte, en tijdens het concert aan niets anders had kunnen denken dan aan zijn postzegelverzameling, en hoe hij daar op zijn vrije dag aan zou werken.

Met moeite bracht Jardena uit: 'Maar waarom ga je dan niet weg bij het orkest?'

'Weggaan? Op mijn leeftijd? Over zeven jaar ga ik met pensioen. Dat kan ik me toch niet veroorloven. En ik ben de enige niet die er zo over denkt. Wij van de oude garde tellen de dagen tot onze tijd erop zit.'

Hoe kan dat nu, vroeg Jardena zich af. Zijn alle mensen altijd ongelukkig, zelfs als ze samen musiceren? Waar dient het dan allemaal voor? Maar ze had de energie niet om een discussie te beginnen.

Toen ze thuiskwam, lag Nathan al in het te smalle tweepersoonsbed, dat nog altijd in de woonkamer stond. In de loop van de jaren had het gezin weliswaar de beschikking gekregen over wat meer kamers van het oorspronkelijke huis dat Nathans grootvader had gebouwd, maar die waren van lieverlee voor de kinderen ingericht. Die konden toch niet eeuwig met z'n achten op één kamer blijven slapen.

Had ik maar een plekje voor mezelf, dacht Jardena. Ze ging naar de keuken en kon niet eens huilen. Ze zat heel stil, verbruikte zo weinig mogelijk energie uit angst dat ze in stukjes uit elkaar zou vallen. Het enige wat ze kon denken was: is dit de manier waarop je omgaat met onze vriendschap, Robin? Is dit hoe je mij behandelt, mij, die je kortgeleden nog Imma noemde?

Toen ze echt niet langer kon blijven zitten, kroop ze onder de deken. Nathan stak zijn hand naar haar uit en ze liet hem zoals gewoonlijk begaan. Maar veel fut kon ze niet opbrengen.

De dag na de *Symphonie phantastique* had Jannai celloles. Jardena zat in haar hoekje, maar ze keek niet één keer Robins kant uit. Robin, daarentegen, deed duidelijk zijn best om haar aandacht te trekken. Toen dat niet lukte, liet hij zich zogenaamd terloops de details ontvallen over het concert dat hij een paar dagen later zou geven. Jardena kon geen weerstand bieden en ging erheen. Het ging om een lunchconcert in een zaaltje van de universiteit. Ze was van plan om net als een paar dagen tevoren bij het Jeruzalems Symphonie Orkest, helemaal achterin te gaan zitten, en na het concert ongemerkt weg te glippen, maar het was een zaaltje met maar honderd plaatsen en het publiek bestond uit een handjevol studenten van wie sommige niet eens luisterden, zo druk hadden ze het met elkaar en hun readers. Robin kwam alleen het toneel op en keek onmiddellijk de zaal in. Zocht hij Jardena? Hun ogen ontmoetten elkaar, en opnieuw zag ze die wanhopige blik, die haar altijd zo ontroerde.

Nauwelijks had de laatste noot van de derde solosuite van Bach geklonken of de studenten applaudisseerden lauw en haastten zich luidruchtig de zaal uit. Wat moest Jardena doen? Weglopen zonder Robin te zeggen dat hij mooi had gespeeld? Dat kon ze niet over haar hart verkrijgen. Ze ging naar hem toe en schudde zijn hand. 'Dank je, Jardena,' zei Robin. 'Ik dacht niet dat je zou komen, maar ik ben heel dankbaar dat je het hebt gedaan.'

In juni begon hij zich op zijn reis naar Amerika voor te bereiden. Jardena wou hem een afscheidscadeau geven: een schrift met portretten van musici die ze in de loop van de tijd geschetst had, en die een speciale betekenis voor hem konden hebben.

Daarbij waren tekeningetjes van zijn collega's van het orkest, van Danny Kaye, Alexander Schneider en Rubinstein, en van de meest geliefde gastdirigenten. Iedere avond, als Nathan en de kinderen in bed lagen, zat ze in de keuken te werken. Ze hoopte hem met dit geschenk het gevoel te geven dat hij niet alleen was, dat hij ergens bij hoorde, dat het orkest in Jeruzalem naar zijn terugkomst uitkeek. Haar enige angst was dat Robin haar geschenk in een van zijn onvoorspelbare buien zou weigeren.

Op zondag 27 juni ontvoerden terroristen een Air Francevliegtuig, dat op weg van Tel Aviv naar Parijs een tussenstop in Athene had gemaakt. Kort daarna maakte radio Oeganda bekend dat het vliegtuig met meer dan tweehonderdvijftig mensen aan boord in Entebbe was geland. Men kwam te weten dat er op het vliegveld in Athene een staking was geweest waardoor twee Duitsers en drie Arabieren met wapens en explosieven ongecontroleerd aan boord van het Franse vliegtuig hadden weten te komen.

De ontvoerders maakten zich kenbaar als aanhangers van het Popular Front for the Liberation of Palestine (PFLO). Alles wees erop dat de Oegandese president Idi Amin van meet af aan in het complot had gezeten.

'Geloof ik niks van,' riep Jardena uit. 'We hebben nota bene zelf voor die man een leger op de been gezet, en iedere keer dat hij ziek is, laat hij zich in Israël behandelen.'

Maar het was waar. Net als Frankenstein hadden de Israëliërs met eigen handen het monster geschapen dat zich nu tegen hen keerde. Radio Oeganda riep enige malen per dag 'bevriende' staten op om de revolutionairen te steunen en Israël aan te vallen, hetgeen Idi Amin er niet van weerhield trots met zijn Israëlische vliegeniersinsigne te paraderen toen hij op 2 juli naar Mauritius vloog om de bijeenkomst van Afrikaanse staten voor te zitten.

Op 30 juni waren zevenenveertig zieken, ouden van dagen en kinderen vrijgelaten, waarna de ontvoerders hun eisen bekend hadden gemaakt: vrijlating van drieënvijftig veroordeelde terroristen, van wie er veertig gevangenzaten in Israël, zes in West-Duitsland, vijf in Kenia, een in Zwitserland en een in Frankrijk. De bekendste waren Elchanans voormalige buurman, aartsbisschop Hilarion Capucci, en Kozo Okamoto, de Japanner die in 1972 in 't wilde weg was gaan schieten in de aankomsthal van het vliegveld Ben-Gurion. De deadline voor uitlevering van de gevangenen was donderdag 1 juli om 11 uur 's morgens, Greenwichtijd.

Op l juli werden de gijzelaars in twee groepen verdeeld: houders van Israëlische paspoorten, ook als ze twee nationaliteiten bezaten, en anderen. Honderd passagiers die geen Israëlisch paspoort hadden, en van wie niet kon worden bewezen dat ze Joods waren, werden vrijgelaten. De AirFrance-bemanning van het vliegtuig weigerde te vertrekken. Ze bleven bij de Joodse passagiers, die nu als enigen borg moesten staan voor het vrijkomen van de drieënvijftig terroristen, of ze nu in Israël gevangenzaten of ergens anders.

'Wat vind jij?' vroeg Jardena aan Nathan. 'Moet Israël aan dat soort chantage toegeven?'

Maar wat kon Nathan daarop antwoorden? Moesten al die onschuldige Joden in Entebbe dan maar worden opgeblazen of doodgeschoten? Was dat een betere oplossing?

'Maar de wereldopinie, doet die er niets toe? De Verenigde Naties? De Fransen? Wat denken die ervan? Het is toch hun vliegtuig, hun verantwoordelijkheid. En de Grieken, die in Athene zo laks zijn geweest...' Maar al had Jardena nog zoveel noten op haar zang, ze wist zelf wel dat ze onzin uitkraamde. Natuurlijk, een gijzeling tot een goed einde brengen was altijd een probleem, maar als Joden in de penarie zaten, keek de wereld de andere kant uit.

En de Israëlische regering zát hevig in de penarie. Allereerst moest men tijd winnen. Al gauw maakte Radio Oeganda bekend dat de Israëlische kolonel Bar-Lev en president Idi Amin geregeld met elkaar telefoneerden om tot onderhandelingen te komen, en dat Amin van de terroristen gedaan had gekregen dat ze niets zouden ondernemen voordat hij terug was uit Mauritius. Maar als Israël op zondag 4 juli om 11 uur Greenwichtijd niet aan de voorwaarden van de ontvoerders had voldaan, zouden de Joden een voor een worden afgemaakt. Dat was de verantwoordelijkheid van de Israëlische regering.

Op zaterdag 3 juli eisten de verwanten van de ontvoerden dat de regering onmiddellijk zou toegeven aan de eisen van de terroristen. Klaarblijkelijk zat er niets anders op. De stemming in Israël zakte diep onder nul.

Maar toen Nathan op zondagochtend slaperig de radio aanzette, sprongen hij en Jardena allebei recht overeind. Hadden ze dat goed gehoord? Vier Herculesvliegtuigen waren onderweg naar huis met aan boord de honderddrie gijzelaars uit Entebbe, alle Joden plus de bemanning van het Franse vliegtuig. Helaas waren ze niet allemaal in leven.

'Hoe kan dat nou? Hoe kan dat nou?' Jardena sprong van opwinding op en neer in haar bed. 'Entebbe is vierduizend kilometer hiervandaan. Hoe hebben ze dat gedaan? Dat kan toch helemaal niet!'

Maar alweer bleek het ongelofelijke waar te zijn. En al spoedig kreeg de wereld te weten hoe de redding in zijn werk was gegaan. De kranten stonden er vol van, en journalist William Stevenson liet er geen gras over groeien. Eind juli lag zijn boek *Ninety minutes at Entebbe* in de winkels. Ook al had Jardena moeite om haar gedachten bij iets anders te houden dan bij Robin, toch bladerde ze lang genoeg in het boek om een indruk te krijgen van de enorme hoeveelheid denkwerk en praktische voorbereidingen die het leger in de paar dagen voor de redding had verricht en van de heldhaftigheid van de onderneming zelf.

Vanaf het allereerste moment, zo bleek, had de Israëlische regering twee plannen gemaakt: plan a – onderhandelen, en plan b – ingrijpen. De telefoongesprekken van Borka Bar-Lev maakten deel uit van plan b. Hij was de man die na Oeganda's onafhankelijkheidsverklaring Idi Amin had geholpen bij het op poten zetten van zijn leger, en hem was de taak opgedragen om zijn oude vriend met goede raad te overstelpen in de trant van: 'Toen ik het nieuws via de radio hoorde, dacht ik bij mezelf: dit is de kans die God voor Zijne Excellentie Idi Amin Dada heeft geschapen om de geschiedenis in te gaan als de grote vredestichter van onze tijd. Toon de wereld hoe edel het karakter is van de man die in Oeganda de scepter zwaait. Als u een heilig man wilt worden die misschien wel de Nobelprijs voor de vrede zal krijgen, moet u zorgen dat de gegijzelden vrijkomen.'

Waarop Amin antwoordde: 'Ik doe mijn best, vriend. Maar Rabin moet aan de eisen van de ontvoerders voldoen. Dan komt alles goed. Reken maar op mij. En hoe gaat het met je vrouw? Mijn zoon Sharon laat jullie groeten.' Want Idi Amin had een van zijn achttien kinderen Sharon genoemd, naar het hotel in Haifa waaraan hij zulke onvergetelijke herinneringen had. 'Ach, broeder, dat waren nog eens tijden ...'

De paar extra dagen die Israël op die manier won, werden goed besteed. Het gebouw waar de gijzelaars in zaten was destijds door een Israëlische maatschappij gebouwd, en die beschikte over de blauwdrukken. Maar er waren sindsdien veranderingen aangebracht, en het was niet duidelijk of de deuren naar binnen of naar buiten opengingen.

Men ondervroeg de vrijgelaten passagiers in Parijs, en toen bleek dat geen van hen de vele vragen afdoend kon beantwoorden, was één van hen bereid zich te laten hypnotiseren, waarna hij zich alles tot in de kleinste details kon herinneren. Dat hielp.

Onverwachte en onbedoelde hulp kwam van de Israëlische Don Quichot, Aby Nathan, die zonder iemand om permissie te vragen, naar Entebbe was gevlogen om persoonlijk met Idi Amin te onderhandelen, maar zodanig was ontvangen dat hij niet wist hoe snel hij weer weg moest komen. Gelukkig had hij goed uit zijn ogen gekeken en wist hij van alles te vertellen over de ligging van de startbanen en de omgeving van het vliegveld. De belangrijkste mededeling die hij uit Oeganda bracht, was zijn indruk dat op zondag de gijzelaars zonder pardon zouden worden afgemaakt, zo niet door de ontvoerders, dan door Idi Amin en zijn soldaten. De president kon zich niet veroorloven langer door Israël aan het lijntje te worden gehouden.

In allerijl werd op een geheime plek in de Negev een model gebouwd van het vliegveld en het gebouw waar de Joden zaten. Op vrijdagnacht werd een generale repetitie gehouden van een overval, en toen generaal Motta Gur zich persoonlijk had overtuigd dat Operatie Donderslag, zoals men hem toen nog noemde, een meer dan redelijke kans van slagen had, legde hij het reddingsplan van brigadegeneraal Dan Shomron voor aan minister-president Rabin.

Op 3 juli kwam het kabinet bijeen in Tel Aviv. Ministers die om religieuze redenen op Shabbat niet reisden kwamen te voet, want geen van hen kon gemist worden bij het nemen van een zo belangrijke beslissing. Het ging letterlijk om leven en dood. Lukte Operatie Donderslag, dan zou de wereld eens en voor altijd een lesje hebben geleerd in verband met gekaapte vliegtuigen. Mislukte hij, dan waren de gevolgen niet te overzien. Rabin zette de plannen uiteen en gaf om democratische redenen iedere minister net zo lang spreektijd als hij meende nodig te hebben om zijn oordeel te formuleren. Dat bleek voor de meesten zo lang te zijn dat de uitvoerders van het plan onmogelijk tot het einde van de zitting konden wachten, wilden ze op tijd in Entebbe aankomen om de beste kans van slagen te hebben. Ze vlogen dus maar vast weg, met dien verstande dat ze ieder ogenblik konden worden teruggeroepen als de ministerraad besloot van het plan af te zien, en op het laatste nippertje de terroristen hun zin te geven.

Vijftien minuten nadat de vliegtuigen waren opgestegen, werd de actie met algemene stemmen goedgekeurd.

Vóór de Donderslagarmada uit vlogen twee Boeings 707. De ene vervoerde een complete operatiezaal met drieëntwintig artsen, tien specialisten en een legertje verplegend personeel. Men rekende op ongeveer dertig doden en vijftig gewonden. De andere Boeing was bedoeld om, in geval van mislukking, te redden wat er te redden viel. Beide Boeings zouden in Kenia paraat staan terwijl de inzittenden van de vier enorme Hercules-vliegtuigen en de begeleidende gevechtsvliegtuigen in Entebbe de operatie uitvoerden. President Jomo Kenyatta van Kenia hield zijn ogen stijf dicht zolang de Israëlische vliegtuigen de kleuren van El Al droegen en niet van het leger.

Zodra de eerste Hercules in Entebbe was geland, rolde er een zwarte Mercedes uit. Was het de Mercedes van Idi Amin of een exacte kopie ervan? En de tien inzittenden, die met zwarte handschoenen en pistolen met geluidsdemper op elkaar gestouwd zaten? Waren hun gezichten echt zwart of namaakzwart? Jazeker, er waren ook professionele grimeurs meegevlogen. Tot hun spijt hadden ze de grote dikke pseudo-Idi, die tijdens de generale repetitie een belangrijke rol had gespeeld, in Israël moeten laten omdat bekend was geworden dat de echte president van Oeganda die avond al uit Mauritius zou terugkomen.

Maar ook zonder neppresident sloegen de inzittenden van de Mercedes een uitstekend figuur. De slaperige bewakers van het gebouw waarin de Joden gevangenzaten bogen als knipmessen. Ze zouden nooit meer omhoogkomen. Aanvoerder Jonathan Netanyahu en zijn negen vrienden veegden zo snel mogelijk de schmink van hun gezichten en gooiden hun verkleedkleren uit om niet door eigen manschappen voor de vijand te worden aangezien. Vanaf dat moment ging alles razendsnel in zijn werk. De Israëliërs stormden de zaal binnen waar de gijzelaars zaten of lagen te dommelen. 'Liggen! Plat op de grond! Hier is Israël!' schreeuwden de soldaten in het Hebreeuws. De enige gegijzelde die overeind kwam om te kijken wat er aan de hand was kreeg een volle laag kogels. Een oudere vriend die hem te hulp snelde kwam ook onder vuur en viel zwaargewond neer. De twee Duitse ontvoerders waren in een ommezien gedood, twee Arabische terroristen schoten in paniek om zich heen en wisten weliswaar een paar gijzelaars te verwonden, maar vielen meteen daarna zelf dood neer. De schietpartij in de grote zaal duurde een minuut en vijfenveertig seconden.

'Opstaan, naar buiten toe,' schreeuwden de Israëliërs. Soldaten loodsten de gijzelaars op een draf naar de vliegtuigen. Artsen en verplegend personeel, getraind als stoottroepen, droegen de gewonden, vijf burgers en vier soldaten, naar het eerste vliegtuig. Intussen renden enige soldaten naar de tweede verdieping van het gebouw waar ze nog een paar terroristen in de toiletten en onder bedden vonden. Ook die kwamen er niet levend af.

Terwijl redders en geredden op weg waren naar de vliegtuigen, kwamen ze onder vuur vanuit de dichtstbijzijnde wachttoren. Jonathan Netanyahu viel neer. Medisch personeel bracht hem naar het vliegtuig. Zijn adjudant nam de leiding over.

Na drieënvijftig minuten steeg de eerste Hercules op. Hij landde in Nairobi om de gewonden naar de operatieruimte in de Boeing te transporteren. Na negentig minuten steeg de laatste Hercules op met de laatste manschappen en hun generaal Dan Shomron. Met de paar Oegandese soldaten die hier en daar het vuur hadden geopend, was korte metten gemaakt. De zeven dode terroristen waren gefotografeerd, hun vingerafdrukken waren genomen. De Russische Migs van Idi Amin stonden in lichterlaaie. Niet ver van het vliegveld lag Idi Amin zelf rustig te slapen.

De enige gijzelaar die men in Oeganda had moeten achterlaten, was de vijfenzeventigjarige Engels-Israëlische Dora Bloch, die een dag eerder bijna was gestikt in een kippenbotje, en die daarom naar een ziekenhuis in Entebbe was vervoerd. Men zou haar nooit terugzien.

Behalve Dora Bloch telde Israël drie doden, de twee die op het moment van de overval niet snel genoeg waren gaan liggen en Jonathan Netanyahu, de geliefde aanvoerder van de legereenheid die de operatie had volbracht. Om hem te eren veranderde men de naam Operatie Donderslag in Operatie Jonathan.

Na Robins concert was zijn humeur weer helemaal bijgedraaid. Jardena hield zich voor dat hij zenuwachtig was geweest omdat hij moest optreden. Ze leed onder zijn wispelturigheid maar klemde zich met de moed der wanhoop vast aan haar voornemen om hem te overladen met de moederliefde die hij blijkbaar te kort was gekomen. De jongen was in wezen goed. Dat kon je merken aan de manier waarop hij Jannai lesgaf.

Voordat Robin naar Amerika vertrok, kwam hij afscheid nemen van het gezin Jerushalmi. Toen hij wegging, liep Jardena een eindje met hem mee om haar afscheidscadeau te kunnen geven: het schrift waarin ze haar schetsen voor hem had gekopieerd, en dat ze, gedachtig aan de beroemde muziek van Bach, Musical Offering To You had genoemd.

In het midden van de Jaffastraat was een vluchtheuvel. Daar namen ze afscheid. 'Maak het pakje pas in het vliegtuig open, Robin,' zei Jardena. 'En vergeet mijn belofte niet. Als je me schrijft wanneer je terugkomt, zal ik op het vliegveld zijn.'

'Ja, ja, ik schrijf. Natuurlijk schrijf ik. Helemaal alleen terugkomen ... Ik moet er niet aan denken ...'

'Ik hoop dat je het zo fijn hebt in Amerika dat je Jeruzalem een paar weken helemaal vergeet.'

'Vergeten? Jeruzalem vergeten? Jou vergeten? Nooit!'

De bus kwam eraan en hij moest hollen om hem te halen. Jardena bleef nog even op de vluchtheuvel staan. Toen de bus wegreed, zag ze dat Robin er niet in was gestapt. Hij liep op het trottoir, voorovergebogen, en draaide het pakje om en om in zijn handen. Verbaasd? Nieuwsgierig?

De volgende dag belde hij op om nog eens afscheid te nemen. De telefoon stond op dat moment in de keuken waar Nathan een tweede contact in de muur had laten maken. Robin was in alle staten. Hij had zijn kamer opgezegd en nog geen nieuwe gevonden voor als hij terugkwam. Hij wou weten of hij na terugkomst uit Amerika bij de familie Jerushalmi zou kunnen logeren tot hij iets had gevonden.

'Imma, Imma,' schreeuwde hij opgewonden.

Op dat moment begon de ketel te fluiten. Jardena wou met haar vrije hand de gaskraan dichtdraaien, maar de afstand van de muur tot het fornuis was te groot. De telefoon kletterde op de grond en trok in zijn val een volle jampot mee, die op de stenen vloer in stukken viel. Overal was glas en jam. Alles prikte en plakte. Niet alleen was het snoer van de telefoon uit het contact getrokken, maar het hele contact was uit de muur gerukt. Daar het gesprek hoe dan ook onderbroken was, stelde Jardena vlug enige orde op zaken voordat ze met de telefoon naar de woonkamer liep en hem daar weer aansloot. Het had minstens vijf minuten gekost om de situatie meester te worden, maar toen ze de hoorn opnam met de bedoeling Robins nummer te draaien, bleek tot haar verbazing de lijn nog steeds open te zijn, en was Robin nog steeds aan het schreeuwen. Hij had niet eens gemerkt dat niemand naar hem luisterde.

'Imma, Imma, ik ben bang!'

Jardena wachtte tot hij enigszins gekalmeerd was. 'Zolang ik leef,' zei ze ten slotte, 'zul je altijd een thuis hebben.'

Op de dag dat Robin naar Amerika vloog, begon Jardena haar eigen fantasiereis als begeleidster. 'Ik neem je mee,' had hij tijdens Rubinsteins concert gezegd. En zo was het. Fysiek ging ze met de kinderen naar het zomerhuisje ten noorden van Netanja, maar in gedachten was ze dag en nacht bij Robin in Amerika.

In een telefoongesprek met Nathan zei deze: 'Er is een brief van je geliefde.'

'Robin is mijn geliefde niet,' antwoordde Jardena geschrokken. En ze was zo benieuwd naar de inhoud van de brief, dat ze eraan toevoegde: 'Maak maar open, en lees voor, alsjeblieft.'

Er stond niets bijzonders in de brief, behalve dan dat Robin haar aansprak met 'Special friend', en dat hij een eigengemaakt gedicht had bijgesloten waar noch Nathan, noch Jardena een touw aan vast kon knopen.

Ook had Robins vader een paar woorden bijgevoegd om zijn bewondering uit te drukken voor de Musical Offering To You.

Urenlang lag Jardena op het hete zand aan Robin te denken. Als een bakvis schreef ook zij gedichten waarin ze hem nog steeds aansprak als haar zoon. Maar op een ochtend werd ze wakker door haar eigen stem die hardop riep: 'Ik wil je ook mijn lichaam geven.' Pas op dat moment realiseerde ze zich met een schok dat ze smoorverliefd op hem was. Vanaf die dag werd alles anders.

Tot nu toe had ze gehoopt dat Nathan zou bijdraaien en dat hij, net als zijzelf, van Robin zou gaan houden. Nu werd het zaak haar gevoelens zo veel mogelijk te verbergen. Toen de vakantie voorbij was, nam ze met een zwaar gemoed afscheid van de zee en het strand. Hoe moest ze haar leven in Jeruzalem inrichten?

De dag na haar thuiskomst kwam de tweede brief van Robin. Daarin stonden zijn vluchtnummer zowel als datum en uur van aankomst op Ben-Gurion. Ook noemde hij nog een andere brief die Jardena niet had ontvangen, waarin blijkbaar sprake was van iets wat haar vriendschap voor hem in de waagschaal zou stellen. Dagenlang probeerde ze te bedenken wat dat kon zijn. Op de ochtend van Robins terugkeer in Israël, kwam ook de verloren gewaande brief. Jardena las en herlas hem vele keren voordat ze de inhoud ervan kon bevatten: Robins geliefde was niet een vrouw maar een man. Dat was zijn geheim.

Als een houten marionet wankelde ze naar de enige plaats waar een moeder alleen kan zijn. Daar zat ze op de klep van de wc en liet de tijd voorbijgaan. Langzaam daagde het in haar brein dat het geen enkel verschil maakte welke geaardheid Robin had, en dat juist nu het moment was aangebroken om hem te bewijzen dat het waar was wat ze hem zo vaak had gezegd, dat ze van hem hield zoals hij was. Immers, zelfs als hij van vrouwen had gehouden, waren hun lichamen niet voor elkaar bestemd, daar ze zelf al gebonden was aan een partner, die maar liefst de vader van haar acht kinderen was. En bovendien was haar lichaam veertien jaar ouder dan het zijne. Maar wat had dat met hun zielen te maken? Hadden zielen een leeftijd? Een geslacht?

In plaats van te wensen dat Robin van vrouwen kon houden, betrapte ze zich erop dat ze wenste als man geboren te zijn.

Op weg naar het vliegveld had ze visioenen dat Robin haar expres of per ongeluk had misleid wat de dag en het uur van zijn aankomst betrof. Dat hij, op de voor hem zo typerende manier, het voor haar onmogelijk had gemaakt haar belofte te vervullen, waardoor het voor hemzelf onmogelijk zou zijn te weten te komen of ze, na ontvangst van zijn brief, hem wel of niet uit haar hart had gebannen.

Op het moment dat ze bij het vliegveld aankwam, zag ze het TWA-vliegtuig landen. Klam van angst dat hij er niet in zat, wachtte ze bij de uitgang. Al gauw verschenen de eerste reizigers. Er werd gekust en omhelsd, gehuild en gelachen, maar wie er ook kwam, geen Robin. Zo nu en dan gingen de grote dubbele deuren geheel open, en dan kon ze tot diep in de aankomsthal kijken. Ze tuurde zich de ogen uit het hoofd. Kon ze maar dwars door de mensenmassa heen kijken. Kon ze maar tot achter in de hal zien. Ze dacht erover door de andere ingang naar binnen te lopen en door de grote glazen ruiten in de aankomsthal te kijken, maar ze was bang dat Robin net naar buiten zou komen terwijl zij binnen stond. Als hij in het vliegtuig had gezeten, kon hij onmogelijk het vliegveld verlaten zonder door het hek te komen, dus dit was de veiligste plaats om op hem te wachten. Ze was zo bibberig dat ze zich aan het hek vastklampte.

Een hand tikte op haar schouder. Ze schrok. Wat nu?

'Ben jij het Jardena?' vroeg een man op leeftijd. 'Of heb je liever dat ik je Reinie noem? Herken je me nog?'

Even keek ze de man recht in het gezicht en toen wist ze het. De laatste keer dat ze hem had gezien was veertien jaar geleden: de man die bereid was geweest bij het rabbinaat te getuigen dat haar ouders niet in een kerk waren getrouwd, en die een paar jaar later was komen kijken of ze gelukkig was.

'Andries Davids,' mompelde ze.

'In eigen persoon,' bevestigde hij lachend. 'En als ik me niet vergis ben jij hard aan een kop koffie toe. Kind, wat zie je bleek. Mag ik je wat aanbieden?'

Maar Jardena schudde haar hoofd. 'Het kan niet. Ik kan hier niet weg. Als ik hier vandaan ga, zou ik mijn gast kunnen missen.'

'Kom nou, die wacht toch wel even? Welke reiziger loopt er nu weg zonder om zich heen te kijken!'

Jardena zuchtte, maar liet het hek niet los.

Andries Davids bracht haar een espresso, die ze dankbaar opdronk zonder de deur waar Robin doorheen moest komen ook maar een moment uit het oog te verliezen. Het was de laatste keer in haar leven dat ze Andries Davids zag. Ze was blij dat hij niet had gevraagd of haar huwelijk nog steeds floreerde.

Twee uren waren verstreken sinds ze het TWA-vliegtuig laag boven haar hoofd had zien vliegen, maar nog kon ze het niet over haar hart verkrijgen terug te gaan naar Jeruzalem.

Vliegtuigen uit alle delen van de wereld landden. Reizigers spraken, kusten en omhelsden elkaar in talen die ze niet verstond. Plotseling lukte het haar door de open deur, tussen de hoofden van twee toeristen, tot achter in de ruimte met de bagagebanden te kijken, en daar stond Robin. Ze had geen idee wat hij aan het doen was en waarom het zo eindeloos lang duurde, maar ze bleef nog een uur lang op haar post. Eindelijk, drie uur na landing, kwam hij aansjokken. Hij hield zijn ogen naar de grond gericht en drukte zijn bagage tegen zijn borst alsof hij zich erachter wilde verschuilen. Op dat moment kon Jardena zich niet meer beheersen. Ze wierp zich door de menigte en vloog met zoveel geweld op hem af dat hij zijn bagage liet vallen. Noch zij, noch hij kon een woord uitbrengen. Ze hielden elkaar stijf vast.

Na lange tijd zei hij: 'Zeg iets, Jardena, alsjeblieft, zeg iets.' En toen hij zag dat ze nog steeds niets kon zeggen, voegde hij er met zijn eigen logica aan toe: 'Ik wist wel dat je zou komen.'

In de taxi naar Jeruzalem, terwijl ze zich als twee drenkelingen aan elkaar vastklampten, gaf hij toe dat hij zo bang was geweest dat ze er niet zou zijn, dat hij er ernstig over had gedacht met het eerstvolgende vliegtuig terug naar Amerika te vliegen. Dat was de reden dat hij zo lang had getreuzeld.

Negen dagen bleef Robin bij de familie Jerushalmi logeren. Negen dagen deed Nathan zo onhebbelijk mogelijk tegen hem en hadden de kinderen alle redenen om jaloers te zijn op de aandacht die hun moeder aan haar gast besteedde. Als Robin en Jardena niet een wandelingetje in de buurt maakten, zaten ze in de keuken te praten. Eens zaten ze op een stenen muurtje, toen Jardena zei: 'Robin, wat je wilt, zul je krijgen, alleen het is niet aan mij om het je te geven.' Wat ze bedoelde was: 'Robin, wat je wilt ben ik bereid je te geven. Het enige wat je moet doen is erom vragen.'

'Je bloost,' riep hij verrukt uit. 'Dus jij hebt ook zitten fantaseren. Jij en ik hebben dezelfde droom gedroomd!'

Hand in hand liepen ze door Jeruzalem. Soms kuste ze zijn vingers, soms gaf hij haar een zoen op haar wang, in haar hals. Het waren negen gelukkige dagen, behalve dat ze beiden wisten dat er een eind aan moest komen.

Op een nacht was Robin zenuwachtiger dan ooit.

'Kom,' zei Jardena. 'Laten we naar buiten gaan. Lopen zal je goeddoen.'

Zodra ze op straat waren, rende hij in de richting van het Onafhankelijkheidspark. Ze gingen op een bank vlak bij de ingang zitten. 'Wat ben je mooi,' zei hij.

'Dat is omdat ik van je hou,' was haar antwoord.

'Ja,' zei hij. 'Ik weet het, en ik hou ook van jou. Maar nu moet je weggaan. Ik ga nu het park in, en dat moet ik in mijn eentje doen.'

Het Onafhankelijkheidspark, wist Jardena, was een ontmoetingsplaats voor mannen op zoek naar andere mannen. Ze wist wat hij daar ging doen maar het deerde haar niet. Integendeel, het sterkte haar geloof dat er altijd iets voor haar zou zijn. Iets wat alleen zij hem kon geven. Dat juist omdat hij van mannen hield, zij de vrouw zou zijn in Robins leven. Het hinderde niet dat ze van de verkeerde leeftijd was en van het verkeerde geslacht. Ze hoefden niet samen naar bed te gaan. Ze zouden iets mooiers hebben, iets subliems, iets ongrijpbaars, iets alleen van hem en haar.

Robin vond een kamer en zou begin september verhuizen. Jardena ging met hem mee om een paar huishoudelijke voorwerpen te kopen. De volgende dag viel hij de woonkamer binnen met de verontwaardigde uitroep: 'Ik was nog even in die winkel van gisteren en weet je wat de verkoopster vroeg? Of ík het was die gisteren een broodplank kocht met die dame met grijs haar. Heb je grijs haar? Is het echt waar? Dat wist ik helemaal niet.'

'Toch is het zo, Robin, en het is misschien niet goed voor je reputatie om zoveel gezien te worden met een dame met grijs haar.'

Oprecht geschokt riep hij uit: 'Maar je bent mijn beste vriendin. Mijn enige vriendin. Ik wil met je gezien worden. Ik neem je mee naar een restaurant zodat iedereen kan zien dat we vrienden zijn.'

Op de vooravond van de dag dat Robin naar zijn nieuwe adres verhuisde, organiseerde hij een feestje in het huis van de Jerushalmi's. Hij had een violiste en een pianiste opgetrommeld en zich van de medewerking van Perla verzekerd. Ze speelden Bachs *Musical Offering.* Het is mijn Musical Offering To You, zei hij trots. En om de avond met iets zoets af te sluiten, kwam hij aandragen met een geschenk waarvan hij zwoer dat het onvergankelijk was: ijs! Hij lachte zich slap om zijn eigen grap.

In september eiste de schoolpsychologe van Nathan en Jardena dat ze de dertienjarige Itsik op eigen kosten naar een therapeut zouden sturen. Nathan was principieel tegen psychologen, maar hij zag wel in dat hij zijn principes opzij moest zetten als hij niet wou dat zijn zoon van school werd gestuurd. Er werd een afspraak gemaakt met een zekere meneer Pigeon, psycholoog, die de ouders wou leren kennen alvorens te beslissen of hij met het kind in zee zou gaan.

Vanzelfsprekend liet Nathan tijdens de eerste ontmoeting de naam Robin vallen. Onmiddellijk stamelde Jardena: 'U moet niet denken dat ik verliefd op hem ben. Het enige wat ik wil is hem helpen. Hij is homoseksueel en lijdt daar verschrikkelijk onder.'

Nauwelijks was het woord 'verliefd' over haar lippen of ze kon zichzelf wel voor het hoofd slaan, want het was zonneklaar dat de heer Pigeon haar doorhad. Hij knikte begrijpend maar ging niet op de zaak in. Aan het eind van het consult gaf hij te kennen dat het alleen zin had met de zoon te werken als gelijktijdig ook de ouders hun problemen oplosten. Als Nathan en Jardena eenmaal per week bij hem wilden komen, zou hij een andere therapeut voor Itsik zoeken. Twee psychologen, dat zou een aardige duit gaan kosten. Na vier weken had Nathan schoon genoeg van wat hij uit de grond van zijn hart gezemel noemde.

Bovendien was hij door de Vereniging van Kleine Musea in Nederland uitgenodigd voor een nieuwe tentoonstellingstournee. 'Zie je niet wat een oplichter die Pigeon is?' zei hij tegen Jardena voordat hij vertrok. 'Moet je hem zien zitten in zijn luie stoel. Hoe durft hij! Vijfentwintig pond per uur! Gewoon om een beetje naar dat geroddel van jou te luisteren. Tegen de tijd dat ik uit Nederland terugkom, ben je hopelijk van die kwakzalver af.'

Jardena dacht daar anders over. Voor haar waren de gesprekken met professor Pigeon goud waard. Gelukkig hoefde ze Nathan niet te vragen haar in dit opzicht te helpen. Ze had wat geld van haar vader geërfd, en wat zou Jan Vreeland liever gewild hebben dan zijn dochter te geven wat ze op dit moment het meest nodig had?

Eigenlijk was ze best blij dat Nathan niet mee wou. Nu kon ze net zoveel over Robin praten en om hem huilen als ze wou. In tegenstelling tot de bio-energetische Roland, die als een meteoor door haar leven was geschoten en er een gat in had geslagen zonder zich om de gevolgen te bekommeren, veroorzaakte de heer Pigeon geen storm op zee, maar liet hij haar ook nooit verdrinken. Hij gaf haar geen hand als ze binnenkwam en geen antwoord op directe vragen. Wat hij haar gaf was onverdeelde aandacht, de verzekering dat ze recht had op haar verdriet, en goed gerichte vragen die in haar verbeelding van de ene sessie op de andere van kleur veranderden. Om deze laatste eigenschap noemde ze hem de regenboogtovenaar.

Toen hij na enige tijd opperde dat haar diepgewortelde verdriet misschien niet zozeer met Robin te maken had, als wel met het recente verlies van haar vader, worstelden lang vergeten beelden uit de oorlog zich langzaam uit haar onderbewustzijn naar boven, niet om zoals dat met Roland het geval was geweest, net zo hard weer te verdwijnen en alleen de pijn achter te laten, maar om langzaam door haarzelf te worden bekeken en afgewogen tegen haar huidige omstandigheden.

Een van de oorlogsgasten was oom Karl. Hij had, in tegenstelling tot de meeste onderduikers, in de oorlog meerdere maanden bij hen gewoond, en hij was een van degenen die zijzelf op de dag van de huiszoeking het leven had gered. Oom Karl was een violist zonder viool, aan wie moeder haar eigen kostbare instrument gaf, waarna ze zelf op een eenvoudige studieviool speelde. Iedere avond trok vader de verduisteringsgordijnen dicht. Dan kwam oom Karl naar beneden om duetten met moeder te spelen. De buren aan de rechterkant van het huis waren NSB'ers, maar van muziek hadden ze geen verstand, en of er op één viool werd gespeeld of op twee, voor dat onderscheid waren ze te grof besnaard.

Soms werd Reinie wakker en voelde ze zich als een ei dat op het punt stond uit te komen. Dan liep ze op blote voeten de trap af en ging op de onderste tree zitten luisteren. Soms zat Eva of Vera daar ook. Soms hielden moeder en oom Karl na een paar stukken op en slopen de meisjes ongemerkt weer naar bed. Maar soms kwam vader de gang in, alsof hij wist dat ze zaten te luisteren. Dan mochten ze mee naar binnen en om de beurt op zijn knie zitten. Samen luisterden ze, samen lachten en huilden ze, lachten ze van blijdschap omdat ze het voorrecht hadden te horen en te zien, huilden ze van frustratie omdat ze de sleutel niet hadden van de muzikale liefdestoren die moeder en oom Karl samen bouwden, steentje voor steentje, noot voor noot, terwijl de carbidlamp de zure geur verspreidde van hekserij en slechte tijdingen.

Na enige tijd moest moeder naar het ziekenhuis.

'Voor een weekje maar,' had ze gezegd. 'Hoogstens twee, hoogstens drie, hoogstens vier.' Maar ze was nooit meer thuisgekomen.

Nu Jardena besloten had bij de regenboogtovenaar te blijven, ging Itsik eens per week naar iemand anders. Net als zijn vader was hij vierkant tegen alles wat naar psychologie riekte. Hij saboteerde de zaak door maandenlang geen mond open te doen, net zo lang tot de psychologe het opgaf en Itsik van school werd gestuurd.

Intussen had Perla grote problemen in het leger, waar ze acht uur per dag naar een monitor moest turen om eventuele infiltranten uit Jordanië tijdig te ontdekken. Het werk was op zichzelf noch ingewikkeld, noch gevaarlijk. Perla's probleem was dan ook niet zozeer het werk dat ze moest doen, als wel de intense hitte in het primitieve hutje waarin ze verbleef, en het feit dat haar huisgenoten dag en nacht de radio keihard hadden aanstaan, zodat ze zelfs gedurende de uren dat ze geacht werd te slapen geen oog dichtdeed.

Perla moest en zou iedere avond met haar moeder telefoneren. Anders werd ze stapelgek, zei ze. Er was echter maar één telefooncel in het legerkamp, en Perla was niet de enige die avond aan avond naar huis wou bellen. Vaak stond ze in de rij bij de cel in het kamp en zat Jardena thuis van halfacht tot elf uur op het gesprek te wachten.

Vered, die haar moeders dweperij met Robin niet kon uitstaan, deed alles wat ze kon om Jardena te straffen. Vaak bleef ze 's nachts weg zonder naar huis op te bellen, zodat Jardena van ongerustheid klaarwakker in bed lag.

Consuela had haar eigen manier bedacht om te protesteren tegen haar moeders vriendschap met Robin. Niet alleen plaste ze iedere nacht haar bed nat, ze klaagde ook over pijn in haar rechtervoet, die op een gegeven moment zo ondraaglijk was dat ze er niet meer op kon staan. Maar op een dag was ze alleen thuis, toen geheel toevallig een buurman, die de sleutel had, even binnenkwam. Deze wist later te vertellen dat hij Consuela gewoon door het huis had zien lopen. Toen ze inzag dat ze verraden was, werd de verhouding met haar moeder nog slechter.

Zonder zich iets van de spanningen in huize Jerushalmi aan te trekken, belde Robin op de meest onmogelijke tijden overdag en 's nachts op. Hij smeekte Jardena om niet naar de regenboogtovenaar te gaan. 'Die man is erop uit om je karakter zo te veranderen dat je ophoudt van mij te houden', was zijn overtuiging. Hij verweet haar zelfs dat ze expres daarom naar hem toe ging, en als Jardena hem vroeg het gesprek kort te maken omdat ze een telefoontje van Perla verwachtte, had hij uitbarstingen van jaloezie waar haar hart van brak.

Op de vooravond van het Loofhuttenfeest was Robin jarig. Zodra de kinderen naar school waren, belde Jardena op om hem te feliciteren. Gierend van opwinding vertelde hij haar dat hij een gedicht voor haar had geschreven, en dat hij het haar in de loop van de ochtend zou komen brengen. Hij kwam met bloemen alsof niet hij maar zij jarig was, en vroeg of ze een feestelijk stuk papier had om zijn gedicht op te schrijven. Hij zat aan de tafel en hield haar met zijn linkerhand vast terwijl hij met zijn rechterhand schreef. Op dat moment ging de bel. Het was een radioreporter, die met een technicus en een fotograaf Jardena een interview kwam afnemen over de problemen van een moeder van een groot gezin. Jardena, die er altijd op uit was om reclame voor haar man te maken, en die zelf de afspraak had gemaakt, kon niets anders uitbrengen dan: 'Ik kan jullie niet ontvangen. Ik kan het ook niet uitleggen. Jullie moeten weggaan. Kom een andere keer maar terug.'

De drie mensen maakten zonder enig verwijt rechtsomkeert. Een paar dagen later gaf Jardena het interview zonder dat iemand haar ooit om uitleg vroeg van haar vreemde gedrag.

Op de vrijdagavond in de week van het Loofhuttenfeest bracht Vered twee Duitse meisjes mee naar huis, die in Israël waren vanwege een uitwisselingsprogramma van het jeugdorkest. Jardena deed haar best om het gezellig te maken, maar de gasten spraken geen woord Engels, en zij was de enige die een beetje met hen kon converseren. Ze kon zich slecht concentreren, want Itsik, die uren geleden aan de Arabische kant van Jeruzalem was gaan paardrijden, was nog steeds niet thuisgekomen. Tijdens de avondmaaltijd ging de telefoon. Het was Anastas, een christelijke Arabier die indertijd op de school van Itsik Arabisch had onderwezen, en op Joodse feestdagen vaak werkte in het zeer religieuze Joodse Sha'arei-Tsedek-ziekenhuis, waar hij de taak van *shabbesgoy* vervulde.

'Mevrouw Jerushalmi,' zei Anastas. 'Er is iets gebeurd, maar er is geen reden om in paniek te raken. Itsik is naar het ziekenhuis gebracht. Hij is niet bij bewustzijn. Zou u meteen kunnen komen?'

Jardena liet haar kinderen en de Duitse meisjes in de steek, en rende de hele weg naar Sha'arei-Tsedek, wat gelukkig niet ver was.

Hoewel Itsik niet bij bewustzijn was, herkende hij zijn moeder toch. Jardena kende de symptomen van hersenschuddingen die zijzelf en sommigen van haar kinderen in de loop van de jaren hadden gehad. Op het moment dat ze bij zijn bed verscheen, sprong hij op en sloeg haar met zijn vuisten, daarbij wild schreeuwend: 'Ben je daar, ontaarde moeder. Het is allemaal jouw schuld.'

Lichamelijk scheen alles gelukkig goed te functioneren, maar zijn gezicht was gezwollen en vertrokken, en het was duidelijk dat hij niet wist wat hij deed.

Jardena hoefde zich niet af te vragen waarom haar zoon haar een ontaarde moeder noemde, en omdat hij niet bij bewustzijn was, kon ze hem ook niets verwijten.

Anastas wist te vertellen dat Itsik bij het ziekenhuis was afgeleverd door een Arabische taxichauffeur die hem op de weg had zien liggen. Toen de chauffeur begreep dat de jongen een Jood was, had hij zich de moeite getroost het slachtoffer naar een Joods ziekenhuis te brengen, in plaats van naar het veel dichterbij gelegen Arabische ziekenhuis. En daar de man geweigerd had zich te identificeren, zou Jardena hem nooit voor zijn hulpvaardigheid en moeite kunnen bedanken.

Na enig over en weer praten, besloten de artsen om Itsik naar het Hadassaziekenhuis te laten overbrengen, omdat dat beter was toegerust voor een grondig onderzoek. Jardena belde Vered op met de mededeling dat ze haar gasten zelf moest bezighouden, omdat ze met Itsik in de ambulance mee zou rijden. Hoewel hij opgehouden was met handtastelijk te zijn, was hij nog steeds aan het ijlen.

De artsen van het Hadassaziekenhuis stelden vast dat Itsiks verwondingen hoofdzakelijk bestonden uit een bloedneus en schrammen en schaafwonden aan zijn gezicht. Men raadde echter aan dat hij ter observatie nog een poosje in het ziekenhuis zou blijven.

Jardena ging naast haar zoons bed zitten en stelde zich in op een slapeloze nacht.

Aan één stuk door werden nieuwe patiënten binnengebracht. Sommigen waren er vreselijk aan toe. Twee mensen stierven gedurende de nacht. De families huilden als wolven, gedeeltelijk uit leed, gedeeltelijk omdat dat nu eenmaal de gewoonte is in bepaalde etnische gemeenschappen. Verpleegsters en artsen die zich aan verschillende uiteinden van de grote zaal uitsloofden, riepen luidkeels naar elkaar alsof niemand probeerde te slapen. Een man liep langs het bed van Itsik die, al ijlende, meende in hem zijn vroegere paardrijleraar Yuda Alaffi te herkennen. 'Hé, Aloeffi,' schreeuwde hij zo hard dat Jardena zich afvroeg of hij zijn eigen stem wel hoorde. 'Hé, Aloeffi, ik ken je wel! Denk maar niet dat je ongestraft langs mijn bed kunt sluipen. Ik ben van een paard gevallen. Wat denk je daarvan, Aloeffi?' Toen de man niet reageerde, probeerde Itsik uit bed te springen en hem met zijn vuisten te bewerken.

'Ik ben Aloeffi niet,' zei de man. 'Ik ken je niet. Er moet een misverstand zijn.'

Maar vijf minuten later, toen dezelfde man, op zijn weg naar de uitgang, weer langs Itsiks bed liep, dreigde deze: 'Wat zijn je plannen Aliffoe? Denk je dat je me kunt ontsnappen? Wacht maar, ik krijg je wel.' Wijselijk deed de man geen verdere pogingen om de wild gebarende gek met zijn bloeddoorlopen ogen uit de waan te helpen.

De nacht duurde eindeloos en Jardena was doodop. Van de spanning, de zorg, de onzekerheid, en gewoon van het al zoveel uren in touw zijn. Ze zat daar maar op haar rechte, harde stoel, nu eens op de ene bil, dan op de andere. Alles deed pijn. Het leek wel of ook zij van een paard was gevallen. Zo nu en dan kwam er een arts of verpleegster om een blik te werpen op Itsik. Jardena herinnerde zich de nacht, anderhalf jaar geleden, dat ze naast haar vader had gelegen op een ziekenhuisbed in Nederland. Te moe om de verleiding te weerstaan, strekte ze haar pijnlijke lichaam uit naast het rusteloze lichaam van haar zoon. Dat bleek kalmerend op hem te werken. Zo sliepen moeder en zoon tot het aanbreken van de dag in de stampvolle, rumoerige ziekenhuiszaal.

Toen Itsik na een diepe slaap wakker werd, was hij bij zijn positieven. Hij gedroeg zich normaal, maar herinnerde zich niets van wat de vorige dag was gebeurd. De artsen constateerden een lichte hersenschudding, en raadden aan dat hij zich thuis een tijdje rustig zou houden.

Dagenlang liep Itsik door het huis als een spook. De wonden in zijn gezwollen gezicht veranderden eerst in blauwe en groene, en daarna in zwarte en gele plekken. Zijn ogen traanden voortdurend. Hij zag er zo eng uit dat niemand behalve Simcha en zijn moeder naar hem durfde te kijken. Om zichzelf nog angstaanjagender te maken dan hij al was, schoor hij zijn schedel kaal. Als er vrienden of kennissen op bezoek kwamen, ging hij stilletjes achter hen staan en stootte dan plotseling een schreeuw uit, zodat ze zich omdraaiden en van schrik bijna tegen de grond gingen. Itsik had dolle pret. Vooral toen het slachtoffer Robin was.

In december werd het programma uitgezonden waarvoor Jardena in oktober was geïnterviewd. Ze had zich destijds niet eens afgevraagd waar het precies voor was, maar toen ze naar de radio luisterde, ontdekte ze dat de uitzending bestond uit drie gesprekken, twee met de moeders van grote gezinnen, en het derde met een psycholoog, die de twee voorgaande gesprekken analyseerde. De eerste moeder was verre van tevreden met haar leven en klaagde dan ook over alles. Daarop volgde het gesprek met Jardena, die tot haar stomme verbazing gepresenteerd werd als voorbeeld van een creatieve en succesvolle moeder, voor wie niets te veel was, en die alle huiselijke problemen aankon.

Alsof dat niet genoeg was, was de psycholoog die de twee voorgaande gesprekken analyseerde niemand anders dan haar eigen regenboogtovenaar. Op het moment dat ze zijn stem hoorde, stond haar hart bijna stil van schrik. Wat zou hij over haar vertellen? Maar ze had niet bang hoeven zijn. Met geen woord liet hij merken dat hij Jardena kende, en dat in de hele wereld alleen hij en zij op de hoogte waren van de waarheid in al zijn aspecten.

De reporter aan wier brein het lumineuze plan voor de drie interviews was ontsproten, werd beloond met de prijs voor het meest onderhoudende en leerzame programma van het jaar.

1977

Jifrach zat in de eerste klas van de anglicaanse school. In januari liet zijn klassenleidster Jardena komen, omdat het kind bij hoog en bij laag volhield dat hij als baby Mozes in het biezen mandje was geweest, en zelfs beweerde foto's te hebben gezien van hoe hij door de dochter van de farao uit de Nijl werd gered. Wist mevrouw Jerushalmi van dit waandenkbeeld van haar jongste zoon, en dacht ze niet dat hier een psycholoog aan te pas moest komen?

Aan de ene kant moest Jardena om het geval lachen; aan de andere kant verweet ze zich dat ze dezelfde fout had gemaakt als destijds bij Itsik, die jarenlang had gedacht dat ze zijn moeder niet was. Weer had ze niet genoeg verteld, niet genoeg uitgelegd, weer had ze over het hoofd gezien dat kinderen niet weten wat ze vragen moeten. Stond er niet uitdrukkelijk in de Hagadah van Pesach: 'En voor hem die niet kan vragen, moet jij zelf het gesprek openen.'?

Ze nam zich voor in 't vervolg beter op te letten, maar was direct daarop alweer afgeleid doordat het driemanschap Jannai, Shai en Jifrach met een levende eend thuiskwam. Ze beweerden dat ze hem op eigen houtje de weg hadden zien oversteken, en dat ze hem hadden meegenomen om te verhinderen dat iemand hem zou overrijden. Jardena prees haar zoons voor hun reddingswerk en vulde het bad met lauw water zodat de eend wat kon opknappen.

Jannai bouwde een kooi op het balkon. Al spoedig beloonde de eend hem door elke dag een ei te leggen. Iedere avond bakte Jardena daar een omelet van, die ze in acht partjes verdeelde, één voor elk kind. Vele jaren later zou Jannai bekennen dat hij de eend uit de boodschappentas van een oude vrouw had gestolen. Hij had de eend het leven gered, maar niet van een verkeersongeluk.

Het was een ijskoude winter, en Jardena had twee petroleumkachels nodig om het huis op temperatuur te houden. Als Nathan er was, sjouwde hij meestal met de jerrycans, maar nu hij in Nederland verbleef, en ook Itsik na de val van het paard tijdelijk ontzien moest worden, deed ze het zelf. Ondanks de depressie waarin ze zich iedere dag dieper voelde zinken, deed ze haar best om het althans voor de kleintjes gezellig te maken in huis. Vaak zat ze 's middags te handwerken terwijl de kinderen hun huiswerk maakten. Op een dag zei Jannai dat hij wou leren breien. Onmiddellijk deelden zijn twee adjudanten mee dat zij dat ook wilden. Opgetogen over het idee kocht Jardena breinaalden en verschillende kleurtjes wol, en de lessen namen een aanvang. Jannai breide een muts, Shai een sjaal, en de arme kleine Jifrach breide iets wat nog het meest weg had van gatenkaas. Iedere nacht, als de jongens naar bed waren, haalde Jardena voor hen alle drie de gevallen steken op. Soms breide ze dan meteen een stukje verder, vooral aan het werk van Jifrach.

Aangevoerd door de volhardende Jannai, bleven de jongens belang in het werk stellen. Iedere middag zaten ze wel een uur met hun breinaalden bij de warme kachel. Als alles goed ging, vertelde Jardena verhalen uit haar jeugd, en als er ergens een steek viel, hielp ze om de fout te herstellen. Op een middag zei ze: 'Jongens, morgen komt Abba thuis. Wat zal hij blij zijn als hij ziet hoe ijverig jullie gewerkt hebben.' Even later vloog de deur open en daar was Nathan. Om zijn vrouw en kinderen te verrassen had hij hen met opzet misleid omtrent de dag van aankomst.

In één oogopslag zag hij wat de kinderen aan het doen waren. 'Wat!' riep hij uit, nog voordat iemand hem had kunnen verwelkomen. 'Breien! Van mijn zoons drie oude wijven maken! Nooit van m'n leven!' Alle drie de jongens lieten hun werk op de grond vallen. Met breien was het voorgoed gedaan.

Op een dag belde Jannai op. Hij was in alle staten. Zijn stem klonk alarmerend schril: 'Alsjeblieft, Imma, kom direct naar het warenhuis op de King Georgestraat. Jifrach en ik staan buiten, maar Shai zit in de gevangenis.'

'In de gevangenis? Wat vertel je me daar?'

'Kom alsjeblieft onmiddellijk. Ik leg het zo wel uit. We staan bij de telefooncel.'

Jardena liet alles in de steek en rende op een drafje naar de plaats die Jannai had genoemd. Daar stonden hij en Jifrach trappelend naar haar uit te kijken. Hun verhaal kwam in horten en stoten. De drie jongens waren bezig geweest met het stelen van gekleurde gummetjes in de vorm van beesten. Veel kinderen spaarden ze, en Jardena had inderdaad opgemerkt dat Jannai er een doos vol van had. Toen ze had gevraagd hoe hij eraan kwam, had hij uitgelegd dat zijn klassenlerares ze als beloning gaf aan kinderen die hun huiswerk goed hadden gemaakt. In plaats van deze verklaring in twijfel te trekken, had Jardena haar zoon geprezen omdat hij blijkbaar tot de heel ijverigen hoorde.

Nu kwam de waarheid aan het licht. Het was niet de eerste keer dat Jannai zijn broers mee had geloodst naar het warenhuis ter bemachtiging van gummetjes, maar nooit eerder hadden ze zo efficiënt gewerkt. De nieuwe methode was als volgt: Shai werd met een plastic zak bij de uitgang geposteerd, terwijl Jannai en Jifrach door de winkel slenterden, steeds kleine hoeveelheden buit binnenhaalden, en die aan Shai in bewaring gaven. Een hele poos was alles vlekkeloos gelopen, maar op een kwaad moment was Shai gesnapt en in het kantoor van de directeur opgesloten.

'Natuurlijk wou ik achter de politieagent aanlopen, en hem vertellen dat Jifrach en ik net zo schuldig waren als Shai,' legde Jannai zenuwachtig uit. 'Maar als ze ons alle drie in de gevangenis zouden zetten, hadden Abba en jij ons nooit meer terug kunnen vinden. Alsjeblieft, help ons om Shai te redden.'

Jardena nam haar kinderen mee naar het kantoor van de directeur, waar Shai onversaagd zat te wachten op wat komen zou. Hij had zijn broers niet verraden en was van plan om de gevolgen van hun aller misdaad in zijn eentje te dragen. De directeur had hem zojuist bevolen om een opstel van drie pagina's te schrijven over het zevende gebod, 'gij zult niet stelen'.

Jardena vroeg aan de directeur of Jannai hem iets mocht zeggen, en Jannai legde uit dat ze met z'n drieën hadden gehandeld, maar dat hij als oudste de verantwoordelijkheid op zich nam. De directeur, die wel zag dat Jardena het incident ernstig opvatte, stemde erin toe Shai vrij te laten, op voorwaarde dat elk van de drie jongens een pagina van het opstel zou schrijven, en dat ze hem hun werk de volgende middag zouden brengen.

Het ergste kwam toen Jardena haar eigen voorwaarde aan de straf stelde: dat Jannai zijn hele verzameling gekleurde gummetjes aan de directeur van het warenhuis zou teruggeven. Het was niet zozeer het verlies van zijn verzameling dat hem kwelde als wel de vernedering. Maar Jardena was niet te vermurwen.

Een heel ander probleem waar Jardena mee tobde, en dat ze aan de regenboogtovenaar voorlegde, had te maken met Shai.

'Ik doe zo verschrikkelijk mijn best om een goede moeder voor hem te zijn,' klaagde ze, 'maar dat joch blijft maar dreigen met: "Als je me dit niet geeft, of als ik dat niet mag, ga ik ergens anders wonen." Meestal bedoelt hij dan bij onze benedenbuurman, die alleen woont maar die twee bedden heeft zoals we door zijn raam kunnen zien. Erger nog is het als Shai op zoek gaat naar zijn "echte moeder". Of we nu in de bus zijn of in het zwembad, altijd zit hij na verloop van tijd op de schoot van een mooie jonge vrouw. Laatst gingen we naar een bruiloft, en toen moest ik hem waarachtig van de schoot van de bruid af slepen. Ik kan dat niet uitstaan, maar ik weet niet hoe ik er een eind aan kan maken.'

'Vraagt hij weleens waarom hij niet bij zijn "echte moeder" woont?' wou de heer Pigeon weten.

'Natuurlijk, en dan vertel ik hem dat ze heel jong was toen ze hem kreeg, en dat ze geen geld had om voor hem te zorgen, en dat ze toen besloot hem aan mensen te geven die kleertjes en speelgoed voor hem konden kopen, en al het andere waar kleine jongens behoefte aan hebben. Ik kan toch moeilijk zeggen dat ze hem waarschijnlijk mishandelde, zeg nou zelf!'

'Daar zit het hem in,' zei de regenboogtovenaar. 'Als hij weer eens over zijn "echte moeder" begint, scheept u hem dan niet af met een sprookje over een mooie jonge vrouw die zich voor hem heeft opgeofferd. U stopt hem boordevol met schuldgevoelens. Zoals u de dingen voorstelt, is het zijn verantwoordelijkheid haar terug te vinden en haar te laten weten dat hij bereid is al het materiële comfort op te geven en in de grootste armoede te leven, als hij maar met haar samen mag zijn. Maar daarvoor moet hij haar eerst vinden. Geen wonder dat hij haar altijd en overal zoekt. Vertel hem liever de waarheid, dat zijn "echte moeder" hem niet wou hebben, maar dat u daarentegen van hem houdt en hem verschrikkelijk graag wilt hebben.'

De eerstvolgende keer dat Shai naar zijn "echte moeder" vroeg, vertelde Jardena hem kort en bondig de waarheid. Het gesprek duurde niet langer dan een paar minuten. Shai aanvaardde Jardena's verklaring van zijn situatie en zocht vanaf die dag nooit meer naar een zielige vrouw die niet bestond. Ook dreigde hij nooit meer bij de benedenbuurman te gaan wonen. Jardena zou de heer Pigeon haar leven lang dankbaar blijven.

Eind maart kwam een pientere journalist erachter dat Lea Rabin dollars op een Amerikaanse bank had staan. Dat was tegen de wet. Dat de vrouw van de premier er zulke praktijken op na hield was sensationeel nieuws, dat zijn opponenten niet onbenut lieten.

Jardena, die een rekening in Nederland had geopend, zodat Nathan een gedeelte van het geld dat hij tijdens zijn laatste tentoonstellingsronde had verdiend in guldens kon bewaren, schrok zich ongelukkig. Maar Nathan was in z'n nopjes. 'Ons kunnen ze niets maken. Zie je nu wel hoe nuttig het is dat je je Nederlandse nationaliteit hebt behouden?'

Maar het zat Jardena niet lekker.

Een paar dagen later trok Rabin zich terug als kandidaat voor de komende verkiezingen, daarbij de kust vrijmakend voor Peres, zijn grote rivaal binnen de socialistische partij.

'Mijn vrouw heeft de rekening weliswaar geopend toen ik ambassadeur in Washington was, en we hebben er later helemaal niet meer aan gedacht,' zei de aftredende premier in een dramatische televisie-uitzending, 'maar ik onttrek me niet aan de verantwoordelijkheid.'

Het aftreden van Rabin bracht de door de Jom-Kippoeroorlog toch al verzwakte partij een zware slag toe. Op 17 mei behaalde de oppositie de overwinning en kwam Menachem Begin aan het bewind. 'Nu kun je dat levensgrote portret van Rabin wel van de muur halen,' zei Elnakam vrolijk tegen zijn moeder. Consuela Baghdádi wierp eerst een kushandje naar het portret en daarna een kushandje naar haar zoon.

Het was duidelijk dat Robin er plezier in schepte om Jardena net zo lang te kwellen tot ze zou ophouden met tekenen tijdens de orkestrepetities. Eigenlijk had het schetsen allang zijn charme verloren, behalve als gelegenheid om Robin te zien, al was het maar uit de verte. Naar een oplossing voor haar probleem zoekend, ontdekte ze achter het toneel een ijzeren trap die naar een smal balkonachtig uitbouwsel voerde onder het dak van het gebouw, en vanwaar een engsteile ladder naar een platform in de nok van het gebouw leidde. Het was er gloeiend heet en zo donker dat ze zonder zaklantaarn nauwelijks de punt van haar potlood kon onderscheiden. Als een uil boven de musici gezeten, en omringd door katrollen en hangende decorstukken, hoorde ze de muziek en tekende ze Robin vanuit een heel aparte hoek.

De heer Pigeon ontving zijn cliënten niet ver van Robins huis. Toen hij en Jardena nog vrienden waren, hadden ze het zo geregeld dat Jannai celloles had, terwijl zij bij de regenboogtovenaar was. Aangezien de gesprekken met de psycholoog op de minuut af drie kwartier duurden, en Jannai's les op z'n minst een uur in beslag nam, had Jardena ruim de tijd om van de een naar de ander te lopen, en Jannai met de cello te helpen. Nu de verhouding met Robin zo slecht was geworden, ging ze niet meer bij hem naar binnen. Na de les zat ze op een muurtje aan de zijkant van het huis te wachten tot Jannai naar buiten kwam. Op een dag vertelde het kind dat Robin aan het eind van de les naar de wc placht te gaan, op de pot klom en door een roostertje naar buiten loerde om te zien of Jardena al op het muurtje zat. Vanaf dat moment ging ze ergens anders zitten wachten. Als tegenzet wijzigde Robin zijn tijdschema op zodanige wijze dat Jardena haar tocht naar de regenboogtovenaar niet meer met Jannai's les kon combineren. Aangezien ook Consuela Baghdádi niet ver van Robin woonde, bracht ze nu de tijd dat Jannai les had door met een bezoekje aan haar schoonmoeder, met wie ze het van dag tot dag beter kon vinden.

'Moet je nou eens horen,' zei de oude vrouw bij hun wekelijkse kop zwarte koffie met kardemom. 'Die Begin is toch werkelijk niet goed snik. Moeten al die Vietnamese drenkelingen nu ook nog de Israëlische nationaliteit krijgen? Is het niet mooi genoeg dat ze zolang hier mogen wonen?'

'Waar heb je 't over?' Jardena had nauwelijks genoeg energie om haar eigen hoofd boven water te houden. Ze had alweer in geen weken naar het nieuws geluisterd. 'Vietnamezen? De Israëlische nationaliteit?'

'Die zesenzestig politieke vluchtelingen, of weet ik veel, die door alle landen in hun eigen buurt van 't kastje naar de muur zijn gestuurd, en die ten slotte door onze koopvaardijschepen uit de golven zijn gevist! Op welke planeet leef je, kind, dat je dat niet eens weet! Dat we ze niet hebben laten verdrinken, dat spreekt vanzelf, maar dat Begin die *goyim* nu ook nog staatsburgerschap aanbiedt, dat gaat wel een beetje ver.'

Ik heb het makkelijk, dacht Jardena. Als Nederland me overboord gooide, werd ik wel Israëlische.

Zulke drastische maatregelen waren van de zijde van Nederland niet nodig. De omwenteling kwam van de Israëlische kant. In oktober maakte de minister van Financiën bekend dat Israëlische staatsburgers van nu af aan een rekening in buitenlandse valuta mochten hebben. Opnieuw was het

Consuela Baghdádi die er als eerste van had gehoord. Ze belde speciaal op om haar zoon en schoondochter van het laatste nieuws op de hoogte te brengen. 'Durven ze wel!' riep ze geërgerd. 'Nadat ze eerst mijn geliefde Rabin hebben weggewerkt.'

'Hoera,' zei Jardena. 'Nu verander ik van nationaliteit.'

'Als je 't maar laat,' zei Nathan. 'Morgen bedenken ze weer wat anders.'

Jardena ging nog altijd op het oorspronkelijke uur naar de heer Pigeon en Robin had kennelijk goed onthouden wanneer dat was. In elk geval vatte hij de gewoonte op om aan de overkant van de weg bij de bushalte te gaan staan als ze het huis van de psycholoog verliet. Hij knikte altijd correct met zijn hoofd, maar zei nooit een woord. Het was voor Jardena haast niet om uit te houden.

Om alles nog moeilijker te maken, deelde Nathan trots mee dat hij een vriendin had, met wie hij één keer in de week naar bed ging. Daar voegde hij onmiddellijk aan toe dat hij geen moer om haar gaf.

'Maar waarom doe je het dan?' huilde Jardena.

'Zomaar, omdat jij het ook doet.'

'Maar wat doe ik dan? Ik doe helemaal niks.'

'Jij bent verliefd op Robin en je leeft het uit bij die klaploper Pigeon. Dat is precies hetzelfde.'

Wat Nathan en de kinderen ook dachten of zeiden, en waar ze haar ook van beschuldigden, de waarheid was dat ze zich ellendig voelde en haast de fut niet kon opbrengen voor zelfs maar de simpelste dagelijkse werkzaamheden. Alles wat meer energie vergde dan gewoon doorgaan met ademhalen, was te veel gevraagd. Ze had zelfs de kracht niet om Nathan tegen te spreken. Het idee dat ze misschien nog wel dertig jaar zou moeten leven, woog als een gewicht van een ton op haar schouders. Tegelijkertijd wist ze wel dat ze geen Anna Karenina was. Voor een trein zou ze zich niet werpen.

Een paar dagen voor Pesach herinnerde Jardena zich een van de grote grieven van haar jeugd. Arnon, haar eerste liefde, die in Utrecht medicijnen studeerde, was uitgenodigd om met een groep Nederlandse jongelui de Seder te vieren. Daar een van de belangrijkste *mitsvot* van deze feestavond was dat men de deur openzette voor ieder die honger had, nam Arnon als vanzelfsprekend aan dat hij Reinie mee kon brengen. Maar toen Reinie binnenkwam, kreeg ze te horen dat ze niet was uitgenodigd. Op dat moment zwoer ze in haar hart: 'Als ik ooit een eigen huis en een eigen sedertafel heb, nodig ik alle eenzame mensen uit die ik ken.' Gedachtig aan die eed, maar ook de eed gebruikend als excuus, belde ze Robin op om hem uit te nodigen. Hij was aangenaam verrast. 'Dank je, Jardena,' zei hij. 'Maar ik kom dit jaar niet. Ik zal de Seder van vorig jaar nooit vergeten. Het was te perfect om de herinnering eraan te bederven.'

Jannai had een ontstoken duim. Hij kon een paar weken niet cello spelen. In die periode verhuisde Robin naar een andere buurt en hield Jardena op met naar de repetities van het orkest te gaan.

Gedurende de weken dat Jannai thuiszat, las hij het ene Engelse boek na het andere. Toen hij de volledige, onverkorte uitgave van David Copperfield in twee dagen had uitgelezen, besloten zijn ouders om hem in september naar een Joodse school te sturen, zodat hij ook zijn moedertaal wat beter zou leren lezen en schrijven. De keus viel op de Experimentele School, waar ook Simcha op was.

Vlak voor de zomervakantie kwam Robin onaangekondigd binnenstormen. Zonder een woord te zeggen, dumpte hij alle voorwerpen die hij ooit van Jardena had geleend of gekregen op de huiskamervloer. Toen hij weer naar buiten wou rennen, hield Jardena hem tegen. 'Robin,' riep ze in paniek, 'wat is er aan de hand? Ga je weg? Ga je het land uit?'

Robin draaide zich om en keek haar aan. 'Ik ga naar Nederland,' zei hij.

'Naar Nederland? Niet naar Amerika? Wat ga je in Nederland doen?'

'In een Nederlands orkest spelen. Een vrouw zoeken. Ik wil een Nederlandse vrouw of helemaal geen vrouw.'

'Een vrouw? Maar...' Weg was Robin.

Drie maanden later accepteerde de heer Pigeon een leerstoel in New York.

* * *

In de herfst trouwde Vereds beste vriendin, die, net als zij, in juni eindexamen had gedaan. Op 19 november, na het uitgaan van de Shabbat, gaven haar ouders een tweede bruiloftsfeest voor haar, nu in Jemenitische stijl. Het bruidstoilet, een kostbaar, traditioneel gewaad, was speciaal voor de gelegenheid gehuurd.

Jardena, Nathan en Vered behoorden tot de eerste gasten die de ruime feestzaal betraden. Na enige tijd arriveerde de bruidegom, en even later de bruid, uitgedost in kilo's kralen en juwelen, stijf en stram onder de onplooibare stof, en met moeite de zware hoofdtooi torsend. Daarna kwam er nog een handjevol gasten, en dat was het. Hoe kon dat zo gebeuren?

President Sadat van Egypte had geheel onverwacht aangekondigd dat hij naar Israël kwam om vrede te sluiten. Dat was zoiets bijzonders dat de mensen liever bij hun televisietoestel bleven zitten dan dat ze naar een Jemenitische bruiloft gingen. Zelfs de moeder van de bruid liet verstek gaan.

Toen het vliegtuig van president Sadat in Israël landde, droegen een paar kelners een tafeltje met een televisietoestel de danszaal binnen. Hand in hand zaten Jardena en de bruid te kijken hoe de Egyptische president uit het vliegtuig stapte en door ministers en generaals welkom werd geheten. Pas nadat het publiek ademloos had kunnen waarnemen hoe de stoet dure auto's zich op weg naar Jeruzalem begaf, kwamen vrienden en familieleden nog even feliciteren en zich te goed doen aan de grote hoeveelheden lekkers.

De dag na het mislukte feest sprak president Sadat voor het Israëlische parlement. Nog lang niet iedereen had een televisietoestel, en kleurentelevisie was al helemaal uitzonderlijk. Om de mensen niet op kosten te jagen door ze in de verleiding te brengen een kleurentoestel aan te schaffen, werden alle door Israël uitgezonden programma's altijd zodanig gefilterd dat er ook mét een kleurentoestel geen kleuren te zien waren.

De enige andere zender die men in sommige delen van het land kon ontvangen was de Jordaanse. Daarop werd iedere vrijdagmiddag een melodramatische Arabische kleurenfilm met zang en dans uitgezonden. Alleen mensen zoals Consuela Baghdádi die daar gek op waren, bezaten ondanks de prijs en ondanks de Israëlische filter-strategie een kleurentoestel.

Op de dag dat president Sadat in het parlementsgebouw in Jeruzalem sprak, werd voor het eerst een Israëlisch programma ongefilterd uitgezonden. De Jerushalmi's zagen het bij Nathans moeder. Nooit zou Jardena vergeten dat de president van Egypte een blauwe stropdas droeg.

Tien maanden later werd de vrede getekend.

1978

In januari had Perla een week verlof van het leger. Vered, die in februari in militaire dienst zou gaan, nam een week vrij van haar tijdelijke baan in een hotel. De twee grote dochters stelden voor dat ze samen een week voor de jongere garde zouden zorgen, zodat hun ouders een tocht door de Sinaïwoestijn konden maken. Dat aanbod namen ze graag aan. Ze konden meereizen met een groep studenten en leraren van de Pardes School for Advanced Jewish Studies. Gedurende de week in de woestijn zagen Nathan en Jardena landschappen van een Genesisachtige schoonheid die zelfs het decor van hun onwaarschijnlijkste dromen niet benaderde. Ook leerden ze de moderne manier appreciëren waarop de Pardesschool omging met de oude waarden.

Het letterlijke en figuurlijke hoogtepunt van de tocht was het beklimmen van de berg Sinaï waar, naar men zegt, Mozes de Torah van God heeft ontvangen. De groep, bestaande uit een half dozijn leraren en een veertigtal studenten, bivakkeerde de nacht tevoren aan de voet van de berg. Om drie uur 's morgens zette de stoet zich in beweging.

De jongelui beschouwden het echtpaar Jerushalmi als een soort pleegouders bij wie vooral de meisjes konden komen klagen over hoofdpijn, splinters en blaren aan de voeten.

Op de dag dat de groep de berg Sinaï besteeg, werd aan Jardena gevraagd of ze in de achterhoede wou blijven om daar een oogje te houden op de paar deelnemers die het klimmen niet zo goed af ging. Dat kwam haar goed uit, want zelf was ze ook niet zo'n snelle. Nathan, die met zijn drieënvijftig jaren verreweg de oudste deelnemer was, rende daarentegen zo hard dat hij, eenmaal boven aangekomen, wel twintig minuten op de komst van de volgende klauteraar moest wachten.

Maar zelfs de achterhoede bereikte de top van de berg op tijd om de zon te zien opkomen. In het rode licht van de dageraad hulden de mannen zich in hun gebedskleden om gezamenlijk het ochtendgebed te zeggen. Het evenement was onvergetelijk, niet alleen vanwege de zichtbare schoonheid, maar ook en misschien vooral vanwege de onzichtbare schoonheid van traditie en saamhorigheid.

Bij terugkomst in Jeruzalem, waar thuis alles gelukkig naar wens was verlopen, hoorden Nathan en Jardena dat in de Golan Hoogvlakte het stadje Katsrin feestelijk was ingewijd.

'Dat wordt hommeles,' voorspelde Nathan. 'Dat pikt Syrië niet.'

'Is er soms iets wat Syrië wel pikt?' was Jardena's commentaar. 'Als de Syriërs ons niet aan één stuk door bedreigden, gaven we hun die paar zwarte rotsen heus wel terug.'

''t Is daar anders best mooi,' wist Vered te vertellen. 'We zijn er vorig jaar nog op schoolreisje geweest. Geen vruchtbare grond, natuurlijk.'

'Vruchtbaar hoeft voor de Syriërs niet. Als het maar hoog genoeg is om zonder al te veel moeite raketten op ons af te schieten. Zolang ze daar niet mee ophouden, kunnen ze naar de Golan fluiten.'

Nathan had het laatste woord: 'Als wij de Golan annexeren, kan Israël naar vrede met Syrië fluiten.'

Perla, die na twee moeilijke jaren eindelijk van de militaire dienst af was, wou naar de kunstacademie. Om toelatingsexamen te mogen doen, moest ze een portefeuille met werk inleveren. Daaraan besteedde ze veel tijd, en verder nam ze weer fluitles van haar vroegere leraar.

Op 11 maart moest hij in Haifa zijn. In opperbeste stemming begaf hij zich met vrouw en kinderen op weg naar het noorden, langs de kust. Een uur later was zijn zoon dood en hijzelf gewond.

Dertien terroristen waren die ochtend in rubberboten uit Libanon vertrokken. Twee van hen waren overboord gevallen en door hun metgezellen aan hun lot overgelaten. De overigen landden niet ver van kibboets Ma'agan-Michael. Een Amerikaanse fotografe die toevallig op het strand liep, schoten ze dood. Negen van hen hielden een bus aan en dwongen de chauffeur al schietend en granaten gooiend naar Tel Aviv te rijden. Onderweg werden ze door Israëlische politie en soldaten onderschept. Er ontstond een hevig gevecht, waarbij de bus in brand vloog en tientallen mensen de dood vonden of gewond raakten.

De twee overige terroristen hielden een taxi aan, vermoordden de chauffeur, en reden rechts en links schietend langs de kustweg, waarbij ook de fluitleraar en zijn zoon werden geraakt.

Nathan, Jardena en alle kinderen gingen naar de begrafenis van de zoon van de fluitist. Duizenden mensen waren komen opdagen. De ouders van de dode jongen stonden verslagen aan zijn graf. De vader had een schot in zijn hand gehad en zou, naar men zei, nooit meer fluit kunnen spelen.

Als antwoord op het vreselijke voorval viel het Israëlische leger vier dagen later Libanon binnen om daar de broeinesten van terroristen uit te roeien. De campagne duurde zes dagen.

* * *

Al enige tijd vroegen de oppassers van de dierentuin zich af hoe het kwam dat aldoor dieren uit hun kooien ontsnapten. Nu eens plukte de jonge olifant bloemetjes uit een border, dan weer sprong een aap van boom tot boom langs een van de paden. Op een dag bleek de verbindingsdeur tussen twee berenkooien open te staan, op een andere dag werden de heren guanaco in de kooi van mevrouw lama aangetroffen.

Denkend dat een kind meer kans had de dader te betrappen dan zijzelf, vroegen de oppassers aan Jannai om een oogje in het zeil te houden. Jannai en zijn twee adjudanten slopen als detectives door de dierentuin, maar de boosdoener betrapten ze niet.

Toen een volwassen buffel op een dag vrij door de dierentuin galoppeerde en in zijn vlucht de zoon van de directeur bijna onder de voet liep, schakelde de ontzette vader een particulier detective in. Deze had weinig tijd nodig om te ontdekken dat Jannai en zijn broers zélf de boosdoeners waren. Wie immers wist beter dan Jannai waar de sleutels van de kooien waren en hoe de sloten werkten? Was hij niet sinds zijn vierde jaar de vriend van alle oppassers? Zijn bedoeling was om de dieren te helpen, hetzij door ze te bevrijden, hetzij door hun omstandigheden te verbeteren. Als hij de sloten niet door een list kon openen, forceerde hij ze met een ijzeren stang, de toverstaf genaamd, die hij op een geheime plek in het struikgewas bewaarde. Terwijl Jannai daarmee bezig was, stonden Shai en Jifrach op wacht. Als een van hen het afgesproken signaal ten gehore bracht, vluchtten ze alle drie.

Door de politie ondervraagd, bekende Jannai dat hij zich al vanaf zijn achtste jaar met toenemend succes aan de bevrijding van de dieren had gewijd. Hij was vooral trots op het feit dat mevrouw lama al driemaal door zijn toedoen de vreugde van het moederschap had gekend, en dat een klein aapje voorgoed de vrijheid had teruggevonden.

De directeur van de dierentuin kende Nathan en Jardena nog uit de tijd dat ze als vader en moeder kangoeroe ongevraagd met zijn groep in de poerimparade waren meegelopen en daarbij alle eer hadden opgestreken. Net als toen, was hij ook deze keer vergevensgezind. Alles wat hij eiste was dat Jannai van zijn eigen geld nieuwe sloten voor de kooien zou betalen, en dat hij zijn excuses zou aanbieden.

Met het omkeren van zijn spaarpot had de jongen geen enkele moeite. Shai en Jifrach waren solidair en deden hetzelfde. Maar wat betreft de tweede eis, was alles wat Jannai te zeggen had: 'De directeur moet zijn excuses aanbieden aan al die arme dieren die hij tegen hun zin in kooien opsluit.'

De directeur drong niet aan, maar verbood Jannai ooit nog een voet in de dierentuin te zetten.

Op de Experimentele School heerste meer discipline dan op de Open School. Ook hier hadden de leerlingen veel vrijheid, en werden hun wensen zo veel mogelijk in acht genomen, maar storen in de klas werd niet getolereerd, en de klas uit lopen tijdens de lessen was er ook niet bij. Natuurlijk miste Jannai zijn bezoeken aan de dierentuin, maar hij had gelukkig andere interesses, zoals schaken, politiek, theater en zijn omvangrijke verzameling vissen.

Op een dag ontdekte hij een stel prachtige nieuwe goudvissen in een van zijn vele aquaria.

'Van wie heb ik die gekregen?' vroeg hij blij.

'Van mij,' zei Itsik. 'Ik heb ze van mijn zakgeld voor je gekocht.'

Aangezien Itsik en Jannai elkaar als regel in de haren zaten, was Jardena extra blij met dit vertoon van broederliefde van de kant van haar oudste zoon. Merkwaardig vond ze wel dat Jannai weigerde Itsik voor het prachtige cadeau te bedanken, en dat hij hem zelfs voor leugenaar uitschold.

'Zien jullie nu wat voor broer ik heb?' riep Itsik verontwaardigd uit. 'Ik koop cadeaus voor hem, en hij pest me de hele dag.'

Dagenlang exploiteerde Itsik de situatie, en al die tijd weigerde Jannai hem te bedanken. Totdat de waarheid aan het licht kwam: Jannai bleek zelf de goudvissen te hebben gekocht van geld dat hij uit zijn moeders portemonnee had gepikt.

Het leek of Robin was weggeëbd uit de gedachten van de leden van de familie Jerushalmi. Alleen Consuela bleef haar moeder straffen. In april ontwikkelde ze een lelijke hoest. Pas toen ze met Jardena in de behandelkamer van de huisarts was, klaagde Consuela erover dat ze nog een kwaal had: ze bloedde van onderen. De arts keek van moeder naar dochter en van dochter naar moeder. Wat had dit te betekenen? Wist Consuela niet wat menstruatie was? Op dat moment realiseerde Jardena zich dat ze verzuimd had haar jongste dochter in te lichten. De arts vond haar een ontaarde moeder, en Jardena sprak hem niet tegen. Hoe ze zoiets belangrijks had kunnen vergeten! Ze begreep het zelf niet. Maar hoe Consuela, die geregeld de badkamer deelde met haar oudere zusjes, en die met alle drie op heel goede voet stond, het voor elkaar had gekregen niets weten van vrouwelijke aangelegenheden, was evenzeer een raadsel. Had ze haar ogen expres stijf dichtgehouden, of wist ze heel goed waar het om ging en had ze het juiste moment afgewacht om vragen te stellen? Hoe dan ook, Jardena verdacht haar dochter van wraak met voorbedachten rade.

Zonder met haar ouders te overleggen, ondernam het dertienjarige meisje stappen om na de grote vakantie in een kibboets te gaan wonen en daar op de middelbare school te gaan. Als Nathan en Jardena niet per post het verzoek zouden hebben ontvangen om hun handtekening op het registratieformulier te komen zetten, hadden ze niets van Consuela's initiatief geweten.

Toen Robin naar Nederland was vertrokken, kreeg Jannai een celloleraar die hem verrijkte met een wijsheid waar hij zijn leven lang plezier van zou hebben. Jannai klaagde op een dag dat hij een bepaalde passage niet kon spelen. De leraar zei: 'Ik weet dat je het vandaag niet kunt, maar dat wil niet zeggen dat je het morgen of over twee weken, of volgende maand niet zult kunnen. Als je het dag na dag en week na week probeert, zul je op een gegeven moment ontdekken dat je het kunt.'

Toch waren de lessen geen succes. De leraar eiste namelijk van zijn leerlingen dat ze de cello boven al hun andere hobby's stelden. Jannai zei dat hij dol was op muziek, maar niet doller dan op dieren en boeken. 'Best,' zei de leraar, 'maar dan moet je niet bij mij zijn.'

Jannai dacht er niet over om de muziek op te geven, dus weer moest er een nieuwe leraar worden gevonden. Perla, die met haar twintig jaar vaak meer van Jannai begreep dan zijn ouders, stelde voor dat ze het aan Daan

Blumenthal zouden vragen. 'Daan is niet alleen cellist, hij is een wijsgeer,' zei ze. 'Volgens mij heeft Jannai vooral iemand nodig die hem leert leven.'

Daan Blumenthal, die zich al jaren meer met filosofie bezighield dan met zijn cello, was bereid het met Jannai te proberen. Het klikte vanaf het eerste moment, en al leerde Jannai wat minder techniek, zijn liefde voor de muziek nam een enorme vlucht.

Op de avond van 2 juni waren moeder en zoon net op weg naar het concertgebouw, toen Jardena zich realiseerde dat ze haar bril was vergeten.

'Ik hol nog wel even naar huis,' zei Jannai.

'Ach nee, joh, doe maar niet. Je zult zien dat we dan net de bus missen. Ik weet toch hoe jammer je het vindt als we te laat zijn voor het eerste stuk.'

'Ja, maar jij vindt het naar als je het programma niet kunt lezen.'

'Welnee, ik kan best een keertje zonder bril. Zo slecht zijn mijn ogen nog niet.'

Maar Jannai zette door. Het kostte hem een halve minuut heen en een halve minuut terug tot waar zijn moeder hoofdschuddend maar dankbaar stond te wachten. Toen ze bij het kruispunt aankwamen, stond het stoplicht op rood. Ze zagen hun bus bij de halte staan, maar konden er niet bij komen.

'Daar heb je 't nou,' mopperde Jardena. 'Dat komt door die bril.'

'Bus, bus, wacht op ons!' Jannai stond te springen van ongeduld, maar ze hadden geen schijn van kans. Dat werd twintig minuten wachten op de volgende bus.

Nog voor ze van hun teleurstelling bekomen waren, klonk er een enorme knal. Vuur! Een explosie!

Een terrorist had een bom in de bus geplaatst. Gebroken glas, stukken hout en ijzer, kapotte zitplaatsen, een losse hand met een tasje, het been van een kind, en niet te identificeren stukken mens vlogen bloederig en brandend de lucht in en vielen neer voor de voeten van Jardena en Jannai. Trillend klampten moeder en zoon zich aan elkaar vast. Langzaam liepen ze terug naar huis.

'Het kwam door de bril,' bracht Jardena er na enige tijd met moeite uit. 'Mijn zoon, mijn vader, de bril van mijn vader ...'

In juli gingen Jardena en de kinderen weer naar het huisje aan de Middellandse Zee. Nauwelijks waren ze aangekomen of de leden van het driemanschap vroegen of ze alvast even naar de zee mochten gaan kijken. Jardena liet hun beloven dat ze binnen een halfuur terug zouden zijn, en dat ze onder geen voorwaarde het water in zouden gaan. Ze waren tenslotte elf, tien en acht jaar oud. Hun moeder kon op ze rekenen. Voor alle zekerheid hielp ze hen toch om de rijweg over te steken, en bleef kijken hoe ze de steile heuvel af holden tot het strandje waar ze als kleuters zo graag gespeeld hadden. Op de terugweg botste ze tegen een orthodoxe man aan, die zijn breedgerande hoed voor zijn gezicht hield om zijn ogen te verhinderen zich op een frivole vrouw in zomerjurk te vestigen. Gekke kerel, dacht ze. Logeert zeker in Hotel Sanz.

Ze was net begonnen de koffers uit te pakken toen de grond onder haar voeten begon te trillen. Ze keek door het raam en zag dat de zon verdwenen was achter een gele wolk. Ze rende naar buiten. De weg lag vol zand en stenen. Meer zand en stenen kwamen door de lucht vliegen, en daarmee ook de zwarte hoed van de orthodoxe man. Maar waar was de man zelf? En waar waren de jongens? Met haar hand voor haar ogen probeerde ze naar beneden te hollen, maar grote stukken rots en ontwortelde struiken lagen op het pad. Het was onmogelijk erdoor te komen.

'Jannai,' riep ze, 'Shai! Jifrach! Waar zijn jullie?'

Er was maar één manier om de kinderen te vinden. Ze moest over de grote weg rennen en bij Hotel Sanz naar het strand zien te komen. Hopelijk was het pad daar in betere conditie. Verblind door zand en tranen rende ze richting Netanja. Daar lukte het om het strand te bereiken. Buiten adem rende ze langs de zee terug naar het noorden. Van lieverlee ging de storm van zand en stenen liggen, en pas nu overzag Jardena de ravage. De tien tot twaalf meter hoge muur van rots en zand die het kleine strandje van de bebouwde kom had gescheiden, was in z'n geheel omlaag gestort. Het strand was totaal verdwenen. De orthodoxe man stond met een speelgoedschepje in het puin te graven. Een rood emmertje kwam te voorschijn. Een harkje. Een schoen. Maar waar waren de kinderen? Plotseling zag Jardena ze. Ze waren voor het vallende puin uit gerend, regelrecht het water in, en kwamen nu druipnat naar hun moeder toe om zich te verontschuldigen dat ze ondanks hun belofte toch de zee in waren gegaan.

Behalve de orthodoxe man en Jardena's zoons waren een moeder en haar vier kinderen op het strand toen het ongeluk gebeurde.

De man en de kinderen waren net als Jannai, Shai en Jifrach op tijd weggekomen, maar de moeder, die op de grond had liggen lezen, was levend begraven. Het was de laatste keer dat Jardena het zomerhuisje huurde.

Nauwelijks was het gezin terug in Jeruzalem, of de drie musketiers werkten zich weer eens in de nesten. Op een namiddag in augustus kwamen ze met rode hoofden binnenstuiven.

'Wat hebben jullie nou weer voor kattenkwaad uitgevoerd?' riep Nathan al bij voorbaat boos uit. Jardena schrok. Dat zou weer op slaag uitlopen. Inderdaad voorspelde het antwoord niet veel goeds. De jongens waren langs illegale weg het zwembad van het Hilton Hotel binnengeslopen, en hadden daar heerlijk een uurtje gezwommen.

Om de indruk te wekken dat ze hotelgasten waren, riep Jannai zijn broertjes zo nu en dan iets in het Engels toe. De strategie, die volgens hun zeggen al vele malen perfect had gewerkt, had deze keer gefaald, omdat een badmeester Shai in het Engels had toegesproken, en het kind geen antwoord had kunnen geven. Toen het bedrog was uitgekomen, had de badmeester de boef meegenomen naar de portiersloge. Daar had de portier Shai zijn horloge afgepakt. Jannai en Jifrach werden ook gepakt, maar konden bij gebrek aan horloges niet worden gestraft. De portier eiste dat de jongens alsnog kaartjes zouden kopen, en pas daarna zou hij Shai zijn horloge teruggeven.

Weliswaar vonden de schuldigen de straf redelijk, maar hun spaarpotten waren leeg. Ze waren nog niet eens klaar met het afbetalen van de sloten in de dierentuin. De vraag was of Abba en Imma hun het geld wilden voorschieten. Getrouw aan zijn gewoonte om altijd anders te reageren dan Jardena verwachtte, gaf Nathan de jongens het benodigde bedrag.

Opgelucht ging het drietal op weg, maar Itsik holde achter hen aan. Hij wist een handige manier om het horloge terug te krijgen zonder ervoor te betalen. Onder zijn leiding liepen de jongens naar iedere kennis en winkelier in de buurt om te vragen of ze geld konden wisselen. Met een papieren zak vol muntjes gingen ze ten slotte terug naar het hotel, waar ze de portier wijsmaakten dat ze alle buren en vrienden om een paar centen hadden moeten smeken, omdat hun ouders het geld niet hadden om Shai's horloge terug te kopen. Toen de man het resultaat van deze zogenaamde bedeltocht aangeboden kreeg, was hij zo aangedaan door de extreme armoede van het gezin Jerushalmi dat hij Shai zijn horloge teruggaf zonder het geld in ontvangst te nemen. 'Wist ik het niet,' riep Itsik triomfantelijk.

Hoewel Nathan en Jardena het met Itsiks methode om geld te sparen niet eens waren, apprecieerden ze het feit dat de jongens de zak vol muntjes niet achteroverdrukten, maar tot de laatste cent in de huishoudpot leegden.

Op 8 december stierf Golda Meir.

'Zullen we naar de Knesset gaan en langs haar kist lopen?' vroeg Jardena.

'Mij niet gezien,' zei Nathan. 'Het was haar schuld dat de Jom-Kippoeroorlog ons zo overviel.'

'Waarom alleen haar schuld? Ik heb in haar boek gelezen dat de geheime dienst blijkbaar op een totaal verkeerd spoor zat. Ze wisten wel dat Syrië en Egypte al maanden bezig waren zich te bewapenen, maar meenden dat dat was omdat ze bang waren dat wij hen zouden aanvallen. Je moet haar autobiografie lezen.'

'O ja! Daar zal de waarheid wel in staan!'

'Bedoel je dat ze de lezers voorliegt?'

'Ach nee. Ze was gewoon niet geschikt om minister-president te zijn. Ze had het ambt nooit moeten aanvaarden.'

'Dat is niet fair. Toen ze zich na de oorlog afvroeg hoe ze op die plaats terecht was gekomen, beantwoordde ze haar eigen vraag met: "Op dezelfde manier als mijn melkboer op een vooruitgeschoven post terechtkwam en daar als officier het bevel over moest voeren. Geen van beiden zaten we op de baan te wachten, maar allebei deden we ons werk zo goed als we konden."'

'Zo goed als ze kon was niet goed genoeg,' hield Nathan vol.

Jardena ging toch naar de Knesset.

Een dag na de begrafenis kregen Menachem Begin en Anwar Sadat, die drie maanden eerder in Camp David tot een voorlopige overeenkomst over de toekomst van de Sinaï waren gekomen, gezamenlijk de Nobelprijs voor de vrede. Begin vloog voor de gelegenheid naar Oslo. Sadat stuurde een vertegenwoordiger.

1979

'Alles is weer twee keer zo duur als vorige week, zuchtte Jardena. 'Brood, melk, 't is niet bij te houden.'

'Wees maar blij dat we geen vlees meer eten', was Jannai's commentaar. 'Dacht je soms dat kaas en eieren goedkoper waren? Of zullen we maar helemaal ophouden met eten?'

Vered bood een betere remedie tegen het ongenoegen: 'Heb je gehoord van die oude krantenverkoopster die vanochtend de politie waarschuwde omdat een auto er volgens haar verdacht uitzag?'

'Nou?'

'Hij zat boordevol explosieven. Nog even en hij was midden in Jeruzalem ontploft. Die vrouw heeft ik weet niet hoeveel mensen het leven gered.'

Jardena omhelsde haar dochter. 'Je hebt gelijk kind. Zolang we leven en gezond zijn hebben we niets te klagen. Een beetje minder eten is niet zo slecht voor de mens.'

'Ik vraag me af of ík de politie zou waarschuwen als ik ergens een auto of een tas zag staan waarvan ik dacht dat hij daar niet hoorde,' zei Vered.

'Ik weet het ook niet. Als het loos alarm is, sta je voor schut.'

'Voor schut staan?' Jannai stampte met zijn voet. 'Zijn jullie bang om voor schut te staan? Ik heb weleens een agent gewaarschuwd omdat ik een bos bloemen op straat zag liggen. Er was niets mee aan de hand, maar de agent gaf me groot gelijk. Als we allemaal zo oplettend waren als die krantenverkoopster, zouden heel wat ongelukken voorkomen worden.'

Om je heen kijken, de politie waarschuwen, verhinderen dat bommen ontploffen, dat soort zaken was aan de orde van de dag. Het werd iedereen van jongs af aan bijgebracht. Maar terroristen hun verdiende loon geven, soms jaren nadat ze hun daad hadden gepleegd, was een specialiteit van Isser Harel en zijn mensen. Op 22 januari ontplofte in Beiroet de auto van Hassan Salma met eigenaar en al. Hassan Salma had in 1972 de moord op de Olympische sportlieden georganiseerd. Isser Harel, dezelfde die in 1960 Eichmann had weten te vinden en naar Israël had gebracht, had gezworen ook deze Salma te pakken te krijgen, en als Isser Harel iets in z'n hoofd had, was het nog maar een kwestie van tijd voordat het gebeurde.

In het kader van het verdrag met Egypte begon het Israëlische leger het gloednieuwe stadje Yamit in de Sinaï te ontruimen. Elnakam was in alle staten. 'Dat onze soldaten hun eigen broeders met geweld uit hun huizen slepen, Joden tegen Joden, is het geen schande?'

'Een compromis is nu eenmaal in zijn aard een oplossing waarbij alle partijen voelen dat ze te kort komen,' zei Nathan. 'Egypte heeft zich de toorn van de andere Arabische staten op de hals gehaald door met Israël een contract te sluiten. Israël heeft de Sinaï opgeofferd.'

Elnakam was niet de enige die zich opwond over de ruil 'vrede voor woestijn'. Parlementslid Ge'ula Cohen stapte uit de regerende Likudpartij als protest tegen het verdrag met Egypte. En zelfs Nathan had bezwaar: alle zorg die Israël had besteed aan het natuurbehoud in de Sinaï was verloren moeite.

En kaas was niet meer te betalen. Inflatie vierde hoogtij.

Het hoorde bij het programma van de Experimentele School dat alle leerlingen vanaf de zesde klas één ochtend in de week besteedden aan een bezigheid in de 'grotemensenwereld'. Sommige kinderen deden boodschappen voor ouden van dagen of hielpen hen met het schoonhouden van hun huis. Anderen hielpen kleinere kinderen met hun huiswerk. Een enkel kind vond een meer gespecialiseerd baantje in een garage of fabriek. Jannai maakte de kooien schoon van de honderden muizen die door het kankerinstituut werden gefokt voor het doen van experimenten.

'Ik kan vivisectie niet verhinderen,' redeneerde hij, 'maar ik kan wel zorgen dat de diertjes een zo goed mogelijk leven hebben zolang het duurt. Een schone kooi is toch het minste waar ze recht op hebben.'

Omdat hij de muizen een pretje gunde, placht hij na zijn schoonmaakwerkzaamheden met ze te blijven spelen. Dan liet hij ze voor hun plezier, en natuurlijk ook voor dat van hemzelf, over zijn hoofd en armen lopen.

Op een dag nodigde de chef van het instituut Jannai en zijn moeder uit voor een rondleiding door de gesloten afdeling waar de experimenten werden uitgevoerd. Toen Jannai de afschuwelijke zwellingen zag die opzettelijk waren gekweekt bij diertjes die een paar dagen tevoren gezond en vrolijk waren geweest, huilde hij van verdriet en frustratie, en sindsdien had hij grote moeite om nog naar het instituut te gaan.

Itsik, die sinds zijn dertiende jaar bijna nooit meer naar school ging, werkte al enige maanden als koeienherder in Metulla in het allernoordelijkste puntje van Israël, aan de grens met Libanon. Hij genoot ervan te paard de koeien van zijn baas te hoeden, waarbij hij vaak van dageraad tot schemering geen mens tegenkwam. Hoewel zijn baas hem schandelijk uitbuitte, zou hij toch altijd volhouden dat het jaar dat hij in Metulla woonde tot de mooiste van zijn leven behoorde.

Toch moest hij langzamerhand iets gaan verdienen. Hij besloot zijn geluk in het buitenland te beproeven. Hoewel Nederland niet het makkelijkste land was om illegaal werk te vinden, had Jardena toch vrienden en familieleden die bereid waren haar vijftienjarige zoon te helpen een baantje bij een boer te vinden. Een tijdlang ging dat goed, maar op een dag merkte de boer dat zijn Israëlische knecht een groot deel van zijn tijd besteedde aan de verzorging van een ziekelijk stierkalfje.

'Heb je niks beters te doen?' zei hij kwaad. 'Weet je niet dat dat beest geen cent waard is?' Itsik was zo gekwetst dat hij de volgende dag beweerde een brief te hebben ontvangen waarin hij onmiddellijk naar huis werd ontboden omdat zijn vader was gestorven, en dat hij nu eerst naar tante Eva ging. Zoals dat gaat, reisde het nieuws vlugger dan de mens. Nog voor Itsik bij Eva was aangekomen, had de boer haar al bereikt, en had zij al naar Jeruzalem opgebeld om Jardena te condoleren met de dood van haar – overigens springlevende – echtgenoot.

Itsik ging terug naar huis. Hij was intussen zo groot en sterk dat zijn vader hem lichamelijk niet meer aankon.

De drie jongere broers kregen daarentegen nog steeds het volle pond, vooral Jifrach, die net als Itsik dyslectisch was, waardoor hij het op school nogal moeilijk had. Shai had ook problemen op school, maar die werden vooral toegeschreven aan zijn slechte ogen. Hij kreeg iets minder slaag dan zijn broers. Jardena vermoedde dat dat kwam doordat Nathan in zijn hart best blij was dat de aangenomen zoon nog grotere leerproblemen had dan zijn eigen nazaten.

Hoewel de jongens een grondige hekel hadden aan de dagelijkse driftbuien van hun vader, zagen ze ook de humoristische kant van de confrontaties. Zo rende op een dag Jifrach in galop om de ronde tafel, op de hielen gezeten door Nathan. Om ten volle van het schouwspel te genieten, of misschien om zijn broer wat meer ruimte te geven, sprong Shai op de tafel, vanwaar hij Jifrach met oorlogskreten aanspoorde.

'Had ik maar een stok,' schreeuwde Nathan. 'Wacht maar tot ik een stok vind.'

Ogenblikkelijk pakte Shai een potlood van de tafel en reikte het zijn voorbijvliegende vader aan. 'Hier, Abba, hier heb je een stok om Jifrach mee af te ranselen.'

Zonder vaart te minderen, greep Nathan het potlood uit Shai's hand, en vervolgde zijn rondjes om de tafel totdat Jannai de deur opengooide, zodat Jifrach de kans kreeg de kamer uit te vluchten en zich in de wc op te sluiten. Volgens een beproefd recept bleef hij daar rustig wachten tot Nathan was afgekoeld, waarna hij over de gesloten wc-deur klom en het huis uit sloop. Uit solidariteit verlieten de andere twee dan ook het huis. Als na enige tijd Jardena of Nathan van de wc gebruik wilde maken, moest Nathan zelf over de deur klimmen om hem van binnen uit te openen.

De nu zestienjarige Itsik schreef zich in voor een cursus smeden en lassen. Ook werd hij verliefd op de vijftienjarige Tirtsa, die principieel haar haar niet kamde en gekleed ging in vaalroze en lichtpaars gekreukeld velours-chiffon.

Op een dag belde de vader van Tirtsa op en dreigde dat hij Nathan zou aanklagen als Itsik zijn dochter niet met rust liet. Onmiddellijk ging Jardena op zoek naar de gelieven. Ze zaten genoeglijk in Itsiks kamer speelgoed te ontwerpen voor hun toekomstige nakomelingen. Jardena drukte hen op het hart geen domme dingen te doen, maar het jonge stel interpreteerde het woord 'dom' blijkbaar anders dan hun ouders, want een paar dagen later stormde Itsik opgewonden de keuken binnen met het bericht: 'Imma, Imma, moet je horen wat fantastisch. Tirtsa heeft over de buitentrap gekotst!'

'De dweil hangt op het balkon,' begon Jardena zonder op of om te kijken. Pas in de stilte die volgde, realiseerde ze zich dat haar zoon niet in zijn normale doen was, en zelfs toen duurde het nog even voor ze zijn gedachtegang volgde en van schrik de vuile vaatdoek in het schone afwaswater liet vallen.

Tirtsa had die ochtend ongesteld moeten worden, vertelde Itsik met eerbied in zijn stem, maar ze was al zes uur over tijd! Dacht zijn moeder dat ze een kindje verwachtte? Het leek Jardena wijs nog even te wachten alvorens deze conclusie te trekken, maar ongerust was ze wel. In tegenstelling tot haar zoon was ze dan ook enorm opgelucht toen Tirtsa tegen de middag ongesteld werd. Jardena zou er nooit achter komen wat Tirtsa aan haar ouders had verteld, maar vanaf die dag verboden ze haar om Itsik ooit nog te ontmoeten.

Diep in de put kondigde Itsik aan: 'Het zal zeker zeven jaar duren voordat ik opnieuw van een meisje kan houden. Ik wil me voor enige tijd in de woestijn terugtrekken.'

Jardena vroeg zich af welk sprookje haar zoon onlangs had gelezen, maar hield wijselijk haar mond. Ze vond het nogal zorgelijk dat hij in de gedeprimeerde gemoedstoestand waarin hij verkeerde alleen naar de Negev wou, maar hij was nu al zo lang zelfstandig dat ze hem er niet van kon weerhouden. Het enige wat ze kon doen was hem wat geld en een grote jerrycan met water meegeven, en daarbij de aanbeveling om altijd genoeg te drinken, zelfs als hij meende geen dorst te hebben. Uitdrogen was het grootste gevaar in de woestijn, ook in de winter.

Na drie weken kwam Itsik goedgehumeurd terug. Twee dagen later kwam Noëlly. Ze was klein en blond. Itsik had haar in de Negev ontmoet waar ze, gefascineerd door de wonderen die Israël door middel van vernuftige irrigatie in de woestijn wist te verrichten, haar brood verdiende met het telen van tomaten. Ze vertelde in het Engels dat haar ouders gescheiden waren, en dat ze al jaren van de ene commune naar de andere zwierf. Itsik had haar aangeraden naar Jeruzalem te komen omdat ze last had van haar gebit en nodig naar een tandarts moest. 'Je kunt wel bij mij logeren,' had hij gezegd. Jardena stelde geen overbodige vragen, maar Itsik deelde uit eigen beweging mee dat Noëlly weliswaar op zijn kamer zou slapen, maar dat hij niet van plan was met haar naar bed te gaan. Bovendien hoefden zijn ouders zich financieel niet om de gast te bekommeren. Ze zou als model op de kunstacademie het geld voor de tandarts verdienen. Na afloop van de behandeling zou ze vertrekken.

Intussen verlangde Jardena niet alleen vreselijk naar Robin, maar ook naar de regenboogtovenaar. Na verloop van tijd wist ze door een list achter zijn adres te komen, en toen ze dat eenmaal had, kon ze het niet laten hem te schrijven. Hoewel ze geen antwoord van hem verwachtte, maakte ze er een gewoonte van hem iedere zondagochtend een brief te sturen waaraan ze de hele voorgaande week met de uiterste zorg had gewerkt. Zich er goed van bewust dat de heer Pigeon niet haar penvriend was, en dat hij het volste recht had haar brieven ongelezen, en zelfs ongeopend, in de vuilnisbak te gooien, spande ze zich in om zelfs de enveloppen zo aantrekkelijk mogelijk te maken. De brieven zelf bestonden altijd uit twee blaadjes, aan beide kanten in goed leesbaar handschrift beschreven. Bovendien sloofde ze zich uit om ze tegelijk interessant en geestig te maken, en om nooit te vervallen in gezeur of geweeklaag. In het midden van het derde kantje van de zesde brief merkte ze zogenaamd terloops op dat ze professor Pigeon niet wou lastig vallen, en dat hij maar één woord hoefde te schrijven om haar met deze eenzijdige correspondentie te doen ophouden. Een week later kwam het antwoord, bestaande uit één enkele zin: ze mocht ermee doorgaan. Dat professor Pigeon haar brieven zorgvuldig las, was nu wel bewezen. Kon het zijn dat hij er zelfs plezier aan beleefde? Ze begon zich te vleien met de gedachte dat ze misschien wel talent had voor schrijven. Net zoals ze jarenlang al haar creatieve energie had gestopt in het schetsen van de leden van het orkest, werd nu het schrijven een obsessie.

Dag aan dag zat ze aan haar schrijftafel met pen en papier, en vooral met een schaar en een lijmpot. Dag aan dag verkreukelde of verbeterde ze teksten die ze de vorige dag nog zo mooi had gevonden, en in plaats van beter, werden haar schrijfsels alleen maar slechter. Wat moest ze doen? Wie moest ze om raad vragen?

Net toen ze doorhad dat literatuur iets anders was dan praten met een pen, kwam de reddende engel bij haar om de hoek wonen in de gedaante van Rhoda, die lerares literatuur was. Iedere ochtend, nog voor het ontbijt, bezocht Jardena haar met een blad proza dat ze de vorige dag had geschreven.

'Hai', was Rhoda's dagelijkse groet vanuit de slaapkamer, waar ze gekleed in doorzichtige lingerie danspasjes uitvoerde voor de spiegel. Van alle mensen die Jardena ooit had ontmoet, leek niemand zoveel op Sneeuwwitje, en gedroeg niemand zich, althans voor de spiegel, zo uitdrukkelijk als de stiefmoeder. 'Spiegeltje, spiegeltje aan de wand, wie is de mooiste in het hele land?' vroeg Rhoda ongegeneerd aan haar spiegelbeeld, en iedere dag opnieuw antwoordde de spiegel met Rhoda's eigen stem: 'Mooier dan je moeder met haar dikke bril en je dochter met haar dikke neus ben jij, Rhoda, met je blanke huid, je gitzwarte haren, je rozenrode mond en je ogen als glanzende sterren. Jij, Rhoda, bent de mooiste vrouw in 't land.'

'Zet vast water op, wil je,' zei ze als ze zich genoeg door Jardena had laten bewonderen.

'Ik heb iets meegebracht,' mompelde Jardena dan steevast. 'Iets wat ik gisteren geschreven heb.'

Nog voordat Rhoda aan haar koffie begon, las ze Jardena's pennenvrucht. Ze sloeg nooit een woord over en werd nooit ongeduldig. Jardena wachtte met haar ogen dicht op het oordeel.

'Luister eens meisje', luidde dat meestal. 'Ik heb de grootste bewondering voor je lef, maar wat je produceert is afgrijselijk. Waarom lees je niet eens wat goede boeken? Conrad, bijvoorbeeld, of Guy de Maupassant. Probeer eens na te gaan hoe zulke schrijvers een verhaal vertellen, hoe ze metaforen gebruiken in plaats van bijvoeglijke naamwoorden, hoe ze de dingen tonen in plaats van ze te beschrijven. Lekker zeg, die koffie. Zullen we nog een kopje nemen? Ik moet zeggen dat je onderwerp me verbaast. Ik zelf zou nooit verliefd kunnen worden op een man die niet bereid was voor mij te sterven. Ik kan het tenslotte niet helpen dat ik intelligent en mooi ben. Op de middelbare school waren alle jongens verliefd op me.'

Jardena moest toegeven dat Rhoda over kwaliteiten beschikte waar zij niet aan tippen kon.

Van alle jongens die op de middelbare school naar Rhoda's hand hadden gedongen, hadden er maar twee haar aandacht kunnen vasthouden. Ze was met beide getrouwd geweest. Van de ene had ze een zoon, van de andere een dochter. De eerste echtgenoot had ze de laan uit gestuurd, de tweede was in de Jom-Kippoeroorlog gesneuveld, zodat Rhoda, de stralende, de verleidelijke, de mooiste vrouw van het land, nu ook nog de extra charme had van oorlogsweduwe te zijn.

'Ik zou toch niet bij hem zijn gebleven, hoor,' vertrouwde ze Jardena toe. 'Hij verveelde me allang.'

Rhoda en haar tweede man waren bevriend geweest met een echtpaar van dezelfde leeftijd. Toen Rhoda's man gesneuveld was, vond ze het vanzelfsprekend dat de man van haar vriendin nu de hare werd. Dat wil zeggen, dat hij van zijn eerste vrouw scheidde en met haar een huishouden opzette. Een derde huwelijk ambieerde Rhoda niet, want dan zou ze geen aanspraak meer kunnen maken op haar levenslange pensioen van het leger. Toen ze acht maanden zwanger was van haar derde kind, was Jardena er getuige van dat een man haar televisietoestel kwam confisqueren omdat ze geen kijkgeld had betaald.

'Ik hoef helemaal niet te betalen,' zei Rhoda triomfantelijk. 'Ik ben oorlogsweduwe.'

Verbluft keek de man naar Rhoda's dikke buik. 'Maar ... maar ...' stamelde hij.

'Wat maar ... maar ...?' flirtte Rhoda. 'Moet ik je uitleggen hoe een weduwe zwanger wordt?'

Het televisietoestel bleef staan.

Toen het tweede zoontje van Rhoda geboren was, haalden zelfs zij en haar fanatiek anti-religieuze partner het niet in hun hoofd het kind niet te laten besnijden. Het enige waar de vader tegen rebelleerde was dat hij gedurende de ceremonie zijn hoofd moest bedekken. De moheel verzocht hem de kamer te verlaten, wat hij maar al te graag deed. Daar moeders niet bij de besnijdenis van hun zoon aanwezig hoeven te zijn, namen Rhoda's vader en Jardena als enigen de honneurs waar.

Op de dag van de besnijdenis droeg Jardena een bolerootje dat ooit van Perla was geweest. Gedachtig aan Max, die altijd zo geduldig zijn spijkerbroek had zitten volnaaien, had ze het met tientallen gekleurde lapjes eerst versteld en ten slotte geheel en al overdekt.

'Hoe kom je daaraan?' riep Rhoda uit.

'Zelfgemaakt,' antwoordde Jardena. 'Wel leuk geworden, vind je niet?'

'Wel leuk? Ik wil er ook zo eentje! Het zal me zo beeldig staan, je hebt geen idee. Alsjeblieft, maak er voor mij ook zo een.'

Jardena was blij dat ze nu eens iets voor Rhoda kon doen. En Rhoda, die er niet aan twijfelde dat ze onder alle omstandigheden altijd de mooiste onder de mooien zou zijn, prees Jardena's bolerootjes aan bij al haar vriendinnen en kennissen. De bron van inkomsten kwam uitstekend van pas.

'Maar vergeet niet te schrijven,' moedigde Rhoda haar aan. 'En vooral: volg literatuurcursussen aan de universiteit. Examens hoef je niet te doen. Zoek gewoon een paar interessante colleges uit, en vraag de docent of je erbij mag zitten. Dan zijn ze nog vereerd ook! Kies literatuur van de negentiende en twintigste eeuw. D.H. Lawrence, Virginia Woolf. Lees *Mrs Dalloway*. Echt iets voor jou.'

Jardena volgde Rhoda's raad op. Ze was niet meer te stuiten.

Jannai zou over een half jaar bar-mitsvah worden. Maar hij zei: 'Ik ben niet religieus. Waarom zou ik er iets bijzonders van maken? Alleen om cadeaus te krijgen? Dank je feestelijk.'

'Toen de Jom-Kippoeroorlog uitbrak was je anders de enige die de hele dag in de synagoge zat te vasten', hielp Simcha hem herinneren. 'Je hoeft toch niet streng religieus te zijn om bar-mitsvah te worden. Het is een manier om aan te geven dat je erbij hoort.

'Bij wat?'

'Bij ons. Bij het Joodse volk.'

'In de Jom-Kippoeroorlog zat ik op de anglicaanse school. Toen wou ik aangeven dat ik dáár níét bij hoorde. Maar een Jood ben ik net zo goed als ik niet aan de rituelen deelneem, en eerlijk gezegd voel ik net zo weinig voor de ene religie als voor de andere.

Nathan en Jardena respecteerden het standpunt van hun zoon, en drongen niet aan. Intussen was Jannai gefascineerd door wat hem veel belangrijker voorkwam: de zwarte Joden uit Ethiopië, de Falasha's, die dagelijks voor het parlementsgebouw een stille demonstratie hielden ten gunste van hun soortgenoten die weliswaar in hun geboorteland als ongewenste vreemdelingen werden beschouwd, maar die ondanks dat geen vergunning kregen om Ethiopië te verlaten. 'Waarom doet de regering niet meer voor de Falasha's,' mopperde Jannai. 'Er zijn nu nota bene al vierhonderd Vietnamese vluchtelingen in Israël, tegen driehonderdvijftig zwarte Joden. Heeft het soms iets met discriminatie te maken?'

'Welnee,' zei zijn moeder. 'Als opperrabbijn Cook indertijd officieel verklaard heeft dat de Falasha's Joden zijn en dus net zoveel recht hebben als iedere andere Jood om zich op de wet van de terugkeer te baseren, dan ligt het probleem niet bij ons maar bij de Ethiopische regering, net als voor de Joden uit Irak en Iran en Marokko en Albanië en Rusland en de hemel mag weten waar. Heeft koning Salomon destijds niet gezegd dat er niets nieuws onder de zon is? Bovendien, misschien doen we wel wat, maar dat hangen we natuurlijk niet aan de grote klok. Hoe is dat voor de Joden uit Marokko gegaan? Niet praten maar doen.'

'Weet ik niets van,' zei Jannai.

'Kan ook eigenlijk niet. Je was nog niet eens geboren. Trouwens, wat weet ik er zelf van. Zolang er nog Joden uit landen gesmokkeld moeten worden omdat ze door regeringen worden onderdrukt en geen toestemming krijgen normaal te vertrekken, geeft Isser Harel zijn geheimen natuurlijk niet prijs. Het enige wat ik weet is dat de meeste Marokkaanse Joden met valse paspoorten via Gibraltar naar Israël zijn gekomen. Er wordt zelfs gefluisterd dat Franco een handje heeft meegeholpen omdat zijn moeders familie oorspronkelijk Joods was en hij dus van de marranen afstamde. Maar of het waar is? Misschien voert de regering nu een of andere geheime actie uit om de Falasha's hierheen te krijgen. Weet ik veel.'

'Hm,' zei Jannai, maar voor de zekerheid ging hij toch maar iedere middag na schooltijd voor het parlementsgebouw staan om samen met de zwarte Joden van Ethiopië te demonstreren.

In november werd Itsik opgeroepen voor zijn eerste militaire keuring. Ondanks zijn anti-militaristische principes, deed hij niets om de dienst te ontlopen. Hij vervoegde zich precies op tijd bij de keuringscommissie. Weliswaar verscheen hij in zijn gewone plunje, dus barrevoets, ongekamd en met een keur aan oorbellen en andere fraaiigheden aan zijn lijf bungelend, maar hij beantwoordde alle vragen naar beste weten, maakte met niemand ruzie, werd op niemand boos, en pretendeerde ook niet een dienstweigeraar te zijn. Het verbaasde hem dan ook dat de autoriteiten niet tot een beslissing konden komen.

Toen hij zich een maand later voor de tweede keer moest melden, was er aan de commissie een psychiater toegevoegd. Opnieuw vroegen ze hem het hemd van het lijf, en opnieuw antwoordde hij naar beste vermogen en zo eerlijk mogelijk op alle vragen die hem werden gesteld.

Toen de toekomstige rekruut al bij de deur stond, sloeg de voorzitter van de commissie met zijn vuist op tafel en riep: 'Je bent een luilak en een dienstontloper. Wacht maar, we krijgen je wel klein!' Daarop reageerde de psychiater laconiek: 'Als deze jongeman in dienst gaat, kunnen jullie hem binnen een jaar bij mij in het gesticht komen opzoeken.' Itsik draaide zich om en keek naar zijn tenen.

'Oké,' besloot de voorzitter woedend. 'Verdwijn en kom voorlopig niet terug. Maar je bent nog niet van ons af.'

Bijna twee jaar na de vreselijke beschieting op de kustweg van Tel Aviv naar Haifa, had de hand van Perla's fluitleraar zich, tegen alle verwachtingen in, redelijk hersteld, zo goed dat hij voor het eerst weer een eenvoudig recital kon geven. Het was voor hem een soort try-out. Nauwelijks was het evenement aangekondigd of het zaaltje was uitverkocht.

Ongeacht of hij mooi of lelijk zou spelen, al zijn collega's, leerlingen en vrienden wilden de dappere fluitist stimuleren om door te zetten. Jardena en Perla, die niet hadden gedacht dat het zo vol zou worden, stonden op de avond van het concert vergeefs aan de kassa, en waren net van plan onverrichter zake naar huis te gaan, toen een aardige jongeman op hen afkwam en tegen Perla zei: 'Ik heb twee kaartjes voor het concert. Wil je met mij mee naar binnen?'

Perla keek aarzelend naar haar moeder. Jardena knikte aanmoedigend van ja, zonder in het minst te vermoeden dat dit de eerste kennismaking was met haar aanstaande schoonzoon.

'Niemand is profeet in eigen stad', luidt een Hebreeuwse zegswijze. Perla, die niet was geslaagd voor het toelatingsexamen van de Jeruzalemse kunstacademie, reisde naar Amsterdam en deed daar examen voor de Rietveld Academie. Daar slaagde ze met vlag en wimpel. Dat hield in dat ze de eerstvolgende vier jaar in Amsterdam zou wonen. Uit vaderlandsliefde veranderde ze haar naam van het Jiddische Perla in het Hebreeuwse Pnina.

1980

'Als ik er niet om moest huilen, moest ik erom lachen,' zei Jardena, die met een bijna lege boodschappentas van de kruidenier kwam. 'Een doosje lucifers kost een pond, en een pakje margarine bijna twaalf. Als ik vandaag bij Mirjam de Leeuw op het dak woonde, zou ik minder dan een halve fles olie per maand hoeven te betalen.'

'Dat was dan ook vier oorlogen geleden,' zei Nathan terwijl hij het op zijn vingers natelde. Eén: de onafhankelijkheidsoorlog, twee: de Sinaïoorlog, drie: de zesdaagse oorlog, vier: de Jom-Kippoeroorlog en dan tel ik nog niet eens de uitputtingsoorlog van de jaren zestig mee.'

'Vier oorlogen en vier Jeruzalemse winters met echte blijvende droge sneeuw in drieëntwintig jaar. Heb je gehoord dat de burgemeester van Tel Aviv drie vrachtwagens vol sneeuw uit Galilea heeft laten aanrukken en die op een plein in het centrum van de stad heeft laten storten zodat de schoolkinderen daar ook eens aan den lijve kunnen ondervinden wat sneeuw is?'

Perla's vriend wou naar Nederland, zijn meisje achterna, maar in de nacht voordat hij zou vliegen was er zoveel sneeuw gevallen dat er geen bussen reden. De weg van Jeruzalem naar het vliegveld was onbegaanbaar. Ook de telefoonkabels waren weer eens tegen de vlakte gegaan. Het was onmogelijk inlichtingen in te winnen over vertrektijden van welk transportmiddel ook. Nathan was niet iemand om bij de pakken neer te zitten. Lopend vertrokken de twee mannen met Merons zware koffer naar het spoorwegstation, en werkelijk, na enige tijd vertrok er een trein richting Ben-Gurion. Meron was ruim op tijd, want zijn vliegtuig had nog meer vertraging dan hijzelf.

Simcha moest in militaire dienst. Ze koos voor de mogelijkheid om te gaan wonen en werken in een plaats waar de bevolking, om welke reden ook, behoefte had aan jonge krachten. Dit soort dienst was in zekere zin creatiever en minder streng dan de gebruikelijke, maar de prijs die Simcha ervoor moest betalen was een extra jaar. Ze kreeg een plaats toegewezen in Ma'alot, het stadje in Galilea waar terroristen in 1974 in koelen bloede eenentwintig schoolkinderen hadden vermoord. Daar werd ze tewerkgesteld als verzorgster van alleenwonende, hulpbehoevende ouden van dagen. De bevolking van Ma'alot bestond grotendeels uit Marokkaanse emigranten, en de oude mensen die Simcha onder haar hoede kreeg spraken geen woord Hebreeuws. Simcha, met haar jeugdige, soepele geest, babbelde dan ook al gauw lustig in het Marokkaans. Jardena bezocht haar ettelijke malen, en kreeg dan zonder meer toestemming om in de woning die aan Simcha en haar medesoldaten was toegewezen, een paar dagen te blijven logeren.

Ook Vereds diensttijd duurde een jaar langer dan gebruikelijk. Maar dat had een andere oorzaak. Zij had het tot officier gebracht, en voor haar golden dus andere wetten. Onder andere was het haar taak om rekruten te leren schieten, gelukkig niet op mensen, maar vooralsnog op een schietschijf.

In april was ze met haar klas soldaten op 'schoolreisje' in kibboets Misgav-Am, aan de grens met Libanon, maar het werd niet bepaald een ontspannen vakantieweekje. Vijf terroristen wisten ongemerkt de veiligheidsinstallatie te passeren. Ze namen zeven driejarige kleuters en één verzorger in gijzeling en verschansten zich in het kinderhuis. Zoals gewoonlijk bij dergelijke overvallen werden de trouwste en meest geoefende soldaten van het Israëlische leger met spoed naar Misgav-Am gestuurd. Er volgde een strijd op leven en dood, waarbij de terroristen voordeel trokken uit de wetenschap dat het leven van kinderen bij het Joodse volk boven alles gaat, iets wat lang niet van alle volkeren in het Midden-Oosten gezegd kan worden.

Uiteindelijk wisten de Israëlische soldaten de vijf terroristen te doden, maar er heerste geen vreugde onder de bewoners. De actie had aan één soldaat het leven gekost. Ook de secretaris van Misgav-Am en een van de zeven kleuters werden nog diezelfde avond in de kibboets begraven.

Shai's bar-mitsvah kwam in zicht. Hij gaf te kennen dat hij niks bijzonders wou, alleen maar alles precies zoals Itsik en de zoons van oom Elnakam, die allemaal eerst bij de Klaagmuur en daarna in een orthodoxe synagoge uit de Torah hadden gelezen. Nathan vond een rabbijn in Machaneh-Yehoedah die hem niet meer en niet minder leerde dan wat hij nodig had om het ritueel vlekkeloos te laten verlopen.

Jardena vroeg aan Jannai of hij niet toch ook iets meer over het jodendom wilde leren. Dat verplichtte hem tenslotte tot niets. Daar was Jannai het mee eens. Zijn ouders herinnerden zich de leraren van de Pardes School for Advanced Jewish Studies met wie ze een tocht door de Sinaï hadden gemaakt, en vonden op die school een rabbijn bereid om Jannai onder zijn hoede te nemen. Na een paar lessen kwam hij thuis met de mededeling: 'Ik heb grote bewondering voor mijn leraar. Op veel gebieden is hij het geheel met mij eens.'

'Wat zullen we nou hebben! Is hij het met jou eens of ben jij het met hem eens?' zei Jardena berispend.

Jannai haalde zijn schouders op: 'We zijn het met elkaar eens. Ik bedoel dat ik weiger een parashah voor te dragen als ik het met de inhoud niet eens ben, en dat de rabbijn ook vindt dat dat niet hoeft.'

Jardena liet het daar maar bij zitten.

Een paar weken later kondigde Jannai aan dat hij een parashah had gevonden waar hij een les uit kon trekken, en dat hij had besloten om barmitsvah te worden. 'Maar niet in een synagoge,' voegde hij eraan toe. 'Ik ben niet van plan religieus te worden, en ik zou me schamen om alleen voor mijn eigen ceremonie naar de synagoge te gaan, en daarna niet meer.'

'Waar wil je dan uit de Torah lezen?' vroeg Nathan. 'Bij de Klaagmuur?'

'Thuis,' zei Jannai. 'Als jullie het vereiste aantal van tien mannen uitnodigen, zal mijn rabbijn voor een torahrol zorgen, en dan kan het gewoon bij ons thuis gebeuren. Ik doe het voor jullie plezier, niet voor de show.'

De parashah die hij had gekozen was 'Vajeshev', het verhaal van Jozef en zijn veelkleurige kleed.

Op een donderdagochtend in november, vier maanden voor Jannai's veertiende verjaardag, veranderden Nathan en Jardena Jerushalmi hun huiskamer in een synagoge. Aan de oostelijke muur hingen zij een prachtige gebatikte doek. Daarvoor stond een tafel waarop de torahrol lag. De rabbijn leidde de dienst. Nathan las grote delen van de tekst voor en deed dat zo mooi dat de voorbijgangers onder het balkon bleven staan luisteren. Ooms en neven, zowel als Jannai's eigen in religieuze kwesties reeds volwassen broer Itsik, werden opgeroepen om tijdens het lezen van de parashah de tekst in de torahrol met de ogen te volgen. Nadat Jannai zijn passage had voorgelezen hield hij, zoals dat de gewoonte is, een korte preek over de inhoud van de parashah en wat men daaruit kan leren. Net als de meeste kinderen van zijn leeftijd had hij zijn tekst opgeschreven en las hem voor: 'Omdat ik toch al over tijd ben met deze ceremonie, kon ik kiezen welke parashah ik wou lezen. Ik koos "Vajeshev" omdat ik verwantschap voel met Jozef. Ik heb veel met mijn rabbijn gepraat, en ik zie in dat ik, net als Jozef, niet altijd aardig ben tegen mijn broers. Soms denk ik dat ik begaafder ben dan zij, en dat ik daarom recht heb op een eigen kamer, waar ik naar muziek kan luisteren en tot diep in de nacht kan liggen lezen. Net als Jozef geef ik daardoor mijn broers en zusters soms aanleiding om jaloers te zijn, en ik wil van deze gelegenheid gebruik maken om te beloven dat ik zal proberen bescheidener te worden. Maar ook wil ik mijn ouders erop wijzen dat Jozef waarschijnlijk niet zo'n hoge dunk van zichzelf zou hebben gehad als Jacob hem daarin niet had aangemoedigd. Ik ben van mening dat ouders ten minste gedeeltelijk verantwoordelijk zijn voor het karakter van hun kind.'

Het bloed steeg Jardena naar de wangen. Het was geen kleinigheid om in het bijzijn van vrienden en kennissen zo door je zoon te worden terechtgewezen, maar wat hij zei was wel raak. Ze keek naar Nathan, maar die was bezig iets van de grond op te rapen en ze kon zijn blik niet vangen.

In december hoorde Jardena wonderen vertellen over een Engelse oogarts die speciale lenzen had ontwikkeld voor slechtziende kinderen, en die tijdelijk in Jeruzalem verbleef. Natuurlijk ging ze met Shai naar hem toe. Zo'n lens was zo groot dat hij het hele oog bedekte, en hoewel Shai maar met één oog zag, en dus eigenlijk geen twee lenzen nodig had, raadde de arts met klem aan dat hij in beide ogen een lens zou dragen, omdat zijn gezicht anders zo asymmetrisch zou worden.

Wat kan het ook schelen, dacht Jardena. Honderd shekel meer of minder. Een paar weken geleden zouden het duizenden ponden meer of minder geweest zijn, maar nu de shekel was geïntroduceerd, leek alles ineens veel goedkoper. En hoe dan ook, als de arts het aanraadde, moest het maar.

Toen de speciaal voor Shai bestelde lenzen uit Engeland waren gekomen, ging Jardena meerdere malen met hem naar de oogkliniek om te leren ermee om te gaan.

Shai moest de lenzen na schooltijd uitdoen, en mocht ze pas twee uur later opnieuw gebruiken, legde de arts uit, want als een oog meer dan vier uur achter elkaar niet aan lucht was blootgesteld, konden er nare dingen gebeuren.

Zoals de arts had voorspeld, was het resultaat spectaculair. Shai was zo blij met zijn lenzen dat hij weigerde er ook maar één moment afstand van te doen. De ene dag belde hij na schooltijd op dat hij bij een vriendje was blijven spelen, de andere dag fantaseerde hij dat de juffrouw hem had gevraagd na te blijven om haar ergens mee te helpen. Natuurlijk legde Jardena hem aldoor uit dat hij zichzelf geen dienst bewees, maar niets hielp. Voor het eerst in zijn twaalfjarig bestaan zag hij de wereld in focus. Hij kon er niet genoeg van krijgen.

Al spoedig verloor hij de lens voor zijn blinde oog, en probeerde hij zijn moeder ervan te overtuigen dat als het ene oog de hele dag met de lucht in contact kwam, het andere oog daar minder behoefte aan had. Het verbaasde niemand dat hij zonder moeite leerde om de lens in zijn oog aan te brengen, en er maar niet in scheen te slagen hem er weer uit te krijgen.

Op een avond, voor het slapengaan, beweerde hij dat de lens in zijn oog vastgeklemd zat en er niet uit kon. Toen Jardena hem wilde helpen, kneep hij zijn ogen stijf dicht. Er viel geen land mee te bezeilen. Wanhopig belde ze de arts op om te vragen of Shai dan in vredesnaam voor één nacht met de lens in zijn oog mocht slapen.

'Onder geen voorwaarde,' riep de man verontwaardigd uit. 'Als u de lens er niet uit kunt krijgen, neem dan een taxi en breng het kind onmiddellijk bij mij.'

Hoewel het al over tienen was, zag Jardena geen andere oplossing.

'Opstaan, aankleden, en naar de dokter,' beval ze, en nu op een toon die geen tegenspraak duldde.

Eenmaal daar aangekomen, kreeg Shai de wind van voren. 'Een grote jongen van twaalf! Wat een onzin dat jij die lens niet uit je oog kunt krijgen.'

'Maar dokter,' zuchtte Shai, 'ik wou zo graag één keertje mijn dromen zien.'

1981

Eind februari las Shai zijn parasha bij de Klaagmuur. Nathan, Elnakam en de jongens stonden om hem heen. Jardena stond met de meisjes en met haar filmtoestel op een muurtje in het vrouwengedeelte om zo goed en zo kwaad als het ging tussen de hoofden van de mannen door te filmen. De meisjes hadden snoepjes meegebracht om aan het eind van de ceremonie over de omheining te gooien, maar Shai stond zo ver van ze af dat ze hem niet bereikten. De daaropvolgende Shabbat had het vervolg van de ceremonie plaats in de synagoge van Elnakam. Nathan en Jardena waren niet dol op de sfeer, maar de keuze van Shai werd evenzeer gerespecteerd als die van Jannai.

Toen beide jongens, ieder op hun eigen manier, bar-mitsvah waren geworden, werd er voor hen samen een feest voorbereid.

Jannai had graag John en Vera Wood uitgenodigd, maar die waren naar Engeland vertrokken. Hilde en Joël waren echter bereikbaar. Teleurgesteld over de onverschilligheid van de Joden tegenover Hilde's opofferingen, die dan ook nergens toe dienden, hadden de clowns en hun kinderen enige jaren als discipelen van een Soefisjeik in het Arabische vluchtelingenkamp Balata gewoond. Helaas hadden ze ook daar hun draai niet gevonden. Wel waren er nog twee kinderen geboren. Terug in Jeruzalem zochten ze wanhopig naar middelen van bestaan. Nathan wist een leuk maar tijdelijk baantje voor Joël. Hij vroeg hem of hij voor het feest van Shai en Jannai met de kinderen een paar clownsnummers wou instuderen. Het werd een groot succes.

Bovendien had de familie ook voor deze gelegenheid weer een film gemaakt. Hij begon met het verhaal van Noach en de zondvloed, maar ging al spoedig over in een pleidooi voor goede verzorging en het behoud van dieren in al hun vormen en gedaanten. Aan de invloed van Jannai viel niet te ontkomen.

Naarmate Jannai volwassener werd, groeide ook zijn interesse en bezorgdheid voor alles wat leefde. Of dat nu planten waren of dieren, en of ze nu mooi waren of lelijk, gezond of ziek, warm- of koudbloedig, zwart, rood, groen, blauw of kleurloos, hij stond altijd en overal paraat om ze te helpen, te beschermen en zo nodig te redden. Hij was het die gedurende de twee maanden lange zomervakantie voor de schooltuin zorgde. Hij was het die in de herfst opmerkte dat een boom op de speelplaats van de kleuterschool dood was, en kans liep onder de eerste winterstormen te bezwijken. Hij was het die meerdere malen het hoofd van de school wees op het gevaar voor de kleuters die dagelijks onder die boom speelden. Hij was het die, toen niets hielp, op een nacht samen met Shai naar de schoolplaats ging om met een geleende trekzaag de dode boom om te zagen en het gevaar af te wenden. Dat het hoofd van de school de volgende dag woedend was, kon Jannai niets schelen. Hij luisterde maar naar één stem: die van zijn geweten.

Bovendien waakte hij niet alleen over de fysieke gesteldheid van mens en dier, maar ook over hun psychische gesteldheid. Bij het afscheidsfeest van één van de eindexamenklassen kwamen de kinderen van de kleuterklas feliciteren met zelfgemaakte tekeningen, plaksels, en papieren bloemen. De kleintjes vertrokken na schooltijd, maar de groten vierden nog uren feest. Toen ze eindelijk naar huis gingen, kwam het niet bij hen op om de tekeningen van de kleuterklas mee te nemen. Die bleven verkreukeld en vertrapt in de gangen en op de trappen van het schoolgebouw liggen. Hoe zouden de kinderen zich de volgende dag voelen als ze hun verfomfaaide werk zagen? Jannai kon er niet van slapen. Midden in de nacht haalde hij Jardena over om met hem naar de school te gaan, waar hij door een niet goed sluitend raam op de tweede verdieping naar binnen klom om vervolgens de deur voor zijn moeder te openen. Samen werkten ze tot alle sporen van het tactloze gedrag van zijn schoolmakkers waren uitgewist.

De enige keer dat Jannai een dier opzettelijk doodde was onvergetelijk vanwege de omstandigheid waaronder het gebeurde. Shai, die nu oud genoeg was om net als Jannai een eigen kamer te hebben, had zijn zinnen gezet op een gedeelte van een rommelhok in het benedenhuis.

Op een dag ontdekte hij er een groot zwart spinachtig dier. Jannai, die natuurlijk als eerste werd geraadpleegd, identificeerde het beest als een levensgevaarlijke 'zwarte weduwe'. 'Het dier moet doodgemaakt worden,' zei hij. 'En het moet in één slag raak zijn, anders ontsnapt hij tussen de rommel en dan zitten we pas goed in de problemen.'

Jardena en de kinderen keken elkaar aan. Was dat Jannai, de grote dierenvriend, die beweerde dat er een spin moest worden gedood? En wie zou die heldendaad moeten verrichten nu Nathan niet thuis was?

'Ik,' zei Jannai. 'Ik ben de enige die weet hoe gevaarlijk het beest is, en daarom de enige die zich niet kan veroorloven mis te slaan.'

Hij zocht een stok die als knuppel dienst kon doen en sloeg de zwarte weduwe in één slag dood. Maar niet zonder hartzeer.

Op 7 juni haalde de Israëlische luchtmacht een stunt uit waar de hele wereld niet alleen van stond te kijken, maar waar ook vele landen uitermate dankbaar voor waren, althans behoorden te zijn. Net voordat Saddam Hoessein, de dictator van Irak, zijn door Frankrijk geleverde kernreactor in werking zou stellen met de door hemzelf meermalen uitdrukkelijk aangekondigde bedoeling Israël te vernietigen, vlogen zestien vliegtuigen de afstand van duizend kilometer heen en duizend kilometer terug over Jordanië en Saudie-Arabië tot vlak bij Bagdad. Ze werden niet ontdekt vóórdat ze met tien ton explosieven de reactor in twee minuten met de grond gelijk hadden gemaakt. Alle manschappen en vliegtuigen keerden behouden in Israël terug, en het Midden-Oosten was voor vele jaren verlost van het gevaar van een atoombom die, hoe nauwkeurig ook gemikt, natuurlijk nooit alleen op Joodse hoofden terecht zou zijn gekomen.

Op de avond van 30 juni zat de familie vol spanning bij de buren naar de uitslag van de verkiezingen te kijken. De Arbeiderspartij had gewonnen. Juichend drongen de vrienden van Shimon Peres om hem heen met bloemen en gelukwensen. Jardena, die het betreurde dat ze – met alleen maar haar Nederlandse nationaliteit – weer niet had kunnen stemmen, zou nooit vergeten hoe de aanstaande minister-president straalde van blijdschap. Nathan en Jardena omhelsden elkaar. Ook al waren ze het lang niet altijd met elkaar eens, een rechtse regering wensten ze geen van beiden.

Maar de volgende dag, toen alle stemmen waren geteld, bleek dat Begin toch een zetel meer had dan Peres. Wat moest dat worden?

In september besloot het stadsbestuur van Jeruzalem om van het laatste stuk onbebouwd land in Machaneh-Yehoedah een busstation te maken. Jarenlang had men beloofd dat daar een speeltuin zou komen, en de teleurstelling van de buurtbewoners was groot. Rhoda stelde voor om een protestdemonstratie te houden. Nathan was ervan overtuigd dat ze geen schijn van kans maakte, en weigerde eraan mee te doen. Jardena wilde Rhoda niet in de steek laten. Jannai en zijn adjudanten voelden zich verplicht op te komen voor de rechten van het kind in het algemeen, en het kind van Machaneh-Yehoedah in het bijzonder.

Kort tevoren had Itsik aan Jardena gevraagd of ze een plant met mooie zevenlobbige bladeren op haar vensterbank voor hem wou verzorgen. Rhoda, die vóór de demonstratie nog even langskwam, verklapte gniffelend de naam van de plant: marihuana.

Gechoqueerd wou Jardena hem ondanks zijn mooie bladeren op staande voet vernietigen, maar Rhoda lachte haar hartelijk uit. 'Kom nou, je gooit zoiets kostelijks toch niet weg zonder er ten minste één keer een sigaretje van gedraaid te hebben?'

'Ben je gek. Ik rook helemaal niet.'

'Nou, dan zet je er lekker thee van. Zullen we samen een glaasje drinken?'

Op Rhoda had het brouwsel weinig effect. Die was wel wat anders gewend. Maar Jardena was op de middag van de demonstratie op z'n zachtst gezegd licht in het hoofd.

De demonstranten, waaronder moeders met kinderwagens en kleuters met driewielertjes, staken onder leiding van Rhoda op de omstreden plaats onafgebroken de straat over, heen en weer, van noord naar zuid, van zuid naar noord. Binnen een paar minuten was er een verkeersopstopping, en al spoedig kwam de politie eraan te pas. De agenten riepen de demonstranten toe dat ze op de stoep moesten blijven staan, maar de demonstranten hadden alleen oog en oor voor de charismatische Rhoda. Ze wierp haar hoofd in de nek, zwaaide met een vlag, en liep voorop, heen en weer, van noord naar zuid, van zuid naar noord.

Op zeker moment greep één van de agenten, die toevallig opmerkelijk klein van stuk was, Jannai bij de arm en boog die met kracht achterover. Jannai schreeuwde het uit, ongetwijfeld meer van woede dan van pijn. Jardena schreeuwde naar de agent. De agent schreeuwde naar Jannai. Zo stonden de drie naar elkaar te schreeuwen onder aanmoedigend gejuich van de dertig tot veertig demonstranten.

'Sla me als je durft,' gilde de agent naar Jardena, die op de stoep stond en zo wel een kop boven hem uitstak. 'Sla me maar. Sla me dan!'

Woedend gilde Jardena terug: 'Je hebt erom gevraagd! Al deze mensen zijn er getuige van dat je me hebt bevolen je te slaan. Hier dan! Pats!'

De bril van haar tegenstander vloog de menigte in. Het slachtoffer blies op zijn fluitje en voordat Jardena wist wat er gebeurde, zat ze in een politiewagen met als cipier het agentje op wiens wang haar vingers een rode notenbalk hadden achtergelaten, hetgeen ze uitermate komisch vond.

Op het politiebureau werd ze ontvangen door een indrukwekkende vrouwelijke politieagent, die haar toeschreeuwde: 'Naam van je vader.'

'Jan Vreeland.'

'Zijn beroep!'

Denkend aan de notenbalk op de wang van het agentje giechelde Jardena: 'Triangelspeler in het blaasorkest van Sodom!'

De politievrouw dacht even na, maar kwam klaarblijkelijk tot de conclusie dat ze niet genoeg verstand van muziek had om zich in een discussie over het onderwerp te wagen. Op haar lijstje kijkend blafte ze snel de volgende vraag: 'Geboren! Je vader! Jaartal!'

'Achttienhonderdeenentachtig,' proestte Jardena.

De politievrouw keek verbaasd op. 'Honderd jaar? En nog steeds in dat blaasorkest?'

'Nee, hij is dood. En mijn moeder ook. Ik ben een wees.'

'Hm.' De politievrouw, die waarschijnlijk tot nu toe alleen met jeugdige delinquenten te maken had gehad, begon door te krijgen dat Jardena niet helemaal in haar straatje paste. Niet wetend wat ze met dit ongewone geval aan moest, liet ze Jardena tot de avond wachten. Toen belde ze eindelijk Nathan op. Hij kon zijn vrouw komen ophalen. Ze zouden nog van haar horen.

De volgende ochtend deed Jardena de marihuanaplant met pot en al in een plastic zak en deponeerde hem in de vuilnisbak van de stadsreinigingsdienst. Ze had het gevoel dat ze een moord beging.

De vrede met Egypte was niet bepaald een idylle. De leiders van de meeste Arabische landen konden het niet verkroppen dat Sadat de staat Israël had erkend en er zelfs vrede mee had gesloten. De moslimfundamentalisten in zijn eigen leger tolereerden geen Joodse staat in het Midden-Oosten. Op 6 oktober werd de president van Egypte door zijn eigen mensen vermoord.

'Ach ja,' zei Consuela Baghdádi gelaten. 'Zo ging het met Kennedy, zo zal het altijd gaan met vrienden van Israël. We zijn er langzamerhand aan gewend.'

'Imma toch,' wees Nathan haar terecht. 'Er zijn ontelbaar veel redenen waarom Kennedy vermoord kan zijn. Niet alles in de wereld draait om de Joden.'

Zijn moeder haalde haar schouders op.

Noëlly's tandartsbehandeling duurde net zo lang totdat Itsik tot over zijn oren verliefd op haar was. Noëlly zelf fluisterde Jardena in het oor dat ze, op het moment dat ze Itsik in de Negev op zich af had zien komen, geweten had dat hij de man van haar leven was.

Samen kondigden ze aan dat ze een reis om de wereld gingen maken. De jongelui hadden genoeg bij elkaar gespaard om de boot naar Cyprus te nemen. Daar wilden ze geld zien te verdienen om verder te kunnen reizen. En aangezien Itsik pas eind maart 1982 weer voor de legercommissie moest verschijnen, legden Nathan en Jardena zich erbij neer. Noëlly was een zwerfster. Hun zoon was een vreemde snuiter. Lief waren ze allebei. Aan de harddrugs waren ze geen van beiden. Het had erger gekund.

Er kwamen geen brieven, maar wel sporadisch berichten van kennissen. De één had Itsik en Noëlly schelpen zien verzamelen op het strand van Cyprus, de ander had het tweetal zien zonnebaden op Kreta. Ze maakten het goed en voerden niets uit.

Dit in tegenstelling tot Jifrach, die altijd wel een manier vond om geld in 't ouderlijk laatje te brengen. Een bron van inkomsten was bijvoorbeeld het internationale Loofhuttenfestival onder auspiciën van de christelijke ambassade.

De in Jeruzalem gevestigde ambassade was het antwoord van bepaalde christelijke groeperingen op het feit dat alle landen hun ambassades van Jeruzalem naar Tel Aviv hadden verhuisd nadat het parlement met grote meerderheid van stemmen een wet had aangenomen die bepaalde dat Jeruzalem de ondeelbare en onvervreemdbare hoofdstad van Israël was. De deelnemers aan het Loofhuttenfestival waren het met de rechtse premier Begin eens dat Jeruzalem aan de Joden behoorde. Bovendien waren ze er heilig van overtuigd dat de Messias zou komen zodra alle Joden uit de diaspora naar het beloofde land waren teruggekeerd.

Zoals Jannai als klein kind met zijn armen had staan zwaaien om de dirigent van het orkest te helpen dirigeren, zo zwaaiden deze fanatieke Christenen met hun armen om de Messias een handje te helpen, daarbij juichend, jodelend en jubelend: 'Halleluja, loof den Heer.'

Bij wijze van extraatje voor de deelnemers aan het festival nodigden de leden van de christelijke ambassade zorgvuldig geselecteerde kunstenaars uit om hun creaties in de gangen van het congresgebouw te koop aan te bieden. Nathan bracht etsen en aquarellen, Jardena bracht haar lapjesbolero's, en dirndlachtige jurken met geappliqueerd keurslijfje. En Jifrach, die goed Engels sprak, bracht de spullen aan de man.

De pelgrims overtuigden elkaar dat de lapjeskleding een typisch Israëlische of misschien zelfs typisch Joodse dracht was. Jifrach sprak ze niet tegen. Hij stuurde de cliënten door naar zijn moeder. En hoe meer deelnemers aan het festival in Jardena's kleding rondliepen, hoe meer er waren die ook zoiets wilden hebben.

Zo stond er op een dag een hele familie aan de deur: een kolos van een vrouw, een iele puber met dons op zijn bovenlip, en drie knulletjes, Bobby, Tommy en Timmy.

'We komen een jurk bestellen,' jubelde moeder Candy. 'Sonny denkt dat een witte jurk, genaaid in Jeruzalem door een echte Joodse huisvrouw, ons geluk zal brengen.'

Nog voordat Jardena tijd had het woord 'echte' te verwerken, ging Candy verder met het ontvouwen van haar plan: 'Een verlate bruidsjurk, zal ik maar zeggen. Sonny en ik zijn vorige maand getrouwd, waar of niet Sonny?'

Getrouwd? dacht Jardena. Met die tiener? En daar moet ik een bruidsjurk voor naaien?

Candy zag de aarzeling in Jardena's ogen en voegde er direct aan toe: 'We weten hoeveel je jurken kosten. Sonny is bereid het dubbele te betalen. Waar of niet, Sonny?'

'Natuurlijk, Candy. Maar moeten we niet eerst wat eten?'

'Natuurlijk, Sonny. Waar zullen we eten?'

Op dat moment kwamen Shai en Jifrach thuis. Jifrach, die de bezoekers herkende van het Loofhuttenfestival, knoopte direct een geanimeerd gesprek met ze aan. Hij wist hoe je met potentiële cliënten moest omspringen: 'Om te beginnen, allemaal mee naar de keuken.'

'Heb ik het niet gezegd?' riep Candy triomfantelijk uit. 'Joden zijn hartelijke, gastvrije mensen. Sonny, loop snel naar de kruidenier, en haal pittabroodjes, boter, kaas ... een heleboel van alles. En jullie, jongens, ieder draagt zijn eigen stoel naar de keuken.'

Bobby, Tommy en Timmy gehoorzaamden, en zelfs Shai en Jifrach ontkwamen niet aan Candy's regie.

Sonny kwam terug met worst en chocoladepuddinkjes.

'Wacht even, mensen,' voelde Jardena zich verplicht te zeggen. 'Vlees- en melkproducten, dat gaat niet samen. Dit is een kosher huishouden.'

Shai trok een gezicht. Sinds wanneer was zijn moeder zo vroom? Maar Jifrach gaf hem een por in zijn ribben. 'Ach joh, dat vinden die mensen mooi.'

'Een kosher huishouden,' jubelde Candy. 'Dat die archaïsche voorschriften nog worden nageleefd! Hoe bestaat het!'

Ze deed de koelkast open om de worst weg te leggen. Daar zag ze het avocadoslaatje en de verse tomatensap die Jardena die ochtend had klaargemaakt.

'O jongens, kijk eens wat ik gevonden heb!' juichte ze nu uit volle borst. 'Echt Joods voedsel! Mogen we? Mogen we proeven?'

Na het eten zette Candy Bobby en Tommy aan de afwas, waarna ze Jardena uitnodigde om haar maten te nemen.

'Sonny vindt dat het een warme jurk moet zijn, waar of niet, Sonny,' zei Candy. 'Omdat we op weg zijn naar Rusland.'

'Rusland? Wat gaan jullie daar doen?'

'Tegen de Joden zeggen dat ze naar het heilige land moeten gaan, omdat de Messias dan komt,' vertelde Timmy trots.

'Ze heten refuseniks,' vulde Candy aan. 'Wie kan me vertellen waarom?'

Bobby en Tommy kwamen erbij. 'Omdat de Russen hen niet willen laten gaan,' dreunden ze braaf hun lesje op.

'Goed zo. En wie weet het Joodse woord voor "in Israël komen leven"?'

'Op aliyah komen!'

'We vertellen ze dat ze op aliyah moeten komen,' zei Tommy. 'Maar eerst smokkelen we bijbels en gebedskleden in hun kerken.'

'Sjoel,' verbeterde Candy hem geduldig. 'Het Joodse woord voor kerk is sjoel, waar of niet, Sonny?'

Jardena deed de kast met lapjes open. Candy hoefde niet op een stoel te staan om bij de hoogste plank te komen. Nauwelijks had ze de stapel aangeraakt of een lap witte wollen stof viel op de grond.

'Halleluja,' riep ze uit, en ze hief haar handen ten hemel. 'Sonny, kijk nu toch eens wat de Here Jezus voor mij in deze kast heeft gelegd?'

'De Here Jezus? Nee hoor,' lachte Jardena, 'mijn schoonmoeder. Ze heeft die lap hier achtergelaten omdat ze er geen raad mee wist.'

Candy was geschokt. 'Mijn hemel, ben je een ongelovige?'

'Je wou toch zo graag een echte Joodse huisvrouw zien?' mompelde Jardena, die de kriebels begon te krijgen. 'Hier sta ik en zo ben ik.'

Op dat moment kwam Nathan binnen. 'Dit is mijn man,' zei Jardena. 'Nathan, dit is Candy, en dit zijn eh ... dit is haar gezin.'

'Is het mogelijk? Sonny, Here Jezus, is het mogelijk? Een man met een baard die Nathan heet, net als Nathan de Wijze! Halleluja!'

'Jullie kunnen nu wel gaan. Kom overmorgen maar terug om de jurk te passen,' zei Jardena, die voelde dat ze uit elkaar zou springen als ze dat geëxalteerde gedoe nog langer moest aanhoren.

Maar Candy had voor het afscheid nemen nog een laatste vurige wens. 'Alstublieft, vader Nathan, geef ons uw zegen.'

Nathan, die net als Jifrach wel wist dat de klant koning was, spreidde zijn vingers en sprak een oudtestamentische zegen in het Hebreeuws. Candy en de haren waren verrukt.

De volgende middag stonden de drie jochies alweer voor de deur. 'Wat nu weer,' zei Jardena nogal kribbig.

'Dag mevrouw,' zei Bobby. 'We komen spelen. Moeder zegt dat Jezus zegt ...'

'Oh, spaar me.'

'Maar hij is de zoon van God.'

Shai en Jifrach waren anders altijd blij als ze bij het maken van hun huiswerk werden gestoord, maar ze hadden geen zin om over het onderwerp te discussiëren. Jannai was deze keer echter ook thuis, en die vroeg om bewijzen.

'Nou, iedereen weet toch dat Jezus van het kruis werd gehaald, en in een grot werd gelegd. En dat er de volgende dag twee witte engelen kwamen met gouden vleugels, die hem naar de hemel droegen?'

'Onzin!' sprak Jannai op autoritaire toon. 'Jezus werd van het kruis gehaald en in een grot gelegd. Dat is waar. Maar weet je wie er de volgende dag kwamen? Twee zwarte mannen met schoppen. Die groeven een kuil en legden hem erin.'

Tommy en Timmy moesten er bijna van huilen, maar Bobby was niet van de wijs te brengen. Al gauw raakten de gemoederen zo verhit, dat het

Jardena verstandig leek een ander onderwerp aan te snijden: 'Gaan jullie echt naar Rusland, binnenkort?'

'Vroeger woonden we in de Verenigde Staten,' legde Bobby uit. 'Maar nu wonen we in Finland, omdat we van daar uit makkelijker naar Rusland kunnen komen. We gaan eenmaal per maand. Mensen uit de hele wereld sturen ons gebedskleden en bijbels en Joodse kaarsen en zo voor de refuseniks, en wij brengen ze naar Moskou en Leningrad.'

'Bedoel je dat jullie al die dingen door de douane smokkelen? Maar hoe dan?'

'Nou gewoon. We vragen Jezus om de douane blind te maken. Vaak doet hij het, maar soms doet hij het niet helemaal goed,' zei Tommy.

En Bobby legde uit: 'Omdat de KGB tegenwerkt. Op een keer had moeder twintig van die kleine jodenpetjes in haar mouw verstopt. Terwijl ze met de meneer van de douane stond te praten, vielen ze één voor één op de grond. Maar toen zei Jezus tegen Tommy dat hij onder de toonbank moest kruipen om ze op te rapen, en dat deed hij en niemand zag het. En toen we die bijbels meenamen, weet je nog? Twaalf bijbels in iedere koffer. Nou Tim, hoeveel bijbels waren dat allemaal bij elkaar?'

Timmy deed een vergeefse poging om te berekenen hoeveel vijfmaal twaalf was, maar klaarblijkelijk hadden Candy's kinderen meer verstand van wonderen dan van rekenen.

'Een heleboel,' was ten slotte het antwoord.

'Moeder verstopte de bijbels tussen onze kleren, maar in Sonny's koffer legde ze twee bijbels gewoon bovenop. De douanemensen schreeuwden dat ieder mens maar één bijbel mocht bezitten, en toen begon Sonny heel echt te huilen. We weten niet hoe hij het deed.'

Tommy pookte zijn broer in de ribben. 'Natuurlijk weten we best hoe Sonny het deed. De Here Jezus hielp hem. En hij maakte dat Sonny verzon dat hij allebei zijn ouders had verloren, en dat de ene bijbel van zijn vader was geweest en de andere van zijn moeder, en dat hij van allebei evenveel hield. Maar de ambtenaar pakte hem de grootste bijbel af. En toen huilden we allemaal, en toen vergaten de ambtenaren in de andere koffers te kijken, en toen liepen we gewoon met al die bijbels door de douane.'

'En we gingen regelrecht naar ons hotel,' beëindigde Bobby het verhaal. 'Daar deden we alle bijbels in één koffer. Die was zo zwaar dat zelfs moeder hem niet alleen kon tillen. We wachtten tot vrijdagavond, want dat is de tijd dat Joden naar de kerk gaan.'

'Sjoel,' zei Timmy. 'Moeder zegt sjoel.'

'Sjoel dan. Toen bleef Sonny met Timmy in het hotel, en moeder en Tom en ik droegen de koffer naar sjoel en schoven hem zo naar binnen. We spraken tegen niemand, niet omdat we bang waren voor de KGB, want die kan ons niet pakken, want Jezus beschermt ons, maar we wilden niet dat de KGB de Joden zou pakken, anders kunnen ze niet naar Israël komen, en dan komt de Messias niet. Nou moeten we naar ons hotel. Tot morgen!'

De volgende middag om vijf uur kwam de hele familie weer aanzetten. Tot Jardena's verbazing droegen Sonny en de jongens keppeltjes. 'We hebben groot nieuws,' begon Candy meteen. 'We komen allemaal op aliyah!'

'Op aliyah?' stamelde Jardena. 'Maar ... maar ...'

'De wet van de terugkeer!' zuchtte Sonny, die kennelijk nog niet van de schrik was bekomen.

'Precies,' beaamde Candy. 'We hebben ontdekt dat Sonny een Joodse grootvader had! En we hebben onmiddellijk keppeltjes gekocht, want we gaan Joods leren in de Diaspora Jeshivah op de berg Zion. Fantastische mensen. En speciaal geïnteresseerd in kinderrijke families.'

'Kom hier, Candy,' onderbrak Jardena de euforie van haar cliënt. 'Trek de jurk aan. Je wou toch passen? Ga maar op de tafel staan, dan kan ik de zoom inspelden. Ik wil je niet teleurstellen, maar heb je die mensen in de Diaspora Jeshivah verteld dat jullie niet Joods zijn?'

'Verteld? Ze vroegen er helemaal niet naar. En in zekere zin zijn we Joods. In onze harten zijn we het zeker. En nu de Heer ons getoond heeft dat Sonny's grootvader ... Denk je ...?'

'Ik denk niet, Candy. Ik weet! Gisteren hebben de kinderen ons verteld wat jullie allemaal doen voor de Joden in Rusland. Jullie hebben meer moed dan veel Joden, maar dat maakt jullie nog niet tot Joden. Als je die Jeshivahmensen de waarheid niet vertelt, kom je binnenkort in een lastige situatie terecht. Geloof me.'

'Maar waarom? We houden zoveel van de Joden.'

Met tranen in haar ogen klom Candy op de tafel. Jardena knielde aan haar voeten met een mond vol spelden.

'We willen zo graag in Jeruzalem zijn als de Messias komt en de tempel herbouwt op de berg Moriah,' snikte Candy.

Jardena slikte bijna een speld in. 'Candy! Je weet toch wel dat er op de berg Moriah nu een moskee staat. Je weet toch wel dat volgens de islam de profeet Mohammed vanaf die plek naar de hemel is gestegen?'

'Mohammed!' Hoog boven Jardena's hoofd stak Candy een verwijtende vinger uit naar het plafond. Het enige wat haar ontbrak was een vlammend zwaard om Jardena ervan te overtuigen dat het tijdperk van de Messias inderdaad was aangebroken.

'Mohammed!' Candy spuugde het woord uit. 'Je wilt me toch niet vertellen dat je in hém gelooft!'

'Niet ik, Candy, de Arabieren, de Mohammedanen. Die kun je toch niet gewoon wegdenken?'

'Sonny, hoor je deze ketterij? Here Jezus, sta ons bij! Kom jongens, laten we gaan. Morgen is alles misschien weer anders.'

'Morgen is je jurk klaar,' zei Jardena. 'En weet je, Candy, ik denk dat ik maar eens Russisch ga leren. Voor het eerst in lange tijd ben ik blij met mijn Nederlandse paspoort. Als ik naar Rusland ga, raadt geen mens dat ik Joods ben. Dan kan ik de Russische Joden Hebreeuws leren. Wat denk je ervan?'

Candy fleurde op bij het idee.

De volgende dag kocht Jardena een Russisch leerboek. Maar toen ze Nathan vertelde wat ze van plan was, haalde hij zijn schouders op. En toen ze het aan de kinderen vertelde, schreeuwden ze in koor: 'Komt niets van in. Veel te gevaarlijk.'

1982

In januari moest Jardena voor het gerecht verschijnen in verband met haar gedrag tijdens de protestdemonstratie onder leiding van Rhoda. Ze vroeg een paar buren van wie ze zeker wist dat ze vlak bij haar hadden gestaan toen ze de agent een mep gaf, om voor haar te komen getuigen, maar plotseling kon niemand zich het voorval herinneren. De enige die bereid was te zweren dat de agent driemaal geroepen had: 'Sla me dan!' was Rhoda. Het feit dat zij in het heetst van de strijd aan de overkant van de straat had gestaan en niets van het geharrewar had gemerkt, was voor haar een bijkomstigheid, maar Jardena wilde haar vriendin geen meineed laten plegen. De rechter, een kordate vrouw in toga, liet de politieagent het relaas in geuren en kleuren vertellen, maar weigerde naar Jardena's versie van het gebeurde te luisteren. Volgens haar was het niet mogelijk dat er een tweede versie bestond, daar een dienaar van de wet uit hoofde van zijn ambt niet anders dan de waarheid kon spreken. Als straf moest Jardena een jaar lang iedere week boodschappen doen voor een hulpbehoevende dame die aan de andere kant van de stad woonde. Het lot wilde dat de dame na drie weken stierf en dat Jardena eenvoudigweg van haar taakstraf werd ontheven.

Simcha was in Ma'alot bevriend geraakt met een soldaat. Toen de jongeman meer verlangde dan Simcha bereid was te geven, dreigde hij haar te vermoorden. Hij zat nachtenlang voor haar deur te wachten, en ten slotte werd Simcha zo bang dat ze het huis niet meer uit durfde. Op van de zenuwen belde ze haar moeder om te vragen of ze alsjeblieft wou komen.

Toen Jardena in Ma'alot aankwam, zat de jongeman bij Simcha op de stoep. Hij vroeg of hij Jardena onder vier ogen kon spreken. Op een afgelegen veldje wees hij naar een grote steen waarop ze kon plaatsnemen. Zelf ging hij aan haar voeten zitten. Hij zag griezelig bleek. Jardena moest denken aan de grote, onbeantwoorde liefde die ze zelf vijfentwintig jaar geleden voor Arnon had gekoesterd. Wat een verdriet had ze gehad. En hoe goed was alles uiteindelijk gelopen. Dat iedere jonge generatie opnieuw door een dal moest, en dat de oudere generatie het liefdesleed van de jeugd altijd weer moest aanzien zonder iets te kunnen doen, dat bewees wel hoe weinig de ziel van de mens in de loop der eeuwen verandert. Haar hart kromp ineen van medelijden voor de jonge soldaat, die oprecht geloofde dat hij zonder Simcha niet kon leven. Wat moest ze zeggen? Dat de tijd alle wonden heelt? Dat hij over een jaar of twee waarschijnlijk om zichzelf zou lachen?

Dikke zweetdruppels parelden op zijn voorhoofd. Hij keek Jardena recht in de ogen en zei nadrukkelijk: 'Ik heb geen belangrijke functie in het leger. Ik ben maar gewoon magazijnmeester. Maar dat betekent wel dat het voor mij een koud kunstje is om aan een handgranaat te komen. Ik doe zo'n ding in mijn borstzak en omhels Simcha bij de eerste gelegenheid dat ik haar te pakken krijg. Als ze niet met mij wil leven, zal ze tenminste met mij sterven.'

Jardena probeerde rustig na te denken. Als de jongen werkelijk een moord wou begaan, waarom verklapte hij zijn plannen dan van tevoren? Hoopte hij dat Jardena haar dochter zou overreden zich naar zijn wensen te schikken, of hoopte hij dat ze hem tegen zichzelf in bescherming zou nemen? Haar eerste ingeving was om de ongelukkige jongeman te omhelzen, te troosten, te verzekeren dat hij op haar kon rekenen, maar natuurlijk zou hij haar verkeerd begrijpen. Bovendien moest ze in de eerste plaats aan haar dochter denken.

Om te beginnen moest Simcha weg uit Ma'alot, en daar het vrijdag was, moest dat onmiddellijk gebeuren, anders kon het pas na Shabbat.

Een uur na aankomst in Ma'alot vertrok Jardena alweer, maar nu samen met haar dochter. In Nahariyya stapte Simcha regelrecht op de bus naar Jeruzalem, terwijl Jardena eerst naar de militaire politie ging. 'De jongen is totaal uit zijn doen,' schreef ze in haar verklaring. 'En hij is gevaarlijk. Help hem, en doe het snel. Ik neem mijn dochter mee naar Jeruzalem zonder op toestemming van het leger te wachten. En ze mag van mij het huis niet uit tot ik van jullie hoor dat de soldaat achter slot en grendel zit.'

Toen Jardena met de laatste bus in Jeruzalem aankwam, lag Nathan met hoge koorts in bed. Hij woelde en ijlde en probeerde zelfs Jardena uit de slaapkamer te jagen. Na enige tijd drong tot haar door dat hij in de veronderstelling verkeerde dat ze niet meer van hem hield. Tot die waanvoorstelling was zijn ijlende brein gekomen doordat Simcha zonder haar was thuisgekomen. Daaruit had de koortsige Nathan geconcludeerd dat ze er met een ander vandoor was. Jardena had de grootste moeite haar man te kalmeren. Er was natuurlijk geen sprake van dat ze hem op dat moment kon uitleggen waarom ze niet samen met Simcha was thuisgekomen.

Wat bleek? Nathan had die ochtend maar liefst vier slagroomtaartjes achter elkaar opgegeten. Ze lagen zomaar in de ijskast en smaakten lekker naar citroen. Kort na het verorberen van deze lekkernij had hij vreselijke buikpijn gekregen. Door haar broers te ondervragen was Simcha erachter gekomen dat de slagroom geen slagroom was maar scheerzeep uit een schuimbus, en dat Jannai de taartjes had klaargemaakt in de hoop dat Itsik ervan zou proeven. Natuurlijk wou Jannai zijn broer alleen maar een poets bakken. Hij was ervan uitgegaan dat Itsik na het proeven van de nepslagroom geen tweede hap zou nemen, en het was absoluut niet bij hem opgekomen dat zijn vader, die toch in het algemeen niet gulzig was, in zijn eentje de hele voorraad naar binnen zou schrokken.

Jardena bestelde een taxi en reed met haar man naar het ziekenhuis. De artsen snuffelden aan de schuimbus en zeiden dat ze zich niet ongerust hoefden te maken. Gedurende de nacht zou de koorts wel zakken. Inderdaad was Nathan de volgende dag weer genoeg opgeknapt om het relaas over Simcha's aanbidder aan te horen. Hij was het roerend met zijn vrouw eens dat ze hun dochter onder geen voorwaarde naar Ma'alot moesten laten terugkeren. Simcha had er verdriet van dat ze de oudjes, die ze ruim twee jaar had verzorgd, zo plotseling in de steek had gelaten, maar ze zag wel in dat haar ouders gelijk hadden.

De legerautoriteiten behandelden Jardena's aanklacht serieus en schonken Simcha de laatste drie maanden van haar dienstplicht.

Een paar weken na die bewogen vrijdag werd Jardena opgebeld. De spreker, die anoniem wou blijven, dreunde de volgende boodschap af: 'Ik ben net vrijgekomen uit de militaire gevangenis waar ik een goede vriend van uw dochter heb ontmoet. Hij laat u weten dat hij zijn belofte niet is vergeten.'

Simcha's aangeboren neiging tot mystiek, het feit dat ze als meisje van negen bijna aan een blindedarmontsteking was overleden, en nu deze schokkende ervaring in het leger sterkten haar in de overtuiging dat God voor elk van Zijn schepselen specifieke plannen heeft, en dat ieder door gebed persoonlijk in contact met Hem kan komen. Dat het doel van het leven het leven zelf zou zijn, kon ze niet langer geloven. Ze ging naar cursussen voor Joden die, zoals men dat in het Hebreeuws noemt, willen terugkeren naar de religie en de strikte leefregels van hun voorouders, en ze voelde dat ze daar haar bestemming had gevonden. Ze ging zich hoe langer hoe meer houden aan de shabbatvoorschriften en de voedselwetten. Haar snel groeiende nieuwe identiteit werd zichtbaar aan de manier waarop ze zich kleedde: lange mouwen, lange kousen, lange rokken. Ze fietste niet meer, omdat dat een vrouw niet zou betamen, en met dansen en zingen in tegenwoordigheid van mannen was het ook afgelopen.

Nathan en Jardena beleefden de transformatie van hun dochter met gemengde gevoelens. Aan de ene kant konden ze slecht verdragen dat ze de klassieken, de Grieken, de prehistorische kunst zonder pardon de deur wees om niet alleen in haar kasten maar ook in haar hoofd en hart ieder hoekje en gaatje te vullen met jodendom en Joodse religie, alsof er niets anders op de wereld bestond. Aan de andere kant bewonderden ze haar omdat ze het jodendom van haar voorouders met zoveel toewijding voortzette. 'Bovendien,' zeiden ze tot elkaar, 'als de orthodoxen niet zo orthodox waren, zouden de vrijzinnigen niets hebben om vrijzinnig over te doen.'

Toen Pesach met zijn extra regels en wetten voor de deur stond, wist Simcha niet of de Seder in haar ouderlijke huis wel kosher genoeg voor haar was. Ze vroeg aan haar rabbijn wat ze moest doen. Hij kwam persoonlijk bij Nathan en Jardena op bezoek. Toen hij te horen kreeg dat de Jerushalmi's weliswaar niet orthodox waren, maar ter wille van hun dochter wel degelijk de sedermaaltijd zo kosher mogelijk wilden laten verlopen, zei hij: '"Eer je vader en je moeder" is een van de tien geboden. Bovendien gebiedt God ons in Deuteronomium: "Gij zult u verheugen op uw feest." Twee uitmuntende redenen om de uitnodiging van je ouders aan te nemen. Vier de Seder maar gezellig in eigen familiekring.'

Op een avond besloot Jardena een kast in de woonkamer op te ruimen. Anders dan Candy de kolossale moest ze om bij de bovenste plank te komen, op een tamelijk hoog trapje klimmen. Voor de meeste mensen was zoiets geen heksentoer, maar Jardena moest altijd opnieuw haar hoogtevrees overwinnen. Net had ze haar evenwicht gevonden, toen de telefoon rinkelde. De soldaat, schoot haar door het hoofd. Voorzichtig klauterde ze naar beneden, maar toen ze de hoorn opnam, hoorde ze alleen een geluid dat deed denken aan een muntje dat in een automaat viel. Dat versterkte haar vermoeden.

'Het is 'm,' mompelde ze tegen Nathan, die achter zijn krant zat te dutten. Nauwelijks stond ze weer op de bovenste tree, of de telefoon rinkelde opnieuw.

'Neem toch op,' riep ze naar beneden, maar Nathan snurkte. Dus ging ze weer het trapje af, nam de hoorn op, en weer hoorde ze het geluid van een munt in een geldautomaat. Haar keel werd dichtgeknepen. Toen de beklemming was geweken, haalde ze diep adem en beklom het trapje voor de derde maal. Natuurlijk was ze net weer boven of daar rinkelde de telefoon alweer.

'Neem jíj nou op,' riep ze angstig naar haar slapende echtgenoot.

'Maak je niet zo druk,' antwoordde hij vanuit een diepe droom.

'Gelijk heb je!' riep ze over haar toeren. 'Het is gewoon maar een gestoorde soldaat die Simcha wil vermoorden. Wie maakt zich daar druk om?'

Toen ze de hoorn voor de derde keer opnam, hoorde ze natuurlijk weer niets anders dan het geluid van het vallende muntje. Woedend schudde ze Nathan wakker. 'Schiet op, doe iets!'

Nathan opende zijn ogen en stelde de enige logische vraag: 'Wat?'

'Weet ik het!' mompelde Jardena, terwijl ze haar trapje voor de vierde keer beklom. Nauwelijks was ze boven of de telefoon rinkelde alweer. Nathan stond moeizaam op, maar Jardena sprong zomaar van de bovenste tree op de vloer en griste de hoorn vlak voor zijn neus weg. Deze keer hoorde ze een dun stemmetje dat van eindeloos ver gilde: 'Imma, Abba, Noëlly verwacht een baby.'

Voordat Jardena kon antwoorden, was de verbinding verbroken.

Zielsgelukkig vloog ze Nathan in de armen. Een kleinkind op komst. Dat was nog eens goed nieuws. Weg waren de gedachten aan de enge soldaat. Hoe bestond het dat ze bij het eerste mislukte telefoontje niet onmiddellijk aan Itsik had gedacht? Als kind had hij immers al de gewoonte een haar door het gaatje van de telefoonmuntjes te halen, om ze terug te kunnen trekken als de verbinding tot stand was gekomen. Maar dat hij dat soort fratsen als aanstaande vader nog steeds uithaalde, kon weleens wijzen op ernstig geldgebrek. Arme kinderen!

Een week later kwam er een brief uit Zuid-Frankrijk. Itsik, die nooit schreef, had een inleiding van drie pagina's bij elkaar gepend om pas daarna omzichtig uit te leggen wat hij blijkbaar even later besloten had zonder enige voorbereiding in zijn moeders oor te gillen. Noëlly was zwanger. Zoals je kon verwachten van mensen die zonder klok en kalender leven, had ze geen idee wanneer de baby geboren zou worden, behalve dat het in de zomer moest zijn. Ze voelde zich prima en vond het niet nodig een arts te raadplegen. Bovendien hadden ze geen geld voor een dergelijke luxe.

'Eind maart moet ik opnieuw gekeurd worden, en dus zal ons kindje in Israël geboren worden,' schreef Itsik. 'Tenzij ik mijn oproep negeer, maar dat doe ik niet, want dan kan ik daarna het land niet meer in.'

Nathan en Jardena, die de brief ettelijke malen van begin tot eind lazen, waren opgewonden bij het vooruitzicht grootouders te worden. 'Maar als het een jongetje wordt,' vroeg Jardena bezorgd, 'hoe moet dat dan met de besnijdenis?' Nathan maakte zich daar geen zorgen over. Zelfs Joden die kinderachtig genoeg waren om varkensvlees te eten op Grote Verzoendag, zouden er niet over peinzen hun zoontjes niet te laten besnijden. Onbesneden zijn betekende in Israël er niet bij horen, en de weinige jongens die niet besneden waren, hielden dat zorgvuldig geheim. Noëlly kennende, kon Jardena zich niet voorstellen dat ze er in naam van welke religie ook in zou toestemmen een stukje van haar zoon te laten afsnijden. Bovendien, al kon ze worden overreed, dan nog zou ze in het hele land geen moheel vinden die bereid was de zoon van een niet-Joodse moeder te besnijden. Zelfs in een Israëlisch ziekenhuis zou ze het niet gedaan krijgen, omdat de artsen gebonden waren aan een contract met het ministerie van Godsdiensten volgens welk ze geen niet-Joodse jongetjes zouden besnijden. Als de baby een jongen was en Noëlly wilde hem, tegen alle verwachting in, laten besnijden, kon ze dat alleen in een ziekenhuis in het buitenland laten doen.

Na rijp beraad schreef Jardena een lange brief waarin ze ten eerste het jonge paar feliciteerde, en ten tweede voorstelde dat Noëlly in Frankrijk zou blijven tot na de geboorte van het kind. Was het een meisje, dan was er geen vuiltje aan de lucht. Was het een jongen, dan konden ze alsnog een beslissing nemen betreffende een besnijdenis. Bovendien – zo voegde ze eraan toe – was ze bereid Itsik te komen aflossen zodat hij in maart voor de keuringscommissie kon verschijnen, en geen problemen met die instantie zou krijgen.

Bij wijze van antwoord belde Itsik een week later op kosten van de ontvanger naar Jeruzalem om te vertellen dat hij die ochtend met Noëlly was getrouwd. De jonge mevrouw Jerushalmi kwam zelf ook aan de lijn. Ze klonk heel gelukkig. Ja, ze hadden de brief ontvangen, maar vonden Jardena's plan te ingewikkeld. Ze kwamen onmiddellijk naar huis. Dolgelukkig wachtten Nathan en Jardena hen aan het vliegveld op.

Noëlly was mager geworden in haar gezicht, maar zag er lief uit en droeg haar dikke buik met zichtbaar welbehagen. In de auto naar Jeruzalem toonde Itsik zijn ouders het Franse trouwboekje, en vertelde hij dat ze hun huwelijk hadden gevierd met een chocoladereep. Hun bagage bestond uit een rieten wiegje, boordevol schelpen, kralen, en bontgekleurde lappen.

Op de vastgestelde tijd verscheen Itsik voor de keuringscommissie. Hij stond binnen drie minuten weer buiten met zijn definitieve vrijstelling.

Aangezien Shai en Jifrach zich inmiddels hadden geïnstalleerd in de kamer die vroeger van Itsik was geweest, moesten de terugkomers zich tevredenstellen met het kleine kamertje waar Jannai de zwarte weduwe had doodgeslagen. Dat was wel erg behelpen en Itsik, die de mooiste herinneringen had aan de tijd dat hij als veehoeder in het noorden van het land had gewerkt, vertrok dan ook al spoedig met zijn vrouw en weinige bezittingen naar Rosh-Pina, vijftien kilometer van de grens met Libanon, maar toch buiten bereik van de raketten die de vijand bijna dagelijks op Israël afvuurde. Itsik vond werk in de bouw, Noëlly genoot van haar dikke buik.

'Die kinderen leven als Adam en Eva in het paradijs', was Nathans mening. 'Met het verschil dat ze niet op het idee komen om van de boom der kennis van goed en kwaad te eten.'

'Tja, die mentaliteit heeft zijn voor en tegen,' vond Jardena. 'Door niet van die boom te eten, leven ze buiten de realiteit, maar blijven ze ook aandoenlijk onschuldig.'

'Ze lezen geen krant, ze luisteren niet naar de radio, ze hebben geen flauw idee van wat in het land gaande is. Als er ooit iets misgaat, zijn ze totaal onvoorbereid.'

'Laat ze nog maar even genieten. Wat gaat het hun aan dat we de Sinaï teruggeven en Yamit ontruimen?'

'Wat vandaag in de Sinaï plaatsvindt, kan morgen op de Golanhoogte net zo gebeuren. De ontruiming van Yamit veroorzaakt bijna een burgeroorlog. Je zou zelf ook eens naar het nieuws moeten kijken. De bewoners verschansen zich op daken en gooien emmers water en zelfs stenen naar de soldaten.'

Nathan had een tweedehands televisietoestel gekocht, en haalde Jardena over om die avond met hem mee te kijken.

'In plaats van blij te zijn dat we eindelijk vrede met Egypte hebben, leveren die fanatiekelingen strijd tegen onze eigen soldaten,' riep ze verontwaardigd uit. 'En dan eisen ze zeker ook nog schadevergoeding voor hun huizen, die ze praktisch voor niets hebben gekregen.'

'Nou en of. Reken maar dat ze zich morgen een villa in Tel Aviv of Jeruzalem kunnen veroorloven waar jij en ik van zouden watertanden.' Een man verklapte zelfs aan een reporter dat hij met zijn gezin van Yamit regelrecht naar Katsrin zou verhuizen. 'Als de Golanhoogte ooit aan Syrië wordt teruggegeven, krijgen we nóg een keer schadevergoeding. Handige manier om rijk te worden,' zei hij zonder blikken of blozen. De volgende avond keek Jardena weer naar het nieuws. Waar eens Yamit was geweest, lagen alleen nog scherven en puin. 'Als we Yamit niet kunnen houden', had minister van Defensie Ariel Sharon zonder enig overleg met zijn collega's besloten, 'dan zullen de Egyptenaren er ook geen plezier van hebben. Weg ermee!''

Veel ministers spraken zich uit tegen het vandalisme van Sharon, maar gedane zaken namen geen keer: het eens zo fleurige Yamit was van de aardbodem gevaagd. Maar Elnakams kleindochter, die kort daarna werd geboren, werd Yamit Chaya genoemd: Yamit leeft!

Op 3 juni vermoordden terroristen de Israëlische ambassadeur in Londen. De regering, die kennelijk op een aanleiding had zitten wachten, stuurde het leger Libanon binnen. De bedoeling was om de vele terroristen die zich in de vluchtelingenkampen van de Palestijnen verscholen hielden, vijfenveertig kilometer het land in te drijven, en daarna snel naar Israël terug te keren. De campagne zou vier dagen duren. Op de tweede dag sneuvelde de kleinzoon van de kruidenier bij wie Jardena al jaren haar boodschappen deed. Een dag later sneuvelde zijn zoon.

In diezelfde tijd beleefde Jardena een persoonlijke triomf. Het kleine stukje cactus dat ze tien jaar eerder van de cactusholocaust had gered, en dat ze sindsdien in een pot op haar balkon had gekoesterd, had voor het eerst van zijn leven een bloemknop geproduceerd. Uit respect voor de reusachtige witte bloem, waarvan ze wist dat hij maar één enkele nacht zou bloeien, bleef ze erbij zitten waken, intussen in haar eentje Itsiks negentiende verjaardag vierend. Even na middernacht, toen de bloem zijn volle glorie had bereikt, ging de telefoon. 'Een zoon,' riep Itsik. 'We hebben een zoon. Alles is fantastisch verlopen. Ik heb alles gezien, alles meegemaakt. We zijn compleet gelukkig en totaal van de kaart. Imma, kun je komen? Wanneer kom je?'

'Morgen ga ik van alles kopen voor de baby, en overmorgen neem ik de eerste bus naar Rosh-Pina. Is dat goed?'

'Prachtig. Schitterend. Dank je wel!'

De volgende ochtend hing de witte bloem slap en levenloos aan zijn stengel, maar Jardena had het te druk om hem te betreuren. Samen met Nathan kocht ze vijf pakken zachte luiers, een dozijn flanellen onderhemdjes en katoenen bovenhemdjes, zuigflessen, babypoeder, babyzeep, babydekentjes, een piepklein haarborsteltje, een teddybeer, babyslofjes, een rammelaar en alle andere nuttige en nutteloze voorwerpen die in de winkels te koop lagen. Er was in de twee enorme reistassen nauwelijks plaats voor Jardena's persoonlijke bagage. Het een na het ander gooide zij eruit. Het enige wat ze absoluut wou meenemen, was haar dagboek, waar ze al jaren allerlei wederwaardigheden van haar kinderen in opschreef, en dat ze niet uit het oog durfde verliezen. Stel je voor dat het huis in Jeruzalem in brand vloog terwijl zij in Rosh-Pina aan het bakeren was. Nathan tilde de loodzware bagage in de bus naar Tiberias.

Na vier uur rijden stopte de chauffeur bij het kruispunt met de weg naar Rosh-Pina. Daar moest ze – aldus de instructies van Itsik – aan de weg gaan staan en helemaal naar de top van de berg liften. Als adres had hij opgegeven: 'Het laatste huis voor je er aan de andere kant weer af duikelt.'

Na een paar minuten stopte er een legerjeep. De soldaten staken hun armen uit en trokken Jardena en haar bagage omhoog. Voort ging het, met een vaart de berg op. Op het moment dat de chauffeur stopte om haar af te zetten, realiseerde Jardena zich dat een van haar twee tassen nog beneden op het kruispunt moest staan. En nog wel de tas met het dagboek! Ze smeekte de soldaten om terug te gaan. Die waren niet makkelijk te vermurwen. Ze hadden wel wat anders aan hun hoofd dan vergeetachtige grootmoeders de berg op en af te vervoeren. Ze moesten met spoed naar hun legerkamp en, wie weet, misschien wel regelrecht Libanon in. Jardena schaamde zich ongelukkig, maar o, haar dagboek ...

'Vooruit dan maar,' zei de chauffeur ten slotte. 'Rechtsomkeert. Daar gaat ie.'

Uit de verte zagen ze hoe politieagenten de menigte wegstuurden terwijl een soldaat een robot in beweging zette om de verdachte weekendtas, die dreigend op het kruispunt lag, op te blazen. 'Stop!' Jardena ging rechtop in de jeep staan. Ze zwaaide met haar armen en schreeuwde uit alle macht: 'Stop! Niet doen! Blaas mijn dagboek niet op! Mijn luiers! Help! Stop!'

De politieagenten waren woedend. Werden de inwoners van het land niet dag aan dag gewaarschuwd dat ze geen bagage onbewaakt mochten laten liggen? De tas had wel vol dynamiet kunnen zitten! Er waren toch overal terroristen!

De soldaten reden Jardena voor de tweede keer naar de top van de berg. Tegelijk met haar kwam het gloednieuwe gezinnetje er aan. Ze hadden niet gewacht op het officiële ontslag van Noëlly uit het ziekenhuis, maar waren kwaad weggelopen toen een verpleegster een druppel bloed uit de hiel van de baby had willen tappen voor onderzoek naar eventuele afwijkingen.

Terwijl Itsik als een veulen op zijn moeder kwam aangalopperen, liep Noëlly met haar witte bundeltje langzaam achter hem aan. Zij straalde van geluk, hij straalde van trots. Het enige wat hij betreurde – maakte hij luidkeels bekend – was dat zijn zoon niet een dag eerder was geboren. Hij zou zo graag met achttien jaar vader zijn geweest.

'Kijk toch naar hem,' riep hij en hij lichtte de witte doek op die het gezichtje tegen de zon beschermde. 'Het enige wat hij nodig heeft is liefde. En verder gewoon laten groeien. Geen kunst aan!'

Jardena schudde haar hoofd en zuchtte met een scheef lachje: 'Jammer dat ik dat niet wist toen jij zelf een baby was.'

Het huis waarin Itsik en Noëlly woonden, deed Jardena denken aan een bedelaarsmeisje in een prinsessenjurk. De ramen, de muren, de plafonds, alles was gammel en leek op instorten te staan, maar alles, zelfs de plafonds, was behangen met exotische rode en gele lappen.

Er waren twee kamers. In de voorste stond een enorme zwarte houten tafel beladen met uien, verlepte groenten, korsten oud brood en gebroken borden. Op de grond lag een matras voor Jardena.

Itsik, Noëlly en vanaf nu ook de baby sliepen op een grotere matras in de andere kamer. Hun kleren lagen in een hoek, een paar gerafelde legerdekens slingerden hier en daar op de vloer, maar wie dacht er aan dekens in juni?

Jardena en het ouderpaar zaten op de grond en knabbelden aan het brood. Itsik beet in een rauwe ui alsof het een appel was. Hij had buiten in de tuin wat bladeren van een struik geplukt en zette daar thee van in een zwart keteltje op een petroleumstel.

Noëlly stond op, knielde op de matras en boog zich over haar zoontje. Toen ze weer opkeek, fluisterde ze tegen haar schoonmoeder: 'Ik ben toch zo blij dat ik hem heb.' Jardena zag dat haar schoondochter volmaakt gelukkig was.

De volgende ochtend zouden Itsik en zijn moeder de bus naar Safed nemen om emmers en teiltjes te kopen voor de luierwas. Ze zouden meteen ook de baby aangeven bij de burgerlijke stand. Itsik wou zijn zoon Perre-Adam noemen. Noëlly liet de keus van een naam aan haar man over. Wat ze niet wist was dat de combinatie van de woorden 'perre' en 'adam' – letterlijk 'wilde man' – vooral wordt gebruikt in de zin van 'primitieveling, grotbewoner, onbehouwen vlerk'.

Jardena bracht de nu eenmaal van nature kwetsbare positie van schoonmoeder in gevaar door te verklaren dat ze alles in het werk zou stellen om te verhinderen dat haar kleinzoon zijn hele leven met zo'n naam zou zijn opgescheept. 'Je zou je kind toch ook niet Ezel noemen, al was je nog zo dol op ezels?' was haar argument.

Itsik was woedend, maar toen zijn moeder de naam Noach voorstelde, en aan Noëlly vertelde dat dat het Hebreeuwse woord was voor 'prettig' of 'gemakkelijk in de omgang', mijmerde het moedertje, dat zelf nog een kind leek, met gesloten ogen: 'Toen ik klein was, had mijn vader een dik boek waar hij mij 's avonds voor het slapen uit voorlas. Er stond een sprookje in over een oude man die Noach heette. Hij had een lange baard, en hield heel veel van dieren. Op een dag voer hij met alle dieren naar een onbewoond eiland. Daar groeiden zoveel vruchten dat de dieren elkaar nooit meer hoefden op te eten. Noach, ja, ik wil mijn zoon graag Noach noemen.'

Jardena meende dat ze tot een beslissing waren gekomen, maar toen Itsik het registratieformulier invulde, keek ze over zijn schouder en zag dat hij toch Perre-Adam had opgeschreven. Ze zei tegen de ambtenaar dat hij het formulier niet moest accepteren omdat de moeder een heel andere naam voor haar kind had gekozen. Itsik produceerde een paar klinkende vloeken en schreeuwde dat de vader het recht had een naam voor zijn zoon te kiezen, en dat hij de ambtenaar gerechtelijk zou vervolgen als hij het formulier niet onmiddellijk accepteerde. De ambtenaar klapte Itsiks identiteitsbewijs dicht. Itsik verscheurde het ingevulde formulier en gooide de snippers op de grond. De ambtenaar wees hun de deur.

Daar zaten ze, op een stenen muurtje in de gloeiende zon. Bevend van woede verklaarde Itsik dat hij geen stomme papiertjes nodig had om zijn zoon te noemen zoals hij zelf wou. Maar toen hij wat tot bedaren was gekomen, overhandigde hij zijn moeder het identiteitsboekje. Ze keerde terug naar de almachtige ambtenaar en verzocht hem de opgewonden kindvader te vergeven, en medelijden te hebben met de bedlegerige moeder en haar onschuldige baby. Ze kreeg een nieuw formulier en registreerde haar kleinzoon als Noach.

Nauwelijks was de kwestie van de naam geregeld of er diende zich een nieuw probleem aan. Toen Jardena die avond naar de buren ging om haar man op te bellen, was het eerste wat Nathan zei: 'En hoe staat het met de besnijdenis?'

'Wat had je gedacht?' antwoordde Jardena vinnig. 'Als Noëlly kwaad het ziekenhuis uit loopt omdat een verpleegster in het hieltje van haar zoon wil prikken, denk je dan dat ze zal instemmen met een besnijdenis? En eerlijk gezegd, waarom zou ze?'

Nathan had het antwoord klaar: 'Geen mens weet dat ze niet Joods is. Ze hoeft het toch aan niemand te vertellen?'

'Maar waarom? Begrijp je dan niet dat wel of niet Joods zijn voor haar niets betekent? Waarom zou ze liegen over iets waar ze geen belang aan hecht?'

'Ze hoeft niet te liegen. Ze moet gewoon haar mond houden.'

'Ik dacht dat je humanist was.'

'Ben ik ook.'

'Haha! De waarheid is dat je vastgeroest zit in archaïsche religieuze tradities, ook al laat je het voorkomen alsof je niet religieus bent.'

'Als de jongen op de achtste dag niet besneden wordt, wil ik niets met hem of zijn ouders te maken hebben,' zei de humanist alvorens de hoorn op de haak te gooien.

Jardena belde haar schoonmoeder. Niet om haar mening te vragen over een probleem dat volgens haar niet eens bestond, maar gewoon om even met haar te babbelen zoals ze dat al jaren om de paar dagen deed. Het enige wat Consuela Baghdádi wilde weten was of er al regelingen waren getroffen voor de besnijdenis.

'Welke besnijdenis?' vroeg Jardena. 'Imma, u weet toch wel dat Noëlly niet Joods is?'

'Wat heeft dat ermee te maken?'

'Imma,' riep Jardena wanhopig uit. 'Ik dacht dat u de dochter van een rabbijn was.'

'Mijn kind,' zei Consuela Baghdádi plechtig. 'Ik ben niet bereid de details met je te bespreken. Alles wat ik wens is dat mijn mannelijke nazaten fatsoenlijk besneden worden. Als dat niet gebeurt, dan hoort het kind wat mij betreft niet tot onze familie.'

Jardena vond dat haar man en zijn moeder makkelijk praten hadden. Die zaten rustig in Jeruzalem, en lieten haar in Rosh-Pina de kastanjes uit het vuur halen. Ze ging naar de jonge ouders en haalde diep adem voordat ze het hoge woord eruit perste: 'De Jeruzalemse delegatie maakt zich gereed voor de besnijdenis.'

Zoals Jardena had gedacht, wist Noëlly nauwelijks wat een besnijdenis was, en had Itsik over het hele vraagstuk niet nagedacht. Uitleggen wat een besnijdenis is, was makkelijk genoeg. Uitleggen waar het goed voor is aan een niet-Joodse moeder wier enige wens is haar kind groot te brengen in een atmosfeer van rust en vrede, bleek onbegonnen werk. Jardena's enige argument ten gunste van het ritueel was zo negatief als een zwart gat. 'Als je 't niet doet, krijg je 't met je vader aan de stok.'

'Kunnen we de beslissing niet uitstellen?' vroeg Itsik, en dat was al heel wat coöperatiever dan Jardena had verwacht. Maar zowel hij als zijn moeder wist dat uitstel alleen nog meer problemen zou oproepen. Als de besnijdenis niet op de achtste dag plaatsvond, zouden de mensen vragen gaan stellen, en dan kreeg je het helemaal niet meer voor elkaar. In Jardena's ogen was het enige wat ertoe deed: wie bewees onder de gegeven omstandigheden het kind de beste dienst? Een grootmoeder die weigerde de waarheid geweld aan te doen en de harmonie in het gezinnetje in gevaar te brengen, of een grootvader die bereid was te liegen en te vechten en de wereld op zijn kop te zetten om zijn kleinkind een goede start te geven als lid van de familie, de gemeenschap, het Joodse volk?

De oplossing van het probleem werd geleverd door Noëlly. Zij was er vóór, althans ze was er niet tegen dat haar zoon besneden werd. Itsik, die niets had gedaan om haar te beïnvloeden, was zichtbaar opgelucht. Hij ging onmiddellijk op zoek naar een moheel. Zodra hij weg was barstte Noëlly in huilen uit. Toen Jardena vroeg wat eraan scheelde, legde ze uit: 'Wat Itsik zijn leven lang verlangd heeft is erkenning, goedkeuring van zijn vader. Ik hou van mijn man, maar ik hou mezelf niet voor de gek: het feit dat hij nog zo jong is en dat we toch al zijn getrouwd, is omdat hij als eerste van jullie kinderen zijn vader een kleinkind wou geven. En dat heeft te maken met de lof en de goedkeuring van zijn vader. Die hoopt hij op deze manier te krijgen. Naar zijn gevoel is hem dat niet op een andere manier gelukt. Als mijn baby tussen Itsik en zijn vader een breuk veroorzaakt in plaats van een band, wie is dan de dupe? Die verantwoordelijkheid wil ik niet op mij nemen. Van alle mogelijke gruwelen kies ik de minst erge.'

'En het kan je niet schelen om te liegen dat je Joods bent?'

Noëlly keek oprecht verbaasd. 'Ik beschouw het niet als een leugen. Ik bedoel, als alle mensen gelijk zijn geschapen, en dat geloof ik, dan kan iedereen zichzelf met evenveel recht niet-Joods als wel-Joods noemen. Het zijn twee benamingen voor dezelfde waarheid.'

Hier moest Jardena over nadenken. Ze kwam er niet uit. En dus ging ze naar de buren en belde Simcha op. 'Help me alsjeblieft,' zei ze. 'Jij bent mijn autoriteit op religieus gebied. Wat doen we met de besnijdenis?'

Simcha beloofde er met haar rabbijn over te spreken en zo spoedig mogelijk terug te bellen.

Intussen was Itsik teruggekomen met een moheel die de baby wenste te zien. Hij was een imposante man van middelbare leeftijd. Hij droeg een zwarte kaftan en een bril met een zwart montuur waar nauwelijks ruimte voor was in het rood tussen hoed, baard en pijpenkrullen. Hij vroeg niet of hij de baby wakker mocht maken, maar kleedde hem doodleuk uit en zei: 'Fijne kerel. Maken we zonder moeite een perfecte Jood van.'

En zich tot Jardena wendend vroeg hij: 'Bent u de schoonmoeder?' Noëlly was met stomheid geslagen. Jardena knikte zwijgend. 'Ik heb een vertrouwensvraagje,' ging de man rustig voort. 'Weet u absoluut zeker dat uw schoondochter Joods is?' Jardena trok een gezicht alsof de moheel zojuist een kostelijke mop had verteld, en flapte eruit: 'Wat dacht u wel mijnheer? Voor wie houdt u me?'

's Avonds kwam de buurman zeggen dat Simcha aan de telefoon was. Ze had met haar rabbijn gesproken en te horen gekregen dat de besnijdenis van de zoon van een Joodse vader en een niet-Joodse moeder op zichzelf niet verboden is. Zelfs het uitspreken van de zegen bij een dergelijke besnijdenis is niet verboden, als de moeder het ermee eens is, en als ze niet de bedoeling heeft haar zoon met een andere religie groot te brengen. Dat houdt echter niet in dat haar zoon door de besnijdenis een Jood wordt. Het houdt wel in dat hij desgewenst op zijn dertiende jaar bar-mitsvah kan worden. Wil hij daarna volgens de halachah Joods zijn, dan moet hij omstreeks de tijd van zijn bar-mitsvah ten overstaan van twee getuigen bevestigen dat hij dat graag wil door zich in een mikve te dompelen en de bijbehorende woorden uit te spreken. Onder een mikve, had de rabbijn erbij gezegd, verstaan we niet alleen een speciaal daarvoor gebouwde gelegenheid, maar iedere bron van levend water, bijvoorbeeld de zee of een rivier.

Simcha zelf was hoorbaar opgelucht door deze uitleg en ook Jardena was blij en voelde een zekere trots omdat ze uit het antwoord van haar dochter afleidde dat een orthodoxe rabbijn, die toch best redenen had om haar handelwijze af te keuren of zelfs haar van fraude te betichten, op grond van zijn kennis van de halachah haar een reddingsboei toewierp. Ondanks de strenge en vaak ouderwets aandoende wetgeving die het Joodse volk al duizenden jaren bijeenhield, ging het in die wetgeving uiteindelijk toch bovenal om de bedoeling van de mens. Als die bedoeling goed en oprecht was, kon blijkbaar zelfs een leugen door de vingers worden gezien. Ze begreep wel dat Simcha's rabbijn een leugen als zodanig nooit zou goedkeuren, maar met deze zaak had hij kennelijk vrede, omdat alle partijen meenden voor de bestwil van het kind te handelen. De toekomst zou uitwijzen hoe Noach daar zelf over dacht.

De datum en het uur voor de besnijdenis werden vastgesteld. Jardena belde Nathan op en vroeg hem de familie uit te nodigen. Broers, zusters, ooms en tantes, iedereen wou van de partij zijn. Itsik eerde zijn vader met de taak van sandak, en Jardena legde haar schoondochter uit dat de sandak de man is op wiens schoot het kind tijdens de besnijdenis ligt. Jardena zelf werd door haar zoon tot sandakit benoemd. Zij was het dus die de baby voor de ingreep aan de moheel zou overhandigen, en hem na afloop weer uit zijn handen zou aannemen.

Op de ochtend van de grote dag leende Itsik een paard van de ene buurman en een ezel van de andere. Gezeten op het paard en met de ezel aan de leidsels, reed hij triomfantelijk door het dal naar Safed om een fles rode *kiddoesh*wijn te kopen. De ezel had twee grote manden op zijn rug en kwam terug beladen met zwarte pruimen, sappige perziken en druiven, vroege vijgen, appeltjes en verschillende soorten noten. Die had Itsik allemaal in het dal geplukt. Er was zoveel van alles dat Jardena een enorme hoeveelheid verrukkelijke fruitsalade kon maken. Ze was net klaar toen de eerste gasten kwamen. Ze brachten armen vol geschenken: babykleertjes, speelgoed, wollen dekentjes en zelfs een compleet babybedje.

De moheel kwam met een versterking van drie man. Toen Noëlly het zwarte gezelschap zag aankomen, greep ze haar zoon en rende het bos in. Simcha erachteraan.

Aangezien er geen stoelen in het huis waren, zei de moheel tegen Nathan dat hij op de brede vensterbank moest gaan zitten. Hij beduidde Jardena dat ze de baby moest brengen.

'Momentje,' riep Jardena, en ook zij verdween het bos in.

Noëlly had zich achter een boom verschanst. Als een boze stiefmoeder griste Jardena de baby uit de armen van haar schoondochter, en rende met hem terug naar de moheel. Simcha bleef bij de huilende Noëlly. Zonder dat het iemand opviel wist ze op die manier te vermijden een leugen met het woord 'amen' te bevestigen.

Het ritueel zelf was zo voorbij. Toen Itsik de naam van het kind moest noemen, sprak hij met duidelijke stem en zichtbare trots het woord 'Noach' uit. Iedereen dronk op de gezondheid van de baby. Jardena bracht het slachtoffer terug naar zijn moeder en deelde fruitsalade uit.

Toen de laatste gasten waren vertrokken, bracht de jonge vader het gloednieuwe babybedje naar de tuin, waar hij het officieel tot kippenren promoveerde. 'Want ik ben niet van plan mijn zoon in een kooi te houden!' verklaarde hij strijdlustig.

Niet lang na de controversiële besnijdenis van Noach stelde Jardena haar vier dochters een hypothetische vraag. 'Stel je voor dat ik altijd tegen jullie had gelogen, en dat in werkelijkheid mijn vader Joods was en mijn moeder niet. Hoe zouden jullie dan reageren?'

Vered had haar antwoord gereed: 'Het zou me niets kunnen schelen.' Consuela sloot zich bij Vereds mening aan.

Perla, die de zomermaanden in Israël doorbracht, dacht goed na en zei toen heel beslist: 'Ik zou me in overeenstemming met de halachah tot het jodendom bekeren. Ik voel me Joods, ik hoor bij het jodendom, en ik wil bij het jodendom horen. Gelukkig bestaat er een optie voor het soort mens dat ik in dat geval zou zijn. Ik zou van die optie gebruik maken en het dilemma de wereld uit helpen.'

Het verrassendste antwoord kwam van Simcha. 'Voor mij is de vraag niet wie ik al of niet zou kunnen worden, maar wie ik ben. Als ik te horen kreeg dat ik volgens het jodendom geen Jodin ben, zou ik me afvragen wat ik dan wel ben, en proberen zo goed mogelijk mezelf te zijn. Meer kan ik op dit moment niet zeggen.'

Jardena moest denken aan de voorspelling die haar vader negentien jaar geleden had gedaan: als Perla later een muur op haar weg vindt, denkt ze net zo lang na tot ze een manier heeft bedacht om aan de andere kant te komen. Als Vered later op een muur stuit, maakt ze rechtsomkeert en gaat hulp halen. En als Simcha zich in een dergelijke situatie bevindt, gaat zij met haar kop dwars door de muur, en loopt door alsof er niets aan de hand is. Nee, zo eenvoudig was het dus niet.

Terwijl het leven voor de burgerbevolking zijn gewone gang ging, verlengde de regering de campagne Vrede voor Galilea met steeds weer een dag. In plaats van vier dagen duurde de oorlog nu al maanden. In plaats van de terroristen vijfenveertig kilometer het land in te drijven, achtervolgde het Israëlische leger ze tot Beiroet. Maar ook daar wist minister van Defensie Ariel Sharon van geen ophouden. West-Beiroet, waar de terroristen zich verschansten, werd vanuit land, lucht en zee gebombardeerd.

Kolonel Eli Geva diende zijn ontslag in, omdat zijn geweten hem niet toestond mee te werken aan de dood van onschuldige burgers, en omdat volgens hem het risico dat duizenden Israëlische soldaten dagelijks liepen, niet opwoog tegen het in verhouding geringe aantal terroristen dat men door dit soort acties te pakken kreeg. Ariel Sharon was woedend, maar Eli Geva was niet te vermurwen. Zijn principes wogen voor hem zwaarder dan zijn veelbelovende carrière in het Israëlische leger.

Niet alleen aanhangers van de beweging Vrede Nu, ook soldaten en reservisten die zelf aan de campagne hadden deelgenomen, demonstreerden tegen de oorlog in Libanon en eisten het aftreden van Ariel Sharon.

Alle Israëliërs waren het erover eens dat de terroristen ver genoeg Libanon in gedreven moesten worden om ze te verhinderen hun raketten op Israëlische nederzettingen af te vuren. Maar een groot deel van het volk was al na de vierde dag tegen de actie Vrede voor Galilea in opstand gekomen. Dit was geen actie meer, het was een grootscheepse oorlog, de eerste oorlog waarbij niet de vijand, maar Israël zelf de agressor was.

'Het lijkt wel of Begin zijn eigen minister van Defensie niet aankan,' mopperde Jardena, maar Nathan was het daar niet mee eens. 'Waarom denk je dat hij niet met de vuist op tafel slaat? Hij vindt het allang mooi dat Sharon in Libanon de boel kort en klein slaat.'

Op Amerikaans initiatief kwam een verdrag tot stand, waarbij zo'n vijftienduizend Palestijnen uit Beiroet werden weggevoerd en naar Syrië, Irak en Jordanië werden gebracht.

'Net goed,' riep Elnakam enthousiast. 'Al die terroristen! Opgeruimd staat netjes. Hoe verder weg hoe beter.'

'Ze noemen zichzelf anders guerrillastrijders,' zei Jannai nogal vinnig. 'Je schijnt te vergeten, oom Elnakam, dat jij je vóór 1948 net zo tegenover de Engelsen gedroeg als de Palestijnen nu tegenover ons.'

Simcha, die anders toch het toonbeeld van zachtaardigheid was, koos deze keer de kant van haar oom. 'En jij schijnt te vergeten, Jannai, dat God dit land aan onze aartsvader Abraham heeft geschonken. En dat Hij in de Torah nadrukkelijk heeft bevestigd dat het volk Israël en het land Israël voor altijd bij elkaar horen. Bovendien zouden we ons erfdeel nooit hebben verlaten als we er tweeduizend jaar geleden niet uit waren verdreven.'

'Ook de Palestijnen zijn verdreven,' mompelde Jannai.

'Sommigen misschien,' zei Nathan. 'Maar de meesten zijn in 1948 op aanraden van de Arabische landen even opzij gegaan om de vernietiging van het Joodse volk vlotter te laten verlopen. Ze waren er zo van overtuigd dat ze binnen een paar weken weer terug zouden zijn, dat ze de sleutel van hun voordeur meenamen. Daar zwaaien ze nu nog steeds mee. Hadden ze de raad van onze moordzuchtige buren niet gevolgd, dan waren ze nu Israëlische staatsburgers geweest. Kijk maar naar de Arabieren die hier in 1948 zijn gebleven. Die zitten nog steeds in Nazareth en Jaffa en talloze dorpen in Galilea en rond Jeruzalem.'

Elnakam was alweer vertrokken. Die ging met zijn vrienden het succes in Beiroet vieren, maar Jannai en Simcha bleven nog lang napraten. Over één ding waren ze het eens. Of die vijftienhonderd Palestijnen nu terroristen waren of guerrillastrijders, het was maar een fractie van wat er aan Palestijnse vluchtelingen en hun nakomelingen in de Arabische landen woonde, en het einde van de strijd om het bezit van het strookje land van twintigduizend vierkante kilometer aan de Middellandse Zee was nog lang niet in zicht.

Op 14 november werd Bashir Jumayel, de christelijk-Arabische, pas ingewijde president van Libanon, met wie Israël allang een goede verstandhouding had, door mohammedaanse Libanezen vermoord. Het Israëlische leger gaf de Libanese Christenen toestemming om in de vluchtelingenkampen Sabra en Shatilla, vlak ten zuiden van Beiroet, naar de schuldigen te zoeken. De Christenen begonnen onmiddellijk na aankomst in de kampen honderden Palestijnse vluchtelingen te vermoorden, waaronder vrouwen, kinderen en ouden van dagen. Premier Begin hoorde over de afslachting van de kampbewoners toen hij naar een uitzending van de BBC luisterde. Op dat moment waren de afgrijselijkheden al op alle televisieschermen van de wereld te zien. De premier was er kapot van. Had hij niet pas nog op zijn hoogdravende manier voor een delegatie van Amerikaanse Joden verkondigd dat er na de actie Vrede voor Galilea een periode van veertig jaar rust voor Israël zou aanbreken?

Vierhonderdduizend Israëlische burgers dromden samen in Tel Aviv om het aftreden van Begin en Sharon te eisen. Bovendien eisten ze dat een staatscommissie de gebeurtenissen in Sabra en Shatilla grondig zou onderzoeken.

'Vierhonderdduizend!' riep Jardena uit. 'Dat is tien procent van de bevolking. Je kunt van de Israëliërs in elk geval niet zeggen dat ze liever lui dan moe zijn. En dan gaat het ook nog eens om een protest tegen iets wat we niet eens zelf hebben gedaan. Als die Libanezen elkaar uitmoorden, is dat toch zeker niet onze schuld.'

'We hebben het niet gedaan,' zei Nathan, 'maar we hebben het toegelaten en zelfs in de hand gewerkt. We hadden nooit in Libanon moeten zitten, maar nu we er eenmaal zijn, moeten we ook de verantwoordelijkheid dragen voor wat daar gebeurt. En doe nu niet alsof je niet weet dat de vluchtelingenkampen tijdens de afslachting omringd waren door Israëlische tanks, en dat de moordenaars nu en dan zelfs een handje werden geholpen door Israëlische lichtkogels.'

Consuela, die al sinds 1978 niet meer thuis woonde, en die tijdens haar middelbareschooltijd onder andere op tractoren had gereden en koeien had gemolken, bleef ook tijdens haar militaire dienst de kibboets als haar thuis beschouwen. Met haar vader had ze nooit ruzie gehad, maar met haar moeder weigerde ze zich te verzoenen, en als ze al eens een weekend in Jeruzalem doorbracht, sliep ze meestal bij haar grootmoeder. Jardena stelde al jaren alles in het werk om met haar dochter tot een gesprek te komen, maar Consuela wou er niet van horen. Als het Jardena te machtig werd, belde ze Vera in Amsterdam op om haar hart te luchten. 'Ach Reinie,' troostte Vera, je kunt jezelf niet eeuwig de schuld blijven geven. Als Consuela geen vrede wil sluiten, moet ze dat zelf weten. Op een goede dag gaat ze er wel anders over denken.'

Aangezien Vered intussen de man van haar leven had ontmoet en met hem naar Kenia was vertrokken waar hij wegen ging bouwen, en Simcha zich hoe langer hoe meer in orthodoxe kringen bewoog, begon het leeg te worden in huis.

Jifrach zou voor zijn bar-mitsvah *parashat-Balak* lezen. Daarin vraagt koning Balak van Moab aan de profeet Bileam om de Israëlieten te vervloeken, zodat hij ze zal kunnen overwinnen, maar tot Balaks ontsteltenis zegent Bileam hen. 'Want,' legt hij uit, 'ik kan nu eenmaal niets anders zeggen dan wat God mij in de mond legt.'

Als onderwerp voor een film was het verhaal bij uitstek geschikt, maar acteurs waren nu schaars in het gezin Jerushalmi. Het zou dus een tekenfilm worden. Maandenlang werkten Jifrach en zijn ouders eraan. Jannai, die op vrijdagavonden het gezin placht te vermaken door Ariel Sharon te imiteren, leverde ook een bijdrage aan het project van zijn broer: een karikatuur van Ariel Sharon die een leger aanvoert van soldaten die allemaal óf in de lucht vliegen óf op de grond vallen.

'Als die bulldozer ooit minister-president wordt,' zeiden zijn ouders, 'verhuizen wij naar een onbewoond eiland.'

1983

'De beurs is gekelderd,' zei Nathan met een gezicht alsof hij een mop vertelde. 'Gelukkig waren we gisteren niet rijk, anders zaten we vandaag in de penarie.'

Jardena moest erom lachen. Haar man had gelijk: geen geld, geen zorgen. Als je maar een dak boven je hoofd had, en niet van de honger omkwam. Zover kon het in Israël trouwens niet komen. Daar zorgden de sociale wetten voor. Helaas werd het verschil tussen steenrijk en straatarm wel steeds groter, en dat die rijkelui met al hun bankpapieren in één klap zestig procent van hun vermogen hadden verloren, daar zat ze niet mee.

Op 7 februari maakte de commissie die de gebeurtenissen in Sabra en Shatilla had onderzocht bekend dat de premier vrijuit ging, maar dat Ariel Sharon nooit van zijn leven meer minister van Defensie zou kunnen worden. De andere heren die bij de zaak betrokken waren geweest, kregen de raad zelf hun conclusies te trekken uit het rapport.

Drie dagen later marcheerden leden van Vrede Nu van het centrum van Jeruzalem naar het parlementsgebouw. Langs de hele route probeerden rechtse groeperingen de demonstratie te dwarsbomen. Ineens wierp iemand een handgranaat naar de mensen van Vrede Nu. Emil Greenzweig, een vijfendertigjarige officier bij de parachutisten, die als reservist in Libanon had gediend en die protesteerde tegen hoe het daar was toegegaan, viel dood op de grond.

'Wat is er geworden van de Israëlische geest van saamhorigheid tegen de gemeenschappelijke vijand,' klaagden de politieke duiven: de liberalen, de democraten, de humanistische Zionisten.

'Saamhorigheid? Mij een zorg,' zeiden de politieke havikken: de fundamentalisten, de landveroveraars, de nationalistische Zionisten. 'Van nu af aan is het hard tegen hard. Rechts tegen links en wij hebben gelijk.'

Intussen probeerde Jardena nog steeds wat te verdienen met het naaien van bolero's en jurken. Voor Nathan had ze een extra mooi vest gemaakt. Hij liep er trots mee door de stad.

Toen de jongste zoon van Elnakam en Chava bar-mitsvah werd, droegen Nathan en Jardena beiden een van haar kleurige creaties.

Zoals verwacht, liep het huis vol met politiek rechtse fanatiekelingen. De ster van de avond was Ge'ula Cohen, die sinds de verkiezingen van 1981 weer in het parlement zat, en van wie Nathan placht te zeggen: 'Als Ge'ula Cohen haar mond opendoet, staat de radio te schudden.' Inderdaad had ze een manier om over 'ons onvervreemdbare recht op het hele land', te spreken, waarbij ze vaak tot tranen toe geroerd werd door haar eigen opgeblazen betoog.

Op het moment dat Ge'ula Cohen Jardena en Nathan in het oog kreeg, werd ze halsoverkop verliefd op hun bolero's. Net als Rhoda een paar jaar eerder, moest en zou ook zij er een hebben. Jardena had totaal geen zin om iets te maken voor iemand wier politieke inzichten zo lijnrecht tegenover de hare stonden.

'Er is een lange wachtlijst,' fantaseerde ze erop los. 'Het duurt maanden voor u aan de beurt bent.'

'Ik ben bereid te wachten,' antwoordde Ge'ula Cohen. 'Maar ik wil per se zo'n bolero. Hij doet me denken aan ons vaderland met al zijn etnische groeperingen, ieder met zijn eigen vorm en kleur. Hij herinnert me aan Galilea, rood en purper van de anemonen in maart, aan de Negev, oranje-geel onder een blauwe hemel, aan de amandelbomen, roze in de winter, groen in de zomer, aan de rozen in mei en de bougainvilles in oktober. Door zo'n kledingstuk te dragen, zou ik als het ware uitroepen: ik ben het land! Ik ben het volk! Ik ben het volk Israël in het land Israël!'

'Het klinkt grandioos,' zei Jardena. En op de maten van het enorme parlementslid doelend, voegde ze er zo tactvol mogelijk aan toe: 'Maar zou zo'n kledingstuk u wel staan? U bent ... laat ik zeggen volslank. U bent eh ...' Ze maakte een wijde beweging met haar handen, die beter dan woorden aangaf wat ze bedoelde, maar Ge'ula Cohen deed of ze het niet zag.

Op dat moment kwam iemand waarschuwen dat mevrouw Cohen naar een bespreking moest. Jardena maakte van de gelegenheid gebruik om de wc in te vluchten. Ze bleef er net zo lang dralen tot ze dacht dat het gevaar was geweken. Maar dat viel tegen. Toen ze eindelijk te voorschijn kwam, stond het parlementslid haar bij de deur van de wc op te wachten.

'Elnakam heeft me uw telefoonnummer gegeven,' zei ze. 'Mag ik u opbellen om een afspraak te maken?'

De volgende dag vertelde Jardena aan een paar vrienden wat er op het feest bij Elnakam was voorgevallen. Er werd uitbundig gelachen, met Ge'ula werd de draak gestoken en een paar van de aanwezigen gaven met groot succes een imitatie van haar dramatische manier van spreken ten beste.

Een week later ging de telefoon. Jardena nam de hoorn van de haak en hoorde: 'U spreekt met Ge'ula Cohen. Schikt het als ik over een halfuur langskom?'

Jardena had direct door dat het haar vriendin was.

'Je bent me d'r een, Lea,' lachte ze in de hoorn. 'Mij hou je niet voor de gek.'

'Je vergist je,' zei de stem. 'Ik ben Lea niet. Ik ben Ge'ula Cohen. We hadden afgesproken dat je een bolero voor me zou naaien, weet je nog wel?'

Het gegrinnik dat erop volgde, sterkte Jardena in haar overtuiging dat het Lea was. De persoon aan de andere kant van de lijn deed een laatste poging: 'Zal ik de speech die ik gisteren in de Knesset heb gehouden voor je herhalen? Het gedeelte dat 's avonds werd uitgezonden?'

'Koud kunstje,' zei Jardena. 'Iedere sukkel kan de grote mond van Ge'ula Cohen nadoen.'

'Ik geef het op. Over een kwartier ben ik bij je. Dan zie je wel wie ik ben.'

'Ja hoor, Lea. Ik zet vast water op voor koffie.'

Een halfuur later arriveerde Ge'ula Cohen. De echte.

Na wat ze gezegd had, kon Jardena onmogelijk weigeren een bolero voor haar te naaien. In de tijd dat ze de maten nam, werd er driemaal voor het parlementslid opgebeld. Kennelijk waren er dringende zaken. Toch liet ze Jardena geduldig haar gang gaan. Aangezien dit de grootste bolero zou worden die ze ooit had genaaid, vroeg Jardena er een flink bedrag voor. Ge'ula Cohen gaf ter plekke een voorschot.

Nu moest het kledingstuk wel worden gemaakt. Maar wie zei dat Jardena het zelf moest doen. Ze vroeg Simcha of die zin had geschikte lapjes bij elkaar te zoeken en onder haar leiding aan elkaar te naaien. Toen Ge'ula Cohen veertien dagen later kwam passen, kreeg ze natuurlijk niets te horen over het ontstaan van de bolero. Maar met een tact die Jardena niet had verwacht, zocht haar cliënt naar woorden om haar gevoelens uit te drukken: 'Ik weet niet wat het precies is ... je was zo vriendelijk om mij toe te zeggen ... ik had zo'n mooie droom over dit kledingstuk ... een visioen ... en nu ik het zie is het niet helemaal ... ik bedoel ... op de een of andere manier roepen de kleuren niet op wat ik mij had voorgesteld, het volk, de landschappen van Israël, niet zo overtuigend althans als wat jij en je man die avond bij Elnakam droegen ... Is het te veel gevraagd ... misschien zou je het nog eens kunnen proberen ... Ik ben natuurlijk bereid voor de extra moeite te betalen ...'

Jardena schaamde zich diep. Hier was een vrouw die haar werk apprecieerde, die het als kunst beschouwde en er klaarblijkelijk een heel bijzondere affiniteit mee had, een affiniteit die ze niet voor het werk van Simcha voelde. Een vrouw die wist wat ze wou en die bereid was ervoor te betalen. Een vrouw die ondanks haar drukke werkzaamheden bereid was geduld te oefenen en het nodige te doen om een droom werkelijkheid te laten worden. En hier was zij zelf die alles deed om die droom de grond in te stampen vanwege een verschil in politieke opvatting.

Ze beloofde Ge'ula Cohen haar best te doen en vroeg of ze een week later opnieuw wou komen passen. Intussen ging net als de eerste keer om de haverklap de telefoon voor het parlementslid. 'Wat suf dat ik verteld heb waar ik te bereiken ben. Ik haat het als mensen mij opbellen terwijl ik tijd met mijn vrienden spendeer,' zei ze. 'Wat zou het fijn zijn als ik nog even kon blijven om wat beter kennis met je te maken.' Nauwelijks was ze vertrokken, of Jardena ging aan de slag om iets echt moois voor haar te maken.

Toen Ge'ula Cohen voor de derde keer kwam, herkende ze onmiddellijk 'de hand van de kunstenaar', zoals ze het uitdrukte. De bolero paste precies. Hij moest alleen nog maar van biaisband worden voorzien. 'Als je het goed vindt,' stelde ze voor, 'vertel ik volgende keer aan niemand waar ze me kunnen bereiken, zodat ik dan ongestoord bij je kan blijven koffiedrinken.'

'Als we niet over politiek praten', was Jardena's eerlijke antwoord.

'Politiek? Hoe kom je daarbij? Politiek is voor politici. Met jou wil ik praten als de ene moeder met de andere.'

Toen Ge'ula Cohen voor de laatste keer kwam, stond Jardena eindelijk open voor een eerlijke kennismaking. Ze spraken over de verlangens en frustraties van vrouwen, niet ten opzichte van hun land, maar van hun kinderen.

'Weet je,' zei Ge'ula. 'Ik heb een zoon. Tsachi Hanegbi, misschien heb je van hem gehoord.'

Jardena schudde haar hoofd.

'Maakt niet uit. Net als ik is hij een publieke figuur, maar zo zie ik hem eigenlijk nooit. Voor mijn gevoel is hij nog altijd de kleine jongen die me slapeloze nachten bezorgt als hij ziek is of verdrietig.'

Voordat de ochtend om was, hadden Jardena en Ge'ula in elkaars armen gelachen en gehuild. Bij het afscheid omhelsden ze elkaar innig. In de dagen die volgden neuriede Jardena onder het werk alsof ze een nieuwe geliefde had. Ze stelde zich voor hoe ze Ge'ula Cohen een brief zou schrijven of zou opbellen, maar ze deed het nooit. Wel kwam ze altijd direct aanrennen als Nathan riep: 'Kom vlug kijken. Je creatie is op tv.' Dan zagen ze samen hoe Jardena's grote vriendin met haar grote mond en haar grote hart in haar kleurige bolero haar extreem-rechtse leuzen door het parlementsgebouw schalde.

In april belde Vered uit Kenia. 'We komen voor het bar-mitsvahfeest van Jifrach, en willen dan meteen ook trouwen. Ná het feest van Jifrach, niet ervoor. We willen zijn feest niet overschaduwen.'

Twee feesten binnen veertien dagen. De pret kon niet op. Jardena schreef een lange brief aan Itsik en Noëlly waarin ze hen van de komende evenementen op de hoogte stelde. 'Abba en ik weten dat de reis met een klein kind uitputtend is. Toch hopen we dat jullie voor beide gelegenheden zullen komen. Maak je geen zorgen over de kosten. We zullen jullie reis betalen en ook een babysitter voor jullie ezel, moestuin, kippen, geiten en wat dies meer zij.'

Nog vóór er antwoord was, stierf Nathans broer Moshe aan kanker. Zijn ziekte was het aanwijsbare gevolg van vijfendertig jaar kettingroken. 'Ik smeek en bid jullie', was zijn laatste wens voor de jongere generatie geweest, 'begin niet met roken. Kijk wat ik mezelf heb aangedaan.'

Hij was de meest geliefde oom van de familie. De lachende, altijd positieve, altijd behulpzame oom. Dood.

Hij stierf op Shabbat en zou op zondag worden begraven.

Nathan ging onmiddellijk naar zijn moeder. Op Jardena rustte de taak om Itsik en Consuela te waarschuwen. Maar hoe? Itsik en Noëlly waren naar Jesod-Hama'alah verhuisd, maar hadden ook daar geen telefoon. Als Consuela toevallig een weekend vrij had van het leger, zou ze waarschijnlijk in haar kibboets zijn. Daar hadden veel gezinnen telefoon aan huis, maar wie dat niet had, kon alleen worden opgebeld via het kantoor. En dat was op Shabbat gesloten.

Jardena was zo ondersteboven van de situatie dat ze het nummer draaide van Eerste Hulp bij Psychische Problemen. Ze werd vriendelijk te woord gestaan en kreeg een bruikbare tip. Wat ze in haar verwarring niet had bedacht, leek ineens voor de hand liggend.

'Bel het informatienummer van de telefoondienst', was de raad die ze kreeg. 'Daar werken mensen zoals jij en ik. Met gevoel, met een hart. Als je uitlegt waarom je je kinderen zo dringend moet spreken, zullen ze vast proberen je te helpen. Vraag om drie of vier nummers in de plaatsen waar je kinderen wonen, en draai er een op goed geluk. Tien tegen één dat je iemand treft die bereid is de boodschap over te brengen.'

Een slim idee. Binnen een kwartier waren twee onbekenden op weg naar Itsik en Consuela. Beide kinderen ondernamen de urenlange reis nog diezelfde avond, en kwamen op tijd in Jeruzalem aan voor de begrafenis van hun lievelingsoom. Toen de rabbijn die de dienst leidde vroeg wie van de aanwezigen met de overledene in de lijkwagen mee wilde rijden, trad Itsik als eerste naar voren.

De enige zoon van de overledene mocht niet achter het lijk van zijn vader aanlopen. Nee, hij moest vooruitgaan en zijn vader bij het open graf opwachten. Jardena herinnerde zich hoe Nathan niet bij het open graf van zijn vader had mogen staan, en was verbaasd dat deze keer blijkbaar een andere regel gold. Toen ze aan omstanders vroeg wat daar de reden voor was, kreeg ze te horen dat de Joden uit Marokko, Jemen, Irak, Syrië, Midden- en Oost-Europa, Koerdistan en waar dan ook vandaan, allemaal hun eigen gewoontes hebben, die vaak meer gebaseerd zijn op traditie dan op de halachah. Als de wensen van de familie niet indruisten tegen die van het opperrabbinaat, konden ze ongestoord hun gang gaan.

De rouwweek voor Nathans broer was een evenement op zichzelf. Er werd veel gehuild maar ook veel gelachen, vooral als iemand een van de grappen aanhaalde die deze geliefde zoon, echtgenoot, broer, vader en oom met zijn onweerstaanbare gevoel voor humor placht te vertellen.

Hoewel noch de moeder, noch de weduwe van de overledene zich strikt aan de religieuze wetten hield, wilden ze toch iedere ochtend en avond de gebeden lezen. Daartoe moesten er tweemaal per dag minstens tien mannen in het rouwhuis komen.

Itsik was direct na de begrafenis teruggereisd naar zijn vrouw en kind. Jifrach was nog geen bar-mitsvah en dus te jong om meegeteld te worden.

Maar Jannai en Shai stonden de hele week voor dag en dauw op om naar het huis van hun oom te gaan. Consuela Baghdádi, die zich nooit helemaal verzoend had met het feit dat Nathan en Jardena een kind hadden geadopteerd, verklaarde aan het eind van de rouwweek ten overstaan van de gehele familie: 'Shai is mijn kleinzoon. Door zijn gedrag heeft hij het bewezen.'

De vijftienjarige Shai zei geen woord, maar zijn gezicht stond op Victorie met een grote V.

In het jodendom gaat het leven voor de dood. Ondanks de rouwperiode waarin de familie verkeerde, gingen dus de bar-mitsvahceremonie van Jifrach en het huwelijk van Vered gewoon door.

Consuela kreeg een paar dagen vrij van het leger, en Pnina kreeg van tante Mies een retourtje Israël en werd voor een maand weer de oude Perla.

Consuela zeemde de ruiten, en Perla naaide haar zusters bruidsjurk. Om ruimte te maken voor de vele gasten lichtten Nathan en Shai, die inmiddels een boom van een kerel was geworden, de deuren uit hun scharnieren.

In de week dat Jifrach volgens de Joodse jaartelling dertien werd, las hij in de liberale synagoge de passage over Balak, en werd de gelijknamige tekenfilm meerdere malen thuis vertoond. Er kwamen veel vrienden om hem te feliciteren. Jammer genoeg kon Dobbele Goldberg, die altijd met de familie in contact was gebleven, de feestelijkheden wegens de gezondheid van zijn vrouw niet bijwonen. Maar Dobbele zou Dobbele niet zijn geweest als hij zijn geadopteerde kleinzoon niet uitnodigde om na de bruiloft van zijn zusje naar Amerika te komen. Hij stelde hem een vorstelijke zomer in het vooruitzicht.

Al hadden Ehuds ouders graag een grote bruiloft in een deftige zaal gehad, bruid en bruidegom hoefden niet overreed te worden om in dezelfde huiskamer te trouwen waar in 1957 Nathan en Jardena onder de choepah hadden gestaan. Dat er niet zoveel ruimte was als in een zaal, was geen bezwaar. Er zou immers, vanwege de rouw, toch niet worden gedanst.

De vrouw van de overleden oom en haar dochters bakten taarten voor meer dan honderd gasten. Alle broers en zusjes hielpen met het versieren van het huis.

Toen Vered en Ehud met hun tot tranen geroerde ouders onder het baldakijn stonden, en de rabbijn het huwelijksverdrag voorlas, begon de kleine Noach te huilen. Noëlly, die pal achter de rabbijn stond, deed ongegeneerd haar bloes omhoog en gaf haar zoon de borst. De bruidegom trapte het in papier gewikkelde glas kapot ter herinnering aan de verwoesting van de tempel, alle gasten juichten en Simcha bekogelde het bruidspaar met handen vol rijst als symbool van de hun toegewenste vruchtbaarheid. Jifrach stond op een stoel en maakte foto's met het toestelletje dat hij voor zijn bar-mitsvah had gekregen. Op één ervan kon je de korrels rijst op de hoed van de rabbijn tellen, op een andere zag je de tranen in Consuela's ogen.

Er werd dan wel niet gedanst, maar de leden van de familie Jerushalmi zongen zelfgemaakte liedjes ter ere van het bruidspaar. En er was zelfs een optocht met draagstoelen en fakkels, die de buurtbewoners hun leven lang niet zouden vergeten. Tegen het einde van de avond zei Itsik tegen zijn vrouw: 'Als we destijds niet zo overhaast waren getrouwd, hadden wij ook zo'n feest kunnen hebben.'

'Wacht maar tot je zoon bar-mitsvah wordt,' zei Jardena.

Toen de gasten weg waren, en de bruid een foto wou laten maken met alleen de allernaaste familieleden, kon Jifrach zijn hoofd niet meer overeind houden. Hij had in zijn eentje een hele fles likeur naar binnen gewerkt. Op hoop van zegen vulde Nathan de badkuip met lekker lauw water en legde hem daar een poosje in. Vervolgens droogde hij hem stevig af en stopte hem in bed. Het hielp. Jifrach sliep al gauw als een roos en werd de volgende morgen zo fris als een hoentje wakker.

Aan het eind van de zomer trok minister-president Menachem Begin zich terug uit de politiek. Was hij gebroken door de gebeurtenissen in Libanon? En was hij de enige staatsman die eerlijk genoeg was om er zijn verantwoordelijkheid voor te erkennen? Of was het verlies van zijn vrouw, die pas gestorven was, te veel voor hem, en had hij zonder haar geen energie om door te gaan? Hij gaf geen uitleg, maar was niet van zijn besluit af te brengen. Yitshaq Shamir, een politieke vriend van Ge'ula Cohen, werd waarnemend premier.

'Die man was zelf een terrorist in de tijd van de Engelsen,' zei Nathan.

'Een guerrillastrijder bedoel je zeker,' zei Elnakam.

Consuela had de onenigheid met haar moeder tijdens de begrafenis van haar oom en de feestelijkheden voor Jifrach en Vered opgeschort, maar deed daarna weer net zo stuurs als voorheen. Ze was in Libanon gelegerd, en volgens haar zeggen was ze de enige vrouwelijke soldaat in een heel legerkamp van mannen. Gedurende een weekend dat ze in Jeruzalem doorbracht, schepte ze op over de vele keren dat ze het legerkamp zonder toestemming verliet en gezellig door het Libanese stadje Tsoer slenterde om in haar school-Arabisch met de plaatselijke bevolking te koeterwalen. Jardena, die geen idee had of haar dochter de waarheid sprak dan wel erop los fantaseerde, was dodelijk ongerust. Óf Consuela deed stoer om haar op stang te jagen, óf ze bracht haar leven ernstig in gevaar, misschien wel om haar moeder te straffen.

Nathan dacht dat het zo'n vaart niet zou lopen, maar Jardena schreef een brief naar de betreffende instanties waarin ze fel protesteerde tegen het feit dat haar dochter als enige vrouwelijke soldaat al zes maanden in Libanon gestationeerd was, en eiste dat ze onmiddellijk binnen de grenzen van het eigen land te werk zou worden gesteld. Om duidelijk te maken waar ze het over had, herhaalde ze wat Consuela haar had verteld, dat ze geregeld het legerkamp verliet om zich in Tsoer onder de plaatselijke bevolking te begeven.

Daar het legerkamp niet zonder toestemming mocht worden verlaten, moest als gevolg van haar moeders brief Consuela voor een soort krijgsraad verschijnen. Daar hield ze bij hoog en bij laag vol dat Jardena al jarenlang ontoerekenbaar was, en het grootste deel van de tijd in psychiatrische inrichtingen doorbracht. Klaarblijkelijk verdedigde ze zich zo overtuigend dat Jardena's brief als een product van pure fantasie terzijde werd gelegd, en Consuela vrijuit ging. Desalniettemin besloten de autoriteiten dat het meisje lang genoeg in Tsoer had gediend, en dat de beurt nu aan een ander was. Toen Jardena het resultaat van het onderzoek te horen kreeg, kon het haar weinig schelen dat een paar binken in uniform dachten dat ze gek was. Wat haar interesseerde was dat haar dochter geen gevaar meer liep. Dat Consuela nog bozer op haar was dan voorheen, maakte weinig uit, want wat is nu bozer dan boos?

Op 4 november, twee weken nadat Consuela uit Tsoer was weggeroepen, vond daar een verschrikkelijke tragedie plaats. Een zelfmoordenaar reed zijn vrachtwagen vol springstoffen in razende vaart het legerkamp binnen en doodde achtentwintig soldaten met wie Consuela gedurende een halfjaar had samengewerkt. Maandenlang beschuldigde ze haar moeder ervan dat ze door háár toedoen als enige van de groep de aanslag had overleefd.

In november las Jardena in de krant dat *De dief van Bagdad* in Jeruzalem zou worden vertoond. Ze was vijftien toen hij als eerste kleurenfilm in Nederland te zien was geweest, en hij baarde in die tijd zoveel opzien dat men weken van tevoren plaatsen moest bespreken. De familie Vreeland had dan ook alle tijd om zich op het komende uitje te verheugen. Toen het eindelijk zover was, reed Jan Vreeland met een volle auto naar Amsterdam, waar de pret bedorven werd door een dikke man met een pet, die meedeelde dat kinderen onder de zestien de film niet mochten zien vanwege de enorme gewelddadigheid die erin voorkwam. Zo gebeurde het dat Vera met de volwassenen naar binnen mocht, maar dat Reinie en Eva met een dubbele portie ijs in een café werden gestald. Toen ze de lekkernij op hadden, en ook nog een halfuur in de buurt van de bioscoop hadden rondgeslenterd, gingen ze kijken of de film al was afgelopen.

De dikke man met de pet was weg, dus liepen ze gewoon naar binnen, en gluurden door de kier van een gordijn naar het scherm, waar ze een jongen op een tapijtje zagen vliegen door een hemel zo stralend blauw als ze zich in hun mooiste fantasieën niet hadden kunnen voorstellen. Even later was de film uit. Jarenlang dacht Reinie nog aan die prachtige blauwe hemel. Jarenlang hoopte ze nog eens de hele *Dief van Bagdad* te kunnen zien, en nu, in 1983, kwam hij uit zichzelf naar haar toe.

De voorstelling zou om drie uur 's middags beginnen. Jannai had zijn eigen programma, en Shai en Jifrach waren nog geen zestien. Jardena dacht niet dat deze leeftijdsgrens ook in Israël werd aangehouden, maar ze wou haar kinderen niet willens en wetens aan gewelddadige taferelen blootstellen.

Hoewel drie uur 's middags voor een moeder niet een voor de hand liggende tijd is om in haar eentje naar de bioscoop te gaan, kon ze toch niet nalaten de film met de prachtige blauwe hemel eindelijk te gaan zien.

Het regende pijpenstelen, en paraplu's kan men in Jeruzalem niet gebruiken vanwege de krachtige wind waarmee de regen meestal gepaard gaat. Drijfnat kwam ze bij de bioscoop aan. Ze had niet gedacht dat veel mensen in zulk weer naar een oude film zouden gaan, maar ze had zich vergist. Een lange rij druipnatte moeders en kinderen stond voor de kassa te wachten. Kwamen die allemaal voor *De dief van Bagdad*? Jardena vroeg een paar moeders of ze wel wisten dat de film zeer gewelddadig was, maar de moeders lachten en zeiden: 'Ja hoor, dat vinden de kinderen juist mooi.'

Toen Jardena in haar natte plunje eindelijk aan de beurt was, zei de verkoper: 'Ik heb nog maar twee plaatsen. Die geef ik niet aan een volwassene die in zijn eentje komt. Gaat u even opzij, alstublieft. Achter u staat een moeder met een kleuter. Alstublieft mevrouw, de laatste twee plaatsen zijn voor u. Veel plezier met de kleine.'

Jardena ging onverrichter zake naar huis.

In december werd *De dief van Bagdad* opnieuw in Jeruzalem vertoond. Jardena was snipverkouden maar vastbesloten zich de film deze keer niet te laten ontzeggen. Wat ze nodig had was een kind dat met haar mee kon gaan. Aangezien haar eigen zoons haar na het vorige debacle hadden meegedeeld dat ze *A Clockwork Orange* kinderspel vonden, nodigde ze een achtjarig buurjongetje uit om met haar mee te gaan.

Het werd een grote teleurstelling. Het kind vond het maar een tam verhaal, en Jardena had intussen in haar leven zoveel prachtige films gezien, die gemaakt waren met zulke superieure technieken, dat de blauwe technicolorhemel aan het einde van *De dief van Bagdad* haar verre van stralend voorkwam.

Maar ze had wel wat anders te doen dan om een oude film kniezen. Ze volgde nog steeds een literatuurcursus op de Hebreeuwse Universiteit, en moest nodig verder lezen in het boek dat op dat moment werd behandeld: *Sons and Lovers* van D.H. Lawrence. Erg veel verder kwam ze die avond niet want ze verging van de hoofdpijn. De volgende ochtend werd ze wakker met hoge koorts. De druk in haar hoofd was zo hevig dat ze zelfs met gesloten ogen niet tot rust kon komen. Een brandende stad, bommenwerpers, elkaar verscheurende monsters vlogen langs haar oogleden.

Nathan was in Frankrijk om een tentoonstelling voor te bereiden, maar Simcha haalde de dokter. Gealarmeerd door haar gezwollen, rode gezicht, dacht hij dat ze misschien de mazelen had, en stuurde haar naar het ziekenhuis. Het ultraorthodoxe Bikoer-Cholim was aan de beurt voor spoedgevallen. Daar luidde de diagnose erysipelas.

Het eerste wat de verpleegster vroeg was: 'Bent u allergisch voor penicilline?'

'Niet dat ik weet.'

'Dan moeten we er maar het beste van hopen. Anders bent u zo dadelijk dood. Maar als u ertegen kunt, hoeft u niet bang te zijn. Dan bent u over een paar dagen kerngezond.'

Alle zalen van het ziekenhuis waren vol, dus werd er een noodbed op de gang gezet. Jardena voelde zich doodziek, maar ze had toch wel kunnen slapen als haar bed niet onder de kamer van de dienstdoende arts had gestaan, en als assistenten en verpleegsters niet onophoudelijk de houten trap op en af waren gerend.

Erger nog was dat er onder de trap een extra wc was gebouwd. Het was een klein hokje voor mannen zowel als vrouwen. Aangezien het slot van de deur kapot was, gebeurde het geregeld dat iemand hem opende en een ander 'bezet' schreeuwde. Een jongetje met een enorm verband om zijn hoofd kwam ieder halfuur met zijn vader langs om te plassen. Elke keer vroeg hij aan Jardena: 'Waarom ben je zo lelijk?'

De vader hield zijn hoofd angstvallig van Jardena afgewend, en dat deden ook alle andere mensen die onderhevig waren aan de wetten van de natuur. De enige die geen afschuw van het monster in het noodbed toonde, was een oude Arabische vrouw die door haar echtgenoot per rolstoel naar de wc werd gebracht. Maar die was dan ook blind.

Als er iets was wat Jardena tijdens haar verblijf in dat ziekenhuis leerde, was het dat lelijk zijn een van de ergste dingen is die een mens kan overkomen.

Hoewel het Shabbat was, en de directie van het ziekenhuis strikt orthodox, blèrde de televisie dag en nacht boven Jardena's hoofd. Waarschijnlijk had iemand vergeten hem uit te zetten voor het ingaan van de Shabbat. In dat geval zat er niets anders op dan hem rustig te laten blèren tot na het uitgaan van de Shabbat. Het gebod was immers niet gericht tegen geluid, maar tegen het aan- en uitdraaien van elektrische apparaten. Daar kon zelfs de rabbijn niets aan doen. Hij las met luide stem psalmen voor, of de zieken daar nu van gediend waren of niet.

Zo lag Jardena met veertig graden koorts en een vertrokken gezicht tussen een loeiende televisie en een orerende rabbijn. Links en rechts brandden lampen maar die werden gelukkig klokslag middernacht door een shabbesgoy uitgedraaid. Helaas diende zich vijf minuten later een spoedgeval aan en ging het licht weer net zo vlot aan. Een oude Jemeniet, zo verkrampt dat hij niet plat op de brancard kon liggen, werd naar binnen gebracht. Hij werd vergezeld door een tiental familieleden in traditionele kleding, en gedragen door twee reuzen in T-shirt, die tegen de verpleegster schreeuwden dat ze betaald wilden worden voor hun diensten, en dat het extra duur was vanwege de Shabbat. En de verpleegster maar terugschreeuwen dat het inderdaad Shabbat was, en dat ze daarom niet met geld mocht omgaan, en waar was nu toch de shabbesgoy?

Na twee dagen zag Jardena's gezicht eruit als een rood spiegelei, aan de buitenranden glad en blank, in het midden donker glimmend en gezwollen. Van lieverlee werd het rood van het ei kleiner en het wit groter, totdat ze er na een week uitzag als een clown met een feestneus op. Ze voelde zich nu weer goed genoeg om te lezen, en vroeg aan Simcha, die thuis de zaak draaiende hield, maar die haar ook iedere dag kwam opzoeken, om *Sons and Lovers* te brengen. Nauwelijks had ze de draad van het verhaal weer opgevat, of de oudere broer van de hoofdpersoon stierf aan erysipelas. Arme kerel! Was er in de tijd van D.H. Lawrence maar penicilline geweest!

1984

Verre van mooi werd Jardena uit het ziekenhuis ontslagen.

'Vered is zwanger,' schreef ze aan tante Mies. 'Ze vraagt of ik naar haar toe kan komen voor de geboorte van het kind, maar ik voel me nog te ziek om een beslissing te nemen.'

Per kerende post antwoordde tante Mies: 'Kom naar Nederland, dan zorgen we dat je eerst weer helemaal de oude wordt, en dan ga je van hier uit naar Kenia. Ik betaal alles.'

Half maart vloog Jardena naar Nederland, waar ze bij Perla en Meron logeerde, en afwisselend bezoekjes aflegde bij tante Roos en tante Mies.

Tante Roos, die in haar jeugd de zionistische congressen in Basel had bijgewoond, en Hebreeuws had onderwezen aan de leden van de Nederlandse Zionistenbond, was vast van plan geweest na haar studie farmacie op aliyah te gaan. Maar toen haar vrolijke jongere zusje met Jan Vreeland was getrouwd, had Roos, een vrouw met een enorm verantwoordelijkheidsbesef, het als haar plicht beschouwd om voor haar ouders te blijven zorgen. Toen Reinie's grootmoeder op hoge leeftijd was gestorven, was het voor tante Roos te laat om haar droom nog te verwezenlijken. Ze woonde nu in een tehuis voor ouden van dagen, en beschouwde Reinie een beetje als haar plaatsvervangster.

Jan, Nora, Kee en Jennekie Vreeland waren overleden. Tante Mies woonde nu helemaal alleen in het grote huis in Amersfoort, waar ze avond aan avond haar kasboek bijhield.

Reinie moest daarom lachen. Op een keer vroeg ze: 'Wat zit je toch altijd je geld te tellen, tante Mies. Ben je bang een cent te veel uit te geven?'

Tante Mies legde haar potlood neer en ging er eens makkelijk bij zitten. 'Niet een cent te veel maar een cent te weinig. Zoals je wel weet, leef ik al jaren van mijn rente. Ik kan er zelfs prima van rondkomen. Maar zoals je misschien niet weet, mag ik volgens de Nederlandse wet mijn erfgenamen wel zo nu en dan wat cadeau doen, maar niet meer dan tot een bepaald bedrag per jaar. Althans niet zonder dat ze er belasting over hoeven te betalen. Anders zou ik, om zo te zeggen, de hele erfenis nog voor mijn dood kunnen verdelen, en dan zou de Nederlandse staat geen successierechten krijgen. Om jullie niet meer te geven dan ik mag, en niet minder dan ik kan, kijk ik iedere maand nauwkeurig na hoeveel ik nog ter beschikking heb. Heb ik bijvoorbeeld in januari voor Vera een wasmachine gekocht, en tegelijk ook voor Eva een naaimachine, dan doe ik in februari een beetje rustig aan, zodat ik in maart mijn Israëlische nichtje naar Kenia kan laten reizen. Ben ik daardoor weer ietsje over de schreef gegaan, dan pas ik in april weer op.

Ik wil jullie graag zo veel mogelijk verwennen zonder mijn kapitaal aan te tasten. Dat krijgen jullie na mijn dood. Of als jullie dat liever willen, geef ik op mijn honderdste verjaardag zo'n geweldig feest dat we het tot de laatste cent opmaken.'

Het was de laatste keer dat Reinie haar tante stilletjes had uitgelachen.

In Nairobi stond Vered aan het vliegveld. 'Wat ben ik blij dat je er bent,' riep ze al uit de verte. 'Gisteren dacht ik dat het zover was, maar de dokter zei: "Hou nog even binnen, kind. Je moeder kan zo vlug niet vliegen."'

Inderdaad leek het of Vered op de komst van haar moeder had gewacht. Nog dezelfde nacht reed Ehud zijn vrouw en schoonmoeder naar het ruime, comfortabele ziekenhuis, waar ze een eigen kamer kregen met een goed bed voor Vered en twee uitmuntende stoelen voor haar begeleiders. Tegen de ochtend volgden de weeën elkaar snel op. 'Geef me iets tegen de pijn,' klaagde Vered toen de verpleegster haar onderzocht.

'Een paar uur geleden zou ik je een injectie hebben gegeven als je erom had gevraagd, maar nu vind ik het te laat. Je kind wordt zo geboren, en je wilt toch niet dat het suf ter wereld komt?'

Een pikzwarte jongeling in spierwit uniform bracht het ontbijt.

'Niet voor mij,' steunde Vered.

'Zet maar neer,' zei Ehud. 'Wij weten er wel raad mee.'

Nauwelijks had hij dat gezegd of daar was dokter Bin-Nun. Ze hebben hier ook werkelijk alles, dacht Jardena verbaasd. Zelfs een Joodse arts. Nathan zou vast gezegd hebben: 'Jardena weet weer eens iets zeker.' En inderdaad, ze wist het zeker. Het was een combinatie van uiterlijk, naam, manier van kijken, manier van bewegen.

Hardop zei ze: 'Ik ben Vereds moeder. Mag ik bij de geboorte aanwezig zijn?'

'Vanzelf, mevrouw. We hebben speciaal op u gewacht. En hoe gaat het met onze Vered. Vind je het goed als ik even kijk? Hm. Dat schiet aardig op.'

Twee broeders reden Vered naar de verloskamer. Jardena en Ehud liepen mee door de lange lege gang. Je zou waarempel denken dat er in het hele gebouw geen andere patiënten waren.

En daar was de arts ook alweer.

'Zullen we even helpen?' Zonder op antwoord te wachten duwde hij een vinger bij Vered naar binnen. Onmiddellijk begon het vruchtwater te vloeien.

'Wat een vrolijke jurken dragen die verpleegsters onder hun witte schorten', dwong Jardena zichzelf te denken, omdat ze anders van ontroering in tranen zou uitbarsten. 'Maar het mooiste in dit ziekenhuis zijn de gezichten. Behalve de blanke hoofdverpleegster glimlacht iedereen de hele tijd.'

Iedereen sprak Jardena aan met 'Mama'. Door hun hele houding gaven ze te kennen dat haar alle eer toekwam omdat zij het was die vijfentwintig jaar geleden onder geheel andere omstandigheden toch dezelfde pijn had geleden, dezelfde moeite had gedaan, hetzelfde geluk had gekend bij het ter wereld brengen van die andere heldin van de dag: haar dochter Vered.

'Iets harder persen, Vered,' zei de dokter. 'Je baby heeft z'n best gedaan. Nu is het jouw beurt. Bij de volgende wee geef je een duw van jewelste. Daar komt 'ie ... Zet 'm op.'

Vereds gezicht werd zo rood als de bougainvilles die door de ramen gluurden. Zou het lukken? De dokter maakte een klein sneetje. En o wonder, daar was het hoofd. Het hoofd schreeuwde. Het hoofd van de baby gaf een machtig geluid nog voordat het lichaam geboren was. 'Kijk, Vered, kijk naar het schreeuwende hoofd van je kind.' Twee verpleegsters ondersteunden Vered zodat ze kon zien hoe het lichaampje, rood en nat, uit haar te voorschijn gleed. Naast haar bed stonden haar man en haar moeder elkaar te omhelzen. Beiden lieten hun tranen de vrije loop.

Toen ook de placenta eruit was, legde de verpleegster de baby op Vereds buik, en vroeg zachtjes aan Jardena om haar dochter af te leiden terwijl de arts vlug een hechtinkje aanbracht. Twintig minuten later lagen moeder en kind in een fris bed in een zonnige kamer. Vered legde haar zoon aan de borst alsof ze nooit anders had gedaan.

Zo kan het dus ook, dacht Jardena.

De kleine Joodse gemeenschap in Nairobi had geen eigen moheel. Als een ambtenaar van de Israëlische ambassade verblijd werd met de geboorte van een zoon, liet de ambassadeur op kosten van de staat een moheel uit Israël overkomen, maar privémaatschappijen boden hun employees die luxe niet. Dokter Bin-Nun kon of wou de kleine Dror niet besnijden. De voorzitter van de Joodse Gemeente kende een Indiër die als Mohammedaan gewend was de ingreep op dertienjarigen te verrichten. Vered zat op een bankje in de gang van het ziekenhuis te huilen. Jardena kon niet nalaten door een kiertje van de deur te gluren. Het kind lag met gespreide armen op een plankje gebonden, een mini-Jezus aan het kruis. Zijn hoofd werd vastgehouden door een struise zwarte verpleegster, wier gouden kruis aan een ketting boven het slachtoffer bungelde. Aangezien de moheel geen Jood was, overhandigde de voorzitter van de Joodse Gemeente het mes aan de jonge vader, die het lang genoeg moest vasthouden om God te laten geloven dat hij zijn eigen zoon ging besnijden. Direct daarna zou de Mohammedaan het mes overnemen en de daad verrichten, terwijl de voorzitter de geëigende zegen uitsprak. Nog vóór het zover was, viel Ehud flauw. Net op tijd griste de Mohammedaan het mes uit zijn hand, waarna hij zonder moeite en geheel volgens de Joodse regelen der kunst de besnijdenis verrichtte. Thuisgekomen ontvingen de jonge ouders hun vrienden, onder wie een aantal Israëlische Arabieren met wie ze in hun eigen land nooit zo intiem zouden zijn geworden.

Een week na de besnijdenis vertrok het gezin naar Nakuru, waar Vereds man opzichter was bij de wegenbouw. Hoewel Vered en haar moeder niet veel te doen hadden, en vanwege de hitte ook geen lange wandelingen konden maken, was het hun morele plicht om er ten minste één bediende op na te houden. Zulke meisjes of vrouwen verdienden niet alleen een bescheiden salaris waar ze hun ouders mee konden helpen of hun kinderen van konden voeden, maar kregen ook een maaltijd per dag. Bovendien mochten ze na het werk televisie kijken of hun vriendinnen uitnodigen, zodat die konden meegenieten van de airconditioning in het huis van de werkgever. Zo waren de ongeschreven wetten van het land, en zolang de blanken zich daaraan hielden, waren de zwarten tevreden.

De baby huilde veel, en op een middag was Vered zo afgepeigerd dat Jardena haar aanraadde propjes watten in haar oren te doen en naar bed te gaan. 'Laat de kleine maar aan mij over,' zei ze. En tegen het dienstmeisje zei ze: 'Ga jij maar televisie kijken, jij hebt mijn kleinzoon nu wel genoeg vertroeteld. Nu wil ik weleens een beurt.'

Maar hoe ze ook probeerde de baby stil te krijgen, niets hielp. Hij wou niet in bad, hij wou niet in bed, niet in de wagen, niet in de box, niet eens op de arm. Was het maar niet zo heet, dan kon ze hem mee naar buiten nemen.

Op zichzelf was het gekrijs geen drama, maar Jardena was bang dat de propjes watten er niet tegen bestand waren, en dat Vered niet zou kunnen slapen. Wat te doen? Ten einde raad knoopte ze haar bloesje los en legde haar kleinzoon aan de borst. Al kwam er geen melk uit, toch vond hij het fijn. Twintig minuten rechts, twintig minuten links. Een soort levende fopspeen. En het belangrijkste was: Vered sliep.

Of toch niet? Ineens stond ze in de deuropening. Haar gezicht stond op onweer. Alsof haar moeder haar iets had misdaan. Het duurde even voordat Jardena zich realiseerde dat dat misschien wel zo was. Jammer voor de baby. Jammer voor Jardena, die nooit meer een kind aan haar borst zou leggen.

Na haar bezoek aan Kenia, waar ze eindelijk de diepblauwe hemel had gezien waarvan ze sinds *De dief van Bagdad* had gedroomd, verbleef Reinie nog eens twee weken in Nederland bij Perla en Meron voordat ze naar Jeruzalem zou terugvliegen. Zo had Tante Mies het geregeld, want die gunde ook zichzelf plezier van haar geld. Erg veel opwindende dingen gebeurden er niet in haar leven, en ze genoot van de verhalen over Kenia. Op een dag ging Jardena naar het hoofdpostkantoor en zocht daar de telefoonnummers op van alle orkesten in Nederland. Ze draaide het ene nummer na het andere, en vroeg naar een cellist genaamd Robin. Bij de vijfde poging had ze beet. 'Ja zeker', was het antwoord op haar vraag, 'Robin heeft al jaren een vaste aanstelling bij het Maastrichts Symfonie Orkest.' Wilde mevrouw zijn telefoonnummer thuis? Geen probleem.

Zo eenvoudig was dat.

Het duurde nog drie dagen voordat Reinie eindelijk de moed had een telefooncel binnen te stappen. Ze had het warm. Wat zou ze doen als Robin haar stem herkende en de hoorn op de haak wierp? Na nog weer lang aarzelen draaide ze het nummer. Een vriendelijke stem zei iets wat ze in haar zenuwen niet verstond. Ze moest slikken voordat ze eindelijk kon uitbrengen: 'Kan ik met Robin spreken?'

'Ja hoor. Hier komt 'ie.'

'Robin?'

In Maastricht heerste stilte.

In Amsterdam heerste paniek.

'Robin,' vroeg ze na een tijdje. 'Wat moet ik spreken, Nederlands of Engels.'

'As je wilt. Baide is dezelfde.'

'Maar je weet niet met wie je spreekt.'

'Natioerlijk wait ik.'

Het klonk zo bedaard en zelfverzekerd, dat Reinie er nu pas goed aan begon te twijfelen of Robin wist wie ze was. Ten slotte zei ze maar: 'Robin, hoe gaat het met je?'

Hij antwoordde: 'Waar ben je?'

'In Amsterdam. Ik snak ernaar je te zien.' Ai. Het was niet haar bedoeling geweest zich zo te laten kennen.

'Wil je naar Maastricht komen?'

'Ja!'

'Wanneer?'

'Wanneer?' Nu! wilde ze uitroepen, maar ze hield zich in. Robin moest niet denken dat ze niets anders te doen had dan de eerste trein nemen en hem in de armen vliegen. Ze dacht even na.

'Maandag,' zei ze.

'Fantastic! Ik ken nauwelijks op wachten. Bel me sunday. Zeg me met welke train je komt, dan haal ik je van de station af.'

Het was gebeurd. Ze had gedaan wat ze al die jaren had willen doen, en het was helemaal niet moeilijk geweest.

Op de bewuste maandag was ze vroeg wakker. Haar ogen waren gezwollen van het huilen. Ze kon zich niet herinneren dat iemand haar ooit zo agressief had toegesproken, behalve misschien Robin, maar zeker niet een van haar eigen kinderen. Perla, van wie ze blijkbaar al die jaren nooit iets had begrepen, en die haar moeder zeker niet beter had begrepen, was de vorige avond als een furie tekeergegaan, niet omdat Reinie indertijd verliefd was geworden op een man die niet Perla's vader was, maar omdat ze haar gevoelens toen niet had weten te verbergen. Toch waren moeder en dochter uiteindelijk in slaap gevallen, anders had de wekker ze niet kunnen wekken. Reinie waste haar gezicht met veel koud water en keek in de spiegel. Mooi was ze niet, maar, sprak ze zichzelf streng toe: ze ging niet naar Maastricht om op te scheppen over haar schoonheid. Ze ging erheen om te horen en te zien hoe het met Robin ging. Perla bracht haar naar het station en gaf haar een reep chocola voor onderweg. Het was haar manier om te laten merken dat ze het niet zo kwaad had bedoeld.

De reis duurde drie uur. Zo nu en dan ging Reinie naar het onhandige kleine wc-hokje om haar gezicht met koud water te betten. Vreemd, zo kalm als ze was. Pas toen de trein Maastricht binnenrolde, begon haar hart wild te bonzen. Zou Robin op het perron staan? Zou hij haar herkennen? Stel je voor dat hij dik en kaal was geworden? Stel je voor dat zij hém niet herkende. Had ze er wel goed aan gedaan zich dit op de hals te halen? Was een mooie herinnering niet beter dan een teleurstellend weerzien? Maar de trein stond stil en ze stapte uit. En daar stond hij. Bruine ogen, grote neus, belachelijke snor, het was er allemaal. Alleen het montuur van zijn bril was anders, smaller, eleganter dan vroeger. Maar zijn houding was niet veranderd. Een beetje voorovergebogen, sullig voor een man van zijn leeftijd. En hij glimlachte. Reinie haalde diep adem.

'Hoe gaat het?' begon Robin ten slotte. 'Mooi weertje!' Was het weerzien voor hem net zo moeilijk als voor haar?

'Robin,' stamelde Reinie ten slotte. 'Is zeven jaar een lange tijd?'

'Tja ...,' weifelde hij. 'Voor mij was het heel long. Maar voor jou?'

Plotseling vielen ze elkaar in de armen, de grootmoeder met de grijze haren en de gezwollen ogen, en de nu toch ook niet meer zo jonge man met de nieuwe bril en de sullige houding. Zeven jaren waren uitgewist.

Hand in hand liepen ze naar Robins huis. Alsof vroeger nu was en Maastricht Jeruzalem. En in zijn huis wachtten Robins vrouw en zoon met koffie en taart op de gast.

Het ging goed met Robin. Robin was gelukkig. En was dat niet wat ze altijd had gewild?

Bij haar terugkeer in Jeruzalem viel Jardena meteen weer in het volle leven. Iedereen praatte over het schandaal van autobus 300.

'Waar hebben jullie het toch over?' vroeg ze aan Nathan.

'Over de bus van Tel Aviv naar Askelon natuurlijk. Hebben jullie daar in Kenia dan niets van gehoord? Luisteren Ehud en Vered niet naar de Israëlische radio? Nou ja, hoe dan ook, vier terroristen hebben de chauffeur van bus 300 gedwongen om naar de Gazastrook te rijden, maar voor hij daar aankwam, openden onze soldaten het vuur. Bij de eerste schoten waren meteen twee terroristen en een passagier dood. Twee andere terroristen, die achter in de bus hadden gestaan, konden worden overmeesterd. Ze werden aan de geheime dienst overgeleverd om te worden ondervraagd.'

'Maar wat is dan het schandaal?'

'Het schandaal is dat die twee terroristen, van wie men op foto's kan zien dat ze springlevend waren toen ze gevangen werden genomen, een paar dagen later ineens dood bleken te zijn.'

'Nou, dan zijn ze dus blijkbaar na het onderzoek doodgeschoten. Hun verdiende loon toch zeker? Die mensen waren nota bene zelf potentiële moordenaars. Is dat niet een veel groter schandaal?'

'Je weet niet wat je zegt. We leven in een rechtsstaat. Ook al waren die terroristen moordenaars, dan nog mogen hun ondervragers ze niet zomaar doden. Ze hadden berecht moeten worden. Bovendien hebben we in Israël geen doodstraf.'

'Ik kan om die twee moordenaars niet rouwen. Denk liever aan de passagier van wie ze de dood op hun geweten hebben.'

'Je haalt alles door mekaar. Als we ons erop willen beroepen dat we een rechtsstaat zijn, en zelfs de enige in het Midden-Oosten, dan moeten we niet de verwerpelijke methoden van onze buren imiteren. Anders zie ik niet wat we in dit werelddeel te zoeken hebben.'

'Te zoeken hebben? Je bent hier nota bene zelf geboren.'

'Maar jij niet. Jij bent hier kennelijk iets komen zoeken. Het beloofde land of Herzls utopische Oud-Nieuwland.'

Jardena gaf zich niet gewonnen. 'Als ze in Iran een potentiële moordenaar hadden gepakt, dan had je eens wat meegemaakt. Of in Irak. Daar was hij midden op de markt aan de galg gehangen. Of in mootjes gehakt. Of gestenigd. En het hele volk had zich een aap gelachen. Maar als in Israël twee terroristen zonder proces om zeep worden geholpen, beschuldigen we onszelf ten overstaan van de hele wereld. We lijken wel gek.'

Ook Nathan hield voet bij stuk. 'Dat is de prijs die we moeten betalen voor het recht van terugkeer.'

Jardena moest en zou het laatste woord hebben: 'Goed dan, maar wat die twee terroristen betreft, opgeruimd staat netjes.'

Het ene schandaal was nog niet geluwd of het volgende stak de kop op. Joodse terroristen! Door de eigen geheime dienst ontmaskerd. Elnakam was woedend, niet op de terroristen maar op de geheime dienst. 'Met gelijke munt betalen,' zei hij trots. 'Dat is de enige taal die de Arabieren verstaan.'

'Hé,' riep Jifrach, toen hij de foto's van de gevangen terroristen in de krant zag. 'Dat is de vader van Joram. Joram zegt altijd: "Niet naar boven gaan. Vader verbergt zijn wapens in de slaapkamer." Ik dacht dat het een grap was.'

De vader van Joram kreeg vijf jaar gevangenisstraf, en de leider van de groep kreeg levenslang.

'Noem één Arabisch land waar ze hun eigen terroristen berechten!' zei Jardena uitdagend tegen Nathan.

De verkiezingen werden een jaar vervroegd. Misschien hoopte minstens de helft van de bevolking dat de Arbeiderspartij eindelijk weer aan het bewind zou komen, en dat Peres eens en voor altijd een eind zou maken aan de onverkwikkelijke oorlog in Libanon, maar als dat al zo was, bleven te veel van hen thuis, want toen de uitslag bekend werd, bleek dat een combinatie van de Likud en de drie kleine religieuze partijen meer zetels had weten te bemachtigen dan de Arbeiderspartij en dat het er dik in zat dat de felrechtse Shamir nu een volle kabinetsperiode aan de macht zou zijn.

'Had ik maar mogen stemmen,' verzuchtte Jardena.

'Ja hoor, je hebt gelijk,' zei Nathan terwijl hij zijn vrouw hartelijk omhelsde. 'Als ze het mij vragen, zeg ik: één stem van Jardena is wel drie zetels waard.'

Het lukte Shamir echter niet om een kabinet samen te stellen, en na eindeloos getob en geflirt met allerlei partijen, brachten Shamir en Peres gezamenlijk een gedrocht ter wereld. Het heette Rotatie. De eerste twee jaren zou Peres premier zijn en Shamir minister van Buitenlandse Zaken, de volgende twee jaren zou het andersom zijn. Gedurende de hele periode zouden er evenveel linkse als rechtse ministers in de regering zijn. Deze keer was het Nathan die verzuchtte: 'Had Peres die drie zetels van Jardena er maar bij gehad.'

Jannai zat in de voorlaatste klas van de middelbare school, en had een toneelstuk geschreven dat hij als vervroegd eindexamenproject wou produceren en regisseren met als acteurs twaalf jongens en meisjes uit zijn klas. Hij had Noëlly gestrikt om kostuums te naaien. Dat kon omdat het jonge gezin Jerushalmi tijdens Jardena's afwezigheid weer eens was verhuisd, en nu in een caravan woonde op een kampeerterrein in Beth-Zayit, even buiten Jeruzalem.

Of ze het in het hoge noorden te onrustig hadden gevonden met de eeuwige vrees voor raketten, of dat Itsik toch eigenlijk niet goed zonder zijn familie kon, daar werd wijselijk niet naar gevraagd. Het belangrijkste was dat hij als manusje-van-alles zijn gezin wist te onderhouden.

Als kind al had Jannai 's nachts urenlang door het huis gedwaald, of het licht aangedaan om te schrijven of te tekenen, waardoor hij overdag vaak omviel van de slaap. Het was dan ook niet zozeer uit verwennerij, als wel vanwege het nachtbraken dat zijn ouders hem een eigen kamer hadden toegewezen. Jaren geleden had Jardena een keer gevraagd: 'Jannai, waarom slaap je 's nachts niet?'

'Omdat ik alles wat belangrijk is, moet doen en zeggen voordat ik in het leger ga ... ik bedoel ... je begrijpt wat ik bedoel ...'

Zijn moeder begreep wat hij bedoelde, maar probeerde het te verdringen.

Intussen had Jannai zijn eerste oproep voor de militaire dienst ontvangen, en het toneelstuk was op zijn onheilsgevoelens geïnspireerd. Eind juni kwam het op de planken in een buurthuis.

De zaal was afgeladen, het publiek muisstil. De lichten gingen uit. Een dodenmars zette in. Alle ogen waren gericht op het toneel. Van achter uit de zaal kwam plechtig door het middenpad een begrafenisstoet. Koude rillingen liepen over de ruggen van de toeschouwers.

De doodkist werd op het podium gezet en het publiek kreeg een discussie te horen die uitliep op een nachtmerrie van twee denkbeeldige legers die elkaar het licht in de ogen niet gunden. Speciaal ontworpen kostuums en lichteffecten suggereerden dat in beide legers soldaten vochten die een arm of een been misten. Eén soldaat had zelfs geen hoofd. Tegen het eind van de strijd stond op een verhoging een officier met een aan flarden gescheurde vlag te zwaaien, daarbij opgewonden roepend: 'Toe maar! Ga je gang! Oorlog is dolle pret! Sla mekaar de hersens maar in!'

Toen de twee legers elkaar tot de laatste man hadden afgeslacht, kwam de officier bij zinnen en riep geschrokken en ongelovig uit: 'Waar zijn jullie allemaal gebleven? Hé, is er niemand meer over?'

Daarna ging ook hij op de grond liggen. De boodschap was duidelijk.

De zaal was met stomheid geslagen. Het duurde lang voordat iemand een geluid durfde te maken. Toen het applaus eindelijk losbarstte was er geen houden meer aan. Maar het stuk was nog niet afgelopen. Jannai, die voor dood op het toneel had gelegen, kwam langzaam overeind. Zichtbaar ontroerd stak hij zijn hand op om stilte te vragen en de laatste regels van de tekst uit te spreken: 'De gesneuvelden zijn ...', waarna hij plechtig en duidelijk de namen noemde van de andere medespelers, allen jongens en meisjes die onlangs hun eerste oproep voor de militaire dienst hadden gekregen. Bij het horen van hun namen stonden de spelers één voor één op om ernstig te buigen. Het publiek was doodstil. Pas toen Jannai het opsommen van gevallenen had afgesloten met de woorden: 'en ik, Jannai Jerushalmi', barstte er opnieuw een oorverdovend applaus los.

De vertegenwoordiger van het ministerie van Onderwijs, die als gecommitteerde het stuk moest beoordelen, kwam naar de kleedkamer om de jongens en meisjes te feliciteren. Jardena liep vlak achter hem aan.

'Ik ben diep onder de indruk,' zei de gecommitteerde. Een tien is te weinig. Ik geef je een elf.'

Maar Jannai hoorde het niet. Hij was flauwgevallen in de armen van een van zijn vrienden.

Na de grote vakantie werd het stuk nog een paar maal uitgevoerd. Alle kranten schreven erover. Uitnodigingen stroomden binnen om er overal in het land mee op te treden. De ouders spraken hun veto uit. De spelers zaten voor hun eindexamen en er moest hard worden aangepakt, maar vooral was het té erg om de kinderen avond aan avond te laten sneuvelen.

Zoals gewoonlijk ging Jardena op Grote Verzoendag naar de synagoge van de liberale gemeente, en deze keer ging Nathan met haar mee. De dienst kabbelde voort en ze begon zich een beetje te vervelen. Natuurlijk dwong niemand haar om deze of enige andere dienst bij te wonen. Ze deed het uit eigen vrije wil, zoals ze ook uit eigen vrije wil op aliyah was gegaan, en zich niet door Arnon had laten terugsturen. Omdat ze zich nu eenmaal meer identificeerde met haar Joodse kant dan met haar niet-Joodse kant, en omdat ze hoopte, door te werken aan de opbouw van een Joodse staat waarin Jodenvervolging ondenkbaar zou zijn, een heel klein beetje bij te dragen aan het opvullen van de bodemloze put ontstaan door de dood van de zes miljoen slachtoffers van de holocaust.

Zoals het hoort had ze in de afgelopen dagen haar schulden afbetaald, geleende boeken teruggegeven, onenigheden bijgelegd, en afgelegde beloftes zo goed mogelijk vervuld. Al leefde ze niet volgens de religieuze wetten, ze hield zich wel aan de gebruiken, en probeerde de Joodse waarden aan haar kinderen door te geven. Ze vastte op Grote Verzoendag, net als haar voorouders eeuwenlang hadden gedaan. En ze kleedde zich in het wit ook. Dat sommigen van haar kinderen daar dwars tegenin gingen, zou wel aan de leeftijd liggen. Ze zei er niets van. Maar ze had zich wel geërgerd, die ochtend, toen ze Jannai met een dikke boterham met kaas door het huis had zien lopen. En schone kleren wou hij ook niet aantrekken. Natuurlijk hoefden Jardena's kinderen niet te bewijzen dat ze Joden waren. Zíj hadden geen vertaling nodig om de gebeden te begrijpen. Zíj hadden alle tijd om de ondertitels op de televisie te lezen, terwijl voor háár de woorden altijd te vlug van het scherm verdwenen.

Jammer dat ze even niet had opgelet. Nu had ze het begin van de preek gemist. 'Bovenal,' zei Schalom Ben-Chorin, 'is dit de dag dat wij onze vijanden moeten vergeven. Maar soms is het onmogelijk te vergeven. Al willen we nog zo graag in Gods gunst komen, toch zijn er gevallen dat we het gebod om zelf te vergeven niet kunnen naleven. Ik wil de gemeente een brief voorlezen die ik een paar dagen geleden uit Duitsland kreeg. Hij is geschreven door een man die zich alleen bekendmaakt als iemand die gedurende de Tweede Wereldoorlog in de wehrmacht heeft gediend. 'Ik was vijfentwintig, toen ik naar het Russische front werd gestuurd,' schrijft deze anonieme Duitser. 'Op een dag zag ik in de buurt van ons legerkamp een vreemdeling lopen. Wie bent u? vroeg ik. Hij antwoordde: ik ben een Jood. Jood, riep ik, vlucht zo snel u kunt. Weet u niet wat hier allemaal gaande is? Voordat de Jood ervandoor kon gaan, werd hij door twee van mijn medesoldaten gegrepen. Ze brachten hem naar ons kamp en vertelden mijn officier dat ik geprobeerd had hem te redden. Voor straf werd mij opgedragen de Jood eigenhandig dood te schieten. Ik kon het niet. Hij of jij, zei de officier, maar ik geef je nog één kans. Als je twaalf vrijwilligers kunt vinden die bereid zijn hem op jouw bevel dood te schieten, kun je daarmee je eigen leven redden. Ik ging naar de kantine en vond met gemak meer mannen dan ik nodig had. Met twaalf vrijwilligers en mijn gevangene ging ik naar het bos, en hoopte vurig dat hij zou weten te ontsnappen. Maar dat was blijkbaar te veel gevraagd, zelfs van de God van de Joden. De vrijwilligers groeven een kuil. Ik beval de Jood erin te gaan. Hij was tweeëntwintig jaar oud. Jood, riep ik, bid! Bid tot uw God. Vanaf dit moment kan alleen Hij u nog helpen. Even later hief ik mijn hand op en werd de Jood door twaalf kogels doorboord. Veertig jaren zijn voorbijgegaan, en ik kan geen rust vinden. Ik reis van her naar der om één enkele Jood te vinden die bereid is mij te vergeven. Vergeefs heb ik brieven geschreven aan Joodse geleerden, theologen en kunstenaars. Nu vraag ik u, mijnheer Ben-Chorin, die bekendstaat om uw humanistische zienswijze en uw filosofische geest: kunt u mij vergeven wat ik heb gedaan?'

Schalom Ben-Chorin legde de brief op de lessenaar en zette zijn dikke bril af. Hij hief zijn armen in een gebaar van machteloosheid en keek de leden van de gemeente één voor één in de ogen. 'Wat kan ik antwoorden?' vroeg hij. 'Kan ik de man vergeven? Kan iemand hem vergeven?'

Tranen sprongen Jardena in de ogen. Tranen van medelijden met een man die veertig jaar geleden zijn leven voor een te hoge prijs had gekocht. Ze keek naar Nathan. Hij zat ook met zijn zakdoek te frummelen.

'Wat kan ik de Duitser antwoorden?' herhaalde Schalom Ben-Chorin van achter zijn lessenaar. 'Wat kan ik schrijven om hem te troosten behalve de woorden die hij zelf tegen die jonge Jood zei: "Bid. Alleen God kan je helpen."?'

Niemand sprak. Wat kon je ook zeggen?

Maar wiens stem was dat die van achter uit het zaaltje riep: 'Ik ben bereid hem te vergeven.' Het leek wel of er een wervelstorm door de synagoge woei. Alle gezichten keerden zich naar achteren. In de deuropening stond Jannai. Jannai in T-shirt en met een boterham in zijn buik.

'Wie ben jij? Wie is die jonge man?' fluisterden stemmen om Jardena en Nathan heen. 'Wie denkt hij dat hij is, dat hij durft te vergeven wat rabbijnen en filosofen, geleerden en kunstenaars niet hebben vergeven? Welk recht van spreken heeft hij? Is hij soms in een concentratiekamp geweest?'

'Wie ben jij?' riep iemand hardop.

'Ik ben een Jood,' zei Jannai. 'Ik ben een Israëliër die binnenkort in dienst gaat. En ik denk al heel lang na over de keuze tussen doden en gedood worden. Ik ben één enkele Jood die bereid is een brief te schrijven aan die Duitser en hem te zeggen, niet in naam van het Joodse volk, maar in naam van één enkele Jood, mijzelf, dat ik hem begrijp en dat ik hem vergeef.'

1985

'Zou je niet eens aan je eindexamen gaan denken?' schreeuwde Nathan. Slaan kon niet meer, daar was Jannai te groot voor, maar schreeuwen kon geen kwaad.

'Er zijn belangrijkere dingen in de wereld,' schreeuwde Jannai terug terwijl hij zijn schooltas door de kamer schopte. 'Ik kom net terug van Heichal Shlomoh.'

Simcha spitste haar oren. 'Het opperrabbinaat? Wat had je daar te zoeken?'

'Jij denkt zeker dat ik religieus ga worden. Zet maar mooi uit je hoofd. Hoe ze de zwarte Joden behandelen! Een schande is het.'

'Bedoel je de Falasha's?'

'Gebruik dat woord niet als je niet weet wat het betekent.'

'Wind je niet zo op, sukkel. Ethiopiërs dan. Wat is er verkeerd aan Falasha's?'

'Falasha's is in hun eigen taal het woord voor vreemdelingen. Duizenden jaren zijn die mensen vreemdelingen genoemd. Duizenden jaren zijn ze door hun christelijke landgenoten verschopt en verstoten.'

'Alsof het christendom al duizenden jaren bestaat. En dan zeker in Afrika. Laat me niet lachen.'

'Er waren allang zwarte Joden voordat er zwarte Christenen waren, en toch worden ze door hun eigen landgenoten vreemdelingen genoemd. En waarom? Omdat ze nog steeds op de Messias wachten, en ook vandaag vertikken te geloven dat hij tweeduizend jaar geleden al op aarde is geweest, en dat het wachten nu alleen nog maar is op zijn terugkeer. Sterker nog, honderd jaar geleden leefden ze nog in de vaste overtuiging dat zij de enige en laatste Joden ter wereld waren, de enigen die zich nog altijd letterlijk aan de wetten van Mozes hielden, ook al kenden ze geen Hebreeuws meer.

Stel je voor, toen de missie daar in de negentiende eeuw goed op gang kwam, zeiden de Christenen dat ze de komst van de Messias hadden gemist omdat ze zo afgezonderd hadden geleefd. Maar ze geloofden er niks van en bleven op zijn komst hopen, en aan Israël denken als aan hun eigenlijke vaderland, hun uiteindelijke bestemming. En nu ze eindelijk hier zijn, eisen de rabbijnen dat ze zich tot het jodendom bekeren! Ze zijn ... ze zijn ...'

'Maak je niet zo druk,' viel Simcha hem in de rede. 'Het enige wat van ze gevraagd wordt is een symbolisch gebaar. Een kleine aanpassing aan de normen van het rabbinaat. Die Falasha's ...'

'Zwarte Joden zul je bedoelen ...'

'Die zwarte Joden hebben nu eenmaal al die jaren in totale isolatie geleefd. Hun kennis van het jodendom is honderden of misschien wel duizenden jaren geleden blijven steken.'

'Hoe durf je het te zeggen. Hun jodendom is puur gebleven. Het jouwe is gedegenereerd.'

'Nou, nou, Jannai!' Jardena vond het tijd om haar zoon tot de orde te roepen. 'Het jodendom is niet Simcha's uitvinding. Als je van mening bent dat het gedegenereerd is, hoef je haar niet de schuld te geven.'

'Zij is een Jodin.'

'Jij bent een Jood.'

'Ik pas ervoor, tenzij ik een zwarte Jood kan worden.'

Jardena moest denken aan een van de Ashkenazische Joden die door haar vader van de holocaust was gered. Na de oorlog was hij zo onder de indruk gekomen van de Sefardische dienst in de Portugese synagoge in Amsterdam, dat hij zich tot Sefardische Jood had bekeerd, en door de Portugese Joden tot ere-Sefard was benoemd. Kon het nog gekker?

'Verf je gezicht zwart,' raadde ze Jannai aan. 'Ik speelde vroeger ook altijd graag voor zwarte Piet.'

Maar het was niet het moment om flauwe grappen te maken.

Simcha gooide het over een andere boeg. 'Wat de rabbijnen van de zwarte Joden vragen is toch niet zo verschrikkelijk. Denk eens aan Avital Sharansky, de vrouw van die bekende Russische refusenik. Toen zij een uitreisvisum kreeg en hij niet, besloot ze nog voor haar vertrek met hem te trouwen.'

Jannai stond te stampvoeten van ongeduld. Wat hadden de Russen nu met de zwarte Joden uit Ethiopië te maken? Maar Simcha liet zich niet van haar apropos brengen. 'Toen Avital inzag dat ze bij de Russische burgerlijke stand geen schijn van kans maakte, vond ze een rabbijn die bereid was haar en Anatoly een choepah te geven. Maar toen het eenmaal zover was, bleek dat ze niet kon bewijzen dat ze Joods is, omdat haar ouders zich nooit als zodanig hadden laten registreren. Toen heeft ze zich binnen een week symbolisch tot het jodendom bekeerd. Maakt dat haar meer of minder Joods dan ze al was?'

Jardena viel haar dochter bij. 'Alles heeft een prijs. Als je iets heel graag wilt, moet je er wat voor overhebben.'

Maar daar had Nathan iets over op te merken: 'Toen wij wilden trouwen, en die Bulgaarse rabbijn zei dat je je tot het jodendom zou moeten bekeren als je dit of dat niet kon bewijzen, was je anders ook danig overstuur.'

'Als het moest, had ik het gedaan ...'

'Niks van waar. Je peinsde er niet over ...'

''t Is dat Andries Davids ...'

'Hou op met kibbelen,' zei Simcha. 'Laat Jannai liever vertellen wat hij de hele middag bij die zwarte demonstranten heeft uitgevoerd.'

'Je hebt gelijk. Hoe kon je eigenlijk met die mensen communiceren, Jannai?'

Jannai ging eindelijk zitten. Hij zag dat zijn ouders en zuster geïnteresseerd waren. Nog steeds stonden er tranen van verontwaardiging in zijn ogen, maar het luchtte hem op om zijn verhaal te vertellen.

'Ze zitten met z'n honderden op de grond tegenover het opperrabbinaat. Oude mannen, broodmagere vrouwen en kinderen, een heel volk dat sinds jaar en dag de wetten van Mozes letterlijk naleeft. Ze doen bijna alles precies zoals wij: besnijdenis, kuisheidswetten, hygiënische wetten, wetten over wat je wel of niet mag eten ... zelfs hun priester heet Kahan, net als de Cohen uit de Torah. Alleen de *talmoed* en de latere ontwikkelingen, daar hebben ze nog nooit van gehoord. Die mensen die al duizenden jaren van terugkeer naar het beloofde land dromen, die honderden kilometers op blote voeten door de woestijn hebben gelopen, die jarenlang in vluchtelingenkampen in Soedan hebben gezeten die nu eindelijk hier zijn ... hoe kan Israël ze zo beledigen?'

Hiertegen kwam Jardena in opstand. 'Als je iets tegen de rabbijnen hebt, best, maar je hoeft niet het hele Israëlische volk over één kam te scheren. Ik heb gisteren nog in de krant gelezen hoe blij de zwarte Joden zijn dat ze eindelijk genoeg te eten krijgen. En medische verzorging, en een dak boven hun hoofd. Het zijn er tenslotte duizenden, en je moet toegeven dat de hele wereld blij is dat wij ons over ze hebben ontfermd.'

'De halve wereld,' zei Nathan. 'De Arabische landen beschuldigen ons ervan dat we de Falasha's hier hebben gebracht om de Westbank te bevolken.'

'De Arabische landen moesten zich schamen,' vond Jardena. 'Waarom doen die niet eens iets voor hun eigen broeders die al sinds 1948 in vluchtelingenkampen verkommeren? Wij zorgen voor onze geloofsgenoten, zij laten de hunnen verrekken, of moorden ze zelfs uit zoals koning Hoessein in 1970 deed met de vluchtelingen die in Jordanië in kampen zaten. Het is niet voor niets dat die afgrijselijke gebeurtenissen ieder jaar herdacht worden als Zwarte September.'

'Goed dan,' gaf Jannai toe. 'Het zijn de rabbijnen die zich gedragen alsof ze de wijsheid in pacht hebben.'

Simcha keek alsof ze het daar niet mee eens was, maar ze was niet iemand die altijd het laatste woord moest hebben.

'Duizenden zwarte Joden zijn in Israël aangekomen, maar duizenden andere zijn onderweg gestorven. Er is geen gezin dat onderweg niet een moeder of een kind heeft verloren. Die liggen begraven, ergens in de Soedanese woestijn. En jullie moesten eens weten hoeveel kinderen hier als wezen zijn aangekomen! Honderden.'

'Hebben ze dat verteld? Spreken ze dan Hebreeuws?'

'Welnee, natuurlijk niet. Dat zei ik toch al. Maar er zijn ook zwarte Joden die al jaren hier wonen. Die vertalen alles voor ons.'

'Ons?'

'Voor mij en Shai en Jifrach en alle andere mensen die met de zwarte Joden mee-demonstreren.'

'Shai en Jifrach horen op school te zijn.' Nathan kon niet laten zijn stem te verheffen.

Jannai keek zijn vader uitdagend aan. 'Shai en Jifrach weten precies wat ze horen te doen.'

Dat ging Nathan te ver. 'Je bedoelt dat jij precies weet hoe je je broers naar je hand moet zetten. Schaam je!'

Jannai stond op, gooide zijn stoel om, liep de kamer uit en smeet de deur achter zich dicht.

Nathan sloeg met zijn vuist op tafel.

Jardena slaakte een zucht.

Simcha liep haar broer achterna.

Toen Jardena en Nathan even later voor een hap frisse lucht op het balkon stonden, zagen ze hun kinderen hand in hand in de richting van het opperrabbinaat lopen. Maar bij de hoek van de straat trok Simcha haar hand terug. Ze was tenslotte een vrome jongedame, en kon zich niet permitteren gezien te worden met haar hand in die van een man, al was het haar broer.

'Hoe zou Simcha dat weten van Avital Sharansky, dat ze zich symbolisch tot het jodendom heeft moeten bekeren?' vroeg Nathan.

'Heb ik haar net gisteren verteld. Ieder pikt op wat hem na aan het hart ligt. Jij interesseert je voor de Arabieren, ik voor de refuseniks. Ik heb het idee om naar Rusland te gaan en ze daar Hebreeuws te onderwijzen nog niet uit mijn hoofd gezet.'

Nathan haalde zijn schouders op.

In maart kreeg Apollo, de witte foxterrier die sinds 1972 een volwaardig lid van het gezin Jerushalmi was geweest, een lichte hartaanval. Hij herstelde enigszins maar met zijn indrukwekkende onafhankelijkheid was het gedaan. Zijn eetlust werd minder, zijn poten werden stijf. Hij kon niet meer in zijn luie stoel springen en gaf er de voorkeur aan op een kussen naast Jardena's bed te slapen. Op een nacht hoorde ze hem zwaar ademen. Ze leidde hem zorgzaam naar zijn bak met water, waar hij dankbaar dronk. Daarna wou hij niet meer op zijn kussen gaan liggen, maar gaf op ondubbelzinnige wijze te kennen dat hij op Jardena's schoot wenste plaats te nemen. Stilletjes zat ze op de rand van het bed met de hond in haar armen. Zijn hart klopte in haar handpalm, nu eens razend vlug, dan weer onwaarschijnlijk langzaam. Na een tijdje hield het gewoon op.

Ze wikkelde het hondje in een schoon laken en legde hem in een koffertje. De volgende dag namen zij, Nathan en de vier jongens een bus die hen tot buiten Jeruzalem bracht. Daar liepen ze nog een eind het dal in en begroeven het beestje onder een boom. Ze zetten geen herkenningsteken op het graf en zouden het niet terug kunnen vinden, ook al hadden ze dat gewild.

Degene die het meest van Apollo had gehouden, en twaalf jaar lang voor hem had gezorgd was Jannai, die dan ook het meest om hem treurde. Jannai maakte ook afgezien van de dood van het hondje een moeilijke tijd door. Hij had vaak laten doorschemeren dat hij zich liever zou laten doodschieten dan dat hijzelf iemand zou doden, en zou er veel voor over hebben gehad om niet in militaire dienst te hoeven. Toch was hij niet van plan dienst te weigeren, daar hij volgens zijn eigen redenering niet kon toelaten dat anderen zich in zijn plaats aan gevaar blootstelden. Dit gold de mensheid in het algemeen, maar in 't bijzonder zijn klasgenoten, de jongens en meisjes die samen met hem van zijn toneelstuk zo'n succes hadden gemaakt. Naarmate de tijd verstreek, ging de één na de ander in dienst, en spoedig zou ook Jannai worden opgeroepen.

De enige mogelijkheid die hij kon bedenken om niet in de omstandigheid terecht te komen dat hij iemand zou moeten doden, was om aangenomen te worden bij de amusementsgroep van het leger. Ieder jaar kwam daar een klein aantal plaatsen vrij en Jannai besloot zijn geluk te beproeven. Hij haalde het tot de laatste selectie. Uit de groep die zover was gekomen, zouden drie jongens en drie meisjes worden gekozen. Op de dag dat de beslissing zou worden genomen, stond Jardena gespannen op het balkon te wachten op de thuiskomst van haar zoon. Nooit zou ze vergeten hoe hij de straat in kwam strompelen, gebroken, niet omdat hij zoveel waarde hechtte aan een carrière als entertainer, maar omdat hij zijn nachtmerrie van jaren bij klaarlichte dag op zich af zag stormen.

Omdat hij inzag dat er geen ontkomen aan was, en getrouw aan zijn mening dat hij alles wat voor hem belangrijk was, moest zeggen en doen voordat hij het leger in ging, schreef hij een tweede toneelstuk, en vroeg hij zes maanden uitstel van dienst om het te produceren.

Hij zette een advertentie voor acteurs in de krant, en kreeg reacties van jongens en meisjes van diverse scholen in Jeruzalem. Hij nam audities af en koos zijn spelers. Hij bouwde decors, ontwierp kostuums en repeteerde met de acteurs.

Nathan en Jardena, die hem zo goed mogelijk hielpen, vroegen zich af wat de tekst eigenlijk te betekenen had. Het leek allemaal zo absurd dat ze soms stilletjes hoopten dat hun zoon van het plan zou afzien. Na het grote succes van zijn eerste stuk, kon het tweede volgens hen alleen een afgang worden. Maar ze moesten hun mening herzien. Het bleek dat de spelers van de tekst hielden en de auteur-regisseur bijna verafgoodden. Onvoorwaardelijke steun kwam van Rachela, die zeven jaar ouder was dan Jannai.

Op 20 mei ruilde Israël elfhonderd Palestijnse gevangenen, waaronder gevaarlijke terroristen, voor drie Israëlische krijgsgevangenen.

'Wat vind je daar nou van?' vroegen veel Israëliërs elkaar verbluft. 'Hoe moeten al die mensen zich nu voelen die een kind of een ouder hebben verloren door een aanslag van een terrorist die nu ongestraft naar huis wordt gestuurd? Dat kun je toch niet maken?'

'Dit is één van de moeilijkste beslissingen die de regering ooit heeft genomen,' zei premier Shimon Peres. 'Maar zijn drie van onze jongens het offer niet waard?'

De minister van Buitenlandse Zaken, Yitshaq Shamir en andere rechtsgezinde ministers eisten als tegenwicht het vrijlaten van de Joodse terroristen, maar dat zat ze niet glad. Het feit dat Israël bereid was de wereld op z'n kop te zetten voor het leven van ieder van haar eigen burgers, hield nog niet in dat Israëlische burgers het recht in eigen hand mochten nemen.

Shai had al het geld dat hij voor zijn bar-mitsvah had gekregen op een spaarrekening gezet om te zijner tijd een auto te kunnen kopen. Natuurlijk probeerden zijn ouders hem ervan te overtuigen dat hij nooit een rijbewijs zou krijgen, zelfs niet nu hij een moderne, kleine contactlens droeg waarmee hij nog weer beter zag dan met de grote die zijn hele oog had bedekt. Maar Shai legde zich daar niet bij neer.

'Waarom koop je geen paard?' stelde Itsik voor. 'Een paard is wel zo fijn, en je hebt er geen rijbewijs voor nodig.'

Het plan was zo gek nog niet. Shai kocht een witte merrie. Ze kostte achthonderd dollar. Itsik betaalde er een gedeelte van.

'Hoe noem je haar?' vroeg Jardena.

'Jardena,' antwoordde Shai. Maar de merrie heette Chiloea en bleef Chiloea.

Itsik bouwde een stal voor Chiloea op het kampeerterrein in Beth-Zayit, en leerde zijn broer paardrijden. Shai bracht meer tijd door met Chiloea dan met zijn huiswerk. Hoewel Nathan en Jardena dat niet zo best vonden, konden ze niet ontkennen dat hun zoon gelukkiger was dan ooit tevoren.

Op een Shabbat gingen ze naar Beth-Zayit om Chiloea te leren kennen. Het was een hele belevenis. Shai zelf bereed Chiloea het liefst zonder zadel, zodat hij haar warme lichaam tussen zijn benen voelde. Maar nu, voor het gemak van zijn ouders, zadelde hij haar. Meer dan een uur wandelde hij met Chiloea aan de leidsels, eerst met zijn vader en daarna zijn moeder op haar rug, door het dorp. Ze voelden zich als Mordechai op het paard van koning Achasferos, behalve dan dat Shai allesbehalve een Haman was.

Het leek wel of de jongen meer van zijn paard hield dan hij ooit van een menselijk wezen had durven houden. Op een keer kwam Jardena onverwacht in Beth-Zayit. In de verte, tussen de olijfbomen, stond Chiloea. Op haar rug lag Shai, plat op zijn buik. Hij verborg zijn gezicht in haar dikke manen, en Jardena was ervan overtuigd dat hij hartstochtelijke liefdesverklaringen in haar oor fluisterde.

Als Chiloea niet met Shai of Itsik in de bergen van Judea galoppeerde, stond ze met een touw aan een boom, waaronder ze naar hartenlust kon grazen. Gedurende de winter stond ze op stal en at hooi dat Shai voor haar kocht van geld dat hij met klusjes bij elkaar verdiende.

Eens vertelde Jardena haar schoonmoeder hoe hard Shai werkte om voer voor Chiloea te kunnen kopen. Onmiddellijk haalde Consuela Baghdádi een briefje van vijftigduizend shekel uit haar portemonnee. 'Geef dit aan mijn kleinzoon,' zei ze. 'Als hij van Chiloea houdt, hou ik ook van haar.' Was dat dezelfde vrouw die dertien jaar eerder had verkondigd dat ze het lelijke jonge eendje nooit als haar kleinzoon zou erkennen?

Zoals ieder jaar begonnen de schoolvakanties een week voor Pesach. Aangezien ze dit jaar niet van plan was een grote Seder te geven, stelde Jardena voor om een paar dagen naar Nueiba te gaan. Nathan, die de combinatie zand, zon en zee haatte, wou niet mee, en ook Jannai had andere plannen. Nueiba, aan de zuidoostkant van de Sinaï gelegen, was populair geworden in de tijd dat het deel uitmaakte van Israël, en bleef ook daarna een trekpleister voor Israëlische toeristen. Je kon heerlijk op het strand liggen luieren of in de Rode Zee snorkelen en naar schitterend gekleurde vissen en schelpen kijken. Voor boodschappen kon je terecht in een kleine supermarkt waar ze doorgaans alleen macaroni, en soms ook een paar overrijpe tomaten verkochten.

Het gezelschap, bestaande uit Jardena, Shai en Jifrach, streek neer in het dorpje Tarabin, iets ten noorden van Nueiba. Daar was een echtpaar, hadden ze zich laten vertellen, bij wie je voor een dollar per etmaal een strohutje en een paar matrassen kon huren. Zo had je niet alleen een onderkomen voor de nacht, maar ook bescherming tegen de zon als het midden op de dag op het strand te heet werd.

Terwijl de jongens de meeste tijd in het water doorbrachten, en zelfs één dag een kamelentocht door de woestijn maakten, had Jardena ruimschoots gelegenheid om kennis te maken met de eigenares van de hutjes, die van oorsprong Zwitserse was, en hoofdzakelijk Duits maar ook een beetje Engels sprak.

Leila was een lange, slanke schoonheid van drieëntwintig jaar met hemelsblauwe ogen en grote regelmatige tanden, die door aanraking met het plaatselijke drinkwater zo geel zagen als een te lang gekookte maïskolf. Haar gouden vlechten reikten tot haar middel. Ze paradeerde door de woestijn, gehuld in koninklijke gewaden die ze zelf naaide van sluierachtige stoffen afgezet met kant. Toen ze jaren geleden met een groep hippies door de wereld zwalkte, behoorde de Sinaï nog aan Israël, en stond Nueiba bekend om zijn nudistenstrand. Terwijl haar vrienden naar rockmuziek luisterden en wiet rookten, lag Colette, zoals Leila toen nog heette, in het warme zand te dromen van herderinnetjes en oosterse prinsen. En toen haar vrienden verder trokken, bleef zij in Nueiba achter uit liefde voor een betoverende Bedoeïen met vlammende ogen en een vurig hart. Voor hem zag ze af van de luxe van haar geboorteland. Voor hem bedekte ze haar armen tot de polsen, haar benen tot de enkels. Een jaar later, toen Colettes visum voor Israël zou verlopen, en het afscheid van haar geliefde onvermijdelijk scheen, zwoer ze in het bijzijn van twee mannelijke getuigen dat ze zich voor altijd van alcohol en varkensvlees zou onthouden, waarna ze driemaal verklaarde dat ze tot het mohammedaanse geloof wenste over te gaan, en pijnloos herboren werd als Leila, om vervolgens in Rafiach in het huwelijk te treden met Oualid, de Bedoeïenenprins van haar dromen. Ze bedekte haar gouden haren met een zwarte sluier, maar kon haar blanke huid en stralend blauwe ogen evenmin wegwerken als haar Europese opvoeding en onafhankelijke geest. Samen met Oualid omheinde ze een stuk land dat hij van zijn vader had geërfd. Binnen het hek bouwden de gelieven eigenhandig een snoezig stenen huisje. De Israelische soldaten die bij Nueiba gelegerd waren en niets te doen hadden, zagen het als een leuke afleiding om met een grote drilboor van het leger achter het huis een put te boren. En hoewel het water vies smaakte en de tanden geel kleurde, was het goed genoeg voor Leila's tuin. Drie-, viermaal per dag begoot ze haar jonge plantjes.

Zoals dat in sprookjes toegaat, waren Leila en Oualid arm maar rechtschapen, hard werkend en verliefd, en zou hun geluk volmaakt zijn geweest als ze gezegend waren met een kind.

Ook Jardena's vakantie zou volmaakt zijn geweest als ze niet, na een onvergetelijke snorkeltocht met Shai en Jifrach, duizelig was geworden en voorover op het koraalrif was gevallen. De jongens tilden hun moeder op en legden haar op het strand, waar ze al spoedig weer bijkwam. Alleen bloedde ze danig uit een lange, diepe snee in haar voorhoofd.

Onmiddellijk snelden een paar Bedoeïenen te hulp. Gelukkig was er in Nueiba een kliniekje. Daar was een Bedoeïenenarts die aanbood Jardena's gezicht weer dicht te naaien. 'In 't algemeen doe ik zoiets onder plaatselijke verdoving,' legde hij in zijn vriendelijke gebroken Engels uit. 'Jammer genoeg ben ik net door mijn verdovingsmiddel heen, en het duurt altijd een paar dagen voordat ze me nieuw sturen. We moeten het vandaag dus zonder doen.' Met die woorden pakte hij een gesteriliseerde naald en reeg door het oog ervan een draad die volgens Jardena meer weg had van een schoenveter. Vervolgens droeg hij Shai en Jifrach op om ieder een hand van hun moeder vast te houden, wrong hij zich tussen haar linkerarm en de tafel waar zij op lag, en ging aan het werk. Toen het ergste voorbij was, bond hij een soort witte tulband om het aan elkaar genaaide hoofd, en gebood de eigenares ervan om vijf dagen lang iedere dag bij hem op de stoep te staan. Dat hield in dat de terugreis een paar dagen moest worden uitgesteld. Maar het resultaat van de bemoeienissen van deze wonderdokter was dat Jardena aan haar verwonding zelfs geen litteken overhield.

Ondanks deze tegenslag kwamen de drie woestijngangers op tijd in Jeruzalem aan om in kleine kring de sederavond te vieren. Tegen verwachting in kwam ook Noëlly, zwanger van haar tweede kind, met Noach, maar zonder Itsik. Itsik en Chiloea, die er 's morgens op uit waren getrokken, waren nog niet teruggekeerd toen Noëlly, het wachten beu, ten slotte maar met Noach op de laatste bus naar Jeruzalem was gestapt. De familie probeerde niet ongerust te zijn, maar het was moeilijk om de aandacht bij de Hagadah te houden. Net had Nathan het boek gesloten, toen Itsik met vuile handen en gescheurde kleren de kamer binnenstapte. Hij kuste zijn vrouw, gaf zijn zoon een tikje op de wang en omhelsde Shai. Pas daarna begon hij met zijn verhaal.

'We hadden een lange tocht gemaakt door de bergen van Judea. Op de terugweg sprong een hert voor ons het pad op. Chiloea schrok daar zo van, dat ze aan de kant sprong en haar zij openscheurde aan een roestig stuk prikkeldraad. De wond bloedde hevig, en ze kon geen stap meer verzetten. Ik wist niet wat ik moest doen. Toen ben ik zo snel mogelijk naar de dichtstbijzijnde veearts gerend. Die zat al met haar man en kinderen aan de sedertafel. Toch liet ze alles in de steek en reed met mij naar de plek waar Chiloea op hulp lag te wachten. Samen gaven we haar een injectie en naaiden de gapende wond dicht. De veearts reed weer naar huis, en ik leidde Chiloea stapje voor stapje naar haar stal. Pas daarna kon ik naar Jeruzalem liften.'

Onder het waakzame oog en de goede zorgen van Itsik, Shai en de veearts was Chiloea eind juni weer de oude. In tegenstelling tot Jardena hield ze er een groot litteken aan over. Maar dat was dan ook alles.

Uit gewoonte schreef de veearts pillen voor tegen wormen. De volgende dag had Chiloea een miskraam. Niemand had geweten dat ze ooit een avontuurtje met een hengst had gehad. Toen Itsik zijn moeder vertelde wat er was gebeurd, stonden de tranen in zijn ogen. Ook zij had het er moeilijk mee. Plotseling beschouwde ze Chiloea als een vrouw, een lotgenoot, een van ons. De enige die geen spier vertrok was Shai. 'Niet treuren om gemorste melk', was zijn enige reactie. Uit de mond van ieder ander zouden deze woorden harteloos hebben geklonken, maar uit die van Shai, wiens moedermelk werd vermorst op de dag dat hij geboren was, klonken ze heldhaftig. Hoe intens ook zijn verdriet, Shai wenste geen medelijden.

In juli vroegen de vrienden die in 1966 aan Jardena hun huis aan zee hadden toevertrouwd, of ze weer wou komen oppassen. Shai, die nu zeventien was, had al een poos uitgekeken naar een gelegenheid om een lange tocht te maken op de rug van zijn geliefde Chiloea.

'Als we een ezel huren,' zei hij tegen Itsik, 'dan kunnen we samen naar Imma rijden, een paar dagen aan zee doorbrengen, en dan weer terugrijden naar Beth-Zayit.'

Itsik kon daarover zo gauw geen beslissing nemen. 'Een ezel loopt langzamer dan een paard. Het zal ons minstens drie dagen kosten om Netanja te bereiken. Dat betekent dat we een tweede ezel moeten huren om voedsel en water te dragen. Dat gaat een hoop geld kosten.'

Jardena bewonderde Shai's initiatief en bood aan om in de kosten bij te dragen, maar het plan werd verworpen omdat zowel Itsik als Shai Chiloea wilde berijden. Zelfs toen Shai voorstelde dat ze om de beurt op het paard en op de ezel zouden rijden, zag Itsik het niet zitten. Hij was tenslotte de oudste en de meest ervarene van de twee. Hij reed al sinds zijn vierde jaar. Het was zijn idee geweest dat Shai Chiloea zou kopen, en hij was het die Shai de kunst van het paardrijden had bijgebracht. Bovendien stond Chiloea's stal in Beth-Zayit, en zorgde hij minstens zoveel voor haar als haar wettige eigenaar. Om kort te gaan, hij had niets tegen ezels, maar om als knecht achter de meester aan te rijden, nee, daar voelde hij niet voor.

Shai vroeg aan Jifrach of hij mee wilde. Jifrach, die in stilte leed onder het feit dat zijn broer hem verwaarloosde ten gunste van Chiloea, was dolgelukkig, en deelde maar al te graag Shai's fantasieën. Hoewel niemand wist hoe of waar men ezels kon huren, werd de auto die Jardena naar zee bracht volgeladen met zakken paardenvoer.

Wat er in Jeruzalem precies gebeurde, kwam Jardena nooit te weten, maar op een avond belde Shai op om te zeggen dat alleen hij en Chiloea kwamen. Hij verzekerde zijn moeder dat hij geld, telefoonmuntjes en een gedetailleerde kaart van het gebied had. Jardena smeekte hem om genoeg water mee te nemen. 'Komt wel goed,' zei hij. 'Als Chiloea haar tred niet aan een ezel hoeft aan te passen, kan ze de tocht in een dag maken. We vertrekken morgenochtend voor dag en dauw uit Beth-Zayit en hopen voor zonsondergang bij jou voor de deur te staan.'

De volgende avond wachtte Jardena vol ongeduld op haar zoon, maar het enige wat kwam was een tweede telefoontje: 'Ik ben in kibboets Tsor'ah. Maak je niet ongerust. Tot morgen.' Voor ze kon antwoorden verbrak Shai de verbinding.

Toen hij de volgende dag eindelijk aankwam, dronk hij eerst de kraan leeg, at vervolgens al het brood dat in de broodtrommel zat, en vertelde toen zijn verhaal: 'Ik kwam vlak voor donker in kibboets Tsor'ah aan. Een paar mannen waren bezig de koeien water te geven. Ik vroeg om wat water voor mijzelf en Chiloea, en ook of we alsjeblieft voor één nacht op het gras mochten slapen. Ze zeiden "Nee". Ik zei dat ik direct zou vertrekken, maar vroeg of ik alleen mijn paard even te drinken mocht geven, maar ze werden heel kwaad en schreeuwden dat ik ogenblikkelijk de kibboets moest verlaten. Misschien dachten ze dat ik een dief was of een terrorist. Wat kun je zeggen tegen mensen die niet eens een paard te drinken willen geven? Ik wachtte buiten de kibboets. Toen de zon onder was, keerde ik terug naar de plaats waar ik de kraan had gezien. Gelukkig stond er een emmer, zodat Chiloea naar hartenlust kon drinken. En ik ook.

Ik dacht dat er in de buurt van de eetzaal wel een telefooncel zou zijn, dus ging ik op zoek, want ik wou jou niet in ongerustheid laten. Natuurlijk moest ik Chiloea achterlaten. Ik bond haar aan een boom vast, maar ik was verschrikkelijk bang dat iemand haar zou weghalen. Daarom brak ik het gesprek zo snel af. Even later stonden Chiloea en ik weer buiten de kibboets. Ik had ontzettende honger, maar Chiloea vond voor zichzelf gelukkig van alles te eten. We sliepen in een greppel. De volgende ochtend wou ik weer water halen, maar het hek van de kibboets zat op slot. We moesten dus zonder drinken op pad. Ik dacht, als we eerst maar zo goed mogelijk naar het westen gaan, komen we vanzelf bij de zee, en dan gaan we vandaar langs de kust naar het noorden. Het kon niet missen. Maar wat ik niet wist: een heel stuk van het strand ten zuiden van Jaffa wordt gebruikt door het leger, en daar mag je dus niet komen.'

Het verboden terrein was niet alleen van zuid naar noord heel uitgestrekt, maar ook van west naar oost. Het kostte Shai dan ook uren om eromheen te rijden.

Chiloea en hij waren uitgeput van de lange reis vol hindernissen. Ze bleven vijf dagen, een week, tien dagen bij Jardena. Jifrach kwam met de bus, en Shai stelde zijn vertrek van dag tot dag uit. De lol van het rijden was eraf. Bovendien zou de terugweg een hele klim zijn. Beth-Zayit ligt twaalfhonderd meter boven de zeespiegel. Na twee weken moest Shai toch echt vertrekken. Samen met Jardena bestudeerde hij de kaart. Ze zagen dat er van Jaffa een weg regelrecht naar Beth-Zayit leidde. Natuurlijk zou Shai niet langs de grote weg rijden, maar er waren landweggetjes genoeg, en de richting was aldoor maar oostwaarts. Verdwalen was onmogelijk.

Op maandagochtend besloot Shai dat het moment was aangebroken.

Jifrach liep langs het strand mee tot Jaffa. Daar nam hij de bus terug, en hij was tegen de middag bij Jardena. Zijn relaas was niet veelbelovend. Naarmate de jongens Tel Aviv waren genaderd, waren er steeds meer badgasten op het strand geweest. Een paar opgeschoten jongens hadden de broers tegengehouden en hen ervan beschuldigd dat ze het paard hadden gestolen.

'Dat is mijn paard,' had een van de lummels geroepen. 'Geef het onmiddellijk terug of ik sla je hersens in.'

Een ander had een mes te voorschijn gehaald en de zadelriemen doorgesneden. Zich zo goed en zo kwaad als ze konden verdedigend tegen de aanvallen, waren Shai en Jifrach doorgelopen. Gelukkig waren de vandalen na een tijdje de zee ingedoken. Blijkbaar hadden ze genoeg gekregen van het spelletje.

Die avond zaten Jardena en Jifrach dodelijk ongerust bij de telefoon te wachten op een berichtje dat Shai veilig in Beth-Zayit was aangekomen. Dat kwam pas achtenveertig uur later.

Nog veel later, toen Jardena allang weer in Jeruzalem terug was, vertelde Shai haar in stukjes en beetjes wat hem was overkomen.

'In Jaffa repareerden we eerst de zadelriemen zo'n beetje met een stuk touw en daarna aten we nog choemoes en ijs, maar ten slotte moesten Jifrach en ik toch afscheid nemen. Hadden we die ezels maar gehuurd, dan hadden we samen naar Beth-Zayit kunnen terugrijden.

Ik liet Chiloea op een rustig drafje lopen zodat zij zich niet te veel zou vermoeien en ik van het landschap kon genieten. Aan beide kanten van het pad waren graanvelden, afgewisseld door hele stukken droog gras. Hier en daar was gemaaid. Geen bomen. Geen schaduw. Geen levende ziel. Hoewel we het warm hadden en dorst hadden, genoten we van de rit. Het rook lekker naar aarde en hooi. Maar na een poosje begon het te stinken. Plotseling stond Chiloea stil voor wat eruitzag als een open riool, ongeveer zes meter breed en drie meter diep, met schuin aflopende betonnen zijkanten, een sleuf, maar zo breed als een kanaal. De prut die op de bodem lag stonk naar rottend afval en uitwerpselen. Een mens zou er wel overheen kunnen komen, hoewel niemand het in zijn hoofd zou halen dat voor z'n plezier te doen, maar het was ondenkbaar dat Chiloea het voor elkaar kon krijgen. We hadden geen andere keus dan de sleuf te volgen. Na ongeveer twintig minuten kwamen we bij een soort brug. Het was eigenlijk niet meer dan een plat stuk beton waar een paar rails overheen liepen, kennelijk bedoeld voor een trein. De enige manier waarop we naar de andere kant van de sleuf konden komen, was door tussen de rails over die brug te lopen. Op mijn kaart stonden noch de sleuf, noch de rails aangegeven. Daarom ging ik ervan uit dat de rails niet in gebruik waren. Maar helemaal gerust was ik er niet op, want het zag er allemaal best goed onderhouden uit. Niet verroest of kapot. Als je me niet speciaal had gewaarschuwd tegen onbewaakte overwegen, zou ik geen moment geaarzeld hebben. De brug was tenslotte maar zeven of acht meter lang, en het zou me geen halve minuut kosten om aan de overkant te komen. Geloof me, Imma, ik stond wel tien minuten naar die brug te staren omdat ik maar niet kon beslissen of ik wel of niet zou oversteken. Ik dacht erover om nog een eind langs de sleuf te rijden in de hoop een tweede brug te vinden. Ik dacht er zelfs over om terug te gaan naar de zee en Jifrach, maar dat zou het probleem niet oplossen. Eens moest ik toch met Chiloea naar Beth-Zayit. De stilte begon op m'n zenuwen te werken. Als er nu nog vogels of insecten waren geweest, maar die schenen allemaal te slapen. De zon stond op z'n hoogst. Het was ontzettend heet. M'n ogen traanden van het sterke licht, en toen gleed tot overmaat van ramp mijn contactlens naar de zijkant van mijn oog en kon ik haast niets meer zien. Ik durfde hem met mijn vuile vingers niet op z'n plaats te duwen. Had ik maar water gehad om mijn handen te wassen, maar Chiloea had allang de laatste druppel opgedronken. Ten slotte klom ik op haar rug en gaf het bevel: "Kadima! Vooruit!"'

Helaas had Shai, die in de felle zon mét contactlens al niet best zag, maar zónder contactlens bijna hulpeloos was, niet opgemerkt dat de brug niet bestond uit één, maar uit twee stroken gewapend beton, die elk één rail droegen. De twee stukken beton waren met elkaar verbonden door dwarsbalken, die aan beide uiteinden van de brug nogal dicht bij elkaar, maar naar het midden hoe langer hoe verder uit elkaar lagen. Toen Shai Chiloea aanspoorde op de brug te stappen, trok de merrie de juistheid van deze opdracht niet in twijfel. Ze zette het ene been voor het andere, langzaam, voorzichtig. Hoe verder ze kwam, hoe moeilijker het werd om steun te vinden voor haar hoeven. In het midden van de brug waren meer gaten dan dwarsbalken. Shai kon achteraf niet navertellen welke van Chiloea's hoeven het eerst uitgleed. Een feit is dat ze plotseling op haar buik over de dwarsbalken hing met haar voeten bengelend boven de sleuf.

'Je hebt geen idee hoe lang ik geprobeerd heb haar te bevrijden,' zei Shai, en het zweet parelde op zijn voorhoofd alleen al bij de herinnering aan die vreselijke ervaring. 'Misschien een uur, misschien twee. Iedere keer dat ik erin slaagde een been omhoog te krijgen, boog ik de knie zodat het op de dwarsbalk zou blijven liggen. Maar zodra ik het tweede been op zijn plaats had, viel het eerste terug. Eerst werkte ik aan de voorbenen. Toen ik zag dat het niet lukte, probeerde ik eerst de achterbenen omhoog te krijgen. Eén keer had ik tegelijk een voor- en een achterbeen omhooggewerkt. "Hou vol, Chiloea," smeekte ik. "We krijgen het voor mekaar." Maar het lukte niet. En al die tijd had ik visioenen van wat er zou gebeuren als er een trein zou komen. Ik bedacht manieren om de machinist te waarschuwen. Ik dacht eraan mijn overhemd aan stukken te scheuren en aan beide zijden, een flink eind van de brug vandaan, vlaggen tussen de rails te planten. Ik liet het plan varen omdat het te veel tijd zou kosten, en omdat mijn ogen staken zodat ik haast niets kon zien. Ik maakte een plan om te ontsnappen in geval van nood. Natuurlijk kon ik zelf makkelijk in de sleuf springen, maar ik wist dat ik nooit de moed zou hebben om Chiloea aan haar lot over te laten. Ik dacht aan alle dingen die ik nog had willen doen voor ik doodging, aan jou, Imma, en aan Abba en Jifrach en al mijn broers en zusjes. Ik vond het vreselijk voor de machinist en voor al die passagiers die door mijn schuld moesten verongelukken. Mijn oren deden pijn van het luisteren naar de stilte. Nadat ik urenlang vergeefs geprobeerd had Chiloea te bevrijden, hoopte ik bijna dat er nu maar een trein zou komen, en dat het vlug voorbij zou zijn. Maar omdat Jifrach altijd zegt "nooit de moed opgeven", sleurde ik mezelf van Chiloea vandaan en ging op zoek naar hulp. Ik strompelde in wat ik hoopte dat de richting van de grote weg was. Ik viel aldoor en bezeerde mijn knie, ik kwam haast niet vooruit. Maar toen ik van achter een heuvel het geluid van rijdende auto's hoorde, was ik zo blij dat ik de pijn vergat. In een paar minuten vond ik de weg. Ik ging er midden op staan, zwaaide wild met mijn armen en schreeuwde "Help, help!" Maar de auto's stopten niet, ze reden met een boog om me heen. Ik kon mijn eigen stem haast niet horen van het lawaai. Het leek wel of ik heel ver weg van mezelf stond. Op het laatst stopte een motorrijder. "Chiloea," probeerde ik uit te leggen. "Ze is ..." Ik geloof dat ik flauwviel want even later hield de man een fles water aan mijn lippen. Ik vertelde hem zo ongeveer wat er was gebeurd. Hij ging met me mee. Samen probeerden we Chiloea te bevrijden. Het lukte niet.

De motorrijder wist dat er in de buurt een legerkamp was. We gingen om hulp vragen, maar ik was er zo slecht aan toe dat hij het hele verhaal moest doen. De soldaten hadden de hele dag geoefend. Ze waren moe en hadden helemaal geen zin om met ons mee te komen. Ten slotte waren er twee die het toch deden. Ieder van ons pakte een van Chiloea's benen. Iemand riep: "Een, twee, hey, hop!" Ik weet niet eens wat we precies deden, maar na twee of drie heyhops stond Chiloea op de brug. Haar toestand was erbarmelijk. Ze kon haar eigen voeten niet eens oplichten. Wij moesten het voor haar doen. We leidden haar heel voorzichtig over de brug en toen naar een plekje in de schaduw. Daar liet ze zich met een zucht vallen. Ik dacht dat ze doodging. De soldaten gingen weg maar ze kwamen terug met water. Ik had vreselijke dorst, maar meer nog verlangde ik ernaar mijn handen te wassen en mijn contactlens op z'n plaats te krijgen. De motorrijder vroeg aldoor maar: "Is ze oké? Ben je oké?" Wat me werkelijk spijt is dat ik vergat hem te bedanken. Toen hij weg was ben ik blijkbaar in slaap gevallen, want ik schrok wakker van een trein die voorbijvloog.

Het was vier uur in de morgen. Liggen blijven had geen zin. Ik hielp Chiloea overeind. Ze at wat gras. Voor mezelf had ik nog een half brood. Het was keihard geworden, maar ik was allang blij. Het probleem was hoe aan water te komen. Chiloea had totaal geen fut om te lopen. Ik hurkte naast haar neer om haar benen en voeten te onderzoeken. Ze waren verschrikkelijk gezwollen. Als we teruggingen naar het militaire kamp, zou ik misschien de soldaten zien die me hadden geholpen. Natuurlijk had ik zonder mijn lens hun gezichten niet kunnen onderscheiden, maar zij zouden mij wel herkennen en me water geven. Aan de andere kant, de weg naar Beth-Zayit was al lang genoeg voor Chiloea met haar pijnlijke benen. Waarom zou ik het nog erger maken? Ik vertrouwde erop dat we langs een dorp of een kibboets zouden komen waar ik om water zou kunnen vragen. Desnoods zou ik het weer stelen, net als op de heenweg. Ik paste mijn tempo aan dat van Chiloea aan, en liet haar aangeven wanneer ze wou rusten. Dinsdagavond stond ik weer aan het hek van Tsor'ah. Natuurlijk durfde ik niet te hopen dat de bewoners mij en Chiloea gastvrijheid zouden verlenen voor de nacht, maar ik kon het altijd vragen. Wat had ik te verliezen. Ik had geluk. De mannen die ik deze keer trof waren veel aardiger dan die andere. Toen ze Chiloea's benen zagen, hadden ze medelijden met haar, en stonden ze haar toe om de nacht in een stal door te brengen. Zelf kreeg ik een geschreven toestemming om één nacht in de hooiberg te slapen. Het hooi was van pindavelden gekomen, en ik bracht een groot deel van de nacht door met het zoeken en eten van pinda's. Woensdagmorgen heel vroeg verlieten we Tsor'ah. Laat in de middag bereikten we Beth-Zayit.'

Aan het eind van de zomervakantie kreeg Nathan een voorstel om als figurant op te treden in een speelfilm geregisseerd door Amos Kollek, de zoon van de burgemeester van Jeruzalem. Nathan dacht dat het voor Jifrach een aardige ervaring zou zijn om eens te zien hoe het in de filmwereld toeging, en dus aanvaardde hij het baantje op voorwaarde dat zijn jongste zoon ook mocht meedoen. Wat Amos Kollek nodig had, was een groep mannen met baarden, die met de juiste kledij en aangeplakte pijpenkrullen langs hun oren konden doorgaan voor Chassieden. Hoewel hij niet speciaal om kinderen verlegen zat, had hij geen bezwaar. Er mocht best een jeugdige Chassied tussen de oudere lopen.

Enige dagen nadat Nathan en Jifrach hun contract hadden getekend, belde de man die voor de rolverdeling zorgde opnieuw de familie Jerushalmi op om te vragen of Jardena ook beschikbaar was. Het ging deze keer om de rol van een *rebbetzin*, die maar een paar seconden in beeld hoefde te zijn, maar dan wel een zin van drie woorden moest uitspreken. Het salaris was iets hoger dan dat van een gewone figurant. Bovendien wou Amos Kollek de gegadigden voor de rol van rebbetzin laten auditeren.

Jardena, die zichzelf nooit als actrice had gezien, vond het wel een aardige uitdaging. Competitie? Ach, lukte het niet dan lukte het niet, maar waarom zou ze niet beter zijn dan een ander?

Op de avond van de auditie ontmoette ze Amos Kollek in een privéhuiskamer. 'In welke andere films hebt u gespeeld?' was zijn eerste vraag.

'In geen enkele.'

'Wat is dan ineens de grote drang om op het witte doek te verschijnen?'

Wat verbeeldt die vent zich wel, dacht Jardena. 'Geen enkele drang,' antwoordde ze uitdagend. 'Een van uw mensen heeft me gevraagd of ik voor rebbetzin wil spelen. Ik wil u best van dienst zijn, maar als u iemand hebt die de rol beter kan spelen is het mij allang best.'

'Goed. Wat we zullen doen is het volgende: u gaat op de gang staan. Als u mij hoort kloppen, opent u de deur en bent u stomverbaasd en dolblij mij te zien. Begrepen?'

'Begrepen.'

Amos Kollek duwde Jardena de gang op en deed de deur achter haar dicht.

Onbehouwen hark, dacht Jardena. Ik ben daar gek om een beetje in jouw waardeloze film te gaan optreden. Zoek jij maar mooi een ander. Op dat moment hoorde ze kloppen. Zonder een seconde na te denken, rukte ze de deur open en sprong de onbehouwen hark regelrecht om de hals, daarbij luid roepend: 'Lieveling, wat ben ik blij je te zien.'

Met onverholen afschuw bevrijdde Amos Kollek zich uit de omhelzing. 'Nou, nou, een beetje minder mag ook wel,' mopperde hij. 'Maar goed, u krijgt de rol.'

De scène waarin Nathan en Jifrach figureerden speelde in een vliegtuig. Op een ochtend reed een bus vol nep-Chassieden naar het vliegveld, waar Amos Kollek speciaal voor de gelegenheid een echt vliegtuig had gehuurd. Jifrach had natuurlijk gehoopt dat ze zouden gaan vliegen, maar nee, een film is tenslotte maar een film.

Maar pret hadden ze gehad. Dagen later hoefden Jifrach en Nathan elkaar maar aan te kijken om weer in lachen uit te barsten. Eenmaal op het vliegveld aangekomen, werden de in het zwart geklede acteurs naar de vertrekhal geloodst, waar met een touw een gedeelte voor hen was afgezet.

'Ga hier maar zitten,' werd er gezegd. 'We komen jullie straks wel halen.'

Wachten was niets voor Nathan. Een andere bebaarde acteur vond het ook al gauw welletjes. Met z'n drieën – Jifrach ging natuurlijk mee – trokken ze op avontuur. Ze kochten een taartje hier, een ijsje daar, en toen kregen de volwassenen een beter idee. Waarom niet eens een boekhandel binnengegaan en naar *Playboy* gevraagd?

De verkoopster was bijna van haar stokje gegaan toen twee Chassieden op leeftijd, compleet met breedgerande zwarte hoed en pijpenkrullen, elkaar bloedserieus de blootste plaatjes wezen, en hun enthousiasme erover niet onder stoelen of banken staken.

'Toen gingen we terug naar de vertrekhal,' proestte Jifrach, 'en daar gingen we op een bankje zitten pal tegenover twee nonnen die heel zedig op hun vlucht zaten te wachten. O Imma, je had erbij moeten zijn! Abba en die andere man begonnen openlijk naar ze te lonken. En blozen dat die nonnen deden!'

Twee weken later was het Jardena's beurt om te worden gefilmd. Aangezien ze een orthodoxe rebbetzin moest voorstellen, bestond haar kostuum uit een vaalblauwe hobbezak en een vaalgrijs hoofddeksel. De vele jongens en meisjes die haar kinderen voorstelden werden allemaal een beetje opgemaakt. Alleen Jardena kreeg geen vleugje rouge op haar wangen, geen veegje zwart op haar wenkbrauwen. Onaantrekkelijker had ze er nooit uitgezien, behalve dan misschien toen ze met erysipelas in het ziekenhuis had gelegen.

Nadat de rebbetzin gedurende een paar seconden soep had staan opscheppen voor haar talrijke kroost, kwam de afgesproken klop op de deur. De rebbetzin deed open, herkende haar lang uit het oog verloren nicht, en riep haar enige claus: 'Liesel, fun Amerika!'

De film werd in Israël nooit vertoond, maar boekte in de Verenigde Staten succes, al was het alleen doordat Joden die in het buitenland leven alles mooi vinden wat uit Israël komt, zoals ook de Joden die in Israël leven alles mooi vinden wat uit Amerika komt.

Het toeval wilde dat de man van Perla, die enkele dagen in New York was, Amos Kolleks creatie ging zien in gezelschap van een gemeenschappelijke kennis. Zo kwam Jardena te weten hoe haar schoonzoon had gereageerd toen hij op het doek de deur zag opengaan en de onvergetelijke woorden 'Liesel fun Amerika' hoorde.

'Mijn schoonmoeder!' had de stakker zo luid geroepen dat de hele zaal kon meegenieten: 'God beware me. Laat dat mens mij dan nooit met rust?'

Jardena vertelde het voorval aan Nathan.

'Nou, schoonmoeder', was zijn gebelgde reactie. 'Moet je niet 's tegen je dochter zeggen dat het tijd wordt om met die knul te trouwen?'

'Mag je zelf doen,' grinnikte Jardena. 'En als ze getrouwd zijn wordt ze zeker weer ónze dochter!'

Weer koos de vijand Grote Verzoendag uit om een aanslag te plegen. Deze keer waren de slachtoffers drie vakantiegangers die met hun boot in de haven van Larnaka op Cyprus lagen. Yasser Arafat, die aan het hoofd van zijn Ashaforganisatie in Tunis zetelde, kondigde triomfantelijk aan dat hij verantwoordelijk was voor de dood van de drie Israëliërs. Wat hij had uitgelokt gebeurde. Binnen een week na de moord in Larnaka vlogen acht vliegtuigen van de Israëlische luchtmacht de vijfentwintighonderd kilometer naar Tunis, waar ze met een paar goed gerichte bommen het hoofdkwartier van Ashaf tot puin reduceerden, en zonder tussenlanding de vijfentwintighonderd kilometer terug naar Israël aflegden. Tanken gebeurde in de lucht. De acht piloten en hun manschappen kwamen ongedeerd terug. De tijd dat Joden over zich lieten lopen was voorbij.

Op 5 oktober schreef het leven zijn eigen einde aan Jannai's eerste toneelstuk. De ouders en het zusje van Oz, de jongen die aan het einde van het stuk verschrikt had geroepen: 'Waar zijn jullie allemaal gebleven?' waren met vakantie aan het strand van Ras Burka in de Sinaï. Daar werden deze bij uitstek vredelievende mensen door een razende Egyptische soldaat beschoten en gewond. Gewond maar niet gedood. Dood gingen ze pas uren later door de schuld en de wreedheid van andere Egyptenaren. Mensen die behoorden tot het volk waarmee Israël een vredesverdrag had gesloten. Want toen een groep Israëlische artsen in allerijl naar de plek van de aanslag kwam, weerhielden deze zogenaamd bevriende Egyptenaren de artsen met revolvers ervan om de slachtoffers te benaderen. Ze werden net zo lang zonder verzorging in de zon gelaten tot ze hun laatste druppel bloed hadden verloren.

Jardena en de drie jongste jongens gingen naar de begrafenis. Ook de meeste scholieren die in Jannai's stuk waren opgetreden kwamen. Sommigen waren al in militair tenue, anderen, evenals Oz zelf, waren nog schoolkinderen in spijkerbroek en T-shirt. Jardena keek naar Oz wiens naam moed betekende. Zijn ogen waren droog. Zijn mond hing open en zijn oren waren gespitst alsof hij luisterde naar stemmen uit het heelal. Hij leunde op een heel kleine grootmoeder. Samen met hem staarden zijn vrienden in de drie diepe kuilen waarin de lichamen werden gelegd van zijn vader, zijn moeder en zijn enige zusje.

De oude grootvader sprak een paar woorden.

Pijn rustte als een zwarte wolk op de aanwezigen.

In november verhuisde Itsik met zijn gezinnetje naar Ein-Karem even buiten Jeruzalem. Chiloea verhuisde mee. Op een dag belde Itsik op en vroeg of hij met Shai kon spreken. Shai luisterde naar wat zijn broer te zeggen had, werd lijkbleek en legde met moeite de hoorn op zijn plaats. 'Een paard is gestolen,' stamelde hij.

Jardena realiseerde zich dat het uitspreken van Chiloea's naam meer was dan Shai op dat moment kon opbrengen.

Als Chiloea een mens was geweest, zouden de gebroeders Jerushalmi niet méér hebben kunnen doen om haar terug te vinden. Itsik, die toch een gezin moest onderhouden, zei al zijn afspraken af, en gedroeg zich als een vrijgezel zonder enige andere verplichting dan het terugvinden van de merrie. Jannai vergat zijn toneelstuk, Shai en Jifrach vergaten hun schoolwerk. Itsik en Shai handelden uit liefde voor Chiloea. Jannai en Jifrach handelden uit liefde voor hun broers. En hoewel Nathan en Jardena niet zeker wisten of ze dat allemaal wel goed moesten vinden, waren ze het met elkaar eens dat liefde, toewijding en samenwerking belangrijker zijn dan schoolwerk.

Het had geen zin om hun zonen erop te wijzen dat Chiloea hoogstwaarschijnlijk allang over de Jordaanse grens was gesmokkeld; geen zin om hun te smeken ten minste eenmaal per dag thuis te komen voor een gezonde maaltijd. De jongens hadden maar één gedachte, één doel: Chiloea terugvinden.

Terwijl het viertal ronddwaalde in de bergen rond Jeruzalem, bestond Jardena's bijdrage uit een onbeperkt aantal telefoonmuntjes en een nimmer aflatende waakzaamheid bij de telefoon. Zolang het tegendeel niet bewezen was, kon en mocht je hopen dat een opgeschoten lummel de merrie had gestolen om zich wat te amuseren, en dat hij haar na verloop van tijd weer zou laten lopen. Itsik, Jannai, Shai en Jifrach sloegen geen weggetje, geen paadje over, niet alleen in de omstreken van Ein-Karem, maar tot kilometers buiten Jeruzalem, in alle windrichtingen. Soms zochten ze in groepjes van twee, maar meestal ging ieder zijns weegs. Soms reden ze op geleende fietsen, soms was er een hulpvaardige oom of buurman die een auto had en bereid was een uurtje aan de zoektocht te besteden, maar meestal gingen de jongens te voet, overdag in de hitte, 's nachts in de kou.

Als het maar enigszins mogelijk was, belden ze Jardena op om te zeggen waar ze waren, waar ze zojuist gezocht hadden, of dat nu in Lifta of in Atarot was, of in de omstreken van Shu'afat waar Elnakam woonde, en om te vragen of er nieuws was van hun broers.

Na verloop van enige dagen moesten de jongens wel toegeven dat Chiloea waarschijnlijk door een professionele paardendief was gestolen. Om nog een laatste poging te wagen alvorens zich bij de verdrietige realiteit neer te leggen, liet Itsik duizend pamfletten drukken waarin hij Chiloea beschreef – een witte merrie met grijze vlekken en een diep litteken op haar linkerzij – en een beloning uitloofde voor ieder die nuttige informatie kon verstrekken. Zodra hij enige honderden van die pamfletten in publieke gelegenheden in en om Jeruzalem had gelegd, begonnen de telefoontjes binnen te komen. Een kleine jongen vertelde dat hij een bruin paard had zien grazen in de tuin van zijn buurman, anderen hadden een ezel of een hond gevonden. Als de informatie van enige waarde was, gaf Jardena hem door aan wie van haar zwervende zoons het eerst contact opnam. Jammer genoeg werden ze keer op keer teleurgesteld. Totdat er een jongeman opbelde die zei dat hij in zijn prille jeugd samen met Itsik placht te spijbelen om bij Yuda Alaffi te gaan paardrijden. Deze man meende een witte merrie te hebben gezien in een verlaten hutje, twee uur lopen van Jeruzalem in de richting van Atarot. Hij wenste zijn vriend succes en wilde niets horen van een beloning. Jardena gaf het nieuws door aan Shai, en raadde hem aan geen hoge verwachtingen te koesteren. Shai en Itsik gingen naar de aangeduide plek en vonden de hut, meer een schuurtje van planken. De deur was op slot, maar ze gluurden door de kieren en zagen Chiloea. Zodra de merrie hun stemmen hoorde, hinnikte ze van plezier en waarschijnlijk ook van honger en dorst.

Itsik liep terug naar Jeruzalem om de politie te halen. Shai hield de wacht bij het schuurtje om niet te riskeren dat de dief zou komen en Chiloea zou meenemen. Wat de gevolgen zouden zijn geweest als dat inderdaad was gebeurd, daaraan durfden noch Nathan en Jardena, noch de jongens zelf later te denken.

Itsik, die de hele weg naar Jeruzalem had gehold, kreeg op het politiebureau te horen dat hij moest wachten. Na lange tijd vond hij ten slotte een agent bereid om naar zijn relaas te luisteren. De reactie was: 'Het spijt me, jongeman, maar voor dat soort klusjes heeft de politie geen tijd.'

Itsik smeekte en bad echter zo dringend dat er ten slotte een officier bij werd gehaald, die met enige tegenzin een agent de opdracht gaf om met Itsik naar het schuurtje te rijden en de klacht te onderzoeken.

De agent keek naar het optrekje, rammelde wat aan de deur en aan het slot, en zei: 'Wat voor bewijs hebben jullie dat dat paard van jullie is? De politie heeft geen recht om sloten te forceren. Ik kan niets voor jullie doen behalve jullie een lift geven naar Jeruzalem.' En wijzend op Shai, die al meer dan vijf uur in de brandende zon had gezeten: 'Die daar ziet eruit of hij elk ogenblik van zijn stokje kan gaan. Als ik jou was, zou ik maar gauw in mijn auto stappen, jongeman.'

Shai en Itsik keken naar elkaar en naar de agent. Zonder een woord te wisselen schudden ze van nee. De agent haalde zijn schouders op en reed weg.

Shai en Itsik waren te uitgeput om energie te besteden aan overtollige woorden. Ze begrepen elkaar ook zo wel. Zwijgend liepen ze om het hutje heen om na te gaan welke muur het zwakst leek. Zwijgend klommen ze tien meter de berg op. Shai keek naar Itsik. Itsik keek naar Shai en gaf het sein. Met hun laatste krachten renden ze de berg af, in volle vaart dwars door de muur van het hutje heen.

Het kostte hun daarna nog zes uur om in een wijde boog om Jeruzalem heen te lopen en Chiloea naar haar stal in Ein-Karem te brengen. De familie Jerushalmi leefde dagenlang in de verwachting dat de dief zijn beklag bij de politie zou doen omdat zijn schuurtje aan diggelen lag. Maar zo brutaal was hij nou ook weer niet.

Sinds op 4 september de nieuwe shekel was geïntroduceerd, leek alles plotseling duizend keer goedkoper dan een paar weken geleden, maar die illusie was gauw vervlogen. De decors van Jannai's tweede toneelstuk beten een hap uit de portemonnees van meerdere vrienden en bewonderaars. Het stuk duurde vijftig minuten, en er moest negenentwintig keer iets aan de lichten worden veranderd. Dat had te maken met het tempo waarin de scènes op elkaar volgden. Een paar dagen voor de première zei Jannai tegen Jardena: 'Imma, jij bent de enige aan wie ik de lichten toevertrouw. Wil jij die verantwoording op je nemen?'

Jardena was hoogst vereerd door het vertrouwen van haar zoon, maar nog meer bevreesd dat ze het zou beschamen. Nog nooit had ze iets met toneellichten te maken gehad. Wat wist ze ervan? Zou er ten minste een generale repetitie met lichteffecten zijn? Zelfs dat kon Jannai niet beloven.

In het Khan Theater, waar het stuk werd uitgevoerd, was de lichtinstallatie zo ingewikkeld dat ze er nooit in geslaagd zou zijn Jannai's wensen te vervullen zonder Yankele, de ervaren toneeltechnicus die haar bijstond, puur en alleen, zei hij, uit vriendschap voor Jannai, die hij uit het diepst van zijn hart bewonderde.

Op de avond van de voorstelling zat ze samen met Yankele in het lichthokje hoog boven de zaal en tegenover het toneel. Ze maakten deel uit van een team dat als enig doel had het werk van Jannai tot een succes te maken. Het was een onvergetelijke ervaring.

Jannai had zijn eerste stuk geschreven met de bedoeling om te choqueren. Het tweede stuk bracht een subtielere boodschap, die misschien kon worden samengevat met de aanhef van De Prediker. Een reusachtige vis werd neergelaten van het plafond en baarde een spiernaakte Jannai, die zich onverwijld vermomde tot heer in rok. In snelle opeenvolging werd de boreling tegen zijn zin door een heks gevoed, bemind, gekookt en verslonden. Na deze en nog enkele surrealistische avonturen ontsnapte hij naar een magisch woud van schaduwbeelden, die op witte schermen te voorschijn werden getoverd. Terwijl hij de suggestie wekte dat hij een heel eind moest rennen om zijn leven te redden, wierp hij zijn kledingstukken één voor één van zich af, en toen hij eindelijk opnieuw naakt aan de achterkant van het toneel was gekomen, veranderde hij geleidelijk in een boom, die in niets te onderscheiden was van alle andere bomen in het woud. 'IJdelheid der ijdelheden. Het is alles ijdelheid.'

Het meest dramatische moment vond plaats halverwege het stuk, toen Jannai de pan, waarin hij net was gekookt, omdraaide en erbovenop ging staan, kennelijk met de bedoeling een toespraak te houden. Een volle minuut stond hij zijn mond open en dicht te doen en onduidelijke gebaren te maken. Het leek wel of hij nooit uit zijn woorden zou komen. Toen het publiek er goed van overtuigd was dat de jonge acteur zijn tekst kwijt was, en oprecht medelijden met hem begon te krijgen, werd duidelijk dat deze totale machteloosheid deel uitmaakte van het stuk zelf. Aangezien er gedurende die scène niets aan de lichten hoefde te worden veranderd, had Jardena de gelegenheid om te zien hoe meerdere toeschouwers het zo benauwd kregen dat ze letterlijk naar hun keel grepen.

Het publiek verliet het theater met het gevoel dat het leven zinloos was, en de mens machteloos. Het stuk was te deprimerend voor herhaling.

Gedurende de weken die aan de opvoering waren voorafgegaan, was Jannai zo gespannen geweest dat Jardena voorstelde dat hij eens zou gaan praten met de heer Pigeon, die intussen uit Amerika was teruggekeerd.

'Ik ben niet gek,' was Jannai's reactie. 'Ik hoef geen psychologische behandeling.'

'Dat bedoel ik ook niet,' suste zijn moeder. 'Ik had gedacht aan een paar informele gesprekken, en ik vraag je dit voor mij te doen, net zoals ik altijd bereid ben dingen voor jou te doen als jij mij dat vraagt.'

1986

Toen professor Pigeon Jannai een paar keer had gesproken, schreef hij een brief naar het leger met het advies de jongen van dienstplicht te ontslaan. Men was bereid naar deze autoriteit te luisteren, maar Jannai wou pertinent onmiddellijk na de enige en laatste uitvoering van zijn tweede toneelstuk het leger in.

Toen hij de eerste keer met verlof kwam, vertelde hij dat een groep rekruten op een nacht het bevel had gekregen om achter een ton aan te rennen die van een steile heuvel afrolde. Toen de ton in een modderplas aan de voet van de heuvel viel, was Jannai de enige die er achteraan sprong en vervolgens ook de enige die een standje kreeg omdat hij zich als een dwaas had gedragen.

Bij het tweede verlof bracht hij de opdracht mee om zondagochtend voor dag en dauw in zijn legerplaats terug te zijn met een gebruikte autoband. Aangezien het Shabbat was en alle garages in Jeruzalem gesloten waren, was de opdracht praktisch onuitvoerbaar. Maar Jannai rustte niet voor hij gevonden had wat hij moest hebben en niet alleen voor zichzelf maar ook voor zijn mederekruten, die zich minder hadden uitgesloofd.

Elke keer dat Jannai thuiskwam was hij magerder, bleker en verdrietiger. Zonder dat hij er erg in had, stroomden de tranen soms over zijn wangen. Zijn geweer leek meer te wegen dan alle toneeldecors die hij schijnbaar moeiteloos en met nooit-aflatende energie door Jeruzalem had gesleept.

Een week of zes nadat hij in dienst was gegaan, kregen zijn ouders een oproep van de legerpsycholoog. 'U zult dit misschien niet graag horen,' zei hij, 'maar we hebben besloten om uw zoon uit het leger te ontslaan. Hij is ons te buitengewoon. Aan de ene kant breekt zijn hart als hij een vlieg moet doden. Aan de andere kant vervult hij zijn soldatenplicht alsof het de wetgeving in de Sinaï betreft. We moeten één ding niet vergeten. Toen Abraham op het punt stond zijn zoon te offeren, riep zelfs God:

"Gebruik je verstand, man. Niet klakkeloos gehoorzamen!"'

Jardena kon niet nalaten op te merken: 'Wat zou een orthodoxe rabbijn van deze interpretatie zeggen.'

De psycholoog, die aan de kleding van zijn gasten natuurlijk zag dat ze of seculier of hoogstens vrijzinnig waren, glimlachte veelbetekenend en zei: 'Ik ken het bijbelverhaal net zo goed als ieder kind dat op school vaderlandse geschiedenis heeft gehad, en dit is wat ik ervan begrepen heb.'

'Welnee,' zei Nathan heftig. 'Zo was het helemaal niet. Het offeren van de eerstgeboren zoon was in Abrahams tijd gebruikelijk, en hij was de eerste die het belachelijke ervan inzag, evengoed als hij de eerste was die zich realiseerde dat een boom of een berg niet God kan zijn. Maar als hij gewoon had geweigerd zijn zoon te offeren, had het hele volk hem voor ketter uitgescholden. Daarom verzon hij het verhaal van dat bokje, alsof het Gods idee was geweest Isaak te sparen.'

'Ja, dat kunt u nu wel zeggen ...' De psycholoog trok eens aan zijn pijp, en leunde achterover in zijn stoel.

Nog even en hij legt zijn benen op tafel, dacht Jardena ongeduldig. Mannen zijn onmogelijke wezens. Zodra er twee bij elkaar zitten, discussiëren ze of over politiek of over het jodendom. Hardop zei ze: 'Hebt u ons laten komen om over het offer van Isaak te discussiëren of was er nog iets anders wat u ons wilde zeggen?'

'U hebt gelijk, mevrouw,' zei de psycholoog met een knipoogje naar Nathan. 'Vrouwen zijn praktischer dan mannen. De interpretatie van die oude verhalen is nu eenmaal mijn hobby, en wat uw man naar voren bracht ... Maar ter zake: u kunt mij geloven als ik zeg, dat we er in de eerste plaats op uit zijn om uw zoon tegen zichzelf te beschermen. Daarom druk ik u op het hart niet boos te zijn op Jannai. En als u teleurgesteld bent, toon het dan niet te zeer. Bedenk dat hij een bijzonder mens is, die een bijzondere behandeling verdient.'

Nathan en Jardena wisten wel dat ze er niet populairder op zouden worden als hun tweede zoon ook al niet in dienst ging. Dat was nu eenmaal, zelfs na het debacle in Libanon, een gevoelig punt voor de meeste Israëlische ouders. In het ergste geval was het iets waar je je diep voor schaamde, in het beste geval iets wat je maar liever verzweeg. Maar ze waren de tragedie van David Barnea nog niet vergeten. De jongen die bij Perla in de klas had gezeten, en die, toen hij negentien was, voor een officiersexamen zakte. Terwijl het feest voor zijn geslaagde makkers in volle gang was, had David zich door het hoofd geschoten. Uit schaamte, zei de een. Uit angst voor zijn vader zei de ander.

Ze bedankten de psycholoog en namen hun zoon mee naar huis. Maar hoe normaal ze ook over de situatie spraken, Jannai zelf was totaal overstuur. Dienstweigeren was één ding, uit de dienst verwijderd worden iets heel anders. Wekenlang dwaalde hij als een schim door het huis, en de tranen bleven maar vloeien.

Veel van zijn vrienden deden hun best hem moed in te spreken, maar anderen waren boos of jaloers op hem. Een buurjongen weigerde niet alleen Jannai te groeten, maar draaide zelfs zijn hoofd om als hij Jardena of Nathan op straat tegenkwam. Weer kwam de grootste steun van Rachela, het meisje dat ook zo trouw achter Jannai had gestaan bij de voorbereidingen van het tweede toneelstuk.

Perla belde op uit Amsterdam. 'Imma, Meron en ik zijn vanochtend op het stadhuis getrouwd.'

'Getrouwd? Wat zeg je me nou? Gefeliciteerd kind, maar waarom zo plotseling?'

'Omdat ik m'n verblijfsvergunning niet meer kon verlengen nu ik mijn diploma van de Rietveldacademie heb. Maar nu ik met Meron ben getrouwd, kunnen ze me natuurlijk niet wegsturen.'

'Mag Meron dan wel in Nederland blijven?'

'Hij is een expert in zijn vak. Hem hebben ze nodig, mij niet.'

'Zijn jullie dan nu Nederlanders geworden?'

'Welnee. We blijven Israëliërs, maar we werken en leven hier.'

'Buitenlandse arbeiders, zogezegd?'

'Zo kun je het noemen. Is Abba in de buurt?'

'Ik roep hem aan de telefoon.'

Nathan gebaarde wild dat hij niet met Perla wou spreken. Jardena begreep natuurlijk precies wat hem scheelde. Ze was niet voor niets negenentwintig jaar met hem getrouwd. 'Jammer, hij is net de deur uit,' zei ze in de telefoon. 'Ik zal hem het grote nieuws vertellen, en je hoort nog wel van ons.'

Toen ze de hoorn op de haak had gelegd begon Nathan te tieren: 'Wat denkt ze wel. Mijn oudste dochter. Trouwen zonder ons te waarschuwen, zonder ons behoorlijk voor de bruiloft uit te nodigen. En dan moet ik haar zeker nog feliciteren ook? Dank je feestelijk.'

'Maar Nathan, er is helemaal geen bruiloft geweest. Het was een formaliteit. Ze wonen immers al jaren samen.'

'Alsof dat op zichzelf niet erg genoeg is. Al die jaren heb ik mijn mond gehouden. Maar nu hebben ze het toch te bont gemaakt. Trouwen zonder ons uit te nodigen!'

Nathan zou zeker nog een dag, of ten minste een uur zijn blijven foeteren als hij niet aan de knop van de televisie had staan draaien en midden in een reportage was gevallen over de aankomst van Anatoly Sharansky, die na twaalf jaar gevangenisstraf in de Sovjet-Unie eindelijk in Israël arriveerde. Ministers, hoogwaardigheidsbekleders en duizenden burgers stonden aan het vliegveld om hem welkom te heten. Iedereen kende de doordringende ogen en de kale schedel van refusenik nummer één. Zijn portret had om de haverklap in de kranten gestaan en was wekenlang op aanplakbiljetten in de stad te zien geweest. Maar niemand had zich gerealiseerd dat deze nationale reus zo klein van stuk was. Avital, zijn vrouw, een schoonheid, die een hoofd boven hem uitstak, was onmiddellijk na hun huwelijk op aliyah gekomen in de hoop dat haar man op grond van gezinshereniging spoedig zou mogen volgen. Twaalf jaar had ze in Europa en de Verenigde Staten voor zijn bevrijding gelobbyd, en nu was het dan eindelijk zover.

'Wat ben ik blij dat ik dit mag beleven,' zei Consuela Baghdádi. 'Het is één van de mooiste dagen van mijn leven.'

Nathan schudde zijn hoofd. 'We mogen niet juichen voordat ook Andrei Sacharov vrijkomt.'

'Sacharov? Wie mag dat zijn? Een andere Jood?'

'Moet iedereen die onder het sovjetregime te lijden heeft een Jood zijn?' wees Nathan haar terecht.

Jardena zei: 'Moet je de pret voor je moeder bederven?'

'Laat maar kind,' zei haar schoonmoeder. 'Ik ken mijn zoon. Voor hem zijn alleen niet-Joden van belang. Hij zou uit pure onpartijdigheid een vreemdeling voortrekken boven zijn eigen bloedverwanten. Gelukkig zijn er nog Joden genoeg die daar anders over denken.'

'Zoals Elnakam zeker,' schoot Nathan uit.

'Inderdaad. Zoals je broer. Je mag dan wel aan het andere eind van het politieke spectrum staan, je bent niet minder fanatiek dan hij, als je dat maar weet.'

'Maken jullie maar ruzie,' zei Jardena. 'Ik heb grote bewondering voor Sharansky en zijn vrouw. Ik wou dat ik zo flink was.'

Shai had altijd geweten dat hij het recht had om na zijn achttiende verjaardag stappen te ondernemen om zijn biologische moeder te ontmoeten. De weinige keren dat hij erover was begonnen had Jardena gezegd: 'Als het zover is, help ik je wel.'

'En als ik haar nu eens zo aardig vind dat ik bij haar wil blijven wonen?'

'Als jullie dat allebei willen, kun je wat mij betreft na je achttiende verjaardag een bed in haar huis hebben, en een bed in het onze. Meerderjarige mensen zijn vrij om naar eigen goeddunken te handelen. Maar wat je ook doet, en waar je ook woont, je blijft onze zoon en wij blijven je ouders. Daar valt niet aan te tornen.'

Een dag na zijn achttiende verjaardag herinnerde Shai zijn moeder aan haar belofte. Met zijn vader sprak hij er niet over. Hij voelde wel dat die na de moeilijke start nu maar liever speelde dat Shai vanaf het begin zijn zoon was geweest. Complicaties met een biologische moeder, dat was niets voor Nathan.

Jardena belde naar het adoptiebureau en kreeg te horen dat Shai persoonlijk een schriftelijk verzoek moest indienen. Dat deed hij. En daarna was het wachten op antwoord.

Jannai kon zijn draai niet vinden. Zijn ouders raadden hem aan om een tijdje naar het buitenland te gaan, waar men noch van zijn successen op het toneel, noch van zijn wansuccessen in het leger wist. Hij wilde wel naar Parijs om daar een toneelopleiding te volgen. Zijn ouders hielpen hem financieel zo goed als ze konden, en gaven hem ook een paar adressen van vrienden waar hij de eerste tijd zou kunnen logeren. Natuurlijk bleven ze telefonisch met hem in contact. Om te beginnen schreef Jannai zich in op het Centre Pompidou, waar je gratis Frans kon leren. Niet lang daarna vond hij een kamer bij een gezin waar een kinderjuffrouw werd gezocht. Toen hij zich aanmeldde, keek de moeder vreemd op. Een mannelijke kinderjuffrouw, dat was even wennen. Maar de jongetjes vroegen: 'Kun je voetballen?'

'Nou en of! Willen jullie mee naar het park om mij te testen?'

Dat wilden ze wel. Ze kwamen wild enthousiast thuis.

'Goed dan,' lachte de moeder. 'Als de nieuwe kinderjuffrouw genoeg

Frans kent, mag hij blijven. Jullie mogen ieder een voorwerp aanwijzen, en als Jannai er het Franse woord voor weet, is hij voor zijn examen geslaagd.'

De oudste jongen wees op de koelkast.

'Frigidaire,' zei Jannai in niet al te correct Hebreeuws.

'Bravo,' riepen de moeder en haar kinderen.

De tweede jongen wees op een artisjok.

'Artisjok,' zei Jannai, alweer in het Hebreeuws.

'Bravo, bravo,' riepen ze met z'n allen.

Het meisje probeerde iets heel moeilijks te verzinnen, en wees ten slotte op een zacht rond kaasje.

'Camembert,' zei Jannai. En daarmee had hij het pleit gewonnen.

In juni schreef Shai opnieuw naar het adoptiebureau. Per kerende post kreeg hij een uitnodiging om zich persoonlijk te melden. Aanvankelijk vertelde hij thuis niets over wat er bij de sociaal werkster was voorgevallen, maar op een ochtend wierp hij zich in alle vroegte op het bed van zijn ouders, en bromde: 'Ze heeft me expres laten wachten. Ze wou zien of ik zou doorzetten, of dat ik ervan af zou zien. In elk geval zal het een hele tijd duren. Eerst moeten ze dat mens opsporen. En als dat lukt, kunnen ze natuurlijk niet gewoon opbellen en een boodschap achterlaten. Stel je voor, misschien is de biologische wel getrouwd en weet haar man helemaal niet dat ik besta. Dus moeten ze haar bespieden, en op straat aanspreken: "Dag mevrouw hoer, weet u nog wel van die baby die u hebt weggegooid? Nou, hij is nog steeds niet dood hoor, en hij wil weleens zien wat voor soort mens je eigenlijk bent." En dan mag de biologische ja of nee zeggen, en als ze nee zegt, gaat het feest niet door, maar als ze ja zegt wordt er een afspraak gemaakt. Tot het zover is moet ik iedere maand op het bureau komen.'

Eén keer kwam Shai van zo'n bezoek thuis met de boodschap: 'De sociaal werkster zegt dat het de biologische is die mijn ogen beschadigd heeft. Maar niemand weet hoe ze 't hem geflikt heeft. Misschien was het opzet, misschien een ongeluk. Je komt er niet achter. Het is allemaal zo lang geleden.'

In juli hoorde Jardena dat er in Nederland een wet was aangenomen die minderjarige kinderen van Nederlandse moeders en niet-Nederlandse vaders toestond de nationaliteiten van beide ouders te bezitten. De wet was bedoeld voor kinderen van gastarbeiders en Nederlandse moeders, omdat de kinderen, die tot nu toe alleen de nationaliteit van de vader hadden gehad, soms door hem naar zijn land werden meegenomen zonder dat de moeder enig recht kon laten gelden.

Weliswaar was de wet dus niet voor mensen als Jardena bedoeld, maar ook haar minderjarige kinderen konden er gebruik van maken. Hoewel Jannai voor de Israëlische wet sinds zijn achttiende jaar meerderjarig was, was hij voor de Nederlandse wet tot zijn eenentwintigste minderjarig en kwam hij dus nog voor die tweede nationaliteit in aanmerking. En nu hij in Parijs op een toneelschool zat en iedere drie maanden bij de vreemdelingenpolitie moest verschijnen om zijn visum te laten verlengen, zou het handig voor hem zijn een Nederlands paspoort te hebben. Nathan spoorde Jardena aan om het Nederlanderschap voor Jannai en zijn twee jongere broers aan te vragen. De jongens vonden het geweldig dat hun moeder nog steeds Nederlandse was, maar Jardena zelf was daar niet blij om. Natuurlijk vond ze het fijn dat ze de kinderen een dienst kon bewijzen, maar het zat haar dwars dat ze bij verkiezingen nooit haar stem kon uitbrengen. De Israëlische wet stond haar best toe om twee nationaliteiten te bezitten, maar de Nederlandse wet was onverbiddelijk: Nederlanders die vrijwillig een andere nationaliteit aanvroegen, verloren hun Nederlanderschap. Het beste wat ze kon bedenken was om met vernieuwde ijver Russisch te leren. Als ze op haar Nederlandse paspoort naar de Sovjet-Unie ging om de refuseniks Hebreeuws te leren, dan kon dat misschien opwegen tegen het feit dat ze niet stemde.

Degene die het allerliefst de Nederlandse nationaliteit wou hebben, maar hem ondanks het feit dat hij in Nederland was geboren, vanwege zijn leeftijd niet meer kon krijgen, was Itsik, die nooit ophield met verhuisplannen te maken. Nu eens wou hij in Spanje gaan wonen, dan weer sprak hij over Canada, Nieuw-Zeeland of Zuid-Frankrijk, maar niemand nam zijn verhalen serieus.

'Je vader was net zo,' zei Consuela Baghdádi. 'Die heeft ook zijn hele leven aangekondigd dat hij ergens anders ging wonen.'

'Mijn vader heeft het zijn leven lang gezegd, maar ik doe het ook echt. Dat is het verschil,' zei Itsik.

Zijn grootmoeder knikte veelbetekenend.

Shai was vanwege zijn ogen vrijgesteld van militaire dienst, maar Jifrach, die zestien was, kreeg nu zijn eerste oproep.

'Ik neem aan dat je van plan bent de militaire dienst te ontlopen?' zei de officier bij wie hij zich moest melden.

'Als u dat zegt omdat mijn broers niet gediend hebben, verzoek ik u om er nota van te nemen dat dat niets te maken had met ontlopen.'

De officier was niet de enige die zich afvroeg hoe Jifrach zou reageren op de vreemde omstandigheid dat zijn vier zusters in dienst waren geweest, terwijl zijn drie broers om verschillende redenen vrijgesteld waren. Jardena, die professor Pigeon sporadisch zag, vroeg hem wat ze kon doen om haar jongste zoon moed in te spreken.

'Moed voor wat?' vroeg hij. 'Moed om te dienen of moed om dienst te weigeren?'

'Ik weet het niet. Moed om de juiste beslissing te nemen.'

'Zeg hem dat je erop vertrouwt dat hij zichzelf zal blijven.'

In augustus konden Itsik en zijn gezin, dat inmiddels uit vier personen bestond, niet langer gebruik maken van het huis in Ein-Karem. Ze verhuisden terug naar het kampeerterrein in Beth-Zayit, maar deze keer was de caravan niet beschikbaar en moesten ze zich tevredenstellen met een strooien hutje. Natuurlijk verhuisde Chiloea weer vrolijk mee. In de nacht voor het Joodse nieuwjaar werd het jonge gezin door een wolkbreuk uit de slaap gewekt. De eerste regens van het seizoen kletterden met denderend lawaai dwars door het strooien dak van hun hutje en het duurde niet lang of alles was drijfnat. Wat kon Itsik anders doen dan zijn vrouw en kinderen, en zijn hele hebben en houwen in een geleende auto laden en naar Jeruzalem rijden? Daar dumpte hij zijn kletsnatte lading in de woonkamer van zijn ouders. Chiloea bleef in haar geïmproviseerde stal op het kampeerterrein staan. Iedere ochtend nam Itsik of Shai de bus naar Beth-Zayit om de merrie van voedsel en water te voorzien.

Evenals in voorgaande jaren had Shai een afspraak met een juwelier om gedurende het wekenfeest naar het toneelfestival in Akko te gaan en daar sieraden te verkopen. Dit was één van de vele manieren waarop hij geld verdiende voor het onderhoud van Chiloea. Gedurende die ene week was Itsik in zijn eentje verantwoordelijk voor het dier.

Op een nacht droomde Itsik dat Chiloea van hem wegvloog, sneller en sneller, daarbij aldoor maar roepend dat hij haar moest komen redden van een verschrikkelijke tragedie. Zo duidelijk was de droom dat hij, volgens zijn zeggen, zijn slapende familie zou hebben verlaten om in allerijl Chiloea's roep te beantwoorden, als hij maar een auto had gehad. Hij stond om zes uur op en nam de eerste bus naar Beth-Zayit.

Het was zijn moeder die een halfuur later de telefoon opnam, zijn moeder die haar drieëntwintigjarige zoon, zelf vader van twee kleuters, hoorde snikken als een kind. Chiloea was dood. Gedurende de nacht had ze haar hoofd door een kier van de staldeur gestoken en net zo lang gerukt en gesjord om het weer naar binnen te krijgen tot ze gestikt was.

Itsik alleen zag het dode lichaam van de geliefde merrie. Itsik alleen huurde een vrachtwagen en reed Chiloea ver weg de bergen van Judea in. Itsik alleen gaf lucht aan zijn verdriet door met een schop in de harde grond te graven en te graven tot het gat breed en diep genoeg was voor Chiloea's grote lichaam. Itsik alleen zat op haar graf en huilde tot hij niet meer huilen kon.

Op de dag dat Shai uit Akko werd verwacht, gingen Nathan en Jardena de hele dag het huis niet uit. Shai kwam laat in de avond, blij dat hij genoeg geld had verdiend om Chiloea de winter door te kunnen laten komen. Zijn ouders vertelden wat er was gebeurd. Hij reageerde met geen woord.

Wel was hij daarna wekenlang neerslachtig.

Over het paard sprak hij niet. Over zijn ogen des te meer. Hij had gehoord dat er een nieuwe expert in Jeruzalem was. Van hem wou hij een oordeel.

Na een grondig onderzoek legde de arts uit: 'Stel je voor dat je maar één enkel overhemd hebt. Je gaat er zo voorzichtig mogelijk mee om. Toch ontdek je op een dag dat er een scheur in zit. Hoe is dat gebeurd? Zomaar. De stof is versleten, dat is alles. Gisteren was het hemd nog heel, en vandaag is het niet meer te repareren. Zo is het met dat ene netvlies van jou gesteld, behalve dat je er niet eens zorgvuldig mee omgaat. Als ik jou was zou ik eerst maar eens twee maanden helemaal geen lens dragen. Je oog ziet er abominabel uit.'

Terneergeslagen gingen moeder en zoon naar huis.

Daar wachtte hun een verrassing. Leila, de Zwitserse Bedoeïenenvrouw, zat op hen te wachten. Na uitgebreide omhelzingen vertelde ze dat kort na het bezoek van Jardena en de jongens aan Tarabin, twee Egyptische politieagenten aan de deur van haar huisje hadden geklopt met het verzoek of ze haar Zwitserse paspoort konden zien. Ze beschuldigden haar ervan dat ze geen Egyptisch visum had, en dus illegaal het land was binnengekomen. De werkelijkheid was natuurlijk dat Leila nooit Egypte was binnengekomen, maar dat Egypte zich om zo te zeggen om haar heen had gedrapeerd nadat ze met een Israëlisch visum in Tarabin terecht was gekomen.

Zonder zich iets van de feiten aan te trekken, geboden de agenten Leila het land te verlaten. Toen ze een verzoek indiende om te mogen blijven omdat ze getrouwd was met een in de Sinaï geboren man, werd het huwelijkscontract dat in Rafiach was opgesteld, ongeldig verklaard omdat het in het Hebreeuws was. Dat was geen wonder, want Leila en Oualid waren getrouwd voordat Israël Rafiach aan Egypte had teruggeven. Er was maar één oplossing voor het probleem: opnieuw trouwen, deze keer in Cairo. In Cairo werden echter vragen gesteld over de wijze waarop Leila destijds tot het mohammedaanse geloof was overgegaan. Ze kreeg de opdracht een maandenlange cursus over de islam te volgen. Daarna pas zou ze met haar wettige echtgenoot in het huwelijk mogen treden. Die cursus was met omkoping vlot geregeld, maar daarna kwamen de echte problemen.

Nauwelijks was het dubbel getrouwde paar terug in het eigen huis of daar kwam alweer een Egyptische agent, nu met het bevel dat Oualid zijn land moest verkopen. Aangemoedigd door zijn kordate vrouw weigerde Oualid daaraan te voldoen. Hij ging de gevangenis in, en werd acht dagen en nachten mishandeld. Leila, die goed Arabisch sprak, daagde de regering voor het gerecht en kwam als overwinnaar uit de strijd. Oualid werd vrijgelaten en thuis wachtte zijn vrouw hem op met officiële papieren die de preciese grenzen van hun stuk land aangaven.

Nog voor er een maand voorbij was, kondigde de Egyptische regering aan dat er een vijftien meter brede weg zou worden aangelegd, die toevallig dwars door Leila's zorgvuldig aangelegde voortuin moest lopen. Als argument aanvoerend dat er achter het huis ruimte genoeg was voor een weg, ging Leila onversaagd opnieuw ten strijde en won ten tweeden male een proces. De autoriteiten confisqueerden het land achter Leila's huis, gooiden met zichtbaar leedvermaak de put dicht, en bouwden er een weg dwars overheen. Ervoor in de plaats kregen Leila en Oualid een vijftien meter brede strook land opzij van hun huis. Moedig gingen ze aan de slag om een nieuwe put te graven, zes meter diep en twee meter in doorsnee. Deze keer waren er geen Israëlische soldaten die met generatoren en elektrische boren te hulp kwamen, en dus daalde Leila iedere ochtend naar de bodem van de gestaag dieper wordende put om het zware natte zand in emmers te scheppen, die Oualid vervolgens aan een touw omhoogtrok.

Enkele maanden leefde het paar blijmoedig en ongestoord. Oualid organiseerde kamelentochten voor toeristen. Leila verkocht jurken van een zelfbedachte woestijnmode, die ze naaide van in Eilat gekochte en in Hongkong gefabriceerde stoffen. Met haar Zwitserse paspoort kon ze zo vaak ze maar wou Israël binnenkomen. Soms reisde ze van Eilat naar Jeruzalem om in de oude stad een voorraad sieraden en handtassen uit India en Taiwan in te slaan, die ze met een stalen gezicht voor plaatselijk handwerk liet doorgaan. Meestal logeerde ze dan in het christelijke dorp Jad-Hashemonah, waar ze van de gelegenheid gebruik maakte om naar de kerk te gaan en Jezus om een kind te vragen. 'Want al zal ik nooit mijn nieuwe geloof verloochenen door wijn te drinken of varkensvlees te eten,' vertrouwde ze Jardena toe, 'toch kan het geen kwaad om tot Jezus te bidden. Hij kent me tenslotte zoveel langer dan Mohammed.'

Op de laatste dag van december ging 's morgens vroeg de telefoon.

'Oké,' hoorde Jardena Nathan zeggen. 'Ik ga zo wel bij haar langs.'

'Wie was dat,' gaapte ze vanonder de dekens.

'Elnakam. Hij zegt dat Imma zich niet zo goed voelt. Ik ga straks wel even kijken.'

'Waarom straks? Waarom niet nu meteen?' Jardena was ineens klaarwakker.

'Omdat het geen haast heeft. Elnakam komt net bij haar vandaan. Ze heeft alles wat ze nodig heeft. En ik moet eerst naar de bank.'

'Je kunt net zo goed vanmiddag naar de bank.'

'Heb ik mijn moeder ooit verwaarloosd? Het is de laatste dag van het jaar en ik moet een paar rekeningen betalen.'

'Wat voor rekeningen?'

'Sinds wanneer interesseer jij je voor mijn rekeningen?'

'Ik weet het niet. Ik heb een akelig voorgevoel. Als ik jou was ging ik eerst naar je moeder. Misschien is ze wel ...'

Jardena maakte haar zin niet af. Ze had haar schoonmoeder pas bezocht en er was niets bijzonders aan de hand geweest. Zoals iedere dag sinds de dood van haar zoon Moshe had ze kruimeltjes brood op de vensterbank gestrooid om de vogeltjes te voeren. 'Omdat er geschreven staat dat we aalmoezen aan de armen moeten geven,' zei ze, 'en de enige armen die ik vanuit mijn woonkamer kan bereiken zijn de vogels.' Met armen bedoelde ze niet de dikke grijze duiven die altijd probeerden de lekkerste hapjes te bemachtigen, maar de kleine bruintjes en de musjes waaraan ze vroeg om naar de hemel te vliegen en de ziel van haar zoon de groeten te brengen.

'Doe niet zo overdreven,' zei Nathan, maar Jardena was al aangekleed. 'Ik ga er direct naar toe,' kondigde ze aan.

'Maar Moshiko slaapt nog. Die kun je toch niet alleen laten?'

Moshiko was Itsiks jongste zoon. Het gezin was tijdelijk in het huis van vrienden getrokken, en het kind was voor de gezelligheid een nachtje komen logeren. Jardena keek naar het slapende kind. Een glimlachje speelde om zijn lippen. Een levend engeltje temidden van de engeltjes die op zijn dekentje waren afgebeeld. Hij vertrouwde erop dat zijn grootmoeder over hem waakte. Maar dat was het nu juist. Want werkte zoiets niet naar beide kanten? Moesten kinderen en kleinkinderen als ze volwassen waren ook niet over hun ouders en grootouders waken? Haar schoonmoeder was ook een moeder en een grootmoeder. Ze moest naar haar toe. Plotseling kwam het haar voor dat ze geen moment te verliezen had.

'Jifrach kan op Moshiko passen,' zei ze, maar Nathan sputterde: 'Jifrach moet naar school.'

'Niet als zijn grootmoeder ziek is. Dat zou jij moeten weten. Je bent zelf een grootvader.'

Een halfuur later stond Jardena uit alle macht op de deur van haar schoonmoeder te bonzen. Op de bel drukken hielp al jaren niet meer. Dat hoorde ze toch niet. Elnakam had een sleutel, maar zij niet. Als Imma ziek was, waarom had haar zwager dan de deur op slot gedraaid? Dat had toch voor een uurtje niet gehoeven? 'Imma, Imma, ik ben het. Hoor je me? Doe open!' Tien, twintig minuten gebeurde er helemaal niets. Jardena was net van plan hulp te gaan halen toen ze het geschuifel van voeten hoorde. 'Imma, doe open. Ik ben het, Jardena!'

Klik, klik, klik, klik. Consuela Baghdádi draaide de sleutel vier keer om. Dat was een geluid dat Jardena haar leven lang zou blijven associëren met deze deur, dit huis, deze moeder. Het geluid van alle dinsdagmiddagen dat haar schoonmoeder haar had opgewacht met koffie en verhalen en zelfgemaakte lekkernijen.

'Leg je benen hoog,' placht ze te zeggen terwijl ze een krukje naar de bank trok. 'Als je toch zit, kun je je net zo goed helemaal ontspannen. Je hebt het verdiend.' En dan vertelde ze in de tegenwoordige tijd over haar jeugd terwijl Jardena sokken stopte, een werkje dat in de wegwerpmaatschappij weliswaar overbodig was geworden, maar dat ze speciaal in ere had hersteld om haar handen bezig te houden terwijl ze luisterde naar de steeds weerkerende verhalen van haar schoonmoeder. Sokken stoppen hoorde evenzeer tot hun wekelijkse intimiteit als het klik-klik-klik-klik van deze speciale sleutel in dit speciale slot.

Consuela Baghdádi deed open. Het viel Jardena onmiddellijk op dat ze teerder, doorzichtiger was dan de laatste keer. Consuela fluisterde haar schoondochters naam en draaide zich om, om terug te schuifelen naar haar bed. Instinctief plaatste Jardena haar handen onder haar schoonmoeders oksels. Het oude lichaam had nauwelijks gewicht. Het leek wel of het zich had geleegd in de levenslange taak haar kinderen en schoonkinderen te leren van elkaar te houden en elkaar te steunen, zelfs als ze het niet met elkaar eens waren.

Al evenzeer bewonderde Jardena Consuela's bereidheid om op oude leeftijd toe te geven dat ze zich in het verleden vergist had.

'Weet je nog wel, toen mijn eerste kleindochter geboren werd ...' fluisterde Consuela Baghdádi alsof ze Jardena's gedachtegang had gevolgd. 'Hoewel ik al vier kleinzoons had, was ik teleurgesteld dat ze geen jongetje was, en jij beloofde me in je woede veertien kleindochters achter mekaar. Ik heb nu wel begrepen ...' Er verscheen een lachje om haar ogen: 'Jammer dat je je woord niet hebt gehouden ...'

Gedurende drie jaar had ze geweigerd om shabbatkaarsen te ontsteken, uit protest tegen God omdat hij haar zoon van haar had weggenomen. Maar op een dag had ze God haar verontschuldigingen aangeboden. 'Ik heb je niet eerlijk behandeld,' vertelde ze Hem. 'Rouwen om het ene kind dat je me hebt ontnomen is belangrijk en noodzakelijk. Niet dankbaar zijn voor degenen die je me hebt gelaten is verkeerd.' Vanaf die dag nam ze de gewoonte aan om elke vrijdag voor het ingaan van de Shabbat een extra kaars te ontsteken voor de ziel van haar zoon die vanuit de hemel op haar toekeek.

'Want zo wil mijn moeder dat,' vertelde ze Jardena week na week, daarbij over haar lang gestorven moeder pratend alsof die naast haar zat. 'Studeer,' zegt mijn moeder. 'Leer zoveel als je kunt, want alles wat je weet zal je gezelschap houden op je oude dag.'

Een enkele keer volgden er wat toespelingen op haar echtgenoot, die ze had verkozen boven vele rijkere en intelligentere aanbidders. Dan eindigde ze altijd met: 'Toch heb ik nergens spijt van. Een mens kan zijn lot niet ontlopen.'

Maar meestal ging het relaas rechtstreeks van haar moeder naar haar vader: 'Mijn vader zit op de veranda van ons huis in Alexandrië en bestudeert zijn heilige boeken. De christenmeisjes uit de buurt staan voor het huis en staren naar hem, omdat hij zo opvallend knap is, en ook omdat hij Joshua heet, net als Jezus. Bij ons thuis mag je het woord 'Jezus' helemaal niet noemen. Als mijn vader wist wat ik de laatste jaren ben gaan begrijpen, zou hij zich in zijn graf omdraaien. Ik heb namelijk ontdekt dat Jezus helemaal nooit slechte bedoelingen had, maar dat anderen zijn naam misbruikt hebben om hun boze daden te rechtvaardigen. Maar mijn vader is zo verdiept in zijn lectuur dat hij niet merkt dat de meisjes stilletjes de veranda op sluipen en de zoom van zijn *gallabiya* kussen. Mijn moeder is jurken aan het naaien voor andere vrouwen. Ze hoopt dat mijn vader het niet merkt. Hij wil niet hebben dat ze voor geld werkt. Dat past niet voor de vrouw van een rabbijn.'

Consuela Baghdádi had geen rabbijn nodig om haar te vertellen hoe ze moest leven. Zolang ze er de kracht toe had gehad, had ze de voorschriften voor de Shabbat plichtsgetrouw in acht genomen. Maar toen haar dat te zwaar werd, zei God tegen haar dat het beter was om op Shabbat het gas aan te steken en van Zijn rustdag te genieten, dan om zich vrijdag als een gek uit te sloven en daarna de hele Shabbat doodmoe op bed te liggen. Ook had Hij haar laten weten, dat het beter was om zich door een van haar kinderen op Shabbat met de auto te laten afhalen, zodat ze een fijne dag had, dan om te weigeren in een auto te rijden en weg te kwijnen van eenzaamheid. De ware mitsvah, had ze helemaal alleen ontdekt, was om gelukkig en tevreden te zijn met de middelen die God je heeft gegeven.

Consuela Baghdádi hield nooit op met leren. Toen er na de dood van haar man niemand was om haar uit de Hebreeuwse krant voor te lezen, probeerde ze het eerst eens met de Franstalige krant, maar die vond ze te oppervlakkig. Dus abonneerde ze zich op de *Jeruzalem Post* en vertaalde hele artikelen met behulp van een Engels-Frans woordenboek, daarbij in gedachten het Engels uitsprekend alsof het Frans was. Na enige tijd kon ze goed Engels lezen en de meeste woorden ook foutloos spellen. Daarentegen was haar uitspraak zo origineel dat het wel leek of ze de taal zelf had bedacht.

Ze keek op de televisie naar Arabische speelfilms. Ze placht ze aan haar kleinkinderen uit te leggen, maar op een gegeven moment waren de kleintjes groot genoeg om de films aan háár uit te leggen.

'Wat krijgen we nou?' riep ze zogenaamd beledigd uit. 'Willen jullie beweren dat je beter Arabisch verstaat dan ik?'

'Nee Savta,' lachten de kinderen. 'Maar we kunnen de Hebreeuwse ondertitels lezen.'

'Het was elke keer weer een van de gelukkigste momenten van mijn leven,' vertrouwde Consuela haar schoondochter toe. 'Als je een klein kind ziet lezen, weet je dat hij de grens heeft overschreden tussen afhankelijkheid en zelfstandigheid. Zo'n kind zal in zijn leven nooit hulpeloos of eenzaam zijn.'

Jardena bleef bij haar schoonmoeder tot Nathan haar kwam aflossen, maar ze keerde later op de dag terug. Toen waren intussen ook Consuela's andere kinderen en sommigen van de aangetrouwden er. Om zeven uur maakte iedereen aanstalten om naar huis te gaan.

'Maar wie blijft er bij Imma overnachten?' vroeg Jardena.

'Niemand. Ze redt zich wel.'

'Ze redt zich wel?' Jardena kon haar oren niet geloven. Hier waren al die volwassen mannen en vrouwen die altijd en met liefde veel moeilijkere dingen voor hun moeder en schoonmoeder hadden gedaan dan een nachtje op haar divan slapen. Waarom moesten ze allemaal zo nodig naar huis?

Toen ze erover nadacht, begreep Jardena dat geen van Consuela's kinderen bereid was om te aanvaarden dat ze haar ooit zouden moeten verliezen. Ze had zich altijd kunnen redden, en ze zou zich altijd blijven redden.

Toen dus niemand anders bij de oude vrouw wilde overnachten, bleef Jardena. Als de meisjes in Jeruzalem waren geweest, zouden ze met elkaar om de eer hebben gestreden, maar Perla zat in Nederland, Vered in Kenia, Consuela in Amerika, en Simcha was toevallig een tocht door de woestijn aan het maken.

Zo kon het gebeuren dat Jardena in de nacht van 31 december op 1 januari een onvergetelijke belevenis had. Midden in de nacht riep Consuela plotseling luid de naam van haar oudste zoon: 'Nathan, Nathan!'

Jardena sprong overeind. Haar schoonmoeder wou naar de wc. Toen Jardena haar weer in bed had geholpen, waren beide vrouwen klaarwakker. 'Ik zal niet lang meer leven,' zei Consuela. 'Toen ik veertien was, en mijn eerste salaris naar mijn moeder bracht om eten voor mijn zusjes en broertjes te kopen, zei ze: "Nee kind, van dit geld moet je iets kopen voor je bruidsschat, iets kostbaars dat zijn waarde niet verliest." Ik kocht deze oorbellen, en heb ze in drieënzeventig jaar niet eenmaal uitgedaan. Die zijn voor jou.'

'Maar Imma,' zei Jardena. 'Ik heb niet eens gaatjes in mijn oren.'

'Dat hindert niet, kind. Je bedenkt wel iets. Je kunt er schroefjes aan laten zetten. Moderne vrouwen doen dat wel meer.'

Toen Reinie een klein meisje was, had ze van haar moeder gehoord dat vrouwen die gaatjes in hun oren lieten maken primitief en onontwikkeld waren. Maar Reinie's moeder was al meer dan veertig jaar dood, en Jardena's schoonmoeder leefde en had gaatjes in haar oren.

'Voor jou laat ik gaatjes in m'n oren maken,' beloofde ze. 'Ik zal niets aan je oorbellen veranderen. Ik draag ze zoals ze zijn. Wat goed is voor jou, is goed voor mij.'

De twee vrouwen omhelsden elkaar in het donker en vielen samen in slaap.

Toen het licht begon te worden, hoorde Jardena een vreemd gerochel. Ze had nog nooit zoiets gehoord maar begreep onmiddellijk wat het was. Het liefst was ze met haar schoonmoeder alleen gebleven tot deze rustig overleden was, maar ze begreep wel dat ze daar het recht niet toe had. Ze belde ieder van Consuela's kinderen persoonlijk op, en raadde hun aan onmiddellijk te komen. Het was negen uur toen de eerste eindelijk aankwam. Consuela's toestand was sinds de dageraad niet veranderd. Sommigen van haar kinderen wilden haar naar het ziekenhuis brengen. Anderen weifelden. Jardena was er vierkant tegen, maar durfde haar mening niet op te dringen. Ze was tenslotte een schoondochter, niet een dochter.

Iemand haalde een arts. Hij onderzocht de oude vrouw en gebood: 'Onmiddellijk naar het ziekenhuis.'

'We willen haar thuis verzorgen,' waagde Jardena. 'We blijven om de beurt aan haar bed zitten.'

'U wilt haar vermoorden,' riep de man. 'Reken niet op mij!' Hij liep woedend de kamer uit en sloeg de deur achter zich dicht.

Jardena voelde zich verantwoordelijk voor de pijnlijke situatie. Al was ze ervan overtuigd dat haar schoonmoeder haar niet zou horen, toch vroeg ze: 'Imma, wil je naar het ziekenhuis?'

Zacht maar duidelijk kwam het antwoord: 'Waarom niet?'

Wat bracht Consuela Baghdádi ertoe dat te zeggen? Was het haar onstuitbare drang om te leven?

Twee weken tevoren was ze jarig geweest. Nathan had een advertentie in *The Jeruzalem Post* geplaatst om zijn moeder met haar negentigste verjaardag te feliciteren. Maar Consuela had haar schoondochter toevertrouwd dat ze eigenlijk pas zevenentachtig was geworden. Jaren geleden, toen Israël een onafhankelijke staat was geworden, en haar man identiteitsbewijzen had aangevraagd, had hij voorzien dat ouden van dagen op den duur een pensioen zouden krijgen. Toen had hij voor de zekerheid maar vast drie jaar aan hun leeftijden toegevoegd.

'En help me hopen dat ik niet tot mijn negentigste jaar hoef te leven,' had ze uitdrukkelijk gezegd. 'Ik heb één kind verloren en zou zo'n verdriet niet nog eens kunnen verdragen. Een paar extra jaartjes zijn dat risico niet waard. Ik heb mijn eigen graf gekocht en er ligt geld op het buffet voor de onkosten van de begrafenis en de rouwweek. Zo hoeft geen van mijn kinderen na mijn dood iets voor me uit te geven, en achteraf het gevoel te krijgen door de anderen te zijn uitgebuit. Mijn jongste zoon is vijftig, mijn oudste kleinzoon is veertig. Het is genoeg! Ik heb vijfentwintig kleinkinderen en veertien achterkleinkinderen. Het is genoeg.'

Dat was wat Consuela Baghdádi op haar zevenentachtigste verjaardag had gezegd. Maar nu, twee weken later, terwijl haar wens op het punt stond in vervulling te gaan, en Jardena vroeg of ze naar het ziekenhuis wou, kwam ze plotseling voldoende tot bewustzijn om te antwoorden: 'Waarom niet?'

Op het moment zelf was Jardena teleurgesteld, maar later begreep ze de betekenis van haar schoonmoeders laatste woorden: door zich in het ziekenhuis kunstmatig nog een hele week in leven te laten houden gaf ze aan al haar nazaten die daar behoefte aan hadden de gelegenheid afscheid van haar te nemen. Dat gold bijvoorbeeld voor Jannai, die speciaal uit Parijs kwam. Zijn zusje Consuela, die erover dacht uit Amerika te komen, maar er op het laatste moment van afzag, zou daar haar hele leven spijt van blijven houden.

1987

Simcha verhuisde naar het leeggekomen eenkamerflatje van grootmoeder Consuela. Jifrach had zijn zinnen gezet op de kamer van zijn zuster, die evenals Jardena's werkkamer te bereiken was vanaf het binnenplaatsje, waar beide kamers samen over een keuken en badkamer beschikten. Hoe kon Jardena de prachtige kamer van Simcha aan Jifrach geven, als de twee jaar oudere Shai in een soort berghok woonde? En dat nog wel nu Shai zijn lens niet mocht dragen, en vaak dagenlang gedeprimeerd op bed lag. Maar het was Shai die Jifrachs zaak kwam bepleiten. 'Geef hem Simcha's kamer, Imma. Hij heeft er zo'n zin in.'

'En jij dan, Shai? Word jij dan niet jaloers?'

'Jaloers? Op wat?'

Jardena realiseerde zich dat het probleem niet bij Shai lag maar bij haarzelf. Met hartzeer besloot ze afstand te doen van haar eigen werkkamer waar ze zo trots op was, en met haar hebben en houwen naar boven te verhuizen. Gedachtig aan de hangkast die ze kort na haar huwelijk in een plankenkast had omgebouwd, en aan Nathans aangeboren allergie voor ook maar de kleinste verandering, stelde Jardena voor dat Shai en Jifrach allebei beneden gingen wonen, maar dan moesten ze alle meubels, boeken, kleren, grammofoonplaten en verdere mikmak in één enkele nacht naar hun nieuwe bestemming verhuizen. Dat hield ook in dat ze een vierdelige klerenkast moesten demonteren, en weer in elkaar moesten zetten in de slaapkamer van hun ouders zonder dat Nathan er wakker van werd. Een heksentoer, maar hij werd volbracht, en de heer des huizes ontwaakte de volgende ochtend bij wijze van spreken in een voldongen feit. Hij was behoorlijk uit zijn doen. Getrouw aan de door haar ontwikkelde methode, verzekerde Jardena hem dat het haar echt niets kon schelen om alles weer terug te brengen naar waar het was geweest. En zoals ze had voorzien moest hij daar niet aan denken.

Wat Shai betreft was de verhuizing een succes. Hij was zo blij met zijn nieuwe kamer dat hij zich veel minder verzette tegen de gedwongen rust, waardoor zijn oog al spoedig het contact met de lens weer kon verdragen.

Een jaar na haar huwelijk belde Perla haar ouders op. Proestend van het lachen meldde ze: 'Imma, Meron en ik zijn vanochtend getrouwd.'

'Hè?'

'Getrouwd. Religieus deze keer. Een choepah.'

'Wat ... wat ... wat ...'

'Na Savta's dood wilde ik toch ...'

'Ik begrijp het kind. Gefeliciteerd.'

Over haar schouder zei Jardena zo neutraal mogelijk tegen Nathan: 'Het is Perla. Zij en Meron hebben vanochtend hun choepah gehad.'

Achter haar barstte de bom. Weer stond Nathan te gebaren dat hij er niets mee te maken wou hebben. Het leek wel een kwade droom. Jardena volgde de beproefde strategie. 'Jammer, je vader is net de deur uit. Ik zal hem het grote nieuws vertellen. Je hoort van ons.'

Deze keer vloog Nathan zowat uit zijn vel. 'Twee keer doet ze me dat aan. En ik had nog wel een *ketoebah* voor haar willen kalligraferen. Maar nu krijgt ze helemaal niets.' Woedend liep hij de deur uit. En weer werd zijn aandacht afgeleid door het nieuws van de dag: de rechtszaak van de staat Israël tegen John Demjanjuk, van wie overlevenden uit het concentratiekamp Treblinka zeiden dat hij de beruchte kampbeul Ivan de Verschrikkelijke was.

Dit zou wel de laatste keer zijn dat ooggetuigen in het openbaar over hun wederwaardigheden in een vernietigingskamp spraken. Er waren zo heel weinig overlevenden geweest, en van die weinige waren de meeste intussen gestorven. De rechtszaal stroomde dagelijks vol, maar niemand van wie een plaats hadden weten te bemachtigen kon de getuigenissen bevatten. Ook Nathan en Jardena woonden enkele zittingen bij. 'Dit kan niet waar zijn,' zeiden ze over de ooggetuigen. 'Hoe kan iemand die dat allemaal heeft meegemaakt eruitzien als wij allemaal?'

Ivan de Verschrikkelijke had de opdracht gehad de motor te bedienen die het dodelijke gas de volgepakte gaskamer inpompte, vertelde Eliyahu Rosenberg. 'Maar niemand had hem gedwongen om van de naakte slachtoffers vlak voor hun dood nog snel even neuzen en oren af te snijden.'

'Als hij wist dat er in de komende dagen geen nieuw transport zou aankomen, gunde hij zich soms een extraatje,' getuigde Yechiel Raijman. 'Dan pompte hij geen vergif in de volle gaskamers, maar liet hij de slachtoffers door gebrek aan zuurstof langzaam stikken. Als achtenveertig uur later de deuren opengingen, genoot hij ervan te zien hoe de ongelukkigen in hun wanhopige pogingen om lucht te krijgen, over en op elkaar waren geklommen, zodat wij, de slaven die de lijken naar hun massagraf moesten vervoeren, eerst de verstijfde armen en benen uit elkaar moesten knopen.'

'Waarom heeft hij ons dat aangedaan, edelachtbaren?' snikte Yosef Czarny, die als jonge Chassied in Treblinka was gekomen en die nu als grijsaard nog altijd niet kon bevatten wat hij daar had gezien.

Toen een van de rechters aan Pinchas Epstein vroeg hoe vaak hij Ivan de Verschrikkelijke zag, riep hij vertwijfeld: 'Aldoor! De ruimte waarin wij werkten was klein, en hij was er altijd. Hij stond een paar meter van me vandaan te genieten van de verminkte lijken. Hij is niet van deze wereld. Hij is een monster van een andere planeet.'

Toen men Eliyahu Rosenberg vroeg of hij de beschuldigde kon identificeren, verzocht hij Demjanjuk om zijn dikke bril af te zetten zodat hij hem in de ogen kon kijken. Daarna liep hij de zes of zeven meter van de getuigenbank naar de beschuldigde. Toen de twee mannen tegenover elkaar stonden, glimlachte Demjanjuk en stak zijn hand uit. Rosenberg schreeuwde het uit: 'Nazi! Moordenaar! Dit is Ivan van de gaskamers. Ik heb hem zó vaak in zijn moordende ogen gekeken. Hoe durft hij mij de hand te reiken?'

Alle getuigen identificeerden John Demjanjuk als Ivan de Verschrikkelijke, maar Demjanjuk zei: 'Het doet me leed te horen wat de Joden allemaal voor vreselijks hebben meegemaakt, maar ik ben niet degene die daar schuld aan heeft. U hebt de verkeerde man te pakken.'

Vanaf dat moment ging het erom te bewijzen dat John Demjanjuk en Ivan de Verschrikkelijke één en dezelfde persoon waren. Er kwamen experts aan te pas om hun oordeel te geven over Demjanjuks identiteitskaart, zijn handschrift, de kleur van het uniform dat hij destijds al of niet had gedragen, de vorm van zijn gezicht, de lengte en breedte van het litteken op zijn rug, zijn leeftijd, en wat niet al. Zou er ooit een eind aan komen?

In mei kreeg Shai bericht dat hij zijn biologische moeder in Haifa kon ontmoeten. Ook al waren alle leden van de familie Jerushalmi erop voorbereid, het nieuws kwam als een schok. Onafhankelijk van elkaar boden

Jardena, Nathan, Simcha en Jifrach hun zoon en broer aan om met hem mee te reizen, en in Haifa in een cafeetje op hem te wachten. Maar Shai hield vol dat er niets bijzonders aan de hand was. Bovendien zou de sociaal werkster uit Jeruzalem erbij zijn.

Omdat Shai in het reptielenhuis van de dierentuin werkte, moest hij een dag vrijnemen 'voor een belangrijke bespreking in Haifa', zoals hij het noemde. 'Dat is best,' zei zijn werkgever. 'Je kunt me trouwens een dienst bewijzen. Ik heb net een giftige slang verkocht aan een collega in Haifa. Zou je hem na je bespreking kunnen afleveren? Ik geef je het adres.'

'Met plezier,' zei Shai. 'Geef maar mee.'

Op de avond voor zijn reis naar Haifa bracht Shai de slang in een linnen zak mee naar huis. Om te voorkomen dat hij 's nachts door het huis zou gaan spoken, mocht hij met zak en al in de koelkast slapen. De slang sliep die nacht heel wat rustiger dan sommige leden van de familie Jerushalmi.

De volgende ochtend deed Jardena vergeefse pogingen om niet te tonen hoe zenuwachtig ze was. Ze kuste Shai vaarwel alsof hij een soldaat was op weg naar het slagveld. Samen met Nathan keek ze vanaf het balkon hoe hij, nonchalant met de slangenzak zwaaiend, de straat uit liep. Jardena was zo overstuur dat ze naar bemoedigende woorden van Vera verlangde. Ze gunde zich een telefoontje naar Amsterdam. Vera zei: 'Als Shai en zijn biologische moeder het goed met elkaar kunnen vinden, is dat misschien moeilijk voor jou, maar bedenk wel dat hij al zoveel gemist heeft. Hij heeft maar één oog, gun hem twee moeders.'

Jardena wist dat haar zuster gelijk had, maar dat hielp niet tegen de kramp in haar maag. Zij was het die Shai het verschil tussen rood en roze had geleerd, en het verschil tussen zout en suiker. Toen hij nog maar pas bij hen was, placht hij van zijn kleuterklasje weg te lopen, en bij haar in de keuken op een krukje te klimmen om ieder voorwerp waar ze mee bezig was vlak voor zijn dikke brillenglas te houden. Messen, wortels, potloden. En nadat hij ze had bestudeerd, stak hij ze in z'n mond, want honger had hij altijd.

Toen Shai uit Haifa terugkwam, leek hij op het eerste gezicht nogal teleurgesteld. 'Ik verwachtte een soort moeder,' zei hij minachtend. 'Maar het mens is pas zesendertig. Ze heeft permanent en loopt op hoge hakken. Geen gezicht!'

En alsof het een doodzonde betrof, voegde hij er met walging aan toe: 'Je had haar moeten zien toen de zak op mijn schoot heen en weer begon te springen en ik zei dat er een slang in zat. Ze viel bijna flauw van angst.'

Pas na een paar dagen was Shai bereid iets meer te vertellen over zijn ontmoeting met de vrouw die hij nog steeds niet anders dan met 'de biologische' wenste aan te duiden. Jardena had al een paar keer voorgesteld om haar Bilha te noemen. Dat was tenslotte haar naam.

Bilha was net als Shai vergezeld geweest van een sociaal werkster. Eerst hadden ze met z'n vieren koffiegedronken op het adoptiebureau in Haifa. Daarna waren de sociaal werksters de kamer uit gegaan om de twee hoofdrolspelers in de weerziensscène de gelegenheid te geven elkaar onder vier ogen te spreken. Shai had alleen gevraagd: 'Wie heeft mijn ogen in mekaar geramd en wie is mijn vader?'

Toen hij zover was gekomen met zijn verhaal, kwam Itsik binnen. Shai herhaalde de vraag ten gerieve van zijn broer, en vervolgde: 'Op de eerste vraag kon ze geen antwoord geven.' 'Toen ik je voor het laatst zag, was je gezond,' had Bilha gezegd. 'En wat je vader betreft: hij heeft je nooit willen erkennen. Bovendien is hij allang dood, dus het heeft weinig zin je zijn naam te vertellen.' 'Mijn vader kan me geen zier schelen,' zei Shai tegen Jardena. 'Maar wat denk je van dat verhaal over mijn ogen? Moet ik haar geloven?'

Jardena dacht even na, maar Itsik wist het zo wel: 'Er zijn misschien mensen die haar ervan beschuldigen dat ze je heeft mishandeld, maar niemand heeft het haar zien doen. Kan het niet zijn dat een verzorgster in het kinderhuis je per ongeluk heeft laten vallen? Zou het niet veel makkelijker voor de directie van het tehuis zijn om een verhaal te verzinnen over een ontaarde moeder dan om zelf de verantwoordelijkheid te dragen voor je beschadigde ogen?'

Even was het stil. Toen besloot Itsik: 'Ik geloof haar. En jij moet haar ook geloven. Zij alleen weet wat ze wel en wat ze niet gedaan heeft. Als ze zegt dat ze het niet gedaan heeft, heeft ze het niet gedaan.'

Wat een wijze zoon heb ik, dacht Jardena. Want zelfs al heeft die Bilha haar kind mishandeld, dan nog moeten we dankbaar zijn dat ze het ontkent. Het moet voor Shai veel minder pijnlijk zijn om een anonieme verzorgster van zijn handicap te beschuldigen dan te geloven dat zijn eigen moeder hem zoiets vreselijks heeft aangedaan.

Eind mei vond het jaarlijkse toneelfestival plaats. Zoals altijd was er een speciaal openingsevenement dat kosteloos door iedereen kon worden bijgewoond. Deze keer had de burgemeester van Jeruzalem in samenwerking met de theaterdirectie een wel heel symbolische voorstelling gepland. Er zou een kabel worden gespannen over het honderd meter diepe Gey-Ben-Hinnom, het dal waar in de tijd van de tempel op Grote Verzoendag een bokje in werd gejaagd, beladen met de zonden van het volk.

De Franse koorddanser Philippe Petit zou daaroverheen van de cinematheek in West-Jeruzalem naar de muur om de oude stad wandelen, en op die manier de verbinding of de vereniging verzinnebeelden tussen nieuw en oud, Jood en Arabier, West- en Oost-Jeruzalem.

Op het laatst, zo had in de krant gestaan, zou Philippe Petit in de lucht verdwijnen. Hoe dat kon begreep niemand, maar Vered en de driejarige Alon kwamen speciaal uit Tel Aviv om het wonder te aanschouwen.

Het was schitterend weer. Grote groepen Arabieren en een aantal Joden zaten op de Zionsberg en op de muren van de oude stad, de meeste Joden en een paar Arabische families zaten op de westelijke helling van het dal. Al dagen geleden was de kabel gespannen en aller ogen waren gericht op de cinematheek. Precies op het afgesproken tijdstip verscheen Philippe Petit op het dak en zette hij een voet op de kabel. Hij droeg een kleurig kostuum, een zwierige hoed en schoenen als van een ballerina. De oversteek kon beginnen.

'Er is toch geen stad als Jeruzalem,' fluisterde Jardena in het oor van haar dochter, alsof ze door haar stem te verheffen de waaghals in gevaar kon brengen. 'Waar ter wereld komt een koorddanser zoiets vertonen voor de bevolking, of ze nu Arabieren zijn of Joden, vroom of seculier?'

Vered moest lachen. 'Wat ben je toch romantisch, Imma. Philippe Petit vertoont zijn kunsten overal waar hij betaald wordt. Wat dacht jij dan.'

Maar Jardena gaf niet op. 'Niet iedere stad heeft zo'n dal, zo'n symboliek, ik bedoel ...'

'Onzin, Imma. Het mag dan symboliek zijn, het is op niets gebaseerd. Die vereniging van oost en west, Arabieren en Joden, dat stelt toch niets voor, dat weet je toch zelf ook wel? Heel in 't begin, vlak na de zesdaagse oorlog, toen was er een illusie van vriendschap tussen ons en de Arabieren, maar we weten allemaal dat het van dag tot dag verslechtert. Eerlijk gezegd begrijp ik niet dat jullie in Jeruzalem blijven wonen. Geef mij Tel

Aviv maar. Daar weet je tenminste waar je aan toe bent. Die stad is door Joden gesticht en behoort aan de Joden.'

'Heb je nog nooit Arabische leiders horen verkondigen dat ze Tel Aviv ook willen hebben? Vraag maar aan je vader. Die hangt de hele dag aan de radio.'

'Goed, goed. Kijk nu maar naar Philippe Petit. Hè, wat doet hij nou? Zie je dat, Alon?'

Alon was te klein om te bevatten hoe gevaarlijk Philippe Petit aan het manoeuvreren was. 'Kijk, Imma,' kraaide hij. 'Die man op het touw gaat slapen. Hij gooit zijn schoenen naar beneden.'

Voor hij ging slapen, deed de kunstenaar echter nog even vlug zijn hoed af, en wat kwam daaruit? Een witte duif die regelrecht de blauwe hemel in vloog.

'Daar gaat onze vrede,' riep Vered luid. 'Voorgoed verdwenen!'

Een paar omstanders moesten lachen. Anderen riepen: 'Zeg dat alsjeblieft niet.'

Philippe Petit was intussen alweer uitgeslapen en opgestaan. Op blote voeten ging hij verder richting oude stad. Na een halfuur lopen naderde hij zijn doel.

'Maar in de lucht verdwijnen, dat kan hij niet,' zei Vered toen de kunstenaar nog maar vijftig centimeter van de muur om de oude stad verwijderd was.

Op dat moment kwam er een helikopter aanronken. Een lang touw werd eruit gegooid. Philippe Petit greep het en haakte het aan een leren riem om zijn middel. Zwaaiend aan de helikopter zweefde hij door de lucht. Vanaf de muur van de oude stad vlogen honderden gekleurde ballonnen achter hem aan. Voordat de toeschouwers goed en wel begrepen wat er gaande was, was Philippe Petit verdwenen, en waren ook de ballonnen tot stipjes gereduceerd. Weg was de illusie, weg was niet alleen de duif maar ook de vredespostiljon. Jardena wist niet of ze moest lachen of huilen.

Een paar dagen later ging de telefoon. 'U spreekt met de moeder van Shai,' zei een onbekende stem.

'Pardon?' antwoordde Jardena spontaan. 'Ú spreekt met de moeder van Shai.'

'U hebt gelijk,' zei Bilha. 'Ik versprak me.' Ze zei ook dat ze aangenaam verrast was geweest door de jongen, en dat ze Jardena en Nathan wilde bedanken voor wat ze voor hem hadden gedaan.

‘Hij heeft ons niets dan geluk gebracht,’ zei Jardena. ‘En hij kwam met zijn prachtige karakter kant en klaar, dus eigenlijk moeten wij u bedanken.’

Vanaf die dag belde Bilha Shai minstens tweemaal in de week op. De gesprekken werden in de huiskamer gevoerd, en klonken, althans aan de Jeruzalemse kant van de lijn, nogal eentonig. ‘Ze zegt dat ze eenzaam is,’ rapporteerde Shai, terwijl hij zijn hand op de hoorn hield. ‘Ze wil op bezoek komen. Wat zal ik zeggen?’

‘Wat wil je zelf?’

‘Als ze komt ben ik niet thuis.’

‘Nou, dan hoeft het voor mij ook niet.’

Maar Bilha hield aan. Ze wilde Shai nog eens ontmoeten.

Hij zei: ‘Mij best, maar dan treffen we elkaar halverwege. Want waarom zou ik altijd degene moeten zijn die de lange reis onderneemt?’

Ze spraken af bij het modernste winkelcentrum van Tel Aviv. Toen Shai terugkwam, vertelde hij dat ze hem van winkel naar winkel had gesleept om dure jeans of een chic sportjasje voor hem te kopen. Maar hij had niets willen hebben. Ten slotte had ze hem een briefje van honderd dollar in de hand gedrukt, voor de reis die hij die zomer met Jifrach naar Europa hoopte te maken.

Nathan en Jardena hadden al veel geld aan die reis gespendeerd, maar toen Jardena hoorde dat Shai honderd dollar van Bilha had gekregen, zei ze geïrriteerd: ‘Dan geef ik honderd dollar aan Jifrach. Eerlijk is eerlijk.’

‘Maar Imma,’ zei Shai stomverbaasd ‘dat geld is toch voor ons samen!’

‘Sorry,’ zei Jardena. ‘Dom van me. Ik ken je toch! Maar beloofd is beloofd. Hier heb je nog honderd dollar. Dan hebben jullie er tweehonderd.’

In juni kwam Jannai voor twee maanden uit Parijs. Op een vrijdagavond, toen de familie Jerushalmi een tafel vol gasten had, zei hij zonder zijn stem te verheffen: ‘Rachela en ik gaan van de zomer trouwen.’

Jardena, die vlak tegenover hen zat, werd zo door het nieuws overvallen dat ze deed alsof ze niets had gehoord en gewoon doorging met haar gasten te bedienen. ‘Wilt u nog wat groenten?’

‘Graag. Wat een heerlijk gerecht. U moet mij het recept geven.’

‘Met alle plezier.’

Uit haar ooghoek zag ze Jannai en Rachela opstaan. 'Wat is er aan de hand?' vroeg ze. 'Waar gaan jullie naar toe?'

'Naar Rachela's ouders. Jullie interesseren je niet voor wat we te vertellen hebben.'

Jardena begreep dat haar reactie onvergeeflijk was geweest. In een poging om de situatie nog enigszins te redden, stond ze op en zei: 'Mag ik uw aller aandacht? Jannai wil ons iets vertellen.'

'Rachela en ik gaan van de zomer trouwen,' herhaalde Jannai kortaf.

Iemand in het gezelschap giechelde. 'Echt waar? Waarom zo plotseling?'

'Wat fijn voor jullie,' zei Jifrach. 'Gefeliciteerd, jongens. Mazal tov!'

Pas nu feliciteerde iedereen het jonge paar.

'Als jullie begin juli of eind augustus trouwen,' stelde Jardena de volgende dag voor, 'dan vragen we aan Shai en Jifrach om hun vertrek naar Europa een week uit te stellen of om een week eerder terug te komen.' Maar Jannai en Rachela hadden hun eigen programma. Vóór juli zouden ze de nodige papieren niet kunnen bemachtigen, en tot eind augustus wilden ze niet wachten, uit angst dat Rachela dan niet op tijd een visum zou krijgen om na de vakantie samen met Jannai naar Parijs te kunnen vertrekken. Het huwelijk moest dus eind juli of begin augustus worden voltrokken. Dan maar zonder Shai en Jifrach.

Natuurlijk zouden de jongens Nederland aandoen en hun zusje en zwager in Amsterdam opzoeken, en Eva belde op om te zeggen dat de jongens ook hartelijk welkom waren bij haar. 'Vind je het niet eng, Reinie, om Shai, die zo slecht ziet, zomaar de wijde wereld in te sturen?'

'Zomaar? Hoe verzin je 't? Hij heeft Jifrach toch. Aan de ene kant zijn ze net Siamese tweelingen, aan de andere kant gedragen ze zich als moeder en kind. Kleuter Shai rent vooruit en verbeeldt zich totaal onafhankelijk te zijn, maar in werkelijkheid verliest moeder Jifrach hem geen moment uit het oog. Wat we wel erg vinden is dat ze niet op de bruiloft van Jannai zullen zijn.'

De hele trouwerij stuitte Nathan en Jardena een beetje tegen de borst, niet omdat Rachela zeven jaar ouder was dan Jannai, maar omdat Jannai zelf amper twintig was en nog zoveel moest leren. En ook omdat hij een hoofd had als de hoed van een goochelaar: je wist nooit wat er nu weer uit zou komen. Jardena vroeg zich af of Rachela zwanger was, maar begreep dat dat niet zo was toen Jannai haar verlegen kwam vragen of het gevaarlijk was voor een vrouw om haar eerste kind pas na haar dertigste te krijgen. Kennelijk wilden ze dus nog een paar jaar wachten.

Simcha drong er bij haar ouders op aan hun bezwaren opzij te zetten en nu maar eens constructief te gaan denken over het ophanden zijnde huwelijksfeest. 'Toen Vered trouwde, heeft Abba haar ketoebah gekalligrafeerd,' zei ze. 'En Pnina heeft haar bruidsjurk genaaid, en Imma heeft liedjes geschreven. Wat zijn jullie van plan voor Rachela en Jannai te doen?'

Nathan stelde voor dat Jardena een bruidsjurk voor hun aanstaande schoondochter zou naaien, maar Jardena dacht dat de moeder van de bruid zich die eer niet zou laten ontnemen. 'Maar ik zal kleren voor Jannai naaien. Ik zal iets maken van ruwe Indische zijde. Dat past goed bij hem. En welja, we zullen ook maar weer liedjes schrijven.'

De ouders van bruid en bruidegom bezochten elkaar. Het zag ernaar uit dat de twee families het goed met elkaar zouden kunnen vinden. Net begon iedereen aan het idee van een aanstaand huwelijk te wennen, toen Jannai vroeg of Jardena een plek wist waar hij zich een weekje kon afzonderen om zijn gedachten op orde te brengen. Totdat hij uit zijn kluizenaarschap opdook, moest iedereen gewoon maar wachten en geen voorbereidingen voor de bruiloft treffen. Hij was er bij nader inzien niet helemaal zeker van of hij eigenlijk wel wilde trouwen.

Voordat de families over de nieuwe schok heen waren, kondigde Jannai aan dat hij zich toch maar niet wenste af te zonderen. Zijn besluit was genomen. De bruiloft ging door.

'Ik wou dat de rabbijn die me voor mijn bar-mitsvah heeft opgeleid, niet terug was gegaan naar de Verenigde Staten,' zei hij. 'Dan kon híj ons huwelijk inzegenen.'

'Bel hem op,' zei Nathan. 'Misschien heeft hij wel plannen om de zomer in Israël door te brengen.'

Iedere dag probeerde Jannai zijn vriend en leermeester aan de telefoon te krijgen, maar nooit nam iemand op. Drie dagen voor de bruiloft belde de rabbijn zelf op. 'Hé, Jannai, ik ben in Jeruzalem. Hoe gaat het?'

Het was te laat om de afspraak die intussen met een andere rabbijn was gemaakt af te zeggen, maar Jannai's bar-mitsvahrabbijn was vereerd met het verzoek om met het bruidspaar onder het huwelijksbaldakijn te staan en de zeven zegeningen te lezen.

De huwelijksinzegening zou in de tuin van Rachela's ouders plaatsvinden, en wel om halfzes 's avonds precies. Waarom zo vroeg? Waarom niet wat later op de avond, zodat ook mensen die tot vijf uur werkten en van ver moesten komen, zoals Vered en Ehud, erbij konden zijn? Omdat bruid en bruidegom met alle geweld bij daglicht wilden trouwen. Waarom? Daarom!

Op de grote dag was Jannai zich aan het omkleden in het huis van zijn ouders. Zijn moeder wierp een blik op zijn voeten. 'Mijn hemel, heb je geen andere schoenen? Je sandalen vallen uit elkaar. Wat zeg je? Kan het je niet schelen? Wat bedoel je? Je hebt haast? Wacht je niet even op ons en je zusjes?'

'Rachela's ouders zijn vast allang klaar.'

'Dat zal wel. Die hebben zich niet de hele ochtend uitgesloofd zoals je vader en ik.'

Tien dagen hadden Nathan en Jardena gewerkt aan de prachtigste versieringen. Die ochtend hadden ze nog de bomen in de tuin van Rachela's ouders volgehangen met slingers en papieren bloemen, en nu waren ze een heel klein beetje aan de late kant. Was dat zo vreselijk?

'Ik kan de rabbijn niet laten wachten,' zei Jannai, die het in 't algemeen zo nauw niet nam met de tijd.

'Onzin. Van vijf minuten wachten gaat hij niet dood. Hij wordt voor zijn werk betaald, maar je vader heeft uit liefde voor jou en Rachela jullie ketoebah met de hand geschreven en geïllustreerd.'

Simcha barstte in tranen uit. 'Oké, ga dan maar! Als de rabbijn belangrijker is dan je vader en moeder, trouw dan maar zonder ons!'

Consuela viel haar zusje in de rede: 'Wie maakt er nou ruzie met een bruidegom op de dag van zijn huwelijk!'

Jannai rende de kamer uit, sloeg de deur achter zich dicht, en kwam een minuut later terug om geld voor een taxi te vragen. Nathan gaf hem geld en schudde zijn hoofd: 'De jeugd van tegenwoordig. Een baby onder het huwelijksbaldakijn. God zij met hem – en met ons!'

Om halfzes was de familie Jerushalmi nog steeds niet klaar om te vertrekken. Waar was Simcha nu ineens gebleven? Jardena weigerde om zonder haar te gaan. Het was treurig genoeg dat drie van de kinderen in het buitenland waren. Ze ging op zoek naar Simcha en vond haar in de badkamer. Daar stond ze onder de douche te snikken: 'Ik ga niet.'

'Dan ga ik ook niet.' Jardena dacht er niet over Simcha alleen thuis te laten. Was het Simcha maar geweest die vandaag ging trouwen. Ze was tenslotte al bijna zesentwintig, een leeftijd waarop de meeste religieuze meisjes allang moeder zijn van een hele xylofoon kinderen. Hoe moest ze zich voelen nu het al de tweede keer was dat een jongere broer van haar trouwde? God was niet zo rechtvaardig als sommige mensen wel wilden geloven, maar dat was oud nieuws. Ze deed het deksel van de wc naar beneden, plofte erop neer en deed haar armen over elkaar. 'Ziezo! Laat ze maar wachten!'

Maar daar wou Simcha niks van weten. 'Nee, jij moet gaan. Jullie moeten niet op mij wachten. Ik kom straks wel met Itsik en Noëlly. Die zijn ook nooit eens op tijd. Schiet jij nu maar op. Je zoon trouwt vandaag.'

Nathan en Jardena renden de deur uit. Nathan probeerde een taxi aan te houden, maar er was een verdacht voorwerp gesignaleerd en de weg was afgezet. Er kwamen mensen van de explosievenopruimingsdienst, die het ding tot ontploffing brachten. Luid toeterend kwam het verkeer weer op gang. Tien voor zes. Laat ze maar wachten! Gelukkig, daar was een taxi. Er zat een vrouw in, die terecht protesteerde tegen medereizigers, maar dat kon de chauffeur niet schelen. Hij wou graag dubbel verdienen. En daar was ook Itsik met vrouw en kinderen. Nog net kon Jardena door het raampje van de taxi roepen: 'Simcha zit thuis op jullie te wachten. Maak alsjeblieft voort!'

'Schiet op,' maande Nathan de taxichauffeur. 'We hebben haast!' Maar op de hoek van de Jaffa en de King George sneed een politiewagen hen af. De chauffeur vloekte en stopte. Zes politieagenten sloten de taxi in. Vijf van hen hadden hun vinger op de trekker van hun pistool. De zesde blafte de chauffeur toe. 'Rijbewijs!' Wat moest dit nu weer voorstellen? Roof? Moord? Vijf over zes. Laat ze maar wachten! Jardena hoopte waarachtig dat ze ongerust zouden zijn. 'Hoe lang gaat dit duren,' vroeg ze aan één van de agenten. 'Eeuwig,' antwoordde hij laconiek. 'Uw chauffeur is voortvluchtig en heeft geen rijbewijs. Stapt u maar uit.' Nathan probeerde een andere taxi aan te houden. Geen schijn van kans. 'Hollen dan maar,' stelde hij voor.

Om kwart over zes kwamen de ouders van de bruidegom puffend en bezweet de tuin van Rachela's ouders in rennen. 'Schiet op, schiet op,' werd er van alle kanten geroepen. 'De rabbijn staat te wachten.'

'Ho!' schalde Jardena's stem door de menigte. 'Waar zijn onze andere kinderen. Zijn Itsik en zijn gezin gearriveerd? Is Simcha er? Waar is ze?

Jannai, bel onmiddellijk naar huis. Als Simcha nog thuis is, beginnen we nu, maar als ze onderweg is, wachten we op haar. Dit is een bevel.' Het was doodstil. Toch zei ze nog: 'En spreek me niet tegen.'

Tot Jardena's verbazing gehoorzaamde Jannai. Terwijl hij bezig was het nummer te draaien, kwam Itsik de tuin in hollen. Achter hem aan renden Simcha en Noëlly, ieder met een kind op de arm. Op hetzelfde moment arriveerde ook Vered met man en kind.

Zes uur twintig. De ceremonie kon beginnen.

Op het moment dat bruid en bruidegom met hun ouders onder het huwelijksbaldakijn stonden, waren de spanningen als bij toverslag verdwenen. 'De *Shechinah* is neergedaald,' fluisterde Simcha. 'Gods genade rust op het bruidspaar.'

De bruid was snoezig onder haar antieke sluier. Haar jurk en de kleren van de bruidegom waren van dezelfde roomkleurige zijde. De rabbijn leidde de ceremonie niet plichtmatig, maar legde al zijn handelingen uit. De bruidegom lichtte eerbiedig de sluier van zijn bruid op en bood haar de traditionele slok wijn aan als teken dat hij voortaan verantwoordelijk zou zijn voor haar welzijn. Ernstig schoof hij de ring aan haar vinger met de traditionele woorden 'Harei at mekoedeshet li', 'Ziehier, je bent aan mij gewijd'. En om eraan te herinneren dat er geen geluk bestaat zonder tegenslag, brak hij een glas onder zijn voet. Alle aanwezigen juichten met tranen in de ogen. Jannai's bar-mitsvahrabbijn las de zeven zegeningen, en het jonge paar kwam als man en vrouw van onder het baldakijn vandaan. De zon ging onder. De muziek zette in. Het dansen en zingen kon beginnen.

Eind augustus vertrokken Jannai en Rachela naar Parijs, en kwamen Shai en Jifrach terug van hun reis door Europa. Omstreeks dezelfde tijd kwamen Bilha en haar gezin terug van een vakantie in Amerika. Bilha belde nog een paar maal op, maar zij en Shai hadden elkaar niets te melden.

Itsik en Noëlly woonden weer eens in het ouderlijk huis. Ze waren principieel tegen onderwijs, maar Noach was nu vijf en moest na de grote vakantie aan de verplichte kleuterschool geloven. Jardena was erbij toen haar kleinzoon van zijn eerste schooldag thuiskwam. Nog voor hij iets over zijn wederwaardigheden kon vertellen, vroeg zijn moeder: 'Vind je het echt wel fijn op school? Want als je niet wilt, hoef je niet, hoor.' Noach was slim genoeg om te begrijpen welk antwoord van hem verwacht werd. Al na een paar dagen bleef hij gewoon thuis, waar hij zich het grootste deel van de dag onledig hield met het construeren en in de buurt opstellen van ingenieuze valstrikken, bestaande uit plankjes, touwtjes en stukjes ijzerdraad.

'Wat moet je toch met al die valstrikken?' vroeg Jardena achterdochtig.

'De buurkinderen vangen, zodat ze niet naar school kunnen', was het antwoord.

Op een ochtend zag Jardena hem de keuken uit rennen met een ei in zijn hand. Ze haalde hem net op tijd in om te verhinderen dat hij het ei naar een buurjongen gooide. Toen ze het kind tot de orde riep, maakte hij aanstalten om op het hoofd van zijn grootmoeder te mikken.

'Geef onmiddellijk hier,' schreeuwde Jardena zo hard dat Noëlly op het lawaai afkwam. In plaats van Noach terecht te wijzen, riep Noëlly dat Jardena geen recht had tegen haar zoon te schreeuwen. Onder veel gevloek en getier gaf het jongetje zijn grootmoeder het ei terug, maar zelfs over het vloeken mocht Jardena niets zeggen.

'Hij is nog maar klein,' schreeuwde Noëlly. 'Hij weet niet wat hij zegt.'

'Dan wordt het hoog tijd dat je 't 'm leert!' schreeuwde Jardena terug. 'Als je 't hem niet op jonge leeftijd bijbrengt, hoe denk je dan dat hij het op oudere leeftijd zal weten?'

Toen de rust was weergekeerd, kwam Noach met gebogen hoofd de huiskamer binnen. 'Saba,' vroeg hij zachtjes. 'Wil je me leren lezen?' Nathan wou maar al te graag. Ze begonnen meteen. Na een kwartiertje mijmerde Noach: 'Als ik groot ben, zijn mijn vader en moeder stokoud.'

'Niet zo vreselijk oud,' zei Nathan. 'Ongeveer zo oud als ik nu ben. En dan ben jij de vader van kleine kinderen, en die zeggen Savta en Saba tegen Noëlly en Itsik. En dan leert Itsik jouw kinderen lezen en schrijven.'

'Nee,' zei het kind vastbesloten. 'Mijn kinderen gaan naar de kleuterschool.'

In oktober kreeg Noëlly heimwee naar haar geboorteland. Bovendien hadden zij en Itsik elkaar aangepraat dat al hun tegenslagen te wijten waren aan Israël, dat op één na het onmogelijkste land ter wereld was. Nog erger was Amerika, waar volgens hen alles kunstmatig en onnatuurlijk was. Als je hun verhalen geloofde, waren er daarentegen in Frankrijk en Engeland nog uitgestrekte vlakten onontgonnen land, waar de mensen in nauwe relatie met de natuur leefden. Omdat ze hadden gehoord dat er in

Zuid-Frankrijk nog veel handwerkslieden op de ouderwetse manier hun beroep uitoefenden, wilden ze zich daar gaan vestigen. Itsik zou smid worden, en Noëlly vroedvrouw, maar geen van beiden voelden ze iets voor een officiële studie. Ze droomden van middeleeuwse gilden met meesters, gezellen en leerlingen.

Nathan en Jardena trachtten hun kinderen aan het verstand te brengen dat het Franse volk niet popelde van ongeduld om zijn uitgestrekte gebieden onbedorven natuur te bevolken met een gezin van straatarme idealisten, en dat het zelfs in het ideale Frankrijk koud kon zijn in de winter, maar ze waren niet van hun besluit af te brengen. Ze zouden nog vóór de tweede verjaardag van hun jongste zoon vertrekken, omdat men voor kinderen onder de twee jaar maar tien procent van de vliegkosten hoefde te betalen. Ze waren hun koffers aan het pakken, toen Nathan en Jardena werden opgeschrikt door vreselijk kabaal. Jardena keek om de hoek van de deur en zag een bord door de lucht vliegen. Dat was me nog eens een ruzie. Een ogenblik later kwam Noach de kamer binnenslenteren om doodkalm mee te delen: 'Mijn moeder is gek geworden. Ze beweert dat ze een baby in haar buik heeft.'

De vrede tussen man en vrouw was spoedig hersteld, maar de volgende dag bracht Itsik de vliegbiljetten terug naar het reisbureau, waarbij hij natuurlijk financieel verlies leed. Het jonge gezin verhuisde naar een voormalig kippenhok in Beth-Zayit en wachtte daar de geboorte van hun volgende kind af.

Op 8 december botste een Israëlische vrachtwagen tegen twee personenauto's die afkomstig waren uit de Gazastrook. Daarbij kwamen vier Palestijnse arbeiders om het leven. Het gerucht deed de ronde dat de arbeiders met opzet waren vermoord. De inwoners van Gaza en omstreken gingen spontaan over tot een grootscheepse demonstratie, waarvan de vonken binnen de kortste tijd oversloegen naar de controversiële gebieden, die nog altijd door de rechtse partijen bevrijd, en door de linkse partijen bezet werden genoemd. De *intifada* woedde als een bosbrand door het land.

1988

Op 8 maart stuurden vierhonderd officieren van het Israëlische leger een brief naar minister-president Yitshaq Shamir met het dringende verzoek het vredesproces voorrang te geven boven het behoud van de Westbank, die door de Joden met de bijbelse namen Judea en Samaria werd aangeduid, en waar het langzamerhand wemelde van de Israëlische nederzettingen.

'Die officieren hebben makkelijk praten,' reageerde Elnakam vol vuur. 'Die wonen zelf natuurlijk in Tel Aviv of in Galilea. Maar de voorhoede, de bewakers van het "Gehele Beloofde Land", mensen als mijn kinderen, die hun huis in Samaria hebben gebouwd, moeten die dat maar gewoon opgeven?'

'Voorhoede, laat me niet lachen,' zei Nathan. 'Leuk goedkoop wonen ze daar. Gesubsidieerd door de regering. Wacht maar tot de verkiezingen. Dan stemmen we Shamir weg, en kunnen we eindelijk aan een oplossing voor de Palestijnen gaan denken.'

'Palestijnen! Er bestaan helemaal geen Palestijnen. Vóór de zesdaagse oorlog waren het gewoon Jordaniërs, en die van de Gazastrook waren gewoon Egyptenaren. Laat ze naar hun eigen land teruggaan en daarmee basta.'

'Jammer voor je dat ze 't jou niet vragen,' zei Nathan. 'Voor de rest heb je gelijk. Ga nu maar naar je galerie en verkoop eens een paar grote olieverfschilderijen. Anders hebben we binnenkort net zo weinig te eten als de Jordaniërs van Judea en Samaria, of ze zich nu Palestijnen noemen of niet.'

Die lente kregen Itsik en Noëlly een dochter. Noëlly werd bijgestaan door een bevriende vroedvrouw, die echter voor de rest van de familie anoniem wenste te blijven, omdat het feit dat ze van tevoren had afgesproken de bevalling thuis te begeleiden, haar haar vergunning zou kunnen kosten.

Trots kondigde Itsik aan dat zijn dochter Farida zou heten. Zoals te verwachten was, mankeerde het niet aan hatelijke opmerkingen over het feit dat een Joods kind een Arabische naam kreeg, maar dat deerde de gelukkige ouders niet. Ook vond Itsik het deze keer totaal overbodig de baby bij de burgerlijke stand te laten registreren. 'Allemaal bureaucratie,' zei hij. 'Nergens voor nodig.'

Toen Jardena aanbood om de twee jongetjes een paar dagen mee naar Jeruzalem te nemen, sloeg Noëlly het aanbod af. Wel wou ze graag haar hond tijdelijk bij haar schoonouders stallen. Het was een jong beest dat nog maar nauwelijks zindelijk was. Zo kwam het dat Jardena iedere ochtend voor dag en dauw aan de wandel moest.

Op een van die wandelingen kwam ze langs de bushalte op het moment dat de eerste bus uit de Westbank kwam aanrijden.

Een enorm pak, gewikkeld in een grijze doek, rolde het trottoir op. Gedeeltelijk van schrik, gedeeltelijk uit boosheid spreidde de hond zijn voorpoten en legde grommend zijn kop op de grond. Een vormeloos lichaam in een zwarte geborduurde hobbezak sprong achter de bundel aan, en tilde hem met een zwaai op haar hoofd. De hond blafte z'n longen uit z'n lijf. Een plastic sandaal schopte venijnig naar hem vanonder de zwarte jurk. De Arabische vrouw zei in gebroken Hebreeuws tegen Jardena: 'Waar is je huis?'

Jardena trok haar schouders op. De hond deed een plas.

'Waar is je huis?' herhaalde de vrouw dringend.

Jardena wees met haar hand in een onbestemde richting, en trok aan de lijn om de hond in beweging te krijgen. De vrouw liep achter haar aan. In de hoop haar van zich af te schudden, slenterde Jardena van de ene straat naar de andere, daarbij zorgvuldig haar eigen huis vermijdend. De vrouw doorzag de strategie. 'Heb je een binnenplaats?' vroeg ze bijna dreigend. 'Ik moet dit achterlaten.'

Jardena schudde van nee, maar kon niet eeuwig de buurt blijven doorkruisen. Ten slotte stond ze toch maar stil bij de ingang van haar eigen huis. 'U kunt dat pak niet bij mij achterlaten,' zei ze tegen haar achtervolgster. Maar op het moment dat ze het poortje opende, wrong de vrouw haar zware lichaam naar binnen.

'Kan niet anders,' verklaarde ze met nadruk, en samenzweerderig liet ze erop volgen: 'Jij moet dit voor mij bewaren.'

'Waarom?'

'Omdat ik op de markt mijn waren wil verkopen, maar de inspecteurs nemen ze me af. Als ik veel heb, nemen ze veel. Als ik weinig heb, nemen ze weinig. Daarom laat ik veel bij jou, en neem ik weinig mee.'

Wat de vrouw zei klonk logisch. En haar drijfveer was waarschijnlijk een hele meute kleine Palestijntjes die in een of ander afgelegen dorp zaten te wachten tot hun moeder iets thuisbracht om hun maagjes mee te vullen.

De vrouw hurkte naast haar bundel en knoopte hem los. Erin zaten honderden wingerdbladeren van het soort waar Arabieren en Sefardische Joden rijst met kruiden in verpakken om er *dolmo* van te maken.

'Water,' zei ze.

Woedend, niet op haar gast maar op de inspecteurs die de Palestijnen verhinderen hun waren op de markt te verkopen, liep Jardena naar de keuken om een glas te vullen met water uit de koelkast. De vrouw liep achter haar aan. Ze dronk het glas in een paar teugen leeg, vulde het onder de kraan, en liep naar buiten om haar koopwaar te besprenkelen. Daarna deed ze wat wingerdbladeren in een tas, liet de rest bij Jardena achter, en ging op weg naar de markt. Gedurende de ochtend kwam ze ettelijke malen terug om haar tas te vullen en de resterende bladeren met water te besprenkelen. Noëlly's hond was al helemaal aan de vrouw gewend, en toen die een tweede vrouw meebracht die ze als haar zuster introduceerde, kwispelde hij vrolijk met zijn staartje. Beide vrouwen gingen uitgebreid naar de wc. Jardena bedacht dat ze hun huis waarschijnlijk in alle vroegte hadden verlaten, en vond het nog een wonder dat ze het zo lang hadden uitgehouden. De zuster liet ook een bundel achter. De hare zat vol vers geplukte spinazie.

Toen Jardena de volgende ochtend Noëlly's hond uitliet, lagen er niet twee, maar vier bundels op het binnenplaatsje. En in de loop van de ochtend kwamen niet twee maar vier Palestijnse vrouwen op geregelde tijden gebruik maken van wc, koelkast en kraan. Na een paar dagen viel de binnenplaats nauwelijks meer van de markt te onderscheiden.

Natuurlijk waren Nathan en Jardena baas over hun eigen binnenplaats, en hadden de buren geen recht om te klagen. Dat deden ze ook niet. Maar al gauw werden de leden van het gezin Jerushalmi achter hun rug, maar zeer hoorbaar, uitgemaakt voor Arabierenvrienden.

Maar wat is een Arabierenvriend? dacht Jardena. Natuurlijk haat ik de Arabieren niet. Althans niet omdat ze Arabieren zijn. Miljoenen Arabieren collectief haten is net zo onzinnig als anti-semitisme. Maar van die vrouwen houden? Integendeel. Ik word stapelgek van ze. Als het Joden waren geweest, had ik allang de politie geroepen. Juist omdat ze de vijand vertegenwoordigen kan ik ze onmogelijk wegsturen.

Het probleem kreeg een extra dimensie op de dag dat er een bom op de markt ontplofte, met als gevolg tientallen doden en nog meer gewonden. Terwijl ambulances loeiden en hulpkrachten toesnelden, probeerden sommige kraamhouders en winkeliers de politie voor te zijn, en iedere Arabier die ze te pakken kregen af te ranselen. Op die dag bleven zes vrouwen en drie tieners urenlang bij Nathan en Jardena schuilen. De volgende dag mocht er geen Palestijn meer over de groene lijn. Aannemers zaten zonder bouwvakarbeiders, huisvrouwen zonder wingerdbladeren, Palestijnen zonder inkomen. Het scheelde niet veel of Jardena en Nathan kregen heimwee naar hun onderduikers.

Het proces van John Demjanjuk sleepte zich voort. De verdediging voerde aan dat de beschuldigde vijf centimeter langer was dan op het identiteitsbewijs van Ivan de Verschrikkelijke vermeld stond.

'Bovendien worden oude mensen korter, nooit langer,' zei Demjanjuks advocaat.

De openbaar aanklager gaf als verklaring dat de lengte en het gewicht van de rekruten in het trainingskamp Trawniki natuurlijk werden bepaald door ambtenaren, die er maar zo'n beetje een gooi naar deden.

De verdediging bracht daartegenin dat de nazi's bekendstonden om hun overdreven nauwkeurigheid voor de onbenulligste details.

De openbaar aanklager wees erop dat John Demjanjuk net zo'n litteken op zijn rug had als Ivan de Verschrikkelijke.

De verdediging zei dat duizenden Duitse soldaten tijdens de Tweede Wereldoorlog littekens hadden opgelopen, en dat men hun cliënt niet op basis van een litteken kon veroordelen.

Een inwoner van Cleveland, die jarenlang naast het gezin Demjanjuk had gewoond, noemde de beschuldigde een liefdevolle vader en een zachtmoedig mens.

Alle overlevenden van Treblinka verklaarden dat het nu juist een kenmerk van Ivan de Verschrikkelijke was geweest dat hij zijn wandaden met de vriendelijkste glimlach had begaan.

'Als schurken eruitzagen als schurken, werden ze zo gepakt,' betoogde de openbaar aanklager.

Demjanjuks vrouw en kinderen waren uit Cleveland gekomen om hem moed in te spreken. Je kon zien dat ze van hem hielden. Zijn schoonzoon was in de Verenigde Staten gebleven om geld voor de verdediging in te zamelen. Zou hij dat doen als hij dacht dat zijn schoonvader een der beruchtste sadisten ter wereld was? En zou Demjanjuks Joodse advocaat Yoram Sheftel de verdediging op zich hebben genomen als hij niet in zijn onschuld geloofde?

Maar er was een andere kant aan de zaak en ook daar werd op talmoedische wijze over gediscussieerd: stonden verstandige ouders hun kinderen niet toe hun poppen te meppen en hun speelgoedautootjes op elkaar te laten botsen in de hoop dat ze hun agressie kwijt zouden zijn voordat ze met echte kinderen en echte voertuigen te maken kregen? Was Ivan de Verschrikkelijke, die persoonlijk 800 000 Joden gemarteld en gefolterd had, misschien het ultieme voorbeeld van iemand die in zijn jonge jaren zo agressief was geweest dat hij op latere leeftijd totaal geen kwaadaardigheid meer in zich had? Wie zou het zeggen? Maar om uit zijn tegenwoordige zachtzinnigheid af te leiden dat hij vroeger een weergaloze beul was geweest, dat kon natuurlijk ook niet.

'Het feit dat wij na enige maanden nog steeds niet weten of John Demjanjuk schuldig of onschuldig is, zegt heel wat over ons rechtssysteem,' schreef één van de vele verslaggevers. 'Voorzittend rechter Dov Levin laat zich niet door emotionele uitbarstingen beïnvloeden. Voor zover in het ondermaanse rechtgesproken kan worden, zal dat in deze zaak zeker gebeuren.'

Op 26 april werd John Demjanjuk ter dood veroordeeld wegens bedreven misdaden. Een dag later ging hij in hoger beroep.

Het gezin Jerushalmi kreeg een nieuwe buurman. Aharon was in Zuid-Afrika geboren, en als tiener naar Israël gekomen, waar hij zich van een gehaakt keppeltje had voorzien, en in een *jeshivah* was gaan studeren.

Toen hij zijn intrek nam in het huis naast de familie Jerushalmi, was hij vierendertig, en bezig zijn studie fotografie aan de kunstacademie af te ronden. Te rekenen naar zijn leeftijd en interesse had hij Simcha's partner kunnen worden, maar hij was veel te verlegen om contact met huwbare meisjes te zoeken, en verkoos het gezelschap van Jardena. Hij kwam vaak binnenschuifelen, en wist nooit hoe hij een eind aan een gesprek moest draaien. Shai en Jifrach vonden hem een slomerik, maar Jardena was meer op de jonge buurman gesteld dan op de meeste machovrienden van haar zoons.

Na enige tijd nam Aharon een huisgenoot. Stanley was net zo zwart als Aharon bleek was, en net zo rumoerig als Aharon zwijgzaam. Jardena verdacht Aharon ervan dat hij zijn kostbare rust had opgegeven als excuus om zich niet met meisjes te hoeven inlaten, maar haar zachtaardige buurman hield vol dat hij niets anders beoogde dan een nieuwe immigrant van dienst zijn.

Op een vrijdagavond, toen Aharon toevallig de stad uit was, nodigde Nathan Stanley uit voor het avondeten. Jardena zette een extra bord op de tafel, die gedekt was voor haar man en haarzelf, Shai en Jifrach, en Noach, die het weekend bij zijn grootouders logeerde.

Stanley was nog niet binnen of hij kondigde met luide stem aan: 'Zwart en een Jood, Surinamer van geboorte en Nederlander van nationaliteit. Sprak Hollands met mijn grootmoeder, Engels op school en Hebreeuws in de kibboets. Mijn moeders voorouders kwamen uit Nederland, mijn vaders voorouders uit Afrika. Als ik vandaag naar mijn geboorteland kon terugkeren, zou ik het doen. Ik heb mijn vaderland altijd liefgehad, maar ik hield niet van de dictator, en ik ben een eerlijk mens, dus zette ik samen met mijn broer zijn Mercedes Benz in de fik. We smeerden hem op een Braziliaans schip, maar ze kennen ons daar in Paramaribo, dus reken maar dat ze op ons loeren. Ha, zouden ze zeggen, daar heb je zwarte Stanley en zijn bruine broer. Die gaan mooi tien jaar de bajes in.'

Noach staarde het zwarte wonder met open mond aan. Stanley, zich van zijn succes bewust, rolde met zijn ogen en vervolgde op samenzweerderige toon: 'Mijn broer is lichtbruin. Hij lijkt op zijn vader en ik op de mijne. Maar dat doet er niet toe. Waar het om gaat is dat de moeder van onze moeder ons allebei tot vrome Joden heeft opgevoed.'

'Hé, ho, mag ik even?' zei Jardena. 'Mijn man wil graag de zegen over wijn en brood uitspreken. Dan kunnen we gaan eten.'

Stanley viste een keppeltje uit zijn zak en bedekte zijn kroeskop. Hij wachtte eerbiedig tot Nathan was uitgesproken. Daarna ging hij zitten en vervolgde zijn relaas. 'Nou, ik was natuurlijk allang een expert in karate toen ik uit Suriname ontsnapte, dus ging ik eerst naar Ierland om het messenvechten onder de knie te krijgen, en vandaar naar Duitsland om me in gifmengen te bekwamen. Ik vecht eigenlijk niet graag. Daarom ben ik ook zo blij dat jullie vegetarisch eten. Vlees maakt een mens maar agressief. Ik raad mijn leerlingen altijd aan om zich te beheersen, maar een goed wapen in de borstzak heeft nog nooit iemand geschaad. Zoals dit, bijvoorbeeld.'

Hij haalde een balpen uit zijn zak en hield hem onder de lamp. 'Je haalt de inhoud eruit. Dan vul je het omhulsel voor één derde met zwarte peper, één derde Chinese ...' Nu spitste niet alleen Noach zijn oren, maar ook Shai en Jifrach. Grinnikend schudde Stanley zijn hoofd. 'Nee, jongens, ik ga niet al mijn geheimen verklappen. Niet dat ik jullie niet vertrouw, maar soms is het beter om niet te veel te weten.' Hij stak de mysterieuze balpen weer in zijn zak en stapte van het onderwerp af met een achteloos: 'Nou ja, dat zijn de dingen die je in Duitsland kunt leren.'

Noachs lepel was tussen zijn bord en zijn mond in de lucht blijven hangen. Stanley nam een paar flinke happen en zei: 'Hé, joh, 't is geen Grote Verzoendag. Je hoeft niet te vasten!'

Noach hapte, en Stanley vervolgde: 'In Nederland leefde ik temidden van de goyim, maar wat er ook gebeurde, op Grote Verzoendag vastte ik. Dat is de wet en dat is de reden dat ik mijn vriendin in de steek heb gelaten. Want iedere herfst begon ze weer van: "Ga je weer vierentwintig uur lang honger lijden om die achterlijke religie van jou?" Een diepgelovige Katholiek noemde ze zich. Ik noemde haar een fanatiekeling. Sommige Protestanten hebben misschien hier of daar een kruis, oké, daar kun je mee leven, maar de Katholieken hebben een kruis in iedere kamer, plus een Jezus, plus wat extra spijkers voor de zekerheid. Dat gaat mij te ver. Nou ja, zo ging dat gedurende de vijf jaren dat we samenwoonden. Zij met al haar kruisen en ik met dat ene *mezoezetje* van me.'

'Genoeg,' riep Jardena. 'We hebben een kind aan tafel.' Dat gedoe over vergif in de balpen was nog wel grappig geweest, maar die minachtende manier om over niet-Joden te praten, liep de spuigaten uit.

'Allemachtig, wat ben jij ouderwets,' protesteerde Shai.

En Jifrach viel hem bij: 'Laat Stanley nou vertellen, Imma. Wat maakt het uit.'

Stanley, die ogenschijnlijk geen enkele aandacht schonk aan wat er om hem heen gebeurde, had toch kennelijk iets over een kind aan tafel opgevangen, want hij vervolgde onverstoorbaar: 'Soms, als we met het kind aan tafel zaten, keek ze omhoog en zei: "Wat ben ik toch zielsgelukkig met mijn kruis." Dan keek ik snel of mijn mezoeze nog op z'n plaats hing, en zei: "Wat ben ik zielsgelukkig met mijn mezoeze." En zij: "Er zit niets in behalve een vodje papier." En ik: "Maar jouw Jezus kan toch niet laten er de hele dag naar te kijken, omdat je hem zo nodig hoger moest hangen." En boven ons bed had ze een kruis aan een ketting gehangen. Iedere avond trok ze het midden boven het bed, maar ik schoof het altijd terug naar haar kant en zei: "Vraag van die vent niet meer dan hij aankan. Hij heeft er al een hele dobber aan om jou in de gaten te houden."'

Jardena hield het niet meer. Wat was dat voor een onmogelijke manier om over andermans geloof te praten.

'Ik wil dit soort opmerkingen hier in huis niet horen, Stanley!' protesteerde ze nu streng. 'Denk toch aan het kind.'

'Ach ja, het kind,' zuchtte Stanley en hij rolde zijn ogen zo ver naar het plafond dat het kind in kwestie zich een ongeluk schrok. 'Had ik het kind maar hier. Maar ik moest hem aan zijn moeder afstaan, daarom stuur ik hem prentbriefkaarten. Hij is van dezelfde leeftijd als deze hier. Hoe oud ben je? Vijf?'

'Kwart voor zes,' zei Noach trots, maar Stanley ratelde alweer verder.

'Hoe dan ook, ik stond niet toe dat ze hem doopte. "Over mijn lijk," zei ik, maar ze zal het toch wel gedaan hebben, nu ik weg ben. Nou ja, dat beetje water, daar gaat hij niet dood van. Mijn grootmoeder schreef uit Suriname: "Stanley," schreef ze, "blijf niet bij die *sjikse*."'

'Wat is een sjikse?' vroeg Noach.

'Een sjikse is zo iemand als die katholieke trut van mij. Voor Joodse meiden geldt dat niet. Al zijn die nog zo truttig, een sjikse zijn ze nooit.'

'Maar waarom niet?'

'Nou ja, Joden, dat is anders, dat is gewoon beter, dat weet iedereen.'

Noach keek vragend naar zijn grootmoeder. 'Beter dan wat?'

Nu werd het zelfs Nathan te gortig. 'Zullen we shabbatliederen zingen?' vroeg hij in het wilde weg. Maar niemand reageerde en Stanley hoorde hem niet eens. "Als je die sjikse verlaat en naar Israël gaat," schreef mijn grootmoeder, "zal ik financieel voor het kind zorgen zolang als ik leef." En verdraaid, ze houdt woord. Hij komt niets te kort, die zoon van mij, dus wie weet, misschien komt hij ook nog weleens naar Israël om in een *jeshive* te studeren. Maar waar ik werkelijk versteld van sta, is dat ze hier al net zo gek zijn als in Nederland. Ik was in een kibboets, maar mijn nicht zei dat ik bij haar in Jeruzalem moest komen wonen. Waarom? Omdat ze de kibboets niet vroom genoeg vond. "Je gaat me niet dwingen, denk eraan," waarschuwde ik haar. Nee hoor, niks geen dwingen. Maar direct de eerste ochtend begon die mallotige kerel van d'r: "Stanley, vandaag ga ik een keppeltje voor je kopen. Je woont in mijn huis, dus doe me een lol." Nou, mij best, want wat maakt zo'n petje nou uit? Het ding weegt zo weinig, je voelt het niet eens. Maar de volgende dag had 'ie weer wat: "Stanley, ik wil dat je iedere ochtend je handen wast." "Vanzelf," zei ik. "Waar dacht je dat ik vandaan kwam? Uit het oerwoud?" "Ja, maar je moet je handen niet onder de kraan wassen, maar met een speciale beker in een speciaal bakje." "Ga nou," zei ik. "Hoe krijg ik m'n handen schoon als ik ze niet mag inzepen?" Hoe dan ook, hij kocht een beker en een bakje voor me, maar ik vertikte het om aan die malligheid mee te doen. Op een nacht zette hij het volle bakje naast mijn bed terwijl ik sliep, en toen ik 's morgens uit bed stapte plonsde ik zo met mijn voet in het koude water. "Ben je nou gek geworden?" schreeuwde ik tegen hem. "Ik ben net zo *frum* als jij, alleen niet op zo'n oenige manier." En daar begon hij weer: "Je begrijpt het niet, Stanley. Als je slaapt is het net alsof je dood bent, daarom moet je het water waarin je je handen wast niet door de wastafel spoelen, maar door de wc. Het is onrein. Begrijp je het nu?" "Nee," zei ik. "Ik begrijp het niet. Het enige wat ik begrijp is dat je mijn nicht, die in Paramaribo een vlotte meid was, in een schijnheilige teemtante hebt veranderd die in niets verschilt van de shikse met wie ik in Nederland samenwoonde, met haar kruis en haar rozenkrans en haar kerk iedere zondag." Begrijp me goed: ik heb er niks tegen om op Shabbat naar de synagoge te gaan, als ik me tenminste niet verslaap, en met Pesach eet ik net zo goed *matzes* als jullie allemaal, want dat is de wet. Ik zweer dat ik de moeder van mijn zoon een hele week lang geen kruimel brood in huis liet brengen. Dat was trouwens één van de redenen waarom ik haar ten slotte wel moest verlaten. "Waarom matzes," vroeg ze altijd met die slijmstem van d'r. "Waarom geen volkorenbrood?" Nou vraag ik je, valt er met een Katholiek te praten? Maar hier zijn ze nog erger, want toen ik een keer de kamer binnenkwam en mijn nicht bezig was haar pruik op te zetten, zei ze: "Nee, Stanley. Je moet op de gang wachten tot ik klaar ben." "Mooie boel," zei ik. "Ik heb je haren duizend keer gezien, en ik heb je in bikini op het strand gezien toen je veertien was, en nu mag ik mijn eigen nicht de hand niet eens schudden. Is dat wat hij je leert, die ijspegel waar je mee getrouwd bent? Als het zo zit, bonjour, en probeer niet om een vrouw voor me te vinden." Want daar waren ze ook al mee bezig. En ik was nog niet eens over het afscheid van mijn geliefde heen, maar zij brachten me een meid met mouwen tot over haar nagels, die niks anders zei dan: "Waar heb je gestudeerd, en wat heb je gestudeerd, en hoeveel uur per dag studeer je op een jeshivah?" "Aha," zei ik, "ik ken jouw soort. Ik blijf hier geen dag langer." En toen zei Aharon dat ik wel bij hem kon komen wonen.'

Jardena stapelde de vuile borden op elkaar en deelde schone uit met het gevoel dat niemand, zelfs niet haar kleinzoon, iets had geproefd van de culinaire wonderen die Nathan met zoveel toewijding had bereid, en dat het toetje er al niet beter af zou komen.

'Jongens, kunnen jullie niet even aandacht besteden aan wat je eet?' vroeg ze. 'Abba heeft de maaltijd niet kant en klaar van de bomen geplukt.'

'Natuurlijk,' zei Stanley. 'Het is verrukkelijk. Ik ben dol op dit soort eten. Ik ben dol op alles in Israël. Iedere Jood moet van Israël houden, omdat het ons vaderland is, en omdat het precies op Suriname lijkt, ik bedoel de straten en de vuilnisbakken en de corruptie. Als je de juiste vrienden hebt, kun je overal terecht, behalve dat hier meer Joden zijn, zodat ze mekaar meer voor de voeten lopen. Niet zoals in Suriname, waar maar honderdvijftig Joodse families wonen, waardoor ze hier meer synagoges hebben en in Suriname meer bloemen en bomen. Een oerwoud, dat heb je hier niet, maar voor de rest is er nauwelijks verschil. Zal ik je nog wat opscheppen?'

Dat laatste was voor Noach bedoeld.

'Graag,' zei Noach en hij hield zijn bord bij, maar Stanley was zijn aanbod alweer vergeten.

'Ik ben ook dol op Nederlanders,' zei hij met een knipoog naar Jardena. 'Tegelijk Nederlands en Joods zijn, dat is een slimme combinatie.'

En zich tot Shai en Jifrach wendend verklaarde hij: 'Jullie boffen maar, kerels, hetzelfde bloed stroomt door jullie en mijn aderen. Beter kun je je niet wensen. Maar ik hou niet van Nederland. Te koud en te veel van dezelfde soort mensen. In Suriname hebben we negers en blanken, Indiërs, Indianen, Japanners, een miljoen mensen, en geen twee die op mekaar lijken. En soms, in de natte moesson, staan de straten blank en zwemmen de krokodillen door de stad. Dan maak je een lasso en vang je er eentje. Natuurlijk eten we alleen de staarten. Je snijdt hem af en laat het beest gaan. Dat kan ze niks schelen.'

Noach verslikte zich in de fruitsalade.

'Dat mis ik in Israël, vissen en jagen en al dat heerlijke wild: kreeften, slangen, krokodillenstaarten, iguana's ... Maar we hebben toch lekker gegeten, vanavond. Hartstikke bedankt. Ooit komt de dag dat ik echt Surinaams voedsel voor jullie kook. En wees niet bang dat mijn eten niet kosher is. Ik ben net zo frum als jullie allemaal.'

Toen de gast weg was, kregen Shai en Jifrach de slappe lach, en viel Noach in slaap met zijn hoofd op het tafelkleed. Nathan verdween achter zijn krant en Jardena liet de vuile vaat staan om naar haar computer te snellen en zo vlug mogelijk vast te leggen wat ze van Stanley's monoloog had onthouden. Eva zou ervan smullen.

De computer was zelf een verhaal waard. Wat dat ding allemaal kon! Hij nam wel bijna de hele schrijftafel in beslag, zodat er nauwelijks meer plaats was voor een normale blocnote. Bovendien moest je elke ochtend maar hopen dat hij geen kuren vertoonde. Maar als hij het deed was het een wereldwonder: een soort doos van zeventig bij zeventig centimeter, en dertig centimeter hoog. Erbovenop stond een scherm waarvan de uitstraling zo schadelijk was dat je een groene bril moest dragen als je er lang naar wou kijken. En dan was er het toetsenbord, dat zowel diende voor Hebreeuws als Latijns schrift, op zichzelf iets totaal onbegrijpelijks. Soms wou een toets na het indrukken niet direct omhoogkomen. Dan rolde de letter als een op hol geslagen paard over het scherm, en trok Jardena in haar onmacht de stekker uit het contact.

In de doos zaten twee sleufjes. In het onderste sleufje schoof je een kaart met een geheimzinnig programma dat WordStar heette, in het andere schoof je een gelijksoortige kaart waarop de verhalen die je schreef werden bewaard. Hoe het kon, begrepen ongetwijfeld alleen degenen die het bedacht hadden.

Tot haar vierenvijftigste jaar had Jardena alles wat ze wou vastleggen met de hand geschreven, overgetypt, met potlood gecorrigeerd, geknipt, gegumd en geplakt. Om meer dan één kopie van een tekst te produceren, gebruikte je carbonpapier, en als je een fout had getypt, moest je die op elke doorslag apart corrigeren met een plakkerig spul dat in het flesje uitdroogde als je het een dag niet gebruikte.

De dag dat ze met Nathan de stad in was gegaan om de computer te kopen, was zo plechtig geweest dat het net een tweede huwelijksinzegening leek. Een vriend die alles van computers wist, functioneerde als bruidsjonker. Alles verliep naar wens, tot de computer thuis was afgeleverd en Jardena met kloppend hart de zeven letters van haar naam intoetste. Op het scherm verschenen zeven identieke rechthoekjes. Jardena, Nathan en de bruidsjonker staarden naar het scherm alsof het een monster had gebaard. Het was te laat om de fabrikant of de winkelier te bellen. Ervan overtuigd dat de griezel op haar schrijftafel een revolutionair was die van plan was haar zo veel mogelijk tegen te werken, deed Jardena de hele nacht geen oog dicht. De volgende ochtend belde ze in alle vroegte de winkelier, die haar het nummer gaf van een technicus, die het probleem zomaar uit zijn blote hoofd oploste. 'Wist mevrouw dan niet dat ze dat knopje aan de linkerkant moest indrukken?'

Had mevrouw dat dan kunnen weten?

Toen de computer eenmaal was ingeburgerd, deed de volgende ketter zijn intree in huis: een printer die al net zo recalcitrant was als zijn grote broer. Nu begonnen de strubbelingen pas goed: meer slapeloze nachten, urenlange telefoontjes met adviseurs en technici, die met engelengeduld stapje voor stapje uitlegden wat de overrompelde Jardena wel had moeten doen en niet had kunnen weten, of niet had moeten doen en wel had kunnen weten. Vergeleken met het werken op een computer was het met de hand kopiëren van een complete roman kinderwerk.

Al bleef op de achtergrond de dreiging dat het wereldwonder, dat altijd alles beter scheen te weten dan Jardena zelf, haar schrijfsels op een kwade dag zou inslikken om ze nooit meer terug te geven, toch was tegen het einde van de zomer het ergste voorbij.

De intifada daarentegen zette door. De zwartgallige voorspellingen die de eigentijdse profeet Yeshayahu Leibovitch in 1968 had gedaan, kwamen uit. Meer dan twintig jaar waren de Arabieren van de controversiële gebieden tweederangsburgers geweest. Nu hadden ze er genoeg van. Nu verkozen ze om onder de gemeenschappelijke naam Palestijnen hun onafhankelijkheid te eisen, en of Elnakam en Ge'ula Cohen en de minister-president het daar wel of niet mee eens waren, de klok liet zich niet terugzetten. De Palestijnen staken links en rechts stapels autobanden in brand en gooiden stenen naar de hoofden van Israëlische soldaten.

Buitenlandse televisieploegen moedigden Palestijnse straatkinderen aan om een staaltje van hun werpkunst voor de camera te vertonen. Natuurlijk kreeg het publiek dan ook te zien hoe soldaten terugschoten, maar er werd gemakshalve niet bij vermeld dat Palestijnse ouders hun kinderen opzettelijk als voorhoedevechters inzetten, en dat de Israëlische soldaten, van wie de meeste nauwelijks van school waren, net zo bang waren voor stenen als de Palestijnen voor rubberkogels.

Noëlly had haar poedelachtig beest allang weer terug, maar nu hadden Nathan en Jardena iets wat het midden hield tussen een fox- en een airdaleterriër. Hij had oorspronkelijk aan Simcha toebehoord, en ze had met hartzeer afstand van hem gedaan toen ze van haar ultraorthodoxe rabbijn had geleerd dat mensen en dieren niet onder één dak horen te leven. Jardena had zich flink opgewonden over het geval. Wie vroeg zoiets nu aan een rabbijn. Een beest waar je van houdt, en waar je jaren voor hebt gezorgd, hoe kon je daar zomaar afstand van doen? Ten slotte had ze hem zelf maar genomen.

Nathan, met zijn aangeboren esprit de contradiction, had het zwaar te verduren gehad. Toen hij had gehoord dat Jardena Simcha's hond in huis wou nemen, had hij gewoontegetrouw tegengestribbeld, maar toen hij zich had gerealiseerd dat Simcha naar haar rabbijn luisterde in plaats van naar haar eigen hart, was hij helemaal opstandig geworden.

Alweer stonden er verkiezingen voor de deur. Op een dag, toen Jardena de hond uitliet, hield een dame haar op straat aan. 'Op wie moet ik stemmen?' vroeg ze in het Russisch. Trots dat ze de vraag had verstaan, antwoordde Jardena: 'Waarom vraagt u dat juist aan mij?'

'Omdat u met een hond loopt. Als u van dieren houdt, vertrouw ik op uw inzicht.'

Jardena noemde de naam van de kandidaat op wie ze zelf zou hebben gestemd als ze stemrecht had gehad, en besloot ter plekke om nu toch echt haar Nederlandse nationaliteit op te geven. Nathan vond het onzin. Weer weifelde Jardena. Voor ze het wist, was het alweer te laat. Bij gebrek aan beter gaf ze zich op om op 1 november in een stemlokaal toezicht te houden. Het viel haar op dat van de orthodoxe bevolking al wie stemrecht had kwam opdagen, en dat zelfs honderdjarigen en ongeneeslijk zieken met ambulances en brancards naar het stemlokaal werden vervoerd. Van de seculiere bevolking kwam hooguit vijftig à zestig procent. Geen wonder dat de religieuze partij zo machtig was.

De uitslag van de verkiezingen was negenendertig zetels voor de linkse Arbeiderspartij, veertig voor de rechtse Likudpartij. Jardena voelde zich schuldig. Met vernieuwde ijver wierp ze zich op het Russisch.

Vroeg in de ochtend van 2 november brachten Nathan en Jardena Jifrach naar het rekrutenbureau, waar een vijftigtal jongens van achttien stond te wachten op de bus die hun laatste schakel was tussen een zorgeloze jeugd en de intifada.

Degenen die een plaatsje bij een raam bemachtigden staken hun handen naar buiten om snoep en sigaretten in ontvangst te nemen die hun zusjes bij de buurtkiosk waren gaan kopen. Vaders stonden op hun tenen of trokken zich ongegeneerd op aan de raamkozijnen om nog snel een laatste raadgeving te geven. Oudere broers balkten luidkeels aanbevelingen voor de hele groep. Kleine broertjes en zusjes schepten op over het toekomstige heldendom van hun soldaat, die binnenkort een echt geweer zou krijgen. Moeders vochten tegen hun tranen. Hoewel het duidelijk was dat sommige rekruten beter voorbereid waren dan andere, lachte er toch niet één toen de bus zich in beweging zette.

Op 3 november vloog Jardena naar Amsterdam om de geboorte van Perla's eerste kind bij te wonen. Ze had niet eerder willen vertrekken vanwege Jifrach, en kwam dan ook op het laatste nippertje bij Perla aan. Eva, die haar op Schiphol afhaalde, noemde haar als vanouds Reinie, maar voor Meron was ze gewoon Jardena. En Perla was voor iedereen behalve voor haar moeder Pnina. Zij en Meron waren een stukje Israël, een eilandje Jeruzalem in hartje Amsterdam.

'We hebben Nederlanderschap aangevraagd,' zei Perla. 'Maar er is een probleem.'

'Wat dan?'

'De Nederlandse wet bepaalt dat vreemdelingen die de Nederlandse nationaliteit krijgen, hun vroegere nationaliteit moeten opgeven. Maar om zo'n document te ondertekenen, dat stuit ons tegen de borst. We voelen ons Israëliërs.'

'Blijf dan Israëliër. Wat maakt het uit?'

'We wonen nu eenmaal hier, en het ziet ernaar uit dat we dat nog heel lang zullen doen, ook al praten we er altijd over dat we ooit terug zullen gaan naar Israël,' zuchtte Perla.

'Nou dan.'

'Meron zegt dat we bepaalde rechten en plichten hebben, en dat het juister is om Nederlander te zijn als je langdurig, of misschien zelfs voor altijd, in Nederland woont.'

Diezelfde middag kwam Meron thuis met interessant nieuws. Hij had de Israëlische ambassade in Den Haag opgebeld en het dilemma voorgelegd.

'Onderteken het document maar gerust,' had de Israëlische beambte gezegd. 'Voor Nederland heb je dan je plicht gedaan. Wat de Israëlische wet betreft, die kent het verwerpen van de nationaliteit niet. Voor de Israëlische wet geldt: eens een Israëliër altijd een Israëliër.'

Een paar dagen na de aankomst van haar moeder was er bij Perla iets gaande.

'Ga toch slapen,' zei Meron. 'Er is niets aan de hand.'

'Maar Meron,' protesteerde zijn vrouw. 'Het moet toch eens gebeuren. Ik ben aan het einde van de negende maand.'

'Zie je wel,' zei de koppige echtgenoot. 'Alleen maar omdat je aan het eind van de negende maand bent, voel je je verplicht vandaag dat kind te krijgen. Ga toch slapen meid. Je hebt nog minstens tien dagen voor de boeg.'

Om de tijd door te komen, gingen Perla en Jardena een blokje om. Ze kwamen langs een restaurant en zagen hoe de kelners soep serveerden. Perla werd er onpasselijk van. Bij het tweede rondje om het blok serveerden de kelners het hoofdgerecht en begon Perla te kokhalzen. Na vijf blokjes serveerden ze roomtaart en gaf Perla over op het trottoir. Een voorbijgangster schudde meewarig het hoofd. Een man mompelde: 'Meisje toch, meisje toch.' Na nog een paar blokjes zagen Perla en Jardena hoe de kelners de lichten uitdeden.

'Het doet pijn,' zei Perla. 'Ik hoop dat het menens is.'

'Laten we naar huis gaan,' zei Jardena.

Meron lag in bed, zijn hoofd onder het kussen, met het vaste voornemen zich niet door zijn vrouw en schoonmoeder op stang te laten jagen. Perla ging op de rand van het bed zitten en Jardena ging naar het logeerkamertje op de zolderverdieping. Om twee uur sloop ze op haar tenen naar beneden om te zien hoe de zaken ervoor stonden. Haar schoonzoon was in de keuken een ei aan het bakken. Hij ontkende niet langer dat er iets met zijn vrouw aan de hand was, maar had van de zenuwen honger gekregen. Perla zat op een stoel met haar gezicht naar de rugleuning, zoals ze geleerd had op de zwangerschapscursus die ze samen met haar man had gevolgd. Meron liet zijn ei staan en kwam haar rug masseren. Jardena nam een foto. Ze vond het gênant om zich met het fototoestel op te dringen in de intimiteit tussen man en vrouw, maar zowel Perla als Meron had haar bezworen foto's te nemen, zelfs als ze haar in de loop van de nacht zouden vragen ermee op te houden.

Om vijf uur 's morgens had Perla elke vier minuten een wee. Meron belde de vroedvrouw op. Ze arriveerde binnen drie minuten. Hoe dat zo vlug kon was Jardena een raadsel. De vroedvrouw onderzocht Perla en zei: 'Er is totaal geen ontsluiting. Ik weet dat het een teleurstelling voor je is, maar je moet je realiseren dat je nog minstens twaalf uur zo moet doorgaan. Wat je tot nu toe hebt gevoeld zijn voorbereidende weeën, die dienen om een hormoon aan te maken dat je voor de geboorte zelf nodig hebt. Je moet je aanpassen aan de situatie zoals ik je die nu uitleg, en niet verwachten dat het al gauw zover is. We hebben geen enkele haast. De baby ligt in een ideale positie. Het hartje klopt duidelijk en regelmatig. Je verwerkt de weeën uitstekend. Alles is absoluut normaal. En het is ook normaal dat een eerste bevalling lang duurt. Ik kom om een uur of elf wel weer eens kijken. Voor die tijd kan ik niets voor je doen.'

Vastbesloten haar krachten te sparen, zocht Perla haar draai. Die vond ze op de pot van de wc. Jardena keek naar het bleke gezicht met de gezwollen lippen, de gesloten ogen, en het dikke zwarte haar dat los over de schouders viel. Zo nu en dan kreunde Perla, en eenmaal vroeg ze om een warmwaterkruik. Ze verzette zich niet toen haar man een trui om haar schouders legde en de mouwen over haar borst drapeerde. Zo zat ze in zichzelf gekeerd te wachten, zich concentrerend op de bewegingen van het kindje, dat de tocht naar buiten had aangevangen. Om acht uur zat ze nog in precies dezelfde houding. Toen Jardena iets tegen haar zei, opende ze heel even haar ogen en gaf met een gebaar van haar hand aan dat ze met rust gelaten wilde worden. Jardena keek naar haar schoonzoon, die op de bank lag te dommelen. Alles was stil. Een onvergetelijke nacht ging geruisloos over in de dag waarop Jardena's eerstgeborene haar eerstgeborene ter wereld zou brengen.

Drie spreeuwen vlogen langs het raam. Beneden in de straat rammelde de eerste tram. De straatlantaarns gingen uit. De centrale verwarming sloeg aan.

Even na achten werden de weeën heviger. Perla zat nog steeds op de wc. Jardena en Meron behielpen zich elders. Jardena nam een foto. Meron kwam naast haar staan. Tegelijk met zijn schoonmoeder zag hij iets harigs verschijnen tussen de benen van zijn vrouw. 'Pnina, sta op,' smeekte hij bijna. 'Ga op bed liggen, anders valt ons kind in de wc.' Perla bewoog niet. Meron belde de vroedvrouw op, en probeerde nogmaals:

'Pnina, ga op bed liggen. We zien het hoofd van de baby.'

Toen hij begreep dat zijn vrouw niet van plan was te bewegen, bracht hij twee grote hoofdkussens en legde ze vóór haar op de grond. Zonder haar ogen te openen liet Perla zich een eindje naar voren glijden, zodat ze op de kussens kwam te zitten. Onmiddellijk daarop kwam het hoofdje van de baby te voorschijn. Daar lag het, op het bovenste kussen in een klein plasje bloed. Meron porde zijn schoonmoeder in haar zij: 'Foto!' Jardena knipte.

'Wat nu?' vroeg Meron zenuwachtig. 'Wat moeten we doen?'

'Niets,' fluisterde Perla.

Had een baby die nog aan zijn moeder vastzat lucht nodig? Jardena wist het niet. Ze vroeg zich af of ze het kussen een beetje moest indrukken om het neusje wat meer ruimte te geven, maar Perla gebood: 'Niets doen. Met de volgende wee pers ik het lichaam eruit.'

Jardena stond klaar voor het nemen van een foto, maar op dat moment kwamen de vroedvrouw en haar assistente de gang instormen en werd haar zicht op het gebeuren geblokkeerd. De vroedvrouw wachtte niet op de volgende wee. 'Persen,' riep ze. 'Nu! Persen! Daar komt 'ie. 't Is een jongen! Een beeld van een jongen met lange witte vingers en een grappig punthoofdje. Hier, pak maar aan!' Toen pas stortte de moedige jonge moeder in. 'Lief, lief baby'tje,' huilde ze. 'Wat ben je toch een schattig, schattig kereltje.'

Maar nog was Perla niet klaar. 'Komaan, je moet de placenta nog naar buiten persen,' zei de vroedvrouw. Meron wrong zich achter de pot van de wc en hielp zijn vrouw met persen. De assistente wikkelde de baby in een schone handdoek, en de vroedvrouw vroeg om een po om de placenta in op te vangen.

'Een po? Die hebben we niet.'

'Iets anders dan! Vlug!'

'De koekenpan,' zei Jardena, en ze dacht: als we nieren en levers van wildvreemde koeien in deze pan kunnen bakken, dan mag de placenta van m'n bloedeigen kind er ook wel in.

De placenta plofte in de pan. De vroedvrouw bond de navelstreng af, en vroeg: 'Wil de vader de streng doorknippen?' Nee, dat was hem te machtig.

'Wil de grootmoeder het doen?'

'Nou en of!' Met het gevoel een voorwereldlijke halfgod te zijn, knipte

Jardena door de dubbele streng. Hij was niet hard en niet zacht. Hij was taai.

Nu pas leidde de vroedvrouw Perla naar bed. Daar lag ze, nog natrillend van inspanning en emotie, maar zielsgelukkig. De vroedvrouw vroeg om een kom warm water en een handdoek. Voorzichtig waste ze de pijnlijke lichaamsdelen. Net als bij de geboorte van Vereds kind, moest Jardena denken aan haar eigen bevallingen. En nu speciaal aan de dag dat Perla zelf geboren was, en aan de vroedvrouw die zich gedroeg als een slager. Maar gelukkig was er ook in Israël in de laatste dertig jaren veel veranderd.

'Wil de vader zijn zoon dan misschien in bad doen?' vroeg de vroedvrouw.

'Nee, dat mag de grootmoeder ook doen. Laat mij nu maar even met rust.'

Maar toen Jardena het jongetje zachtjes in het lauwwarme water heen en weer bewoog, stak Meron zijn hand erin om voor het eerst de zachte huid van zijn zoon te voelen. Hij was zo teer als een kuiken dat net uit het ei is gekomen. Schoon en droog werd de baby even later aan de borst van zijn moeder gelegd. Op het moment dat zijn lippen de tepel raakten begon hij te smakken. Hoe kon hij dat zo! Vol bewondering stonden de grote mensen te kijken.

'Zijn er nog vragen voor ik wegga?' zei de vroedvrouw.

'Ja,' zei de gelukkige vader. 'Op welke leeftijd kan hij zijn eerste vioolles krijgen?'

Nauwelijks waren de vroedvrouw en haar assistente vertrokken, of de benedenburen klopten aan. Ze hadden de baby horen huilen en brachten een gigantische bos rode rozen.

'Hebben we die rommel nu echt nodig?' vroeg de jonge vader tactloos, en dit bedoelde hij geenszins als een grapje. Hij was wel degelijk ongerust: 'Weten jullie zeker dat bloemen geen besmettelijke ziektes kunnen overdragen? Ze zitten vast vol bacteriën.'

Jardena probeerde de opmerking van haar schoonzoon te vergoelijken door de buren extra hartelijk te bedanken, maar Meron troonde hen mee om met zijn zoon te pronken. 'Dit is de mooiste dag van mijn leven,' zuchtte hij uit de grond van zijn hart.

'Waarom wou je de navelstreng niet doorknippen?' vroeg Perla aan haar man toen de buren weg waren.

'Omdat ik achter jou zat,' antwoordde hij waardig. 'Of had je me soms naar voren willen zien schrijden, alsof ik de burgemeester van Tel Aviv was die de nieuwe weg naar Jeruzalem kwam inwijden met het doorknippen van een lint?'

'Je hebt gelijk,' zei Perla. 'Je was bezig me te helpen. Daar dacht ik even niet aan. Dank je wel.'

Voordat Meron die nacht naar bed ging, zei hij tegen zijn schoonmoeder: 'Morgenvroeg, als de vuilnisman langskomt, lig ik misschien nog te slapen.'

Jardena begreep wat hij bedoelde. Hij had die dag zoveel te verwerken gehad dat er niets meer bij kon. Om de prachtige ronde placenta weg te gooien, die nog steeds in de koekenpan lag te pronken, dat was meer dan hij kon verdragen. Dus stond Jardena de volgende ochtend vroeg op, en deed datgene waarvan haar schoonzoon zeker het recht had om het haar te vragen, nadat hij haar de eer had gegeven de navelstreng van zijn zoon door te knippen.

Na de besnijdenis, en voordat ze uit Nederland vertrok, bezocht Reinie een dame van wie ze gehoord had dat ze mensen naar Rusland uitzond om daar de Joden Hebreeuws te leren.

'Ik ben al jaren met Russisch bezig,' vertelde ze haar. 'Met een woordenboek kom ik een heel eind. En ik heb een Nederlands paspoort!'

De dame noteerde Reinie's adres in Jeruzalem, en beloofde contact op te nemen.

Bij aankomst in Israël kreeg Jardena het nieuws te horen over het laatste fiasco. Shimon Peres van de Arbeiderspartij had geprobeerd de religieuze partijen van zijn rivaal af te troggelen door te beloven dat alleen zij zeggenschap zouden krijgen over het nog altijd niet opgeloste vraagstuk: wie is een Jood?

Toen Shamir doorhad wat Peres bekokstoofde, beloofde hij onmiddellijk hetzelfde, met het gevolg dat de religieuze partijen het voor het kiezen hadden. Ze kozen voor rechts, en stelden een extra voorwaarde: er moest bij wet worden vastgelegd dat liberale rabbijnen geen echte rabbijnen zijn, en dus niet gemachtigd om huwelijken te sluiten en tot het jodendom te bekeren.

De Amerikaanse Joden briesten van woede. Negentig procent van hen behoorde immers tot niet-orthodoxe gemeentes. 'Dat gaat Israël een paar honderd miljoen dollar aan privédonaties kosten,' dreigden ze.

Dat was belangrijk genoeg om tot een compromis te komen: de nieuwe regeling zou in Israël gelden, niet in de diaspora.

1989

Het al of niet erkennen van de liberale rabbijnen was niet de enige controverse waarover de gemoederen hoog opliepen.

Ergens in de buurt van Schem waren Joden en Arabieren elkaar te lijf gegaan. Stenen waren gegooid, kogels waren afgevuurd, het resultaat was niet om trots op te zijn. Meerdere doden en gewonden. Een jonge Palestijn lag dagenlang hersendood in het ziekenhuis.

Inmiddels lag in een ander ziekenhuis een Israëlische zakenman op sterven. Hij kon alleen gered worden door een harttransplantatie. Het hart van de jonge Palestijn voldeed aan alle eisen. Maar de ouders hadden geweigerd het beschikbaar te stellen.

'Wat ik niet snap is hoe we het durven vragen,' was Jardena's reactie toen ze het verhaal te horen kreeg.

'De zakenman was steenrijk, en zijn zoon schijnt de Palestijnse ouders een geweldige som geld te hebben geboden,' legde Jifrach uit.

'Des te erger! Stel je voor, het hart van je zoon verkopen en dan nog wel aan de vijand. Afgezien van wie gelijk heeft in het conflict tussen ons en de Palestijnen, voor hen zijn we de vijand.'

'Zelfs de burgemeester van Jeruzalem heeft zich ermee bemoeid,' wist Nathan te vertellen.

Jardena stampvoette van ergernis. 'Oorlog is nu eenmaal oorlog. En de slachtoffers worden niet met een loep gekozen. Maar om de ouders van een jongen die we zelf hebben gedood voor zo'n keus te stellen, vind ik immoreel.'

'De zoon van de zakenman was toch verplicht het uiterste te doen om zijn vader te redden,' vond Simcha. 'Het leven gaat bij ons nu eenmaal voor de dood. En nee heb je, ja kun je krijgen.'

'Fraai geredeneerd vanuit het standpunt van de zakenman en zijn familie. Maar denk eens aan die Palestijnse vader. Als hij ja zegt, heult hij met de vijand. Als hij nee zegt is hij een moordenaar. Alsof het verdriet om zijn zoon niet groot genoeg is! Nu heeft hij ook nog met levenslange gewetenswroeging te kampen. Als ik ooit een nieuw hart nodig heb, begaan jullie dan niet de misdaad om het aan een door onszelf gedode Palestijn te vragen. Ik hoop nog lang te leven, maar niet tot elke prijs. Nee, niet op die manier!'

Zoals gewoonlijk bleven de leden van de familie Jerushalmi dagenlang over het geval bakkeleien maar hun meningen hadden weinig effect, want de zakenman was allang dood en begraven.

In januari kwamen Jannai en Rachela thuis. In strijd met hun plannen verwachtte Rachela een kind. Ze was al bijna acht maanden zwanger, en alles was tot nu toe uitstekend verlopen.

Eind februari kwam een gezond jongetje ter wereld en de hele familie was er dolgelukkig mee. Toch viel niet te ontkennen dat Jannai en Rachela het moeilijk hadden. Ze woonden in bij de zuster van Rachela, en Jannai deed zijn best de kost te verdienen, hetgeen met zijn halfafgemaakte opleiding niet makkelijk was.

In de straten vierde vandalisme hoogtij. Rechtse extremisten staken de auto's van journalisten in brand uit protest tegen hun linkse artikelen. Religieuze extremisten staken aanplakborden in brand uit protest tegen affiches met dames in bikini.

Een Palestijn in de bus van Tel Aviv naar Jeruzalem overviel de chauffeur en draaide het stuur zo scherp naar rechts dat de bus in de afgrond stortte, ondersteboven kwam te liggen en in brand vloog. Zestien passagiers, waaronder de terrorist, vonden de dood. Zevenentwintig werden gewond.

Omstreeks dezelfde tijd werd de organisatie Betselem opgericht, door mensen die wilden benadrukken dat niet alleen de Joden maar ook de Palestijnen naar het evenbeeld van God zijn geschapen.

Op een ochtend zag Jardena dat op de muur tegenover hun huis met grote letters stond geschreven: 'Dood aan de Arabieren.' Omdat discriminatie voor de wet verboden was, belde ze de stadsreinigingsdienst op met het verzoek onmiddellijk iemand te sturen om het opschrift van de muur te verwijderen. Binnen een halfuur werd aan haar verzoek voldaan. Ze stond op het balkon om de schoonmaakactie gade te slaan. 'Moet u nou 's kijken wat ze me voor karwei hebben opgedragen,' riep de man naar boven. 'Toen ik werkeloos was spoot ik zulke leuzen zelf op alle muren in de stad. Nu word ik betaald om ze eraf te schrobben.'

'Ja man,' riep Jardena met leedvermaak naar beneden. 'De wet is nu eenmaal de wet.'

Zonder zich van enige wet iets aan te trekken, stak een Palestijnse messentrekker in hartje Jeruzalem twee argeloze Joden dood, en ontvoerden Israëlische soldaten een sjeik uit zijn huis in Zuid-Libanon. De sjeik was verantwoordelijk voor een groot aantal terreurdaden, en de bedoeling was om hem uit te wisselen tegen drie Israëlische jongens die in Arabische landen als krijgsgevangenen werden vastgehouden. Merkwaardigerwijs waren de Arabieren niet geïnteresseerd in de transactie, en Israël zou jarenlang met de sjeik opgescheept zitten.

Dat steken met messen en hard weglopen was de nieuwste strategie van de Palestijnen. Ze deden het om de haverklap. Soms kwam de agressor om in een gevecht met de politie. Soms werd hij levend overmeesterd en gevangengezet.

De bekende discussies waren weer aan de orde van de dag.

'Waarom schieten we zulke moordenaars niet dood, in plaats van er onze gevangenissen mee vol te stoppen?' vroeg Shai.

'Omdat Israël een rechtsstaat is,' antwoordde Nathan. 'Een burger mag het recht niet in eigen hand nemen. En dat is maar goed ook.'

'Ja, maar als je met eigen ogen iemand een moord ziet begaan, dan hoef je je toch niet af te vragen of hij schuldig is of niet? Wat valt er dan nog te berechten?'

'In Israël hebben we geen doodstraf, behalve dan voor gevallen als Eichmann en Ivan de Verschrikkelijke.'

'Wat zou jij doen als je zo'n messentrekker aan 't werk zag?' vroeg Elnakam terwijl hij Nathan hielp met het spannen van een groot doek.

'Hard weglopen en de politie waarschuwen.'

'Ik zou in z'n been schieten,' zei Vered, die toevallig was komen aanwippen. Het duurde even voor Nathan reageerde. 'Bedoel je dat je met een pistool rondloopt?' vroeg hij ongelovig.

Vered stak haar hand in haar zak, maar bleef het antwoord schuldig. Elnakam daarentegen trok enthousiast zijn broekspijpen omhoog. In iedere sok stak een revolver.

'Wat zou jij doen?' vroeg Jardena aan Jannai.

'Ik zou nooit een mens doden', was zijn eenduidig antwoord.

'Ook niet als iemand je vrouw of je kind bedreigde?'

Jannai zuchtte. 'Ik hoop dat het me nooit overkomt.'

'Dat hopen we allemaal,' zei Jifrach, die een dag verlof had.

'Niemand doodt voor zijn plezier een mens, maar als iemand op je afkomt om je te doden, wees hem dan toch maar voor, zou ik zeggen. Soms, als er heibel is in een van de vluchtelingenkampen, en de bewoners hebben huisarrest, dan krijgen we het bevel om op alles wat beweegt te schieten.'

'Maar jongen,' vroeg Jardena geschrokken. 'Wat doe je in zo'n geval?' Jifrach haalde zijn schouders op en mompelde: 'Ik zie nooit wat bewegen.'

Zonder het tegen iemand te zeggen, kocht Jardena een mes dat ze aan een riem onder haar trui kon dragen. Ze wist niet of ze ooit gebruik van haar wapen zou durven maken, en ze had het ook niet bij zich als ze alleen door de stad liep. Maar wel als een van de kleinkinderen haar vergezelde, en dan hield ze haar hand paraat.

Op 1 juli kwam een oude bekende op bezoek: Aharon, de melancholieke fotograaf die uit zijn eigen huis was gevlucht voor Stanley de iguanaeter, die intussen ook alweer verhuisd was. Jardena had haar vroegere buurman lang niet gezien. Ze was dan ook verbaasd dat hij om halfacht 's morgens aanbelde. Hij was ongeschoren, zijn gezicht zag even beige als zijn versleten kleding. Hij keek haar bijna smekend aan en vroeg om een kop koffie. Jardena ging hem voor naar de keuken. Hij zonk als een zak rijst op een krukje, en moest wat drinken voor hij zijn verhaal kon vertellen.

'Ik kon geen werk vinden als fotograaf, nou ja, dat was eigenlijk te verwachten. Iedereen heeft tegenwoordig een fototoestel. Maar ik moet nu eenmaal eten. Toen heb ik een baantje aangenomen bij een schoonmaakbedrijf. De baas beloofde me duizend shekel per maand. Niet veel, maar beter dan niets. Gisteren was het 30 juni, dus ik vroeg om mijn salaris. En weet je wat hij zei? "Salaris? Ik zal je bij stukjes en beetjes betalen, elke keer als ik wat geld heb." "Maar ik moet morgen mijn huur betalen," zei ik. Waarop die schoft antwoordde: "Je huur is jouw probleem, niet het mijne."'

Arme Aharon. Daar zat hij: midden dertig, niet onaantrekkelijk, te verlegen voor het vinden van passend werk, laat staan een passende vrouw, roerend in zijn koffie alsof hij kleuren mengde op een palet zonder te weten wat hij wou gaan schilderen, en op het punt in tranen uit te barsten omdat een brutale werkgever, waarschijnlijk tien jaar jonger dan hijzelf, hem zijn armzalige salaris niet wou uitbetalen. Hij slikte een paar keer hard en vervolgde: 'Ik was zo overstuur dat ik de hele nacht niet heb kunnen slapen. Maar toen het licht werd ben ik blijkbaar toch ingedommeld, want ik heb de wekker niet gehoord en kwam een halfuur te laat op mijn werk. En weet je wat mijn baas zei? "Van nu af aan hou ik honderd shekel van je salaris af voor elke keer dat je te laat komt." Zonder erbij na te denken tilde ik de stofzuiger op en gooide hem de hufter naar zijn kop. Einde baan dus. En einde van mijn kans om de huur op tijd te betalen. Je begrijpt wat dat betekent.' Hij keek met een schuldig lachje naar Jardena. 'Neem me niet kwalijk dat ik je hiermee lastig val, maar ik heb niemand anders bij wie ik mijn hart kan uitstorten.'

Jardena schonk Aharon een tweede keer koffie in. Wat kon ze hem voor raad geven? Hoe kon ze hem troosten?

Op dat moment maakte Leila de Zwitserse Bedoeïenenprinses haar entree. Ze had de voordeur op een kier zien staan en was gewoon doorgelopen. Of het nu te danken was aan Jezus of aan Mohammed of aan een arts die haar of haar man een fertiliteitsbehandeling had gegeven, dat kwam Jardena niet te weten, maar in de deuropening van de keuken stond een struise vrouw met een pasgeboren kindje. Het zou een prachtige verrassing geweest zijn als de onoverwinnelijke Leila, die heel in haar eentje putten kon graven en regeringen voor het gerecht kon dagen, niet wanhopig had staan huilen.

'Kind toch,' riep Jardena. 'Wat is er aan de hand? Kijk, dit is mijn vriend Aharon. Wat kunnen we voor je doen? Wacht, eerst een glas water.'

Leila vertelde haar verhaal in een ratjetoe van Duits en Engels, doorspekt met Arabisch wat noch Jardena, noch Aharon verstond. Toen ze in de zevende maand was van een zwangerschap waar ze nauwelijks meer op had durven hopen, had ze geelzucht gekregen. Ze richtte zich dagelijks in gebeden tot Mohammed en Jezus, maar had toch het meeste vertrouwen in Joodse artsen. Ze was dus op haar Zwitserse paspoort bij Taba Israël binnengekomen, en had zich laten opnemen in een ziekenhuis in Eilat. Twee weken later was ze naar huis gestuurd met de raad zich zo rustig mogelijk te houden. Nauwelijks was ze in Tarabin aangekomen of de weeën zetten in en haar man moest haar met spoed terugbrengen naar de grens waar hij zelf niet over mocht. Vandaar was ze per taxi naar het ziekenhuis gekomen. Het vruchtwater stroomde langs haar benen, maar de weeën zetten niet door, en de baby in haar buik was in levensgevaar. Het kind werd met een keizersnede ter wereld gebracht en tien dagen in een couveuse gehouden. Dat alles was weliswaar verschrikkelijk duur, maar

Leila, die in Israël de status van toeriste had, verhaalde de kosten op haar Zwitserse verzekeringsmaatschappij.

Haar echtgenoot, die via het postkantoor in Nueiba telefonisch op de hoogte was gesteld van de geboorte van een stamhouder, stond al gauw aan de grens te popelen om het wereldwonder te aanschouwen. Hij kreeg zonder moeite een Israëlisch visum, maar zijn eigen regering stond hem niet toe naar Israël te gaan.

'Hoezo?' riep Aharon verontwaardigd uit. 'Egypte en Israël hebben tien jaar geleden vrede gesloten.'

'Dat weet ik wel,' zuchtte Leila, 'maar de Egyptenaren hebben geen vredesverdrag met hun eigen Bedoeïenen gesloten.'

De zaak was nog ingewikkelder, want de baby was met een dubbele hernia geboren, en moest hoognodig geopereerd worden. Leila en haar baby waren doorgestuurd naar het Hadassaziekenhuis in Jeruzalem. Dat was nog zo kwaad niet, want Leila kon altijd bij haar christelijke vrienden in Jad-Hashemonah logeren. Hoewel de kinderarts zei dat de dubbele operatie zeer urgent was, werd de ingreep steeds maar uitgesteld, omdat het geld, dat uit Zwitserland moest komen, er nog niet was. Toen dat eindelijk was overgemaakt, had het kind één van zijn testikels verloren. De andere werd godzijdank door de operatie gered. En nu wou Leila maar twee dingen. Naar huis en slapen.

'Maar ik kan met de baby de grens niet over,' snikte ze. 'Eerst moet ik hem in mijn paspoort laten bijschrijven. Daarvoor moet ik een geboortebewijs overleggen, en om dat te krijgen heb ik een brief nodig van het ziekenhuis in Eilat waarin staat dat mijn zoon daar geboren is. Dus reisde ik met de baby per bus naar Eilat, vier uur heen en vier uur terug. Maar op het ministerie van Binnenlandse Zaken zeggen ze dat mijn man Egyptenaar is, en dat ik dus mijn problemen met de Arabieren in de oude stad moet oplossen, en in de oude stad zeggen ze dat mijn man geen Palestijn is, zodat het hun probleem niet is.'

Doodmoe van het lange relaas, viel Leila Jardena in de armen. Die keek van de uitgeputte vrouw naar de uitgebluste man tegenover haar en mompelde: 'Een maand geleden uit het ziekenhuis ontslagen na geelzucht en een keizersnede, een te vroeg geboren baby die een dubbele operatie moest ondergaan, en de aanbeveling om je rustig te houden.'

'Als je 't mij vraagt,' zei Aharon, en er kwam een diepe rimpel boven zijn neus, 'moet ze teruggaan naar het ministerie van Binnenlandse Zaken en erop aandringen dat een hoger geplaatste ambtenaar haar te woord staat. Als de ene ambtenaar weigert haar te helpen, moet een ander het doen.'

'Maar niemand luistert naar mij,' snikte Leila. 'Ik spreek geen Hebreeuws, en ze doen alsof ze mijn Engels niet verstaan. Ze zeggen gewoon dat ik weg moet gaan.'

'Ik zal met je meegaan,' bood Aharon aan, en hij keek naar Jardena alsof hij haar toestemming nodig had. Hoewel Jardena hem in haar hart geen schijn van kans gaf waar de onoverwinnelijke Leila gefaald had, dacht ze: als Aharon het heldhaftige initiatief neemt zich tegen de autoriteiten te verzetten, heb ik dan het recht hem te ontmoedigen? Ze zei dus dat ze het een briljant plan vond, en dacht nogal zelfgenoegzaam: als het hem niet lukt, kan ik het altijd morgen zelf nog proberen.

Ze ging op het balkon staan om het wonderlijke stel het huis te zien verlaten. Leila droeg haar kind op de linkerarm en leunde met de rechter zwaar op Aharon. Jardena schudde haar hoofd en ging de afwas doen.

Twee uur later kwamen ze terug. In opperbeste stemming. Wat was er gebeurd? In het ministerie van Binnenlandse Zaken waren ze naar het loket gelopen, en toen de ambtenaar die hen te woord stond niet wou meewerken, had Aharon geëist dat een hoger geplaatste persoon hen zou ontvangen. Ze werden naar een kamer gestuurd waar een aantal vrouwen achter computers zaten. Aharon legde de situatie uit aan degene die het dichtst bij de deur zat, en hoewel zij het althans deed voorkomen alsof ze iemand telefonisch over de zaak raadpleegde, was het resultaat van haar poging een onverschillig: 'Ik wou dat ik u kon helpen, maar het is nu eenmaal niet mogelijk.'

Op dat moment viel haar buurvrouw, aan wie niemand iets had gevraagd, uit: 'Wat is er zo moeilijk aan het opstellen van een geboortebewijs? Moet ik je laten zien hoe dat gaat?' Daarop haalde ze de benodigde informatie op het scherm te voorschijn, bevestigde dat alles in orde was, liet een formulier uit haar printer rollen, en overhandigde het aan Leila met een welgemeend: 'Veel succes en wel thuis met de baby.'

Nu was er nóg een probleem. Aangezien Leila haar zoon op haar Zwitserse paspoort wou laten bijschrijven, had ze een Engelse vertaling van het Hebreeuwse geboortebewijs nodig, en die vertaling moest geautoriseerd zijn door een advocaat.

'Ik weet een advocaat,' riep Aharon vrolijk uit. 'Ik heb de laatste vier weken iedere ochtend zijn kantoor schoongemaakt. Kom maar. We gaan naar hem toe.' En wie, toen ze het kantoor van de advocaat binnenkwamen, stond daar in eigen persoon? Jawel, de baas van het schoonmaakbedrijf naar wiens hoofd Aharon diezelfde ochtend een stofzuiger had gegooid. En wat dacht dat jeugdige ondernemertje toen hij zijn vroegere werknemer aan zag komen in gezelschap van een formidabele vrouw met kind die om de advocaat vroeg? Ongetwijfeld dat ze gekomen waren om hem een proces aan te doen. In minder dan geen tijd was zijn besluit genomen. 'Zeer vereerd om kennis te maken met uw vrouw,' mompelde hij en boog beleefd naar Leila. 'Ik vroeg me juist af hoe ik contact met u kon opnemen, want als ik me niet vergis, ben ik u nog wat geld schuldig.' Hij opende zijn portefeuille, telde tien briefjes van honderd shekel uit, en overhandigde ze met een vriendelijk knikje aan Aharon. 'Alstublieft, en mag ik u hartelijk feliciteren met de geboorte van de nieuwe telg!'

De advocaat produceerde het gewenste document en Aharon betaalde de kosten. Leila zou de volgende dag naar Tel Aviv gaan om de zaak bij de Zwitserse ambassade te regelen. Intussen logeerde ze bij haar vrienden in Jad-Hashemonah. Aharon kon zijn huur betalen en ging met nieuwe energie op zoek naar een andere baan.

Op 28 september werd Aby Nathan, de geliefde nationale Don Quichot, berecht omdat hij contact had gehad met leden van de Palestijnse Ashafbeweging, hetgeen volgens een nieuwe wet verboden was. Hij kreeg een halfjaar gevangenisstraf en wilde de president van de staat niet om gratie vragen. 'Voor de vrede heb ik graag een halfjaar van mijn leven over,' zei hij. Korte tijd later kwam aan het licht dat ook bekende politici zoals Ezer Weizmann, de neef van de eerste president van Israël, in het geheim besprekingen met Ashaf voerden. Maar die kwamen eraf met een uitbrander.

Itsik en Noëlly hadden voor de zoveelste keer genoeg van de agressiviteit en het politieke geharrewar in Israël. Ze besloten weer eens het land te verlaten. Toen Itsik de reisdocumenten in orde ging maken, werd hij geconfronteerd met het feit dat hij Farida nooit bij de burgerlijke stand had ingeschreven. Aangezien het kind niet in een ziekenhuis was geboren, maar illegaal door een vriendin-vroedvrouw die om begrijpelijke redenen anoniem wenste te blijven, thuis ter wereld was geholpen, was er niemand om te getuigen dat het anderhalf jaar oude meisje niet gestolen of ondergeschoven was. Had Itsik zijn dochter meteen na de geboorte aangegeven, dan had niemand naar getuigen gevraagd, maar nu wilden de ambtenaren er het fijne van weten. Itsik werd wekenlang van het kastje naar de muur gestuurd en hij moest een flinke boete betalen. Daarna moest hij tegenover een rechter onder ede verklaren dat Farida zijn dochter was. En toen hij eindelijk het geboortebewijs in handen had, maakte niemand haast met het uitreiken van een paspoort.

Om de kinderen op de aanstaande verhuizing voor te bereiden, vertelden hun ouders wonderen over Frankrijk. Zo kon het gebeuren dat Jardena de volgende monoloog uit de mond van de bijna vierjarige Moshiko te horen kreeg: 'Toen de boze mannen mijn zusje niet in hun boek wilden opschrijven, weet je waar we toen heen gevlucht zijn? Vast en zeker niet naar Amerika, want Amerika zit vol met griezelige beerputten waar kinderen in vallen. Nee, we vluchtten naar Zuid-Frankrijk. En weet je wat ze daar hebben? Nachtbrillen, niet van plastic zoals in Amerika waar alles vies en lelijk is, maar van beeldig gekleurd glas. En met zo'n nachtbril kun je ook 's nachts de zon zien, want in Frankrijk schijnt de zon zelfs in het donker. En weet je wat mijn vader gedaan heeft? Hij is naar een kantoor gegaan en heeft uitstekende kaartjes gekocht waarmee je helemaal naar Frankrijk kunt vliegen, maar niet naar Amerika, want dat is een afschuwelijk land waar ze alles van plastic maken. De man van het kantoor verkocht mijn vader een heleboel van die kaartjes, en was zelfs bereid hem het hele kantoor te verkopen. Dat heeft mijn vader toen gekocht. Nu hebben we genoeg kaartjes om ook Jifrach mee te nemen, want ze hebben in Frankrijk ook soldaten en geweren, zodat hij net zoveel mag schieten als hij wil, maar niet op mensen, anders gaan ze dood.'

Noëlly en de twee kleintjes reisden vooruit en zouden in Parijs een paar dagen bij haar familie logeren. Itsik was namelijk in Safed bezig met de verbouwing van het huis van een zekere Pinchas, en hij wilde zijn werkgever niet halverwege in de steek laten. Hij zou met Noach twee weken later vliegen. Jardena bood aan om samen met haar zoon en kleinzoon een weekje in het betreffende huis in Safed door te brengen om zo de overgang voor Noach te vergemakkelijken. Om Itsik bij het werk te helpen had Pinchas een pittoreske avonturier aangetrokken, een Engelsman die volgens zijn paspoort Brian Williams heette. Hij sprak geen woord Hebreeuws. Hij was zwijgzaam, bescheiden, eerlijk en een harde werker, een man naar Itsiks hart.

Tot haar verrassing hoorde Jardena dat ook het clownspaar Joël en Hilde in Safed woonde. Eens had ze Joël en één van zijn dochtertjes nog in Jeruzalem gezien. Het meisje reed bij die gelegenheid op een eenwielige fiets en viel er aldoor af. Joël, ongeschoren en met een valse rode neus, deerniswekkend in zijn wijde pantalon en te grote schoenen, ging rond met een hoed en schold iedereen uit die er naar zijn smaak te weinig in wierp.

Maar goed, dat was lang geleden. Jardena, die altijd een zwak had gehouden voor Hilde, verheugde zich op een weerzien, en vond na enig zoeken het huis. Via de voordeur kwam je rechtstreeks in de keuken. Kleuters met druipende neusjes en natte luiers kropen over de vloer. Hilde roerde in een pan op het fornuis. Het viel Jardena op dat ze zichzelf blijkbaar toestond om gas en dus waarschijnlijk ook elektriciteit te gebruiken. Ze droeg een saai mouwschort en dito hoofddoek. Zodra ze haar vroegere vriendin zag, sloeg ze een hand voor haar mond. Even later kwam Jardena erachter dat Hilde nog maar één enkele bruine tand bezat.

Zonder aansporing begon Hilde: 'Je weet hoe het is. Negen zwangerschappen en nooit genoeg geld. Er is altijd wel een kind dat iets nodig heeft. Eerst was het David die weigerde om te helpen het gezin te onderhouden. Joël hield niet op hem te slaan. Ten slotte stuurde ik hem terug naar Engeland. Maar ja, zo'n reis kost geld. Hij wou studeren maar zijn vader weigerde te betalen, toen is hij maar naar Spanje gegaan en Katholiek geworden. Nu betaalt de kerk zijn studie.'

Na al die jaren dat ze in Israël had geleefd, sprak Hilde nog steeds zo weinig Hebreeuws dat Jardena in het Engels vroeg: 'Slaat Joël de andere kinderen ook?'

'Vanzelf,' antwoordde ze zonder enige hoorbare emotie.

'Maar nu is het afgelopen,' riep ze ineens woedend. 'Ik ben drieënveertig en meer kinderen krijg ik niet.'

'Bedoel je dat je bent opgehouden met menstrueren of dat je eindelijk aan de pil bent gegaan?'

'Ha! Veel eenvoudiger! Ik laat Joël gewoon niet meer aan me komen. Afgelopen, uit! Er was een tijd dat ik tenminste om mezelf kon lachen. Nu kan ik alleen nog huilen. Maar je moet niet denken dat Joël altijd slecht is voor de kinderen. Soms is hij zelfs heel lief voor ze. Vorige week heeft hij voor alle grote kinderen een fiets gekocht, en voor de kleintjes ieder een driewieler.'

'Fietsen en driewielers voor al die kinderen en geen geld voor jouw tanden? Dat geloof ik niet!'

'Het is er niet minder waar om! Soms wou ik dat ik alle tegenstrijdigheden van mijn leven kon opschrijven. Het goede en het kwade, het vallen en opstaan, de oorlog en vrede die dit gezin heeft meegemaakt. De goede bedoelingen, de onbenutte mogelijkheden ... Hoe ik hier ben gekomen om de Joden te helpen en hoe geen enkele Jood mij ooit de hand heeft toegestoken ...'

Het leek zinloos om Hilde een lesje te gaan geven over de negatieve waarde van ongevraagde hulp. In plaats daarvan probeerde Jardena haar aan te moedigen om te schrijven. 'Je hebt literatuur gestudeerd. Je schrijft vast beter dan de meeste mensen. Het hoeft niet meteen een boek te worden. Schrijf gewoon voor het plezier van het schrijven zelf.'

Hilde schudde haar hoofd: 'Ik heb geen pen.'

'Geen pen? Maar ik geef je er een. Ik koop een dozijn pennen voor je en een dozijn schriften. Het zal je zoveel goeddoen om te schrijven.'

'Ook al had ik een pen en een schrift, dan had ik nog geen plek om ze te bewaren.'

'Onder je hoofdkussen.'

'Heb ik niet, tenminste niet een dat van mezelf is. Kom mee naar de kamer. Dan zie je wat ik bedoel.'

In de kamer waren langs de muren matrassen, kussens en dekens opgestapeld. De twee oudste dochters lagen op de grond te lezen. Op Jardena's vraag of ze naar school gingen, mompelde er eentje: 'Soms!'

'Maar de onderwijsinspectie, maakt die dan geen problemen?'

'In het begin wel,' legde Hilde op matte toon uit. 'Maar toen ze ontdekten dat Joël en ik nooit zijn getrouwd, en dat onze kinderen volgens hun halfgare wetten niet eens Joods zijn, lieten ze ons met rust. Bovendien zijn we zo vaak van het ene adres naar het andere verhuisd dat ze ons spoor allang bijster zijn.'

'Leert niemand ze lezen en schrijven?'

'Joëls moeder geeft ze les. Van haar hebben de kinderen die boeken. Je weet zeker nog dat ze verpleegster was? Nu ze met pensioen is, komt ze zo nu en dan een paar dagen bij ons logeren. Haar man is al jaren dood. Ze heeft Auschwitz overleefd en Joël is haar enige kind, dus nou ja ... je snapt wel ...'

Jardena probeerde het te snappen. Probeerde zich in te denken hoeveel pijn Joëls moeder moest lijden en hoeveel moed ze moest hebben om haar lot te aanvaarden. Het was meer dan een normaal mens kon opbrengen. Te veel!

Jardena bleef lang genoeg om alle kinderen te leren kennen. Behalve David, die allang weer Arthur heette en in Spanje studeerde, waren er zeven dochters en een zoon.

Hilde tilde de baby van de vloer en gaf haar de borst. Ze zei: 'Wist je dat Joël en ik vorig jaar zijn getrouwd?' Jardena kon niet beslissen of ze de ongelukkige vrouw moest feliciteren of condoleren, en zei dus maar niets.

'Op Cyprus. Bij de burgerlijke stand,' vervolgde Hilde alsof ze een onpersoonlijk artikeltje uit de krant voorlas. 'We waren met alle kinderen in een vrachtwagentje op de boot gegaan. Het was onze bedoeling om na het huwelijk over te steken naar Griekenland en eindelijk dit godvergeten land de rug toe te keren. Maar het weer was al dagen slecht. Tijdens de overtocht naar Cyprus waren we allemaal ziek geworden, en toen zijn we maar teruggekomen.'

Jardena wilde iets zinnigs zeggen, maar kon niets anders bedenken dan: 'Heb je ooit nog wat van John en Vera Wood gehoord?'

'John is vorig jaar aan kanker gestorven. Vera schreef dat hij tot het einde toe zijn lijden heldhaftig heeft gedragen. De baby slaapt.' En tegen de oudste dochter zei ze: 'Help je even om de matrassen voor de nacht klaar te leggen?' Het meisje stond zwijgend op om haar moeder te helpen en keerde zwijgend terug naar haar boek.

Hilde legde de baby op een matras en dekte haar liefdevol toe met een versleten dekentje. Eén voor één kwamen de andere kinderen binnendruppelen om op een matras in slaap te vallen. Hilde dekte ze toe en gaf ieder een nachtkus. 'Als alle kinderen een nestje voor de nacht hebben gebouwd,' zei ze alsof ze het over aapjes had, 'zoek ik een hoekje voor mezelf. Als je wilt mag je hetzelfde doen. Joël slaapt in de schuur.'

Jardena bleef een week met Itsik en Noach in Safed. Gedurende die tijd voltooide Itsik het werk aan het huis en inde hij het geld dat hij nodig had om de reis naar Frankrijk voor zichzelf en zijn oudste zoon te betalen. Toen dat gebeurd was, laadde hij zijn spullen, zijn moeder en zijn zoon in een geleende auto, om met de hele santenkraam naar Jeruzalem te rijden.

De weg van Safed naar Jeruzalem leidde door de Westbank. Plotseling sprong een dertigtal gemaskerde Palestijnen de weg op. Ze balden hun vuisten en lieten geen twijfel aan hun bedoeling. Jardena zat voorin en zag het gevaar tegelijk met haar zoon. Ze greep naar haar keel. Was dit het einde? Wat konden drie mensen, onder wie een vrouw op leeftijd en een kind, uitrichten tegen zo'n overmacht? Wat kon Itsik doen? Zonder vaart te minderen greep hij de vuile witte doek die hij zojuist had gebruikt om de voorruit mee schoon te vegen. In een handomdraai wikkelde hij hem om zijn hoofd, waarna hij wijs- en middelvinger opstak als teken van victorie. De doek en het gebaar hadden de uitwerking van 'Sesam open u'. Onmiddellijk toonden ook de Palestijnen het V-teken, en lieten Itsik door. Hij trapte op het gaspedaal. Even later trok hij de doek van zijn hoofd. Noach had niets gemerkt. 'Maar, maar ...' stotterde Jardena.

'Maar wat?' vroeg Itsik. 'Me als Arabier vermommen? Choqueert je dat? Laat ik je dit zeggen, Imma: een man die zijn zoon en zijn moeder in de auto heeft, neemt geen risico's.'

De intifada vergde iedere dag slachtoffers, nu eens aan de ene kant dan aan de andere. Op woensdag 15 november schoot een Palestijn een Israëlische reservesoldaat door het hoofd. In het ziekenhuis werd hij hersendood verklaard. De familie doneerde zijn organen voor transplantatie. Al gauw kwam een journalist erachter dat het hart van de vermoorde Israëlische soldaat in een Arabische borst klopte en het daar wonderwel deed. Een deel van de bevolking vond het immoreel van de artsen, een ander deel verheugde zich over hun onpartijdigheid. De gemoederen raakten zo verhit dat de jonge weduwe besloot om voor de televisie een verklaring af te leggen. 'Als een leven gered kan worden, is het een mitsve om daaraan mee te werken,' gaf ze als haar mening.

'Geweldig van die vrouw,' zei Jardena.

'Oh, nu mag het ineens wel,' zeiden haar kinderen. 'Waarom mocht het omgekeerde dan niet?'

'Waarom? Dat zal ik jullie zeggen. Het hart van je doodgeschoten man aan de vijand gunnen, getuigt van grootmoedigheid. De ouders van een doodgeschoten vijand geld bieden voor het hart van hun zoon, getuigt van een onvergeeflijk gebrek aan tact. Jullie hoeven het er niet mee eens te zijn, maar zo denk ik erover.'

Op de dag dat Itsik en Noach naar Frankrijk vlogen, wasten ze hun haar en kleedden ze zich zo feestelijk, zo idyllisch, zo bijbels, dat de foto die Jardena van hen maakte later uit haar album werd gestolen door een bakvis die vader en zoon voor een stel sprookjesprinsen hield.

Itsik had nooit graag brieven geschreven. Maar vanuit Frankrijk schreef hij ettelijke malen.

In het begin ging alles goed. Hij kocht een tweedehands auto en reed met het hele gezin naar het zuiden. Op een nacht sliepen ze in een hotelletje, en toen ze 's morgens wegreden vergat hij al zijn geld onder de matras. Toen hij het tweehonderd kilometer verder ontdekte, belde hij de hotelhoudster en vertelde wat er was gebeurd. Ze stuurde de boordevolle portefeuille gewoon per post naar het volgende hotel, waar hij zonder problemen aankwam.

'Een uitstekend omen,' schreef Itsik.

Een vriend die in Safed woonde, had gezegd dat Itsik en zijn gezin wel in zijn huis in Zuid-Frankrijk konden bivakkeren. De vrouw die de sleutel had wees hun een pad, zo smal dat je er met de auto onmogelijk over kon. Itsik en Noëlly tilden de kinderen en de bagage over rotsblokken en omgevallen bomen tot ze eindelijk bij een piepklein hutje zonder water en elektriciteit kwamen. Ze maakten rechtsomkeert.

Na enig vragen en zoeken bood een boer het gezin huisvesting tegen werk in zijn moestuin, maar al gauw hadden ze het gevoel uitgebuit te worden, en waren ze alweer op zoek naar hun geluksster.

Tegen Kerstmis hadden ze hun laatste geld uitgegeven aan de huur van een huis in het dorp waar Noëlly's vader woonde.

'Jullie kunnen net zo vaak op bezoek komen als jullie willen,' zei deze. 'Maar niet met jullie kinderen. Ze zijn te onopgevoed!'

Itsik vroeg zijn ouders om hem Hebreeuwse boeken te sturen, zodat hij de kinderen kon voorlezen. Ze gingen niet naar school en het was te koud om buiten te spelen. In december schreef Noëlly in weifelende Hebreeuwse letters: 'Het is hier zo mooi en rustig. We zouden zo gelukkig kunnen zijn, maar we horen hier niet. We hebben heimwee. We verlangen naar ons eigen land.'

1990

De intifada was slecht voor het toerisme. Elnakams galerie hield zich met moeite staande. Nathan probeerde op allerlei manieren potentiële cliënten naar huis te lokken. Toen hij in de krant las dat het ministerie van Toerisme adressen zocht voor het programma 'Op bezoek bij een Israëlisch gezin', meldde hij zich. Jardena stond niet bepaald te popelen, maar er moest nu eenmaal geld verdiend worden.

De eerste gasten waren een Amerikaans echtpaar met een stel ongeïnteresseerde tieners. Al gauw kwam het gesprek op de Tweede Wereldoorlog. 'Ik was piloot. Maar nog piepjong,' vertelde de bezoeker. 'Zo jong, dat ik pas in 1945 aan bod kwam om mijn steentje bij te dragen. En zelfs toen heb ik nooit over Duitsland gevlogen. Mijn doel was Amsterdam, waar ik voedselpakketten dropte.'

'Voedselpakketten?' Jardena sprong op uit haar stoel. 'U gooide die blikken met eten naar beneden? Ik stond met mijn zusjes op Het Zand aan de Stadionkade om ze te vangen. Weet u hoe vaak ik daar nog aan terugdenk? O, dank u wel! Dank u wel!'

Gast en gastvrouw vielen elkaar in de armen. De tieners, die op de divan hadden gehangen als tulpen in een vaas zonder water, bloeiden op en keken vol bewondering naar hun vader.

'Maar wat zat er eigenlijk in die blikken?' vroeg de gast toen ze uitgeknuffeld waren. 'Dat heb ik nooit geweten.'

'Biscuitjes. Van die harde biscuitjes. De lekkerste die ik ooit heb gegeten. U hebt geen idee hoe welkom ze waren.'

De biscuitjes en het mooie werk van Nathan hadden tot uitwerking dat de gasten een aquarel van de Zionsberg kochten, zodat de huishoudportemonnee weer tegen een stootje kon.

De technisch directeur van het toneelfestival belde op om te vragen of Itsik de decors voor een van de voorstellingen wilde bouwen. Nathan belde de vader van Noëlly en vroeg hem de boodschap door te geven. Dat was net het soort bericht waar het gezin op zat te wachten. Onmiddellijk reden ze naar Parijs, waar Itsik Noëlly en de kinderen zolang bij vrienden stalde om de auto van de hand te gaan doen. Hij kreeg er schandalig weinig geld voor, maar dat maakte niets uit, want op de terugweg naar zijn gezin werd hij door een stel ongure types met messen bedreigd. Hij gaf hun zijn portefeuille in ruil voor zijn leven. Gelukkig had Noëlly de vliegtickets naar Israël en andere reisdocumenten bij zich gehouden.

Nathan en Jardena haalden hun kinderen en kleinkinderen aan het vliegveld af. Farida van nog geen twee wou in de taxi best op haar grootmoeders schoot zitten en dribbelde als eerste aan haar hand het huis in Jeruzalem binnen.

'Thuis, thuis,' kraaide ze toen ze de woonkamer binnengingen.

Later op de dag vertelde Jardena aan Moshiko dat zijn grootvader geboren was in het huis waar hij nu nog altijd woonde. Het kind kon nauwelijks bevatten wat dat inhield. Ten slotte zei hij met een zucht: 'Ik heb al in zevenendertig huizen gewoond. Of misschien zelfs wel in negentien.'

Op een avond in april, toen Nathan de voordeur op het nachtslot wou doen, zag hij een bebaarde nog vrij jonge man in de zwarte kledij van de zeer orthodoxen de buitentrap op lopen. De bezoeker was lang en knap en sprak een mengelmoes van Hebreeuws en Engels.

'Shalom,' zei hij. 'Waar is Simcha?'

'Simcha woont hier niet, maar als u hier met haar hebt afgesproken, zal ze zeker zo komen. Komt u binnen.'

Hij bleef op de drempel staan. 'Nee, Simcha verwacht mij niet.'

'In dat geval ... tja ... waarom hebt u niet even opgebeld?'

'Ja, ziet u, ik woon met mijn broer in de Negev. We hebben vijfhonderd schapen. Dat betekent dat we geen van beiden ooit een minuut gemist kunnen worden. Maar een dezer dagen gaan de eerste ooien lammeren, en dan krijgen we het nog drukker. Ik heb een vrouw nodig. De naaister hiertegenover noemde Simcha en toen heeft mijn broer aangeboden om één nacht alleen voor de kudde te zorgen. Ik kan maar een paar uur wegblijven. Bestaat er een mogelijkheid dat ik Simcha vanavond nog ontmoet?'

Nathan en Jardena keken elkaar aan. Aangezien hun dochter een orthodoxe echtgenoot wenste, en zij hun dochter gelukkig wensten te zien, zouden ze de naaister dankbaar moeten zijn voor haar bemoeienis, maar deze summiere introductie was in hun ogen wat kras.

Ten slotte zei Nathan: 'Kom dan maar even binnen, en vertel iets meer over uzelf.'

'Ik heet Jitschak,' zei de vreemdeling.

De mannen gingen bij de tafel zitten en Jardena draaide het nummer van Simcha. Ze was tenslotte achtentwintig en moest zelf beslissen of ze deze ongewone huwelijkskandidaat al of niet wou ontmoeten. Ze nam niet op.

'We zijn vier jaar geleden met de hele familie uit Zuid-Afrika op aliyah gekomen,' vertelde Jitschak. 'Ik ben de oudste zoon. Mijn broer Jacob bracht vrouw en kinderen mee. Onze jongste broer zit nog op de middelbare school en onze zuster zit in het leger.'

'O ja,' riep Jardena. 'Ik heb over uw familie in de krant gelezen. Heette u vroeger niet ...'

'Ik heet Jitschak,' viel de bezoeker haar in de rede. 'Ons gezin heeft de Israëlische nationaliteit en we hebben Israëlische namen. Wat vroeger was is niet meer. Maar nu moet ik gaan. Jullie overbuurvrouw verwacht mij vóór de nacht.'

Toen de man weg was, haalde Nathan zijn schouders op. 'Rare snuiter. Nou weten we nog niks.'

'Laat maar lopen,' vond Jardena.

De volgende dag kregen ze van Simcha de rest van het verhaal te horen. Om halftwaalf 's nachts had de tot koppelaarster gepromoveerde naaister haar telefonisch gevraagd of ze ondanks het late uur haar vriend Jitschak nog even mocht sturen. Simcha en hij hadden tot diep in de nacht gepraat en hij had haar uitgenodigd om hem in de Negev te bezoeken met de uitdrukkelijke bedoeling tot een huwelijk te komen. Hij gaf haar het telefoonnummer van zijn schoonzuster in Be'er sheva, en zei: 'Als je op een vrijdag komt, zal Ruth je naar onze verblijfplaats in de Negev rijden.' Simcha was zo onder de indruk van de zakelijke manier waarop deze onverwachte huwelijkskandidaat de zaak aanpakte, dat ze beloofde over het voorstel te zullen nadenken. Een paar dagen later vroeg ze aan Jardena of die zin had samen met haar een weekend in de Negev door te brengen.

Ruth woonde in een appartement in een nieuwbouwwijk van Be'er sheva. Haar huiskamer was van onder tot boven gevuld met kisten en dozen, alsof de familie net verhuisd was en nog geen tijd had gehad om uit te pakken. Ruth zat op een doorgezakte sofa met een baby aan de borst. Een klein meisje speelde aan haar voeten. ‘Om een uur of één komen mijn twee oudste jongens van school,’ zei ze in het Engels. ‘De andere kinderen wonen tijdelijk bij mijn schoonouders.’

Jardena en Simcha wilden zich een beetje opfrissen. Op weg naar de badkamer viel hun op dat ook de keuken en de twee slaapkamers volgepropt waren met kisten, koffers, stapels dekens, winterkleren, kaplaarzen en fietsen. Toen ze weer in de huiskamer kwamen, stond Ruth overhemden te strijken. Ze zette de bout neer om limonade in te schenken en zei toonloos: ‘Kijk niet naar de rommel. Het is al vier jaar zo. Mijn man en zwager wonen in een hut. Mijn schoonouders wonen in een tent met hun jongste zoon en mijn twee middelste kinderen. En ik woon hier met de vier andere kinderen en de ontiegelijke zooi die we uit Johannesburg hebben meegezeuld.’

Even later kwamen de jongetjes thuis. Ze waren zeven en zes jaar oud. Ze groetten de bezoekers in foutloos Hebreeuws en gingen aan tafel zitten om hun huiswerk te maken.

Jardena en Simcha verwachtten dat Ruth de kinderen te eten zou geven, maar ze zei iets tegen hen in het Afrikaans en vertaalde haar woorden in ’t Engels voor de bezoekers: ‘Mijn man kan ieder moment komen, en ik heb al het voedsel al ingepakt.’ Een uur ging voorbij. En nog één. En nog één. De jongetjes babbelden rustig in het Hebreeuws. Zo nu en dan keken ze naar de bezoekers of zeiden ze een paar woorden in het Afrikaans tegen hun moeder. De baby sliep op de sofa. Het meisje lag op de grond en zoog op haar duim. Jardena keek naar Ruth. Ze was een slanke vrouw met lang steil blond haar en bleke wangen. In haar ogen stonden dikke tranen.

‘Wat is er Ruth? Kunnen we iets voor je doen?’

Ruth schudde haar hoofd en kuste haar baby. ‘Ik heb er genoeg van om op mijn man te zitten wachten. Ik heb er genoeg van om temidden van kisten en dozen te wonen en alsmaar voor elf mensen te koken. Vatten jullie het alsjeblieft niet persoonlijk op. Ik ben blij dat jullie gekomen zijn. Als Jitschak hertrouwt, zal ook ik het misschien wat makkelijker krijgen.’

‘Hertrouwt?’

‘O, sorry. Wisten jullie niet dat hij gescheiden is? Toen mijn schoonvader besloot dat we ons allemaal tot het jodendom moesten bekeren, weigerde Jitschaks vrouw aan die onzin mee te doen. Ze hadden nog geen kinderen. Maar ik had er al twee, dus ik had geen keus. Ik stemde erin toe

Joods te worden. Maar ik had niet gedacht dat het zo moeilijk zou zijn. In Johannesburg werkte ik op een kantoor waar ik een eigen bureau had en vriendinnen die me bij de naam noemden die mijn ouders mij gegeven hebben. Hier moet ik van mijn schoonvader Ruth heten. Ruth! Wat heb ik met die naam. Jacob is op een boerderij geboren. Die heeft nooit iets anders gekend dan het platteland. Maar ik ben een stadskind. Ik heb communicatie- en computerwetenschappen gestudeerd. Ik was gewend naar de film te gaan, in restaurants te eten, mooie kleren te dragen. Moet je me nu zien.' Met een vies gezicht keek ze naar haar versleten jurk en afgetrapte schoenen. 'Ik zie eruit als een slons.'

'Ook in oude kleren ben je een knappe vrouw,' zei Simcha. 'Ik kan me voorstellen hoe moeilijk al die veranderingen voor je zijn. Heb je geprobeerd werk te vinden op je eigen vakgebied? Be'er sheva is tenslotte een grote stad.'

'In het begin wel. Ik was eerlijk van plan er het beste van te maken. Ik ben zelfs naar een oelpan gegaan, maar Hebreeuws is zo moeilijk, en ik heb sinds onze aankomst in Israël nog vier kinderen gekregen. Ik kan niet alles tegelijk.'

Buiten toeterde een auto. De jongens sprongen op en renden de trap af. 'Abba is er. Abba is er. Schiet op, we gaan naar oupa en ouma!'

Ruth riep iets in het Afrikaans en de jongens kwamen terug om de tassen en manden vol pannen, brood en fruit naar beneden te dragen. Jardena en Simcha stonden versteld toen ze zagen hoe die kleine kereltjes al die zware spullen konden sjouwen en hoe snel ze de trappen op en af renden. Jacob laadde alles in een bestelwagentje, gebood het gezelschap in te stappen en vertrok. Ze reden een minuut of twintig de woestijn in tot bij een reusachtige legertent. Ruths schoonmoeder, Esther, stond met haar kleinzoontjes van vijf en vier buiten. De jongetjes wonden zich niet op over de komst van hun ouders. Ze waren bruin verbrand, en leken met hun gemillimeterde schedeltjes en lange hemden van onduidelijke snit en kleur op een paar blonde Bedoeïenen. Ze waren een jaar op een kleuterschool geweest, en hadden daar wat Hebreeuws geleerd, maar de pater familias had besloten dat ze niet konden worden gemist bij het werk, en dat ze moesten helpen de schapen te hoeden.

'Als onze kinderen tussen de zes en de zestien niet naar school gaan,' legde Esther in het Engels aan haar gasten uit, 'dan zullen ze nooit echt deel uitmaken van de Israëlische maatschappij. Maar degenen die jonger zijn dan zes of ouder dan zestien moeten werken. We zitten dringend om werkkrachten verlegen. Ik ga zelf om de andere dag met de kudde op stap en we verwachten van de andere leden van het gezin dat ze hetzelfde doen.'

Ruth zuchtte. 'Ja, ja, ik heb het al honderd keer gehoord. Ik doe mijn best. Als ik maar iets interessants kon doen op de dagen dat ik niet met de kudde weg hoef, maar dan moet ik inkopen doen en de kleren van de hele familie wassen en verstellen.'

'Jy kla te veel, my skat,' zei Esther, en haar stem klonk een beetje te vriendelijk. 'Ons het vir jou 'n wasmasjien en naaimasjien gekoop, het ons nie? En jy weet dat ons die geld andersins kon gebruik.'

Ruth boog het hoofd en verborg haar gezicht achter haar gordijn van blond haar.

'Skep moed, my meisie,' vervolgde Esther met bestudeerd engelengeduld. 'Gershom hoef nie môre skool toe te gaan nie. Hy sal sy deel van die werk doen. En Sondag het Levanna 'n dag af van die landmag.'

'Levanna, ja ons weet wat om van haar te verwag,' schamperde Ruth.

'Weet jy wat?' vervolgde Esther alsof ze Ruths grimas niet had gezien. 'As jy net vir my en ons gaste nou na Jitschak kon neem, kan Jacob by jou bly vir die naweek. Sou jy daarvan hou, skat?'

Ruth ging achter het stuur zitten. Jacob bleef achter met de zes kinderen. Maar nu zetten de twee blonde Bedoeïentjes een keel op. Ruth liet ze in de auto stappen en reed zwijgend een halfuur tot ze bij een geïmproviseerde hut kwamen. Daar stapten haar schoonmoeder en de gasten uit, waarna Ruth de wagen keerde om naar de tent terug te rijden. En weer zetten de twee Bedoeïentjes het op een schreeuwen. Nog steeds zonder een woord te zeggen opende Ruth het portier en liet ze uitstappen. Op hun blote voeten renden de kereltjes razendsnel door het gloeiend hete zand. Zonder afscheid te nemen reed Ruth weg.

De hut bestond uit drie muren van golfplaat en een roestig blikken dak. Eronder ontwaarden Jardena en Simcha een tafel, een paar wankele stoelen, en – o wonder – een kraan.

'Het is drinkwater. Het komt uit kibboets Sde-Boker,' zei Esther terwijl ze haar gasten elk een mok water aanbood. 'Mijn man zal jullie straks wel alles vertellen. En nu zal ik jullie laten zien waar je je spullen kunt neerleggen.' Ze bracht haar gasten naar een auto zonder wielen waarin twee matrassen lagen. 'Meestal slapen Jitschak en Jacob hier, maar nu is deze plek voor jullie. Natuurlijk slapen de mannen nooit tegelijk. Eén van hen waakt altijd bij de schapen. Jitschak zal nu wel onderweg hierheen zijn. Als jullie die heuvel daar op lopen, zie je hem waarschijnlijk komen.'

Jardena en Simcha liepen in de aangegeven richting tot ze Jitschak en zijn kudde tegenkwamen. Hij was onherkenbaar in zijn T-shirt en korte broek. Hij groette zijn gasten vriendelijk maar knoopte geen gesprek aan. Op de vragen die Simcha hem over de kudde stelde, antwoordde hij kort en zakelijk: 'Vijfhonderd ooien, drie rammen, één uit Australië, één uit Engeland en één uit Zuid-Afrika. En zevenendertig lammeren, waarvan drie nog geen vierentwintig uur oud.'

Toen de schapen de omheining bereikten, kwamen de twee Bedoeienherdertjes aanrennen om erop toe te zien dat ieder schaap een beurt kreeg bij de watertrog. Ooien blaatten om hun lammeren. Lammeren blaatten om hun moeders. In de verwarring probeerden een paar hongerige lammetjes de verkeerde uier te grijpen, waarvoor ze een fikse schop in hun snoet kregen van het betreffende schaap. Jitschak had al zijn aandacht nodig om ongelukken te voorkomen. Zijn neefjes pakten ieder een blatend lammetje op en liepen ermee heen en weer tot een ooi de stem of geur van haar eigen worp herkende. In geval van twijfel controleerde Jitschak de nummers, die hij met rode verf op hun vachten had geschilderd.

Al spoedig liep ook Simcha met een lammetje in haar armen temidden van de blatende moeders. Tegen de tijd dat alle lammetjes aan het drinken waren, was het bijna Shabbat. Jitschak bracht de gasten naar zijn moeder, die bezig was het door Ruth bereide voedsel op een open vuurtje te warmen. Nauwelijks was het gezelschap bij de hut aangekomen of twee figuren verschenen op de top van de heuvel. 'Daar komen mijn man en Gershom, onze jongste,' zei Esther trots. Tegen de achtergrond van een diepblauwe hemel zag Abraham eruit alsof hij regelrecht uit het Oude Testament was gestapt. Met zijn wilde baard en breedgerande strohoed deed hij Jardena een beetje denken aan haar eigen Nathan. Maar toen Esthers echtgenoot dichterbij kwam, bleek dat hij wapperende pijpenkrullen had, en een kleine *tallith* met ritueel geknoopte franje over zijn hemd droeg. Het viel haar op dat Gershom met onbedekt hoofd liep.

'Vroumense,' riep Abraham uit de verte. 'Het jy al die sabbathkerse aangesteek? Binne 'n paar minute sal koningin Sabbath op die aarde afdaal.'

Haastig deelde Esther kaarsen uit en de drie vrouwen ontstaken er ieder twee. Simcha prevelde de zegeningen volgens de halachah, Jardena neuriede de melodie die ze in de liberale synagoge had opgepikt en Esther sprak een zegening in het Afrikaans.

'Welkom, welkom,' galmde Abraham alsof hij opkwam op een operatoneel. 'So, ons het gaste aan ons sabbathtafel. Dit is hoe dit behoort te wees. Uitstekend, uitstekend. Seuns, hardloop en was julle hande. Vrou, het jy skoon hemde gebring?'

'Wat leuk,' zei Jardena bij wijze van groet. 'Ik kan u verstaan. Ik ben in Nederland geboren.'

Esther deelde de overhemden uit die haar schoondochter die middag in Be'er sheva had staan strijken. De drie mannen verkleedden zich achter de hut en wasten hun handen boven een emmer om geen kostbaar water te verspillen. Onder het mompelen van zegeningen in het Afrikaans en Hebreeuws namen allen plaats rond het vuur. Esther, Abraham en Jardena zaten op gammele stoelen, Jitschak, Gershom, Simcha en de kinderen zaten op de grond. Abraham zegende de wijn en het brood in het Afrikaans, Gershom bedekte zijn hoofd met een zakdoek en herhaalde de zegening in het Hebreeuws. Abraham straalde van trots bij het horen van zijn zoons perfecte uitspraak. Terwijl Esther de soep opschepte, gooide Gershom hout op het vuur.

'Shabbat!' zei Simcha. 'Wat doe je nou?'

'Jy's reg,' antwoordde Abraham voor zijn zoon, zonder zich af te vragen of ook Simcha Afrikaans verstond. 'Maar wanneer toestande so moeilik soos hier is, moet mens inskiklik wees. Ons maak seker dat die vuur voor die Sabbath aangesteek is, maar selfs ons vader Abraham kon nie 'n vuur vir vierentwintig uur laat brand nie, tensy hy af en toe hout bygevoeg het nie.'

Simcha begreep geen woord van wat de gastheer zei, maar glimlachte lief en bedankte voor een tweede portie soep.

Tijdens de maaltijd vertelde Abraham over zijn ranch in Zuid-Afrika waar kaffers voor de koeien zorgden, terwijl hijzelf op de preekstoel stond, tot de dag dat God hem opdroeg zijn wereldse goederen achter te laten en te gaan naar het land dat Hij hem zou wijzen en daar Zijn Volk te voeden.

'Ek het nie 'n oomblik gehuiwer nie,' bulderde hij. 'Ook nie my vrouw en seuns nie. Ongelukkig het ons ons oudste dogter agtergelaat omdat sy alreeds met 'n Christen getroud was wat geweier het om die gebod van die Almagtige te gehoorsaam.'

Esther legde haar hand liefdevol op Abrahams arm. 'Dit is 'n kwessie van tyd,' zei ze stralend. 'Ons moet in die Almagtige vertrou. Eendag sal ons dogter en haar kinders ons ongetwyfeld volg, en wie weet, miskien ons skoonseun ook.'

'Sodra God met my gepraat het,' vervolgde Abraham luidkeels, 'het ek my familie na Johannesburg geneem sodat ons na Judaisme kon oorskakel. Ons het dag en nag studeer, veral Jitschak, Jacob en ek, en boonop moes ons dit in Engels doen, aangesien die rabbi nie Afrikaans gepraat het nie. Maar selfs na vier jaar was hy nie gereed om ons oor te skakel nie. Waarom nie, het ek gevra. Wat moet ons doen om u te oorreed dat ons opreg is?'

Toen hij zover was gekomen zag Abraham de verbijsterde uitdrukking op Simcha's gezicht en realiseerde hij zich dat zij hem niet verstond. Overstappend op een nogal persoonlijk Engels, vertelde hij hoe de rabbijn niet had getwijfeld aan zijn oprechtheid, maar die juist had gevreesd, omdat zijn relatie met de Almachtige zo uniek was dat hij zich misschien niet aan de normen zou houden, maar een heel nieuwe en eigen versie van het jodendom zou gaan verkondigen. De rabbijn had nota bene geprobeerd hem te laten beloven dat hij zich strikt aan de halachah zou houden.

'Ek belowe niks nie, het ek gesê. Behalwe dat ek na God sal luister en ag slaan op Sy bevele. Nadat ons nog 'n jaar studeer het, kon die rabbi nie meer weier om ons oor te skakel nie, en ons was finaal vry om die tweede deel van God se bevel te vervul, naamlik om ons aardsbesittings in Suid-Afrika te laat en na die land te gaan wat Hy sou uitwys.'

Jardena dacht aan de wereldse goederen die Ruths woning van vloer tot plafond vulden, maar zag in dat dat niet fair was. Tenslotte was Ruths flat niet gevuld met goud en diamanten, maar met de normale benodigdheden van dertien mensen. Intussen had Ruth, die niet om deze geëxalteerde exodus gevraagd had, het erg zwaar met al die wereldse goederen. Jardena hoopte maar dat zij en Jacob samen een gezellige avond doorbrachten.

Na het eten dankte Gershom in het Hebreeuws en Abraham in het Afrikaans. Jitschak, die beleefd gewacht had tot zijn vader uitgesproken was, kondigde aan dat hij nog even ging kijken of alles in orde was met de pasgeboren lammetjes. Jardena verwachtte dat hij Simcha zou vragen met hem mee te lopen, maar dat gebeurde niet. Bij gebrek aan een interessanter programma gingen moeder en dochter naar hun auto zonder wielen, babbelden nog even na, en vielen al gauw in slaap.

Op shabbatochtend werden ze gewekt door Abrahams ontzagwekkende bas-bariton. Ze staken hun hoofd naar buiten en zagen dat de zon net boven de horizon uit kwam. Het woestijnzand gloeide in het rossige licht. De rotsen weerkaatsten Abrahams woorden, die daardoor een kwaliteit kregen van alomtegenwoordigheid. De patriarch, zijn zonen en kleinzonen stonden, gehuld in witte gebedssjaals, op een uitstekende richel in het landschap. Abraham zwenkte en boog in de richting van de zon. Even kwam bij Jardena het beeld op van een kerktoren tijdens een aardbeving, maar ze schudde het snel van zich af want het tafereel was te oprecht om er de draak mee te steken. Nu eens viel Abraham op zijn knieën en raakte hij met zijn voorhoofd de grond aan, dan weer balanceerde hij zijn massieve lichaam op de ballen van zijn voeten en zwaaide met zijn armen in de lucht, schreeuwend en krijsend tot God, met wie hij kennelijk een persoonlijke dialoog voerde. De anderen waren zichtbaar onder de indruk, en bij Jardena kwam de gedachte op dat ze niet alleen de Almachtige aanbaden, maar ook hun eigen vader en grootvader. Voor hen was hij zonder enige twijfel de reïncarnatie van de aartsvader die drieduizend jaar geleden misschien wel op dezelfde plek had gestaan, en als eerste in de geschiedenis van de mensheid had verkondigd dat God onvoorstelbaar, almachtig en ondeelbaar is.

Ze keek naar haar religieuze dochter. Wat dacht die wel van dit adembenemende schouwspel? Simcha glimlachte en haalde haar schouders op.

Moeder en dochter kleedden zich snel aan zodat ze met de leden van het gezin konden ontbijten. Esther zette sterke zwarte koffie van water dat ze de hele nacht op het vuur had gehouden. Simcha dronk water uit de kraan.

Na het ontbijt gingen Jitschak en een van zijn neefjes met de kudde op stap. Simcha was graag meegegaan, maar Jitschak gaf met geen woord te kennen dat hij dat op prijs stelde. Dus slenterde ze met haar moeder achter Gershom en het andere neefje aan, die met de pasgeboren lammetjes en hun moeders dichter bij huis bleven. 'Er is hier vlak in de buurt niet genoeg voedsel voor de hele kudde,' legde Gershom uit. 'Daarom moeten de sterkere dieren verder weg grazen. Vandaag kan Jitschak ze zelfs verder dan gewoonlijk leiden, omdat ik niet naar school hoef, en dus op de zwakkere schapen kan passen. Het probleem is dat we niet voldoende werkkrachten hebben. Het is hier geen Zuid-Afrika, waar we plenty zwarte arbeiders hadden. Natuurlijk zouden we Arabieren in dienst kunnen nemen, maar vader vertrouwt ze niet. Bovendien zegt hij dat God ons Joden het land heeft gegeven om het in het zweet van ons aanschijn te bewerken. Maar Joodse arbeidskrachten zijn duur.'

Na een tijdje ging Simcha toch maar op zoek naar Jitschak en zijn kudde. Jardena ging terug naar Esther, die haar in de schaduw van de golfplaten hut mierzoet zwart bocht aanbood. Abraham voegde zich bij hen.

'Toe die Almagtige vir my gesê het om 'n Jood te word,' brulde hij alsof hij op de preekstoel stond in een tot de nok gevulde kerk, 'het hy my spesifiek beveel om na die Heilige Land te gaan om die honger mense te voed. So, toe ons vier jaar gelede in Israël aangekom het, het ek 'n restaurant in Be'er sheva oopgemaak. Die kos was goed en so goedkoop as moontlik, maar die rabbinaat het geweier om my 'n lisensie toe te staan. Hulle het nie my *kashroet* vertrou nie. Ons moes die besigheid toemaak en 'n ander manier vind om God se bevele uit te voer. Ek twyfel nie dat dit die Almagtige self was wat die verteenwoordiger van die Sde-Boker-kibboets na my gestuur het nie. Die kibboets het duisende sikkels per maand op hulle skape verloor. Die logiese ding sou natuurlik vir hulle wees om die trop te verkoop om nie nog meer geld te verloor nie. Daar was egter 'n strik: indien hulle van hulle trop ontslae sou raak, sou die Joodse Nasionale Fonds meer as die helfte van hulle land wegneem wat aan hulle gegee is met die uitdruklike voorwaarde dat dit weiveld was. Volg jy?'

Jardena knikte beteuterd. 'Als u niet te vlug spreekt ...'

Maar Abraham was zo goed op dreef dat hij geen vaart kon minderen. Hij bonkte met zijn linkervuist op de tafel. 'Hier is hierdie mense in die kibboets wat hulle land wou hou omdat hulle miskien eendag daarin sou slaag om dit winsgewend te maak.' Pats ging het met de rechtervuist op tafel. 'En hier is al hierdie God gegewe land wat hulle nie gebruik het nie omdat hulle dit meer gerieflik gevind het om hulle skape in 'n kamp te hou en met ingevoerde kos te voed. Tonne en tonne kos, wat tonne en tonne dollars gekos het en wat nie eens gesond vir die skape was nie. Dit het veroorsaak dat die skape konstant deur 'n veearts behandel moes word wat aanhoudend vitamines en medikasies voorgeskryf het. Al hierdie rekeninge moes betaal word, maar dit was nie al nie. Eenmal per jaar het die veearts die ooie kunsmatig geïnsemineer. Natuurlik, wanneer vyfhonderd ooie binne twee of drie dae swanger word, gee vyfhonderd ooie ook geboorte binne twee of drie dae. Aangesien sommige van hulle geboorte gegee het aan tweelinge, moes die opsigters ses- of sewehonderd lammetjies hanteer wat almal binne twee of drie dae gebore was. Natuurlik was dit ontmoontlik, nie uitsluitlik as gevolg van die beskikbare mannekrag nie, maar ook as gevolg van die beskikbare spasie in die kamp. Baie ander het binne 'n jaar gesterf.'

De gewezen predikant hief zijn handen ten hemel en pauseerde theatraal, zodat Jardena eindelijk de kans kreeg om te stamelen: 'Ik mis de helft van uw verhaal. Spreek alstublieft wat langzamer.'

Welwillend gaf Abraham een verslag in het Engels van hoe hij de vertegenwoordiger van de kibboets had overgehaald hem zijn kudde toe te vertrouwen. Betaal mij niets, had hij gezegd, en ik zal jullie ook niets betalen. Het enige wat ik van jullie verlang is drinkwater. Over vijf jaar spreken we elkaar weer. Of we vernieuwen dan het contract, of ik geef de kibboets evenveel schapen als ik oorspronkelijk van jullie heb gekregen. Maar iedere ooi en ram, en ieder lam dat ik aan de kudde zal hebben toegevoegd, zij mijn loon.

Jardena dacht aan de aartsvader Jacob en het verdrag dat hij met zijn oom Laban sloot, en knikte begrijpend.

'Wel, wat dink jy?' Abrahams pijpenkrullen dansten van het lachen. 'Hulle was baie gelukkig met my voorstel! Indien hulle nie 'n wins kon maak nie, sou hulle tenminste geen verlies he nie, en hulle sou steeds die land besit, ten minste vir nog vyf jaar. En wonder jy hoe ons finansieel klaarkom? Ek sal jou vertel, juffrou. Ons het nie slegs die vleis van die ramme verkoop nie, maar daar is alreeds driehonderd ooie in ons eie trop, die een naby die groot tent. Ek het nooit 'n veearts nodig nie, en ek koop ook nie 'n enkele pond kos nie. Waarom sou ek? Het God nie die beste kos reg onder my voete geskep nie? En vertel my, watter vleis kan meer kosher wees as die vleis van diere wat uitsluitlik gevoer word met wat in die grond van die Heilige Land groei? Selfs wanneer die grond droog is en die menslike oog nie 'n enkele groen kol kan sien nie, het God die skape 'n spesiale sintuig gegee waarmee hulle wortels en baie klein saadjies vind om aan te peusel. Dit is uit hierdie mikroskopiese klein dingetjies wat hulle vitamines en sout kry wat hulle gesond hou. Ons moet hulle natuurlik van plek tot plek neem sodat hulle ten minste twaalf ure 'n dag kan wei om genoeg te kry. Boonop moet hulle ten minste eenmal huistoe gebring word gedurende die hitte om water te drink. Al hierdie dinge vereis 'n reuse verpligting. My seuns is harde werkers, dankie Here, so ook Jacob se kinders. As Jitschak maar net sou trou en seuns sou voortbring soos sy broer, sou ons gou genoeg hande he om onsself te onderhou. Maar Jitschak ...'

'God sal vir Jitschak 'n vrou vind,' viel Esther hem in de rede. 'Al ons seuns is toegewy aan die saak en is gehoorsaam aan hulle pa, maar Jitschak is selfs meer godsdienstig as sy broers. Hy vertrou in die Almagtige en die Almagtige sal hom nie in die steek laat nie.'

'Wel!' Abraham hief zijn handen ten hemel alsof hij de Almachtige aan Zijn plicht wou herinneren. 'Tot nou toe het die ramme hulle plig beter nagekom as my oudste seun!'

Esther kreeg een kleur en sloeg haar handen voor het gezicht, maar Abraham vertelde ongegeneerd hoe hij tegen de mensen van de kibboets had gezegd dat ze niet goed bij hun hoofd waren. Wat dachten ze nou toch? Waarom had God het mannelijke dier geschapen als het niet was om het vrouwelijke dier te bevruchten? Nee, hij, Abraham, wist het wel. Laat die rammen maar schuiven. En 't moest al gek lopen als ze met z'n drieën die paar honderd ooien niet drachtig kregen. En mooi niet allemaal tegelijk, zodat de lammetjes niet allemaal in dezelfde periode geboren werden. En je hoefde er ook geen cent voor te betalen.

Jardena knikte maar weer eens.

'En weet jy wat? Voordat ons die trop gekry het, het die meeste ooie geboorte gegee aan 'n enkele lammetjie, en partymal tweelinge. Maar sedert ons die trop oorgeneem het, gee meeste ooie geboorte aan tweelinge en party selfs drielinge. En geen enkele lammetjie het in die laaste twee jaar gesterf nie. Nie een nie, hoor jy? Nie een nie!'

Nu sloeg hij zo hard met beide vuisten op tafel dat een poot het begaf en de blikken mokken in het zand tuimelden.

Esther en Jardena bukten zich om de ravage te herstellen, maar op dat moment kwam één van Ruths zoontjes aanrennen met een lammetje in zijn armen. 'Ouma, ouma! Oom Gershom se hierdie lammetjie voel nie goed nie, en sal jy hom asseblief water gee?'

Nog voor het kind de hut had bereikt, had Esther gekookt water in een zuigfles geschonken. Ze wikkelde het zieke lammetje in een wollen sjaal en nam het op haar schoot om het de fles te geven. Het schaapherdertje kreeg een paar nootjes en werd naar zijn vijftienjarige oom teruggestuurd.

'Sien jy,' pochte Abraham zonder zich iets van de kapotte tafel aan te trekken, 'dit is hoe ons dit doen. Dit is hoe ons 'n trop grootmaak. Soos lede van mens se familie. Met liefde, geduld en gesonde verstand.'

'En dan eet u ze op', kon Jardena niet nalaten op te merken.

'Natuurlik. Dit is waarom hulle daar is.'

'En de wol? Hebt u geen belangstelling voor de wol?'

'Mens kan nie wol eet nie. God het my opdrag gegee om sy uitverkore volk te voed, nie om klere te voorsien nie.'

Simcha verscheen van achter de heuvel. Ze liep vlug en riep opgewonden dat ze gezien had hoe een ooi drie lammetjes ter wereld bracht. 'Jammer dat je er niet bij was, Imma, maar Jitschak verwacht in de komende uren nog een geboorte. Als je geluk hebt kun je het zien. Jitschak is nu bij de ooi. Hij wacht tot ze aan haar kinderen gewend is.'

En tegen Abraham zei ze in 't Engels: 'Jitschak vraagt of u kunt komen om de andere schapen naar de watertrog te drijven. Hij zegt dat het nog minstens twee uur duurt voordat hij de ooi en haar drieling naar huis kan brengen.'

'Dis reg,' oreerde Abraham op zijn gebruikelijke manier. 'Geen menslike hand moet 'n pasgebore lammetjie aanraak voordat die moeder die nageboorte geëet het en haar baba skoongelek het nie. As ons nie die moeder tyd gee om haar afstemmelinge te herken nie, sal sy weier om hulle te soog en hulle sal honger ly.'

En tegen Esther vervolgde hij op hoogdravende toon: 'Vrou, maak vir my 'n bottel water vol. Ek moet gaan.'

Jardena keek hoe Abraham over de heuvel verdween.

Simcha was roodverbrand door de zon maar kennelijk tevreden. Jardena vroeg haar of ze een fijne ochtend met Jitschak had doorgebracht.

'Een fijne ochtend, ja. Met Jitschak, nee', luidde het antwoord. 'Hij bewaakte de kudde aan de ene kant van het dal, en ik zat met zijn neefje aan de andere kant. Wat een kind! Je denkt dat hij zit te suffen, maar zodra een schaap ook maar een klein eindje van de kudde afdwaalt, rent hij schreeuwend en zwaaiend de heuvel af. Net een herdershond.'

'Ja,' beaamde Esther, die kennelijk iets had opgevangen van wat Simcha zei, 'Jacobs kinderen helpen geweldig. Ik weet niet wat we moeten doen als de derde in september naar de eerste klas gaat. Ik denk dat we zijn zusje zullen moeten trainen. Ze wordt drie in oktober.'

Zo verliep de dag met het heen en weer brengen van schapen en lammetjes. Tegen zonsondergang waren alle schapen binnen de omheining, en was het weer zaak om moeders en kinderen aan elkaar te koppelen. In de woestijn verschilde Shabbat in niets van andere dagen, behalve dat de schoolgaande kinderen zich gedurende de week als kinderen gedroegen, en op Shabbat als volwassenen.

Na de avondmaaltijd kwam Jacob aanrijden. Hij bracht zijn zuster Levanna, een knappe meid in legeruniform met een geweer waar haar neefjes jaloers en haar ouders apetrots op waren.

'Hoe gaat het met iedereen?' riep ze vrolijk, en nog voor iemand kon antwoorden kondigde ze aan: 'Het spijt me, lui, maar morgen slaap ik van de vroege ochtend tot de late avond.'

Haar vader schudde een dreigende vinger naar haar, maar liet geen twijfel aan zijn werkelijke gevoelens: 'Levanna verdedig die land. Waar sou ons wees sonder helde soos hierdie dogter van Israël?'

'Hoe gaan dit met Ruth,' vroeg Esther aan haar zoon.

'Goed, dankie. Ek het heeldag met die kinders by die huis gebly sodat sy met die trop kon uitgaan.'

Zondagochtend wekte Abraham zijn gasten niet met gebeden, dus sliepen ze tot halfacht. Tegen de tijd dat ze bij de hut kwamen, waren Jitschak en de schapen al over de heuvel verdwenen. Onder het drinken van de ochtendkoffie verklaarde Esther: 'Mijn zonen zijn prachtmannen. Ze zijn oprecht trouw aan God en Zijn uitverkoren volk. Jacob is een goede echtgenoot en vader, en Jitschak zal ook een trouwe echtgenoot zijn voor de vrouw die hij met Gods hulp zal huwen. Eén ding moeten de echtgenoten van mijn zonen echter weten. Nooit zal een vrouw de eerste plaats innemen in het hart van een mijner zonen. Nummer één is hun vader – na de Almachtige, natuurlijk – en nummer één zal hij blijven zolang hij leeft en zelfs nadat hij niet meer in den vleze bij ons zal zijn. Geen vrouw die een zoon van ons huwt kan haar leven anders inrichten dan Abraham nuttig acht voor het welzijn van de stam als geheel. Voorlopig houdt dat in dat onze vrouwen moeten baren en schapen hoeden. Dat is wat Ruth niet wil aanvaarden, en haar lijden heeft dan ook niets te maken met het werk dat ze doet, maar met het feit dat ze haar koppigheid nog niet heeft weten te overwinnen. Maar we wanhopen niet. Op een dag zal ook zij weten wat goed voor haar is.'

Jardena en Simcha zochten hun spullen bij elkaar en bedankten Esther voor een onvergetelijke Shabbat. Esther begeleidde haar gasten tot een zandpad dat naar Sde-Boker leidde, waarvandaan een bus naar Jeruzalem vertrok. Zwijgend en zonder omkijken liepen moeder en dochter met hun rugzakken de twee uur naar de bushalte.

Op 20 mei werd de Israëlische bevolking opgeschrikt door het nieuws dat de eenentwintigjarige Ami Popper uit Rishon le Zion, gewapend met een gestolen geweer, in het wilde weg op een groep Palestijnse werklieden had geschoten. Hij had er zeven gedood en twintig gewond. Daarna had hij de benen genomen.

'Zie je wel,' zei Nathan. 'Wij zijn niet beter dan zij.'

'Heb ik dat beweerd?' vroeg Jardena.

'Gekken zijn er overal,' zei Jifrach. 'Het verschil is dat wij niet zullen rusten voor we de moordenaar te pakken hebben, en dat Arafat dit soort dingen aanmoedigt of op zijn minst door de vingers ziet.'

Op de Westbank en in de Gazastrook werd een rouwtijd uitgeroepen van drie dagen. Ami Popper gaf zich uit eigen beweging aan met de mededeling dat hij gedeprimeerd was geweest omdat zijn vriendin hem de bons had gegeven. De rechter gaf hem zevenmaal levenslang voor de zeven doden plus twintig jaar voor de twintig gewonden.

Kort daarna landden zestien terroristen in twee boten op de kust van Israël. In een handgemeen met het leger werden er vier gedood en twaalf gevangen.

'Die zullen niet best behandeld worden,' profeteerde Nathan.

'We hebben geen keus,' zei Jifrach. 'Weet je hoeveel aanslagen we weten te vermijden door de informatie die we uit dat soort jongens weten te persen?'

'Mishandelen is verboden volgens het verdrag van Genève.'

'Je rustig laten doden vindt het verdrag van Genève zeker best, vooral als het om Joden gaat. Dat hebben we vaak genoeg gezien. Hoor eens, Abba, we doen in het leger geweldig ons best om geen onnodige brokken te maken. Ik geef toe dat het vaak niet lukt en dat sommige jongens te ver gaan. Maar ook dat moet je begrijpen: we zijn wel goed maar niet gek.'

Nathan trok zijn schouders op. 'Je hoeft mij de les niet te lezen. Ik was vijfenvijftig toen ik eervol uit het leger werd ontslagen.'

Jardena moest lachen bij de herinnering aan de fles goedkope rode wijn die haar man als afscheidsgeschenk van het leger had ontvangen.

Toen de zomer ten einde liep, kwam Laury, de dochter van een neef van een buurvrouw van een vriend in Amerika de groeten van de achterburen van haar tante brengen. Ze kwam voor vijf minuten en bleef zes weken. Op een dag hoorde Jardena haar tegen Noëlly zeggen: 'Ik wil deel uitmaken van deze familie, en ik heb een oogje op Jifrach.'

Een paar dagen later verhuisden Itsik en zijn gezin naar een dorp even buiten Jeruzalem, en schreef Noëlly zich in voor een cursus assistent-vroedvrouw. Jammer genoeg was ze al weken zo humeurig dat ze het huis van haar schoonouders verliet zonder afscheid te nemen. Toen ze kort daarna terugkwam om nog wat spullen te halen, en weer zonder een woord te zeggen wou vertrekken, kon Jardena niet nalaten haar bij de voordeur op te wachten met de vraag: 'Waarom ben je zo boos op me, Noëlly? Wat kan ik doen om je te helpen?'

Huilend viel Noëlly haar schoonmoeder om de hals: 'Ik wil niet dat jullie altijd zo aardig voor me zijn. Ik wil dat mijn eigen ouders eens iets voor me doen.'

Zwijgend omhelsden de twee vrouwen elkaar in het portaal. Na een paar minuten maakte Noëlly zich los met de woorden: 'Ik wou zo ontzettend graag die opleiding doen en vroedvrouw worden en nu ben ik alweer zwanger.'

Ook Consuela was rusteloos. Ze woonde in Tel Aviv en verdiende de kost met het schoonmaken van huizen en kantoren. Geen wonder dat ze het niet zag zitten. Toen ze dan ook een baantje kon krijgen bij de productie van de film *Nooit zonder mijn dochter*, die in Iran speelde maar in Israël werd opgenomen, nam ze het aanbod met beide handen aan. Haar taak was om te zorgen dat de wensen van de hoofdrolspelers op staande voet werden uitgevoerd, geen bijzonder interessante baan dus, maar wel een die een ommekeer in haar leven inhield. Gefascineerd door het werk van de grimeurs, wist ze eindelijk wat ze wou gaan doen: grimeren. De beste school, zeiden haar nieuwe kennissen, was in Parijs.

Toen Consuela haar moeder opbelde en uitlegde wat ze wou leren, voegde ze er meteen aan toe: 'Natuurlijk kan dat pas over een jaar of twee.'

'Hoezo?' vroeg Jardena. 'Over twee jaar is de fut er misschien weer uit.'

'Ik heb immers het geld niet om twee jaar in Parijs te gaan studeren, en ik spreek niet eens Frans. Zulke dingen kosten tijd.'

'Heb je het telefoonnummer van die school? Ík spreek genoeg Frans om op te bellen en te vragen hoe lang de studie duurt en hoeveel hij kost. En misschien geven ze wel speciale cursussen voor Engelssprekende studenten. Vragen kost geen geld.'

Binnen een uur wist Jardena dat Engelssprekende studenten van harte welkom waren, en dat een nieuwe cursus van twee jaar in november zou aanvangen. Diezelfde dag kreeg ze de opdracht om een pil van een boek in het Nederlands te vertalen. De maandelijkse opbrengst zou voldoende zijn om Consuela's studie te betalen en haar een klein bedrag te geven om van te leven, maar niet om er ook nog een kamer van te huren. Ze hadden nog vier maanden om dat probleem op te lossen.

Nathan was tegen het plan. Waarom moest zijn dochter in Parijs gaan studeren, waar drugs en prostitutie met en zonder aids in iedere metro op de loer lagen? Waarom moest ze zo'n buitenissig vak leren? Waarom kon ze niet gewoon tandartsassistente of kapster worden? Waarom kon ze niet iets in Israël studeren? Kon Jardena daar antwoord op geven?

'Waarom? Omdat Consuela sinds haar militaire dienst haar draai niet heeft kunnen vinden, en omdat een interessante studie in Parijs haar misschien op een gelukkig spoor zal zetten. Daarom!'

In juli maakte Brian Williams zijn opwachting, de Engelsman die met Itsik in het huis in Safed had gewerkt. Hij wees naar een gaatje in zijn keel en maakte gorgelende geluiden, die Simcha met oneindig veel geduld in verstaanbaar Engels omzette. Volgens haar zei Brian dat hij aan keelkanker was geopereerd, en vroeg hij of hij op de houten bank op de binnenplaats mocht slapen tot hij een betere oplossing kon bedenken.

'Ga maar zolang op het vlierinkje slapen,' bood Nathan aan. Het vlierinkje was de verhoging die Itsik indertijd voor Jifrach had gebouwd bij wijze van kamertje. Je kon zo'n zieke man toch niet buiten laten slapen. Dat had hij niet eens met Simcha's hond gedaan toen ze die vanwege haar religie niet meer zelf kon houden.

Brian en de hond begrepen elkaar. Vaak liep Brian na sluitingstijd over de markt om in de vuilnisbakken naar een kluif voor hem te zoeken. De bloemen die hij iedere vrijdagmiddag voor Jardena meebracht, verzamelde hij ongetwijfeld op dezelfde manier.

Jardena gaf Brian papier en potlood, en stelde voor dat hij zou opschrijven wat hij wou zeggen, maar voor schrijven had hij niet bepaald talent.

Hij kon alleen hoofdletters schrijven, en zelfs dat met moeite, om van zijn spelfouten nog maar te zwijgen. Voor mime had hij daarentegen een gave waarmee hij wonderen verrichtte.

Van lieverlee kwamen Jardena en Nathan erachter dat Brian in Safed was flauwgevallen, en dat Pinchas een ambulance had laten komen en met hem mee was gereden naar het ziekenhuis. De artsen drongen aan op een onmiddellijke operatie aan het strottenhoofd. Daar Brian niet bij bewustzijn was, had Pinchas de nodige papieren ondertekend en, wetende dat zijn werknemer niet verzekerd was, had hij de operatie betaald van het geld dat hij hem nog schuldig was. Na de operatie hadden de artsen bestraling voorgeschreven, maar daar was niet genoeg geld meer voor en Brian had geen enkele hoop het ooit te kunnen verdienen, daar hij behalve zijn stembanden ook een aantal spieren van zijn rechterschouder kwijt was. Hij zou nooit meer een hamer of zaag kunnen hanteren.

Een christelijk echtpaar bood hulp, op voorwaarde dat Brian zich met Jezus zou verzoenen. Hoewel hij niet religieus was, stond Brian sterk genoeg in zijn Joodse schoenen om het aanbod af te slaan. Pinchas schreef aan de enige vriend in Engeland wiens adres hij tussen Brians spullen had gevonden. De vriend antwoordde per kerende post dat hij Brian niet kon helpen, maar dat hij hem het allerbeste wenste. Terloops merkte hij op dat hij Brians dochter had ontmoet.

Een paar dagen later kwam er een brief van de dochter: 'Lieve pa, ik heb mijn man het huis uit gebonjourd, en leef nu alleen met mijn kinderen. Ik hoor dat je ziek bent, pa. Kom alsjeblieft bij mij en bij je kleinkinderen.'

Brian, die nooit een vinger voor zijn dochter had uitgestoken, weigerde haar hulp te aanvaarden.

Toen het zover was gekomen, had Pinchas gezegd: 'Moge je honderdtwintig jaar oud worden, maar ik voel me niet verplicht je voor de rest van je leven te onderhouden.'

'Mij best', had Brian in zijn gorgeltaal weten uit te stoten. 'Geef me m'n centen en ik verdwijn.'

Pinchas gaf Brian wat hij voor een royaal bedrag hield, gezien het feit dat hij de operatie en de ziekenhuiskosten had betaald, maar Brian was het met de berekening niet eens. Hij schudde zijn vuist tegen Pinchas, sloeg de deur achter zich dicht, stapte op de bus naar Jeruzalem, ging op zoek naar zijn vriend Itsik, en belandde bij de familie Jerushalmi op het vlierinkje.

De omstandigheid dat hij geen stem had scheen bij Brian een behoefte aan stilte te wekken. Hij bracht zijn ochtenden door met lezen, hoofdzakelijk over de geschiedenis der Joden. Het viel hem zwaar, maar hij zette door. Als hij een woord niet begreep, raadpleegde hij een verklarend woordenboek, en omdat hij nooit had leren lezen en schrijven was dat op zichzelf al een hele toer. Tegen twaalven placht hij op zijn tenen naar de keuken te lopen voor een kop oploskoffie. 's Middags ging hij meestal stilletjes het huis uit om urenlang door Jeruzalem te dwalen. Vaak kwam hij pas na middernacht thuis, maar niemand hoorde hem ooit de sleutel in het slot omdraaien of in het donker naar zijn bed sluipen.

Vroeg in de ochtend van 8 augustus kwam Jifrach de slaapkamer van zijn ouders binnenstormen. Hij had die nacht toevallig thuis geslapen en moest voor dag en dauw weer op zijn legerbasis zijn. 'Koeweit bestaat niet meer,' riep hij uit, en het kostte Jardena moeite om uit zijn woorden op te maken of haar zoon opgewonden of verontwaardigd was. 'Koeweit is van de kaart geveegd. Saddam Hoessein heeft Koeweit geannexeerd. Ingepikt. Bij Irak ingelijfd. Weg, gewoon weg!'

Nathan wist natuurlijk allang dat er sinds enige tijd iets tussen Irak en Koeweit gaande was, maar Jardena kon zo gauw niet bedenken wat Koeweit eigenlijk was. Het klonk als een soort graan, maar zou dan wel een land zijn. Je kon die Arabische emiraatjes nauwelijks uit elkaar houden. Het enige wat ze volgens haar gemeen hadden was olie en geld. Olie zou wel weer het probleem zijn. Ze luisterde die dag maar eens goed naar het nieuws, en het viel haar niet mee. Koeweit was inderdaad met bruut geweld ingelijfd bij Irak, en de enigen die de veroveraars gelijk gaven waren nota bene Arafat en de PLO.

De hele maand september keek de Israëlische regering de kat uit de boom en op 1 oktober werd besloten alle inwoners, Israëliërs en Palestijnen, van gasmaskers te voorzien. Niemand wist of Irak onconventionele wapens bezat, en je kon maar beter het zekere voor het onzekere nemen, vooral omdat Saddam Hoessein van zijn voornemen geen geheim maakte: als de Verenigde Staten hem aanvielen, zou hij zijn raketten op Israël afvuren.

Zoals ieder jaar kwamen gedurende het Loofhuttenfeest duizenden religieuze Joden uit alle delen van het land naar Jeruzalem om aan de Klaagmuur te bidden. Deze keer kwam er ook een kleine groep fanatiekelingen die er zijn zinnen op had gezet de eerste steen te leggen voor de bouw van de derde tempel. Hoewel het niet méér kon zijn dan een symbolisch gebaar, daar immers de Omar Moskee al eeuwen op de Tempelberg stond en niemand er ook maar over peinsde om die af te breken, toch stonden de Moslims op hun achterste benen. De *moeazien* van het nabijgelegen dorp Silwan krijste *'Allah akbar'* van de minaret. Onmiddellijk dromden Arabieren bij de Tempelberg samen om van boven af stenen naar de biddende Joden te gooien. Ze verwondden twintig Joden en staken de politiepost in brand. De vijfenveertig aanwezige politieagenten konden niet tegen de duizenden oprukkende Arabieren op. De agenten werden fel aangevallen en begonnen te schieten. Aan Arabische kant vielen zeventien doden en tweehonderd gewonden. De volgende dag braken overal onlusten uit.

'Het is een schande, dat de politie is gaan schieten,' zei Nathan.

'Durf je dat wel hardop te zeggen?' gromde Jardena. 'Als je in een islamitisch land had geleefd, werd je alleen al om je kritiek een kopje kleiner gemaakt. Volgens jou moeten onze agenten zich zeker rustig laten stenigen, omdat schieten nu eenmaal verboden is.'

'Er hadden meer agenten ter plaatse moeten zijn. Ze hadden van tevoren kunnen bedenken dat er onlusten zouden uitbreken met die fanatiekelingen en hun steenlegging voor de derde tempel.'

Jardena werd nu werkelijk nijdig. 'O ja, wij moeten alles van tevoren bedenken, terwijl de Arabieren naar hartenlust mogen brandstichten en met stenen smijten. En daarna mogen wij hardop onze eigen jongens de schuld geven. Dat heet democratie, nou weet ik het weer.'

In december bracht Noëlly een zoon ter wereld. Zoals bij de drie voorgaande kinderen het geval was geweest, was ze ook met de vierde zielsgelukkig. Haar vader belde vanuit Frankrijk: 'Gaat het goed met jullie? Zijn jullie bang voor Saddam Hoessein of valt het wel mee?'

'Maak je maar geen zorgen, vader. We zijn goed beschermd met gasmaskers en een speciale uitrusting voor de baby.'

'Reken maar niet op je gasmasker, m'n kind,' zei de grootvader laconiek. 'Als Saddam Hoessein chemische bommen op Israël werpt, overleven jullie het geen van allen.'

Op kerstavond hernieuwden Rusland en Israël na drieëntwintig jaar hun diplomatieke betrekkingen. Dag en nacht landden er vliegtuigen vol Russische immigranten op Ben-Gurion. Iedere nieuwe immigrant, zo ging het verhaal, bracht een kist mee met een muziekinstrument. Degenen die met lege handen kwamen waren de dirigenten en de pianisten. Er was geen gezin in het land dat geen Russische bloedverwanten, Russische buren, of ten minste Russische beschermelingen had. Nu de langverwachte Russische Joden eenmaal in Israël waren, werd ieder van hen die dat wou gratis een paar maanden naar een oelpan gestuurd om Hebreeuws te leren. De ongediplomeerde Jardena met haar Nederlandse paspoort hadden ze daar niet nodig. Haar plan om naar Rusland te gaan en de toekomstige emigranten alvast de beginselen van het Hebreeuws te onderwijzen kon ze vergeten.

1991

In de eerste week van januari maakte elk huishouden een kamer gereed voor het geval Irak chemische wapens op Israël zou afvuren. Van alle ramen en deuren werden de kieren met plastic stroken dichtgeplakt. Televisie, radio, een telefoontoestel en wat levensmiddelen werden zo opgesteld dat je ze voor het grijpen had, en men zorgde dat er rollen plakband en natte handdoeken klaarlagen om op het laatste moment de deur vanbinnen zo goed mogelijk af te sluiten.

Brian kwam thuis met twee bankbiljetten van honderd shekel. Hij voerde in gebarentaal op hoe hij, langs de anglicaanse school lopend, had gezien dat de vuilnisbakken volgepropt waren met Engelse boeken, daar klaarblijkelijk gedeponeerd door leerlingen en leraren die in hun angst voor oorlog het land halsoverkop hadden verlaten. Hij had zoveel boeken meegezeuld als zijn zwakke armen konden tillen, en was ermee naar een tweedehands boekwinkel gelopen. Toen de actie lucratief bleek, had hij de middag doorgebracht met tussen de anglicaanse school en de winkel pendelen.

Jardena bewonderde zijn vindingrijkheid en raadde hem aan de stad in te gaan voor een welverdiend biertje, maar hij schudde het hoofd en overhandigde haar een van zijn twee bankbiljetten. Voor het andere kocht hij een grote zak voer voor de hond.

In de nacht van 16 op 17 januari bombardeerde Amerika Bagdad. Honderden vliegtuigen wierpen duizenden tonnen explosieven op de stad, en tientallen projectielen vielen op strategische plaatsen in Irak. Zoals de meeste Israëliërs, brachten Jardena, Nathan en Brian de nacht door met naar de televisie kijken. Tegen de morgen kwamen er berichten dat de geallieerden alles wat projectielen naar Israël kon afvuren hadden vernietigd. De euforie duurde maar een dag.

Vierentwintig uur na aanvang van Operation Desert Storm, zoals de Amerikanen de Golfoorlog noemden, belde Jannai op. Hij verslikte zich bijna in zijn woorden: 'Luchtalarm, vlug, vlug, Abba, Imma, kom je bed uit, zet je gasmaskers op, ga in de dichtgeplakte kamer!'

De buurvrouw, die gevraagd had of ze in geval van luchtalarm bij de familie Jerushalmi mocht komen, stormde binnen met haar twee katten en een in bicarbonaat gedrenkte handdoek bij wijze van gasmasker voor de verschrikte beesten.

Jifrach was in militaire dienst, maar Shai kwam klappertandend de trap oprennen.

Een paar minuten later landde het eerste projectiel op Tel Aviv. Al gauw kwamen er nog zeven, waarvan vijf in Tel Aviv en twee in Haifa. De hele wereld kon zien hoe de bewoners van de Westbank en de Gazastrook op hun daken klommen om daar vreugdedansen uit te voeren.

'We zullen de Irakezen ervan langs geven,' schreeuwden Israëlische politici en generaals vanaf het televisiescherm iedere huiskamer in.

'Kalmte, kalmte, geen paniek,' suste de militaire zegsman, die al gauw de bijnaam Valium kreeg.

Minister van Volkshuisvesting Ariel Sharon en minister van Defensie Moshe Arens stelden voor terug te slaan. Het kabinet wikte en woog. Het was een moeilijke beslissing om Saddam Hoessein niet aan den lijve te laten ondervinden waartoe het Israëlische leger in staat was.

Hoe moeilijk het was geweest, begrepen Nathan en Jardena pas toen Jifrach onverwachts thuiskwam. 'We waren al onderweg,' wist hij er nog net uit te brengen voor hij op de bank neerzeeg en als een blok in slaap viel.

Een uur later vertelde Jifrach dat hij en zijn medesoldaten al in hun tanks hadden gezeten om dwars door Jordanië te rijden en Irak aan te vallen.

'Dwars door Jordanië?' riep Jardena uit. 'Mag dat zomaar?'

Jifrach lachte haar hartelijk uit. 'Dacht je dat we hun permissie nodig hadden? Het Jordaanse leger zouden we in vijf minuten hebben uitgeschakeld. Althans, dat is wat ze ons vertelden. We waren al onderweg, zeg ik je. Maar net voor we de legerbasis uit reden kwam er een jeep met een luidspreker en hoorden we roepen: "Stop, stop! De aanval gaat niet door."'

Premier Shamir met zijn vaak bekritiseerde eigenschap om eindeloos af te wachten en uit te stellen, had op het allerlaatste nippertje besloten niet aan te vallen. Nathan slaakte een zucht van verlichting. Volgens hem was deze keer niets doen moediger dan terugslaan.

Pas later werd duidelijk dat president George Bush de Israëlische regering bijna dagelijks telefonisch had bezworen niet terug te slaan. Als Israël Irak zou hebben aangevallen en zowel de Arabische staten als Europa tegen zich in het harnas had gejaagd, zou dat het einde van de coalitie hebben betekend, en dan zou de ellende nog minder te overzien zijn geweest.

Zoals veel inwoners van Tel Aviv en omgeving, bracht ook Ehud zijn gezin naar Jeruzalem. Men ging ervan uit dat Saddam Hoessein de hoofdstad met zijn beroemde moskeeën zou trachten te sparen. De burgemeester van Tel Aviv noemde degenen die de stad verlieten lafaards en deserteurs, maar werd niet met rust gelaten voordat hij daarvoor zijn excuses aanbood. Wat voor zin had het om kleine kinderen aan gevaar bloot te stellen als er een mogelijkheid was ze eraan te onttrekken?

Als beloning voor Israëls gehoorzaamheid stuurde president Bush afweerraketten, *patriots*. Helaas bleken ze de Irakese projectielen op hun weg naar Israël vaker te missen dan te raken.

Vanzelfsprekend bleven vakantiegangers zo ver mogelijk uit de buurt. Een enkele toerist kwam om Israël moed in te spreken. Een delegatie van Duitse functionarissen onder leiding van hun minister van Buitenlandse Zaken, Hans-Dietrich Genscher, kwam om met eigen ogen te aanschouwen wat de projectielen voor schade hadden aangericht. Uit schaamte voor de rol die Duitsland had gespeeld bij het bewapenen van Saddam Hoessein, beloofden ze zeshonderd miljoen dollar als hulp bij reddingswerk en wederopbouw.

'Zo blijft het geld rollen,' snoof Nathan. 'Als Duitsland bereid is zeshonderd miljoen neer te tellen om de schade te herstellen, kun je er donder op zeggen dat ze minstens zesduizend miljoen aan die deal met Saddam hebben binnengesleept. Ze zullen er heus niet op verliezen.'

Er waren maskers voor volwassenen en kinderen, en maskers voor mannen met baarden, maar maskers voor mensen die een tracheostoma hadden, zouden pas tegen het einde van Operation Desert Storm worden uitgereikt.

Brian bleef er kalm onder. Iedere keer dat de familie Jerushalmi bij luchtalarm de dichtgeplakte kamer binnenrende, was hij al in de weer met de extra rollen plakband en natte handdoeken. En als Valium op het televisiescherm aankondigde dat het directe gevaar geweken was, en dat men de maskers kon afzetten, stond Brian al klaar met koffie en thee.

De tijden waren moeilijk voor wie in Israël woonde, maar misschien nog moeilijker voor Israëliërs in het buitenland. Perla en Consuela stonden doodsangsten uit dat er een projectiel op hun ouderlijk huis zou vallen, en dat hun hele familie in één klap zou worden uitgeroeid.

Ook heel erg was voor Consuela haar eerste ervaring met massief antisemitisme. Sommigen van haar medeleerlingen gedroegen zich alsof hun Israëlische klasgenote persoonlijk schuldig was aan de dood van al die lieve, onschuldige Irakezen. Ook de leraren namen deze houding aan.

Een Nederlandse vriend van de familie Jerushalmi, die na een mislukte aliyah naar Amsterdam was teruggekeerd, pleegde zelfmoord. In een brief die hij voor zijn vrouw achterliet, legde hij uit dat hij zich nog altijd schuldig voelde omdat hij als enige van zijn hele familie Hitlers gaskamers had overleefd. Hij kon het vooruitzicht niet verdragen dat hij deze keer als enige van zijn Israëlische vriendenkring Saddam Hoesseins chemische wapens zou overleven.

Het was gedurende de lange nachten in de dichtgeplakte kamer dat Brian iets over zijn verleden losliet. Kort na zijn geboorte had zijn moeder het huis verlaten. In de Tweede Wereldoorlog had zijn vader in het Engelse leger gediend en was hij zelf bij zijn grootouders in Londen gestald. Hun huis was door een Duitse bom geraakt. De enige overlevende was baby Brian. Een oude dame ontfermde zich over hem. Hij bracht zijn schooljaren door met spijbelen. Toen hij vijftien was meldde hij zich bij het vreemdelingenlegioen. Hij vocht in Algerije, Korea, Vietnam en Cambodja. Rechts en links van hem sneuvelden zijn makkers, maar hijzelf liep geen schrammetje op. Hieruit maakte hij op dat de God van zijn voorvaderen hem had voorbestemd om te leven. Na zestien jaar in het vreemdelingenlegioen te hebben gediend, gooide hij zijn geweer erbij neer en deserteerde zonder zijn laatste soldij te innen. Hij keerde terug naar Engeland, kreeg een dochter van een vrouw met wie hij niet trouwde, zwierf door Nederland, België en Duitsland, leerde vele ambachten, verdiende overdag handen vol geld en zette het 's nachts om in sterke drank en sigaretten. Hij zat meerdere malen achter de tralies, en wist op een goed moment de papieren van een medeboef te bemachtigen. Zo kon hij zijn opvallende Joodse achternaam, die hem bij zijn duistere praktijken slecht van pas kwam, verdonkeremanen achter het neutrale Williams.

Met zijn nieuwe identiteit en bijbehorend paspoort zwierf hij door Joegoslavië en Griekenland tot hij op vijfenveertigjarige leeftijd in Israël belandde. Op het moment dat hij voet op Israëlische bodem zette, wist hij tot welk doel God hem ontelbare keren had gespaard. In Israël ervoer hij voor het eerst van zijn leven een drang om te bouwen in plaats van te verwoesten, om vrienden te maken in plaats van vijanden. Israël was thuis, de Joden waren zijn familie. Hier hoorde hij, hier wou hij blijven.

Eerlijk als hij vanaf dat moment was, maakte hij er geen geheim van dat zijn moeder volgens zijn beste weten geen Jodin was geweest. Van zijn vader wist hij zeker dat hij een Jood was geweest, maar bewijzen kon hij het niet. Hij kon dus geen aanspraak maken op de wet van de terugkeer. Na drie maanden liep zijn toeristenvisum af. Vergeefs probeerde hij legaal in het land te blijven. Toen dat mislukte, bleef hij illegaal. God naar beste kunnen in het Engels dienende, verdiende hij zijn brood als timmerman, metselaar en huisschilder. Hij aanvaardde ieder baantje, als het maar niet destructief was. Hij werkte altijd rustig en gewillig en tot volle tevredenheid van zijn werkgevers. In de loop van de tijd vergat hij de autoriteiten, en vergaten de autoriteiten hem. Dat dacht hij althans.

In maart was de Golfoorlog afgelopen. Er waren negenendertig projectielen op Israël neergekomen, en zevenduizend huizen beschadigd, maar de enige doden waren een hond, een oude man die van schrik een hartaanval had gekregen, en een Palestijns kind dat door de moeder per ongeluk met het gasmasker was verstikt.

Het plastic werd van de ramen getrokken, de gasmaskers werden opgeborgen, het normale leven werd hervat. Brian kwam haast niet meer uit bed. Hij was zo zwak dat hij alleen overeind kon komen als hij zijn gezonde arm gebruikte om zijn hoofd bij het haar omhoog te trekken. Op zijn keel groeide een bult die met de dag groter werd. Als hij kuchte stikte hij bijna. Soms stond hij een uurtje op om bij de petroleumkachel te zitten en de hond te aaien. Toen het jongste kleinkind van Nathan en Jardena enigszins verlaat werd besneden, kondigde Noëlly aan: 'We noemen het kind naar Brian, maar maken er wel Hebreeuws van: Baroech, de gezegende. En we huren een zaaltje en nodigen al onze vrienden uit.' Itsik vroeg aan Brian om de sandak te zijn. Hij was dankbaar en voelde zich vereerd.

Daar niemand in de familie Jerushalmi geld had om opname in een ziekenhuis te bekostigen, waren zijn dagen geteld.

'Je moet je dochter een brief schrijven,' zei Jardena. 'Niet om hulp te vragen, maar om iets goed te maken van al die jaren dat je haar hebt verwaarloosd.'

Brian was het daarmee eens, maar wou zijn dochter niet laten merken hoe slecht hij schreef. Ten slotte was het Jardena die de brief schreef en hem door Brian liet goedkeuren. Zelfs zijn handtekening kopieerde ze uit zijn paspoort.

Jardena en Nathan overlegden wat ze konden doen om Brians lijdensweg te verzachten. Was er maar een arts die een middel tegen de pijn voorschreef, en als het moest was Jardena bereid om te leren hoe je injecties geeft. Ze haalde Brian over om met haar naar het Hadassaziekenhuis te gaan en advies te vragen.

Toen de receptioniste Brians Engelse paspoort zag, vroeg ze driehonderd shekel, het normale bedrag voor toeristen. Jardena vertelde dat Brian al jarenlang illegaal in Israël woonde, en dat hij dus niet als toerist kon worden beschouwd.

'De heer Williams is stervende,' legde ze uit. 'Hij heeft geen geld en is niet verzekerd. Hij verwacht geen behandeling. We zijn gekomen om te vragen of er een middel is om het einde minder pijnlijk te maken.'

De receptioniste keek van Jardena naar de stomme man met het dikke gezwel op zijn keel, en zei: 'Ogenblikje.'

Ze opende de deur van een zaaltje vol medische studenten. 'Dokter,' zei ze tegen de leider van de groep, 'deze dame wil u iets vragen.' Opnieuw vertelde Jardena, met Brian aan haar zijde: 'De heer Williams heeft kanker en is bezig dood te gaan. Hij weet en aanvaardt het. Aangezien hij geen geld heeft en geen lid is van een ziekenfonds, vraagt hij niet om behandeling of om opname in het ziekenhuis. Ik ben alleen gekomen om te vragen of ...'

'Dit is je reinste waanzin,' riep de arts uit. 'Ik ken ten minste achttien verschillende ziektes die een gezwel kunnen veroorzaken. Hoe kan ik een geneesmiddel voorschrijven aan een man die ik niet heb onderzocht? Als uw vriend onderzocht wil worden, moet hij betalen. Of als u wilt dat hij onderzocht wordt, moet u betalen. Als u wilt dat ik hem gratis onderzoek, breng me dan een brief van de directeur van het ziekenhuis waarin staat dat hij daarmee akkoord gaat.'

'Het gaat hier niet om een behandeling,' probeerde Jardena nog eens. 'Ik zou alleen graag willen weten wat ik moet doen als het einde komt.'

'Als het einde komt, moeten we uw beschermeling in het ziekenhuis opnemen, of hij betaalt of niet,' zei de arts.

'De directeur zit op de derde verdieping,' zei een student.

Natuurlijk wilde de secretaresse van de directeur haar baas niet storen voordat Jardena haar verhaal voor de derde keer had afgedraaid. 'Dit is mijnheer Williams. Hij kan niet praten. Hoewel hij geen familielid van mij is, woont hij bij mij in huis. Hij weet dat hij stervende is. Aangezien hij geen geld heeft en niet verzekerd is, vraagt hij om helemaal niets. Ik ben het die graag een arts zou willen vragen wat ik kan doen om het einde minder pijnlijk te maken. Maar de arts vraagt om een brief ...'

'Wacht even,' viel de secretaresse uit. 'Als mijnheer Williams geen geld heeft, waarom leent u het hem dan niet?'

'Omdat ik het ook niet heb.'

'Waarom vraagt u uw vrienden dan niet om geld?'

'Omdat de mensen van mijn sociale klasse geen van allen genoeg geld hebben om de kosten van ziekenhuizen en operaties te dragen. U weet heel goed dat dat in de tienduizenden of zelfs honderdduizenden kan lopen.'

'De secretaresse fronste haar wenkbrauwen. 'Dat is inderdaad een probleem. Maar in elk geval is dit het kantoor van de medisch directeur, en u moet natuurlijk bij de financieel directeur zijn. Zijn kantoor is op de eerste verdieping.'

'Kon ik u maar helpen,' zei de secretaresse van de financieel directeur. 'Maar zegt u nu zelf: als een kind een bakkerszaak binnenloopt en zegt "Ik heb honger", is de bakker dan verplicht hem een broodje te geven?'

'Heel wat bakkers zouden het doen.'

'Eén keer misschien, maar niet elke dag.'

'Geen bakker zou een hongerig kind een korst brood weigeren.'

'Dat kan wel zijn, maar een ziekenhuis is geen bakkerswinkel.'

Jardena en Brian gaven het op. Ze baanden zich een weg door patiënten en bezoekers, en hadden de uitgang bijna bereikt toen een jonge vrouw Jardena op de schouder tikte. 'Neem me niet kwalijk. Ik heb u van het ene kantoor naar het andere gevolgd. Mag ik u raad geven?'

'U hebt ons de hele ochtend gevolgd? Maar hoe komt het dat we u niet hebben gezien?'

De vrouw glimlachte. 'Ga terug naar de receptie en vraag naar Amnon. Hij zal u helpen.'

'Amnon? En zal ik zeggen dat u me gestuurd hebt?'

Maar ze was al in de menigte verdwenen.

'Een engel', las Jardena op Brians lippen.

Ze vonden Amnon en herhaalden hun relaas. 'Tja,' zei hij verontschuldigend. 'Iets zult u moeten betalen. Hoeveel kunt u missen?'

Jardena toonde de inhoud van haar portemonnee. 'Ik heb zeventig shekel. Die kunt u krijgen.'

Ze was ervan overtuigd dat Amnon moest worden omgekocht, maar hij telde het geld zorgvuldig na en gaf haar tien shekel terug. 'Hou dit maar. U hebt het later op de dag misschien nodig.'

Hij overhandigde haar een kwitantie en schreef op een gloednieuw dossier: 'Opgenomen vanwege speciale verordening. Zestig shekel.'

Plotseling ging alles vliegensvlug. Een student nam Brian bloed af, een tweede keek in zijn keel. Een derde nam z'n temperatuur, een vierde mat zijn bloeddruk. Weer anderen voelden zijn pols, onderzochten zijn urine en zonden hem naar de röntgenafdeling. Aangezien elk onderzoek bij de receptie geregistreerd moest worden, rende Jardena heen en weer tussen de arts en Amnon, die ieder papier dat ze hem voorlegde zonder commentaar ondertekende. Jardena herinnerde de arts eraan dat niemand voor al die onderzoeken zou betalen, en dat ze voor heel iets anders was gekomen, maar hij zei: 'Geld is mijn zaak niet. Ik ben geneesheer en ik oefen mijn beroep uit.'

Het was al donker buiten, toen een arts Jardena vroeg: 'Wie heeft u gezegd dat mijnheer Williams stervende is?'

'Eerlijk gezegd, niemand. Maar hij had destijds geen geld om bestralingen te bekostigen, en de kanker is teruggekomen, dus het lijkt ons logisch dat hij niet lang meer te leven heeft.'

'Mis,' zei de dokter. 'Zijn bloed, zijn longen, zijn hart zijn onaangetast. Wat hem hindert is alleen dat gezwel aan zijn keel. Als we dat weghalen voordat de kanker is uitgezaaid, kan hij net zo lang leven als u en ik. We halen de sociaal werkster erbij.'

Om te beginnen bood de sociaal werkster haar cliënten koffie aan. Toen pas realiseerden Brian en Jardena zich dat ze sinds het ontbijt niets hadden gegeten en gedronken.

Hoewel het al bijna middernacht was, belde de sociaal werkster gewoon het Engelse consulaat op: 'Mijnheer Williams is Brits onderdaan. De artsen verzekeren ons dat hij geheel kan genezen als hij onmiddellijk geopereerd wordt. Wilt u alstublieft de nodige fondsen organiseren, of uw regering verzoeken de heer Williams op kosten van Engeland te laten overkomen voor de gratis medische behandeling waar hij als Engelsman recht op heeft?'

‘Als ze me naar Engeland sturen, word ik gek’, las Jardena van Brians lippen.

‘Als je hier blijft, ga je dood,’ fluisterde ze terug.

‘Gaat u morgenochtend naar het Britse consulaat in Oost-Jeruzalem,’ zei de sociaal werkster. ‘En vandaar regelrecht naar Ruth Riman op het ministerie van Gezondheid. Aangezien we nog niet weten of de heer Williams in Engeland of in Israël behandeld zal worden, werken we op beide fronten tegelijk. Praat op het consulaat niet over Ruth Riman, en praat bij Ruth Riman niet over het consulaat. Ga nu eerst naar huis en probeer vannacht wat te slapen.’

Naar huis! Dat was makkelijker gezegd dan gedaan. Ze hadden de laatste bus allang gemist. Gelukkig hadden ze de tien shekel die Amnon in Jardena’s portemonnee had teruggeschoven. Ze vonden een Arabische chauffeur die, zoals dat zo vaak het geval is, ’s nachts met de taxi van een Joodse eigenaar werkte, en vroegen hem hen zover de stad in te rijden als hij voor tien shekel kon doen. De rest van de weg zouden ze te voet hebben afgelegd als de chauffeur niet zo barmhartig was geweest om ze thuis te brengen.

Er bleek geen consul, maar een honorair consul te zijn voor Engeland. Zijn kantoor was gevestigd in Oost-Jeruzalem en werd zwaar bewaakt door Israëlische soldaten. De man zelf was een plaatselijke Arabier die zijn gasten op imitatieleren fauteuils liet plaatsnemen. Hij ondervroeg Jardena over Brian alsof hij haar achterlijke zoon was.

‘Heeft de heer Williams familieleden in Engeland?’

‘Vraag het hem maar. Hij kan goed horen.’

De honorair consul trok een van zijn kousenbenen onder zich en strekte het andere geeuwend op de koffietafel.

‘Hebt u familieleden in Engeland, mijnheer Williams?’

Brian schudde van nee.

‘Maar mijnheer Williams heeft toch zeker een vader of moeder die hem kan helpen?’

‘Mijnheer Williams’ vader is tijdens de Tweede Wereldoorlog in dienst van Zijne Majesteit de Koning van Engeland gesneuveld, en zijn moeder heeft hem in de steek gelaten toen hij een paar dagen oud was.’

Onversaagd zette de honorair consul zijn enquête voort. ‘Maar dan heeft mijnheer Williams toch zeker wel een broer of een zuster?’

Brian schudde zijn hoofd en Jardena gaf een korte samenvatting van de situatie: 'De heer Williams is enig kind en wees.'

De honorair consul trok zijn stropdas los. 'Als de heer Williams geen familieleden heeft, waarom behandelen de Israëlische artsen hem dan niet gratis?'

'Waarom kan British Airways de heer Williams niet gratis naar Engeland vliegen? Waarom belt u Londen niet op om te vragen wat u moet doen?'

'En wie betaalt de telefoonkosten?' smaalde de man.

'Ik. Laten we het nu direct doen.'

Maar de honorair consul beval zijn secretaris om de gasten uit te laten.

Ze namen een bus naar West-Jeruzalem en vonden het ministerie van Gezondheid. Ook hier werden ze weer ontvangen door een secretaresse. Deze keer echter deed de naam Brian Williams wonderen. De gasten werden onmiddellijk binnengelaten bij Ruth Riman, een struise vrouw met een koddig humeur.

'Gaat u zitten, mevrouw, gaat u zitten mijnheer Brians. Wat ben ik blij kennis met u te maken. Mag ik eens in uw paspoort kijken?' Brian overhandigde het.

'Prachtig, prachtig.' Ruth Rimans onderkin trilde van plezier. 'Wilt u wel geloven, mijnheer Brians, dat uw dossier al maandenlang op mijn bureau ligt?'

Ze bladerde in het dossier om haar geheugen wat op te frissen. 'Ja, ja. William Brians. Hier is de grappenmaker. Een brief van de minister van Binnenlandse Zaken, en een brief van de minister van Politie. Weet u wel, mijnheer Brians, dat u sinds 1982 illegaal in dit land bent?'

Ze schudde haar dikke wijsvinger guitig naar Brian. Brian knikte en wees naar het gaatje in zijn keel.

Ruth Riman knikte vergoelijkend. 'Natuurlijk, ik begrijp er alles van. Alles komt terecht. Wat is uw huidige adres als ik vragen mag?' Jardena gaf haar eigen adres en voegde eraan toe: 'We zijn hier gekomen voor iets zeer dringends. De sociaal werkster van het Hadassaziekenhuis stuurt de heer Williams naar u toe omdat hij in een hopeloze situatie verkeert. Of eigenlijk juist ineens weer een hoopvolle. Hij moet zo snel mogelijk geopereerd worden. Gisteren nog dachten we dat hij stervende was, maar nu weten we dat hij bijna zeker gered kan worden als het gezwel aan zijn keel onmiddellijk wordt weggehaald.'

Als Ruth Riman glimlachte, gingen haar wangen omhoog en verdwenen haar ogen. 'Welgefeliciteerd, mijnheer Brians. Maakt u zich geen zorgen. Zoals ik al zei, alles komt prima in orde.'

Ze schreef iets op een briefje, deed het in een enveloppe, likte de enveloppe dicht en overhandigde hem aan Jardena. 'Alstublieft, mevrouw. Gaat u nu van hieruit regelrecht met de heer Brians naar mevrouw Zorra in de Hillelstraat. Zij zal niets liever doen dan u helpen. Veel succes mijnheer Brians. En mijn hartelijke groeten aan mevrouw Zorra. Zoals ik al zei: alles komt keurig voor mekaar!' Ze begeleidde haar gasten zelf naar de lift.

'We gaan eerst naar huis om die enveloppe boven de stoom te houden,' besloot Jardena. 'Ik vertrouw het voor geen cent.'

Op het briefje stond: 'De vogel is uit zichzelf in de val gevlogen.' Daaronder stonden Brians paspoortnummer en Jardena's huisadres.

De telefoon ging. Het was de honorair consul. Hij moest en zou iemand vinden die hij verantwoordelijk kon stellen voor de kosten van Brians reis, en wilde tot dat doel de meisjesnaam en het laatste adres van zijn moeder weten.

Jardena legde opnieuw uit dat Brian zijn moeder voor het laatst gezien had toen hij drie dagen oud was, en dat hij geen idee had wat haar achternaam was. Daarna belde ze de sociaal werkster van het ziekenhuis op om haar het resultaat van hun acties mee te delen. De sociaal werkster was woedend. Ze beloofde niet te rusten voordat de zaak geregeld was.

Een paar dagen later belde Pinchas uit Safed op. 'Ik heb een briefje van Brian ontvangen. Wist je ervan?'

'Nee. Wat schrijft hij?'

Pinchas grinnikte en las het briefje voor, dat, zoals hij vertelde, geheel in hoofdletters was geschreven: 'ASSHOLE, YOU TOOK ME MONEY. I NEED IT. IF NOT I DIE. GOD BLESS YOU. BRIAN.'

Jardena vertelde Pinchas van haar odyssee met Brian van het ziekenhuis naar het kantoor van de honorair consul en het ministerie van Gezondheid met resultaat nul, en beëindigde haar relaas met: 'Als niemand iets voor Brian doet, gaat hij dood.'

'Volgens mij ben ik Brian niets schuldig,' zei Pinchas, 'maar ik ben bereid zijn reis naar Londen te betalen. Ik zal mijn reisbureau in Jeruzalem onmiddellijk opdracht geven voor een ticket te zorgen. Ga er over een uurtje naar toe. Dan zal het voor hem klaarliggen.

De man van het reisbureau wierp één blik in Brians paspoort en zei:

'Het spijt me, maar ik kan geen biljet uitschrijven voor de eigenaar van dit paspoort. En ook al deed ik het, dan zouden de autoriteiten van de luchthaven de heer Williams verhinderen het land te verlaten. Hij is de regering een enorme boete verschuldigd voor al die jaren dat hij illegaal in het land heeft geleefd.'

Jardena keek zo verslagen dat de man van het reisbureau medelijden met haar kreeg. 'Ik begrijp dat mijnheer Williams ziek is. Misschien zijn de autoriteiten bereid zijn gezondheidstoestand in aanmerking te nemen en zijn financiële schuld over het hoofd te zien. In plaats van alle stappen van de bureaucratie af te leggen, zou ik regelrecht naar mevrouw Shiloni gaan. Die zit in Binyan Generali op de vierde verdieping. Zij is degene die de beslissingen neemt. Maar zeg niet dat ik u gestuurd heb.'

De volgende ochtend vroeg namen Brian en Jardena de bus naar Binyan Generali. De lift deed het niet. Gelaten klommen ze naar de vierde verdieping op zoek naar mevrouw Shiloni. Gelukkig stond haar naam op de deur van haar kamer. Jardena klopte, wachtte tot ze 'Binnen' hoorde roepen, en stapte het kantoortje binnen met Brian op sleeptouw.

'Ik kom met een heel bijzonder verzoek,' zei ze. 'Dit is de heer Williams. Zijn leven hangt af van een spoedoperatie, die hij in Engeland kosteloos kan ondergaan. Het probleem is dat hij al enige jaren illegaal in dit land verblijft ...'

Mevrouw Shiloni sprong zo wild op dat ze haar stoel omverwierp. 'Wat heb ik daarmee te maken?' schreeuwde ze. 'Wie heeft u hier binnengelaten? Wie is die meneer die illegaal in dit land verblijft en van mij verwacht dat ik hem help? Als u een probleem hebt, spreek dan met de receptioniste beneden. Eruit! Eruit! Mijn kamer uit!'

De receptioniste moest eerst even haar nagels vijlen. Bovendien was ze nog suffer dan het kauwgum dat ze tussen haar tanden zat te malen. Ze had geen idee wat voor raad ze moest geven.

In haar wanhoop zei Jardena: 'Waarom vraag je mevrouw Shiloni niet wat je moet doen?'

Het meisje draaide het nummer van haar chef op de vierde verdieping. 'Er staat hier een rare vrouw met een man die niet kan praten. Wat moet ik met ze doen?'

'Stuur ze naar kamer dertien', was het onmiddellijke antwoord. Naar boven ging het weer, nu naar kamer dertien op de derde verdieping. Ze kregen volgnummer honderdnegenenveertig. De gang zat vol Russische immigranten. Om de paar minuten ging een van de deuren open en werd een nummer afgeroepen. Tegen de tijd dat Brian aan de beurt was, zag hij eruit als een lijk. Jardena vertelde hun verhaal. De vrouw die hen te woord stond, nam Brians paspoort en zei dat hij beneden in een zaakje op straat twee spoedpasfoto's moest laten maken en ze bij haar moest brengen. Daarna moest hij op de gang wachten bij kamer twaalf tot zijn naam werd afgeroepen.

Brian sleepte zijn uitgeputte lichaam drie verdiepingen naar beneden en een kwartier later weer drie verdiepingen naar boven, en gaf de foto's af bij kamer dertien. Bij kamer twaalf zaten dezelfde Russische immigranten die ook al de hele ochtend voor de deur van kamer dertien hadden zitten wachten. Om drie uur 's middags werd Brian binnengeroepen.

'Drieduizend shekel,' zei de vrouw achter het bureau.

Jardena vertelde hun verhaal. De vrouw reageerde prompt met: 'Vijfenveertig shekel.'

Jardena overhandigde het geld en de vrouw plakte een zegel op Brians dossier en zei dat hij in kamer elf zijn paspoort zou ontvangen.

Het tweetal wachtte bij de deur van kamer elf en werd na nog weer een halfuur wachten binnengeroepen. Het jonge meisje dat hier de scepter zwaaide, zag eruit alsof ze pas uit het ei kwam. 'Drieduizend shekel,' zei ze. Brian ging bijna van zijn stokje.

'Maar de vrouw in kamer twaalf heeft de prijs op vijfenveertig shekel gesteld, en die heb ik haar zojuist betaald,' bracht Jardena er met moeite uit.

'Dat was voor de zegel op het dossier. Nu moet u voor een zegel in het paspoort betalen.'

'Lieve juffrouw,' zei Jardena zonder veel hoop. 'Ik zal ons treurige verhaal voor de zoveelste keer afdraaien. De heer Williams heeft geen geld. Een vriend heeft de vliegreis naar Engeland voor hem betaald. Als hij niet onmiddellijk geopereerd wordt, gaat hij dood.'

Het meisje keek snel om zich heen, overtuigde zich ervan dat al haar kamergenoten de andere kant uit keken, en schoof het lastige dossier met een handig gebaar onder een enorme stapel gelijksoortige dossiers, waarna ze een zegel in Brians paspoort plakte en eroverheen krabbelde: 'Mag het land verlaten'.

'Goeie reis, mijnheer Williams,' zei ze. 'En moge u honderdtwintig jaar oud worden.'

De sociaal werkster van het Hadassaziekenhuis gaf Brian het adres van een ziekenhuis in Londen. Jifrach gaf hem een gloednieuw trainingspak, Shai gaf hem een winterjas, Jardena gaf hem een kus, en Nathan gaf hem een briefje van honderd Engelse ponden en begeleidde hem naar het vliegveld om zeker te zijn dat hij goed wegkwam. Terwijl Brian vloog, schreef Jardena een brief aan zijn dochter, waarin ze uitlegde onder welke omstandigheden haar vader in Engeland zou aankomen, en in welk ziekenhuis ze hem zou kunnen vinden.

Drie weken later kwam het antwoord: 'Vrijdag heb ik pa mee naar huis mogen nemen. De kinderen zijn net zo dol op hem als ik, en we leven met z'n vijven in de wolken.'

* * *

In april stierf tante Mies. Getrouw aan haar belofte liet ze een aardig sommetje na voor de kinderen van haar broer. Jardena, die zich hun gesprek over geld herinnerde, wilde met dit cadeau iets bijzonders doen. Jannai, die niet in staat was interessant werk te vinden, raakte zeer gedeprimeerd. Overdag verdiende hij zo nu en dan wat met losse karweitjes, en 's avonds poseerde hij als naaktmodel. Tussen de ene en de andere bezigheid liet hij de hond van zijn schoonvader uit, deed hij zijn zoon schone luiers om, en maakte plannen met zijn vrouw om een kleuterklasje aan huis te starten. Hij klaagde niet, en dat moest ook niet. Niemand had hem tenslotte gedwongen om op zijn twintigste te trouwen en nog vóór zijn eenentwintigste vader te worden. Maar Jardena's hart klopte niet volgens logica. Wat was er geworden van Jannai's talenten en ambities?

Als cadeau voor zijn vierentwintigste verjaardag bood ze hem aan de kosten te dragen als hij zijn studie wilde voltooien of een ander vak wilde leren. Bovendien beloofde ze dat zijzelf, als Jannai wilde studeren, zijn vrouw zo veel mogelijk zou helpen met het kleuterklasje.

Jannai was niet zo blij als zijn moeder had gehoopt. Hij zou wel graag op de filmacademie willen studeren, maar dacht dat hij niet zou worden toegelaten. Vreemd genoeg had Jardena aan die mogelijkheid niet gedacht. Had hij niet, toen hij zeventien was, met zijn toneelstuk furore gemaakt?

'Ja,' zei Jannai, 'maar toen ik in Parijs studeerde, heb ik gemerkt dat heel wat studenten begaafder zijn dan ik.'

Op een ochtend belde hij zijn moeder op. 'Imma, ik weet niet hoe ik dit moet zeggen. Ik ben nogal zenuwachtig. Gisterenavond heb ik met mijn vrienden in Parijs gebeld. Het gezelschap waar ik deel van uitmaakte gaat in Mexico optreden. Ze vertrekken over een maand. De Mexicanen hebben kost en inwoning beloofd en misschien zelfs een beetje salaris, maar ieder moet zijn eigen reis betalen.'

Jardena had al eerder gehoord van de plannen van Jannai's vrienden om deel te nemen aan het Columbusfestival in Mexico. Ze wist dat hij dolgraag mee wou en dat hij met het oog daarop zelfs Spaans leerde. Ze wist ook dat hij het plan had laten varen omdat hij onmogelijk de reis- en verblijfkosten voor drie mensen kon opbrengen.

'Ben je daar nog?' Jannai's stem klonk hoog van opwinding. 'Waarom zeg je niets?'

'Wat moet ik zeggen?'

'Dat geld ... ik bedoel ... wat je zei over een studie ...'

'Mijn geld is niet om de wereld mee rond te reizen,' zei Jardena vlug. 'Mijn geld is om iets te leren. Wie van je broers of zusters met een aanvaardbaar plan komt, mag het hebben. Het feit dat ik het jou als eerste heb aangeboden, verandert niets aan het doel dat je vader en ik onszelf hebben gesteld, namelijk om onze kinderen een beroep te laten leren. Je hebt weliswaar al een deel in Parijs gehad, maar we willen je een tweede kans geven.'

Zonder op antwoord te wachten legde ze de hoorn op de haak. Ze kon het niet verdragen de teleurstelling in Jannai's stem te horen.

De volgende dag vloog ze naar Amsterdam voor besprekingen over het boek dat ze aan het vertalen was. Daarna bleef ze nog veertien dagen bij Perla logeren. Hoewel het verblijf in Nederland prettig was en ze blij was weer wat tijd te kunnen doorbrengen met haar zusters, voelde ze zich hoe langer hoe meer Jardena en hoe langer hoe minder Reinie.

Op 25 mei vloog ze terug naar huis. Het KLM-toestel landde na het uitgaan van Shabbat op Ben-Gurion. Toen ze in de aankomsthal aankwam, keek ze haar ogen uit. Was dit Israël of waren ze per ongeluk naar Afrika gevlogen? Honderden beduusd kijkende zwarte mannen, vrouwen en kinderen stonden in groepjes of zaten op de grond. De volgende dag stonden de kranten vol van de spectaculaire Operatie Salomon, een gelukkige combinatie van Israëlische *choetspah* en Amerikaans-Joodse vrijgevigheid, waarvoor een aantal slimme koppen jarenlang in het geheim met Ethiopië had onderhandeld, en als gevolg waarvan gedurende het weekeinde veertienduizend vierhonderdtwintig zwarte Joden uit Ethiopië naar Israël waren overgevlogen.

'Als de moslimregeringen, die in hun geld stikken, een tiende voor hun hulpbehoevende geloofsgenoten deden van wat wij voor de onze doen, zouden de vluchtelingenkampen op de Westbank allang zijn opgeheven,' zei Nathan. 'Maar het hoort tot de politiek van de rijke Arabische landen om de Palestijnen net zo lang te laten creperen tot ze van wanhoop in opstand komen tegen Israël.'

Toen Jardena bij de negentig jaar oude Anna Presser op bezoek ging om de laatste roddelverhalen uit Nederland te vertellen, zat de bijna blinde vrouw kaarsrecht in een rococoleunstoel, op en top een lady. 'Kijk, kindlief,' zei ze met haar onmiskenbaar Haagse accent. 'Dat ik dit heb mogen beleven, dat Israël ook de zwarte Joden van de ondergang heeft willen en kunnen redden, daarvoor was het de moeite waard om Bergen-Belsen te overleven.'

Jannai belde op: 'Welkom thuis. Ik heb met ongeduld naar je komst uitgekeken. Ik heb me ingeschreven voor de filmacademie. Er zijn vierentwintig plaatsen en meer dan zevenhonderd kandidaten. Over drie weken is het toelatingsexamen. Voor die tijd moet ik drie foto's maken met als onderwerp: Israël anno 1991.'

'Wat voor foto's?'

'Dat moet ik zelf bedenken. Ik heb zitten piekeren over de massa-immigratie, de grote opbloei in de bouw, de politieke situatie, het watertekort. De foto's mogen onafhankelijk van elkaar staan, of een serie vormen als een minifilmpje van drie plaatjes. Het mogen zwart-witfoto's zijn of kleurenfoto's, van elke maat, over elk onderwerp ... Wat denk je ervan?'

Wat Jardena ervan dacht? Ze was onder de indruk van de positieve instelling van haar zoon. Weg was de depressie, verdwenen was de angst om te falen. Als een pijl, trillend op een gespannen boog, stond zijn verbeeldingskracht gereed om in de roos te springen.

'En o ja,' zei Jannai. 'Kun je me leren om je fototoestel te hanteren? Ik bedenk ineens dat ik van m'n leven nog geen foto heb genomen.'

'Wanneer moet je dat allemaal inleveren?'

'Donderdag over drie weken.'

'Kom straks maar even langs. Dan laat ik je zien hoe het werkt.'

In de daaropvolgende dagen maakte Jannai meer plannen dan foto's.

Zou hij een reportage maken over de meer dan veertienduizend zwarte Joden die bij gebrek aan passende behuizing tijdelijk in vijfsterrenhotels waren ondergebracht?

Was het mogelijk om het gebrek aan regen uit te beelden door een foto te nemen van een kraan waar geen water uit kwam?

Zou hij een man met het masker van een wolf fotograferen als symbool van de ultrarechtse minister wiens achternaam Ze'evi was? Hij werkte twee dagen aan het creëren van een wolvenmasker en besloot vervolgens dat het idee afgezaagd was. Als hij zevenhonderd mededingers wou verslaan, moest hij met iets spectaculairs voor de dag komen. Zijn foto's, besloot hij, zouden de intifada tonen.

Hij zou de examencommissie overdonderen met een long shot, een medium shot en een close-up van een Palestijn die een Joodse vrouw een messteek toebracht in het hartje van Jeruzalem op klaarlichte dag.

'Geen kunst aan,' zei Nathan met een stalen gezicht. 'Je gaat gewoon met je fototoestel in het hartje van Jeruzalem staan, en je wacht tot er een Palestijn met een mes voorbij komt slenteren. Als hij een vrouw doodsteekt neem je snel drie foto's. Als je geluk hebt steekt hij jou niet voor hetzelfde geld ook even dood.'

'Je snapt er niets van, Abba. Ik ga het evenement ensceneren. Vlak voor het nationale monument, zodat er geen twijfel bestaat aan de lokatie.'

Een week ging voorbij en Jannai had nog geen enkele foto genomen. 'Vanuit welke invalshoek zal ik mijn langeafstandsfoto nemen?' vroeg hij zich af. Gewapend met Jardena's fototoestel en telescopische lens, een ladder, een voorraad filmrolletjes en een opschrijfboekje ging hij voor twee uur de deur uit en bleef zes uur weg. Hij kwam thuis met foto's van het nationale monument gezien vanuit alle denkbare en ondenkbare invalshoeken, en genomen met alle mogelijke combinaties van belichtingstijd en diafragma-opening. De daaropvolgende dagen bracht hij door met het analyseren van zijn resultaten en het zoeken van acteurs.

Shai, die zijn broer niet wou teleurstellen, aanvaardde met tegenzin de rol van moordenaar. Een vriend zou een Joodse activist voorstellen die zijn revolver op de Palestijn richtte. Jardena zou voor geschrokken voorbijgangster spelen. Maar wáár kon Jannai een vrouw vinden die bereid was om met een mes te worden gestoken, en wáár een tweede vrouw die, in de rol van reeds gevallen slachtoffer, bloedend op het trottoir wou liggen? Na eindeloos veel telefoongesprekken wist hij twee vroegere klasgenoten over te halen om die rollen op zich te nemen. Bovendien verzekerde hij zich van een half dozijn assistenten, die rondom de plaats van handeling zouden staan om nieuwsgierige voorbijgangers van het toneel weg te houden.

Alles ging goed tot Jannai de acteurs liet weten dat het evenement zou plaatsvinden op het plein voor het nationale monument. Niet alleen trokken alle acteurs zich terug, ook de assistenten weigerden medewerking. Degene die het hardst tegensputterde was Jifrach, wiens mening dubbel telde omdat hij soldaat in actieve dienst was. Jannai probeerde ze niet te overtuigen. Hij vroeg de acteurs en andere medewerkers om op shabbatochtend bij elkaar te komen op een parkeerplaats niet ver van het nationale monument.

Op donderdag verzwikte Shai zijn enkel.

Op vrijdag had hij zo'n pijn dat hij niet naar zijn werk kon gaan.

Op Shabbat was hij er nog altijd slecht aan toe.

Toen Jannai zag dat de hoofdrolspeler nauwelijks op zijn voeten kon staan, vroeg hij een van de assistenten om hem te vervangen, maar pijn of geen pijn, Shai had nu de smaak te pakken, en weigerde zijn rol af te staan. Toen de groep op de parkeerplaats bijeengekomen was, legde Jannai uit dat niemand behalve het lijk als bevroren op z'n plaats moest blijven staan. Elke keer dat hij op zijn fluitje blies, moest Shai met zijn mes zwaaien, de vrouw zich een ongeluk schrikken, de activist zijn pistool op Shai richten, en Jardena wegrennen. Na een paar repetities kondigde Jannai aan dat het gezelschap nu naar het nationale monument ging. Niemand protesteerde. Zelfs Jifrach niet. Op het plein voorzag Jannai Shai van een echt slagersmes, en de activist van een speelgoedpistool. Hij smeerde het lijk in met tomatensaus en leegde de fles over het trottoir voor het monument. Hij wees elke acteur zijn plaats en verspreidde de assistenten die hij voorzag van kartonnen borden waarop hij in koeienletters het woord FILMOPNAME had geschilderd. Hij liet zien vanaf welk dak hij zijn eerste serie foto's zou nemen, ging een gebouw van vijf verdiepingen binnen, en verscheen een paar minuten later vijftien meter boven zijn manschappen. Twee uur lang blies hij op zijn fluitje en klonk zijn stem over het plein met bevelen en verzoeken zoals 'Sneller reageren', 'Kan het lijk haar hoofd iets meer naar rechts draaien?', 'Kan de voorbijgangster wat natuurlijker op de vlucht slaan?'

Twee uur lang lag het lijk te baden in tomatensaus. Twee uur lang vergat Shai zijn pijnlijke voet en viel hij het slachtoffer aan terwijl de activist zijn pistool op hem richtte en Jardena wegrende. Aangezien het Shabbat was, en bovendien verschrikkelijk heet, waren er niet veel mensen op straat. De assistenten hadden nauwelijks iets te doen. De een na de ander kreeg er na een poosje genoeg van en verliet de set zonder afscheid te nemen. Alleen Jannai's beste vriend, Yuval, bleef geduldig met zijn kartonnen bord rond de plaats van actie patrouilleren.

Plotseling, temidden van al het geïnspireerde aanvallen en vluchten, loeide een sirene. Een ambulance stopte. Het portier vloog open en twee ziekenbroeders sprongen het plein op met een brancard. Een burger met verantwoordelijkheidsbesef had Mageen David Adom opgebeld om te zeggen dat er een bloedende vrouw op de stoep lag. Gelukkig waren de broeders meer opgelucht dan boos toen ze ontdekten dat het lijk in een plas tomatensaus lag.

De ambulance vertrok, Jannai ging door met op zijn fluitje te blazen, en Shai ging door met het slachtoffer aan te vallen. Zozeer waren de acteurs in hun rollen verdiept dat ze niet merkten hoe een auto nog geen vijf meter van de zogenaamde moordenaar stopte. Omlaag ging het voorraampje en eruit kwam de hand van een echte activist met een echt pistool. Hij richtte op Shai. Yuval wierp zich met zijn kartonnen bord tussen het pistool en Shai en schreeuwde zo hard als hij kon: 'Niet schieten! Film. We maken een film.'

De hand met het pistool verdween in de auto. De chauffeur schudde zijn hoofd en trapte op het gaspedaal. Yuval had Shai's leven gered. Op het nippertje.

Eindelijk kwam Jannai van het dak voor de resterende foto's. De moordenaar en zijn slachtoffer acteerden na het incident met de activist zo overtuigend dat het medium-shot geen enkel probleem opleverde. Een close-up van de moordenaar met haat in zijn ogen kon niet gerealiseerd worden om de simpele reden dat Shai geen haat kon uitdrukken. Hij drukte wanhoop uit, en dat was nog beter.

Allen die hadden meegewerkt en het niet voortijdig hadden opgegeven, gingen met de familie Jerushalmi mee naar huis om van Nathan een welverdiende maaltijd te krijgen. Toen iedereen zat, vroeg iemand: 'Waar is Jannai?'

Inderdaad, waar was Jannai?

Jannai was in zijn eentje met een borstel en twee emmers water naar het nationale monument teruggekeerd om het zogenaamde bloed van het trottoir te schrobben. De tomatensaus was tot een harde korst opgedroogd, en het kostte hem grote moeite om de witte stenen schoon te krijgen. Een paar orthodoxe Joden op weg naar de synagoge schreeuwden: 'Een Jood die de Shabbat ontwijdt door de straat te schrobben! Morgen doen we beklag bij de gemeente. Je hoort er nog van, jongeman.'

De buit bestond uit zes rolletjes van zesendertig foto's elk. Wat een luxe. Waar was de tijd gebleven dat Jardena zich met moeite een enkel rolletje kon veroorloven om een scenario van een kwartier mee te fotograferen? Veel van Jannai's foto's waren zo griezelig echt dat Jannai vijf dagen nodig had om zijn keus te maken.

Op woensdag liet hij met spoed drie vergrotingen maken.

Op donderdag bracht hij ze naar de examencommissie.

Op vrijdagmorgen ging de telefoon. Het was Consuela vanuit Parijs. Ze was zo opgewonden dat Jardena haar stem nauwelijks herkende. 'Kun je me onmiddellijk terugbellen,' schreeuwde ze. 'Ik bel vanuit een telefooncel.' En zonder haar moeder tijd te geven potlood en papier te grijpen, raffelde ze een rij cijfers af.

Jardena's hart miste een slag. Wat was er aan de hand? Consuela wist heel goed dat haar ouders haar bijna iedere Shabbat op een vaste tijd op een vast nummer belden, omdat internationale telefoongesprekken dan goedkoper waren dan op weekdagen. Als ze op een vrijdagmorgen vanuit een telefooncel belde, moest daar een ernstige reden voor zijn. Terwijl haar vingers elkaar over de draaischijf in de weg liepen, beeldde Jardena zich de vreselijkste dingen in. Beroofd? Ziek? Van school gestuurd? Of erger nog? Verkracht? Gewond?

Natuurlijk waren alle lijnen bezet. Zo was dat op weekdagen. Maar Jardena gaf niet op. Plotseling hoorde ze Consuela's stem. Ze was zo verbaasd dat het gelukt was, dat het even duurde voor ze haar dochters woorden verstond: 'Imma, raad eens wat er gebeurd is. Ik ben verliefd! Ik ben verliefd!'

'Wat?' Jardena moest op haar tong bijten om niet uit te roepen: 'Bedoel je dat je op vrijdagochtend uit Parijs belt om te zeggen dat je verliefd bent?'

Haar dochter had haar gedachten als het ware gehoord, want ze zei meteen: 'Ik weet het Imma, ik ruïneer je, maar het is zo geweldig, zo belangrijk, zo fantastisch, dat ik gewoon niet tot morgen kan wachten om het je te vertellen. Ik heb hem eergisteren voor het eerst ontmoet, en alles wat ik weet is dat ik de rest van mijn leven met hem wil doorbrengen. Zijn naam is Charles. Hij is half Chinees en half Frans.'

'Nou, nou, gefeliciteerd kind. Moet ik hieruit opmaken dat je van de zomer niet thuiskomt?'

'Integendeel. En hij komt ook. Maar pas op, Imma, want je wordt halsoverkop verliefd op hem.'

'Pas zelf dan maar op,' plaagde Jardena, maar Consuela ratelde door: 'Hij zegt dat hij mijn ouders wil leren kennen om persoonlijk te onderzoeken wat jullie gedaan hebben om een meesterwerk als ik te produceren.'

Het was hartverwarmend om te horen dat Consuela zo bewonderd en geapprecieerd werd. Jardena wou iets in die geest zeggen maar haar dochters woordenstroom was niet te stuiten: 'Gisteren heeft hij een prijs gewonnen voor de een of andere uitvinding op de computer, ik weet niet precies wat, maar er was een receptie en alle mensen waren in hun beste plunje, en ik zat achter in de zaal in mijn oude jeans, want niemand had mij verteld dat het zo'n deftige bedoening was. En Charles stond op het podium en demonstreerde zijn uitvinding en wat denk je dat hij op het reuzenscherm typte zodat iedereen in de zaal het lezen kon? "Consuela, ik hou van je." En iedereen vroeg: "En wie is die Consuela dan?" En toen wees hij naar mij en typte op het scherm: "Ik wil met je trouwen."'

'Welgefeliciteerd,' zei Jardena nog maar eens, want onafhankelijk van wat er nu verder ging gebeuren, echt goed verliefd zijn was een ervaring die ze haar dochter gunde.

Over Jannai's toelatingsexamen werd met geen woord gerept. De uitslag liet zo lang op zich wachten dat hij wel zou zijn afgewezen.

In juli kwam Consuela voor twee maanden thuis met als huiswerk jonge mensen oud schminken, oude mensen jong schminken, mensen van alle leeftijden als bekende filmsterren opmaken, en de resultaten fotograferen. Ze had er haar handen vol aan, en iedereen die ook maar enigszins in aanmerking kwam, werd door haar tot model gepromoveerd. Charles belde elke avond op om te vertellen dat hij van haar hield, en om afspraken te maken over zijn komst. Consuela was bang dat hun vriendschap nog te broos was om de cultuurshock te overleven die Charles onvermijdelijk zou ondervinden als hij werd ondergedompeld in de vaak rommelige manier waarop haar familie leefde. Ze probeerde hem er zelfs van te weerhouden naar Israël te komen, met als resultaat dat Charles een reis boekte voor niet slechts een week, maar voor een hele maand.

In de dagen die aan zijn komst voorafgingen schrobde en boende Consuela het huis van haar ouders alsof ze het te koop wou aanbieden. Hoewel haar moeder het best fijn vond dat het huis er weer eens behoorlijk uit kwam te zien, was al dat zenuwslopende gedoe absoluut niet nodig geweest, want Charles voelde zich vanaf het eerste moment thuis bij de familie van het meisje met wie hij wou trouwen.

Shai en Jifrach vonden dat hij op Mowgli leek. Ze introduceerden hem rechts en links en al spoedig maakte hij deel uit van hun vriendenkring. Consuela reisde met hem naar Vered in Tel Aviv en naar haar oude kibboets in het noorden, maar hij had meer heimwee naar Jeruzalem dan zij. De enige tocht waar hij van genoot was naar de Sinaï met Consuela en een groepje vrienden. Toen ze daarvan terugkwamen, vertelde Charles trots dat hij Consuela in de woestijn volgens de Joodse wet gehuwd had door haar een ring te geven in aanwezigheid van twee getuigen en in het Hebreeuws te zeggen: 'Hiermee ben je aan mij gewijd.' Nathan zei dat het huwelijk niet gold omdat de bruidegom niet Joods was. Of dat nu waar was of niet, iedereen die van de grap hoorde, drukte Consuela op het hart er geen ruchtbaarheid aan te geven zolang ze zelf niet honderd procent zeker wist of ze met Charles wou trouwen. Er waren te veel gevallen bekend van jongelui en zelfs kinderen die het spelletje gespeeld hadden en die toen de rabbijnen erachter kwamen, officieel moesten scheiden voor ze met iemand anders konden trouwen.

Charles was teleurgesteld dat zijn in de woestijn gesloten huwelijk door de familie van de bruid ongeldig werd verklaard, en nog meer teleurgesteld toen hij ontdekte dat er in Israël geen burgerlijk huwelijk bestond zodat hij Consuela niet onverwijld officieel de zijne kon maken.

Consuela herinnerde hem er plagend aan dat hij haar nooit officieel ten huwelijk had gevraagd.

'Da's niet eerlijk,' zei Charles. 'Op dat reuzenscherm van de computer, toen ik die prijs kreeg, was dat niet officieel genoeg?' Consuela gaf toe dat ze dat romantische gebaar misschien niet serieus genoeg had genomen, en beloofde zijn verzoek te zullen overwegen. Charles was gebelgd omdat ze niet zonder meer 'ja' zei.

'Ik hou van je,' verzekerde Consuela hem, 'maar ik moet aan het idee wennen dat mijn kinderen niet in Israël zullen opgroeien.'

'Waarom niet? Ik ben bereid in Israël te wonen. Je zegt het maar.'

'Was het maar zo eenvoudig. Je hebt geen idee van de mensen en de sociale druk en de omstandigheden. Er komen iedere nacht vliegtuigen vol Russische immigranten. Velen van hen zijn computerdeskundigen net als jij. En er is toch al zo'n werkeloosheid, dus waarom zou een niet-Jood een baan krijgen waar tien Joden om staan te springen? Nee, de kans dat we in Israël zullen leven is miniem.'

'Ook goed. Dan gaan we in Frankrijk wonen, of in Amerika of in Japan. Wat maakt het uit zolang we samen zijn?'

Consuela had tranen in de ogen. 'Hoe kan ik het je uitleggen? Als Zweden of Fransen hun land verlaten om ergens anders hun geluk te beproeven, is daar niets bijzonders aan. Maar voor ons Israëliërs ligt het anders. Onze ouders en grootouders hebben zulke ongelooflijk grote offers gebracht om ons dit piepkleine vaderlandje te kunnen geven, en zoveel volken benijden ons dit reepje van de aardbol ook vandaag nog, zoveel soldaten van drie generaties, waaronder de mijne, hebben voor Israël hun leven geofferd, dat iedere Israëliër die het land voorgoed verlaat het gevoel heeft dat hij hoogverraad pleegt.'

'Onzin,' zei Charles. 'Wie zou ooit op het idee komen jou van hoogverraad te beschuldigen?'

'Het gaat niet om de anderen. Het gaat om mijzelf. Ik word al ziek bij de gedachte dat mijn kinderen Hebreeuws niet als moedertaal zullen hebben. Het heeft geen zin om te doen alsof het probleem niet bestaat. De vraag is of ik ermee kan leven.'

'Ik zal je helpen. We komen zo vaak mogelijk bij je ouders logeren. En waarom kun je geen Hebreeuws met onze kinderen spreken? Ik leer het ook. Wedden dat ik sneller Hebreeuws leer dan jij Frans?'

'Leugenaar!' Consuela lachte door haar tranen heen. 'Ik zou allang beter Frans verstaan als jij niet aldoor Engels met me sprak.'

'Vanaf dit moment spreek ik alleen nog Hebreeuws met je. Leer me om te zeggen: "Ik hou van je."' En Charles omhelsde zijn meisje tot Consuela een diepe zucht slaakte en het probleem weer naar de achtergrond was geschoven.

Toch kwam de dag dat Jardena de kamer binnenkwam en de gelieven in twee verschillende hoeken zaten te mokken. Consuela had gehuild, en Charles zag er deze keer niet uit alsof hij van plan was haar te troosten.

'We hebben ruzie,' verklaarde Consuela strijdlustig. 'Vraag nu maar aan mijn moeder wie gelijk heeft, Charles!'

Charles keek Jardena uitdagend aan. 'Noem me één aanvaardbare reden waarom ik geen kerstboom in mijn huis zou mogen hebben.'

'Voor Joden zijn er veel aanvaardbare redenen te bedenken,' zei Jardena. 'Maar voor niet-Joden kan ik alleen bedenken dat het zonde is van de boom.'

'Een plastic boom! Goed voor tien jaar. Waarom zou Consuela ertegen zijn dat ik mijn eigen boom eenmaal per jaar uit zijn doos haal en in mijn eigen huis monteer?'

'Ik heb er niets tegen dat jij een kerstboom in jouw eigen huis monteert. Ik zei: als je wilt dat ik dat huis met je deel!' riep Consuela boos vanuit haar hoek van de kamer.

'Ik wil met je trouwen,' riep Charles nijdig terug. 'Wat heeft dat met kerstbomen te maken?'

'Alles. Er komt in mijn huis geen kerstboom.'

'Maar waarom?'

Ze keken allebei naar Jardena voor de oplossing van dit fundamentele vraagstuk.

'Nou moeten jullie eens horen,' zei Jardena ten slotte. 'Als jullie nu al over dat soort dingen ruzie maken, moeten jullie het hele trouwplan misschien maar laten varen. Natuurlijk is de boom alleen een symbool, maar het gaat om de waarden en eventuele godsdienst die jullie je kinderen willen bijbrengen.'

'Ik ben helemaal niet van plan mijn kinderen als Christenen op te voeden,' verkondigde Charles. 'Mijn vader gaat nooit naar een kerk, en mijn moeder zet op bepaalde dagen van het jaar bordjes met eten klaar voor haar Chinese huisgoden. Maar laten we zeggen dat ik van de kleuren, de kaarsen en de kerstsfeer hou. Waarom mag ik dan geen kerstboom in huis hebben?'

'Om de gevoelens van je Joodse vrouw te sparen,' opperde Jardena. 'Maar natuurlijk moet ik hieraan toevoegen dat zij, als ze je vrouw is, ook rekening moet houden met de gevoelens van haar niet-Joodse man.'

En tegen Consuela zei ze: 'Als jij chanoekakaarsjes wilt aansteken, laat je je dat dan door je man verbieden?'

'Nou goed dan,' zei Consuela gelaten. 'Je kunt je kerstboom krijgen, als hij maar niet in de woonkamer hoeft te staan.'

'Ik wil helemaal geen kerstboom,' zei Charles. 'Ik geef geen zier om kerstbomen. Ik wou alleen weten of je mij mezelf zult laten zijn, net zoals ik van plan ben jou jezelf te laten zijn.'

Het was een mooi gezicht, vond Jardena, hoe de twee gelieven na hun eerste ruzie in elkaars armen vielen.

'Wil je met me trouwen?' vroeg Charles, maar Consuela zei nog steeds geen ja.

Toen vrienden van de familie Jerushalmi een zoontje kregen, vroeg Nathan aan Charles of hij mee wou naar de besnijdenis. Charles nam de uitnodiging aan, maar Consuela probeerde hem ervan af te brengen. 'Je zult er niets van begrijpen. Als je dat eenmaal hebt meegemaakt, vind je het nooit goed dat ik onze zoons laat besnijden. Wist ik maar een middel om alleen dochters te krijgen.'

'We gaan naar de besnijdenis,' besloot Charles. 'En we praten er later over.'

Nathan verzekerde Charles dat geen enkele gast verplicht is tijdens de besnijdenis toe te kijken, maar Charles zei: 'Jullie zijn dat misschien niet verplicht, maar ik wel. Als ik moet beslissen of ik zal toestaan dat deze ingreep bij mijn toekomstige zoons wordt gedaan, moet ik ten minste gezien hebben waar het om gaat.'

Hij stond van het begin tot het einde van het ritueel met zijn neus op het gebeuren en wendde niet één keer zijn ogen af, maar na afloop zag hij groen. Hij at niets van de lekkernijen die geserveerd werden, en wou zo snel mogelijk naar huis. Later op de avond zei hij: 'Als je 't mij vraagt: het is een barbaars ritueel. Maar miljoenen mannen zijn onder 't mes geweest, en ze hebben er niks van gekregen. Als dit je voorwaarde is, wil ik nog altijd met je trouwen.'

In augustus ging Charles terug naar Parijs. Consuela zou nog een maand in Jeruzalem blijven om haar schminkopdrachten te voltooien. Ze bracht haar vriend naar het vliegveld. Toen ze thuiskwam vertelde ze haar ouders dat hij haar bij het afscheid nog eens gevraagd had om met hem te trouwen. Ze had zich gerealiseerd dat het weleens de laatste keer kon zijn, en had ja gezegd.

Simcha nam haar zuster mee naar haar streng orthodoxe rabbijn. 'We zullen hem vragen hoe je je kinderen onder de omstandigheden toch als Joden kunt grootbrengen,' zei ze. Maar dat zat ze niet glad. De rabbijn zei tegen Consuela: 'Als je kinderen dat later willen, kunnen ze zich Joden noemen, maar wat jou betreft: zolang je met een niet-Joodse man leeft, ben je van het jodendom uitgesloten, aangezien je het uit eigen vrije wil de rug hebt toegekeerd.'

Consuela, die nauwelijks iets van de Joodse godsdienstwetten wist, en die alleen op Grote Verzoendag vastte uit respect voor haar overleden grootmoeder, was hier toch danig van overstuur.

Jardena had langzamerhand genoeg van het gezeur. 'Mijn eigen moeder is indertijd met een niet-Joodse man getrouwd,' zei ze. 'En als ze het niet gedaan had, wie had dan met inzet van al zijn energie en al het geld van zijn niet-Joodse vader de hele Joodse tak van onze familie uit de gaskamers van Hitler gered? En waar was jij dan geweest, Consuela? En waar jij, Simcha?'

Begin september zat Jardena een beetje te somberen aan de ronde tafel. Het was nu wel duidelijk dat het met Jannai en de filmacademie niets zou worden. En dat was ook geen wonder. Er waren honderden kandidaten en maar vierentwintig plaatsen. Maar Jannai zou wel weer gedeprimeerd raken. Hoe kon ze hem over de teleurstelling heen helpen?

Nathan kwam binnen met een krantenpagina en een brief. De brief was van Brian. Hij was getypt en zat vol spelfouten: 'Lieve Imma en Abba en mijn lieve petekind en de rest van de familie van wie ik zoveel hou en de hond die ik zo mis. Ik wou dat ik een hele zak vol geld had om even thuis te komen. Ik verlang zo naar thuis. Er zijn hier helemaal geen Joden. De ene synagoge is altijd dicht en de andere is heel ver weg. Ik heb zo'n heimwee naar jullie, maar ik moet nog drie maanden bestraald worden tegen die rare kanker en dan ben ik helemaal beter. Alles gaat goed, dus ik ben heel gelukkig, haha.'

Jardena was wel blij met de brief, maar echt gerust was ze er niet op. Het krantenartikel vrolijkte haar ook al niet op. De Syrische afgevaardigde had tijdens de laatste zitting van de UNHCR zonder blikken of blozen het oude sprookje weer opgedist dat het bloed van christelijke kinderen een onmisbaar ingrediënt is in het deeg van Joodse matzes. Kwam er dan nooit een einde aan de laster?

De hoogtijdagen vielen in september. Daarna zou het academische jaar aanvangen. Op een dag was Jannai met Benjamin in de wandelwagen langsgekomen, toen Rachela opbelde en vroeg of ze haar man kon spreken. Jannai luisterde even en legde rustig de hoorn op de haak. Hij zat even voor zich uit te staren en zei: 'Ik ben geslaagd voor de filmacademie. We beginnen zondag.'

Jardena sprong op van haar stoel. 'Wat?'

'Waarom wat?' vroeg Jannai zonder van gelaatsuitdrukking te veranderen. 'Dacht je dat ik niet goed genoeg was?'

Die winter stierf Daan Blumenthal, de wijze vriend bij wie Jardena haar eerste Seder had gevierd en die haar in 1976, na de bat-mitsvahceremonie van Consuela, zoveel plezier had gedaan met zijn opmerking over het liberale jodendom.

De dag na de begrafenis vloog Jardena naar Amsterdam voor de geboorte van Perla's tweede kindje. Zou het waar zijn, wat sommige mensen beweerden, dat zielen na de dood van het ene lichaam in een ander lichaam overgaan? Je kwam er niet achter, maar als het zo was, hoopte ze dat haar nieuwe kleinkind iets van de ziel van Daan zou krijgen. Trouw aan het jodendom, trouw aan de traditie, en daarbij een humanist in hart en nieren die nooit het gelijk voor zichzelf alleen opeiste.

Perla's tweede kind was een meisje. Ook zij werd 's nachts thuis geboren. Toen alles achter de rug was zei Meron: 'Ik kruip bij mijn zoon in bed. Mag ik de grootmoeder verzoeken de rest van de nacht bij haar dochter en kleindochter te blijven?'

'Ga maar aan Merons kant van het bed liggen,' zei Perla. Jardena liet zich dat geen tweemaal zeggen. Maar slapen deed ze niet. De dageraad was te mooi om er een seconde van te missen. Drie generaties vrouwen in één bed. Een pop uit een pop uit een pop. Een *baboeshka.* En dan te bedenken dat ze zelf ook zo'n pop uit een pop uit een pop was. Hoe ver terug? Tot de uittocht uit Egypte? Tot de aartsvaders en -moeders die in Hebron waren begraven? Tot Eva in het paradijs?

1992

Zes weken na de geboorte van haar Amsterdamse kleindochter maakte Jardena zich gereed om naar Parijs te vertrekken voor het huwelijk van Consuela en Charles. Op de avond voor haar vertrek klopte Meron op de deur van het zolderkamertje waar zijn schoonmoeder bijna twee maanden had geslapen. 'Ik wil je nogmaals hartelijk bedanken voor alles wat je voor ons gedaan hebt,' zei hij hartelijk. 'En ik heb een verzoek. Zouden we je diensten voor de maanden december 1993 en januari 1994 mogen bespreken? Je krijgt de laatste tijd zoveel kleinkinderen dat ik mijn naam graag op tijd in je balboekje wil schrijven.'

'Mijn balboekje?'

Meron stond waarachtig een beetje op zijn hoofd te krabben van verlegenheid. Maar het hoge woord moest eruit: 'Tegen die tijd zouden Pnina en ik graag ons derde kind willen krijgen.'

Jardena dacht even dat Meron een grapje maakte, maar nee hoor, hij meende het echt.

'Weet je vrouw het al?' vroeg ze ten slotte zo ernstig als ze kon opbrengen.

'Het lijkt me niet zo tactvol om haar daar nu al mee lastig te vallen,' zei Meron. 'Maar tegen die tijd wil ze natuurlijk graag, en als je dan net bij een van je andere kinderen aan het kramen bent ...'

'Moet je horen, Meron, als ik kan, kom ik jullie bij iedere baby helpen. Dat weet je wel. Maar wat heeft je ertoe gebracht om nu juist december 1993 of januari 1994 als geboortedatum voor jullie derde kind uit te zoeken?'

'Dat heb ik zo goed mogelijk berekend,' zei de ordentelijke schoonzoon. 'In augustus 1993 wordt mijn moeder zeventig. Dan hoop ik met de hele familie naar Israël te komen. Het zou slecht schikken als Pnina dan hoogzwanger was. In oktober wordt de zoon van mijn zuster in Amerika barmitsvah. Pnina en de kinderen hoeven daar niet bij aanwezig te zijn, maar ikzelf hoop dan een week van huis te kunnen zijn, en ik zou Pnina niet graag alleen laten als het kind op het punt staat geboren te worden. Begin december lijkt me daarom een geschikte tijd, speciaal als we ons er van tevoren van verzekeren dat jij dan vrij bent om ons te komen helpen.'

'Ik zal het in gedachten houden,' bracht Jardena er met een ingehouden lach, maar ook ontroerd uit. 'Maar ik ga toch mijn vliegreis niet reserveren voordat je vrouw het programma officieel heeft goedgekeurd en de baby onderweg is.'

De volgende dag trof ze Nathan in Parijs. Hij en Jardena hadden als ouders van de bruid het huwelijk graag in Jeruzalem ingezegend zien worden, maar Israël kende nu eenmaal geen burgerlijk huwelijk, en een religieus huwelijk was in het geval van een niet-Joodse partner onmogelijk. Een beetje vreemd was het voor de Israëlische delegatie dat de huwelijksinzegening nu juist op een zaterdag plaatsvond, maar ach, wat betekende de Shabbat voor een niet-Joods gezelschap?

De vader van Charles was een lange blonde blauwogige Europeaan. Zijn moeder was een kleine zwarte donkerogige Aziatische. De zoon had, wat zijn fysiek betrof, het mooiste uit beide werelddelen geërfd. Consuela was snoezig in haar lange witte jurk. In haar haar droeg ze een takje van de krans namaakoranjebloesem die Jardena's moeder vijfenvijftig jaar geleden op haar eigen bruiloft had gedragen, zoals men op het piepkleine fototootje van het toenmalige bruidspaar kon zien.

Ter wille van haar Chinese schoonmoeder, die gezegd had dat in haar land de bruid in het rood gekleed gaat, wisselde Consuela na de ceremonie van tenue.

Van het stadhuis ging het gezelschap te voet naar een Chinees restaurant. Tijdens het diner bracht de vader van de bruidegom een toast uit. 'Mijn vrienden weten dat ik in mijn jonge jaren bijna de vader van Joodse kinderen was geworden, aangezien ik toen met een Joodse vrouw getrouwd was en de kinderen van een Joodse vrouw volgens de Joodse wet Joden zijn. Maar het lot heeft anders gewild. We hadden geen kinderen. Het feit dat ons huwelijk niet standhield, was niet van invloed op de vriendschap tussen de twee families. Met uitzondering van mijn eerste vrouw is het hele gezelschap, inclusief mijn vroegere schoonmoeder, hier aanwezig om het huwelijk van Charles en Consuela te vieren. Het lot is, zoals u vandaag kunt waarnemen, nog wispelturiger dan we ons hadden kunnen voorstellen, daar mijn tweede vrouw en ik mogen hopen de grootouders te worden van Joodse kleinkinderen.'

Iedereen klapte in de handen. De kleine Chinese vrouw omhelsde de oude Jodin aan de tafel van de eregasten en fluisterde aangedaan: 'Je bent ook míjn schoonmoeder. Ik heb nooit een andere gekend.'

Terwijl veel gasten een traan wegpinkten, overhandigde een kelner een vodje papier aan de bruid. Consuela keek ernaar en werd zo bleek als de oranjebloesem in haar haar. Op het briefje stond: 'Mazaltov Consuela en Mowgli.'

Ze begreep onmiddellijk wie deze woorden geschreven hadden. Ze sprong van haar stoel op en riep: 'Mijn broers! Mijn broers zijn gekomen!' Ze greep haar lange rode rok en rende de zaal uit, naar de ingang van het restaurant. Jardena rende achter haar aan, op de voet gevolgd door de bruidegom, Nathan en een tiental gasten dat er het fijne van wilde weten. In de hal stonden Shai en Jifrach in jeans en dikke truien, met als enige bagage een plastic zak voor hun tandenborstels en scheergerei, en met een glimlach zo breed als de afstand tussen Jeruzalem en Parijs.

Consuela huilde, Jardena huilde en diegenen onder de gasten die de kans nog niet hadden gehad hun vorige tranen te drogen, kregen nu te kampen met een dubbele dosis.

Aan de tafel van de Joodse schoonfamilie rees een spontaan *'Hevenoe shalom aleichem'* om de Israëlische gasten welkom te heten, terwijl bruid en bruidegom hen naar hun eigen tafel leidden. Het dessert werd geserveerd en ze vertelden hun verhaal. Op donderdag had de werkgever van Shai wel drie keer gezegd: 'Je zuster trouwt en jij gaat niet eens naar de bruiloft. Schaam je je niet?' Shai had gezwegen. Maar 's nachts had hij bedacht dat hij eigenlijk best zou kunnen gaan. Aangezien hij op vrijdag niet werkte, stond hij vroeg op om naar verschillende reisbureaus te bellen. Hij kwam te weten dat er op Shabbat om zes uur 's morgens een vliegtuig naar Parijs vertrok, en dat er nog plaatsen waren. Het grootste probleem was om Jifrach, die uit dienst was en nu op een bouwterrein in de buurt van Tel Aviv werkte, te bereiken, en hem te vragen of hij mee wilde. Toen dat eenmaal voor elkaar was, was Shai in vliegende vaart naar de bank en naar het reisbureau gerend om voor sluitingstijd de biljetten te bemachtigen.

'Toevallig had ik vorige week een dag reservedienst,' vertelde Jifrach van zijn kant. 'Met het oog op onze aanstaande wereldreis, maakte ik van de gelegenheid gebruik om vergunning te krijgen het land te verlaten. En aangezien Shai en ik allebei een Nederlands paspoort hebben, hoefden we voor de Europese landen geen visum te halen.'

Speciaal voor zijn moeder voegde hij daaraan toe: 'Handig hoor, zo'n Nederlands paspoort, als je op tijd bij de bruiloft van je zuster wilt aankomen.'

'Handig, ja,' beaamde Jardena, maar bij zichzelf dacht ze: en toch …

'Jullie komst is ons mooiste cadeau, nietwaar Consuela?' In een groots gebaar omhelsde Charles tegelijk zijn bruid en zijn zwagers.

Jardena vloog een week eerder naar huis dan Nathan en de jongens. Ze was meer dan twee maanden weg geweest, en verlangde naar de kinderen en kleinkinderen die ze in Israël had achtergelaten. Ze was dan ook echt blij toen Jannai en de kleine Benjamin haar bij het vliegveld stonden op te wachten. Simcha kwam haar moeder diezelfde dag nog bezoeken, evenals Itsik, die gedurende haar afwezigheid voor de hond had gezorgd, en hem nu kwam terugbrengen.

Maar toen het weerzien achter de rug was, verheugde Jardena zich intens op wat ze als een enorme luxe ervoer: een week helemaal alleen in haar eigen huis zijn, en de rust en tijd hebben om alle belevenissen van de laatste weken aan haar computer toe te vertrouwen.

Net had ze zich geïnstalleerd of de telefoon ging. Het was Joël.

'Nee toch, Joël,' riep ze verbaasd uit. 'Wat heb ik jou lang niet gezien. Waar zit je?'

Hij zei iets wat ze niet verstond en vervolgde: 'Ik heb maar één telefoonmuntje, dus ik maak het kort. Hilde moet enige tijd in Jeruzalem zijn voor haar bekering tot het jodendom.'

'Is 't heus? Na al die jaren?'

'Mijn vraag is: kunnen zij en de kinderen bij jou logeren?' vervolgde Joël onverstoorbaar.

'Wat bedoel je, zij en de kinderen? Al jullie kinderen?'

'Ja, nou ja! Misschien kunnen we andere vrienden vragen om er een of twee tijdelijk in huis te nemen. Hoeveel kun je er hebben?'

In plaats van Joël onmiddellijk duidelijk te maken dat hij haar onder geen voorwaarde zijn gezin op het dak kon sturen, stamelde Jardena: 'Maar ik heb niet genoeg dekens. Het is in Jeruzalem koud in de winter. Het regent op dit moment zelfs dwars door mijn dak heen. En ik heb niet eens petroleum in huis voor de kachel.'

'Afgesproken,' zei Joël. 'Ze brengen hun eigen dekens mee.' Jardena hoorde de klik van het vallende muntje en de verbinding was verbroken.

Verslagen bleef ze bij de telefoon zitten. Kon ze Joël maar terugbellen. Had ze nu maar ondubbelzinnig 'nee' gezegd. Hoe lang zou Hilde van plan zijn te blijven? Een week, een maand, tot haar bekering, tot het einde van haar leven?

Om tien uur was ze zo wanhopig dat ze besloot naar Vered in Tel Aviv te vluchten. Als Hilde en haar kinderen voor een dichte deur kwamen, zouden ze misschien naar die andere vrienden gaan op wie Joël had gezinspeeld. De hond nam ze mee.

Ze bleef drie dagen weg, en het zou twee jaar duren voor ze opnieuw van Joël en Hilde hoorde.

Terug in Jeruzalem vonden Nathan en Jardena een briefje van Brians dochter. Haar vader was na een opzienbarend herstel, en in het vooruitzicht binnen een paar dagen uit het ziekenhuis te worden ontslagen, toch nog vrij plotseling overleden. Ze was oneindig dankbaar dat haar kinderen de kans hadden gehad hun grootvader te leren kennen en van hem te houden.

Na hun terugkeer uit Parijs boekten Shai en Jifrach voor de eerste etappe van hun lang geplande reis om de wereld een vlucht naar Thailand. De volgende dag klaagde Shai over zijn ogen. De specialist die hem onderzocht zei: 'Rook niet, drink niet, eet goed, slaap goed, en bovenal: vermoei je niet.'

'Maar volgende week vertrek ik voor een reis om de wereld.'

'De wereld loopt niet weg. Stel de reis een jaar of twee uit.'

'En intussen?'

'Intussen laat je je lekker door je moeder verwennen, en leer je een vak met behulp van een bandrecorder.'

'Ik pleeg liever zelfmoord,' zei Shai. 'Ik ga lekker toch!'

'Je doet maar wat je niet laten kunt. Ik heb je gewaarschuwd.'

Toen Shai de onheilstijding van de arts had overgebracht, zei Itsik, die er toevallig was: 'Als je gaat, loop je kans het enige oog dat je hebt te verliezen. Maar als je niet gaat, wie garandeert je dan dat je het oog behoudt?'

'Itsik heeft gelijk,' zeiden Nathan en Jardena. 'We hebben altijd geweten dat je de kans liep vroeg of laat blind te worden. Ga op reis en zie de wereld, want wat er ook verder gebeurt, niemand zal je ooit kunnen ontnemen wat je gedaan en gezien hebt.'

Itsik, die zelf zijn leven lang gedroomd had van een wereldreis, en die, zelfs nu hij al vier kinderen had, nooit ophield overal ter wereld luchtkastelen te bouwen, was grootmoedig genoeg om zijn broers met raad en daad bij te staan tijdens het ontruimen van hun kamers, die in hun afwezigheid verhuurd zouden worden. Al hun bezittingen werden in kartonnen dozen gepakt en in het ouderlijk huis boven op kasten gestapeld of onder bedden gepropt. Nathan schudde zijn hoofd. Wat een mens al niet moest overhebben voor zijn kinderen!

Terwijl Shai en Jifrach door het Verre Oosten zwierven, verwoestten terroristen de Israëlische ambassade in Buenos Aires – twintig doden, tweehonderd gewonden – en studeerde Jannai aan de Jeruzalemse filmacademie. Het was een strenge school met veel praktijk en niet minder theorie, waar het de studenten zeer kwalijk werd genomen als ze lessen verzuimden. In maart moest Jannai een filmpje van drie minuten maken met als onderwerp 'een voorwerp'. Hij kreeg daarvoor honderdtwintig meter film en mocht gedurende één enkele dag de apparatuur uit het schoolmagazijn lenen.

Jannai koos als voorwerp 'een deur'. 'Een man heeft een nieuwe deur voor zijn huis besteld,' legde hij uit. 'Zijn vrouw en kinderen zitten buiten te kijken hoe de deur gemonteerd wordt. Als de timmerman om zijn geld vraagt, weigert de heer des huizes te betalen. Hij duwt de timmerman opzij, en staat op het punt zijn nieuwe deur te openen en zijn huis binnen te treden. Trots kijkt hij naar zijn deur, opent hem, stapt naar binnen en ziet niets dan gras, bomen en de hemel. Als de camera naar achteren glijdt, ontdekken de toeschouwers dat de deur en de deurpost weliswaar op hun plaats staan, maar dat het huis, dat ze voorheen met eigen ogen hadden aanschouwd, weg is. De man schrikt zich lam. Hij gaat door zijn nieuwe deur naar buiten en weer naar wat hij toch echt meent dat 'binnen' is, loopt om de deurpost heen terwijl zijn vrouw en kinderen naar hem staren door wat eigenlijk een muur had moeten zijn. Vastbesloten deze keer zijn huis terug te vinden, gaat de man nogmaals door de deur, stapt weer in gras, en wordt zo driftig dat hij de deur met een smak dichtslaat. Deur en deurpost staan even te wankelen en vallen boven op de man, die onder zijn eigen deur wordt bedolven, ten aanschouwen van zijn verbouwereerde vrouw en kinderen.'

Nathan en Jardena luisterden naar dit verhaal en waren eveneens totaal verbouwereerd. Voor de zoveelste keer had Jannai een onmogelijk plot bedacht voor een eerste opdracht met een nieuw medium.

'Je zult moeite genoeg hebben met al die apparatuur waar je nog nooit mee hebt gewerkt,' waarschuwden ze. 'Waarom begin je niet met iets eenvoudigers?'

'De enige manier waarop ik iets kan scheppen,' zei Jannai, 'is door iedere opdracht te benaderen alsof ik het meesterwerk van mijn leven ga creëren.'

'Maar men kan toch ook een meesterwerk creëren onder makkelijker omstandigheden,' meende Nathan. 'Ik bedoel in een eenvoudiger omgeving zoals een kamer met bestaande meubelen. Waar vind je in 's hemelsnaam een huis zonder deur? En waar een deur en een deurpost die daar precies bij passen?'

'Ik was niet van plan een huis zonder deur te zoeken. Ik wou een geschikt huis zoeken, en de eigenaar vragen of ik zijn deur er voor één dag uit mag halen.'

'De deur uit iemands huis lichten? Om nog maar te zwijgen van de deurpost ...,' waagde Jardena. 'En de eigenaar van het huis een hele dag in de kou laten?'

'Wie zegt dat het weer tegen die tijd niet opknapt?'

'Wie zegt dat het niet slechter wordt? Maar hoe dan ook, denk je werkelijk dat iemand, al is hij je beste vriend, het leuk vindt als je zijn deur naar een veldje brengt en hem daar in de distels neerkwakt? En dat allemaal voor een oefenfilmpje van drie minuten? Ga nou gauw!'

Dat waren genoeg tegenwerpingen voor Jannai om voet bij stuk te houden. Hij kwam enige tijd niet bij zijn ouders, maar er gingen geruchten dat hij de bergen van Judea doorkruiste op zoek naar een huis zonder deur. Op een avond belde hij op met de mededeling: 'Ik heb het ideale huis gevonden. Het vraagt gewoon om gefilmd te worden. Het is gebouwd van echte steen en is allang verlaten. Het staat aan de rand van een terras en heeft een raam op de eerste verdieping en drie op de tweede. Er is een ingang maar geen deurpost en natuurlijk ook geen deur. Alles wat ik nu nog nodig heb is een geschikte lokatie voor het tweede deel van mijn film.'

Er volgden twee hectische weken. Hoewel Jannai niets zei, hoorden zijn ouders van deze en gene dat hij lange dagen op een houtzagerij doorbracht, waar hij een deur met deurpost fabriceerde waarvoor Itsik een smeedijzeren deurkruk en scharnieren vervaardigde, en dat hij tussen de bedrijven door op zoek was naar een veldje voor het tweede gedeelte van zijn film, terwijl hij ook nog werkte aan de details van zijn scenario, audities hield en kostuums ontwierp.

Voor de rol van oude timmerman vond hij een gepensioneerde acteur met wie hij bijzonder in zijn sas was. Om iemand voor de rol van gierige huiseigenaar te vinden, plakte hij briefjes op bomen en bushaltes. Er kwamen meerdere reacties. De grootste verrassing was die van een jonge rabbijn wiens vader hoofd was van een jeshivah in Mea Shearim. Hoe zo'n man in een film kon optreden was aanvankelijk een raadsel, maar het bleek al gauw dat Zevulun Markovitch geen alledaagse figuur was. Hij kleedde zich in het zwart maar had noch een baard, noch pijpenkrullen. Hij hield zich strikt aan de halachah, en zag toch kans zich ook voor de rest van de wereld te interesseren. Het was deze Zevulun die de rol kreeg. Wat zijn ouders ervan zouden denken, daar hield Jannai zich niet mee bezig.

Het gezin werd gereduceerd tot een vader en een zoon. De zoon zou door Itsiks Noach worden gespeeld. De dag van het filmen was gesteld op een donderdag in april en een generale repetitie zou plaatsvinden op de voorafgaande zondag.

Een week daarvoor belde Jannai zijn moeder op. 'Kun je me helpen?' Jardena hoorde onmiddellijk dat er iets niet in orde was, maar ze hield zich van den domme, en vroeg rustig: 'Moet ik een kostuum naaien, of je script nog eens voor je uittypen?'

'Iets veel belangrijkers. Zou je samen met mij naar het huis willen gaan, om me te helpen één paar moeilijke beslissingen te nemen?'

Zoals altijd als een van haar kinderen beslag op haar tijd legde, was Jardena meer gevleid dan geërgerd. Ze spraken af aan de rand van Jeruzalem. Jannai leidde zijn moeder een kwartier langs een slingerpad de heuvel af naar het verlaten huis waarvoor hij een deur en een deurpost had gebouwd. Jardena kon niet ontkennen dat de plek verrassend mooi was. Wat was dan het probleem?

Het probleem, legde haar zoon uit, was dat het huis op de rand van een terras stond. Pal voor het huis liep weliswaar een smal paadje, maar direct daar weer voor was de bovenkant van de twee meter hoge muur tussen het lager gelegen terras en het huis. Als de actie moest plaatsvinden bij de ingang van het huis, waar moest dan de cameraman staan? Twee meter lager dan de acteurs? Wat zou dat voor beelden opleveren?

'Gisteren was ik hier de hele dag,' zei Jannai. 'Maar pas tegen de avond realiseerde ik me dat ik al die weken voor niets heb gewerkt.'

'Eva's man zegt altijd: "Elk probleem heeft een oplossing. Het zoeken naar en vinden van die oplossingen maken dat het leven waard is om geleefd te worden." Laten we meteen beginnen.'

Tegen de avond had Jannai een plan. De cameraman en zijn assistent zouden ieder op een lange ladder staan, en voor de camera zelf zou hij de poten van het statief op drie stelten monteren.

Op weekdagen kon Jannai niet van school wegblijven, maar hij gebruikte de avonden om ladders te lenen, een vrachtwagentje te huren en stelten voor het statief te bouwen.

Op dinsdag belde de vrouw van de oud-toneelspeler op om te zeggen dat haar man in het ziekenhuis lag.

'Wie zou de rol kunnen overnemen?' vroeg Jannai aan zijn moeder.

'Je vader ...'

'Hij is te groot vergeleken bij de gierige huiseigenaar. Ik heb een klein oud mannetje nodig, die door zijn opdrachtgever wordt geterroriseerd, niet een forse kerel als Abba.'

Alle kleine mannetjes uit de kennissenkring van de familie Jerushalmi passeerden de revue. De ene had het aan zijn hart, de andere had geen zin. Ten slotte was een violist uit het orkest bereid de rol op zich te nemen.

Op zondag moest de violist onverwacht optreden. Jannai's generale repetitie werd uitgesteld tot maandag. Op maandagochtend om acht uur kwamen alle medewerkers bijeen in het dal voor het deurloze huis. De repetitie liep op rolletjes.

Yuval, de trouwe vriend die enige maanden tevoren Shai van een wisse dood had gered, kwam speciaal over uit Tel Aviv om te helpen.

Op dinsdag inspecteerde Jannai de apparatuur in het schoolmagazijn. De camera werkte niet. Er zou donderdag niet gefilmd kunnen worden.

'Ga naar bed, jongen,' zei Rachela.

'Ik heb geen tijd om te slapen. Ik heb het script nog niet af. Yuval komt vannacht om me te helpen. Als de schooltechnicus er op het laatste moment in slaagt de camera te repareren, moeten we in de startblokken staan.'

Op woensdagavond belde de technicus dat de camera het deed.

Op donderdag om zes uur 's morgens arriveerde iedereen op de plaats van handeling met de apparatuur en verdere benodigdheden. Ook Rachela, die voor twaalf mensen voedsel had bereid, en de kleine Benjamin waren van de partij, en Jardena, die als taak toebedeeld had gekregen om

Noach zoet te houden als hij niet moest optreden.

Vanaf het eerste moment klaagde het camerameisje dat ze niet door de lens kon zien. Ook had ze geen enkele hulp van haar assistente, die haar eigen videocamera had meegebracht om dwars door de geplande opnamen heen voor zichzelf een documentaire te maken over hoe Jannai een film van drie minuten regisseerde.

Terwijl Jannai en het camerameisje over iedere scène eindeloos delibereerden, stonden de drie acteurs in hun kostuums te transpireren en smeerden de assistenten zonnebrandolie op elkaars armen en benen.

Het scenario omvatte negentien scènes. Om twee uur 's middags waren er vier van opgenomen.

Tijdens de lunchpauze wrong Jardena zich tussen de oude timmerman en de gierige huiseigenaar. Een jonge orthodoxe rabbijn met moderne ideeën, die moest ze voor Simcha zien te strikken. Maar Zevulun Markovitch had onmiddellijk door waar de moeder van zijn regisseur op afstevende, en nog voor de naam Simcha was gevallen, had hij al verteld over zijn vrouw en vier kinderen van wie de oudste binnenkort bar-mitsvah zou worden. Had ik kunnen bedenken, dacht Jardena teleurgesteld. Zulke mensen trouwen op hun achttiende.

Om half drie werden de spullen de heuvel afgedragen naar een plek waar de deur in een open veldje werd geplant. Onderweg stapten het camerameisje en haar assistente in een bos droog struikgewas, zodat ze hun handen vol hadden aan het verwijderen van doornen. Jardena, Noach en de oude timmerman-violist vervoerden water en de kostuums. De onbetrouwbare huiseigenaar-rabbijn droeg zijn eigen deur.

Yuval en Jannai droegen de deurpost, de houten palen, de camera en de hele verdere mikmak. Om vier uur maakte het camerameisje haar vijfde opname. Vanaf dat moment ging het filmen plotseling in zo'n razend tempo dat deur en deurpost, toen ze op de huiseigenaar moesten vallen, per ongeluk de verkeerde kant uit tuimelden en bijna de oude timmerman en het kind verpletterden. Dat was de enige keer dat het gezelschap in een zenuwachtig lachen uitbarstte, de enige keer ook dat de regisseur en het camerameisje het erover eens waren dat een scène herhaald moest worden.

De zeventiende scène werd net voor zonsondergang gefilmd. Voor de nummers achttien en negentien was het te donker, maar alle aanwezigen beloofden spontaan dat ze nog een dag aan het project zouden besteden als Jannai de directeur van de school zover kreeg dat hij de apparatuur nog eens mocht gebruiken. Een week later zag Jannai de resultaten. De meeste opnamen waren onderbelicht. De rest was overbelicht.

Jardena bood aan om nog zo'n honderd meter film te kopen. Vergunning voor het nog eens gebruiken van de apparatuur werd gevraagd en gekregen, en op Onafhankelijkheidsdag zouden alle acteurs nogmaals naar het deurloze huis halverwege de heuvel gaan, deze keer met een man aan de camera, een man als zijn assistent en een man als assistent-regisseur. De plotselinge voorkeur voor mannen was niet omdat Jannai iets tegen vrouwen had, maar omdat hij zich wou verzekeren van voldoende spierkracht voor het transport van apparatuur, deur en deurpost, water, voedsel en wat dies meer zij.

Het was nog een hele toer om al die sterke mannen over te halen mee te werken, juist omdat sjouwen en tillen hun niet aanlokkelijk voorkwam. Yuval beloofde de verantwoordelijkheid op zich te nemen voor het transport van de ene naar de andere lokatie, maar de eerstejaarsstudent die assistent-cameraman zou zijn, liet weten dat hij geen orders zou accepteren van iemand die niet aan de filmacademie studeerde. Pas nadat een tweedejaarsstudent had toegezegd als extra lastdier te zullen fungeren, kwam de assistent-cameraman tot inkeer.

Op de dinsdag voor Onafhankelijkheidsdag belde de cameraman op dat hij door het leger was opgeroepen voor herhaling. Jannai belde de ene klasgenoot na de andere, maar de ene kon niet en de andere wilde niet werken op Onafhankelijkheidsdag. Dinsdagavond laat beloofde een meisje haar medewerking te zullen verlenen, maar woensdagochtend vroeg trok ze zich terug. Op het allerlaatste moment bood de beste fotograaf van de klas aan om de camera te bedienen.

Op de avond voor Onafhankelijkheidsdag werden Nathan en Simcha geronseld om te helpen de zware spullen alvast naar het deurloze huis te dragen. Jannai, Rachela en Benjamin brachten de nacht ter plekke door om te zorgen dat er niets gestolen werd.

Om zes uur 's morgens, toen de drie acteurs gekleed en geschminkt klaarstonden, meldde de cameraman dat de camera het niet deed. Iedereen zat in doodse stilte op de grond tot het euvel verholpen was. Deze keer werkten allen in volledige concentratie. Deze keer moest het project slagen. De hemel was zwaarbewolkt. Dat was uit artistiek oogpunt niet ideaal, maar had het voordeel dat het licht niet aldoor veranderde.

Terwijl Jardena haar kleinzoons in de gaten hield, zette Rachela koffie op een open vuurtje, smeerde Simcha boterhammen, regisseerde Jannai, lette Yuval met één oog op het tijdschema en met het andere op zijn horloge, en werkten de cameraman en zijn assistent in gedisciplineerde eendracht.

Nog voordat staf en acteurs de scènes bij het deurloze huis hadden opgenomen, hadden de anderen het voedsel, en een deel van de apparaten de heuvel afgedragen naar het open veldje en had Yuval daar de deurpost al gemonteerd op twee tevoren in de grond geslagen ijzeren stangen.

Na een lunchpauze van tien minuten, begon men om klokslag twaalf aan het tweede gedeelte van de film. Rachela en Benjamin gingen naar huis. Nathan bood aan om de lege flessen aan de bron beneden in het dal met vers water te vullen. Niemand klaagde, niemand kletste, niemand verzuimde te reageren als de regisseur of de cameraman om een instrument of een mok water vroeg.

Zo nu en dan viel er een druppel, maar daar lette niemand op. Er was één zenuwslopend intermezzo toen Noach er ineens genoeg van had en twintig minuten lang niet meer voor- of achteruit wou. Om zes uur dertig filmde de cameraman de laatste scène. Alle aanwezigen droegen snel en efficiënt de spullen de heuvel weer op. Om zeven uur barstte er een onweer los zoals Jeruzalem in jaren niet had gekend.

Drie dagen later kregen de medewerkers te horen dat alle opnamen waren gelukt, en dat Jannai tegen de klippen op aan het werk was om ze op tijd gemonteerd te krijgen. Zijn werkstuk oogstte veel lof.

Een bonus bij deze opwindende onderneming was de blijvende vriendschap met Zevulun Markovitch.

Op 23 juni ging Israël naar de stembus. Het resultaat was een glansrijke terugkeer van de Arbeiderspartij met aan het hoofd Yitshaq Rabin, de generaal die zich tot vredespostiljon had ontpopt, de overwinnaar in twee oorlogen die de vrede verkoos. De duiven juichten maar de haviken zaten op de loer.

In de maanden die volgden maakten Nathan en Jardena kennis met de wonderlijke wereld van koppelaarsters en huwelijksmakelaars. Er waren er die betaald moesten worden, maar voor sommigen, onder wie de moeder van Zevulun Markovitch, was het koppelen een mitsve, en voor anderen zelfs een hartstocht.

Simcha had haar zinnen gezet op een orthodoxe echtgenoot, en die kon ze onmogelijk op straat of in een restaurant ontmoeten. Die zaten, als het goed was, dag en nacht in studiehuizen te leren. En als ze al eens buiten kwamen, werden ze geacht zedig naar de grond te turen, of met elkaar over godsdienstige onderwerpen te discussiëren. Een orthodoxe man die zomaar in zijn eentje een meisje aansprak was daardoor al gediskwalificeerd. Kinderen van orthodoxe families konden elkaar leren kennen door bemiddeling van hun verwanten, maar jongelui die op eigen houtje orthodox waren geworden, hadden de hulp van professionals nodig. Dat was het schuitje waar Simcha zich al jaren vrijwillig in bevond, en hoe meer tijd verstreek, hoe moeilijker het werd om een wederhelft voor haar te vinden. Daar kwam nog bij dat families die van oudsher orthodox waren, zichzelf als het neusje van de zalm beschouwden. Zij huwelijkten hun kinderen niet uit aan partners zoals Simcha, die pas op latere leeftijd tot hun gelederen waren toegetreden. Aan die mensen koppelde men bij voorkeur partners die zelf ook mindere sterren aan het orthodoxe firmament waren.

Eén gegadigde was Moshe-Gavriël, die een vriendelijke indruk maakte. Nathan schudde hem de hand. Jardena, die intussen geleerd had om orthodoxe mannen niet aan te raken, begroette hem met een eenvoudig: 'Shalom.'

Moshe-Gavriël ging zitten, en legde met een liefdevol gebaar zijn breedgerande hoed op zijn knieën. Een zwart fluwelen keppeltje bedekte zijn kruin. Simcha ging stralend twee stoelen van hem vandaan zitten. Nathan en Jardena namen als een stel belachelijke, zelfgenoegzame examinatoren plaats op de bank. Moshe-Gavriël draaide aan zijn linkerpijpenkrul. Geen mens zei een woord. Moshe-Gavriël had klaarblijkelijk geleerd dat de heer des huizes het gesprek moest leiden. Na een kort welkom begon Nathan de conversatie met: 'Hoe oud bent u, mijnheer?'

'Vierendertig. Ik ben bereid zes maanden te wachten alvorens uw dochter te huwen.'

'Kalm aan een beetje! Hebt u een beroep?'

'Ik woon in een jeshivah.'

'U studeert in een jeshivah. Dat had ik al begrepen. Maar hebt u een vak of een beroep waarmee u de kost kunt verdienen?'

'Ik sta om vier uur 's morgens op en bid tot het ontbijt. Daarna bestudeer ik de Talmoed tot het weer tijd is om te bidden.'

Voor Jardena's geestesoog verscheen een beeld uit het verleden: een groep opgeschoten jeshivahstudenten met wapperende pijpenkrullen en dons op hun kin die uit het gebouw in de straat om de hoek stormden schreeuwend van opwinding en met colaflesjes smijtend naar een jong straathondje dat per ongeluk in hun domein verzeild was geraakt. En rennend, dwars tegen de wilde meute in, een klein meisje, haar eigen Simcha, die bijna zelf onder de colaflessen werd bedolven in haar moedige pogingen om het slachtoffertje te redden.

Ze stootte haar dochter aan. 'Weet je nog van dat jonge hondje,' mompelde ze, 'dat je toen uit handen van de jeshivahjongens gered hebt?'

'Honden zijn Arabieren,' poneerde Moshe-Gavriël.

Perplex probeerde Jardena uit het gezicht van de gast af te lezen of hij hiermee bedoelde dat ook het omgekeerde gold. In dat geval behoefde de stelling dringend een ondubbelzinnige reactie. Maar Moshe-Gavriël glimlachte zonder een spoor van achterbaksheid, en zat nu ijverig aan zijn andere pijpenkrul te draaien.

Na een lange pauze gaf hij te kennen: 'Ik vertrouw de Almachtige, gezegend zij Zijn naam. Wat ik ook doe, Hij zal mij nooit in de steek laten.'

Strijdlustig pareerde Nathan: 'Dat zal wel! Vooral als je zo slim bent een vrouw te strikken die een vak heeft geleerd en bereid is dat uit te oefenen om haar man en kinderen te onderhouden.'

Noch Moshe-Gavriël, noch Simcha reageerde. Had hun dochter haar onafhankelijke en creatieve geest ingewisseld voor een klomp vormeloze klei? Goed, ze wilde graag trouwen en kinderen krijgen. En ze was een prima fysiotherapeut die ook na haar huwelijk graag haar beroep zou blijven uitoefenen, maar dat zo'n man daar maar klakkeloos van ging profiteren, was dat nu toelaatbaar? In Simcha's ogen blijkbaar wel. Ze had al vaak te kennen gegeven dat ze niets liever wilde dan een diepgelovige man die dag en nacht studeert.

Moedeloos vroeg Nathan: 'Hebt u ooit iets anders gelezen dan de Bijbel en de commentaren? Hebt u ooit een museum bezocht? Bent u ooit buiten Jeruzalem geweest?'

Moshe-Gavriël speelde nu met zijn baard en antwoordde met een zinnetje dat hij waarschijnlijk uit zijn hoofd had geleerd: 'Een Jood die het onuitsprekelijke geluk heeft gehad het levenslicht te zien in de stad waar ons aller hart naar trekt, wat zou hij daarbuiten moeten zoeken?'

Na een korte pauze voegde hij daaraan toe: 'Maar nu u het vraagt, ik heb jaren geleden eens Safed bezocht en op het graf van Rabbi Meir Ba'al haNes gebeden.'

Na afloop van het onderhoud overtuigden Nathan en Jardena hun dochter ervan dat Moshe-Gavriël niet de juiste man voor haar was. Veel moeite kostte dat niet, want intussen had ze dat zelf ook wel ingezien. Kort daarna werd de volgende gegadigde ten tonele gevoerd.

Deze jongeman heette Ariël Ben-Abraham. Dat was althans de naam die hem indertijd door zijn rabbijn en mentor in Chili was gegeven ter gelegenheid van zijn bekering tot het jodendom. Hij was buitengewoon knap om te zien, sprak meerdere talen, en was belezen en bereisd, al wilde hij over zijn wereldse ervaringen niet uitweiden. Van Ariël werd gezegd dat hij ook over zeer moeilijke kwesties in de Talmoed en de commentaren op intelligente wijze kon discussiëren.

Aangezien er geen diepgaande kennismaking kon plaatsvinden zonder een officiële verloving, kwam deze al gauw ter sprake. Op de ochtend van de grote dag liet Ariël een enorme plant bij de ouders van zijn aanstaande bruid bezorgen. Bloemen zaten er niet aan. Simcha vroeg zich af of dat nu een goed of een slecht voorteken was. 's Middags zei ze de verloving af. Ariël had haar nog eens goed aan het verstand gebracht, dat ze na het huwelijk niet meer haar vak kon uitoefenen. Hij wenste dat zijn vrouw thuisbleef, voor het huishouden zorgde en, met Gods hulp, een groot aantal kinderen zou baren.

Wat betreft het grote gezin wilde Simcha zelf niets liever. Maar waarom kon ze tot die tijd niet haar werk als fysiotherapeute blijven doen?

'Tot die tijd kun je in een vrouwenjeshivah studeren,' bood Ariël groothartig aan. 'Ik ben bereid morgen iets geschikts voor je te zoeken.'

'Jij bent bereid iets voor mij te zoeken? Of bedoel je dat we samen iets voor me zullen uitzoeken?'

Maar Ariël had zijn hoofd geschud. 'Geen sprake van. Het is de taak van de man om te zorgen dat zijn vrouw het juiste onderricht krijgt.'

Dat ging zelfs Simcha te ver.

Intussen bleven er brieven van de wereldreizigers binnenkomen. Shai en Jifrach beklommen een top in het Himalayagebergte, en overnachtten in een hut met een tweetalig uithangbord: Engels en Hebreeuws! Ze vierden de sederavond in Kathmandu bij de *Chabad*-Joden, die wel weten dat duizenden Israëliërs na hun militaire diensttijd een paar jaar door de wereld gaan zwerven, en die ieder jaar een enorm spandoek boven de hoofdstraat hangen waarop in het Hebreeuws staat: 'Bereid u voor op de komst van de Messias.' De leus was de jongens wel wat gortig, maar dat ze in Nepal met honderden landgenoten de sederavond konden vieren, ontroerde hun.

Na het beëindigen van zijn studie moest Charles in militaire dienst. In plaats van tien maanden op Franse bodem te dienen, kon hij ervoor kiezen veertien maanden in zijn eigen vakgebied in het Verre Oosten te gaan werken. Dat lokte hem. Nadat ook Consuela haar studie had voltooid, verhuisde het paar in de zomer naar Tokio, waar ze de eerste maand in een hotel woonden. In augustus arriveerden daar ook Shai en Jifrach.

In hun eerste brief uit Japan schreven ze: 'We ontmoetten Consuela en Charles en waren door het dolle heen. Al direct de volgende dag konden wij hen helpen naar een eigen flatje te verhuizen, en hoewel het piepklein is, stond Charles erop dat we bij hen introkken. Jullie begrijpen wel hoezeer we de gastvrijheid op prijs stellen, maar natuurlijk zoeken we een andere oplossing. We moeten wel eerst nodig geld verdienen, wat in Tokio niet onmogelijk is. De lading prenten en reproducties van Abba is aangekomen. We hebben alles ingelijst en hopen goede zaken te doen.'

Al spoedig verdienden de jongens genoeg om zich een kamer in een achterbuurt te kunnen permitteren. Behalve het werk van Nathan verkochten ze sieraden, die ze per kilo in Thailand hadden ingeslagen. Na drie maanden zou hun visum verlopen. Als ze langer in Japan wilden blijven, moesten ze eerst het land uit. Ze gingen om de beurt, zodat de thuisblijver op het plekje trottoir kon passen dat ze met veel moeite voor hun handel hadden weten te bemachtigen.

Bij zijn terugkeer had Shai erg last van zijn oog. Was het te wijten aan de vrees dat hij niet nogmaals een visum voor Japan zou krijgen, of was dit de allang voorspelde ontwikkeling van de ziekte? Consuela ging met hem naar een Japanse oogarts, die voorstelde voor achtduizend dollar een operatie uit te voeren die een grote verbetering zou betekenen. Maar eerst wou hij de mening van een collega weten. Nathan en Jardena waarschuwden Shai telefonisch niet te vroeg te juichen, maar beloofden met geld te helpen als de collega ook heil zag in de ingreep.

Omstreeks die tijd belde een klasgenoot van Jifrach naar Jardena om te vragen hoe het met de globetrotters ging. Toen ze hem van de nieuwste ontwikkelingen op de hoogte stelde, riep hij spontaan: 'Voor Shai's oog verkoop ik mijn motorfiets, en als dat niet genoeg is mijn huis. Laat het direct weten als jullie geld nodig hebben.'

'Ho even ...' begon Jardena, maar de jongen viel haar in de rede met een beslist: 'Voor Shai en Jifrach doe ik alles. Betere vrienden bestaan er niet!'

Het oordeel van de andere specialist was negatief. Shai zag bijna niets en lag de hele dag op bed. Na een week trad er verbetering op. Weliswaar zag hij slechter dan voorheen, maar de pijn en de druk op het oog werden minder. Na een tijdje kon hij zijn contactlens weer indoen, waardoor tenminste zijn bijziendheid weer werd gecorrigeerd. Wat hij pas na terugkeer in Israël van zijn eigen oogarts te horen zou krijgen, was dat de langverwachte crisis, die hem naar gevreesd werd blind had kunnen maken, voorbij was. Het netvlies was gescheurd, en er had een interne bloeding plaatsgevonden, maar na enige tijd was het bloed door het lichaam opgenomen, en had het netvlies zich spontaan gesloten. Het resultaat was een flink litteken er midden op waardoor hij een aanzienlijk deel van het blikveld miste, maar vanaf dat moment was de situatie stabiel.

Toen Nathan zich realiseerde dat drie van zijn acht kinderen voorlopig in Tokio zouden wonen, zocht hij per advertentie een student die hem Japans kon leren in ruil voor lessen Hebreeuws. Hij werd opgebeld door Takehide Abe uit Higashiju juo, Kika-ku, Tokio. Dat klonk serieus. Inderdaad kwam Takehide enige malen bij Nathan en Jardena aan huis. Hij was zo arm als de neten en sloeg geen gelegenheid over om een warme maaltijd te verorberen of om te bedelen om een paar schoenen. Voor onderwijzen had hij weinig belangstelling, en voor studeren nog minder. Wat hij wou, was zich tot het jodendom bekeren, en wel zonder er iets voor te doen. Toen zijn visum afliep en hij terug moest naar zijn geboorteland, had Nathan nauwelijks tien woorden Japans en Takehide geen enkel woord Hebreeuws geleerd. Na enige tijd kwam er een brief uit Japan. Jannai en Itsik waren toevallig bij hun ouders toen Nathan de enveloppe openscheurde. 'Beste vrienden,' schreef Takehide in foutloos Engels. 'Ik heb aan de rabbijn geschreven die ik in Jeruzalem ontmoet heb, maar ik wacht al een maand vergeefs op antwoord. Hij had me uitgelegd dat hij me wel tot het jodendom kon bekeren, maar dat ik dan bereid moest zijn Israëlisch staatsburger te worden en mij permanent in Israël te vestigen.'

'Vanzelf,' riep Jardena uit. 'Geen rabbijn zou geloven dat het die man ernst is. Hij is nog te lui om een boek te pakken.'

'Stil nou even,' riep Jannai. 'Lees verder, Abba. Kijken wat hij van ons wil.'

Nathan ging ervoor zitten.

'"In mijn antwoord schreef ik dat ik bereid ben aan zijn verlangens te voldoen, als hij mij kan beloven dat ik nooit in militaire dienst hoef."'

'Welja,' riep Jannai nu zelf uit. 'Nog noten op z'n zang ook!'

'"Zou u voor me kunnen nagaan of bekeerde Joden verplicht zijn in het leger te dienen? Ik weet namelijk maar al te goed wat jullie de Palestijnen aandoen."'

'Boe,' riep Itsik.

'En dat wil Jood worden,' riep Jardena geschokt. 'Nou zeg!'

Nathan balde zijn vuist. Hij zei: 'Dat de radio vanuit bijna alle Arabische landen dag in dag uit leugens over ons uitkraamt, en zelfs het sprookje over christenbloed in de Joodse paasgerechten met kunst en vliegwerk in stand houdt, daar heeft die goochemerd zeker nooit van gehoord. Lapswans.'

Nathan luisterde al niet meer alleen 's avonds laat naar de Israëlische en Arabische uitzendingen en naar programma's van de BBC, hij had tijdens het schilderen de hele dag de radio aanstaan en hoorde ook van alles via Egyptische, Jordaanse, Syrische en Libanese zenders. Als iemand wist waar hij het over had, was hij het.

Jannai schudde zijn hoofd maar onthield zich deze keer van commentaar.

'"Ik ben bereid in Israël te wonen als de staat bereid is mij op mijn eigen voorwaarden welkom te heten,"' las Nathan verder.

Driftig scheurde hij de brief in tweeën, maar daartegen kwam Jardena in opstand.

'Geef hier. Die brief stuur ik naar Eva.' Ze trok de stukken uit Nathans handen en las verder: '"Ik was pijnlijk getroffen toen u zei dat ik er niet Joods uitzie. Weliswaar zijn voor zover ik weet de meeste Joden blank, maar ik vraag mij af of u kunt bewijzen dat de aartsvader Abraham en andere bijbelse figuren ook blank waren. Demografisch gesproken waren ze vermoedelijk zwart of op zijn minst bruin. Ik verzoek u dringend om mijn zaak zo spoedig mogelijk ter harte te nemen, daar ik van plan ben mij voor het einde van dit jaar in Jeruzalem te vestigen. Hoogachtend, Takehide Abe."'

'Er Joods uitzien? Wat is dat nou?' riepen Itsik en Jannai in koor. 'Ziet een Jood er anders uit dan iemand anders?'

Jardena moest lachen. Inderdaad had Jannai's zoontje met zijn gladde zwarte haren en zijn donkere huid iets van een Chineesje, en vroegen de mensen soms aan Vered of ze haar dochter bij de Indianen had gehaald.

'Toch bestaat er zoiets als er Joods uitzien, althans het bestond in mijn jeugd in Nederland. Je kon aan sommige mensen zien dat ze Joods waren, en die hadden in de oorlog vaak moeite om een onderduikadres te vinden, zelfs met valse identiteitsbewijzen. Daarentegen waren er ook Joden die de hele oorlog gewoon op straat durfden lopen omdat je helemaal niet kon zien dat ze Joods waren. En we weten uit de notulen van de Wannsee Konferenz dat bij de nazi's de vraag rees wat men met half-Joden moest doen. Eén van de antwoorden luidde: "Ach, het zijn er niet zoveel. Als ze er Joods uitzien, maak ze dan dood, maar zien ze er niet Joods uit, laat ze dan maar leven."'

'Te gek,' vond Itsik. 'Het enige wat ik kan zien is of iemand een Arabier is.'

'Interessant,' vond Jardena. 'Dat kan ik nou juist niet zien.'

1993

In februari sprak het Hooggerechtshof John Demjanjuk vrij. Velen waren teleurgesteld, maar anderen zeiden: 'Het feit dat onze rechters een man die heel wat Israëliërs graag met eigen handen hadden gewurgd, durven vrijspreken bij gebrek aan afdoende bewijsmateriaal, is het ontegenzeggelijke bewijs dat Israël een constitutionele, democratische, onafhankelijke rechtsstaat is. Is dat geen reden om feest te vieren?'

Tot ver in de jaren tachtig waren weinig Israëlische vroedvrouwen bereid hun vergunning te riskeren voor vrouwen die erop aanstuurden om thuis te bevallen. Nu begon daar verandering in te komen. De non-conformisten beschouwden een vrouw die thuis haar kind ter wereld bracht niet als onverantwoordelijk (omdat ze het leven van haar kind in de waagschaal stelde), maar als verstandig (omdat ze haar baby uit de buurt hield van ziekenhuizen, die immers een bron waren van besmettelijke ziekten). Ze keken neer op vrouwen die meer waarde hechtten aan de medische wetenschap dan aan de positieve invloed van eigen huis en haard, en die de aanwezigheid van verpleegsters en medische studenten verkozen boven die van de broertjes en zusjes van de baby.

Zo nu en dan durfde een vroedvrouw het aan om een vrouw in haar eigen huis te helpen bevallen, op voorwaarde dat ze de zwangerschap vanaf het begin had begeleid, en dat haar naam niet werd genoemd.

Noëlly, die al jaren met de gedachte rondliep om kraamvrouwen thuis te assisteren, kreeg te horen dat ze voor de opleiding van vroedvrouw eerst een diploma verpleegkunde moest hebben. Zelfs als ze op haar leeftijd het geduld zou kunnen opbrengen om de normale weg te volgen, ze verguisde de conventionele medische wetenschap uit de grond van haar hart, en weigerde er deel aan te hebben. Na enig zoeken en navragen ontdekte ze in Haifa een cursus voor alternatieve vroedvrouwen. Daar de familie Jerushalmi junior sinds enige tijd halverwege Tel Aviv en Haifa woonde, schreef ze zich in voor de cursus, en overwon ze zelfs tijdelijk haar aangeboren afkeer van kalender en horloge door eenmaal per week de eerste trein naar Haifa te nemen. Gedurende de andere dagen las ze wetenschappelijke boeken en assisteerde ze zo nu en dan een gediplomeerde vroedvrouw.

Nauwelijks was het studiejaar begonnen of Noëlly werd zelf voor de vijfde maal zwanger. Onmiddellijk vroeg ze één van haar studiegenoten haar wekelijks te onderzoeken met de bedoeling dat deze vrouw haar thuis met de bevalling zou helpen. Een paar dagen voor de uitgerekende datum trok de vrouw haar belofte in. Ze durfde de verantwoordelijkheid niet aan. Vergeefs zocht Noëlly naar een plaatsvervangster.

'Maar hoe kun je me op die manier in de steek laten,' riep ze wanhopig door de telefoon toen de laatste van haar studiegenoten weigerde haar te komen assisteren. 'Ik heb al een uur lang weeën!'

'Bestel een taxi en ga naar het dichtstbijzijnde ziekenhuis,' antwoordde de alternatieve vroedvrouw onverschillig.

'Maar ik wil niet naar het ziekenhuis. Als niemand me wil helpen, moet Itsik het doen.'

Jardena was op dat moment in Jeruzalem, maar ze kreeg later zoveel bijzonderheden over de geboorte van haar tiende kleinkind te horen dat het haar te moede was alsof ze erbij was geweest.

Toen Noëlly eenmaal had besloten dat ze het dan maar zonder vroedvrouw zou doen, nam ze zelf de leiding. Ze vroeg Itsik om zijn nagels zo kort mogelijk te knippen en zijn handen grondig met groene zeep te wassen. Hoewel het nacht was, maakte ze de drie oudste kinderen wakker. Alleen de jongste liet ze doorslapen. Ook haar moeder, die speciaal voor de gelegenheid uit Canada was gekomen, waarschuwde ze niet. Ze steriliseerde haar eigen instrumenten, en spreidde een schoon laken op de vloer. Daar hurkte ze op, zodat de baby in de best mogelijke positie kwam voor een makkelijke geboorte.

Al gauw was de geboorte in volle gang. Itsik vertelde zijn vrouw wat hij zag, en zij vertelde hem wat hij moest doen. Zodra Itsik iets van het gezichtje zag, rapporteerde hij dat het blauw was. 'Je hebt geen moment te verliezen,' zei Noëlly. 'Voel om de hals van de baby. Voel je de navelstreng?'

Ja, Itsik voelde de navelstreng. Hij was tweemaal om het halsje gewikkeld.

'Je moet vlug handelen,' instrueerde Noëlly de tot vroedvrouw gepromoveerde smid. 'Bind de navelstreng op twee plekken dicht bij elkaar af. Hou de schaar in het midden en knip in één keer dwars door de streng heen. Niet aarzelen. Doe het snel.'

Als in trance voerde Itsik de orders van zijn vrouw uit. Klokslag middernacht knipte hij de navelstreng door en viel de baby met een plof op het laken. Itsik zelf, zo vertelde Noëlly later aan Jardena, viel schokkend van het huilen op zijn gezicht en kon lange tijd niet tot bedaren komen. Van de drie kinderen waren er twee tijdens het schouwspel in slaap gevallen.

Toen Jardena de elfjarige Noach vroeg of hij blij was met zijn kleine zusje, was het eerlijke antwoord: 'Ik had liever een grote broer gehad.'

Nog voor Nathan het nieuws telefonisch aan zijn broers en zuster kon vertellen, belde Elnakam op: 'Vannacht om klokslag twaalf ben ik grootvader geworden.' Twee broers, twee kleindochters, op hetzelfde moment. De natuur maakte geen onderscheid tussen politiek rechts en politiek links.

De natuur ging ook aan het andere eind van de wereld zijn gang. In Tokio was kleinkind nummer elf onderweg en Consuela vroeg haar moeder om te komen.

In Jardena's jonge jaren was het geslacht van een ongeboren baby negen maanden lang het onderwerp van weddenschappen en voorspellingen geweest, maar van Consuela's baby waren vierentwintig echo's gemaakt, en ze had zelf de Japanse dokter op het piemeltje gewezen.

Hoewel Jardena wist dat haar twee jongste zoons in Tokio waren, en ze verwachtte dat ze haar zouden komen afhalen, kon ze haar ogen niet geloven toen ze die twee knappe bruinverbrande jonge mannen met lange haren en glanzend witte tanden in de aankomsthal van het vliegveld op zich af zag komen.

Twee weken na Jardena's komst kondigde de baby zich voor dag en dauw aan. Op naar het ziekenhuis ging het. Charles mocht mee de verloskamer in, maar Jardena moest op de gang wachten. Tegen de avond kwam hij haar met tranen in de ogen omhelzen. Hij had een prachtige zoon met sluik blond haar en schuine lichtblauwe ogen.

De volgende dag rinkelde de telefoon vele malen. De Israëlische grootvader wou weten wanneer de besnijdenis zou plaatsvinden, en de Chinese grootmoeder liet weten dat ze het kind niet zou erkennen als zijn ouders er een stukje afsneden. Charles, die vreselijk tegen de besnijdenis opzag, wou de gegeven belofte niet intrekken. Het was Consuela die de knoop doorhakte, en daarvoor hetzelfde argument gebruikte als Noëlly bij de geboorte van haar eerste zoon had ingebracht, maar met het tegenovergestelde effect. 'Ik mag mijn zoon niet tussen mijn man en zijn moeder plaatsen,' zei Consuela. 'Er komt geen besnijdenis.'

'Interessant,' zou Simcha later opmerken. 'Het is blijkbaar altijd de vrouw die begrip toont voor de tweestrijd van haar man.'

Tijdens Jardena's afwezigheid had de familie Jerushalmi een nieuwe buurman gekregen. Om redenen waar hij weinig over losliet, kon of wou Raphael niet langer met zijn eigen gezin samenleven. Binnen de kortste keren was hij een soort broer voor Nathan en Jardena, een oom en oudere vriend voor hun kinderen, en een extra grootvader voor hun kleinkinderen.

Als je Raphaels werkkamer binnenging, wat lang niet iedereen mocht, leek het wel of je Ali Baba's grot betrad. Voorbijgangers die dagelijks door de straat liepen, wisten niet dat zich achter de buitenmuur van het complex dat de oude Nathan Baghdádi in Machaneh-Yehoedah had gebouwd een schatkamer bevond zoals alleen in sprookjes bestaat. Een toevallige bezoeker van Raphael zou de smalle, onopvallende deur in de keuken niet eens zien, en zelfs iemand die er even naar keek, kon nooit raden wat zich daarachter bevond. Alleen Raphaels beste vrienden, waaronder alle Jerushalmi's groot en klein, mochten zo nu en dan een blik werpen op de talloze kostelijke en kostbare religieuze en ceremoniële voorwerpen die Raphael met zijn tovenaarshanden repareerde, en die zij aan zij lagen met de kleine liefdesgaven en verjaardagscadeaus die hij creëerde voor kinderen en volwassenen. In Raphaels wonderkamers lagen tientallen goudsmidhamertjes in alle maten en soorten. Er lagen honderd jaar oude tangetjes en pincetjes uit verschillende landen, stukjes zilverdraad, bladgoud en ivoor, ijzeren smeltpotten, zilveren belletjes, en minuscule glazen potjes met gekleurde poeders. En bovenal was daar Raphael, de vriend die kon luisteren.

Wie niet wist dat hij een achterkamer had, was niet minder onder de indruk van de voorkamer die dienst deed als bibliotheek en privémuseum. Daar ontving Raphael cliënten die hem vroegen de waarde van hun familiestukken te schatten, en ze zo nodig te repareren.

Iedere vrijdagavond kwam hij de Shabbat mee inluiden aan de gezellige familiemaaltijd, waarvoor hij altijd een *challe*-brood meebracht en vooral eindeloos veel mooie en interessante verhalen.

Na Jardena's vertrek uit Tokio, besloten Shai en Jifrach hun wereldreis voort te zetten. Ze hadden veel geld verdiend en verkochten nu hun standplaats en overgebleven koopwaar aan de hoogste bieder. Het afscheid van Consuela, Charles en de baby was moeilijk, maar de jongens voelden hun voeten jeuken. Zuid-Amerika wenkte. Ze stapten op een woensdag in het vliegtuig, vlogen tegen de draairichting van de aarde in over de datumlijn, en arriveerden op de voorafgaande dinsdag in Mexico. 'Daar hebben we de piramides van de Indianen bezocht, waarna we regelrecht naar Texas zijn gegaan om Laury op te zoeken,' schreef Shai.

Laury? Wie mag dat ook weer zijn? vroegen Nathan en Jardena zich af. Maar al gauw kwamen oude herinneringen boven: Laury, de roodharige krullenbol die in 1990 tegen Noëlly had gezegd: 'Ik wil tot deze familie behoren en ik heb een oogje op Jifrach.'

Enige weken later kwam er een brief van Jifrach: 'Tussen Panama en Colombia ligt de Darién Jungle. Om van het ene land naar het andere te komen kun je vliegen, over zee gaan of gedeeltelijk per kajak, gedeeltelijk lopend van dorp tot dorp trekken. We kozen natuurlijk voor het laatste, en moesten aan beide uiteinden van het oerwoud door de douane. In La Palma, dat aan de Panamese kant ligt, vertelden de ambtenaren dat ze al zes weken een Israëlische toerist gevangenhielden. Toen we vroegen of we hem mochten bezoeken, riep de beambte gewoon: "Palestino, kom eens hier, er zijn landgenoten van je die kennis willen maken." De jongen was inderdaad een Palestijn, en hij mocht vrij rondlopen, want zonder geld, eten of paspoort kon hij toch nergens naar toe. Hij kwam oorspronkelijk uit een dorp in de buurt van Hebron, maar woonde al enige tijd bij familie in Colombia, en sprak een ratjetoe van Arabisch, Hebreeuws en Spaans, waar we weinig van verstonden. "Mijn broer," zei hij in het Hebreeuws, "is een avocado in New York."

"Aangenaam," zeiden wij. "Onze broer is een sinaasappel in Jeruzalem."

Maar nee, onze Palestino bleek een broer te hebben die advocaat was. Ook begrepen we beetje bij beetje dat hij samen met een Jordaanse vriend op weg was geweest naar die broer in New York. Ze hadden ieder honderd dollar, maar geen van beiden had een visum voor Panama. De immigratieambtenaren hielden hen een nacht in hechtenis. De volgende ochtend zei de Jordaniër, die goed Spaans sprak: "Geef mij je geld maar. Dan haal ik wel even een visum voor ons allebei." Maar dat was intussen zes weken geleden, en hij was nog steeds niet terug.

"Waar leef je dan van? Wat eet je?" vroegen we.

"Rijst en een soort waterige soep van varkensvlees."

"Varkensvlees? Mag dat wel? Ben je dan geen Moslim?"

Hij fronste zijn wenkbrauwen, en spande zich zichtbaar in om een antwoord te bedenken waarmee hij ons te vriend hield. Ten slotte haalde hij zijn schouders op en zei: "Een beetje Moslim en een beetje niet."

We lachten en zeiden maar niet dat we heel goed wisten hoe ontzettend fanatiek de inwoners van zijn dorp zich gedurende de intifada hadden gedragen. Als dat geen Moslims zijn, wie dan wel!

De douaneambtenaren probeerden ons losgeld te laten betalen voor hun gevangene, maar toen ze zagen dat dat vergeefse moeite was, boden ze hem gratis aan op voorwaarde dat we hem tot de Colombiaanse grens zouden begeleiden.

"Kom op," zeiden we, "anders zit je hier de rest van je leven." We sloegen wat eten in en wachtten op een boot naar El Real, vanwaar we de weg te voet zouden afleggen.'

De brief vermeldde voorts een lange reeks wederwaardigheden, waarvan de belangrijkste was dat de trekkers in het oerwoud waren verdwaald en dagenlang zonder water of voedsel hadden gezworven in gezelschap van hun bevrijde Palestino. De toestand was zo kritiek geweest dat het uitgeputte drietal ten slotte alle bagage inclusief fototoestellen had achtergelaten om zijn laatste krachten te sparen. Het avontuur zou in een catastrofe zijn geëindigd als ze niet een groepje Indianen waren tegengekomen die hun water hadden gegeven en de weg uit het labyrint hadden gewezen.

Eenmaal in Colombia hadden Shai en Jifrach hun reisgezel geld gegeven voor de bus die hem naar zijn familie in Bogotá zou terugbrengen. Een beetje aangedaan hadden de drie deelnemers aan het onverantwoorde, maar onvergetelijke avontuur afscheid genomen.

'Ik zal overal in Bogotá vertellen dat er ook goede Joden zijn,' had de Palestijn vanuit de wegrijdende bus geroepen.

Maar toen de jongens twee dagen later naar Bogotá hadden opgebeld om te horen of hij goed was aangekomen, had zijn vader de hoorn op de haak gegooid.

Midden in de nacht ging de telefoon. In haar angst dat er iets mis was met de wereldreizigers, viel Jardena haast uit bed: 'Hallo!'

Een hese stem zei in het Amerikaans: 'Je spreekt met Sara, weet je nog wel?'

'Eh ... eh ...'

'Kom nou, Sara Kagan uit Tulsa, Oklahoma! Ik heb tien jaar geleden een schilderij van je man gekocht, een moeder met ik weet niet hoeveel baby's. Ik heb me altijd voorgesteld dat jij het bent. Ik heb toen nog een brief geschreven om te zeggen hoe blij ik met mijn aanwinst was.'

'Ja, natuurlijk!' Jardena herinnerde zich de hele Sara Kagan niet, maar wat moest ze zeggen?

'Volgende week moeten mijn zoon en ik in Israël zijn. Ik heb naar dit moment uitgekeken vanaf de dag dat ik dat prachtige schilderij heb gekocht. Ik wil je zo graag ontmoeten. Dat schilderij, begrijp je, het is net of ik je ken. Je hangt tenslotte al tien jaar in mijn woonkamer.'

'Is 't werkelijk?'

'Noteer het telefoonnummer van mijn hotel maar vast!'

'Even een potlood zoeken. Even het licht aandoen. Het is hier nacht.'

'O. Nou ja. Heb je een potlood? We arriveren aanstaande donderdag. We willen een stuk grond in het heilige land kopen, en een bos van twintigduizend bomen schenken ter nagedachtenis aan wijlen mijn echtgenoot en, nou ja, nog zo een paar dingetjes. Maar op zondagmiddag tussen vijf en zes heb ik tijd om je te zien. Schikt dat?'

'U bent hartelijk welkom.' Vanzelf. Een potentiële klant ...

Voor de zekerheid belde Jardena een paar dagen later naar Sara Kagans hotel om de afspraak te bevestigen. Maar mevrouw Kagan klaagde over een pijnlijk been en vroeg of Jardena bij haar kon komen.

'Kom wat eerder. Voor de lunch. En breng vooral recent werk van je man mee, zul je 't niet vergeten?'

'Neem ook een paar van je verhaaltjes over de kinderen voor haar mee,' raadde Nathan. 'Zulke mensen zijn dol op achtergrondinformatie. Als ze het gevoel heeft dat ze ons persoonlijk kent, koopt ze vast twee keer zoveel.'

Op het kritieke moment liet de printer verstek gaan. 'Geen probleem,' zei Raphael. 'Ik repareer hem wel. Gebruik intussen de mijne maar.'

Op het afgesproken uur begaf Jardena zich welgemoed met een paar van Nathans mooiste werken in een grote map naar het Hyatt Hotel, dat bekendstaat als het duurste hotel in het hele Midden-Oosten. Ze rook geld. De huishoudportemonnee was weer zo plat als Nathans kunstwerken, hoe mooi ook.

Zodra ze de lobby van het hotel betrad, kwam een aardige man van middelbare leeftijd haar tegemoet met de woorden: 'Bent u mevrouw Jerushalmi? Ik ben Dick Kagan. Laat mij die map maar dragen. Hier is de lift.'

Dick Kagan klopte op een deur en een dame op leeftijd deed open.

'Ik ben mevrouw Kagan niet,' zei ze nog voor Jardena haar had kunnen groeten. 'Komt u binnen.'

Nu zag Jardena haar gastvrouw. Ze had zich niet gerealiseerd dat Sara Kagan in een rolstoel zat. De oude dame ontving haar met de vraag: 'Ben je een Jodin?'

'Ja,' antwoordde Jardena verbaasd.

'Goed. Was je moeder een Jodin?'

'Ja, hoezo?'

'Uitstekend. Ik veronderstel dat mijn zoon zich heeft voorgesteld, en dit hier is Dorothy, mijn gezelschapsdame. Ze is christelijk maar heel aardig.'

Met een kleur van schaamte over deze uitlating knikte Jardena zo vriendelijk mogelijk naar Dorothy, die inmiddels aan een bureau in de hoek van de kamer was gaan zitten.

'Wel, wel, daar ben je dan,' zei mevrouw Kagan opgewekt. 'Laat me eerst eens goed naar je kijken. Nou, ik moet zeggen, je lijkt niet bepaald op het portret, maar goed, je ziet er niet onaardig uit. Laat maar zien wat je hebt meegebracht.'

Terwijl Jardena de map opendeed, gaf mevrouw Kagan orders: 'Help mevrouw Jerushalmi, Dicky! En jij, Dorothy, hou je bij je werk!'

Eén voor één toonde Jardena de etsen en aquarellen, en de kleine olieverfschilderijtjes die ze had meegebracht. Moeder en zoon Kagan vonden alles prachtig maar vroegen niet naar prijzen.

'Dank je wel,' zei mevrouw Kagan toen ze alles had gezien. 'Dat was mooi. Laten we nu gaan lunchen. Ga je mee, Dicky?'

'Nee, moeder.'

'Waarom niet?'

'Ik heb werk te doen.'

'Bijvoorbeeld?'

'Bijvoorbeeld naar het zwembad gaan en de krant lezen.'

Hoewel de eetzaal in hetzelfde gebouw was, vroeg Sara Kagan om haar hoed, omdat volgens haar zeggen haar haar zo slecht zat.

Dorothy duwde haar werkgeefster naar een raam in de eetzaal, vanwaar men een perfect uitzicht had op het zwembad, zodat de moeder haar zoon goed in de gaten kon houden.

Mevrouw Kagan en Jardena bestelden soep en een slaatje, maar Dorothy bestelde wel tien verschillende gerechten. Toen Jardena zag dat de gezelschapsdame van iedere schotel slechts een paar hapjes nam, begreep ze dat Dorothy minder trek had in eten dan in het plunderen van haar werkgeefsters bankrekening.

Sara Kagan wou van Jardena het naadje van de kous weten. Jardena vertelde van haar liefhebberij om verhalen over haar talrijke gezin naar haar zuster te sturen. Enigszins verlegen voegde ze eraan toe: 'Ik heb er ook een paar voor u meegebracht, voor als het u interesseert.'

'Het interesseert mij,' zei Dorothy.

'Ja hoor kind, ik wil best wat lezen,' zei mevrouw Kagan.

'Goed, dan zal ik twee verhaaltjes hier laten. Het zijn kopieën. Ik hoef ze niet terug te hebben.'

'Als je straks naar huis gaat,' kondigde mevrouw Kagan aan, 'dan ga ik met je mee om nog meer werk van je man te zien.'

'We wonen boven,' zei Jardena. 'Er is een lastige hoge trap.'

'Dat maakt niets uit. We nemen Dicky mee. Dan blijf ik beneden en kan hij naar boven gaan en mij brengen wat hij de moeite waard vindt.'

'Dat doet hij van z'n leven niet,' glunderde Dorothy.

'Laten we dan maar naar mijn kamer gaan,' zei mevrouw Kagan kribbig. 'Ik zal iets kiezen van wat je hebt meegebracht.'

Opnieuw hield Jardena de etsen, aquarellen en olieverfschilderijtjes één voor één omhoog. Op verzoek van mevrouw Kagan noemde ze deze keer de prijzen die Nathan op de achterkant van elk stuk had genoteerd.

'Ik wou dat ik dat olieverfje kon bekostigen,' zuchtte mevrouw Kagan. 'Maar het is veel te duur. Laat me die aquarel nog eens zien. Wat zei je ook alweer dat hij kostte? Zeshonderd dollar? Lieve kind, dat kan ik onmogelijk betalen. Honderdvijftig dollar!'

Het verschil tussen vraag en aanbod was zo groot dat Jardena alweer een kleur kreeg. Achter mevrouw Kagans rug hield Dorothy een stuk papier omhoog waarop ze had geschreven: 'Niet minder dan vijfhonderd dollar.' Jardena kon haar gezicht nauwelijks in de plooi houden terwijl ze zei: 'Mijn man zou het mij kwalijk nemen als ik dit werk voor minder dan vijfhonderd dollar van de hand deed.'

'Dan koop ik maar een ets,' zei mevrouw Kagan. Ze koos vier etsen en dong af tot ze ze voor de prijs van twee kreeg. Ze mopperde nog een beetje over de ongelukkige omstandigheid dat ze zich het olieverfje niet kon permitteren, en stelde voor om twee aquarellen te kopen voor de prijs van één. Jardena gaf toe, met als argument dat iemand die zes werken tegelijk kocht, recht had op reductie. Mevrouw Kagan schreef een cheque uit voor dertienhonderd dollar, een bedrag dat het echtpaar Jerushalmi in lange tijd niet had gezien. Maar net voordat ze haar handtekening zette, ging haar hand met pen en al de lucht in, en ze besloot: 'Ach, ik wil toch even weten wat Dicky ervan vindt. Laat hem omroepen, Dorothy. En maak ook een lijst van de oorspronkelijke prijzen, zodat hij kan zien hoeveel reductie ik heb bedongen.'

Jardena's hart zonk haar in de schoenen. Als ik Dicky was, dacht ze, zou ik zeggen: 'Wat moet je met al die prenten, moeder? Waar ga je ze hangen? Kies er één, desnoods twee, maar waarom zes?'

Terwijl Dorothy Dicky probeerde te bereiken, legde Jardena gelaten de twee verhaaltjes op haar bureau.

Mevrouw Kagan vloog bijna uit haar rolstoel. 'Eén minuutje! Zijn die verhalen voor mij of voor haar?'

Verschrikt stamelde Jardena: 'Voor allebei.'

'U mag ze eerst lezen,' bood Dorothy grootmoedig aan. Op dat moment verscheen Dick, die er in zijn gestreepte badjas en met een rode handdoek om het hoofd uitzag als een Turk uit een toneelstuk.

'Kijk eens, jongen,' zei z'n moeder. 'Wat denk je van deze prenten?' Dick keek en vond ze mooi.

'En nu moet je eens zien hoeveel reductie ik er op heb weten te krijgen. Laat hem de lijst zien, Dorothy. Zie je dat, Dicky, ik heb er bijna dertig procent op afgedongen. Wat denk je daarvan?'

De badstof-Turk bestudeerde de lijst en schudde zijn hoofd. Jardena legde zich erbij neer dat het een verloren zaak was. Teleurgesteld begon ze haar spullen in te pakken. Maar Dick zei: 'Volgens mij heb je vijftig procent afgedongen, niet dertig. Gefeliciteerd, moeder. Je hebt jezelf overtroffen. Goeiemiddag dames! Ik wil nog wat baantjes trekken.'

'Ach liefje,' riep Sara Kagan uit terwijl ze de cheque met een zwier ondertekende. 'Je man is een groot kunstenaar. Wat ben ik blij dat ik iets voor jullie heb mogen doen.'

'Dank u wel,' zei Jardena terwijl ze de cheque in haar tas borg. 'Ik ben ook blij.'

'Dat mag dan ook wel! Geef toe dat je goede zaken hebt gedaan. Dorothy, wil je mevrouw Jerushalmi uitlaten?'

Op deze en soortgelijke manieren probeerde het echtpaar Jerushalmi aan de kost te komen. De kinderen waren nu allen zelfstandig, en hoewel ze soms nog wat financiële hulp konden gebruiken, waren ze niet meer afhankelijk van hun ouders. Als er nu nog wat stabiliteit kwam in de politieke toestand, waren Nathan en Jardena best tevreden met hun lot.

En inderdaad, in de politiek leek het de goede kant op te gaan. De Oslo-akkoorden waren van de grond gekomen. Op 13 september schudden – onder het vaderlijk oog van Bill Clinton – Rabin en Arafat elkaar de hand.

'Afgelopen met tranen en bloed,' beloofde Rabin.

'Vrede is in zicht,' zei Peres. 'Om tot een verdrag te komen, heeft men een partner nodig. Van alle Palestijnen die de revue gepasseerd zijn, is Arafat de meest betrouwbare, de enige die bereid is gebleken een compromis te sluiten. En dat is bij een vredesverdrag nu eenmaal onontbeerlijk. Ook wij zijn bereid grote offers te brengen. De premier en ik zijn er ons van bewust dat wij op onze leeftijd en met onze ervaring en met onze status in de Israëlische maatschappij, compromissen moeten aanvaarden en offers moeten brengen die voor de jongere generaties een periode van bloei en samenwerking zullen inluiden. Het zware werk van geven en nemen gaat nu beginnen, maar we hebben goede moed en zijn van beide kanten bereid een prijs voor vrede te betalen. Want hoe groot die ook zal zijn, de prijs van oorlog is oneindig veel groter.'

1994

Israël interesseerde zich niet alleen voor zichzelf, en de wereld interesseerde zich niet alleen voor vrede op aarde. De wederwaardigheden van de Hubble Space Telescoop die het heelal om zo te zeggen in huis bracht, gingen niet ongemerkt aan de leden van de familie Jerushalmi voorbij. Minstens even interessant als het nieuws over het heelal was het feit dat men op het televisiescherm had kunnen meeleven met de astronauten toen die uit hun ruimtevaartuig stapten en urenlang in de ruimte zweefden om de nodige correcties aan de wondertelescoop aan te brengen.

Dat zulke reparaties mogelijk waren, was een mirakel. Dat mensen voor de wetenschap op die manier hun leven waagden ook. En dat hun werkzaamheden op de voet konden worden gevolgd door ieder die daar interesse voor had, was een bonus die een beetje tegenwicht gaf tegen al het kwade en destructieve dat de moderne technologie teweeg had gebracht.

Op 25 februari was het Poerim, de dag waarop het Joodse volk de opzienbarende verlossing van de wrede Haman in het Perzië van vierentwintighonderd jaar geleden viert. Een dag waarop sommige fanatiekelingen, die misschien ook nog wat te veel hebben gedronken, graag lopen te pochen dat God aan de kant van de Joden staat. Toevallig viel het feest deze keer op een vrijdag, de heilige dag van de Moslims. In Hebron, bij de graven van Abraham en Isaac, de aartsvaderen van de Joden (via Jacob) én van de Moslims (via Esau), lagen honderden Arabieren op hun knieën te bidden toen de bekende en zeer gerespecteerde Joodse arts Baroech Goldstein in militair tenue de grafkelder binnendrong en als een wildeman naar alle kanten begon te schieten. Pas nadat er negenentwintig doden en honderdvijfentwintig gewonden waren gevallen, wist één der aanwezigen de moordenaar te overmeesteren en te doden. Zowel de Arabieren als de Joden waren diep geschokt. De minister-president zei nog diezelfde dag in een officiële verklaring vanuit de Knesset: 'De Joodse terrorist, de gruwelijke man uit Hebron, die schande over ons allen heeft gebracht … ik zeg tegen hem en tegen wie handelen zoals hij: jullie maken geen deel uit van de Israëlische gemeenschap ... jullie zijn een vreemde loot aan de Israëlische boom, jullie zijn onkruid, een schande voor het Zionisme en een vernedering voor het jodendom.'

Ook rabbijnen spraken zich fel uit tegen deze onvergeeflijke daad van een fanatieke godsdienstwaanzinnige, die op eigen houtje had besloten de dood van onschuldige Joden te wreken door onschuldige Moslims te vermoorden. 'In plaats van naar de Rambam te luisteren en de Torah met vrede en tolerantie te sieren, heeft Baroech Goldstein hem met onschuldig bloed besmeurd,' zei rabbi Yehudah Amital.

Hoe oprecht ze ook waren gemeend, deze uitspraken konden niet verhinderen dat in alle dorpen en steden Palestijnen op wraak zonnen en dat een nieuwe golf van vijandschap en terreur het land overspoelde.

Op 13 april blies een zelfmoordterrorist een bus op vlak bij het huis van Itsik en Noëlly. Er waren vijf doden en dertig gewonden. Toen Jardena kort daarna een paar dagen bij het gezin doorbracht, nam de achtjarige Moshiko zijn grootmoeder in vertrouwen: 'Weet je wel Savta, dat ik helemaal niet graag dood wil gaan?'

'Dat gebeurt ook nog lang niet, jongen. Je hebt nog heel veel jaren voor de boeg. Kijk maar eens hoe oud ik al ben, en ik hoop nog een hele tijd te blijven leven.'

'Ja maar jij hoeft niet iedere dag met de bus naar school. Een bus kan best ontploffen.'

'Maar 't gebeurt bijna nooit.'

'Dat zegt Abba ook,' zuchtte het kind. 'Daarom moet ik van mezelf iedere ochtend en iedere middag in de bus stappen, maar ik ben wel bang.'

Noëlly kwam erbij zitten. 'Moshiko heeft gelijk,' zei ze. 'In ons land gebeuren zulke dingen vaker dan elders.'

'Dat lijkt maar zo,' vond Jardena. 'Omdat we na iedere aanslag de details wel tienmaal per dag op de televisie zien. Maar in Amerika is het ook niet bepaald veilig. Weet je niet meer dat ze vorig jaar een bom hebben laten ontploffen onder in één van de tweelingtorens in New York, waarbij zes mensen omkwamen en er een stuk of duizend gewond raakten? De zaak is een maand geleden pas voor geweest. Weet je niet meer dat men het toen had over de terreuractie van de eeuw?'

Noëlly, die nog minder dan Jardena naar nieuws luisterde, keek ongelovig. Wie heeft dat gedaan?'

'Pakistaanse Moslims. Overal in de wereld zijn zelfmoordmoslims. Ze geven niets om het leven op aarde. Hun doel is om in het paradijs te komen. Laatst hoorde ik nog een moeder van een zelfmoordterrorist op de televisie vertellen hoe blij ze was dat haar zoon door zijn actie tegen de Joden toegang verkregen heeft tot het paradijs.'

'Maar Savta,' vroeg Moshiko bezorgd, 'als ik doodga, zou God míj dan wel toestaan om in het paradijs te zitten?'

'Natuurlijk joh. Als er een paradijs is, laat God jou als eerste binnen. Je bent een reuzegoed kind.'

'Misschien ben ik niet heel slecht,' gaf Moshiko weifelend toe. 'Maar wat ik doe, is niet altijd reuzegoed.'

Laat in de avond van 16 mei vertrokken de laatste Israëlische soldaten uit Gaza. Van de minaretten klonken vreugdekreten. De Palestijnen slingerden zich over de omheiningen van het Israëlische hoofdkwartier dat zevenentwintig jaar bezetting symboliseerde en braken juichend de boel af. Ook de Israëlische bevolking was blij Gaza van zich te hebben afgeschud. Te veel soldaten en burgers hadden in dat deel van het land het leven verloren, en historisch-religieus gezien hadden zelfs de ultraorthodoxen er niets te zoeken.

Voor de Palestijnen was nu het wachten op Arafat, die binnenkort Tunis zou verlaten en van Gaza zijn residentie zou maken.

In de zomervakantie kwam een onbekende heer bij de familie Jerushalmi binnenstormen. Hij was van middelmatige lengte, aan de vadsige kant, en keurig geschoren. Om hem heen hing de geur van dure aftershave. Hij droeg een donker pak en een afgrijselijke das, en stelde zich voor als Herr Doktor Redlich. Jardena had hem voor een Duitse zakenman gehouden als hij haar niet had overrompeld met een vloed van woorden in foutloos Hebreeuws. Het kwam erop neer dat hij in Jeruzalem geboren was, maar met een Duitse vrouw was getrouwd die niet in Israël wilde wonen, en dat hij haar standpunt wel kon begrijpen in verband met de intifada en al die mensen die aldoor op straat werden doodgestoken, want Israël zou nu eenmaal nooit vrede kennen zolang de minister-president niet inzag dat Joden en Arabieren als gelijkwaardige burgers behandeld dienden te worden, in 't kort, hij woonde in Frankfurt en was een gynaecoloog, die uit naam van een vroedvrouw, die in hetzelfde ziekenhuis werkte als hij, en die tegelijk ook journaliste was, omdat je als vroedvrouw in Duitsland vandaag de dag nauwelijks in je onderhoud kon voorzien, zodat Fräulein Klug, want zo heette ze, dus ook artikelen schreef over Geboorte met een grote G in de kunst met een grote K, om een gunst kwam vragen. Hier haalde hij adem. Het toeval wilde namelijk dat Fräulein Klug in een oud tijdschrift had gebladerd, en daarin een reproductie had gezien van een barende vrouw geschilderd door de heer Jerushalmi, Nathan, als hij zo vrij mocht zijn de kunstenaar bij zijn voornaam te noemen, en zijn verzoek uit naam van Fräulein Klug was nu of hij van dat schilderij een foto mocht nemen, als het tenminste nog niet verkocht was, want het was een hoogst interessant werk, althans in de ogen van Fräulein Klug, die verstand had van kunst, en zo mogelijk ook van andere schilderijen of prenten over hetzelfde onderwerp, als hij dat nu even snel kon doen, want hij had zijn fototoestel meegebracht, en veel tijd had hij niet, dan zou hij mevrouw Jerushalmi niet langer met zijn aanwezigheid lastig vallen. En hier haalde hij voor de tweede maal adem.

Nathan was afwezig, maar gratis publiciteit zou hij vast niet hebben afgeslagen. Jardena was dus wel bereid aan het verzoek van de vroedvrouwjournaliste te voldoen. Daarentegen was ze geenszins van plan zich aan het sneltreintempo van de heer Redlich aan te passen. 'Ga zitten, mijnheer Redlich,' zei ze. 'Ik zal eens zien wat ik voor u kan doen.'

De gynaecoloog ging op de punt van een stoel zitten, strekte zijn benen, leunde achteruit, plaatste zijn vingertoppen tegen elkaar en keek naar het plafond, terwijl Jardena een aantal laden opentrok, en zo nu en dan een blad op tafel legde waarvan ze dacht dat het Fräulein Klug zou kunnen interesseren.

'Dit is een portret van mij,' wees ze. 'In verwachting van ons vijfde kind. En dit is de geboorte van ons achtste kind.'

Meneer Redlichs armen vlogen de lucht in. Zijn mond viel open van verbazing. 'Acht kinderen! En dan te bedenken dat het geboortecijfer in Duitsland maar één komma drie per echtpaar is. Eerlijk gezegd geven de meeste Duitse vrouwen er de voorkeur aan helemaal geen kinderen te krijgen.'

'En als ze de menopauze bereiken,' informeerde Jardena opzettelijk frikkerig, 'worden ze dan allemaal depressief?'

'Ach nee!' De heer Redlich sloeg een denkbeeldige mug weg. 'Duitse vrouwen hechten meer waarde aan hun carrière en hun Mercedes Benz.'

'O, worden ze dan misschien depressief als ze de menopauze bereiken en nog steeds geen Mercedes Benz bezitten?'

Meneer Redlich sloeg zich op de knieën van het lachen. 'Ik zou het niet weten,' schaterde hij. 'Ik ben geen psycholoog. Mijn interesse gaat uit naar borstkanker. Er zijn heel wat gevallen van borstkanker in Duitsland, moet u weten. Dat is niet te vermijden met al die anticonceptiepillen die de vrouwen slikken. Ik doe mijn best, natuurlijk, maar ik kan niet mijn hele leven alleen met kankerpatiënten werken, daar krijg ik nachtmerries van. Daarom assisteer ik zo nu en dan bij een geboorte. Dat is een aardige afwisseling. Maar acht kinderen, mijn hemel, geen Duitse vrouw zou bereid zijn zo'n marteling meer dan één, hoogstens tweemaal in haar leven te doorstaan.'

'Tja,' zei Jardena op verontschuldigende toon. 'Ik heb het nooit als een marteling beschouwd.'

'Persoonlijk hebben wij er de voorkeur aan gegeven een kind te adopteren,' deelde de heer Redlich ernstig mee. Frau Doktor Redlich en ik vinden het belangrijk om onze minder gefortuneerde medemensen te helpen waar dat mogelijk is.'

'Ja, ik neem aan dat er in Duitsland, net als overal in de westerse wereld, heel wat buitenlandse arbeiders zijn die in uiterst moeilijke omstandigheden leven.'

'Wat zegt u nu?' Meneer Redlich sprong op van zijn stoel en leunde met beide handen op de tafel om zijn gastvrouw recht in de ogen te kunnen zien. 'U veronderstelt toch niet dat we een Turks of Marokkaans kind in huis hebben gehaald? Nee mevrouw! We hebben een prachtig kind van het zuiverste arische ras geadopteerd. De zoon van een boer en een verpleegster. Die arme luitjes hadden al vier kinderen, en vijf was meer dan ze bereid waren te bekostigen.'

'Bedoelt u dat die prachtige ouders van zuiver arisch ras u hun baby gaven omdat ze geen geld aan hem wensten te spenderen? Of omdat ze er niet toe in staat waren? In dat geval had u ze toch gewoon financiële hulp kunnen bieden, zou ik zo denken.'

'U moet me niet verkeerd begrijpen,' zei meneer Redlich. 'Mijn vrouw is kinderpsychologe en ik ben arts. We hebben allebei een eersteklas opleiding genoten en een hooggekwalificeerde baan met prima salaris. We beschouwden het als onze plicht een deel van dat geld aan een goed doel te besteden, ook al omdat mijn vrouw zelf geen kinderen kan krijgen. Hoe het ook zij, we hebben de biologische ouders van ons kind altijd met de grootste tact behandeld. Voordat zij hun zoon ter adoptie gaven, heeft de sociaal werkster hun eerlijk gevraagd of ze er iets op tegen hadden dat hij tot het jodendom zou worden bekeerd. "Herr Doktor", was het antwoord, "hij is geheel de uwe." Toen we dus zeker waren dat er van die kant geen problemen zouden rijzen, lieten we het knaapje besnijden. Hij weet alles van zijn herkomst. Hij realiseert zich dat de adoptie voor zijn bestwil was, dat wij hem grote voordelen kunnen bieden, de kans om te studeren, de kans om een waardevol lid van de maatschappij te worden. Hij vraagt nooit naar zijn biologische ouders, en zij vragen nooit naar hem. Natuurlijk laten we hem ieder jaar een kerstkaartje sturen. Dat is wel het minste wat we kunnen doen, vindt u niet? Maar het begint laat te worden. Mag ik deze paar prenten fotograferen? Hartelijk bedankt uit naam van Fräulein Klug. Ze zal verrukt zijn over de foto's. Ze schrijft uw man vast een brief met allerlei vraagjes over zijn kunst en zo. Jammer dat ik de kunstenaar zelf niet ontmoet heb. Wilt u wel geloven dat ik op het vliegveld een taxi regelrecht naar uw huis heb genomen, en dat ik de chauffeur alleen even voor het huis van mijn moeder heb laten stoppen om mijn koffer af te leveren?'

Uit naam van alle moeders ter wereld voelde Jardena zich verplicht te protesteren. 'U had best morgen kunnen komen, meneer Redlich. Zoveel haast was er niet bij, en dan had u uw moeder niet hoeven te kwetsen.'

'Mijn moeder?' riep de heer Redlich vrolijk wuivend, terwijl hij met zijn fototoestel de trap afrende. 'Och, ik ben maar geadopteerd.'

Nathans zeventigste verjaardag stond voor de deur. Jardena was niet van plan er een groot feest van te maken, maar hoe meer de zomer vorderde, hoe minder haar geweten haar met rust liet. Ze wist precies waar ze haar man plezier mee kon doen. Al jaren had hij zin om de oude films nog eens te zien die de familie destijds met vereende krachten voor ieder bar- en bat-mitsvahfeest had gemaakt. De laatste keer dat Jardena de films had vertoond was tien jaar geleden, en toen waren ze al niet in opperbeste staat. Was het mogelijk orde in de chaos te scheppen? Ze wachtte tot Nathan twee dagen de stad uit was, en haalde toen met tegenzin het oude materiaal te voorschijn. Het viel mee. Met een beetje inspanning en geduld kon ze ze toonbaar maken, en ze waren nog steeds de moeite waard.

Het was Simcha's idee om op de verjaardag zelf alleen Nathans eigen kinderen en hun gezinnen uit te nodigen, en om in de week die erop volgde een filmfestival voor alle vrienden en familieleden te organiseren. Zowel Consuela als Perla hadden aangekondigd dat ze met echtgenoot en kinderen naar Jeruzalem zouden komen. De enigen die er niet zouden zijn, waren de twee wereldreizigers, die in Boston zaten en daar als verhuizers goed verdienden.

'Maar hebben jullie dan een groene kaart?' had Nathan door de telefoon gevraagd?

'Helemaal niet nodig! Wat de Arabieren in Israël zijn, zijn de Israëliërs in Amerika: straatvegers, glazenwassers, bouwvakarbeiders, sjouwers en verhuizers. En dat soort werk kun je zwart doen.'

'Maar waarom juist in Boston?'

'Vraag maar aan Jifrach,' zei Shai cryptisch.

Waarom Boston? Nathan en Jardena kwamen er gauw genoeg achter. In Boston studeerde de roodharige Laury. Ze ontdekten zelfs dat Jifrach bij Laury was ingetrokken, en dat Shai de flat, die hij aanvankelijk met zijn broer had gehuurd, nu met een vreemde deelde.

'Vind je het niet naar, dat Jifrach en jij niet meer samenwonen?' vroeg Jardena tijdens een telefoongesprek aan Shai.

Hoewel Shai's reactie typerend was voor zijn karakter, verraste hij zijn moeder ook deze keer weer met een spontaan: 'Naar? Maar Imma, Laury is een fantastische meid. We hadden het niet beter kunnen treffen!'

'Jij bent een fantastische jongen, Shai,' zei Jardena. 'Je vader en ik hadden het niet beter kunnen treffen.'

Twee dagen vóór Nathans verjaardag belden Shai en Jifrach uit Boston op met de mededeling dat ze een tekst voor hun vader hadden geschreven, die ze op de dag van het familiefeest aan alle leden van het gezin tegelijk wilden voorlezen. Ze wilden daarom precies weten hoe laat al hun broers en zusters bij elkaar zouden zijn.

Blij dat de jongens hun vader een plezier wilden doen, maakte Jardena een nauwkeurige afspraak met hen. Op het vastgestelde tijdstip staarden alle leden van het gezin Jerushalmi vol spanning naar de telefoon. Op dat moment ging de deur open en kwamen de globetrotters in eigen persoon binnenstappen.

De dagen die volgden leken wel de zak van Sinterklaas. Ieder moment kwam er een andere verrassing uit. Op de verjaardag zelf verwijderden de kinderen alle vloerkleden en meubilair uit de woonkamer. Ze prikten reusachtige vellen wit papier op muren en deuren. In het midden van de kamer stond een tafel met verf, kwasten en kleurkrijtjes. Ernaast stonden een emmer water en een stapel oude lappen om de kwasten schoon te maken. Jardena verzocht de kinderen om ter ere van de jarige alle muren zo mooi mogelijk te beschilderen. Sommigen gingen onverwijld tot de aanval over. Anderen stonden bijna verlamd naar die lege vellen papier te staren, en moesten langdurig worden aangemoedigd alvorens ze het eerste streepje of stipje durfden te zetten. Jardena had zich voorgesteld dat alle kinderen met flinke kwasten bloemen, vogels en vlinders zouden schilderen, maar de één was niet te bewegen iets anders te gebruiken dan een gewoon potlood, en de ander wou alleen een zwarte muur zonder ramen of deuren schilderen. Eén kleinkind tekende een monster dat een klein jongetje met een pistool door zijn gezicht schoot, een ander schilderde een beer die een hulpeloze duif verscheurde. Niemand had voorzien wat het resultaat zou zijn van deze aanmoediging tot het produceren van eigentijdse kunst. Het mocht dan wel niet esthetisch zijn, en ook ethisch bedenkelijke kanten vertonen, het was wel degelijk authentiek. Daarom beschouwde Jardena het feest al na deze ouverture als een succes.

In Nathans ogen was het een ramp. Midden onder de happening vroeg hij beteuterd: 'Zal ik spinazie koken?'

'Alsjeblieft niet!'

'Wat moeten al die kannibalen dán eten?'

'IJstaart.'

'IJstaart als middageten? Ik ga ervandoor.' Maar hij bleef. Misschien was hij niet helemaal gelukkig met zijn verjaardagsfeest, maar hij wou het toch ook niet missen. Behalve de jarige waren alle aanwezigen verrukt van de ijstaart. Nadat de kleintjes een duik hadden genomen in het plastic zwembadje dat speciaal voor de gelegenheid op de binnenplaats was geïnstalleerd, vertrok het hele gezelschap naar het dichtstbijzijnde park voor een majestueuze picknick onder auspiciën van Jannai en Rachela, die flessen vol frisdrank hadden aangevoerd, en een vuurtje stookten om aardappelen, maïskolven en uien in te roosteren. Onder het afpellen van een aardappel zei Noëlly plotseling: 'Weten jullie dat Hilde en Joël vlak bij ons zijn komen wonen? We hebben vorige week haar bekering tot het jodendom gevierd.' Jardena hield op met kauwen. 'Je meent het. Dus toch, na zoveel jaar? En ze hebben er zelfs een feest van gemaakt?'

'Heus. Hildes moeder is er speciaal voor uit Duitsland gekomen. En dat is nog niet alles. Hilde heeft zich voor de gelegenheid een gebit laten aanmeten.'

'Een gebit ter ere van het jodendom?'

'Een gebit om haar moeder niet te laten zien hoe aftands ze in Israël was geworden.'

De ochtend was een beetje te veel voor Nathan geweest, maar de middag maakte alles goed. Het hoogtepunt kwam toen Nathan, Jardena en hun acht kinderen volgens leeftijd op rij gingen staan voor een foto. Alhoewel allen straalden van geluk, was het toch een beladen moment. Niemand ontkwam eraan zich af te vragen wanneer ze weer allemaal bij elkaar zouden zijn. De dag eindigde met één van die minihappenings waarvoor Rachela een speciaal talent bezat: ze gaf iedere aanwezige een busje met vloeibare zeep en een ringetje aan een steeltje. Even later vlogen duizenden zeepbelletjes boven het uitbundige gezelschap.

Terwijl de anderen natreuzelden, haastten Vered en Consuela zich naar het ouderlijk huis, waar ze weliswaar alle kunstuitingen aan de muur lieten hangen, maar kwasten, verf en verfwater opruimden, de vloer dweilden en hem met vloerkleden en matrassen bedekten. Die nacht hadden Nathan en Jardena negentien logés.

De volgende avond opende Jardena een filmfestival dat twee weken zou duren, en waarvoor ze lang tevoren uitnodigingen aan alle vrienden en familieleden had gezonden. Avond aan avond toonde ze de oude films over Jacobs bruiloft met Rachel en Lea, de geboorte van de kleine Mozes, de uittocht uit Egypte, Jonas in de walvis, de toren van Babel, en Bal'am het sprekende ezeltje. Avond aan avond was de woonkamer stampvol gasten, en velen van hen pinkten zo nu en dan een traantje weg. Waar was de goede oude tijd dat acht kinderen tussen de veertien en twee jaar om de ronde tafel zaten, bezig met tekenen, schilderen, poppen naaien, en liedjes schrijven voor de mooiste bijbelverhalen die het Joodse volk kent? Waar was de tijd dat er nog geen televisie bestond en de mensen hun eigen feesten voorbereidden? Wat hadden ze een pret gehad, wat waren ze opgetogen geweest over iedere nieuwe creatie die uit hun handen kwam.

Veel gasten kwamen niet één maar twee of drie avonden naar de oude films kijken. Raphael kwam iedere avond, en dat was maar goed ook, want toen de projector het van ouderdom begaf, was hij het die hem met zijn onfeilbare intuïtie en antieke instrumentjes in een mum van tijd nieuw leven inblies. Voor Jardena was het een triomf dat haar twee jongste zoons, die minder aandeel aan de producties hadden gehad dan hun oudere broers en zusters, geen enkele film oversloegen en voor de laatste avond alle leden van hun eens zo florissante vriendenclub uitnodigden. Zo werd de laatste avond van het filmfestival ter ere van Nathans zeventigste verjaardag ook het afscheidsfeest voor de wereldreizigers, die precies twee weken na hun aankomst in Israël terugvlogen naar Boston.

* * *

Eén van de gasten die Jifrach en Shai voor het filmfestival hadden uitgenodigd was Emmanuel Barnea, die een tijd met hen door Zuid-Amerika had gezworven. Hij was de jongere broer van de soldaat die indertijd voor zijn officiersexamen was gezakt, en zich uit wanhoop door het hoofd had geschoten.

Kennelijk had Emmanuel behoefte aan gezelligheid, want ook nadat zijn vrienden waren vertrokken, kwam hij zo nu en dan aanlopen. Hij praatte het liefst over de gezamenlijke tocht naar de Galápagoseilanden, maar vertelde soms iets over zichzelf.

Zijn moeder was na de dood van David van huis weggelopen. Daarna had Emmanuel bij een getrouwde zuster gewoond.

Bij het derde bezoek flapte Jardena eruit: 'Ik wou dat je mijn dochter Simcha leerde kennen. Jullie zouden elkaar begrijpen.'

'Ik zou graag kennis met haar maken,' zei Emmanuel.

'Het probeem is, ze is erg religieus.'

'In wezen ben ik dat ook. Ik zou er geen bezwaar tegen hebben een religieus leven te leiden als ik een vrouw had die mij daarin de weg wees.'

Elke keer dat Jardena de twee kandidaten tegelijk uitnodigde, liet een van beiden het afweten. Toch bleef Emmanuel op ongeregelde tijden komen. Hij maakte plannen om Jardena mee te nemen naar zijn moeder.

Op een dag zag Jardena hem in de stad. Hij kwam op haar toe rennen en omhelsde haar midden op straat. 'Ik kom gauw weer bij je,' beloofde hij. 'Ik bel je volgende week op.'

'Doe maar, jongen. De koffie staat klaar.' Jardena dacht aan Simcha. Deze keer zou ze haar dochter strikken.

Maar de volgende dag was Emmanuel dood.

Zoals gebruikelijk werd hij zo spoedig mogelijk begraven. In dit geval werd er nog extra haast achter gezet om te vermijden dat iemand van het rabbinaat op het idee zou komen dat hij zelfmoord had gepleegd, want dan zou zijn lichaam buiten het hek komen te liggen, en dat werd als een grote schande ervaren. Jardena was één van de weinigen die telefonisch door wederzijdse vrienden op de hoogte was gesteld. Het was nacht toen het verslagen gezelschap aan de ingang van de begraafplaats bijeenkwam en vandaar langzaam de heuvel opklom. De duisternis was zo diep dat de begrafenisondernemer met een zaklantaarn voorop moest lopen. Totale stilte heerste terwijl Emmanuels lichaam, gehuld in het witte doodskleed, in het graf werd gelegd. Nadat zijn vrienden de kuil met aarde hadden gevuld, en zijn vader kaddish had gezegd, wou de begrafenisondernemer het van toepassing zijnde gebed oplezen, en de ziel van de overledene eeuwige rust toewensen. Maar Emmanuels vader hief zijn hand op en schreeuwde tegen het graf: 'Onthou, Emmanuel, dat je je moeder en mij een verklaring schuldig bent. Waarom, waarom, waarom heb je ons dit aangedaan?'

Na deze uitbarsting van toorn was het een verademing om te luisteren naar de begrafenisondernemer, die op enigszins lijzige toon aan Emmanuel vroeg om de achterblijvenden te vergeven als ze in enig opzicht te kort waren geschoten, hetzij bij het leiden van de dienst, hetzij bij het gereedmaken van het graf.

'Alles wat we gedaan hebben,' zei de spreker, 'was te jouwer ere.'

Nog diezelfde week verscheen er een lang interview met Emmanuels vader in de krant. Vader Barnea, zo las Jardena, was een hoge officier in het Israëlische leger geweest, maar had de dienst verlaten nadat David zelfmoord had gepleegd. Sindsdien wijdde hij zijn leven aan het publiekelijk aanklagen van het leger als een soldaat de hand aan zichzelf sloeg.

Hij vertelde de reporter nauwkeurig hoe en waar David en Emmanuel een eind aan hun leven hadden gemaakt, en wat ze in hun afscheidsbrieven hadden geschreven. David had zich door het hoofd geschoten en Emmanuel had een mengsel gebrouwen van alle pillen die hij van zijn reis in Zuid-Amerika had overgehouden. Pillen tegen malaria, hoofdpijn, buikpijn, depressie, slapeloze nachten en wat niet al.

'Rouw niet om mij,' had David geschreven. Maar na vijftien jaar rouwde de vader nog steeds.

'Nu mag je ook eens om mij rouwen,' was de boodschap die Emmanuel voor zijn vader had achtergelaten.

'David was nog maar een kind,' klaagde de vader in het interview. 'Hij wist niet wat hij deed. Maar Emmanuel was over de dertig. Hij had beter moeten nadenken voor hij ons dit aandeed.'

Gedachtig aan Emmanuels voornemen haar aan zijn moeder voor te stellen, ging Jardena haar opzoeken. Op de voorgevel van het huis stond met grote blauwe letters 'Huize David'.

Waarom Huize David? Waarom niet Huize Emmanuel? Als ouders die een kind verloren in de toekomst konden zien, zouden ze dan hun huis naar het dode kind noemen of naar de overlevende kinderen die zich dag aan dag inspannen om een beetje aandacht van ze te krijgen?

In de woonkamer van Huize David hing een levensgroot portret van David in een zwarte lijst. Maar toen Jardena vroeg of ze foto's van Emmanuel mocht zien, bleek dat de moeder alleen een album van zijn barmitsvah kon tonen.

Wel liet ze een afscheidsbriefje zien dat Emmanuel speciaal voor haar had achtergelaten. 'In deze wereld moet een mens sterk zijn. Voor zwakken is hier geen plaats. Wat ik ga doen is verboden, en wat ik verdien is de hel.'

'Arme treurige Emmanuel,' huilde zijn moeder. 'Hij was altijd zo melancholiek. Hij lachte nooit.'

Maar toen Jardena naar Boston belde en haar zoons op de hoogte bracht van Emmanuels dood en haar bezoek aan zijn moeder, riep Jifrach oprecht verbaasd: 'Hoe komt zijn moeder erbij dat hij altijd melancholiek was? Je had hem in Zuid-Amerika moeten zien. Hij hield niet op met lachen.'

Op 26 oktober tekende Israël een vredesverdrag met Jordanië. Er was weer hoop, en dat zag je aan de mensen op straat. Zou er nu eindelijk ook vrede met de Palestijnen komen?

Natuurlijk waren er in beide kampen nog steeds fanatiekelingen die probeerden de boel in de war te schoppen, maar de minister-president hield voet bij stuk: een groot deel van de nederzettingen zou moeten worden ontruimd. De kranten stonden vol van wat de bewoners van Judea en Samaria wel of niet bereid waren op te geven, en wat ze er wel of niet voor in de plaats meenden te moeten ontvangen. Sommigen waren niet bereid een poot te verzetten, anderen wilden dat best, maar eisten als beloning voor hun goede gedrag op z'n minst een villa met gigantische tuin in het centrum van het land. Ook al waren de eisen vaak nog zo onrealistisch, het principe 'land in ruil voor vrede' werd nu tenminste besproken.

Op 10 december ontvingen Rabin, Peres en Arafat samen de Nobelprijs voor de vrede.

1995

Maar op 22 januari waren er weer twee zelfmoordaanslagen met als gevolg zoveel doden en gewonden dat het leger alle wegen naar de Westbank en de Gazastrook afsloot. Dat was niet alleen om Israëliërs tegen terroristen te beschermen, maar ook om te verhoeden dat Palestijnen door de razende meute werden gelyncht. Voor de zoveelste keer hadden de Palestijnen geen werk en de Israëliërs geen arbeiders.

'Hoe kunnen ze alle Palestijnen over één kam scheren,' riep Jannai woedend. 'Een jongen zoals Adel, die zo eerlijk is als goud, en die beter werkt dan tien Israëliërs ...'

'Wie mag Adel zijn?' vroeg Jardena.

'Weet je dat niet? Die Arabier die mij helpt bij de verbouwing.'

'Wat bedoel je? Is hij geen Israëlische Arabier?'

'Is een Israëlische Arabier beter dan een Palestijnse Arabier?'

'Wind je niet zo op. Heeft Adel een vergunning om aan deze kant van de groene lijn te werken?'

'Heb jij zo'n vergunning?'

'Ik woon hier.'

'Zolang er geen twee aparte staten zijn, wonen de Palestijnen ook hier. In Adels dorp hebben ze op dit moment nauwelijks te eten.'

'Hoe weet je dat?'

'Hij heeft een mobieltje natuurlijk. We spreken elkaar soms wel twee keer per dag. Als hij niet werkt, verdient hij geen cent, en ik kan het hem niet eens geven of lenen. Hoe moet ik bij hem komen? Hoe lang gaat dat nog duren?'

'Totdat Arafat de verantwoordelijkheid neemt voor de zelfmoordterroristen.'

'Dat kan nog een eeuwigheid zijn.'

'Dan zullen de grenzen nog wel een eeuwigheid dicht blijven. Wat wil je? Dat we ons allemaal laten vermoorden?'

'De PLO wil best wel vrede.'

'Willen is een groot woord. Ze zouden er eventueel mee akkoord kunnen gaan, bedoel je. Maar Hamas en Hezbollah en Islamitische Jihad willen het hele land voor zichzelf, inclusief Haifa en Tel Aviv. Dat weet je net zo goed als ik.'

'Is het bij ons beter? Zijn de nationaal-religieuzen soms bereid om Hebron op te geven? Rabin mag dan de helft van de bevolking achter zich hebben, de andere helft zou hem het liefst de keel doorsnijden. En Oslo is een verdrag van niks. Heb je wel eens naar de kaart gekeken die de Noren en de Amerikanen zo vriendelijk zijn geweest voor ons te bedenken? Duizend Palestijnse eilandjes omringd door een zee van Israëlische nederzettingen en wegversperringen. Welke Palestijn kan daar genoegen mee nemen? Laat me niet lachen.'

'Arafat heeft het plan anders toch maar ondertekend.'

'Arafat kan zoveel ondertekenen. Voor hem is een verdrag met ongelovigen niet bindend.'

'Hè? Wie zegt dat?'

'Adel. Arafat heeft onder zijn kafiya twee gezichten. Een is voor de Nobelprijs, het andere voor de terroristen.'

Jardena schudde haar hoofd. 'Als jij dat al zegt, jij de universele beschermer van zielepoten, wat verwacht je dan van de rest van de bevolking?'

'Begrip voor Adel, begrip voor de machtelozen, de onderdrukten, de miskenden die geen greep hebben op de situatie en van honger omkomen. Dat is alles.'

'Kleinigheidje!'

Jannai was de kamer al bijna uit toen hij nog even snel riep: 'Ik ga vanavond trouwens naar de bruiloft van Adels zuster.'

En weg was hij.

'Kinderen heb ik grootgebracht en opgevoed ...' zuchtte Nathan met de woorden van de profeet Jesaya.

De volgende ochtend was Jannai niet thuis. Rachela had hem aan de telefoon gehad maar wou niets loslaten.

Twee dagen later kwam Jardena haar zoon op de trap tegen. Ze kon niet nalaten te vragen: 'Ben je werkelijk naar die bruiloft geweest?'

Jannai knikte.

'Maar hoe ben je er gekomen?'

'Adel weet alle trucjes. Hij heeft me geholpen.'

'Enne ... hoe was het?'

Het duurde even voor Jannai het hoge woord eruit had. 'Afschuwelijk.'
'Afschuwelijk? Hoezo? Waren ze dronken?'
'Welnee. Moslims mogen toch voor hun geloof niet drinken.'
'O ja. Wat was er dan zo vreselijk?'
'Er waren wel vijf of zes mannen met pistolen. Ze schoten aldoor in de lucht. Dat vonden ze lollig. En eerlijk, Imma, ik was bang. Niet dat ze mij iets zouden aandoen, dat niet ... Maar dat er een ongeluk zou gebeuren. Al dat schieten in zo'n volle kamer ... En ze hielden maar niet op. Ze gingen de hele nacht door.'
'Kon je niet weggaan?'
'Waarheen? Ik was immers van Adel afhankelijk.'

Rachela verwachtte haar baby in maart, Consuela verwachtte de hare in juni. Charles, die naar Taiwan was overgeplaatst, nodigde Jardena per telefoon uit om de zomermaanden bij zijn gezin door te brengen. Jardena prees zich gelukkig dat ze ruim tijd had om haar schoondochter te helpen voordat ze naar haar dochter vloog. 'Grootmoeder zijn is een volle baan,' lachte ze blij. 'Weliswaar zwaar onderbetaald, maar dat neem ik dan maar voor lief.'
Half maart belde een vriendin van Consuela vanuit Taiwan. Ze riep enthousiast: 'Hartelijk gefeliciteerd. Jullie hebben een kleinzoon.'
Nathan en Jardena konden zo vrolijk niet reageren. Het kind was drie maanden te vroeg geboren. Zou dat wel goed gaan?
'Het was in een paar minuten gebeurd,' snikte Consuela later op de dag vanuit het ziekenhuis door de telefoon. 'Charles stond naast me met Nathy op de arm. Ik probeerde uit alle macht het kindje binnen te houden, maar hij was sterker dan ik.'
'Zal ik komen?' vroeg Jardena.
'Nee, doe maar niet. Als hij blijft leven, zal ik je hulp hard nodig hebben als hij thuiskomt, en dat kan nog heel lang duren.'
De volgende dag kon Consuela naar huis, maar de baby bleef in een couveuse. Als hij bleef leven, hadden de artsen gezegd, zou hij misschien geestelijk gehandicapt zijn. Ze wilden weten of de ouders het kindje met man en macht in leven wensten te houden. Wat een vreselijk dilemma. De hoeveelheid raadgevingen die Charles en Consuela kregen was overstelpend. Sommige mensen spraken of schreven over het lijden van gehandicapten en de ondergang van hele gezinnen vanwege één abnormaal

kind. Anderen kenden ouders tegen wie de artsen bij de geboorte van hun kind hadden gezegd dat het geen enkele kans van leven had, waarna het kind tegen alle verwachtingen in was uitgegroeid tot een intelligente gezonde volwassene.

Charles en Consuela konden niet tot een beslissing komen. Ze hoopten op een wonder.

Benjamin kwam bij zijn grootouders binnenrennen met een betoverde munt. 'Zullen we kruis of munt spelen, Savta?' riep hij opgewonden. 'Natuurlijk jongen, ik kies kruis.'

Maar dat was niet de bedoeling. 'Nee, jij moet munt nemen. Ik wil kruis.'

'Mij best hoor. Mag ik gooien?' Maar ook dat was niet naar Benjamins zin. Wat bleek? Hij had een heel speciale munt bemachtigd. En wie had die voor hem vervaardigd? Buurman Raphael. Als samenzweerders hadden de zesjarige jongen en zijn zestigjarige vriend in het toverhol twee koperen munten overlangs doormidden gezaagd, en de stukken zo aan elkaar geplakt dat de ene aan beide zijden de muntwaarde en de andere aan beide zijden de afbeelding vertoonde. Dat was de munt die Benjamin had gekregen en waar hij de wereld mee voor de gek hoopte te houden.

Toen grootmoeder en kleinzoon een paar keren hadden gewed en Benjamin steeds had gewonnen, herinnerde het kind zich de eigenlijke reden van zijn komst. Zijn ouders hadden hem gestuurd om te vragen of Savta even beneden wou komen omdat ze nu naar het ziekenhuis gingen om de nieuwe baby te krijgen.

Enige uren later kwam Jannai vertellen dat ze een dochter hadden, en dat moeder en kind het uitstekend maakten.

'Gefeliciteerd jongen.' Jardena omhelsde hem. 'Hoe gaan jullie haar noemen?'

'We hebben nog niet besloten. Ik overweeg Orka, maar ik heb het nog niet aan Rachela voorgelegd.'

'Orka klinkt mooi. Is het een bijbelse naam? In welk boek komt hij ook al weer voor?'

'Het is de naam van een diersoort die door uitsterving wordt bedreigd.'

'Echt iets voor jou. Wat voor dier is het?'

'In 't Engels heet het Killer Whale.'

'Jannai, ben je nou gek geworden?'

Met een onnozel gezicht liep Jannai de deur uit. Een week later schreef hij zijn dochter in als Adina Jardena.'

Nu Jardena haar belofte was nagekomen om op Benjamin te passen terwijl Rachela aan het bevallen was, wou ze zo spoedig mogelijk naar Taiwan. Terwijl ze in het vliegtuig zat, stierf de baby van Consuela en Charles. Gedurende de maand dat Jardena bij hen logeerde, werd er veel gehuild en weinig geslapen in het kleine huurhuis in Taipei. Bij stukjes en beetjes vertelde Consuela over de laatste dag van het kleine mensje dat maar zestien dagen had mogen leven.

'Om vier uur 's middags belde een zuster om me te waarschuwen dat de toestand aan het verslechteren was. Ik belde Charles op zijn werk en zei: "De baby gaat dood. Nathy en ik gaan erheen." Charles kwam ook. We moesten op de gang wachten. Nathy speelde met de zieke kinderen op de afdeling. Plotseling werd onze naam afgeroepen. We renden naar binnen. Charles voorop, Nathy en ik achter hem aan. We zagen op de monitor hoe het aantal hartslagen tot onder de zestig per minuut daalde. De dokter zei niets, maar hij keek eerst naar Charles en toen naar mij met een dringende vraag in zijn ogen: moest hij het onmogelijke proberen? Vanaf de eerste dag was Charles bang dat ons kind zou sterven, en ik dat hij zou lijden. Toch wilde Charles mij de beslissing besparen. Bijna onhoorbaar fluisterde hij: "Laat hem maar gaan."'

De anderhalfjarige Nathy had zijn broertje geboren zien worden, en zag hem ook sterven. Ook al was hij te klein om het fijne van de zaak te bevatten, hij zag wel degelijk dat zijn ouders verdriet hadden. Dag in dag uit vroeg hij zijn moeder om hem naar het kleine broertje in het ziekenhuis te brengen. Op een avond wees Consuela naar de hemel en zei: 'Het kleine broertje is in een ster veranderd. Hij komt niet meer bij ons terug.' Het was de enige verklaring die ze kon bedenken.

Voordat Jardena naar Taiwan was gevlogen, had Simcha gezegd: 'Als Consuela's zoon sterft, probeer dan om hem een Joodse begrafenis te laten krijgen.' Ook Nathan had laten merken dat hij dat zou willen. Toen Jardena in Taipei aankwam, hadden de verdrietige ouders al besloten wat er gebeuren moest. Daar ze maar tijdelijk in Taiwan woonden, en zeker wisten dat ze het stoffelijk overschot van hun zoontje niet wilden achterlaten in een land waar ze zich zo weinig thuis voelden, wilden ze het lichaampje laten cremeren en de as in Israël begraven.

Op een ochtend verliet Charles het huis voor dag en dauw. Jardena begreep waar hij naar toe ging, maar kon geen woorden vinden om hem te troosten. Hij bleef weg tot de middag. Het kostte tijd, zelfs voor zo'n heel klein lichaampje, om volledig tot stof weer te keren. Zodra Charles het huis binnenstapte, rende Consuela naar de auto. Jardena ging haar achterna. Consuela staarde met wijd open ogen door het raampje. Op de voorbank lag een pakje in een felgele zijden doek.

'Consuela,' smeekte Jardena. 'Ga naar binnen. Dit heeft geen zin.' Consuela stond verstijfd.

Charles verscheen in de deuropening en beval met vaste stem: 'Consuela, kom onmiddellijk binnen. Nathy heeft je nodig.'

Consuela gehoorzaamde als een robot.

Charles liep naar de auto, nam het gele pakje eruit, droeg het naar binnen en borg het achter slot en grendel.

Consuela had eindeloze huilbuien en was op van vermoeidheid. Maar 's nachts dwaalde ze expres urenlang door het huis om niet in te slapen. 'Iedere keer dat ik in slaap val, zie ik de baby,' klaagde ze.

'Je boft,' zei Charles somber. 'Ik wou dat ik hem iedere nacht zag.'

'Ik wou dat ik kon geloven dat zijn ziel bij mijn grootmoeder in de hemel is, maar hoe kan ik het weten?' huilde Consuela. 'Blijven zielen bestaan? Bestaat God? Zo ja, waarom doet hij ons dit aan?'

Charles droeg zijn verdriet beheerster. Zoals gewoonlijk bracht hij zijn vrouw op vrijdagavond bloemen. Alleen deze keer was er één witte roos temidden van de vele rode. Een symbool. Een teken van verstandhouding. Hij hield ook op met drinken, bij wijze van offer aan het kindje dat hij niet had mogen grootbrengen. Maar het leven ging door. Hij nam de gelegenheid te baat dat zijn schoonmoeder bij hen logeerde om heen en weer naar Frankrijk te vliegen voor besprekingen met zijn chef. Toen Nathy besefte dat zijn vader in een vliegtuig zat werd hij hysterisch. Pas 's nachts, toen de sterren aan de hemel stonden, begreep Consuela wat hem bezielde. Hij wees naar de hemel en krijste 'Papa, papa, papa baby!' Arme Nathy. Hij was bang dat zijn vader in een ster was veranderd en nooit meer terug zou komen.

Terwijl Jardena in Taiwan was, beëindigden Shai en Jifrach hun wereldreis. Ze waren ruim drie jaar weg geweest. Hun vroegere kamers werden nu bewoond door Jannai en zijn gezin. De thuiskomers, die geen zin hadden om voor veel geld iets in de stad te huren, sloopten een paar oude schuurtjes op de binnenplaats van het ouderlijk huis om daar een tweekamerwoninkje te bouwen. Nauwelijks rees het uit de grond, of het werd duidelijk dat het te klein zou zijn voor twee uit de kluiten gewassen jongens plus de partners die ze te zijner tijd hopelijk zouden introduceren.

Zoals bij zijn karakter paste, trok Shai zich terug. Maar dat vond Jannai geen oplossing. Hij belde naar Taipei dat de aanwezigheid van Jardena gewenst was omdat Shai te kort dreigde te komen.

Jardena kwam thuis, maar nog voor ze tijd had zich in het probleem van Shai te verdiepen, deelde Simcha mee dat ze met een zekere Zecharia ging trouwen. Dat was goed nieuws. Toen bruid en bruidegom het eenmaal met elkaar eens waren geworden, bleek dat een gemeenschappelijke kennis ze zeven jaar geleden al aan elkaar had willen voorstellen, maar dat Zecharia toen geweigerd had kennis te maken met een meisje dat een jaar ouder was dan hijzelf.

In 1995 was hij minder kieskeurig en tien dagen nadat hij Simcha voor het eerst had ontmoet wou hij al een trouwzaal huren.

'Niet zo haastig,' had Simcha geschrokken uitgeroepen. 'Ik heb nog geen ja gezegd. Je rookt me te veel!'

'Is dat alles?' riep de bruidegom in spe. 'Ik hou nú op met roken.' En hij deed het.

Binnen een paar dagen was toen de trouwzaal gehuurd, en waren de uitnodigingen ontworpen, gedrukt en verstuurd. Simcha wou eigenlijk niet zo'n chique bedoening, maar de ouders van de bruidegom wilden iets extravagants voor hun zoon, en waren bereid de kosten te dragen. Nathan en Jardena stribbelden tegen, omdat ze het te snobistisch vonden, maar de bruid zei: 'Er prat op gaan dat je zo bescheiden leeft, is op zichzelf een vorm van snobisme.' Daar hadden haar ouders niet van terug.

Zecharia's vader en moeder waren in feite pretentieloze en bovendien heel warme mensen van Jemenitische afkomst, gul en glunderend van trots dat hun zoon een orthodoxer leven leidde dan zijzelf. In hun huiskamer stond een grote kartonnen doos.

'Zecharia's wasmachine,' wees de vader. 'Hij staat hier al ruim twee jaar op hem te wachten.'

In de keuken stond een gelijksoortig pak. 'Zecharia's fornuis. Ik geef graag zolang mijn hand warm is. Morgen koop ik een koelkast voor het jonge stel en dan laat ik alles naar hun toekomstige adres brengen.'

Op de avond voor de bruiloft ging de bruid naar het mikve. Jardena ging mee. Tot haar verbazing gingen na de ceremonie ook het hele toekomstige servies en al het keukengerei van het jonge paar in een ritueel bad.

'Wat krijgen we nou? Al dat nieuwe spul? Waar is dat voor nodig?'

'Je weet nooit waar het gefabriceerd is, en door wie,' legde Simcha uit. 'Het zou uit een fabriek in het buitenland kunnen komen, of door handen zijn gegaan die niet waren gewassen nadat ze vlees of melk hadden aangeraakt. We nemen het zekere voor het onzekere en kasjeren ons hele servies eens en voor altijd.'

De bruiloft was een verrassing. Om te vermijden dat de vrouwen dansten in aanwezigheid van mannen, had de bruidegom een twee meter hoog schot in het midden van de zaal laten plaatsen. Eten en drinken werden aan beide kanten van het schot geserveerd, en de muziek was overal te horen. Hoewel mannen en vrouwen apart feestvierden, zag men zo nu en dan een klein meisje naar haar vader lopen, of een man die het niet zo nauw met de regels nam naar zijn vrouwvolk zoeken. Jardena tuurde af en toe door de kieren in het schot om te zien hoe de mannelijke leden van haar gezin het maakten. Aangezien Nathan al zijn zonen en neven van veelkleurige Boegaarse keppeltjes had voorzien, viel het haar niet moeilijk de Jerushalmiclan te herkennen in de zwarte zee van orthodoxie. Op een goed moment zag ze Itsik en Shai met op hun schouders Nathan en Zecharia wild om elkaar heen tollen. Er was geen twijfel aan: de mannen vermaakten zich kostelijk zonder hun vrouwen.

Aan de vrouwenkant ging het zo mogelijk nog vrolijker toe. Simcha werd aan één stuk door met stoel en al de lucht in getild. De moeder van de rabbijn vroeg de bruid om haar zegen. Jonge meisjes nodigden haar ten dans. Simcha's Ashkenazische vriendinnen met hun lange vlechten en zwarte wollen kousen dansten vrolijk met de Jemenitische tantes en nichten van de bruidegom. Degenen die te oud of te stram waren om hun voeten van de grond te tillen, klapten in hun handen.

Talloze vrouwen schudden Jardena de hand en vertelden hoe goed haar dochter als fysiotherapeut voor hen of hun vrienden en verwanten had gezorgd. Van al die orthodoxe vrouwen zei er niet één iets over het feit dat de moeder van de bruid blootshoofds liep. Dat deed haar goed. Ze had zorgvuldig over haar kleding nagedacht, en besloten om weliswaar een jurk met lange mouwen en een hoog gesloten hals te dragen, maar niet haar hoofd te bedekken. Ze wou niet de indruk wekken dat ze net zo orthodox was als haar dochter.

Na de bruiloft gingen Simcha en Zecharia voor het eerst in hun eigen woning slapen. De volgende ochtend belde Simcha op. 'Het was een prachtig feest,' zei ze. 'Wat een voorrecht om het middelpunt te zijn van zoveel oprechte vreugde gedeeld door mannen en vrouwen, oud en jong, Sephardim en Ashkenazim, orthodoxe en seculiere Joden.'

'En ...' vroeg Jardena zo discreet mogelijk. 'Hebben jullie goed geslapen?'

Simcha grinnikte. 'Nou en of! We moeten nog heel wat leren, maar het is fijn om de vrouw van een man te zijn.'

'Geven zolang mijn hand warm is', had Zecharia's vader gezegd. Met die woorden had hij Nathan en Jardena aan het denken gezet over hun eigen kinderen. Ze herinnerden zich hoe Nathans moeder indertijd had gevreesd dat Shai, als hij werd geadopteerd, in de erfenis zou delen. 'Welke erfenis?' had Jardena smalend opgemerkt. 'We hebben immers geen rooie cent.' Maar haar schoonmoeder had met vooruitziende blik gezegd: 'Wat niet is, kan nog komen.' En al hadden Nathan en Jardena niet veel te geven, het was meer dan een rooie cent en Shai had er precies evenveel recht op als de andere kinderen. Gelukkig had de oude Consuela dat aan het eind van haar leven zelf ingezien. Om dus inderdaad te geven zolang zijn hand warm was, stond Nathan zijn atelier af aan Shai. Zelf trok hij met schildersezel, palet, tubes verf, terpentine, lijsten, lappen en kwasten naar de woonkamer.

'Wel zo knus,' zeiden hij en Jardena welgemoed. 'Laat ons ouwetjes maar hokken.'

Wekenlang werd er aan alle kanten van het huis afgebroken en opgebouwd. Raphael leunde over de balustrade van het balkon en zei tegen Perla, die met haar gezin de zomer in Israël doorbracht: 'Wat ben ik een geluksvogel. Kijk toch eens wat een uitzicht ik heb.'

'Uitzicht? Al die fietsen en al dat puin op de binnenplaats?'

'Nee, nee! Het uitzicht! Kijk toch eens naar al die dierbare Jerushalmi's die alsmaar in en uit lopen.'

Op 12 juli maakten de rabbijnen die leiders waren van de nationaal-religieuze partij bekend dat Judea en Samaria een onlosmakelijk deel van het beloofde land waren, en dat de bewoners van de nederzettingen in die gebieden geen gehoor hoefden te geven aan het bevel van de regering om hun woonplaatsen te verlaten. De discussies en polemieken laaiden op, niet alleen tussen links en rechts, maar ook binnen de nationaal-religieuze partij zelf.

Eind juli pleegde een Palestijn een zelfmoordaanslag in Ramat Gan, een voorstadje van Tel Aviv. Toen Rabin en andere hoogwaardigheidsbekleders de plaats van de tragedie bezochten, werden ze openlijk uitgejouwd: 'Dat komt van jullie Osloplan.' In augustus waren er meer aanslagen en meer demonstraties tegen de regering.

In diezelfde maand kregen Vered en Ehud een zoon, die ze ondanks alles Shalom noemden.

Er waren meer mensen die de hoop niet lieten varen. Op 20 september vond een ontroerende ontmoeting plaats tussen Yehuda Wachsman en sjeik Yassir Bader. Sjeik Bader was door het Israëlische leger opgepakt omdat hij jonge Palestijnen tot terreuracties had aangezet. In de hoop sjeik Bader vrij te krijgen, ontvoerde zijn zoon met een paar vrienden Nachshon, de zoon van Yehuda Wachsman. Tijdens de poging van het leger om soldaat Wachsman te bevrijden, kwamen beide jongens, ontvoerder en ontvoerde, om het leven. In hun oneindig verdriet vonden de twee vaders elkaar. Samen maakten Yehuda Wachsman en Yassir Bader bekend dat ze tegen geweld en terreur waren en dat moordenaars de doodstraf verdienen. Samen richtten ze het Israëlisch-Palestijns Centrum voor Geduld en Opvoeding op, maar of zoiets moois lang stand zou houden?

Shai en Jifrach hadden midden in de verbouwing een paar dagen vrij genomen om naar de Sinaï te trekken. Nog moe van zee en zon zat Shai op het balkon te kijken hoe Jardena de was binnenhaalde.

'Simcha is getrouwd,' zei Jardena vergenoegd, 'Vered en Ehud hebben een gezonde baby. Als Rabin en Arafat nu ook dat vredesplan nog weten door te zetten, heb ik alles wat mijn hart begeert. Tenminste bijna. Mijn volgende wens is een meisje voor jou.'

'Hokus, pokus, voor mekaar,' zei Shai met een stalen gezicht.

'Wat? Hoe bedoel je? Sinds wanneer?'

'Sinds eergisteren. Ze heet Josefina en heeft net haar studie aan de universiteit hier in Jeruzalem afgerond. Ze was een tochtje door de Sinaï gaan maken alvorens naar haar familie in Argentinië terug te keren. Maar nu we elkaar hebben ontmoet weet ze het niet meer zo zeker.'

Jardena stond paf. Kon je het toeval noemen dat Josefina de laatste dagen voor haar vertrek uit Israël naar de Sinaï was getrokken? En dat Shai en Jifrach zonder enige aanwijsbare reden het plotseling in hun hoofd hadden gehaald om hun werk een paar dagen te onderbreken?

Zoals ieder jaar in september, verzamelde Nathan schoonmaakspullen en gereedschap om vóór de eerste regens de pannen en goten te controleren. Hij stond op het punt het dak op te gaan, toen Jifrach zich ermee bemoeide.

'Ik wil het niet hebben, Abba! Je benen zijn te stram. Het is levensgevaarlijk.'

'Steek je neus niet in andermans zaken. Ik heb veertig jaar lang het dak schoongemaakt. Ik heb je nooit om toestemming gevraagd. En dat ga ik nu ook niet doen. Kom, laat de ladder los.'

Maar Jifrach hield voet bij stuk.

'Vanaf vandaag maak ik het dak schoon, en daarmee uit!'

Op 4 november, na afloop van de Shabbat, demonstreerde een enorme menigte in Tel Aviv. Het zag ernaar uit dat de mensen nu werkelijk bereid waren land op te geven in ruil voor vrede. De massademonstratie was vooral bedoeld als eerbetoon aan de ministers Rabin en Peres, die al jarenlang hun energie en goede wil voor de Oslo-akkoorden inzetten. Laat die nacht kwam Nathan terug uit Tel Aviv. De demonstratie was een overweldigend succes geweest. Meer dan honderdduizend mensen waren op het gigantische Koningsplein bij elkaar gekomen en hadden samen met de ministers Rabin en Peres gezongen: 'Geef de zon een kans te schijnen. Zing een lied van vrede.'

Maar toen haar man thuiskwam zat Jardena voor de televisie te huilen. Yitshaq Rabin was dood. Vermoord door Yig'al Amir, een Israëliër, en nog wel een Jood! Erger kon het niet. Een volgeling van Baroech Goldstein, de fanatieke arts die in Hebron tientallen Arabieren had vermoord om het vredesproces te ondermijnen. Het Joodse volk had zijn eigen hoofd afgehakt: Yitshaq Rabin, de generaal die in 1967 de zesdaagse oorlog had gewonnen, de held die gevochten had toen er geen andere mogelijkheid was, maar die zich met hart en ziel voor de vrede had ingezet toen die binnen bereik leek te zijn, was dood.

Israël hulde zich in rouw. Hoewel er niets meer te redden viel, en Nathan en Jardena net zo goed naar bed konden gaan, bleven ze de hele nacht voor de televisie zitten. Het gaf hun een gevoel van saamhorigheid met het rouwende volk dat in grote groepen op de plaats van de moord samendromde, of in indrukwekkende stilte bij de ambtswoning van de vermoorde premier de wacht hield. Af en toe vielen Jardena's ogen dicht, maar iedere keer dat ze ze opende zag ze mensen huilen. Oude en jonge mensen uit alle lagen van de bevolking stonden versuft te kijken met tranen in hun ogen. Honderden mensen stonden met brandende kaarsen op het Koningsplein. Waar hadden ze midden in de nacht al die kaarsen gevonden?

Overal kwamen ze vandaan, uit alle uithoeken van het land, de mensen die rouwden om de vrede, in auto's en te voet, met baby's in kinderwagens, met ouden van dagen in rolstoelen. Honderdduizend, tweehonderdduizend, driehonderdduizend, en nog bleven ze komen.

Zondagochtend vroeg werd de kist voor de Knesset opgesteld. En nog steeds stroomden de mensen Jeruzalem binnen. Fabrieken, kantoren, scholen en winkels waren gesloten. De busmaatschappijen vervoerden iedereen gratis. Ieder die de laatste eer wilde betuigen aan de vermoorde minister-president kreeg gelegenheid dat te doen. Iedereen wilde! Ze kwamen uit Galilea, van de kust, uit de Negev, uit steden, dorpen en kibboetsim. Of ze nu religieus waren of seculier, ze kwamen. Ze kwamen in drommen en waren niet weg te krijgen. In de namiddag verscheen een zegsman van de Knesset op de televisie om het volk dringend te verzoeken wat rustiger aan te doen. 'Vijftigduizend mensen passeren per uur de kist van Yitshaq Rabin. Ik vraag jullie niet om weg te blijven. Kom na middernacht, kom om twee uur in de ochtend, om drie uur ... De tuin van de Knesset zal de hele nacht openblijven. Kom morgen in alle vroegte als u wilt. Kom, kom vooral. Kom naar Jeruzalem, maar kom niet allemaal tegelijk.'

Jardena ging na middernacht met Shai en Jifrach. Het weer was mooi en de cipressen geurden. Hier en daar liep een man of vrouw op leeftijd, maar de meeste rouwenden op dit late uur waren jongelui tussen de twintig en dertig, van het soort dat Jardena in het algemeen zou hebben geassocieerd met motorfietsen, disco's en popconcerten. Allen liepen zwijgend door de straten, allen rouwden om de verloren generaal Yitshaq Rabin, die het compromis van de vrede had verkozen boven de roem van de oorlog. Ze stonden zwijgend in de rij om langs de kist te defileren, of zaten op de trottoirs met bloemen, brieven, gedichten, olijftakken en papieren vredesduifjes. Ze hadden hun scheppingsdrang de vrije teugel gelaten en hun gebrek aan communicatievermogen overwonnen om hun verdriet en hun verontwaardiging tot uitdrukking te brengen. Ze hingen hun gaven in de bomen of legden ze op de grond. Ze staken kaarsen aan en zaten er in kringen omheen. Ze neurieden liederen van saamhorigheid en vriendschap, psalmen en gebeden, en aldoor maar weer het lied dat de minister-president vijf minuten voor zijn dood samen met duizenden van hen had gezongen: 'Geef de zon een kans te schijnen. Zing een lied van vrede.'

Op maandagochtend landden tientallen vliegtuigen op Ben-Gurion, met vertegenwoordigers uit tachtig landen: president Clinton van Amerika en twee van zijn voorgangers, president Mubarak van Egypte, de keizer en de keizerin van Japan, premiers en presidenten en ministers-presidenten van Duitsland, Rusland, Spanje en Marokko, en de prins van Wales. De koningin van Nederland kwam in het zwart, de koningen van Afrikaanse landen kwamen in kleurige gewaden, de minister van Oman droeg een tulband op zijn hoofd, en een zwaard aan zijn gordel. Aan Yitshaq Rabins graf stonden duizenden diepbedroefde wereldburgers, waarvan vele die ochtend waren gekomen en diezelfde avond weer zouden vertrekken. Met gebogen hoofd stonden ze eendrachtig op de Herzlberg in Jeruzalem, de stad die voor velen, althans op die dag en op dat moment, het hart van de wereld verzinnebeeldde.

1996

Eind februari ontplofte een overvolle bus van lijn 18 die dwars door Machaneh-Yehoedah liep, en die de meeste leden van de familie Jerushalmi bijna dagelijks namen om naar school of werk te gaan.

Precies veertien dagen later ontplofte een tweede bus op hetzelfde traject. Ook deze was vol schoolkinderen, die met schooltas en al de lucht in vlogen.

In andere delen van het land was het al niet beter.

Toeristen – de mensen die Nathans belangrijkste cliënten waren geweest – kwamen niet meer naar Israël, en de middenklas-Israëliër die in de jaren zestig en zeventig graag een authentiek kunstwerk aan zijn muur hing, keek liever naar zijn televisie, zijn computer en zijn glanzende Subaru. Nathan verkocht haast niets.

Jardena vond werk in een verpleeghuis voor ouden van dagen, als particulier verzorgster van Anna Presser, die de oudste en dierbaarste vriendin was geweest van de enige jaren tevoren gestorven tante Roos. Voor Jardena was ze tante Anna.

Behalve een handjevol professionele krachten, werkten daar Russische immigranten die voor ingenieur of arts hadden gestudeerd, en van wie het diploma in het beloofde land niet werd erkend.

Daarnaast waren er nog de privékrachten, die door verwanten van enkele welgestelde ouden van dagen in dienst waren genomen om te doen waar de staf niet aan toekwam. Natuurlijk ontdekten de officiële verzorgers al gauw dat hun officieuze concurrenten tweemaal zoveel verdienden als zij. Jaloezie was niet van de lucht.

Toen Jardena tante Anna voor de eerste keer in haar rolstoel naar de dagzaal had gebracht en haar in een hoek had geïnstalleerd waar het niet tochtte, het licht niet te scherp was, en men zo weinig mogelijk hinder had van de blèrende televisie, telde ze tweeëndertig oude dames en heren. Eén van hen deed wanhopige pogingen om de aandacht van een verzorger te trekken. ‘Alsjeblieft, mag ik nog een kopje thee?’ Een verzorgster schuifelde met haar serveerkarretje langs en zuchtte: 'Je hebt al thee gehad. Ik heb pijn in mijn rug.'

'Maar kan ik niet nog een kop krijgen?' De oude dame tikte driftig met haar kopje op de tafel. Iemand riep met een zwaar Russisch accent: 'Als je niet ophoudt iedereen gek te maken, rol ik je naar je kamer.'

De oproerkraaister duwde haar rolstoel ruw naar achteren en reed tegen een buurvrouw op. Het incident liep met een sisser af toen de privéhulp van de buurvrouw de opstandelinge thee bracht.

Om kwart voor zes dekten verzorgers de tafels met papieren onderleggers en groene plastic slabben. Even later brachten ze kommetjes pap. Wie niet met een stok of wandelrekje of op eigen kracht bij de tafel kon komen, werd er door verzorgers heen gerold.

Anna Presser proefde haar pap en vroeg: 'Kun je er alsjeblieft een klont boter in doen?' Aan het eind van de zaal stond een keukenprinses in witte kokskledij achter een etenskarretje.

Met tante Anna's papkom in de hand stevende Jardena op haar af om de boodschap over te brengen: 'Kunt u hier alstublieft een klontje boter in doen?'

'Maak dat je wegkomt,' gilde de keukenprinses. 'Ga bij je werkgeefster zitten en wacht tot ze aan de beurt is.'

Verbouwereerd droeg Jardena de pap terug naar tante Anna. Toen er eindelijk een verzorgster met boter langskwam, was de pap koud en had tante Anna er geen zin meer in. Jardena nam zich voor in het vervolg niet te vragen maar te nemen. De meeste verzorgers waren bovendien allang blij als hun wat werk uit handen werd genomen, wat ze er niet van weerhield om de particulieren kleinerend de 'non-professionelen' te noemen.

Toen tante Anna's ogen zo slecht waren geworden dat ze zelfs de koppen in de krant niet meer kon lezen, bracht ze haar tijd door met fantaseren over de mensen om zich heen. Om het weinige dat ze zag te kunnen aanvullen, verlangde ze van Jardena een zo volledig mogelijke beschrijving van haar omgeving.

Er was een man die zijn ogen altijd stijf dicht hield. Zo nu en dan schreeuwde hij hartverscheurend, het was onduidelijk waarom. Anna Presser besloot dat zijn vrouw en kinderen in Auschwitz waren vergast, en dat hijzelf tegen wil en dank gered was. Jardena dacht aan Salim, die ze in 1956 in het ziekenhuis voor geesteszieken had aangetroffen. Ook hij hield zijn ogen altijd stijf dicht, maar hij was een Arabier. Het verschijnsel hoefde niet per se verband te houden met concentratiekampen. Maar dat zei ze niet tegen tante Anna. De oude dame was aan haar hersenspinsels verknocht.

Er was een piepklein dametje met glanzend wit haar, en ofschoon tante Anna haar haast niet kon zien, hield ze minachtend vol dat de glans het gevolg was van een overdosis zilvershampoo. Haar belangstelling ging hoofdzakelijk uit naar de twee zoons van mevrouw Zilvershampoo. Ze bedacht iedere dag een nieuwe reden waarom de oudste zo vaak zijn moeder opzocht en de jongste zo zelden. Toen ze erachter kwam dat de jongste een generaal in actieve dienst was, kwam er geen einde aan de biografieën die ze voor hem verzon.

Het was de oudste zoon van mevrouw Zilvershampoo die Anna Presser het geheim van Jake en Helga verklapte. Jake leed aan de ziekte van Alzheimer, en Helga, die hem dagelijks bezocht, was niet zijn vrouw maar zijn concubine. Tante Anna genoot van het woord. Helga, wier gitzwarte loshangende haren en overdreven make-up niet konden verdoezelen dat ze tegen de zestig liep, had een zoontje van een halfjaar.

'Ze wil na de dood van Jake niet alleen achterblijven,' fluisterde de zoon van mevrouw Zilvershampoo Anna Presser in het oor. 'Ze heeft het kereltje vorig jaar voor vijftigduizend dollar in Roemenië gekocht.' Tante Anna had een week lang stof voor de wildste fantasieën.

De oudste man in het verpleeghuis was tweeënnegentig, de oudste vrouw honderdvier. Haar man en kinderen waren dood en kleinkinderen had ze niet. Haar financiën werden beheerd door een familielid dat haar eens in de drie maanden opzocht. Ze kon niet lopen, maar haar ogen waren zo goed dat ze de ene merklap na de andere borduurde. De enige keer dat Jardena haar hoorde praten, was toen haar tasje op de grond viel en ze de verzorgsters ervan beschuldigde dat ze het wilden stelen.

Een geliefd aanknopingspunt voor Anna Pressers bedenksels was Eberhardt, een Duitser die als privéverzorger optrad voor een ongetrouwde heer.

Eberhardt, de hartendief van alle dames en aanleiding tot veel naijver in hun gelederen, had één Joodse grootouder. Dat was de vader van zijn moeder, hetgeen slecht uitkwam voor iemand die zich, ook nog aan het eind van de twintigste eeuw, niet met zijn Duitse afkomst kon verzoenen. Was de moeder van de moeder van Eberhardt Joods geweest, dan zou hij dat volgens de halachah zelf ook zijn. Was de vader van zijn vader Joods geweest, dan zou hij – nog steeds volgens de halachah – wel niet Joods zijn, maar dan had hij tenminste de kans gehad Cohen of Levy te heten. Voor Eberhardt zat het wat dat betreft aan alle kanten verkeerd. De jongen heette Von Eisenwaffen en vond dat niet om te lachen.

Toen Eberhardt een jaar of veertien was, besloot hij om Joods te worden. Zomaar uit zichzelf. Om zijn grootvader, die lang voor zijn geboorte in Treblinka vergast was, te wreken, en om de Joodse tak van zijn stamboom, ook volgens de halachah, voort te zetten.

In plaats van op school naar de meester te luisteren, leerde hij zichzelf Hebreeuws en Jiddisch uit boeken die hij in het geheim in zijn schooltas meesjouwde. Toen hij achttien was mocht hij naar Israël in het kader van een uitwisselingsprogramma. Een paar jaar later ging hij er opnieuw naar toe om zich tot het jodendom te bekeren.

Aangezien de staat Israël na de Tweede Wereldoorlog gesticht was als haven voor de vervolgden en hun nakomelingen, en Ben-Gurion in aanmerking had genomen dat half-Joden en kwart-Joden, zoals de nazi's ze noemden, eveneens vaak door hen waren vervolgd, staat er in de onafhankelijkheidsverklaring dat ieder die minstens één Joodse grootouder heeft welkom is om in het land te leven en te werken, ook al is die grootouder niet de moeder van de moeder, en is de betreffende afstammeling volgens de halachah geen Jood.

Eberhardt zou tot de categorie van 'kwart-Joden' hebben behoord als hij de Joodse afkomst van zijn grootvader had kunnen bewijzen. Helaas voor Eberhardt was zijn grootvader, Avigdor Malkiël, lang voor de oorlog zo geassimileerd dat hij zich Victor Koenig noemde en alles wat met zijn Joodse afkomst te maken had eigenhandig had vernietigd. Maar ook al deed hij nog zo zijn best om zich als een 'raszuivere' ariër te gedragen, toch bleef hij voor de nazi's een doodgewone rotjood. En nu wou zijn kleinzoon zich tot het jodendom bekeren. Jarenlang studeerde hij in een jeshivah in Jeruzalem. Jarenlang verbleef hij in Israël op een toeristenvisum dat hij steeds weer moest laten verlengen. Jarenlang verdiende hij zwart geld als manusje-van-alles, babysitter, clown en particulier verzorger van bejaarden. Soms had hij nauwelijks te eten, maar hij zette door. Soms nodigde Jardena hem uit voor het vrijdagavondmaal. Zo raakte hij bevriend met Jannai, Shai en Jifrach, die ongeveer van zijn leeftijd waren. Een tijdlang logeerde hij zelfs bij de Jerushalmi's op het vlierinkje. Het was voor Eberhardt von Eisenwaffen dat Jardena een shabbatklok aanschafte, zodat het licht boven zijn bed op vrijdagnacht vanzelf uitging. Het was voor hem dat ze een elektrisch boilertje installeerde, zodat hij op shabbatochtend warme koffie kon drinken. De kleine moeite werd ruimschoots beloond door de vreugde om Eberhardt onder de shabbatgasten te mogen rekenen.

Degene die tante Anna het meest intrigeerde was dokter Raoul, een knappe man van middelbare leeftijd met een kort puntbaardje en een gehaakte keppel, als teken dat hij behoudend maar niet ultraorthodox was. Hij kwam iedere avond even de zaal in om te zien of alles naar wens was. Op een keer hield hij de pas in bij haar stoel en vroeg afwezig: 'Hoe gaat het met onze Annetje Pannetje? Alles naar wens?'

'Nee,' zei Anna Presser.

'Goed zo,' zei dokter Raoul. 'Ik kan wel zien dat je een oersterk vrouwtje bent. En als er ook maar het minste probleempje is, moet je 't me vooral laten weten, zul je 't niet vergeten?' En weg marcheerde hij naar de volgende patiënt.

Hoewel de stem van tante Anna in het algemeen nauwelijks hoorbaar was, kreeg ze het deze keer voor elkaar om te schreeuwen: 'Dokter Raoul! Kom onmiddellijk hier!'

Tot Jardena's verbazing voldeed de man op slag aan het bevel. 'Is er iets?' vroeg hij verrast.

'Er zijn meerdere dingen waarover ik me met u wil onderhouden, en ik vezoek u niet weg te lopen alvorens ik geheel ben uitgesproken.'

De ogen van dokter Raoul rolden bijna uit zijn hoofd.

'Om te beginnen, menéér Raoul, ben ik voor u niet Annetje Pannetje maar mevrouw Presser. Ik ben noch uw leeftijdgenote, noch uw vriendin, en wens dat ook niet te worden. Ten tweede wil ik u verzoeken om nooit meer in dat affreuze oranje-paarse overhemd in de gemeenschappelijke ruimte te verschijnen. Zoals u ziet raakt zelfs een blinde overstuur door uw gebrek aan smaak. Ten derde wil ik uw aandacht vestigen op het feit dat er in uw etablissement een tekort is aan theelepeltjes. Dat is voorlopig alles, meneer Raoul. U kunt gaan.'

De man liet het zich geen tweemaal zeggen.

De opmerking over de theelepeltjes sloeg op één van tante Anna's dagelijkse grieven. Haar handen waren zo zwak dat ze moeite had de zware lepel te hanteren waarmee ze geacht werd haar pap te eten. Maar de keukenprinses weigerde theelepeltjes uit te delen omdat die volgens haar in de zakken van de particulier verzorgsters verdwenen.

De uitbarsting had tante Anna goedgedaan, maar opzienbarende verbeteringen had hij niet bewerkstelligd. Al verdween het psychedelische overhemd van de heer Raoul van het toneel, theelepeltjes verschenen er niet.

Gedurende de maaltijden deelde tante Anna een tafel met de dames Becker en Jungster. Bronya Becker was negenennegentig en te zwaar om haar eigen gewicht te torsen. De drieënnegentigjarige Elsie Jungster was daarentegen nog prima ter been. De dames Presser en Becker konden enigszins met elkaar overweg, maar Elsie was hun een doorn in het oog. Ze vonden haar ordinair en ongeletterd.

Op een dag liet Jardena zich iets ontvallen over Dreyfus, wiens biografie ze net had gelezen.

'Ik herinner het me alsof het gisteren gebeurd is,' zei Anna.

'Onzin,' zei Bronya. 'Je was toen nog veel te jong om er iets van te begrijpen.'

'Toch weet ik het nog,' hield Anna vol. 'Het was in 1906.'

'Zie je wel dat je er niets van weet. Het was in 1904.'

'1906.'

'1904.'

'Dames, dames, zullen we het dan maar op 1905 houden,' kwam Elsie er giechelend tussen.

'Hou jij je erbuiten, uilskuiken,' schreeuwde Bronya minachtend. 'Jij was in de tijd van Dreyfus nog niet eens geboren.'

Elsie stak haar tong uit, maar Bronya hervond haar waardigheid.

'Ik ben zes jaar ouder dan jij,' beet ze Elsie uit de hoogte toe. 'In mijn tijd spraken welopgevoede meisjes hun ouderen en meerderen niet tegen.'

De zoon van Bronya was een gepensioneerde oogarts. 'Ik heb staar,' zei Bronya toen hij op bezoek kwam. 'Ik wil me laten opereren.'

'Maar moeder, je bent negenennegentig.'

'Ik weet hoe oud ik ben, mijn jongen,' zei de moeder. 'Ik heb geen staar aan mijn hersenen. Ik heb gelezen dat staar aan de ogen tegenwoordig met een eenvoudige operatie verholpen kan worden. Kun je dat voor mij organiseren?'

'Het is een hele verantwoordelijkheid. Daar moet ik over nadenken.'

'Ik vraag je niet om de verantwoordelijkheid te nemen. Ik vraag je om te zorgen dat ik die staar kwijtraak.'

'Maar als je iets overkomt ...'

'... maakt dat niets uit. Op mijn leeftijd ga ik sowieso binnenkort het hoekje om.'

'Als je zo realistisch over de dood denkt, waarom kun je dan niet accepteren dat ouderdom met gebreken komt?'

'Mijn kind,' zei ze tegen de gerimpelde oude heer die haar zoon was, 'wat ik vrees is niet de dood, maar een leven van ledigheid. Een mens heeft de plicht zijn dagen nuttig te besteden.'

Bronya werd aan beide ogen geopereerd en zou tot diep in de honderd filosofische werken lezen.

Omstreeks die tijd kwam er een nieuwe patiënt op de verzorgingsafdeling van het bejaardenhuis. Een stokoude Nederlander met een ziek lichaam maar een kerngezond verstand. Anna Presser liet Jardena niet met rust tot ze hem had uitgehoord. En wat de dames te horen kregen was een verrassing: 'Ach kindje toch,' mummelde het in elkaar geschrompelde mannetje toen hij Jardena's meisjesnaam hoorde. 'Ik ben nog op de bruiloft van je ouders geweest. Ik was toen een jochie van veertien. Ik woonde in Lochem, maar moest van mijn ouders zo nodig in Mokum op school en werd vanwege het eten bij koshere Joden in de kost gedaan. Dat waren je grootouders.'

'Op de bruiloft van mijn ouders geweest? Had ik dat maar geweten, veertig jaar geleden,' riep Jardena uit. Maar meteen besefte ze dat achteraf vaak blijkt hoe goed het is dat de dingen lopen zoals ze lopen. Ze zou nooit hebben geweten wat voor mens Andries Davids was. En dat had ze niet willen missen. 'Maar vertelt u eens, hoe ging dat op die bruiloft?'

'Dat zal ik nooit vergeten. Je moeder zag er schattig uit, met in haar haar een krans van bloemetjes, en o, wat keek ze verliefd naar haar bruidegom, en hij naar haar. We gingen van het stadhuis regelrecht naar de woning van je grootouders. Daar was een koshere lunch voor de naaste familieleden. Maar je grootvader had tegen mij gezegd: "Jongen, jij woont hier. Jij hoort er ook bij." Ja kind, die man was volgens mij één van de zesendertig rechtvaardigen die te allen tijde de aarde bevolken. En de vader van je vader ... die mocht er ook wezen! Nadat hij zich eerst met hand en tand had verzet tegen het huwelijk van zijn zoon met een Jodin, gaf hij bij het huwelijksdiner blijk van zijn waardering voor de familie van de bruid door uit zijn hoofd en in het Hebreeuws de priesterzegening uit te spreken. En in de oorlog heeft hij veel geld gegeven om Joden te redden. Maar dat weet je natuurlijk allemaal.'

Ontroerd drukte Jardena de oude man de hand.

Een studiegenoot van Jannai vroeg of de zevenjarige Benjamin de hoofdrol mocht spelen in een film van een kwartier. Zijn ouders vonden dat hij daarover zelf mocht beslissen. Ze zeiden dat het leven van een filmster geen lolletje was, en dat hij het volste recht had om te weigeren. 'Maar als je toestemt, mag je er niet halverwege mee ophouden,' waarschuwden ze. 'Of je doet het, of je doet het niet.'

'Ik doe het,' zei Benjamin.

'In dat geval zullen we je helpen om er een succes van te maken. Eén van ons gaat met je mee.'

Dat was makkelijker gezegd dan gedaan. Benjamin kon wel een paar dagen vrij krijgen, maar zijn moeder, die immers een kleuterklasje aan huis had, kon dat niet. Wat Jannai betreft, die maakte gebruik van de periodes dat het leger daar de gelegenheid toe gaf om Adel 's morgens achter op zijn scooter naar Jeruzalem te halen, en samen met hem de keuken te verbouwen.

De eer om de jonge filmster te chaperonneren viel ten slotte te beurt aan grootmoeder Jardena, die het enig vond.

Jardena nam voor een paar dagen afscheid van tante Anna en stapte in de bus naar Timna, dertig kilometer ten noorden van Eilat, waar temidden van rotsen en bergen die per uur van kleur veranderen, een twintigtal studenten werkte aan het filmpje waarin Benjamin de hoofdrol speelde.

Toen ze aankwam zaten Benjamin en zijn filmmoeder in een gammele auto. Het kind zag er doodmoe uit, maar de filmers waren in volle actie. 'Neem nog maar een stukje kauwgum, Benjamin,' zei de regisseur. 'Goed zo. Kijk nu uit het achterraampje en hou je ogen gericht op dat struikje daar. Hoofd iets omhoog, alsjeblieft. Moeder, raak het gezicht van je zoon aan met je rechterhand. Zo ja. Draai nu je hoofd langzaam naar links, Benjamin, tel tot vijf en kijk naar je filmmoeder. Schitterend! Stilte allemaal. Geluid! Opname vierendertig, vijfde maal, actie ... Stop! Hartelijk bedankt, dertig minuten lunchpauze.'

Benjamin sprong uit de auto, regelrecht in de armen van zijn grootmoeder. 'Savta, er is hier vlakbij een meertje. Zal ik iemand vragen ons erheen te rijden zodat je de grote blauwe vissen kunt zien? Gisteren heb ik een slang gezien. Ik ben de hele ochtend al misselijk. Ze geven me aldoor kauwgum.'

'Ik wil het meertje dolgraag zien, Benjamin, maar eerst moet je iets voedzamers eten dan kauwgum. Ik begrijp dat je de hele ochtend hard hebt gewerkt.'

Grootmoeder en kleinkind gingen naar de tent waar twee meisjes voedsel uitdeelden. Er waren verse broodjes met vlees en mosterd. Benjamin, die vegetarisch voedsel gewend was, spuugde de eerste hap uit en wou alleen drinken. Het beetje water dat in een plastic fles op tafel stond smaakte naar chloor. Er was ook coca-cola. Benjamin dronk een slokje, keek zijn grootmoeder smekend aan, en keerde tersluiks zijn beker om in het zand. Gelukkig vond Jardena een blikje gecondenseerde melk en wat chocoladepoeder. Het kind dronk twee bekers chocolademelk. Daarna reed één van de medewerkers Jardena en Benjamin naar het meertje met de grote blauwe vissen, waar ze samen heerlijk even konden zwemmen.

'Vind je 't leuk om een filmster te zijn?' vroeg Jardena.

Benjamin fronste zijn wenkbrauwen: 'Als ze zeggen dat ik het goed doe, vind ik het wel fijn, maar als ik iets tien keer over moet doen, en ze nooit tevreden zijn, dan vind ik er niks aan.'

Om vier uur ging iedereen weer aan 't werk. Kijk naar rechts, kijk naar links, loop naar die boom, ren naar dat hek. Vijf-, tien-, vijftienmaal hetzelfde. Zo nu en dan ging Benjamin op de grond zitten en schudde hij zijn hoofd: 'Nee! Nee! Nee!'

Onmiddellijk kwam er een lid van de groep met een stuk kauwgum aanzetten. Dan hief het kind zijn ogen ten hemel en smeekte hij: 'Alsjeblieft, niet nog meer kauwgum!'

'Jullie hoeven hem niet om te kopen,' zei Jardena. 'Leg hem uit waarom een bepaalde scène opnieuw gefilmd moet worden, wat er verkeerd is gegaan, of het aan hem lag of aan iemand anders, en vraag hem gewoon het nog eens over te doen. Hij is een kereltje met verantwoordelijkheidsgevoel, en hij weet wat hij op zich heeft genomen.'

De nacht zou in kibboets Elot worden doorgebracht, en daar werd ook het avondeten geserveerd. Benjamin had een razende honger. Er was vlees, een hete aardappel in de schil, een stukje droge maïskolf en een aantal niet te identificeren slappe bladeren die voor groenten moesten doorgaan. Benjamin begon de schil van zijn aardappel af te pellen. Plotseling zag hij een man voorbijkomen met een kom soep. 'Soep!' riep hij verrukt uit. Het bleek een nogal smakeloos brouwsel te zijn van champignonpoeder, opgelost in water. Maar het was tenminste heet en nat. Benjamin verorberde drie grote porties en sliep die nacht als een roos.

Om zes uur 's morgens werd iedereen gewekt. Het ontbijt werd staande op het gras van de kibboets genuttigd: oploskoffie of thee, verse witte broodjes met bendes chocoladepasta.

'Kunnen we niet wat bruinbrood en melk voor Benjamin krijgen?' vroeg Jardena. 'Kauwgum en chocoladepasta is nou niet bepaald geschikt voedsel voor een kind.'

Onmiddellijk schoten de twee meisjes van de vorige dag te hulp. 'Had dat gisteren maar gezegd. We dachten dat kinderen dol waren op dat soort dingen. We hebben het allemaal expres voor Benjamin ingeslagen, maar als u denkt dat hij iets anders moet eten, zeg het dan maar en we zorgen dat hij het krijgt.'

'Fruit,' zei Jardena. 'En verse groenten voor het middageten. Sla, komkommer, tomaten. Verse melk, elke dag een ei of noten of soja. Geen coca-cola. Geen kauwgum.'

Vanaf dat moment behandelde de hele filmploeg Jardena als een diva. Naar ieder woord dat over haar lippen kwam werd geluisterd. Haar geringste wens werd vervuld. Ze hoefde maar te kikken of er reed een lid van de ploeg naar Eilat heen en weer om vers water en verse groenten te halen. Niet alleen had Jardena niets te klagen, maar alle leden van de ploeg overstelpten haar met dankbetuigingen voor haar hulp en goede raad, alsof ze persoonlijk het verband had ontdekt tussen gezond eten en positieve energie.

Intussen was Roy, het jongetje in de film, in moeilijkheden geraakt. Terwijl zijn ouders ruzie maakten was hij aan de kant van de weg onder een stuk prikkeldraad door gekropen, en in een mijnenveld terechtgekomen. Het prikkeldraad was daar door leden van de filmploeg voor de gelegenheid aangebracht. En ze hadden het voorzien van waarschuwingen in het Hebreeuws, Engels en Arabisch. Gedurende de eerste repetities had Benjamin geen moeite gehad met zijn rol, maar toen de regisseur hem opdroeg om bij een waarschuwingsbord stil te staan en te lezen wat erop stond alvorens onder het prikkeldraad door te kruipen, fluisterde hij zijn grootmoeder in het oor: 'Weet je, Savta, er kunnen best echte mijnen in dat veld zijn. Die waarschuwingen zijn tenslotte niet voor niets aan het prikkeldraad gehangen.'

'Maar Benjamin, je hebt zelf gezien dat de jongens van de filmploeg dat prikkeldraad spanden en die borden eraan hingen.'

'Dat is waar,' gaf het kind toe. 'Maar hoe kun je zeker weten dat ze dat hek niet om een echt mijnenveld heen hebben gebouwd?'

Ondanks zijn twijfels volgde Benjamin de instructies van de regisseur braaf op. Toen de film enige maanden later vertoond werd, wisten alleen zijn grootmoeder en hij hoe het kwam dat hij Roy's angst zo uitstekend had weten te verbeelden.

Na eindeloos veel repetities en opnamen mocht de hele ploeg even wat drinken.

'Wie legt de mijnen in het veld?' vroeg Benjamin.

'Soldaten.'

'Waarom?'

'Om de vijand te doden,' zei de regisseur.

'Dan ga ik later niet in het leger. Ik wil niemand doden.'

De cameraman deed een duit in het zakje. 'Niemand wil iemand doden, maar soms wil een vijand jou doden, en dan moet je hem voor zijn.'

'Natuurlijk ga je wel in het leger,' zei de regisseur. 'Niemand wil het, maar iedereen doet het, anders zou het niet eerlijk zijn.'

Jardena voorzag wat komen ging. Ze nam een snelle beslissing. Als er gevoelens gekwetst moesten worden, zouden het de hunne zijn, niet die van haar kleinzoon. Haar taak was om Benjamin te beschermen. En daar kwam hij, de vraag die ze had verwacht. 'Waarom is mijn vader dan niet in het leger geweest?'

Iedereen keek naar Jardena. Ze had haar antwoord klaar. 'Als jongens en meisjes soldaat worden, Benjamin, dan moeten ze precies doen wat de officieren hun bevelen. Toen jouw vader drie weken in het leger was geweest, ontdekten de officieren dat hij te bijzonder was, te begaafd, een te groot kunstenaar om hun bevelen zonder meer te kunnen opvolgen.' Na deze hoogdravende verklaring keek ze ostentatief naar de lucht. Ze had geen zin om in de ogen van al die hedendaagse en toekomstige kunstenaars te lezen wat ze van haar opschepperij dachten.

'De rustpauze is voorbij,' zei de regisseur. 'Aan 't werk, iedereen.'

Die vrijdag filmde men de laatste scènes. Al was het nog zo heet, Benjamin werkte als een beroepsacteur. Om vier uur 's middags stond een auto met chauffeur gereed om hem en Jardena naar Jeruzalem te rijden. 'Je was geweldig, Benjamin,' zei de regisseur. 'Ik ben je eeuwig dankbaar. Binnenkort kun je de film zien. Dat zul je vast leuk vinden.'

'Ik hoef de film niet te zien,' zei Benjamin. 'Maar je mag mijn ouders uitnodigen als je dat wilt.'

'Was het dan zo vreselijk? Was er nooit iets leuks aan?'

'O jawel,' zei Benjamin. 'Het was enig, vooral vandaag.'

'Echt waar? Wat was er zo bijzonder aan vandaag?'

Benjamin keek naar zijn regisseur van zes dagen en poneerde plechtig: 'Vanaf het moment dat ik wakker werd vanochtend, wist ik dat ik vandaag naar huis zou gaan.'

Benjamin en Jardena stapten in de auto. De chauffeur stond op het punt om weg te rijden toen de regisseur riep: 'Benjamin, Benjamin, kun je nog even terugkomen?'

De tranen sprongen het kind in de ogen. Wat nu? Nog een keer iets overdoen? Met tegenzin stapte hij uit. Op dat moment brak de hele filmploeg in juichen uit: 'Benjamin, Benjamin, je bent een kei, je bent geweldig, je bent onovertroffen, je bent fantastisch!'

Zo vlug als hij kon sprong de kleine filmster terug in de auto. Hij dook in elkaar op de achterbank, en bedekte zijn gezicht met beide handen.

Nadat ze een tijdje in stilte hadden gereden, vroeg Jardena zachtjes: 'Die laatste stunt, dat was zeker net een beetje te veel, hè?'

Benjamin nam zijn handen van zijn gezicht en antwoordde bedachtzaam: 'Ik wist niet zo goed hoe ik kijken moest door al dat gejuich en geroep, maar het is fantastisch om fantastisch te zijn.'

In april werden er zoveel projectielen vanuit Libanon op het stadje Kirjat Sjemona afgevuurd dat de regering besloot het hoofdkwartier van Hezbollah in Beirut te bombarderen. De actie heette Druiven der Gramschap.

'Mooie naam,' spotte Nathan. 'Vooral als je bedenkt dat de actie gevoerd wordt door een winnaar van de Nobelprijs voor de vrede. Onze zeer geëerde waarnemend premier is zeker bang dat hij bij de verkiezingen in mei niet genoeg stemmen krijgt als hij nu niet even zijn tanden laat zien.'

Zoals altijd had Jardena gewetenswroeging omdat ze alweer haar stem niet zou kunnen uitbrengen, en zoals gewoonlijk lachte Nathan haar uit met zijn 'Dacht je dat jouw stem de doorslag zou geven?'

Eén stem zou inderdaad niet hebben geholpen, maar als dertigduizend staatsburgers wat flinker waren opgetreden, had Peres misschien de vrede kunnen doorzetten. Zoals gewoonlijk waren de liberalen, toleranten en vredelievenden indolenter dan de oorlogszuchtigen en fanatiekelingen. Benjamin Netanyahu kreeg dertigduizend stemmen meer dan Shimon Peres, en de Oslo-akkoorden verdwenen in de kast. Anna Presser kon er wel om huilen. En met haar zo'n beetje de helft van de stemgerechtigde Israëliërs.

Jardena en zij zaten in de tuin van het bejaardenhuis, toen een onbekende vrouw op hen afkwam en vroeg: 'Bent u niet Reinie Vreeland?'

Verbaasd keek Jardena op. 'Ja, maar wie bent u?'

'Wacht maar tot je mijn moeder ziet.'

De onbekende ging weg en kwam even later terug met een klein lachend vrouwtje dat Jardena uit duizenden zou hebben herkend.

'Goldie!' riep ze uit terwijl ze haar om de hals viel. Goldie Wallach, de moeder van Arnon die haar in 1956 in de haven van Haifa voor schut had gezet. Ze dacht allang niet meer aan de zoon, maar ze realiseerde zich op dat moment dat ze nog net zoveel van de moeder hield als veertig jaar geleden, toen Arnon ernstig ziek was en Goldie naar Nederland was gekomen. Samen hadden ze voor Arnons leven gevreesd.

'Moeder woont sinds vandaag op de verzorgingsafdeling van dit tehuis,' zei Arnons zuster. 'Ik herkende je aan je stem.'

'Mijn stem? Na meer dan veertig jaar?'

Nauwelijks waren moeder en dochter Wallach weer weg of tante Anna wou het fijne van de zaak weten. De pret kon dan ook niet op toen bij de avondmaaltijd bleek dat de nieuweling bij haar aan tafel zat. Goldie's dochter bleef de eerste avond bij haar moeder, en Anna Presser kreeg ruimschoots gelegenheid hun gedachten te raden. Het duurde niet lang of ze fluisterde Jardena in het oor: 'Moet je zien hoe 'n spijt ze ervan hebben dat die jongen niet met jou is getrouwd.' Jardena gaf haar oude vriendin een zoen, maar kon niet nalaten haar hartelijk uit te lachen.

Na de zomervakantie kwam Itsiks Noach bij zijn grootouders wonen om in Jeruzalem naar een speciale school voor drop-outs te gaan. Hij ging er gedwee iedere dag heen, maar zijn huiswerk maakte hij nooit. In plaats daarvan slenterde hij door de stad om, zoals hij dat noemde, nieuwe vrienden te maken. Soms kwam hij de hele middag niet thuis, en toen Jardena hem vroeg wat hij bij zulke gelegenheden at, trok hij zijn schouders op. Op een dag zag Jifrach hem in de oude stad bedelen onder het voorwendsel dat hij honger had.

'Schaam je,' zei Jifrach. 'Je weet heel goed dat je grootouders thuis met heerlijk eten op je zitten te wachten.'

Maar Noach antwoordde laconiek: 'Ik dwing niemand om mij geld te geven. Wie het mij geeft, doet dat uit vrije wil.'

Toen Nathan hiervan hoorde ging hij een kwartier lang zo tegen zijn kleinzoon tekeer, dat de jongen schreeuwde: 'Ik ga weg. Jullie zien me van je leven niet terug.'

'Opgeruimd staat netjes,' riep Nathan hem nog van het balkon achterna. 'Bedelaar! Ga eens wat nuttigs doen.' Maar een minuut later zonk hij met tranen in de ogen op zijn stoel. 'Wat heb ik gedaan. Wie weet wat hij zich aandoet?'

Noach was gauw genoeg terug. Niet bij zijn grootouders maar bij zijn vriend en raadsman Raphael. Hij was het die de jongen kalmeerde, en zijn buren een seintje gaf dat ze zich niet ongerust hoefden te maken. En gelukkig wist Raphael Noach tegen de avond ervan te overtuigen dat zijn grootouders van hem hielden en op hem zaten te wachten.

In de nacht na Jom-Kippoer werden de laatste brokken steen in de tunnel onder de Klaagmuur weggehakt. De ondergrondse werkzaamheden waren al een jaar geleden gereedgekomen, maar Rabin had toen, op aanraden van zijn adviseurs in veiligheidszaken, het wegnemen van de laatste barrière uitgesteld om de Palestijnen tijdens de vredesonderhandelingen niet te provoceren.

De nieuwe premier vond provoceren juist leuk. Zonder met wie dan ook te overleggen, besloot hij om midden in de nacht Joden en Palestijnen voor een voldongen feit te plaatsen. Zelfs de minister van Veiligheid hoorde pas op het laatste moment wat er stond te gebeuren. Hij had nauwelijks tijd om de politie op de hoogte te stellen.

Er werd een doorgang gemaakt naar de Via Dolorosa in de oude stad en daardoor ontstak niet alleen de woede van de Palestijnen maar van de hele Arabische wereld.

'De Moslims zullen het paradijs beërven,' voorspelde Arafat. Netanyahu zei: 'Wie in de tunnel is geweest, kan niet anders dan tot in het diepst van zijn ziel ontroerd zijn. Hier staan we op de grondvesten van het Joodse bestaan.' Na hem verscheen een sjeik op het televisiescherm die zei dat de islam het oudste geloof op aarde is. 'Onze heilige moskee staat al op de berg Moriah vanaf de tijd van Adam en Eva', wist hij te vertellen. 'En toen waren er nog helemaal geen Joden.' Hij vergat te vermelden dat de islam pas in de zevende eeuw na Christus is ontstaan.

De volgende dag braken overal op de Westbank onlusten uit. Het leger greep in. Aan beide kanten vielen doden en gewonden. Een week later ontmoetten Arafat, Netanyahu en koning Hoessein van Jordanië elkaar in Washington. Oppervlakkig gezien kalmeerden de gemoederen.

Niet lang na haar vijfennegentigste verjaardag zei Anna Presser tegen Jardena: 'Ik voel me anders. Ik kan niet precies uitleggen wat het is, en ik kan het niet met mijn kinderen bespreken, maar er is iets met mij aan de hand. Ik denk dat ik binnenkort doodga.'

Die avond weigerde ze te eten, en dronk ze alleen een paar druppels water. Voordat Jardena het licht in haar slaapkamer uitdeed, spraken ze samen over de dood. Anna Presser was niet bang voor wat er na de dood zou komen. Wat ze vreesde was het doodgaan zelf. Ze was bang dat het pijnlijk of griezelig zou zijn. Jardena probeerde haar gerust te stellen, en hoopte van harte dat de oude dame, aan wie ze zich heel erg had gehecht, vredig in haar slaap zou overlijden.

Toen ze de volgende ochtend op haar werk kwam, kreeg ze te horen dat Anna Presser gedurende de nacht wegens ademnood naar het dichtstbijzijnde ziekenhuis was overgebracht. Haar kinderen regelden dat er vierentwintig uur per dag iemand aan hun moeders bed zat, maar de oude vrouw bleef doodsangsten uitstaan.

'Waar ben je zo bang voor, moeder?' vroeg haar dochter met een geforceerde grijns. 'Denk je dat hier dieven zijn?'

Dan fluisterde de oude moeder maar weer in het oor van Jardena: 'Ik kan mijn dochter niet met mijn onredelijke angstvisioenen lastig vallen. Ze heeft het al moeilijk genoeg.'

Na een week verklaarden de artsen dat Anna Presser de volgende ochtend naar huis kon.

'Naar huis,' zuchtte de oude dame. 'Was het maar waar.'

Aangezien al haar privéverzorgsters dringend aan rust toe waren, huurden haar kinderen voor de laatste nacht in het ziekenhuis een werkstudent. Midden in de nacht zag deze de patiënt plotseling van kleur veranderen. Geschrokken waarschuwde ze een verpleegster. De verpleegster waarschuwde een arts. De arts liet in vliegende vaart een reddingsploeg opdraven met het modernste instrumentarium. Met z'n allen slaagden ze erin de vijfennegentigjarige Anna Presser, wier vurige wens om rustig te mogen sterven in vervulling was gegaan, weer tot leven te wekken. Toen de dochter de volgende ochtend haar moeders verwrongen gelaat en onwillekeurige bewegingen zag – haar hele lichaam schudde en schokte op de maat van de machine waar ze aan vastzat – belde ze in haar wanhoop Jardena op. Jardena nam een taxi, en samen vroegen ze om een onderhoud met het hoofd van de afdeling. Hij was een vriendelijke man van middelbare leeftijd, gekleed in het zwarte kostuum van de orthodoxen.

'Alstublieft, dokter,' smeekten de twee vrouwen. 'Heb medelijden met mevrouw Presser. Schakel de machine uit. U bent een gelovig mens. Gelooft u niet dat God wist wat Hij deed toen Hij een vijfennegentigjarige vrouw in haar slaap tot zich nam?'

'Dit is een ziekenhuis, dames. Het is onze plicht te trachten het leven te verlengen.'

'Maar ze is vijfennegentig. Ze zou toch niet willen ...'

'Het spijt me verschrikkelijk, dames. Als mevrouw Presser van tevoren te kennen had gegeven ... of als uzelf uw eigen wensen ten tijde van opname in ons ziekenhuis kenbaar had gemaakt, zou ik waarschijnlijk de opdracht hebben gegeven in geval van hartstilstand niet in te grijpen. Maar aangezien de dienstdoende arts deze opdracht niet uitdrukkelijk heeft gekregen, heeft hij zijn plicht en niets dan zijn plicht gedaan.'

'We begrijpen dat hij zo snel moest reageren dat hij geen tijd heeft gehad om te bedenken ...'

'Neem me niet kwalijk, dames. In noodgevallen worden artsen niet geacht te denken maar te handelen. Het leven gaat voor de dood.'

'Maar kunt u dan nu de opdracht niet geven om de machine uit te schakelen? Hebt u haar gezien, dokter? Hebt u gezien dat ze geen moment stil kan liggen? Hoe ze op en neer schokt op de maat van de machine?'

'U begrijpt toch wel, dames, dat het uitschakelen van het apparaat gelijk staat aan moord?'

'Maar dokter, zelfs de verpleegster geeft toe dat ze waarschijnlijk pijn lijdt.'

'Goed. Ik zal wat morfine voorschrijven om haar te kalmeren. In elk geval moet u zich niet al te druk maken. Patiënten in haar situatie blijven zelden langer dan een week of twee in leven.'

Gedurende vier dagen en vier nachten speelde Jardena met de gedachte om zelf het apparaat uit te schakelen. De enige met wie ze erover durfde praten was Raphael, bij wie ze in een onbedaarlijke huilbui uitbarstte. Hij luisterde aandachtig naar haar grieven, en legde daarna uit dat ze van moord zou worden beschuldigd en in de gevangenis terecht zou komen, en dat Anna Presser dat toch zeker niet zou willen.

Of Raphael gelijk had of niet, Jardena was veel te laf om haar plan ten uitvoer te brengen.

Vijf dagen nadat de artsen Anna Presser hadden verhinderd op haar eigen manier te sterven, stierf ze op hun manier. Een paar uur later werd ze begraven. Jardena treurde niet omdat haar oude vriendin dood was, maar ze zou haar leven lang blijven treuren om de nodeloze pijn die de maatschappij met zijn starre regels en wetten haar in de laatste dagen en nachten van haar leven had aangedaan.

Een paar weken na de dood van Anna Presser brak Goldie Wallach haar heup. Na de operatie kwam Jardena als particulier verzorgster voor haar werken.

Anna Presser had Jardena 's middags en 's avonds nodig gehad. Goldie Wallach wou dat ze 's morgens kwam, omdat de gedachte aan het ochtendtoilet haar nachtmerries bezorgde. Ze kromp ineen bij de gedachte alleen al dat iemand van het huispersoneel haar pijnlijke heup zou aanraken.

Terwijl Jardena Goldie onder de douche hielp, en haar rug en benen masseerde, moesten vier of vijf verzorgers hetzelfde werk doen met alle andere bejaarden want iedereen moest om acht uur aan het ontbijt zitten. Aan die regel viel niet te tornen. Vaak hoorde Jardena geschreeuw: 'Ai, ai, het water is veel te heet!' en het gebruikelijke antwoord: 'Stel je niet aan. Het water is prima.'

Van alle bewoners was Goldie de enige die een eigen kamer had. Daar betaalde ze dan ook vijfduizend dollar per maand voor, hetgeen ze zich kon veroorloven door het levenslange Wiedergutmachungs-pensioen dat ze van Duitsland kreeg.

Aan het begin van de Tweede Wereldoorlog waren Goldie, haar man en hun kinderen uit Wenen naar het toenmalige Palestina gevlucht, waar Goldie's ouders al op hen zaten te wachten. Goldie had uitstekend Hebreeuws leren spreken, maar viel, zoals veel oude mensen, voortdurend terug op haar moedertaal. Jardena kocht een boekje genaamd *Brush up your German*, en toen ging het wel weer. Toen ze enige tijd voor Goldie had gezorgd, raapte ze haar moed bij elkaar en vroeg naar Arnon. Hij was lang verbonden geweest aan een bekend ziekenhuis in Tel Aviv, en woonde momenteel met zijn derde vrouw in Moskou. Een dochter uit zijn eerste huwelijk zag hij sporadisch, de kinderen uit zijn tweede huwelijk zag hij nooit.

Op een ochtend kwam hij zijn moeders kamer binnen. De twee vroegere gelieven staarden elkaar aan. Hij had nog altijd dezelfde onwaarschijnlijk grote, bijna doorzichtige, bijziende blauwe ogen die Jardena vroeger altijd met kunstwerkjes achter glas had vergeleken.

Maar er was iets veranderd, misschien niet in Arnon maar in haarzelf. Nergens in haar hart of ziel was de vroegere drang om de bril met het zware montuur van zijn neus te nemen en de kostbare kleinoden met eindeloos respect te kussen. Ze hief haar handen op en liet ze machteloos in haar schoot vallen. Hij knikte gelaten.

Hoewel Jardena Goldie's dochter bewonderde om alles wat ze voor haar moeder deed, had ze toch ook wel bedenkingen tegen de wijze waarop de twee vrouwen met elkaar omgingen. Nooit zag ze moeder en dochter elkaar kussen of omhelzen. Nooit zag ze ze samen lachen of huilen. Langzamerhand drong tot haar door dat zelfbeheersing het hoofdingrediënt was geweest van Goldie's eigen jeugd in het vooroorlogse Wenen, en dat ze de traditie had voortgezet zonder op het idee te komen dat het ook anders kon. Had Goldie niet zelf gezegd: 'Vader en moeder zeiden nooit wat tegen elkaar of tegen ons kinderen. We zaten gewoon aan tafel te eten of te lezen.'

Op een dag zei Goldie: 'Ik bezit een document waarin je kunt zien dat koning Hoesseins grootvader, Abdallah van Jordanië, geld van mijn vader geleend heeft.'

'Werkelijk?'

'Reken maar. Mijn vader was slim genoeg om uit Wenen te vertrekken in een tijd dat hij nog al zijn geld kon meenemen. Hij was zo rijk dat hij de hele Westbank had kunnen kopen en Jordanië op de koop toe. En zal ik je nog wat zeggen? Hij wou het doen ook!'

'Waarom heeft hij het dan niet gedaan?'

'Hij heeft heel wat land gekocht, maar op een goed moment heeft Ben-Gurion er een punt achter gezet.'

'Ben-Gurion?'

'Wie anders? Mijn vader was een vrome Jood. Hij was lid van de Agoedat-israel. Ben-Gurion wou niet dat al het land door de religieuzen gekocht zou worden. Politiek, meisje, allemaal politiek.'

Het gebrek aan emoties in Goldie's familie nam niet weg dat ze genoot van Jardena's uitbarstingen van genegenheid. Wat ze haar kinderen niet had leren geven, aanvaardde ze dankbaar van Jardena. Van haar kant zou Jardena niet hebben geweten hoe Goldie 's morgens te wekken als het niet met een hartelijke kus was, en hoe 's middags afscheid van haar te nemen als het niet was met een omhelzing, soms vergezeld van een traan, zoals het geval was op de dag dat ze hoorden dat Arnons eerste vrouw zelfmoord had gepleegd.

1997

Naast Nathan en Jardena woonden sinds enige tijd Bob en Lilya. Lilya was ingenieur, Bob musicus. Beiden waren onlangs uit de vroegere Sovjet-Unie gekomen. Lilya had zich over Bob ontfermd. Ze was met hem getrouwd om hem te helpen. Want als echtgenoot van de Joodse Lilya kon ook de niet-Joodse Bob Rusland verlaten door met haar mee op aliyah te gaan. Overdag werkte ze als assistente van de stadsarchitect en 's avonds zat ze aan haar naaimachine om nog wat extraatjes voor haar beschermeling te kunnen doen. Bob speelde afwisselend viool, gitaar of slagwerk, waarbij hij steevast een maximum aan decibels produceerde. Vaak had Jardena de aanvechting om de non-stopmusicus te vragen zachter te spelen, maar aangezien zijn voordeur altijd op slot zat en hij te veel lawaai maakte om bel of telefoon te horen, kon het gezin Jerushalmi niet veel anders doen dan op betere tijden hopen.

En betere tijden kwamen er. Ondanks Lilya's grenzeloze toewijding, ging Bob er met een andere vrouw vandoor. Voor zover de Jerushalmi's konden zien, treurde Lilya geen dag. Ze gooide gewoon zijn achtergebleven bezittingen inclusief een gitaar van het balkon en ging tot ieders verbazing optreden als flamencodanseres. Niemand had door hoe begaafd ze was, tot ze Raphael een keer uitnodigde voor een voorstelling. Raphael waarschuwde de familie Jerushalmi, en degenen die het geluk hadden Lilya te zien optreden, keerden met de tong uit de mond naar huis. Die trotse vrouw in haar vuurrode jurk en gebloemde sjaal met franje, die uitdagend met haar hakken op het toneel klikte, was dat de kleurloze vrouw van Bob, die ze door het raam zo vaak gebogen achter haar naaimachine hadden gezien? Of was ze een femme fatale? Op de vrijdagavond na de verbazingwekkende dansvoorstelling at Lilya bij Nathan en Jardena.

Toen de groente op tafel kwam, brandde ze los: 'Erwten en bonen heb ik in Rusland nooit gezien, maar ik ben een expert op het gebied van tomaten. Ik weet hoe er puree van te maken, en hoe de hoeveelheid zout per liter te controleren. Ja, ik heb in het tomatenbedrijf gewerkt. In Rusland is niet, zoals hier, elk soort fruit en groente in alle seizoenen te koop. In Rusland groeien de tomaten alleen gedurende een bepaald seizoen, en als ze rijp zijn, moet je ze onmiddellijk plukken en verwerken. Dan krijgt een bepaalde stad of universiteit het bevel: "Stuur ons zo- en zoveel meisjes", en dan moet je naar de streek gaan waar de tomaten groeien en ze plukken, onafhankelijk van wat je beroep of je studie is en van waar je op dat moment mee bezig bent. En wee je gebeente als je weigert. Toen ik voor de zoveelste keer de opdracht kreeg om naar zo'n streek te gaan zei ik: "Ik peins er niet over, ik ga niet!" Mensenlief, ze hebben me bijna vermoord. "Hoe durf je weigeren?" zeiden ze. "Wij allen zijn kinderen van deze heerlijke communistische heilstaat. Wil je daar dan geen deel van uitmaken?" Ik ben niet gegaan, maar ik begreep wel dat ik Rusland zo snel mogelijk moest verlaten. Zo makkelijk was dat ook weer niet, want ik was inderdaad grootgebracht in de overtuiging dat Rusland het beste en heerlijkste land ter wereld is, en dat het een voorrecht is tot zo'n uitzonderlijke natie te behoren. Dus hoe kon ik uit eigen vrije wil vertrekken? Iedereen had altijd gezegd: "Kijk, je krijgt alles gratis, een woning, je studie, alles wat je nodig hebt." Maar in werkelijkheid was niets gratis. We betaalden een ongelooflijk hoge prijs voor al die twijfelachtige voorrechten. Jullie kunnen je helemaal niet voorstellen hoe hard ik gewerkt heb zonder ooit een cent te zien, en zonder dat iemand mij ooit vroeg of ik wel geïnteresseerd was in deze woning of in die baan. Ze gaven gewoon ieder gezin een ruimte om in te wonen, nooit meer dan het strikt noodzakelijke. Jarenlang woonde ons gezin van vier personen in een woning van acht vierkante meter.'

'Je vergist je, Lilya,' riepen Shai en Raphael als uit één mond. 'Acht vierkante meter is niets. Je bedoelt achttien vierkante meter!'

'Nee,' zei Lilya. 'Ik weet wat ik zeg. Twee kamertjes van samen acht vierkante meter, met een heel klein wc'tje in één hoek, en koken deden we in een andere hoek.'

'Waar was dat? In Moskou?'

'In Volgograd. Pas toen ik veertien was, zag mijn vader kans een paar treden op de politieke ladder te klimmen.'

'Maatschappelijke ladder, bedoel je,' meende Jardena haar te moeten verbeteren.

'Zeker niet. Maatschappelijke ladders pasten niet in het systeem. Je politieke profiel, daar draaide alles om. Toen mijn vader in de politiek een tikkeltje hogerop klom, kregen we een appartement van twintig vierkante meter toegewezen. Een kleine voorkamer en twee slaapkamers, één voor mijn ouders en één voor mijn zusje en mij.'

'Bel je weleens naar je zusje?' vroeg Jardena. 'Wil ze ook op aliyah komen?'

'Mijn zuster? Die is getrouwd met een man die voor de KGB werkt, niet iemand die belangrijke geheimen kent, maar toch ... Nee, mijn zuster zit voor haar leven vast. Een enkele keer spreek ik haar, maar mijn ouders spreek ik nooit. Geen behoefte aan. Die zeiden nooit iets anders tegen ons dan: "Wat wil je? Naar de wc? Had je maar voor het eten moeten gaan. Heb je trek? We hebben net gegeten."

Mijn zuster is acht jaar jonger dan ik. Ze zat nog op de lagere school toen ik naar de universiteit in Astrachan ging. Toen kreeg ze onze kamer voor zich alleen. Die luxe heb ik nooit gekend.

Astrachan is een grote stad vlak bij waar de Wolga in de Kaspische Zee uitmondt. Het klimaat is er vreselijk: heet en vochtig, en er is een delta van stinkende rivieren die al het vuilnis uit het noorden aandragen, inclusief talloze kadavers van honden en katten. In Astrachan woonde ik in een studentenhuis met gangen die vijftig meter lang waren. Aan beide einden van elke gang was een keuken, aan de ene kant één voor de vrouwen en aan de andere kant één voor de mannen. In elke kamer waren vier bedden, en boven ieder bed hing een kastje voor al je bezittingen, winterkleren, zomerkleren, boeken, alles wat je hebt. En dat terwijl ik voor ingenieur studeerde en enorme bouwtekeningen moest maken.'

'Waar deed je dat dan? In de bibliotheek?'

'In de bibliotheek? Laat me niet lachen. In de bibliotheek is geen plaats voor zulke grote tekeningen. Maar ik bofte. Twee van mijn kamergenoten studeerden economie en hadden weinig ruimte nodig. Als ze naar college waren, legde ik een plank over hun bedden. Dan zat ik op m'n knieën op de grond te tekenen. Zo heb ik vijf jaar gestudeerd, en ieder moment kon ik weer voor verplichte arbeid worden opgeroepen, naar een of andere kwekerij of bouwplaats, bijvoorbeeld als er een weg moest worden aangelegd. Voor wegenbouw roepen ze vrouwen op. De mannen zijn inspecteurs en directeurs die de hele dag zitten en eten en schreeuwen dat we niet hard genoeg werken. Jullie hebben geen idee hoeveel emmers beton ik op een draf naar de vierde en vijfde verdieping van een appartementencomplex in aanbouw heb gesjouwd. Als ik zie hoe dat hier toegaat, lach ik me suf. "Haast je langzaam" is hier het devies. Beetje werken, beetje rusten, beetje koffiedrinken ... Dacht je soms dat dat bij ons zo ging? Niks d'r van. Wij moesten de hele dag hollen, vlugger, vlugger, en als we dat niet deden, hoed je voor de gevolgen.'

'Maar Lilya,' zei Nathan, 'we horen toch vaak over Russen die er spijt van hebben dat ze naar Israël zijn gekomen, en die beweren dat ze het liefst zo gauw mogelijk naar Rusland terug zouden willen gaan.'

'Ja ja!' snoof Lilya minachtend. 'Dat zeggen ze, maar let op m'n woorden: als puntje bij paaltje komt, gaan ze voor geen goud terug, al sla je ze met een stok de grens over. Weet je waarom ze klagen? Ze hebben ontdekt dat het nuttig is om je zieliger voor te doen dan je bent. Misschien geven de autoriteiten je nog een kleinigheidje. Ze weten precies wat ze in Rusland hadden, en wat ze hier hebben, maar wat hebben ze te verliezen als ze een zuur gezicht zetten?'

Drie weken na deze ontboezeming kwam Lilya opgewonden bij Nathan en Jardena binnenlopen. 'Wat ik nou gezien heb. Je houdt het niet voor mogelijk.'

'Wat dan? Vertel.'

'Ja, maar jullie mogen tegen niemand zeggen dat je het van mij hebt. Het plan is nog niet officieel. Het is nog strikt geheim.'

'Plan? Waar heb je het over?'

'Over het plan voor een tram door Jeruzalem. Jullie raden nooit waar hij komt te lopen. Misschien komt te lopen, bedoel ik.'

'Niet door de Jaffastraat dan?'

'Niet dóór de Jaffastraat, maar evenwijdig aan de Jaffastraat. Dwars door jullie huis namelijk.'

'Nee!'

'Jawel. Echt waar. Ik zag de plannen vanochtend op de tafel van de stadsarchitect liggen. Maar natuurlijk mag ik het jullie niet vertellen.'

'Wat moeten we doen?'

Raphael had een idee. Dat het huis van de oude Nathan Baghdádi het eerste in Machaneh-Yehoedah was geweest, zou het gemeentebestuur niet veel kunnen schelen, maar als ze een lijst zagen van alle religieuze instellingen die op het voorgenomen traject van de tram lagen, zouden ze wel anders gaan denken. Voor het eerst in zijn leven was Nathan blij dat er zoveel synagoges en *jeshivot* in de buurt waren. Samen met Jardena liep hij een hele ochtend langs het traject dat – voorlopig nog officieus – gedoemd was te worden afgebroken. De lijst die ze opstelden bestond uit zevenentwintig namen en adressen. Het pronkstuk was een huisje gebouwd van blokjes roodbruine beton bij wijze van bakstenen. De voorgevel en binnenplaats waren een kopie van de voorgevel en binnenplaats van de jeshivah in Gur. Er waren twee graven in en er was plaats voor een derde. Daar lagen de *admor* van Gur en zijn zoon. Het lichaam van de zoon was er pas een jaar of twee geleden bijgezet. Hoe dat kon, zo midden in de stad? Ach, de leden van het stadsbestuur zouden wel weer iets hebben bekonkeld: als jij dit mag, mag ik dat. En wat kon het de seculieren schelen of die rabbijnen nu hier lagen of daar? Maar deze keer hadden de religieuzen in het stadsbestuur een val voor zichzelf gezet. Een graf kon je niet straffeloos verplaatsen.

Nathan gaf meerdere exemplaren van deze lijst af bij het gemeentehuis, ter attentie van burgemeester en wethouders. Zonder begeleidende brief, maar met naam en adres. Hij kreeg van niemand antwoord. Wel kwam Lilya een paar dagen later vertellen dat het oorspronkelijke plan voor de tram door een nieuw was vervangen. Het traject liep twintig meter verder naar het oosten. Bovendien was nu voorzien in een verbreding van de Jaffastraat, in plaats van een aparte baan evenwijdig eraan, zodat al met al minder huizen tegen de vlakte moesten.

Er begon schot te komen in de uitvoering van de Oslo-akkoorden. Wie had dat na de verkiezingen nog durven hopen? Al in januari hadden Netanyahu en Arafat hun eerste gezamenlijke besluit ondertekend. Tot opluchting van de linksen en teleurstelling van de rechtsen waren de Israëlische soldaten uit het Arabische deel van Hebron vertrokken. Weliswaar had de regering sindsdien alweer ettelijke bouwvergunningen in bestaande Westbanknederzettingen afgegeven, en was er pas nog een vreselijke aanslag in Tel Aviv geweest, maar toch gloorde er weer enige hoop op vrede. Alom heerste voorzichtig optimisme.

Omdat Dror, de oudste zoon van Vered en Ehud, in Kenia was geboren, had zijn vader beloofd hem ter ere van zijn bar-mitsvah mee op safari te nemen. Toen echter bleek dat Ehud zich niet kon vrijmaken, flapte Jardena eruit: ‘Dan neem ik je lekker mee naar Nederland.’ Nog voor ze was uitgesproken, realiseerde ze zich dat ze Noach niet kon passeren als ze zijn jongere neef zo’n groot cadeau gaf. Er was toch zoiets als het recht van het eerstgeboren kleinkind. Vereds zoon had maandenlang voor zijn bar-mitsvah gestudeerd, maar het feit dat Noach de ceremonie gewoon had overgeslagen, ontnam hem dat recht niet. En dus nodigde ze beide jongens uit voor een reis naar Nederland, maar knoopte er een voorwaarde aan vast: 'Jullie gaan niet in je eentje door Amsterdam zwalken. We blijven bij elkaar, en jullie gehoorzamen mij of, als het zo uitkomt, een andere volwassene die jullie begeleidt.'

'Waarom?' vroeg Noach gebelgd. 'Ik was juist van plan om het Amsterdamse nachtleven te gaan verkennen. Je kunt me er niet van weerhouden nieuwe vrienden te maken.'

'Dat is waar. Maar ik kan wel besluiten je niet mee te nemen. Denk er maar over na, en weeg de voor- en nadelen tegen elkaar af.'

'Maar waar ben je bang voor, Savta?'

'Drugs, aanranding, verleiding, verkrachting, ontvoering, moord en doodslag, om maar een paar kleinigheden te noemen.'

Ongelovig keek hij zijn grootmoeder aan. 'Ik ben bijna vijftien. Denk je dat ik niet op mezelf kan passen?'

'De kwestie is niet wat ik van jou denk, de kwestie is wat ik over Amsterdam weet. Drugsdealers zullen je altijd te slim af zijn, en het is mijn plicht je tegen hen te beschermen. Als je niet aan mijn voorwaarden kunt voldoen, ook best. Dan ga je gewoon niet mee.'

Noach wilde over het voorstel nadenken. Toen hij de kamer uit was barstte Nathan uit: 'Hoe kon je dat nou zeggen! Als hij uit louter koppigheid thuisblijft, wat heb je dan gewonnen? Is de reis niet bedoeld om zijn horizon te verruimen?'

'Z'n horizon, ammehoela,' antwoordde Jardena venijnig. 'Ik dans niet naar de pijpen van m'n kleinzoon. Als hij thuisblijft, bespaart hij me een hoop kopzorgen en een hoop geld. Hij kan toegeven of wegblijven, en daarmee uit!'

Die avond belde ze haar schoondochter op om haar standpunt uit te leggen. Noëlly was het ermee eens dat Noach zijn keus moest maken.

'Help hem de juiste beslissing te nemen,' stelde Jardena voor. 'Zeg hem dat de gevaren waar ik het over heb niet denkbeeldig zijn, en dat jij hem ook niet toestaat 's nachts alleen door Amsterdam te zwerven.'

'Waarom zou ik proberen hem te beïnvloeden?' was Noëlly's antwoord. 'Alleen om te zorgen dat jij geen nederlaag leidt? Bovendien, wat is er zo interessant aan een reis naar Nederland?'

'Ik trek het aanbod in,' zei Jardena. Zo rustig als ze kon opbrengen legde ze de hoorn op de haak. Dat was dat. Evenmin als ze naar de pijpen van haar kleinzoon danste, liet ze zich door haar schoondochter koeioneren.

Maar tijdens de slapeloze nacht die volgde, bedacht ze dat ze gek was als ze niet de gelegenheid waarnam om Noach iets te leren over normen en grenzen die in de maatschappij nu eenmaal worden gehanteerd, en die zijn ouders steevast weigerden hem te stellen.

Twee maanden nadat de eerste berichten over het gekloonde schaap Dolly in *The Times* hadden gestaan, verschenen ze ook in de Israëlische kranten. Plotseling praatte men over niets anders. Wat dat allemaal tot gevolg kon hebben! In de Verenigde Staten scheen men ervan uit te gaan dat binnenkort hele legers menselijke klonen de aarde zouden bevolken. President Clinton gaf opdracht aan de National Bioethics Advisory Commission om hoogleraren, religieuze leiders en filosofen naar hun mening te vragen. Was klonen ethisch verantwoord of verwerpelijk?

Een priester en een rabbijn beriepen zich op dezelfde passage in Genesis, de een om te bewijzen dat klonen verboden is, de ander om te bewijzen dat het geoorloofd is.

De priester Albert Moraczewski, van de Nationale Conferentie van Katholieke Bisschoppen, zei: 'God heeft tegen Adam gezegd: "Je mag van alle bomen in de hof van Eden eten, maar van de boom van kennis van goed en kwaad mag je niet eten." Het klonen overschrijdt de grens van wat God de mens heeft toegestaan, want nergens staat geschreven dat Hij de mens volmacht geeft zijn eigen aard te veranderen of invloed uit te oefenen op de manier waarop hij ontstaat.'

De orthodoxe rabbijn Moshe Tendler haalde dezelfde zin uit Genesis aan. Maar zijn interpretatie was: 'Als Adam en Eva het verschil tussen goed en kwaad niet vanaf het begin kenden, hoe konden ze dan de eerste zonde begaan? Ze kenden goed en kwaad wel degelijk. Ze wisten immers nog voor ze de appel hadden gegeten dat ze op het punt stonden iets verkeerds te doen. Het eten van de boom van goed en kwaad had niet tot gevolg dat ze goed van kwaad leerden onderscheiden, maar dat ze zich gingen aanmatigen naar believen nieuwe maatstaven voor goed en kwaad aan te leggen.'

Tendler legde uit dat volgens de Joodse traditie de mensen verplicht zijn de wereld te helpen beheersen, maar dat ze niet tegen Gods bedoeling mogen ingaan. Het zou volgens hem niet bij het karakter van de Joodse traditie passen om wel een technologie te kennen die zowel goede als kwade gevolgen kan hebben, maar van tevoren te besluiten de techniek niet toe te passen uit vrees voor het kwade.

'Klonen is niet goed en niet kwaad,' zei Tendler. 'Wat goed of kwaad is, is de manier waarop de mens het klonen zal toepassen.' En hij gaf een voorbeeld. 'Als u tegen een gast zegt: "Hier is de ketel, hier is de krant, heb een fijne middag", en u ziet later dat hij op uw bank zit te lezen met een lekker kopje koffie, dan bent u blij. Maar ziet u dat hij de bank naar de andere kant van de kamer heeft gesleept omdat hij vindt dat dat mooier staat, dan nodigt u hem niet zo gauw nog een keer uit. God zegt tegen de mens: "Heb het fijn in mijn wereld. Je bent mijn gast, maar gedraag je niet of je de baas in huis bent. Sleep niet al mijn meubelen van hun plaats.'

In mei werd het tijd om de vliegreis naar Nederland te bespreken. Jardena vroeg Noach of hij al tot een beslissing was gekomen, maar dat was hij niet. 'Dan trek ik mijn eigen conclusie,' zei ze. Zonder er tegen iemand over te reppen reserveerde ze voorlopig toch maar drie plaatsen in het vliegtuig. Tijd genoeg om er een te annuleren.

Op de eerste Shabbat in juni kwam Noach haar kamer binnensluipen. 'Wanneer vertrekken jullie?' vroeg hij.

'Op 18 juni,' antwoordde ze zonder van haar boek op te kijken.

'Eigenlijk zou ik dolgraag met jullie meegaan,' fluisterde hij.

Die is bij Raphael geweest, flitste het door Jardena's hoofd. Hardop zei ze: 'Je weet precies wat je daarvoor moet doen.'

Noach ginnegapte. 'Wees maar niet bang. Het komt heus wel in orde.'

'Nee jongen, daar doe ik het niet voor. Als je mee wilt, verwacht ik iets anders van je.'

'Goed dan. Ik beloof dat ik jou of een andere volwassene die ons begeleidt zal gehoorzamen, en ik beloof om niet in mijn eentje 's nachts Amsterdam te gaan verkennen.'

'Goed. Nu moeten we maar hopen dat er nog een plaats in het vliegtuig is.' Een klein beetje in de penarie zitten, dat had het jong volgens haar wel verdiend.

Goldie Wallachs dochter vond een plaatsvervangster voor een maand, en Jardena vloog met haar kleinzoons naar Nederland.

Op Schiphol waren de jongens verrukt van de lange lopende banden waarop reizigers zich met bagage en al door de gangen lieten vervoeren. Nauwelijks hadden ze twee minuten op zo'n band gestaan of Noach sprong op de meebewegende leuning. Als een ooievaar op één been reed hij hoog en droog van het ene eind van de luchthaven naar het andere. Jardena deed of ze hem niet kende en vertrouwde erop dat iemand van het personeel hem op zijn nummer zou zetten, maar niemand toonde de minste interesse. Even later maakten beide jongens rondjes op de lopende band die de bagage aandroeg. Weer lette geen mens op hun fratsen. In Israël zou iedereen zich ermee hebben bemoeid, maar in Nederland ging het meer van: Ben ik mijn broeders hoeder?

Ze vonden hun koffers en gingen naar buiten. Het regende. Er kwam een taxi aanrijden, en ze zetten er alle drie de pas in. Noach was er het eerst bij. Hij rukte met zijn rechterhand het portier open en hield met zijn linkerhand andere gegadigden van zijn lijf.

'Jongens, jongens,' riep Jardena verschrikt uit. 'We zijn hier niet in Israël. In Nederland moet je voor een taxi in de rij staan.'

Dat waren de jongens niet gewend. Maar ze leerden het gauw, en al waren ze een maand later, na het bezoeken van ontelbare musea en gotische kerken, nog niet honderd procent getemd, op de terugreis ging het er heel wat geciviliseerder aan toe dan op de heenreis, en in het vliegtuig naar huis kreeg Jardena van twee kanten zoveel omhelzingen dat haar geduld ruimschoots werd beloond. Toch was er even een treurig moment, want toen Dror enthousiast uitriep: 'Vanavond slaap ik in mijn eigen bed', fluisterde Noach bijna onhoorbaar: 'Ik wou dat ik altijd in Nederland kon blijven.'

Gelukkig duurde zijn trieste bui niet lang. Vrolijk landde het drietal in Israël, maar terneergeslagen stonden de ouders van Noach en Dror hen op te wachten. Een nieuwe brug over de Jarkon, speciaal gebouwd ter gelegenheid van de vijftiende Maccabia, was de dag tevoren tijdens de opening van de spelen ingestort toen de driehonderdzeventig man sterke Australische groep eroverheen liep: vier doden, vierenzestig gewonden. Deze keer was de catastrofe te wijten aan de onzorgvuldigheid van ingenieur en aannemer, niet aan terroristen. Maar ook die lieten al gauw weer van zich horen door een bom in het hartje van Machaneh-Yehoedah te doen ontploffen. Veertien doden, honderdzestig gewonden. Voor de zoveelste keer ontsprongen Nathan en Jardena en al hun nazaten de dans. Hoe lang nog?

Tijdens Jardena's afwezigheid had Goldie Wallach vaak bezoek gehad van Eberhardt. Maar nu Jardena weer terug was, ging hij voor een paar maanden naar de bekeringsoelpan in kibboets Yavne, waar hij zijn lessen met werk kon betalen. Hoewel Eberhardt te individualistisch was om zich werkelijk thuis te voelen in een kibboets, was hij dankbaar dat hij eindelijk rustig kon studeren zonder dat hij zich iedere dag zorgen moest maken of hij de volgende dag wel te eten zou hebben. Hij kwam om de twee weken 'thuis' in Jeruzalem.

Consuela verwachtte weer een kind. Het gezin woonde nu in een stadje niet ver van Parijs. In oktober belde ze op om te vertellen dat ook deze baby voortijdig geboren dreigde te worden, en dus moest ze volledige rust houden. Ze vroeg haar moeder om te komen, en Nathan was het ermee eens dat Jardena ging. Het was moeilijk om Goldie zo gauw alweer in de steek te laten, maar gelukkig vond haar dochter opnieuw een tijdelijke oplossing. Consuela werd bijgestaan door een Arabische gynaecoloog, een Syriër. Met grote moed en toewijding en gelukkig met succes, sleepte hij moeder en kind door de zeer zware bevalling. Toen hun nieuwe zoon een week oud was vroeg Charles enigszins verlegen aan zijn vrouw of ze het kind wenste te laten besnijden. Het aanbod ontroerde Consuela. Toch besloot ze het niet te aanvaarden. Om verschil te maken tussen de twee broertjes leek haar niet juist, en eerlijk gezegd gaf ze zelf ook zoveel niet meer om die besnijdenis.

Ofschoon Jardena vóór haar vertrek uit Frankrijk telefonisch met Nathan had afgesproken dat hij haar niet zou komen afhalen, was ze slim genoeg om na aankomst in Israël niet direct naar de taxistandplaats te lopen, maar eerst even om zich heen te kijken. Nathan deed immers altijd iets anders dan hij zei? Wat Jardena echter totaal niet verwacht had, was dat ze de luchthaven zou uit lopen onder het gescandeerd gejuich van 'Jar-de-na-Je-ru-shal-mi! Jar-de-na-Je-ru-shal-mi!'

Verbaasd om zich heen kijkend ontdekte ze Nathan, Jifrach en Laury, die met z'n drieën aan het hek stonden met grote kartonnen borden in het Hebreeuws, Frans en Engels, waarop geschreven stond: 'Jardena Jerushalmi, het Israëlische volk heeft je nodig!' Zielsgelukkig met het succes van zijn grap stond Nathan te huilen van het lachen. Toen ze eindelijk klaar waren met elkaar kussen en omhelzen, vertelde hij dat de mensen om hen heen gevraagd hadden: 'Maar wie is toch die Jardena Jerushalmi op wie jullie staan te wachten?' Met geveinsd ongeloof had hij geantwoord: 'Wat, weten jullie niet wie Jardena Jerushalmi is? Lezen jullie dan geen kranten? Kijken jullie niet naar de televisie? Weten jullie echt niet op wie heel Israël staat te wachten?'

Net als in 'De nieuwe kleren van de keizer' hadden verschillende omstanders besloten hun onwetendheid te verbergen en Jardena bij aankomst toe te juichen.

1998

In februari ging Goldie's dochter met vakantie. Jardena beloofde dat ze de verantwoording voor haar oude moeder op zich zou nemen, en liet haar telefoonnummer duidelijk zichtbaar bij het verplegend personeel achter.

Een week later belde om tien uur 's avonds de nachtverpleegster om te zeggen dat Goldie niet in orde was. In een oogwenk stond Jardena met kampeermatrasje en nachtgoed op straat een taxi aan te houden. Het was haar bedoeling op de grond in Goldie's kamer te slapen, maar Goldie weigerde Jardena's hand los te laten. Om twee uur 's nachts kroop een totaal afgepeigerde Jardena bij Goldie in bed. Toen Goldie de volgende ochtend niet aan het ontbijt verscheen, vond een verzorgster de twee vrouwen in elkaars armen diep in slaap in Goldie's bed. Ze was niet één van die mensen die zich star aan de regels houden en liet ze met rust.

Zonder dat de artsen er een bepaalde oorzaak voor ontdekten werd Goldie van dag tot dag zwakker, en toen haar dochter van vakantie terugkwam, stelde ze een paar extra particulier verzorgsters aan, die overdag bij haar moeder konden zijn zodat Jardena 's nachts bij haar kon slapen. Op een ochtend was Jeruzalem bedolven onder de sneeuw, en stond al het verkeer stil. Jardena bleef veertig uur achter elkaar in het verzorgingstehuis. Ofschoon Goldie niet langer de interessante gesprekspartner was van enige maanden geleden, was Jardena blij dat het haar te beurt viel de oude vrouw gezelschap te houden in wat onmiskenbaar haar laatste levensdagen waren.

In de nacht van dertig op eenendertig maart had Goldie de ene nachtmerrie na de andere. Ze was altijd heel mager geweest, maar nu voelde Jardena de botten in haar lichaam schudden van angst. Ineens zat ze rechtop in bed en schreeuwde: 'Een trein! Ik rij in een trein. Waar ga ik naar toe? Vlug, vlug, help me de trein uit voordat hij er met me vandoor gaat.'

'Ontspan je, Goldie,' fluisterde Jardena de hysterisch gillende vrouw in het oor. 'Ga rustig op reis. De trein brengt je zeker naar een prachtig oord.'

Maar Goldie schudde haar vuist en verweet Jardena dat ze haar de trein in duwde. Een ogenblik later krijste ze dat er drie vreemdelingen aan de deur stonden die haar wenkten dat ze hen moest volgen.

Opnieuw probeerde Jardena haar gerust te stellen: 'Er is geen reden om bang te zijn. Ga gewoon door die deur en je komt ergens waar je geen pijn en geen angst zult hebben.'

Maar opnieuw dwong Goldie zichzelf met grote wilskracht om wakker te worden.

Tegen de ochtend schreeuwde ze dat Jardena haar oor had gestolen, en even later klaagde ze dat ze haar rug kwijt was, en haar been en twee van haar vingers. Jardena begreep dat de oude vrouw letterlijk bezig was haar leven te verliezen. Toen het licht begon te worden kwam Goldie tot rust.

Jardena belde Goldie's dochter, die onmiddellijk kwam. Ze was graag zelf gebleven, maar ze trok zich uit bescheidenheid terug. Tegen de avond belde de dochter op dat Goldie in haar slaap gestorven was. Jardena nam een taxi en reed naar het verzorgingshuis, waar ze net op tijd aankwam om op Goldie's koude wang een vaarwelkus te drukken voordat de begrafenisondernemer haar lichaam weghaalde.

Tijdens de begrafenis gaf Arnon Jardena een hand. 'Is het waar dat je de laatste maand iedere nacht bij mijn moeder in bed hebt geslapen?'

Jardena knikte.

'Maar was het niet ... Hoe kon je ...?'

'Ik hield van je moeder,' antwoordde Jardena snel.

Tweeënveertig jaren waren voorbijgegaan sinds ze in de haven van Marseille had zitten huilen met Arnons telegram in haar hand: 'Kom niet!' Haar wraak was subtieler dan ze zich toen had kunnen voorstellen.

In juni bereidde de familie Jerushalmi zich voor op een dubbel feest. In overeenstemming met hun aard wilden Shai en Jifrach op dezelfde dag trouwen. Beide bruidjes hadden rood haar en groene ogen. Ofschoon ze voor het overige nog minder op elkaar leken dan de twee broers, vroegen sommige genodigden zich af wie nu eigenlijk verwant was aan wie.

Een week voor de grote dag kwam Shai zogenaamd onverschillig bij zijn ouders binnenslenteren. 'Kan het je wat schelen, Imma, als ik Bilha voor de bruiloft uitnodig?' Jardena haalde diep adem en beheerste zich. Ze wist best over wie hij het had. Had ze haar zoon tien jaar geleden niet zelf geholpen zijn biologische moeder op te sporen? Voor zover ze wist hadden

Shai en Bilha sindsdien weinig of geen contact gehad, maar Shai's aanstaande vrouw wou haar graag leren kennen. En kon Jardena haar dat verwijten? Zou ze in haar plaats niet hetzelfde willen?

''t Is jouw bruiloft,' zei ze met een stem die ze probeerde neutraal te laten klinken. 'Je moet het zelf weten. Ik kan me voorstellen dat je Bilha wilt tonen hoe mooi je bruid is, maar bedenk wel dat ze niemand van de gasten kent en dat jijzelf op de dag van je huwelijk niet veel tijd voor individuele vrienden zult hebben. En je kunt van mij niet verwachten dat ik met Bilha door de zaal flaneer en tegen iedereen zeg: mag ik even voorstellen? Dit is de biologische moeder van mijn zoon.'

Zich ervan bewust dat ze haar stem nauwelijks in bedwang had, wachtte ze een ogenblik alvorens op zachtere toon te vervolgen: 'Nodig haar liever uit op een dag dat je aandacht aan haar kunt besteden. Is dat niet verstandiger?'

Shai zei noch ja noch nee.

In de dagen voor de dubbele bruiloft kwamen de ouders van de ene bruid uit de Verenigde Staten en van de andere uit Argentinië aangevlogen. Ook kwam er een indrukwekkend aantal vrienden en familieleden die gewoon op het allerlaatste moment besloten in het vliegtuig te stappen om getuige te zijn van de plechtigheden en een weekje in Jeruzalem door te brengen. Jardena schudde haar hoofd in ongeloof. Had zijzelf na haar choepah werkelijk twee uur in haar bruidsjurk op een stenen muurtje zitten wachten om drie minuten met haar vader te telefoneren? Had ze werkelijk maar drie vriendinnen uitgenodigd, en had het hele gezelschap, inclusief de rabbijn en de fotograaf, uit niet meer dan dertig mensen bestaan?

Alle kinderen, aangetrouwde kinderen en kleinkinderen zouden van de partij zijn. Allemaal, behalve twee. Noach zwierf al maanden door de wereld, op zoek naar zichzelf, zoals dat heette. En ofschoon de datum lang tevoren in overleg met alle naaste familieleden was vastgesteld, vertrok Rachela drie dagen voor het feest plotseling naar Zwitserland om een of andere conferentie bij te wonen. Hoewel niemand iets vroeg, dacht ieder het zijne. En Jannai had de tact om niet vlak voor de bruiloft van zijn broers met een jobstijding aan te komen.

Op de vooravond van de dubbele bruiloft moesten de twee bruiden naar het mikve. Hoewel de moeders van beide jonge vrouwen een Joodse bruiloft hadden gehad, herinnerden ze zich geen van beiden iets over een ritueel bad, en hadden ze er zelfs geen flauw benul van waar het om ging. Josefina was bang dat ze naakt voor vreemden zou moeten verschijnen. Haar moeder was verontwaardigd dat vrouwen verplicht waren hun lichaam voor de huwelijksinzegening speciaal te reinigen terwijl van de mannen niet hetzelfde werd verlangd.

Laury's moeder vond het ritueel vernederend en overbodig.

Met het oog op de weerstand ertegen en de misverstanden, stelde Simcha voor een korte uitleg te geven van de bedoeling van het ritueel, en hoe het ontstaan was. Alle vrouwen die geïnteresseerd waren werden uitgenodigd. Eerst las Simcha de passage uit de Torah voor, waarin het ritueel wordt genoemd, om te laten zien dat het niet, zoals sommigen beweerden, in nabijbelse tijden door hanige mannen bedacht was om hun vrouwen onder de duim te houden. Ze wees op het verband tussen de Hebreeuwse woorden voor bloed (*dam*) en levenloosheid (*dom*), en op het verband tussen de woorden 'continuïteit' of 'lijn' (*kav*), 'het rituële bad' (*mikve*), en 'hoop' (*tikvah*).

'Iedere keer dat een getrouwde vrouw ongesteld is,' legde ze uit, 'realiseert ze zich dat het eitje dat ze twee weken in haar baarmoeder heeft gekoesterd niet is bevrucht, waardoor de lijn is verbroken. Tegelijk weet ze dat de nieuwe cyclus haar de hoop biedt dat er spoedig een continue lijn zal stromen, zoals de loop van een rivier, of het vallen van regen. Het mikve is dan ook niet een bad waar een vrouw zich wast voor het genoegen van haar echtgenoot, maar een symbool van hoop op continuïteit. Vrijdenkers en atheïsten beschouwen de *mitzvot* als hygiënische wetten. Religieuze Joden beschouwen ze als symbolen van ons verdrag met God. Eén van deze symbolen is het zich onderdompelen in levend water. En aangezien we nu eenmaal in een land leven waarin men alleen langs religieuze weg in het huwelijk kan treden, en aangezien jullie, Laury en Josefina, nu eenmaal besloten hebben in dit land jullie toekomst op te bouwen, waarom zouden jullie dan niet proberen de aan het huwelijk verbonden symbolen religieus te beleven, zodat ze jullie niet irriteren maar spiritueel verheffen?'

De twee bruidjes keken naar elkaar en naar hun moeders. De moeders knikten. Simcha had gelijk. Men hoefde niet religieus te zijn om een symbool te appreciëren. Als generaties van moeders, grootmoeders en overgrootmoeders zich op de vooravond van hun huwelijk aan dit ritueel hadden onderworpen, was het een voorrecht om zelf een schakel te worden van de eeuwenlange ketting, een stipje in de continuïteit van de lijn. 'Laten we gaan,' zei Simcha. 'Jullie zullen zien, er is niets vreselijks aan het ritueel. Eerst krijgen jullie de gelegenheid je heerlijk te wassen. Daarna komt de rabbanit controleren of alles in orde is. Sommige vrouwen verzuimen expres een nagel te knippen of laten expres een vlekje op de rug van hun hand, net als sommige vrouwen op de vooravond van Pesach expres een paar kruimeltjes brood in een hoek laten liggen, om degene die verantwoordelijk is voor correcte uitvoering van het ritueel niet voor niets te laten zoeken.

Uit ervaring kan ik jullie vertellen dat het onderdompelen in het mikve zo voorbij is. Als je je niet concentreert op wat je doet, zou je het magische moment weleens kunnen missen. Als je je lichaam onderdompelt met de bedoeling de kav te voelen die je leven vanaf morgen gaat volgen, zul je bovenkomen met veel tikvah voor de toekomst. Probeer het maar. Je hebt niets te verliezen.'

Alle zusters en schoonzusters die van de partij wilden zijn (en na Simcha's korte inleiding wou iedereen) waren welkom om mee te komen. Ze vulden met elkaar drie taxi's en namen manden vol lekkers mee om na afloop van het ritueel een klein feestje te bouwen. Terwijl Josefina en Laury zich wasten, zongen en dansten de wachtenden onder aanvoering van Simcha. Na een uurtje kondigde de rabbanit aan dat beide meisjes gereed waren om zich in het rituele bad onder te dompelen, en dat ieder die dat wilde mocht komen kijken.

Laury was het eerst aan de beurt. Ze daalde de paar treden af naar de bodem van het badje. Haar rode haar hing glanzend schoongewassen en druipnat langs haar stralende gezicht.

'Als je zo dadelijk onder bent, hou dan je ogen open en je mond open, zodat het water overal bij kan,' zei de rabbanit. 'Ben je zover? Zeg mij dan nu de zegen na en duik helemaal onder.'

'Gezegend zij God, Koning van de Wereld, die ons heeft opgedragen ons onder te dompelen,' zei Laury, en ze dook onder. De rabbanit zag erop toe dat geen enkel haartje op het water bleef drijven, en riep: 'Kosher, kosher, kosher!'

Driemaal ging Laury kopje-onder. Daarna was Josefina aan de beurt. Toen zij voor de derde maal bovenkwam, had de rabbanit een ingeving: 'Doe een wens. We zullen allemaal bidden dat hij in vervulling gaat.' Josefina hoefde geen moment na te denken. 'Ik vraag om gezondheid voor de ogen van Shai,' galmde het in de kleine badkamer. Geen van de vrouwen kon haar tranen bedwingen. En hoewel niemand behalve Simcha veel met godsdienst op had, voelden allen de heiligheid van het moment.

Op vrijdagochtend vond de dubbele bruiloft plaats in het prachtige natuurreservaat Aqua Bella even buiten Jeruzalem. Om een uur of elf arriveerden de eerste gasten. Al gauw stonden ze te drommen om door de controle te gaan. Want scherpe controle was nu eenmaal schering en inslag, ook bij feestvieren, en het in acht nemen van strikte veiligheidsmaatregelen was een tweede natuur in dit land vol zelfmoordterroristen.

Omdat Shai de oudste van de broers was, trouwden hij en Josefina eerst. Terwijl Jardena naast haar zoon onder het baldakijn stond, verbaasde ze zich over het aantal kinderen en kleinkinderen dat ze om zich heen zag staan zonder ook maar te hoeven zoeken. De drie dochtertjes van Itsik stonden recht tegenover haar. Vlak achter hen stond Vereds Dror arm in arm met Itsiks Moshiko. Itsik zelf stond in een lang hemdachtig gewaad en met een soort tulband om zijn woeste haren gewonden naast Simcha in haar donkere, hoog gesloten jurk en zedig bedekt hoofd. Jammer genoeg stond Noëlly heel ver van hem vandaan. Ook in dat huwelijk boterde het al enige tijd niet meer. Links stond Ehud met zijn arm om Vereds middel, en met de driejarige Shalom op zijn schouders. Rechts stonden Perla en Jannai, ieder met twee kinderen. Even gingen Jardena's gedachten uit naar Rachela in Zwitserland, maar al gauw werd haar aandacht getrokken door Charles en Consuela, allebei met een kind op de arm. Overal om hen heen waren vrienden, nichtjes, neefjes, met partners en kinderen, en daartussen meer kleinkinderen. Kinderen en kleinkinderen in alle soorten en maten, in jurken uit Parijs, broeken uit India, met petjes uit Kenia, met lang of kort haar, keken met blauwe, grijze, bruine en groene ogen naar het bruidspaar. Wat een oogst, dacht ze dankbaar. Wat een palet.

Alvorens het door Nathan gekalligrafeerde huwelijkscontract voor te lezen, vroeg de rabbijn aan Josefina's moeder om haar dochter een slokje wijn aan te bieden. Hij legde in een paar woorden uit wat er in het contract stond, en las het daarna in zijn geheel voor, ook al was het in het Aramees gesteld en konden noch het bruidspaar, noch de gasten het verstaan. Later, toen Shai Josefina met een ring aan zich had gewijd, was hij het die haar een slok wijn moest aanbieden, omdat hij vanaf dat moment verantwoordelijk was voor haar welzijn. Ten slotte moest hij een glas stuktrappen. 'Als symbool van de verwoesting van de tempel,' zei de rabbijn.

Josefina, die in haar hart een feministe was, stond erop om direct na het einde van de traditionele plechtigheid van haar kant ook Shai met een ring aan zich te wijden.

Een kwartier na de eerste plechtigheid werden onder hetzelfde baldakijn Jifrach en Laury in het huwelijk verbonden door de rabbijn die Laury al in haar jeugd in de Verenigde Staten had gekend, en die enige jaren geleden op aliyah was gekomen. Hoewel ook bij deze plechtigheid de halachah in acht werd genomen, verliep hij toch heel anders dan de eerste. Laury's rabbijn legde er de nadruk op dat de bruid, met hulp van haar moeder en schoonmoeder, leefruimte zou willen scheppen voor zichzelf en haar man. Volgens eeuwenoude traditie in bepaalde landen werd dit gesymboliseerd doordat de drie vrouwen zeven keer om de bruidegom heen liepen, Laury voorop. Op een goed moment zag Jardena haar niet meer. 'Waar is ze?' hijgde ze toen ze de rabbijn passeerde. 'Ze heeft jullie al afgeschud,' lachte hij. 'Ze is achter jullie. Je moet harder lopen.' Jardena begon te hollen, en achter haar aan holde Laury's moeder. 'Hoe vaak nog?' 'Nog drie keer, nog twee keer, nog één keer. Stop!' Onder de vertederde blikken van bruid en bruidegom vielen de duizelige moeders elkaar in de armen. Ook al hadden ze het nut van al dat gedraaf niet helemaal door, ontroerd waren ze in elk geval. Laury's rabbijn vertaalde de belangrijkste punten van het huwelijkscontract in het Engels, waarna het plechtige moment met de ring volgde. Ook Jifrach trapte een glas stuk, maar Laury's rabbijn verbond het symbool aan het feit dat zelfs in het beste huwelijk weleens brokken worden gemaakt, en dat niets in de wereld volmaakt is.

Nadat de zeven zegenspreuken waren voorgelezen door zeven uitgelezen gasten, en nadat alle gasten elkaar ten tweeden male hadden omhelsd, werd er gegeten, gedanst en opgetreden door ieder die iets had voorbereid, en dat waren er velen.

Moe en voldaan zeeg Jardena neer naast haar jongste dochter. 'Consuela,' fluisterde ze verschrikt. 'Kijk eens naar Charles. Wat is er met hem aan de hand?' Inderdaad had Charles tranen in zijn ogen. Consuela stond op en sloeg haar arm om de schouder van haar man. 'Wat is er Charles? Kan ik iets voor je doen?'

'Nee, nee!' Charles schudde zijn hoofd en veegde met zijn hand over zijn ogen. 'Het is gewoon dat ik zo gelukkig ben dat je met mij hebt willen trouwen, en dat ik door jou deel ben geworden van deze grote familie.'

In de week na de dubbele bruiloft vlogen familieleden en vrienden terug naar hun landen van herkomst. Een uur nadat zijn laatste gast was vertrokken, stond Shai T-shirts en ondergoed in Jardena's wasmachine te proppen. 'De onze doet het niet,' zei hij, en in één adem: 'Ben je vanochtend thuis?'

'Is er iets bijzonders?'

'Bilha komt lunchen.'

Jardena was blij dat haar zoon haar niet aankeek terwijl hij met haar praatte. Ze had niet graag gewild dat hij zag hoe er een schok door haar heen ging. Deze keer was het dus menens.

'Komt ze ook bij ons?' vroeg ze om maar snel iets te zeggen. Ze hoopte dat haar stem niet trilde.

Shai weifelde even voor hij antwoordde: 'We zullen zien. Ik verwacht haar om een uur of elf. Als ik denk dat het een goed idee is om haar bij jullie te brengen, bel ik van tevoren even op. Zo niet, dan stellen we de kennismaking uit tot een volgende gelegenheid.'

In haar ijver om Shai op zijn gemak te stellen vroeg Jardena: 'Ben je blij?'

'Tja,' zei hij met een mysterieuze glimlach. 'Ik heb haar zelf uitgenodigd, dus ...'

'Goed, doe dan maar wat je het beste lijkt. Ik blijf in elk geval thuis.'

En terwijl hij de trap afsprong riep ze hem nog na: 'Natuurlijk ben ik benieuwd!'

'Oké, waarschuw Abba dan maar dat we waarschijnlijk komen,' riep hij vrolijk. Hij was blij. Daar was geen twijfel aan.

In gedachten verdiept liep Jardena van de kamer naar de keuken en terug. 'Hemeltje, wat ziet het er hier armetierig uit,' zei ze hardop tegen zichzelf. Wat zou Bilha van hun huis denken? Plotseling leek het Jardena van het grootste belang om nieuwe overtrekken voor de leunstoelen te naaien. Ze week de hele ochtend niet van de naaimachine.

Ook Nathan was de hele ochtend thuisgebleven, maar om halfeen vond hij het hoog tijd om z'n benen te strekken. Om kwart voor een kwam Lilya de flamencodanseres voor een praatje. Met de telefoonhoorn in de hand vluchtte Jardena naar de wc. Nauwelijks had ze het haakje van de deur vast of de telefoon rinkelde. Zonder zelfs ook maar 'Hallo' te zeggen, blafte ze: 'Wat heb je besloten?'

'We zijn onderweg,' zei Shai.

Haastig aan haar rok rukkend, rende Jardena de woonkamer in. 'Ga alsjeblieft weg,' zei ze tegen Lilya. 'Shai's echte moeder komt op bezoek.'

Lilya overzag de situatie onmiddellijk en zei: 'Natuurlijk ga ik weg, maar je begaat een grote fout. Jij bent de echte moeder van Shai. Niet zij.'

'Ik weet het, ik weet het,' gaf Jardena toe terwijl ze haar buurvrouw over de drempel duwde. 'Je hebt absoluut gelijk, maar zolang ikzelf degene ben die deze fout maakt, en niet iemand anders, is het toegestaan.'

Ze rende terug naar de wc, kamde haar haar, besloot een ketting te dragen, hem weer af te doen, maar hield hem ten slotte toch maar om. Shai en Bilha konden elk moment binnenkomen. Snel ging ze op één van de nieuw overtrokken leunstoelen zitten, maar onmiddellijk stond ze weer op om haar gasten bij de voordeur te verwelkomen. Halverwege de trap stond Bilha, met haar rug naar Jardena, te luisteren naar Shai die haar wees waar z'n broers woonden. Jardena zag een slanke vrouw, niet klein, niet groot, in een zwart mantelpak en met gitzwart haar (ongetwijfeld geverfd aangezien ze minstens negenenveertig moest zijn). Naast haar stond de knappe Shai, ongekamd en ongeschoren, alsof de vrouw aan zijn zijde een willekeurige gast was, en deze dag een willekeurige dag in zijn leven. Ze kwamen binnen. Bilha ging op het puntje van een leunstoel zitten met haar knieën tegen elkaar gedrukt en haar tenen naar binnen gekeerd. Ze hield haar bovenlichaam naar voren alsof ze acute buikpijn had, wat misschien inderdaad het geval was. Jardena ging op de andere leunstoel zitten. Shai zat op de bank. Zouden deze twee mensen weten hoeveel ze op elkaar leken? Jardena keek wel uit daar iets over te zeggen. Misschien zag Bilha een veel grotere gelijkenis tussen Shai en een man met wie ze dertig jaar en negen maanden geleden een gezellig avondje had doorgebracht.

'Kijk,' zei ze, en ze wees naar Shai. 'Kijk, een man. Over een paar dagen wordt hij dertig!'

'Ik weet het,' zuchtte Bilha. 'Helaas heb ik er niet veel toe bijgedragen om hem zover te krijgen.'

'Integendeel,' riep Jardena spontaan uit. 'Ik heb zelfs de behoefte om u te bedanken. Het is waar dat ik het meeste werk heb gedaan, maar u hebt de grondstoffen geleverd. En wat voor kwaliteit!' Ze stond op en kuste haar gast. 'Zijn kinderen zullen drie grootmoeders hebben. Waarom niet? Hoe meer hoe beter. Nietwaar Shai?'

Shai zei noch ja noch nee.

De dag na het bezoek van Bilha kwam hij de reactie van zijn moeder peilen. Voordat Jardena iets kon zeggen, moest ze haar gedachten ordenen, en Shai was geduldig genoeg om te wachten tot ze zover was.

'Weet je, Shai,' vatte ze ten slotte haar overpeinzingen samen, 'je jeugd is nu eenmaal geweest wat hij geweest is. Denk niet dat ik me nooit gerealiseerd heb wat het voor je moest betekenen om op te groeien zonder je eigen moeder, maar het heeft geen zin om te speculeren over wat je gemist hebt. Het leven heeft maar één pad. Als je in de jaren die achter je liggen geleerd hebt om tevreden te zijn met wat je hebt, en geen haatgevoelens te koesteren om wat je niet hebt, dan hebben Abba en ik je gegeven wat we te geven hadden en dan is dat een teken dat we met recht je echte ouders zijn.'

Shai knikte.

Een paar dagen later hadden de Jerushalmi's zoals bijna elke vrijdagavond gasten aan tafel. Om tien uur maakten de meesten zich gereed om te vertrekken. De kleine Shalom protesteerde. Hij wou nog niet naar huis. Vered verloor haar geduld. Shai treuzelde nog wat op de divan. Zonder speciale bedoeling ging Jardena naast hem zitten. Ze sloeg haar arm om zijn schouders, gaf hem een zoen op zijn rechterwang, en streelde met haar vrije hand zijn linkerwang.

'Zie je wel,' zei ze tegen de huilende Shalom, 'ik heb ook een klein jongetje. Een lief, gehoorzaam jongetje.'

Shalom hield op met schreeuwen en stond met grote ogen te kijken. Jardena herhaalde het gebaar en de woorden, twee keer, drie keer: 'Dit is mijn kleine jongetje, dit is Imma's baby.'

Shai, die in tegenstelling tot zijn broers en zusters al jaren niet meer had toegelaten dat zijn moeder hem kuste en streelde, sloot zijn ogen en spon als een poes.

* * *

Met Jannai ging het minder goed. Kort na haar terugkomst uit Zwitserland had Rachela in de stad een paar kamers gehuurd. De kinderen sliepen nu eens bij hun vader, dan weer bij hun moeder. De ouders gingen hoffelijk met elkaar om en lieten althans tegenover Jardena niets los over hun problemen, maar Jannai zag er miserabel uit en de kinderen waren nors en onhandelbaar.

Die winter fungeerde Jannai als belichtingsman voor een toneelgroep die kindervoorstellingen gaf. De groep had net een tournee door Duitsland gemaakt. Hun laatste optreden was in Wittlich geweest. Daar was het stuk vertoond in een gebouw dat vóór de Tweede Wereldoorlog de synagoge van een bloeiende Joodse gemeente was geweest, maar dat nu bij gebrek aan Joden als clubhuis diende.

Toen de spelers een paar uur voor het begin van de voorstelling op de plaats van bestemming aankwamen, waren tot hun verbazing de zitplaatsen voor het publiek aan beide kanten van het toneel opgesteld. Het centrum van de voormalige synagoge werd ingenomen door kriskras door elkaar staande houten stellages met hier en daar een afbeelding van een grafsteen. Het kwam Jannai voor dat degene die die spullen daar had neergezet zich niet had gerealiseerd dat er 's middags een kindervoorstelling zou plaatsvinden. Daarom gebruikte hij de tijd dat de acteurs zich verkleedden om snel de stellages naar de kant van de zaal te slepen en de stoelen tegenover het podium op te stellen.

Even later kwamen de kinderen binnen. De toneelspelers stonden op het punt om te beginnen, toen de directeur van het clubgebouw opgewonden in Jannai's oor fluisterde dat hij, door het verplaatsen van de stellages, de tentoonstelling van de internationaal beroemde kunstenaar Agrigola had vernield. Had hij dan niet begrepen dat de chaos zelf een nauwkeurig gepland onderdeel van het kunstwerk was? Het stelde nota bene de mislukte uitroeiing van het Joodse volk voor. En de tentoonstelling zou diezelfde avond geopend worden!

'Ik bood onmiddellijk mijn excuses aan,' vertelde Jannai bij thuiskomst in Jeruzalem aan zijn ouders. 'En ik beloofde alles direct na de voorstelling precies zo terug te zetten als ik het gevonden had. Op het moment zelf kon ik niets doen. De voorstelling was net begonnen.'

Had iemand de beroemde artiest ingelicht over de destructie van zijn kunstwerk? Of wou hij vóór de opening van zijn tentoonstelling nog eens controleren of alles nauwkeurig op zijn plaats stond? Hoe het zij, een minuut voor het eind van de voorstelling verscheen Agrigola in eigen persoon in de zaal.

Zonder zich iets aan te trekken van de gevoelens van de vijftig kleuters die, diep onder de indruk van wat ze zojuist hadden gezien en gehoord, met open mond op het laatste woord zaten te wachten, schreeuwde de kunstenaar dwars door de voorstelling: 'Wie heeft mijn werk vernield? Wie heeft mijn tentoonstelling door elkaar geschopt?'

Onmiddellijk was Jannai naar voren gestapt om de schuld op zich te nemen, en fluisterend beloofde hij de kunstenaar direct na het vertrek van de kinderen te helpen om alles weer op z'n plaats te zetten. Maar de heer Agrigola was niet tot bedaren te brengen.

'Het heeft me drie dagen gekost om de juiste invalshoek voor het licht op ieder kunstwerk te bepalen, en daar komt me een derderangs komediant uit Israël, een charlatan die geen benul heeft van wat werkelijke kunst is, zelfs niet als hij er middenin staat, en die beweert dat hij alles in minder dan een halfuur weer op z'n plaats kan krijgen. Wie denk je dat je bent, jij vlegel, jij tuig, jij uitschot, jij schorem, jij vuile rotj...'

Hij hield zich net in voordat het woord 'rotjood' uit zijn mond glipte, maar de volgende dag diende hij een officiële klacht in tegen Jannai en de impresario die de Israëlische toneelgroep naar Wittlich had gehaald.

'Begrijpen jullie nu waarom het Joodse volk een eigen land moet hebben?' vroeg Jardena aan haar kinderen.

1999

In januari werd Eberhardt uitgenodigd om voor het hoofdrabbinaat te verschijnen en een aantal moeilijke vragen over het jodendom te beantwoorden, hetgeen hij tot volle tevredenheid van de rabbijnen deed. Toen de voorzitter van de examencommissie hem vroeg hoe hij in het vervolg wou heten, noemde hij de oorspronkelijke naam van zijn grootvader: Avigdor Malkiël.

De volgende stap was de besnijdenis. De ingreep zou op een vrijdagochtend in een ziekenhuis plaatsvinden, en hij zou nog dezelfde dag naar huis kunnen. Jardena nodigde hem uit om zijn eerste Shabbat als officieel erkende Jood in haar gezin door te brengen. Ze wilde hem een beetje verwennen, zoals een moeder vanzelfsprekend ook met haar pas besneden baby gedaan zou hebben. Hij nam het aanbod dankbaar aan. Toen pas merkte Jardena dat haar jonge vriend zenuwachtig was. Om hem te helpen zijn angst te overwinnen, nam ze hem mee de stad in. Samen kochten ze de *kiddoeshbeker* en de fles rode wijn voor de ceremonie, waarbij alleen twee andere bekeerlingen, de moheel en een rabbijn aanwezig zouden zijn.

Jardena verwachtte dat de nieuwbakken Avigdor na het ziekenhuis een taxi zou nemen en zo snel mogelijk naar haar huis zou komen, maar hij arriveerde pas kort voor het ingaan van de Shabbat. Hij had de middag doorgebracht met het opschrijven van zijn wederwaardigheden. Hij was een romanticus, bleek het, die er een dagboek op na hield.

Het avondeten was plechtig. Om een passende toespraak te kunnen houden, had Jardena de parashah van de week gelezen, Exodus 1:1 tot 6:1, waarin het verhaal wordt verteld van Mozes en de brandende braamstruik tot en met zijn vlucht uit Egypte en zijn ontmoeting met de priester van Midian. Wat ze daar las zouden seculieren toeval en gelovigen een vingerwijzing noemen. Niet één maar drie toespelingen op wat Avigdor die dag had beleefd.

'Om te beginnen,' zei Jardena, 'verandert de priester van Midian zijn naam van Yitro in Reu'el. Waarom? Wilde hij zich tot de zonen van Israël rekenen? Ten tweede zegt Mozes: ik ben een ger geworden in een vreemd land. Hoewel in de tijd van de uittocht uit Egypte het woord "ger" niets anders betekende dan vreemdeling, wordt het tegenwoordig uitsluitend gebruikt in de betekenis "bekeerling tot het jodendom". En het derde punt is het frappantst van allemaal: in de vijf boeken van de Torah wordt het woord "besnijdenis" maar een tiental keren genoemd, en meestal alleen terloops. Maar in de parashah van vandaag neemt Tsiporra, de vrouw van Mozes, persoonlijk het mes ter hand om haar zoon Gershom te besnijden zodat hij zal ophouden een vreemdeling te zijn temidden van het volk Israël en zijn leven als Jood zal beginnen, net zoals Avigdor vandaag heeft gedaan.

Lieve Avigdor,' beëindigde Jardena haar kleine toespraak, 'weet dat we vandaag niet méér van je houden dan gisteren. Het is niet voor ons dat je deze grote stap hebt genomen maar voor jezelf, en wie zichzelf helpt, hem zal ook God helpen.'

Avigdor stond op om te bedanken, maar de emoties waren te groot voor hem geweest en hij viel in tranen op zijn stoel terug.

Kort voor Poerim kreeg Jannai een brief van de impresario in Duitsland, waarin hij de laatste ontwikkelingen in het proces van Wittlich beschreef.

Vlak nadat de Israëlische toneelgroep was vertrokken, had er in de plaatselijke krant gestaan:

– Herculische machten aan het werk –
– Herdenkingsproject van Keulse kunstenaar vernietigd –
– Onderzoek naar de overtreders nog niet gesloten –
– Burgemeester van Wittlich diep geschokt –

De tentoonstelling van de Keulse kunstenaar Agrigola in de synagoge van Wittlich bracht sensatie teweeg. In de ochtend hadden onbekende individuen de tentoonstellingsruimte overhoopgehaald en de kunstwerken vernietigd.
Daar het herdenkingsproject bedoeld is als waarschuwing tegen vergeetachtigheid, xenofobie, racisme en anti-semitisme, meende men eerst te maken te hebben met een politiek extreem-rechtse actie. Leerlingen die op dezelfde dag een theatervoorstelling in de synagoge be-

zochten, werden als eersten verdacht, maar later bleek dat de technicus van de toneelgroep Agrigola's werk aan de kant had geschoven, zonder zich ervan bewust te zijn dat het hier om een integraal kunstwerk ging.

De kunstenaar weigerde echter deze verklaring te aanvaarden. 'Niets minder dan Herculische machten zijn hier aan het werk geweest,' zei Agrigola, diep gebelgd door het voorval. 'Bovendien,' vervolgde hij, 'kon men uit de reactie van de technicus afleiden dat hij geheel andere beweegredenen had gehad.' De burgemeester van Wittlich, die de tentoonstelling opende, heeft de kunstenaar beloofd dat hij het schokkende voorval grondig zal laten onderzoeken.

'Maar ere wie ere toekomt,' schreef de impresario in de kantlijn van het artikel. 'Het proces heeft plaatsgevonden en Agrigola heeft op alle punten verloren.'

Jannai had zijn interesse voor wat in Wittlich was voorgevallen allang verloren. Hij hield zich bezig met reclame maken voor een pas opgerichte tweetalige school voor Joden en Arabieren, waar iedere groep twee klassenleraren zou hebben, een Joodse en een Arabische, en waar de leerlingen niet alleen elkaars taal, maar ook elkaars cultuur zouden bestuderen. De school bestond vooralsnog uit twee klassen, één voor vijf- en één voor zesjarigen. Benjamin was te oud om aan het project mee te doen, maar Adina werd een van de proefkonijnen.

Jannai wist wel dat het project nooit veel meer kon worden dan een symbool, maar het was zijn manier om zijn mening over het conflict tussen Israël en de Palestijnen kenbaar te maken en te trachten zijn omgeving te beïnvloeden.

Vlak voor het ingaan van de Omer hertrouwde Elnakam. Hij was sinds enige jaren weduwnaar en leerde op zeventigjarige leeftijd een vrouw kennen die net als hij overtuigd was dat het Joodse volk recht had op iedere vierkante centimeter van het land dat God in bijbelse tijd aan Abraham had beloofd. Net als Elnakams kinderen en kleinkinderen woonden ook de haren principieel in Samaria of Judea.

Na de dood van Chava had Elnakam de galerie verkocht, en wijdde hij zich, tot vreugde van de nieuwe mevrouw Jerushalmi en tot afschuw van Nathan, hoofdzakelijk aan het uitdragen van zijn rechtse politieke ideeën.

Het ontroerde Jardena dat Nathan zich desalniettemin zonder enige aarzeling bereid had verklaard als oudste van zijn generatie zijn broer naar het huwelijksbaldakijn te leiden. Zo hoort het, zou Consuela Baghdádi hebben gezegd. Broers laten elkaar nooit in de steek.

De eensgezindheid duurde niet lang. Tot vreugde van Nathan en tot ergernis van zijn broer sloeg de weegschaal bij de verkiezingen deze keer weer eens door naar links. Ehud Barak, een betrekkelijke nieuweling in de politiek, werd minister-president. Hij trad in de voetsporen van Rabin en beloofde vrede in ruil voor gebieden. Of hij zijn belofte zou kunnen nakomen? De verwachtingen waren gespannen.

Perla's zoon, die nu tien jaar oud was, had een passie voor schaken. Schaken is weliswaar geen dammen, maar toch was Avi onder de indruk toen Jannai hem in de zomervakantie vertelde dat hij de damkampioen van Israël kende. Wie was dan wel die kennis van Jannai? Dat bleek de man te zijn die op de hoek van de straat een handeltje dreef in gebruikte kartonnen dozen. Alle bewoners van Machaneh-Yehoedah kenden Ephraim, niet omdat hij kon dammen en schaken, maar omdat hij zo verschrikkelijk tekeer kon gaan. Soms stolde het bloed je in de aderen als hij, zwaaiend met een zware ijzeren ketting, straatjongens achternazat die er een spelletje van maakten hem uit zijn tent te lokken.

'Natuurlijk had hij een andere naam toen hij nog in Georgië woonde,' zei Jannai, 'maar die naam is zo moeilijk dat ik hem niet kan onthouden. Als ik het goed begrepen heb, is hij al achtentwintig jaar de Israëlische damkampioen, en al tien jaar de op één na beste van de hele wereld.'

Dammen? dacht Jardena. Toen ik klein was leerde mijn vader mij dammen omdat schaken te moeilijk was. Het zal wel net geschikt zijn voor dat onderkruipseltje met z'n kartonnen dozen.

'Heb je weleens tegen hem gespeeld?' vroeg ze aan Jannai.

'Nee, maar ik heb er vaak bij gestaan als hij soldaten tot een spelletje uitdaagde. Hij belooft ze honderd shekel als ze winnen, en verlangt van hen twintig push-ups als ze verliezen. Ze verliezen altijd, en wee hun gebeente als ze weigeren hun schuld in te lossen.'

'Zal ik hem vragen of jij eens tegen hem mag spelen?' vroeg Jardena aan haar kleinzoon. Nou en of. Dat wou Avi maar al te graag.

Ephraim stemde onmiddellijk toe en beloofde de volgende zondag om vijf uur bij de familie Jerushalmi te komen. De hele familie was welkom om toe te kijken. Ook al zou hij regelrecht van zijn werk en dus in zijn gebruikelijke smerige plunje komen, Jardena stond erop dat alle aanwezigen hem met mijnheer zouden aanspreken.

Op het vastgestelde uur arriveerde mijnheer Ephraim met een vies kartonnen dambord, dat anders was dan waar normaliter in Israël op werd gespeeld. Het had tien maal tien velden en niet acht maal acht. Hij legde uit dat het damspel op internationale kampioenschappen op een bord met honderd velden wordt gespeeld. Vakmensen noemden dat de Nederlandse methode.

'Waarom?' wou Avi weten. 'Hebben de Nederlanders het bedacht?'

'Nee, maar zij zijn het die het spel op een bord met honderd velden op internationaal niveau hebben gebracht.'

Avi stak zijn duim omhoog. 'Hup Holland.'

Toen de gast zich realiseerde dat zijn jonge tegenspeler uit Nederland kwam, was hij helemaal in zijn sas, want volgens hem was op iedere vier Nederlanders er één verslaafd aan het damspel.

Na een paar potjes, waarbij Avi een boel bijzondere zetten leerde, stak het merkwaardige mannetje met het kale hoofd en de priemende blauwe ogen een sigaret op en leunde eens lekker achterover.

'Leuk plaatje,' zei hij terwijl hij naar de foto keek die ter ere van Nathans zeventigste verjaardag was gemaakt.

'Ja,' beaamde Jardena trots, 'dat zijn onze acht kinderen.'

'Acht kinderen, zo zo. Ik weet er alles van. Ik heb vijf jongens en vier meisjes. Duur grapje, dat kan ik je vertellen.'

'Kunnen ze allemaal dammen?' vroeg Avi gretig.

'Dammen? Vanzelf. Maar ze kunnen niet van hun vader winnen, dus worden ze bij gebrek aan beter maar arts, advocaat en ingenieur. Kom, Avi, laat ik je nog een paar nuttige trucjes leren.'

Weer schoof mijnheer Ephraim de stukken over het bord, en uitte daarbij een stortvloed aan vaktermen waar geen normaal mens iets van kon begrijpen.

Hij weigerde thee en koekjes, maar vertelde graag over zichzelf. Hij was geboren in Georgië, waar in zijn jeugd vertegenwoordigers van de regering kleuterscholen bezochten op jacht naar genietjes in de dop. Zo kwam het dat aan de ouders van de driejarige Dadgmeli Sepiashwili een maandelijks bedrag werd aangeboden tien keer zo hoog als dat wat een arts verdiende, als ze hun kind voor een jaar naar een speciale kostschool stuurden waar zijn talenten in verschillende vakken zouden worden geobserveerd en ontwikkeld. In dat jaar mochten hij en zijn klasgenootjes alles proberen wat hun aantrekkelijk voorkwam: zwemmen, acrobatiek, piano- of vioolspelen, voetballen, korfballen, balletdansen, schaken, dammen, noem maar op. Alle kinderen waren geheel vrij om te doen waar ze zin in hadden, zolang het maar binnen de grenzen van de school en onder het wakend oog van de observeerders gebeurde.

Na een jaar werden sommige kinderen naar hun ouders teruggestuurd met de boodschap dat ze niet begaafd genoeg waren om verdere investering door de staat te rechtvaardigen. Degenen die dat wel waren, bleven op de kostschool en werden na hun eindexamen als grootmeesters in het ene of andere vak afgeleverd.

Daar de kleine Dadgmeli een exceptioneel talent voor dammen en schaken bleek te hebben, leerde hij niet alleen lezen, schrijven en rekenen, maar moest hij ook zes à acht uur per dag schaken of dammen tegen de beste meesters die in die tijd voorhanden waren.

Op een dag had zijn persoonlijke coach met een damkampioen gewed dat de inmiddels zes jaar oude Dadgmeli hem kon verslaan. De kampioen verwedde zijn auto en verloor. De auto ging overigens niet naar het kind, maar naar de coach.

'Kijk maar Avi,' zei mijnheer Ephraim. 'Ik zal je laten zien wat er die dag gebeurde.' Hij zette de damschijven in een bepaalde formatie op het bord, en toonde hoe zwart vervolgens in twee zetten kon winnen. 'Mijn tegenspeler was ervan overtuigd dat hij zou winnen, maar kijk wat ik deed: hop, hop, hop ...' Snel bewoog mijnheer Ephraim een aantal schijven over het bord, en hoewel geen van de aanwezigen begreep waar het precies om ging, moesten ze wel geloven dat het zesjarige jongetje de grootmeester had gedwongen om zo te spelen dat hij erbarmelijk verloor. De grootmeester, aldus de gast, werd opgenomen in een ziekenhuis voor geesteszieken. Daar verbleef hij ruim vier jaar, maar ook daarna kon hij z'n leven lang de aanblik van een dambord niet meer verdragen.

Terwijl de hele familie de kampioen dammen met stomme verbazing aanstaarde, stond hij op met de woorden: 'Oké Avi, volgende week, zelfde plaats, zelfde tijd.'

Tussen de ene zondag en de andere hield Avi niet op met over zijn nieuwe vriend en mentor te dromen. Hij had geen enkele belangstelling meer voor schaken en daagde ieder lid van de familie uit tot een partij dammen om zich maar goed voor te bereiden op de volgende sessie. Zondag zat hij al om kwart voor vijf achter het dambord, maar om halfzes was mijnheer Ephraim er nog niet. Om zes uur werd het kind zo nerveus dat Jardena de straat op ging om de kampioen te zoeken. Hij was druk bezig gebruikte kartonnen dozen van de markt naar zijn opslagplaats te sleuren.

'Neemt u me niet kwalijk,' zei Jardena zo beleefd als ze kon. 'Misschien bent u vergeten dat u mijn kleinzoon hebt beloofd tegen hem te spelen vandaag?'

'Nee nee, ik ben het niet vergeten. Ik heb gewoon vandaag zoveel dozen gevonden dat ik wat meer werk heb dan anders. Ik kom over een halfuurtje.'

Thuisgekomen legde Jardena haar kleinzoon uit dat hij geduld moest hebben omdat zijn nieuwe vriend heel erg arm was en de kost moest verdienen voor zijn vrouw en negen kinderen.

Avi begreep het en wachtte zonder mopperen. Het was kwart voor zeven toen de les eindelijk begon.

'Zeg het maar, Avi, wat wil je spelen, zwart of wit?'

'Zwart,' zei Avi. 'Dan heb ik tenminste een excuus om te verliezen.'

'Goed. Kijk eens hier. Jij krijgt alleen één zwarte schijf en ik krijg alle witte schijven. Denk je dat je het van me kunt winnen?'

Avi schudde zijn hoofd, en de toeschouwers gaven hem groot gelijk. Wat een vraag.

'Dus je gaat verliezen? Absoluut zeker? Als dat zo is, laat me dan eens zien hoe je met één zwarte schijf tegen een compleet leger van witte schijven verliest. Jouw beurt. Ik herinner je eraan dat degene die een stuk van zijn tegenstander kán pakken, het ook móét pakken. Dat is de eerste regel van het damspel, weet je nog wel?'

Avi knikte, en deed zijn eerste zet. Maar hoe hij ook zijn best deed om te verliezen, het lukte hem niet. Iedere zet die zijn eenzame zwarte schijf deed, lokte een tegenzet uit die hem dwong een of meer witte schijven te pakken. Het duurde geen vijf minuten of het kind kwam als winnaar uit de strijd.

Mijnheer Ephraim had dikke pret. 'Kijk,' zei hij, 'wie van mij wil winnen, verliest, maar wie wil verliezen, wint. Zo gaat dat.'

Na een paar spelletjes en een grote hoeveelheid stof tot nadenken, stak mijnheer Ephraim net als de vorige keer een sigaret op met de kennelijke bedoeling zijn levensverhaal te vervolgen.

In zijn tienerjaren had hij alle nationale schaak- en damtoernooien in de USSR voor spelers onder de achttien gewonnen.

In juni 1967, een dag nadat Israël de zesdaagse oorlog had gewonnen, hadden de toen vijfentwintigjarige Dadgmeli, zijn tweelingbroer en hun vijftien oudere broers, samen met acht vrienden, geprobeerd in een gestolen vliegtuig Israël te bereiken. Jammer genoeg hadden de Russen hen vlak voor de Turkse grens gedwongen te landen. Alle passagiers werden tot de galg veroordeeld, maar ze gingen in hoger beroep en kregen ten slotte levenslang.

'Een minuutje,' onderbrak Jardena het verhaal. 'Als u en al uw broers naar Israël wilden ontkomen, lieten jullie dan je vrouwen en kinderen zomaar achter?'

'De vrouwen en kinderen vormden geen probleem. Als ons plan gelukt was, hadden we die met gemak later uit Rusland kunnen smokkelen.'

'Zo-o. En de echtgenoten van uw zusters dan? Ook geen probleem?'

'We hebben geen zusters. Mijn ouders hadden zeventien zoons en geen enkele dochter', was het verbazingwekkende antwoord. 'Onze broer Eliahu, die maar een jaar ouder was dan mijn tweelingbroer en ik, was adjunct-generaal bij de Russische luchtmacht. Hij was onze piloot en hij had het plan bedacht. Sommigen van mijn broers waren al tamelijk bekende wetenschappers en hoogleraren in Rusland. Die hebben lang gevangengezeten, maar op het laatst zijn we allemaal vrijgekomen. Op mij persoonlijk hadden de Russen het niet begrepen. Waar kan een kampioen schaken en dammen de staat mee schaden? Ik heb maar vijf jaar gezeten. Toen ik vrijkwam, beloofden ze me een huis in Moskou als ik mijn zionistische ideeën wou opgeven, maar ik zei: "Mij kun je niet omkopen. Ik ga naar Israël, of jullie dat leuk vinden of niet." Ze werden zo kwaad op me dat ze me voor mijn leven uit Rusland verbanden. Dat was precies wat ik wou.'

'En uw vrouw? Was u al getrouwd?'

'Ja en nee. Toen ik elf jaar was, ontmoette ik een meisje van vijf. Ze zat op dezelfde school als ik en trainde om acrobate te worden. Ik beloofde haar dat we man en vrouw zouden worden in Israël. Ik gaf haar een ring en sprak de woorden die een Joodse bruidegom tot zijn bruid zegt. "Ziehier, je bent aan mij gewijd." De jaren gingen voorbij en het leven nam zijn loop. Maar toen ik eindelijk in Israël aankwam, ontmoette ik haar weer. Toen trouwden we officieel. Behalve Eliahu zijn al mijn broers nu in Israël, en sommige hebben het hier alweer net zover gebracht als in de

Sovjet-Unie. Alleen Eliahu, die wel wist dat hij als hoofdschuldige nooit vrij zou komen, pleegde zelfmoord in zijn cel.'

In Israël veranderde Dadgmeli zijn naam in Ephraim. Hij diende drie jaar in het leger en beëindigde de dienst in de vroege jaren zeventig.

'Toen ik eenmaal uit dienst was,' vervolgde hij zijn verhaal, 'vloog ik naar Nederland om mee te doen aan het toernooi voor het wereldkampioenschap dammen. In Amsterdam werd mij verzocht om tegen één van de eerste computerprogramma's te spelen.

Daar ik noch Nederlands, noch Engels kende, nam ik een vertaler die me bij iedere zet liet weten wat de computer te vertellen had. De eigenaar van de computer wedde om honderdduizend gulden dat ik zou verliezen, maar ik won. Zonder protest schreef de man een cheque uit en vroeg: "Nog een spelletje? Om hoeveel wed je?"

"Het dubbele," zei ik, en daar gingen we weer.

Na enige tijd verscheen er een zinnetje op het scherm: "Mag ik even rusten, alsjeblieft?"

Deze keer won ik tweehonderdduizend gulden en gaf er vijftigduizend aan mijn vertaler. Oké, Avi, spelen we nog een spelletje? Wat wil je, winnen of verliezen?'

'Ik wil winnen,' zei Avi, die met open mond had zitten luisteren. 'Maar ik weet dat ik dat niet kan.'

Mijnheer Ephraim lachte. 'Je hebt gelijk. Als je wilt winnen, zorg ik dat je verliest, niet door brute kracht, maar door slim te spelen. Je bent toch niet boos op me?'

'Nee hoor,' zei Avi grootmoedig.

Toen de spelers moe waren, bood Perla mijnheer Ephraim een doos chocola voor zijn kleinkinderen aan, maar dat was een misser.

'Onder geen voorwaarde,' zei hij bijna beledigd. 'Ik heb meer dan genoeg geld om alles te kopen wat ik nodig heb. We zien elkaar volgende zondag, zelfde plaats, zelfde tijd.'

De derde zondag was even zenuwslopend voor Avi als de tweede. Hij durfde het huis niet te verlaten uit angst dat zijn vriend en leraar deze keer voor de verandering eens vroeger zou komen dan hij had beloofd.

Maar mijnheer Ephraim maakte zijn entree pas om halfacht 's avonds. 'Te veel kartonnen dozen,' zuchtte hij. 'Er komt geen eind aan het werk. Soms denk ik erover om er maar mee op te houden, maar ik kan toch niet de hele dag thuiszitten en niets doen.'

'Waarom geeft u geen les in schaken en dammen in clubhuizen en op scholen,' vroeg Perla. 'U zou zo een klas vol leerlingen hebben.'

'Clubhuizen? Scholen? Al dat tuig voor niets mijn geheimen verklappen? Ik hoef hun geld niet. Een- of tweemaal per jaar win ik een internationaal damtoernooi, en ook al winnen de Russen al tien jaar met een half punt van me, toch win ik genoeg partijen om mijn gezin ruimschoots te onderhouden. Natuurlijk neem ik geen deel aan competities zonder te informeren hoe groot de prijs is die ik van plan ben te winnen. Dat is altijd de tweede als de Russen meedoen, en de eerste als ze thuisblijven. Ik verlaat mijn land en mijn werk niet voor minder dan vijftigduizend dollar, en zelfs dat is me nauwelijks de moeite waard. Wat kies je, Avi, zwart of wit?'

Nadat Avi's leergierige hoofd weer anderhalf uur vol beroepsgeheimen was gestouwd, kregen de toeschouwers te horen dat de grootmeester, zijn vrouw en hun drie jongste dochters in twee bij elkaar getrokken woningen in de zeer welvarende buurt Ramat Ze'ev woonden. Van die drie dochters was de oudste in het leger, en waren de twee jongste op de middelbare school.

De andere kinderen van mijnheer Ephraim woonden in allerlei woningen die hij in de loop der jaren van zijn inkomen als damgrootmeester had gekocht. Zijn oudste kinderen, twee paar tweelingen, studeerden alle vier medicijnen aan de Hebreeuwse Universiteit. De daaropvolgende dochter studeerde rechten en zijn jongste zoon communicatiekunde en internationale relaties.

'Ik heb gisteren juist een kwart miljoen shekel studiegeld voor mijn kinderen betaald,' vertelde mijnheer Ephraim bescheiden. 'Mijn vrouw vroeg of ze het in maandelijkse porties zou betalen, maar ik zei: ach nee, betaal maar ineens, dan hoef je niet iedere keer naar de bank te lopen. Mijn kinderen doen dat soort transacties via de computer. Maar dat is een vak dat mij niet interesseert.

Ik hou er niet van om thuis te zitten, behalve 's nachts als de rest van het gezin slaapt. Vorige maand voelde ik me niet goed. In die ene week dat ik thuisbleef, verloor ik meer geld dan ik bij het laatste toernooi had gewonnen. En dat alleen omdat mijn kinderen geen moment ophielden met zeuren: "Pa, kun je me honderd shekel geven voor een broek, vijfhonderd shekel voor een paar schoenen, drieduizend shekel voor een reis naar het buitenland, zevenduizend shekel voor een nieuwe computer ..."'

'Aan het eind van de week vlieg ik terug naar Nederland,' zei Avi spijtig toen mijnheer Ephraim afscheid nam. 'Maar volgende zomer kom ik terug. Zullen we dan weer spelen?'

Toen de meester en zijn leerling elkaar de hand schudden, gaf mijnheer Ephraim de jongen een vijfvoudige raad: 'Wat je ook doet in je leven, Avi, doe het beter dan anderen. Verdien eerlijk je brood, schep niet op over wat je hebt of kunt, verdien de kost voor je gezin en blijf uit de buurt van je kinderen.'

Twee dagen voor het vertrek van Perla en haar gezin stapte Noach, die nog maar kort weer in het land was, op een boot naar Griekenland, waarvandaan hij naar Joegoslavië reisde om daar met een groep hippies de totale zonsverduistering te zien. Ook in Israël, zo wist men lang van tevoren, zou de zon op de elfde van de maand voor tachtig procent door de maan aan het oog worden onttrokken. Het was nog steeds zomervakantie en meerdere kleinkinderen logeerden bij Sabba en Savta in Jeruzalem.

Nathan kocht een aantal stukjes zwart glas, van het soort dat speciaal met dat doel in de handel was gebracht, en liet de kinderen erdoor naar de zon kijken.

Shai, die bouwvakker was, kwam die avond slap van het lachen thuis. De Arabische arbeiders hadden begrepen dat er vier uur lang overal in het land een levensgevaarlijke straling zou zijn. Twee uur voor de climax sloten ze zich op in het huis dat ze aan het bouwen waren. Ze deden alle ramen en deuren hermetisch dicht en verduisterden de boel met dekens en planken. In elkaar gedoken en met de ogen stijf dicht bleven ze in het duister wachten tot het gevaar geweken was.

'Zo zie je,' zei Jardena. 'De ene orthodoxe fanatiekeling is al net zo wereldvreemd als de andere. Zelf ben ik gedurende het grote gebeuren met mijn zwarte glaasje de straat op gegaan. Een paar ultraorthodoxe kinderen vroegen of ze ook even mochten kijken. Hun moeders waren zo bang dat hun spruiten op slag blind zouden worden, dat ik de grootste moeite had hen gerust te stellen. Pas toen ik precies had uitgelegd wat je wel en wat je niet moest doen, en het had voorgedaan, besloot één van de vrouwen het erop te wagen. Toen ze eenmaal begreep waar ze naar keek, wou ze het glaasje niet meer uit handen geven en ontstond er een gekibbel van jewelste tussen kinderen en ouders.'

Ons zonnestelsel had nog meer aardigs in petto voor de aardbewoners. In de nacht tussen 17 en 18 november bewoog de planeet aarde zich dwars door een wolk van meteorieten. Jannai en zijn kinderen waren naar de Negev vertrokken om het natuurverschijnsel ver van de bebouwde en verlichte wereld te kunnen waarnemen. Nathan was voor natuurverschijnselen niet uit zijn bed te porren. Shai, die wel wist dat hij geen hand voor ogen zou zien, maar te trots was om daarover te reppen, beweerde dat hij zijn hoogzwangere vrouw geen moment alleen kon laten, en Jifrach was moe van het harde werken. Zo kwam het dat Jardena in haar eentje om kwart voor vier 's nachts op het dak klom, en zonder er enige moeite voor te hoeven doen binnen een halfuur meer vallende sterren telde dan ze wensen kon bedenken.

De volgende dag kregen Shai en Josefina een zoon. Bij de besnijdenis kwam een bezoeker in zwart kostuum en met keurige hoed en stropdas een cheque van vijfhonderd shekel brengen. Het duurde even voor de leden van het gezin zich realiseerden dat het mijnheer Ephraim was. Hij kon niet blijven, zei hij, want hij was op weg naar de begrafenis van zijn schoonvader. 'Volgende keer beter,' voegde hij er met schalkse blik op Laury aan toe. 'Want één ding is zeker. Mijn schoonvader hoef ik na vandaag nooit meer te begraven. Die is morsdood.'

Tijdens de kerstdagen, die meestal ongemerkt aan Nathan en Jardena voorbijgingen, kwamen de hun totaal onbekende Kasha en Rado Kudelski uit Polen logeren. Een gemeenschappelijke kennis had doodleuk tegen hen gezegd: ik heb geen tijd voor jullie, ga maar naar de Jerushalmi's. Jardena had de pest in. Iedereen scheen langzamerhand te weten hoe gastvrij Nathan was, en te veronderstellen dat Jardena niets anders te doen had dan andermans gasten te onderhouden. Maar toen Nathan beloofde voor het eten te zorgen, kon ze moeilijk weigeren de gasten een bed aan te bieden. Moest ze ook 'Stille Nacht Heilige Nacht' voor ze zingen, vroeg ze hatelijk, of een kerstboom aan hun sponde zetten?

Ofschoon de Kudelski's als vrijzinnige Christenen door het leven gingen, was vooral Kasha diep onder de indruk van alles wat Joods was, en vroeg ze honderduit, vooral als Simcha toevallig in de buurt was.

Op de laatste dag van haar bezoek aan Jeruzalem kwam het grote woord eruit. Haar moeder was onlangs gestorven. Vlak voor haar dood had ze totaal onverwacht verteld dat ze een Jodin was, en dat ze met haar ouders gedurende de Tweede Wereldoorlog gewoon in Warschau was blijven wonen zonder dat iemand de waarheid had vermoed.

Na de oorlog was ze met een niet-Joodse man getrouwd, en ze had haar geheim in de vijftig jaren van haar huwelijk aan geen mens ter wereld verklapt.

Op de dag dat ze het eindelijk deed, had Kasha gevraagd: 'Zelfs aan vader niet?'

'Zelfs aan vader niet. Je vader was een Christen, mijn kind. En Christenen zijn niet te vertrouwen.'

Kasha had haar leven lang ieder mens naar zijn eigen waarde beoordeeld en niet naar zijn afkomst of geloof, maar nu was ze toch vreemd getroffen door de wetenschap dat ze buiten eigen toedoen tot een groep behoorde waarvan ze nooit anders had gehoord dan dat die het uitverkoren volk was.

'Uitverkoren tot wat eigenlijk?' kwam Rado plotseling uit de hoek. Iedereen keek naar Simcha.

'Uitverkoren om de tien geboden te ontvangen en om aan de volkeren bekend te maken dat er maar één God bestaat,' zei Simcha eenvoudig.

'Aan die opdracht hebben we zo langzamerhand dubbel en dwars gehoor gegeven,' zei Jardena. Al dat gedoe over het uitverkoren volk maakte haar kregel. 'Dat de Christenen er toch weer een driemanschap van hebben gemaakt is niet onze schuld. En ik heb van bepaalde Christenen zelfs vernomen dat de Joden hun erfdeel als uitverkoren volk hebben verspeeld door God de zoon niet te accepteren, en dat God daarom nu de Christenen verkiest boven de Joden. Met andere woorden: ze zijn nu zelf het uitverkoren volk. Laat het ze wel bekomen.'

'Hou op,' riep Nathan. 'Ik word er niet goed van. Waarom moet de een zo nodig uitverkoren zijn boven de ander?'

'Ja,' peinsde Rado hardop. 'Waarom eigenlijk, Kasha?'

'Je hebt gelijk. Maar ik vind het wel bijzonder dat ik me in dit land zo thuis voel.'

In december stroomde Jeruzalem vol profeten, valse messiassen, excentriekelingen en potentiële zelfmoordenaars, nu eens geen terroristen maar aanhangers van allerlei sekten die het einde van de wereld voorspelden. En waarom? Omdat volgens één van de jaartellingen op deze wereld, namelijk de westerse, op 31 december om 12 uur 's nachts het jaar 2000 zou beginnen.

Deze mensen wilden de ondergang van de wereld per se in Jeruzalem beleven. Sommigen brachten tenten mee en grote voorraden dekens, kaarsen en voedsel. Anderen profeteerden dat alle computers op de hele wereld van slag zouden raken.

Jardena en Nathan schudden hun hoofd en schreven een vrolijk briefje aan hun vrienden in Europa en Amerika: 'Als, tegen onze verwachting in, de huidige wereld op middernacht tussen 31 december 1999 en 1 januari 2000 tot een abrupt einde komt, dan wensen we jullie een goede reis en tot ziens in het hiernamaals.'

2000

Van de vier dochters woonde er nu een in Nederland, een in Frankrijk, een in Tel Aviv en een in een gloednieuw stadje van louter streng orthodoxe inwoners. Nathan had er niets op tegen dat Simcha en haar man diep religieus waren, maar dat ze aan de andere kant van de groene lijn waren gaan wonen kon hij slecht verkroppen. Jannai ging een stapje verder. Hij was altijd bereid zijn zuster en zwager bij zich thuis te ontvangen, maar weigerde ten enen male bij hen op bezoek te gaan. Hij kon de situatie niet veranderen, maar eraan meedoen, dat moest je van hem niet verwachten.

Jardena schipperde tussen rechts en links. Aan de linkerkant stond haar mening dat de Palestijnen nu eenmaal hun zinnen hadden gezet op een eigen staat, en dat je toch niet kon blijven volhouden dat ze daar geen recht op hadden. Aan de rechterkant stond haar mening dat het dankzij de pioniers was dat Israël in 1948 opnieuw op de kaart was gekomen. In zekere zin waren de bewoners van de Westbank ook pioniers, die in vredestijd net zo goed in de Palestijnse staat zouden kunnen wonen als er Moslims in de Joodse staat woonden. Bovendien was Simcha haar dochter. Ze bleef haar rustig bezoeken.

Nu de meisjes elders woonden en de drie jongste zoons ieder een deel van het ouderlijk huis voor zich konden inrichten, was Itsik de enige zwerver van de familie. Hij en Noëlly verwachtten hun zesde kind en konden met moeite de huur van ook maar het simpelste huisje betalen.

Noëlly's vader vond in een dorp in Zuid-Frankrijk een huis met zes kamers en een groot stuk grond, voor nog geen derde van de prijs van een vergelijkbaar huis in Israël. Aangezien Noëlly en de kinderen de Franse nationaliteit hadden, kon het gezin zonder meer in Frankrijk gaan wonen, en hij bood aan ze in dat geval financieel te helpen. Een smid kon zijn vak immers overal uitoefenen, redeneerde hij.

Itsik zag zijn droom om zich voorgoed buiten Israël te vestigen eindelijk vorm krijgen, maar Noëlly, die haar naam officieel in Na'omie had laten veranderen, en die zich meer Israëlisch voelde dan haar man, was er niet toe te bewegen naar haar geboorteland terug te keren. 'Dat burgerlijke land,' foeterde ze. 'Als je in Frankrijk je kinderen niet naar school stuurt, krijg je binnen de kortste keren de politie op je dak. Voor je er erg in hebt, worden ze je afgenomen. Waarvoor dient een huis van zes kamers als ze je kinderen in opvoedingsinstituten opbergen? Hartelijk bedankt, vader, maar nee. Israël is ons land, en hier blijven we wonen.'

En dus ging het plan van Noëlly's vader niet door.

De echtgenoten kregen hooglopende ruzie. Noëlly vertrok met de vier jongste kinderen naar een stadje in de woestijn waar het leven veel goedkoper was dan in het centrum van het land, en liet Itsik met de twee oudere kinderen verder tobben.

Hoewel Nathan en Jardena van de onverwachte ontwikkelingen verdriet hadden, moesten ze tot eer van beide echtelieden toegeven dat ze elkaar nooit ook maar met één enkel woord zwartmaakten, en dat de samenwerking wat de kinderen betrof er alleen maar beter op was geworden.

In februari sneeuwde het. Niet aanhoudend zodat de kinderen ervan konden genieten, maar af en toe, zodat de straten vol modder lagen, die 's nachts tot harde richels bevroor. Op een keer kwam Jannai heel laat thuis van een voorstelling waar hij aan deelnam, toen hij midden op de Jaffastraat een ezel zag liggen. Het dier was verkleumd van de kou en het zag ernaar uit dat het een poot had gebroken of verzwikt. Hoe Jannai ook zijn best deed, hij kon er geen beweging in krijgen. Ofschoon Shai en Josefina pas een baby hadden, en er geen licht meer bij ze brandde, klopte Jannai net zo lang op hun deur tot Shai opendeed.

'Je moet helpen,' zei Jannai. 'Er ligt een zieke ezel op straat. Als we hem niet binnenhalen, vriest hij dood.'

Shai was in een mum van tijd aangekleed. Samen zwoegden de broers tot ze de zieke ezel op de binnenplaats van het ouderlijk huis hadden gestald. Shai ging snel naar vrouw en kind terug, maar Jannai was nog lang bezig. Hij dekte de ezel warm toe met een paar dekens, en timmerde een afdakje tegen de sneeuw. De volgende ochtend haalde hij een veearts, die zo onder de indruk was van Jannai's bezorgdheid om een wildvreemde ezel, dat hij voor zijn diensten niets wou aannemen.

Na vijf weken was de ezel zo ver opgeknapt dat Jannai hem dagelijks mee kon nemen voor een wandeling in het dichtbijgelegen Sacherpark.

Na nog een week bracht hij hem over de groene lijn en gaf hem de vader van zijn vriend Adel cadeau.

Een zeer vrome buurman hield Jardena op straat staande om tegen haar te zeggen: 'U moet eens opletten. Waarschijnlijk is uw zoon één van de *lamed-vav tsedikiem* die te allen tijde de aarde bevolken.'

'De zesendertig rechtvaardigen? Hoe komt u daarbij?' vroeg Jardena verbaasd.

'Een hulpbehoevend mens gastvrijheid verlenen, dat kan iedereen, maar een hulpbehoevende ezel in huis halen, dat doet alleen een heel bijzonder mens.'

Peinzend liep Jardena het huis in. Ze dacht aan de oude man, die nog op de bruiloft van haar ouders was geweest. Was Jannai een aardje naar zijn overgrootvaartje? En dat zonder hem ooit te hebben gekend?

Op zondag 26 maart stond paus Johannes Paulus II aan de Klaagmuur te bidden. Toen hij klaar was stopte hij een briefje tussen de oude stenen zoals vrome Joden al tweeduizend jaar doen. De Israëliërs juichten niet te vroeg. Ze waren niet vergeten hoe paus Paulus VI ze in 1964 had beledigd door tijdens zijn bezoek aan Israël te weigeren de naam van de toen nog jonge staat over zijn lippen te laten komen, en er de nadruk op te leggen dat men aan zijn bezoek geen enkele politieke betekenis mocht hechten. Zou de huidige paus het Joodse volk zijn eigen staat gunnen? Als regel worden de briefjes op gezette tijden uit de Klaagmuur verwijderd en ongelezen begraven, maar het pauselijk epistel kreeg een permanente plaats in het holocaustmuseum Yad Vashem, en de tekst kwam in alle kranten te staan. 'God van onze vaderen, U koos Abraham en zijn nakomelingen om Uw naam onder de volkeren bekend te maken. We zijn zeer bedroefd door het gedrag van degenen die in de loop van de geschiedenis die kinderen van U leed hebben toegebracht. We vragen U om vergiffenis. We wensen ons te verplichten tot oprechte broederschap met het volk van het verbond.'

Velen vonden het prachtig, maar anderen vestigden de aandacht op het feit dat de Romeinse keizer Titus in het jaar 70 de zevenarmige kandelaar en andere tempelschatten uit Jeruzalem had gestolen, en dat die, volgens nooit bevestigde geruchten, nog steeds in de kelders van het Vaticaan lagen. Er werd na verloop van tijd zelfs van hogerhand naar geïnformeerd. Maar de paus bleef het antwoord schuldig.

Jifrach werkte als elektricien in een groot hotel aan de buitenkant van Jeruzalem. Eén van zijn collega's was een Israëlische Moslim. Chaliel sprak behoorlijk Hebreeuws en Jifrach sprak een aardig mondje Arabisch. De twee elektriciens konden het goed met elkaar vinden. Op een middag liep Chaliel na het werk een eindje met Jifrach op en vroeg: 'Waarom bekeer je je niet tot de islam? Wil je na je dood niet in het paradijs komen?'

Toen Jifrach dit aan zijn ouders vertelde, pareerde Jardena met het verhaal van de student medicijnen die Arnon en haar in de jaren vijftig dezelfde beloning had toegezegd als ze zich tot het katholicisme zouden bekeren.

'Eén ding kun je ons Joden tenminste niet verwijten,' zei Nathan. 'We proberen niet iedereen over te halen om op onze manier zalig te worden.'

Een paar dagen later stond er een stuk in de krant over een Arabier in het noorden van het land die zijn zuster met een bijl het hoofd had afgehakt omdat het gerucht ging dat ze overspel had gepleegd.

'Wat vind jij daarvan, Chaliel?' vroeg Jifrach terwijl hij samen met zijn vriend nieuwe elektrische bedrading in het hotel aanlegde.

'Wat bedoel je, wat ik vind? Die vrouw had overspel gepleegd.'

'Dat was nog niet eens bewezen.'

'Het werd gezegd. Dat is erg genoeg.'

'Goed dan, maar als het jouw zuster was geweest, had je haar dan gedood?'

Hier moest Chaliel even over nadenken. 'Niet met een bijl,' zei hij ten slotte. 'Er bestaan genoeg manieren die minder gruwelijk zijn.'

Jannai en Avigdor werkten samen aan een openluchtvoorstelling in een park, met poppen die meer dan levensgroot waren. Omdat het overdag te heet was om te repeteren, deden ze dat meestal laat op de avond. Op een nacht struikelden ze bijna over een man die midden op het grasveld lag te slapen. De man schrok wakker en excuseerde zich in het Spaans. Jannai, die jaren geleden had gehoopt naar het Columbusfestival in Mexico te gaan, diepte het beetje Spaans op dat hij toen had geleerd.

Mario was blij met het menselijk contact. Hij hielp Jannai en Avigdor met het monteren van hun poppen en natuurlijk deelden ze daarna hun boterhammen en warme thee met hem.

De volgende avond was Mario er weer, en al gauw nam hij de gewoonte aan om op de plek van de repetitie zijn nieuwe vrienden op te wachten. In de loop van de zomer onthulde hij zijn geschiedenis.

Hij was veertig jaar geleden geboren in Telde op het eiland Gran Canaria. Daar was hij ook opgegroeid en naar school gegaan. Hij wist dat hij een Jood was omdat zijn ouders het hem verteld hadden, maar hij had geen idee of er nog meer Joden op de Canarische Eilanden woonden. Over dat soort dingen sprak men liever niet, en een rabbijn of een synagoge was er niet. Zijn enige band met het jodendom was de Spaanse vertaling van het Oude Testament.

Van al zijn broers en zusters was hij de enige die affiniteit voelde met God. Toen hij begreep dat hij op de Canarische Eilanden niet verder kwam, spaarde hij geld voor een vliegticket van Las Palmas naar Sevilla. Daar aangekomen had hij nog honderd dollar over. Zijn doel was Jeruzalem. Het grootste deel van de weg legde hij lopend af. Soms mocht hij een eindje met iemand meeliften, en als het helemaal niet anders kon, kocht hij een zo goedkoop mogelijk trein- of buskaartje. Weinig eten was voor hem geen probleem.

Van Griekenland nam hij een pont naar Rodos, en vandaar een tweede pont naar Turkije. Toen Jannai hem vroeg waarom hij van Rodos niet rechtstreeks naar Israël was gekomen, zei hij dat de boot naar Israël alleen op donderdag vertrok en op zaterdag aankwam. Daar God hem niet toestond om op Shabbat te reizen, had hij van deze mogelijkheid geen gebruik kunnen maken. Zo kwam hij in Turkije terecht. Daar bleef hij een maand, uitgeput van de lange reis en het tekort aan voedsel. Op een dag nodigde een gezin hem uit om te komen eten, maar het was toevallig op een zaterdag, en hij kon geen eten aannemen dat op Shabbat was gekookt.

Uiteindelijk was het hem gelukt om via Syrië in Jordanië te komen, en via de Allenbybrug de Jordaan over te steken. Vandaar liep hij naar Jeruzalem. Eindelijk, eindelijk had hij zijn bestemming bereikt. De rest kwam er niet op aan.

Hij was ruim een jaar onderweg geweest en had zijn zakboekje vol telefoonnummers van mensen die hem hadden geholpen, en hadden gevraagd of hij hen bij de Klaagmuur in zijn gebeden wou gedenken.

'En heb je al die mensen later nog opgebeld?' vroeg Jardena nieuwsgierig.

'Daar heb ik geen geld voor, dat zullen ze wel begrijpen.'

Nathan bood aan om Mario Hebreeuws te leren, maar Mario was ervan overtuigd dat God ook Spaans verstond.

Avigdor, die een expert was op het gebied van illegale banen, bood aan om Mario in die richting op weg te helpen zodat hij tenminste over wat geld zou beschikken, maar Mario was niet geïnteresseerd. Hij was altijd bereid mensen te helpen, maar zijn tijd was te kostbaar om hem te besteden aan geld verdienen. Hij wou zich aan God wijden, en verkoos een leven van armoede boven het werken voor geld. Hij sliep in parken en at wat picknickers hem aanboden.

Na tweeëntwintig jaar maakte de nieuwe minister-president een eind aan de bezetting van Zuid-Libanon. Kort daarop ontving president Clinton van de Verenigde Staten Ehud Barak en Yasser Arafat in Camp David. Nu zou het dan toch eindelijk gebeuren. In een toespraak die Barak voor zijn vertrek had gehouden, had hij beloofd dat hij alles in het werk zou stellen om vrede met de Palestijnen te sluiten. Vrede, niet tot elke prijs, maar ook niet zonder enige pijnlijke offers. 'Wat we wensen is een democratie met een Joods karakter, Jeruzalem als hoofdstad, en verdedigbare grenzen. We gunnen de Palestijnen hun onafhankelijkheid, en willen niets liever dan als goede buren met hen samenwerken. Maar een vreemd leger tussen ons en de Jordaan zullen we niet dulden, en verantwoordelijkheid voor de miljoenen Arabieren die sinds 1948 ons land hebben verlaten, kunnen we niet dragen.'

'Aha,' zei Jannai spottend. 'Dit niet en dat niet. Wat dan wel?'

'Maar jongen, als we alle Arabieren terug laten komen die intussen al kinderen en kleinkinderen hebben, wat blijft er dan voor ons over?'

'We moeten de Westbank ontruimen,' zei Nathan. 'Dan kunnen al die vluchtelingen daar gaan wonen.'

'Al die miljoenen afstammelingen van de paar duizend die destijds het land hebben verlaten? Alsof ze daar genoegen mee zouden nemen. Jij luistert iedere dag naar alle Arabische zenders. Moet ik jou vertellen dat ze midden in Israël willen komen wonen, om daarmee een eind te maken aan het Joodse karakter van onze staat?'

'Laten we maar afwachten.'

Ze konden moeilijk iets anders doen. De spanning duurde trouwens niet lang. Na twee weken gaf Arafat te kennen dat hij van de vrede afzag.

'Zie je wel!' zei Jardena. 'Barak wou hem drieënnegentig procent van de Westbank teruggeven. Was dat geen goed begin?'

'Ja, maar in en om die drieënnegentig procent zouden meer dan honderd Joodse nederzettingen blijven bestaan.'

'Wat zou dat? Binnen de groene lijn zijn ook tientallen Arabische nederzettingen. Abu-Gosh, Akko, Jaffa, zijn dat geen Arabische steden? En dan spreek ik nog niet eens van de Arabieren die Israëlisch staatsburgerschap hebben en ongehinderd temidden van de Joodse bevolking wonen. En van Arabische hoogleraren aan Israëlische universiteiten, en Arabische artsen in Israëlische ziekenhuizen. Heb je ooit van een Joodse hoogleraar aan een Arabische universiteit gehoord? Als we ophouden met elkaar dood te schieten, waarom kunnen Joden en Arabieren dan niet normaal door elkaars steden wandelen? Nee, Arafat wil het hele gebied veranderen in een democratie genaamd Palestina, die eerst miljoenen Moslims het recht van terugkeer geeft, en dan met meerderheid van stemmen besluit dat vrouwen niet zonder sluiers de straat op mogen. Mooi programma.'

Op 28 september legde Ariel Sharon een bezoekje af aan de Tempelberg. Waarom ook niet? Vanaf 1967, toen de oude stad van Jeruzalem in Israëlische handen was gekomen, had de regering er immers zorg voor gedragen dat Moslims, Christenen en Joden gelijkelijk toegang hadden tot deze allerheiligste plaats, iets wat de Moslims daarvoor nooit hadden toegestaan. Nathan, Jardena en de kinderen waren vaak genoeg op de Tempelberg geweest, vooral als ze buitenlandse bezoekers hadden. Als je entree betaalde en je bescheiden gedroeg, mocht je op bepaalde dagen zelfs de Omar Moskee met de gouden koepel en de El Achsa Moskee met de zilveren koepel vanbinnen bekijken. Waarom zou Sharon al dat moois niet ook eens mogen zien?

Maar waarom moest hij duizend gewapende politieagenten meenemen? Was dat niet je reinste provocatie?

De reactie bleef niet uit. Er vielen doden. Er vielen gewonden. Israël was aan dat soort dingen gewend. Nieuw was dat Israëls eigen Arabische bevolking, mensen die volledig burgerschap hadden en dus net als de Joodse bevolking gebruik konden maken van alle Israëlische sociale instellingen, bij de rellen en opstootjes partij kozen voor de Palestijnen. Als dat zo zit, dachten de Israëlische politieagenten, dan mogen we ook op ze schieten. Wie gaf de opdracht? Wie voerde hem uit? Was het expres? Was het per ongeluk? Dertien Israëlische Arabieren kwamen om. 'Als Israël zijn eigen burgers doodschiet,' riepen de buitenlandse journalisten in alle talen en toonaarden, 'dan hoeven we de aanleiding ervoor niet te weten om te bepalen wie de schuldige is.'

'Wacht maar, Europa, wacht maar Amerika,' riepen hoe langer hoe meer Israëlische stemmen terug. 'Ook jullie hebben aan duizenden Moslims staatsburgerschap verleend. Als die morgen de boel bij jullie afbreken, wat doen jullie dan?'

Op 12 oktober reden twee Joodse Israëliërs naar hun militaire basis in Beth-El om aan hun oproep voor herhalingsoefening gehoor te geven. Hun militaire kleding zouden ze, zoals gebruikelijk, in het legerkamp krijgen. Bij een kruispunt vergisten ze zich. Zo kwamen ze in hun auto met Israëlisch nummerbord voor een wegversperring te staan die de Palestijnen hadden geplaatst toen ze in 1994 de autonomie kregen over een gedeelte van de Westbank. De Palestijnen richtten hun pistolen op de verdwaalde Israëliërs en dwongen hen naar de dichtstbijzijnde politiepost te rijden. In Ram Allah werd al gauw bekend dat de politie twee Israëliërs vasthield. Een woedende mensenmassa verzamelde zich voor het politiebureau. Er werd geschreeuwd en met stenen gegooid. Iemand gooide een raam stuk van de tweede verdieping. Een paar Palestijnen klommen naar binnen. Even later knalden er schoten. Buiten schreeuwde en tierde de menigte.

Zoals gewoonlijk lieten ook deze keer buitenlandse journalisten zich de kans op een primeur niet ontglippen. De volgende dag toonde de Israëlische televisie in geuren en kleuren hoe de twee dode Israëliërs uit het raam van de tweede verdieping werden geslingerd en door de joelende meute op het plein aan stukken werden gehakt. Maar toen Jardena haar dochters in Nederland en Frankrijk opbelde om te vragen of ze de beelden hadden gezien, bleek daarvan niets te zijn uitgezonden. De doorsnee-Europeaan keek blijkbaar liever naar reportages waarin Israël de boosdoener was.

Er kwam weer een pand vrij in het complex van de oude Nathan Baghdádi. Het ging om een winkel die lang geleden had gediend om de oorspronkelijke inwoners van het huis een bron van inkomsten te verschaffen, en die daarna vele jaren aan vreemden verhuurd was geweest.

Jifrach en Laury, die echt heel klein woonden, vroegen of ze het pand bij hun woning mochten trekken.

Moran, een aankomend architecte die bij Jifrach in de klas had gezeten, bood aan om een plan voor de verbouwing te maken, maar toen ze zag hoe verwaarloosd de winkelruimte was, haalde ze er een ervaren ingenieur bij. Tot schrik van de familie ontdekte deze een scheur in een van de buitenmuren die, toen Nathan drie was, door een aardbeving naar beneden was gekomen en blijkbaar niet al te zorgvuldig was herbouwd.

Het was een wonder, zei de ingenieur, dat het gebouw na zoveel jaren nog niet was ingestort. Onafhankelijk van wat er verder ging gebeuren, moest eerst de buitenmuur, die aan de binnenplaats van het complex grensde, met een aantal kolommen van gewapend beton worden gestut.

Daartoe moest men net zo lang langs de muur graven tot men op rots stuitte. Hoe diep dat zou zijn kon de ingenieur niet zeggen. Vier meter, vijf misschien.

Nathan en Jardena haalden hun spaargeld van de bank en vroegen Jifrach de werkzaamheden uit te voeren.

En als ze toch gingen graven, zei de ingenieur, was het verstandig om de gammele buitentrap af te breken en opnieuw te bouwen. De geweldige hoop aarde en stenen waarop de oorspronkelijke trap rustte, zou weggevoerd kunnen worden, en de vrijgekomen ruimte zou bij de nieuwe keuken kunnen worden gevoegd.

Jifrach nam verlof van zijn werk als elektricien om zich gedurende de komende maanden volledig aan het project te wijden. Vanzelfsprekend belde hij Adel, die een paar jaar geleden Jannai met de verbouwing in diens woning had geholpen. Officieel mochten alleen Israëlische Arabieren binnen de groene lijn werken. Het was de laatste tijd te vaak voorgekomen dat een Palestijnse arbeider die jarenlang het volste vertrouwen van zijn werkgever had genoten, diens fabriek of restaurant de lucht in had laten vliegen. Het ergste voorbeeld van dit soort verraad stond heel Israël nog vers in het geheugen: een Palestijnse buschauffeur, al vijf jaar in dienst bij een Israëlische busmaatschappij, was buiten diensttijd en zonder permissie in een bus op weg gegaan om bij een afgelegen halte met voorbedachten rade de wachtenden te overrijden. Zonder vaart te minderen was hij doorgeracet richting Gaza, maar een taxichauffeur die toevallig achter hem reed, realiseerde zich wat er aan de hand was, en achtervolgde de voortjakkerende bus. Intussen belde hij met zijn mobiele telefoon de politie, die hij gedurende de hele rit op de hoogte hield van waar hij zich bevond. De moordenaar werd uiteindelijk gepakt, maar daarmee kwamen de doden niet tot leven. Israël had er genoeg van om Palestijnen werk te verschaffen.

Desalniettemin waren de jongens Jerushalmi telefonisch in contact gebleven met Adel. Adel was immers een vriend. Voor Adel was Jifrach bereid de wet te overtreden. Iedere ochtend reed hij op zijn scooter naar een plaats even buiten de oude stad, waar ze elkaar troffen. Daar zette Adel een motorhelm op die maakte dat zelfs de slimste politieagent hem niet voor een Palestijn aanzag. En weg reden de twee, naar Machaneh-Yehoedah, waar Adel urenlang samen met Jifrach op de binnenplaats van het ouderlijk huis werkte.

Op een dag vroeg Jifrach aan zijn vriend: 'Heb je geen zin om te trouwen? Je loopt toch al tegen de dertig, is het niet?'

'Ik ben verloofd,' zei Adel. 'Al vijf jaar. Maar ik heb mijn bruid nog niet ontmoet. Ze woont in Syrië.'

'Misschien ontmoet je haar wel nooit, man. Neem toch een ander. Zijn er geen leuke Palestijnse meisjes?'

'Ik wil geen Palestijnse vrouw,' zei Adel, en hij keek niet bepaald vriendelijk. 'Onze vrouwen zijn door het contact met Israël totaal verknald. Buitenshuis werken ... in broek rondlopen ... Ik wil geen vrouw die me tegenspreekt.'

Er was één ding dat Nathan niet kon verdragen, en dat was de gedachte dat er een gat zou worden gemaakt in de muur tussen het oorspronkelijke winkelpand en de kamer die erachter lag. Hij had niet helemaal ongelijk, want ook die muur was er een waar het huis op steunde. Eerlijk gezegd was ook Jifrach er niet van overtuigd dat Morans plan veilig was. Moran haalde de ingenieur er weer bij. Die vond het doorbreken van de muur niet gevaarlijk. Het kon zelfs door Jifrach worden uitgevoerd, maar stap voor stap, en onder volledige supervisie van de ingenieur.

Met tegenzin had Nathan zijn toestemming gegeven, maar drie dagen voordat de eerste steen uit de muur zou worden gebikt, sprong hij om zes uur 's ochtends met zoveel kabaal uit bed dat Jardena zich een ongeluk schrok. Dat was precies zijn bedoeling. Hij kon geen moment langer wachten met het aankondigen van een grote beslissing die hij die nacht had genomen. Maar hij zei in één adem dat hij niemand iets van zijn plannen zou laten weten vóór de komende vrijdag om zes uur 's avonds, vlak voor de gezamenlijke maaltijd.

Het klonk dramatisch.

'Plannen over wat,' vroeg Jardena opzettelijk onschuldig. 'Over een nieuwe tentoonstellingsronde?'

'Plannen in verband met het huis. Ik vertel het vrijdagavond.'

'Bedoel je dat ook ik het niet voor die tijd mag weten?'

'Ik weet dat dit een schok voor je is, maar je hoort het vrijdagavond, tegelijk met de kinderen.'

Ook al was het nog zo vroeg in de ochtend, hij belde de jongens één voor één op en ontbood ze op vrijdag om zes uur om zijn beslissing te vernemen. Allemachtig, dacht Jardena. Dat wordt ernstig. Nauwelijks had Nathan de telefoon op de haak gelegd of Jifrach kwam de slaapkamer van zijn ouders binnenstormen. Hij viel over zijn woorden: 'Wat wil je Abba? Wat moet ik vandaag met mijn arbeiders doen? Moeten we doorgaan? Ophouden? Verder graven? Het gat weer dichtgooien? Wat zijn dat voor plannen waar je het over hebt?'

'Ik vertel het je vrijdag.'

'Ja maar wat moet ik vandaag doen? De arbeiders naar huis sturen?'

Nathan, die zoals altijd stond te popelen om zijn geheimen prijs te geven, of ze nou leuk waren of niet, had geen verdere aansporing nodig. 'Goed, ik begrijp dat het zo niet gaat. Ga zitten, dan vertel ik het je nu.'

Daar zaten ze dan op de rand van het bed: Nathan, Jardena en Jifrach. En daar was het plan: 'Ik heb besloten,' zei Nathan, 'om niets te veranderen. We laten de winkel zoals hij is. We verhuren hem en krijgen zo een maandelijks inkomentje. Laury en jij blijven in jullie eenkamerwoning. Al die luxe is nergens voor nodig. Je moeder en ik zijn ook klein begonnen. We breken de trap niet af. Alles blijft zoals het is. Het enige wat we doen is de buitenmuur versterken.'

Jifrach en Jardena trokken zich de haren uit het hoofd. Wat bezielde Nathan na al die weken praten, beraadslagen, ontwerpen, compromissen sluiten?

Jifrach, die altijd zo beheerst was, rende de kamer uit en sloeg de deur achter zich dicht.

Jardena moest op adem komen voor ze een woord kon uitbrengen. 'We zullen een nieuw compromis sluiten,' zei ze ten slotte. 'Als ik het goed begrijp is het ware probleem het gat in de muur tussen het winkelpand en de achterkamer. Als dat zo is, laten we dan afspreken dat er geen gat komt. Dan maar geen luchtcirculatie door het huis. Daarentegen moet je beloven om Jifrach en Laury de gelegenheid te geven hun huis te vergroten zoals ze zich dat wensen.'

Nathan gaf toe.

Jardena liep naar beneden om Jifrach te laten weten dat hij verder kon graven, maar dat er geen gat in de muur zou komen. Jifrach was opgelucht over het ene en teleurgesteld over het andere. Hij beaamde dat dit de beste oplossing was. Ook hij wou zijn vader geen hartaanval bezorgen.

Een uur later belde Moran, de charmante architecte. Ze zat beneden bij Jifrach en wou Nathan graag even spreken.

Jardena zou nooit te weten komen wat die twee samen bekonkelden, maar toen Nathan bovenkwam, zei hij langs zijn neus weg: 'Ik heb geen enkel bezwaar tegen het maken van een gat in de muur. Ik heb het volste vertrouwen in de ingenieur en de architecte. Eerlijk gezegd snap ik niet waar jullie allemaal zo bang voor zijn.'

2001

Donderdag 25 januari om halftwaalf ging de telefoon bij Jardena. Een onbekende dame vroeg: 'Hebt u een buurman die Raphael heet? Hebt u een sleutel van zijn huis? Ga zo snel mogelijk naar hem toe. Hij is verschrikkelijk ziek.'

Jardena wierp de telefoon op de haak, greep haar sleutelbos en rende naar het huis van haar buurman. Hij lag op de bank te krimpen van de pijn. 'Raphael,' riep ze verschrikt uit. 'Wat heb je?'

'Blijf alsjeblieft bij me om de deur open te doen als de ambulance komt.' Jardena begreep dat hij zelf Eerste Hulp had gebeld en daar had gevraagd of ze iemand van de familie Jerushalmi wilden waarschuwen.

Hij leed vreselijke pijn. Het enige wat ze voor hem kon doen, was zachtjes over zijn borstkas en armen strelen. Ze durfde hem niet steviger te masseren omdat ze niet wist wat hem scheelde. Eerst klaagde hij over zijn rug. De pijn was zo hevig dat hij zijn lichaam als een brug boven het bed spande. Even later klaagde hij over barstende hoofdpijn en een paar seconden later stotterde hij dat zijn benen verlamd waren.

'Vergeet niet om adem te halen,' zei Jardena aldoor. 'Raphael, haal adem. Alsjeblieft, haal adem.'

De ambulance kwam met vijf eerstehulpmensen. Ze stelden Raphael een paar vragen, en hoewel hij nauwelijks kon ademen, wist hij duidelijk te maken dat hij over het algemeen gezond was, geen medicijnen gebruikte, en ook die ochtend niets had gebruikt behalve een boterham en een kop koffie.

'Zorg dat die motorfiets voor de ingang verdwijnt,' zei iemand tegen Jardena. Hardop denkend herhaalde ze: 'De motorfiets? Hoe krijg ik dat voor elkaar?'

'Jifrach! Vraag Jifrach!' zei Raphael zacht maar duidelijk.

Onmiddellijk daarop gaf de arts hem een injectie. Daarvoor had hij twee redenen, legde hij uit. De eerste was om Raphaels acute pijn te verlichten. De tweede was om hem alvast in slaap te brengen voor een eventuele operatie zodra hij het ziekenhuis binnen zou komen. Jardena liep naar buiten om te zien hoe ze de motorfiets uit de ingang kon verwijderen om doorgang te verlenen aan de brancard. Jifrach was niet thuis, maar Simcha kwam er net aan met twee van haar cliënten. Met z'n vieren tilden ze het gevaarte op en verplaatsten het alsof het een veertje was.

Terwijl de verplegers Raphael naar buiten droegen, doofde Jardena zijn petroleumkachel en sloot zijn voordeur. Daarna holde ze achter de brancard aan, naar de ziekenwagen die om de hoek, in de Jaffastraat, stond. Onderweg kwam ze Nathan tegen. 'Raphael is heel erg ziek,' riep ze hem toe. 'Waarschuw zijn kinderen. Ik rij mee met de ambulance.'

Gedurende de rit belde de arts naar het ziekenhuis. Jardena hoorde hem zeggen dat de patiënt waarschijnlijk een scheurtje in zijn slagader had.

In het ziekenhuis stonden artsen en verpleegsters al te wachten. Jardena beantwoordde een paar vragen en kreeg te horen dat er een scan zou worden gemaakt van Raphaels borstkas. Lukte het de artsen het gaatje of scheurtje te vinden, dan zouden ze onmiddellijk opereren in de hoop het te kunnen repareren. Was het defect te klein om op de scan te worden gezien, dan zouden ze nader overleggen.

Jardena liep mee tot de scankamer. Daar zaten een paar patiënten op hun beurt te wachten, maar Raphael werd als eerste naar binnen gerold.

Even later werd hij alweer naar buiten gebracht. De artsen keken somber. 'De situatie is kritiek,' zeiden ze tegen Jardena. 'We hadden geen enkele moeite het defect te ontdekken. De slagader is van hart tot buikholte gescheurd. Het bloed kan al een uur lang het hoofd en de ledematen niet meer bereiken. Kijkt u maar, zijn handen en voeten zijn bleekblauw en ijskoud. Als we meenden ook maar de minste kans op succes te hebben, zouden we opereren. Maar zoals de zaken staan zou hij op de operatietafel sterven. En zelfs al zouden we erin slagen de slagader te repareren, dan nog weten we wel zeker dat zijn hersens zwaar beschadigd zijn en dat hij levenslang verlamd zou zijn. De schade is te groot.'

'Maar is er nog enige hoop, dokter?'

De arts schudde zijn hoofd. 'Het spijt me, mevrouw. Geen enkele hoop.'

Raphaels kinderen kwamen. Nathan kwam met Jannai. Jifrach kwam, Shai kwam. Vrienden en familieleden kwamen. Ook al vermoedden ze dat Raphael niets meer voelde, toch hielden ze zijn ijskoude handen en voeten vast. Om halftwaalf 's nachts, precies twaalf uur nadat hij om hulp had gevraagd, stond Raphaels hart stil. Zo eindigde het leven van een onvergetelijke vriend. Hij was net eenenzestig.

Schuilt er waarheid in de zegswijze dat een ongeluk nooit alleen komt? Je zou er waarachtig in gaan geloven. De politie maakte bekend dat ze naar een man zochten die in zwaar gedeprimeerde toestand zijn huis had verlaten. Zijn portret werd op het televisiescherm vertoond. 'Kom eens kijken Jardena,' riep Nathan. 'Is dat je vriend Joël niet?'

Dagenlang zochten vrienden, buren en bekenden in de bossen en velden rond Joëls huis. Het was Itsik die hem vond. Hij hing aan een bloeiende amandelboom.

Jardena luisterde naar de gebroken stem van haar zoon, die haar telefonisch op de hoogte stelde. Haar gedachten vlogen van Itsik via het paard Chiloea dat hij jaren geleden in zijn eentje had begraven, naar Hilde en naar Joëls oude moeder die Auschwitz had overleefd. 'Zijn moeder ...' stamelde ze. 'Hoe is zijn moeder?'

'Zijn moeder woont al jaren bij Hilde en de meisjes. Die verzorgen haar met engelengeduld. Echt heel bijzonder.' Jardena knikte. De Duitse Hilde, die jarenlang geprobeerd had het Joodse volk van dienst te zijn, had haar bestemming gevonden.

Ehud Barak had zijn best gedaan.

'Niet genoeg,' zeiden de linksen.

'Veel te veel,' zeiden de rechtsen. 'Als Arafat drieënnegentig procent van de Westbank had aanvaard, zou hij dan die zelfmoordterroristen van Hezbollah kunnen tegenhouden? Of zelfs maar willen tegenhouden? Hij kan z'n eigen PLO niet eens aan.'

In februari waren er nieuwe verkiezingen. Ariel Sharon, aan wie in 1982 de straf was opgelegd dat hij nooit meer minister van Defensie zou kunnen worden, werd minister-president. Jannai kon de verleiding niet weerstaan om aan zijn moeder te vragen: 'Gaan Abba en jij nu op een onbewoond eiland wonen? Dat zouden jullie toch doen als Sharon ooit minister-president werd? Wat zul je blij zijn met je Nederlandse nationaliteit.'

Jardena schudde haar vinger naar Jannai. 'Je hebt me te pakken, jongen. Naar een onbewoond eiland, zulk soort dingen zegt een mens als hij jong is, en niet gelooft dat bepaalde dingen ooit echt zullen gebeuren. Maar nu Sharon werkelijk premier is geworden, denken Abba en ik er niet over om weg te gaan. Stel je voor, onze kinderen en kleinkinderen in de steek laten. Bovendien, hoe slechter het in ons land gaat, hoe belangrijker het is om de oppositie te steunen en het goede voorbeeld te geven, nietwaar Nathan?'

Nathan had zelfs geen zin in tegenspreken.

De intifada escaleerde van dag tot dag en het was niet langer mogelijk Adel heen en weer te smokkelen.

'Gelukkig maar,' zei Jardena. 'Het werd hoog tijd dat daar een eind aan kwam. Niet dat Adel ons uit zichzelf kwaad zou doen, maar als zijn vrienden hem voor de keus stellen: "Of je plant een bom in dat huis waar je iedere dag werkt of we schieten je moeder dood", wat doet hij dan?'

Daar had zelfs Jannai geen antwoord op.

Jifrach zocht nieuwe hulp voor de bouw en vond een Chinees die na een volle werkdag als gastarbeider graag nog wat shekels wilde bijverdienen. Avond aan avond werd er gegraven. Avond aan avond maakte Jifrach zich verstaanbaar met behulp van een Engels-Chinees woordenboek.

Eens probeerde Jardena de Chinees uit te leggen dat hun huis met zijn hulp een paradijs op aarde zou worden. Hoe ze ook in Jifrachs woordenboek bladerde, en wat ze ook voor omschrijvingen bedacht, het bleek dat de Chinees niets kende wat in de verste verte aan het bijbelse begrip 'paradijs' deed denken, zodat hij onmogelijk kon begrijpen waar ze het over had.

In de grote vakantie kwamen Perla en Consuela met hun kinderen logeren. Noëlly-Na'omie verlangde zo naar de familie dat ze vroeg of zij en de vier jongste kinderen ook mochten komen. Matrassen waren er genoeg en vloeren om ze op te leggen ook. In een lang nachtelijk gesprek legde Noëlly uit waarom het tussen haar en Itsik niet meer ging: 'Hij leeft in de wolken. Werk heeft hij genoeg, en ijverig is hij ook, maar hij voert geen enkele opdracht volgens afspraak uit. Nu eens verandert hij de maten, dan weer is hij een maand over tijd, of maakt hij iets net niet af. Op die manier vindt iedere opdrachtgever altijd wel een reden om niet te betalen, of minder of later te betalen dan hij beloofd had. Hoe hard Itsik ook werkt, het lijkt wel of hij nooit wat verdient. En hij blijft maar fantaseren dat we binnenkort in Spanje gaan wonen of in Nieuw-Zeeland of in Canada. Ik kon er niet meer tegen.'

Itsik zelf had net een paar dagen eerder tegen Vered gezegd: 'Wat ik ook deed, en wat ik ook zei, het was nooit goed. Ik ben uitgeprobeerd en uitgeput. Ik heb van alles bedacht en alles gedaan wat maar enigszins mogelijk was, maar ik ben zoals ik ben, en als dat niet goed genoeg is, dan houdt het op.'

Op de laatste dag van de vakantie trakteerde Jardena de drie moeders en een groot aantal kleinkinderen op een poppenvoorstelling in het treintheater. Na afloop was iedereen zo moe dat ze met twee taxi's naar huis reden. Net sloeg de voorste taxi de Jaffastraat in of er was een geweldige ontploffing. Sirenes loeiden. Politiewagens en ambulances kwamen aanrijden. De twee Arabische taxichauffeurs stopten, verzochten hun passagiers zo vlug mogelijk uit te stappen, en maakten dat ze wegkwamen. Na een aanslag was het voor hen niet veilig in de stad.

De Jaffastraat werd afgesloten. Langs een omweg kwamen de geschrokken theatergangers thuis. Terwijl Jardena de sleutel in het slot stak, ging binnen de telefoon. Nog voor de Jeruzalemmers wisten wat er precies was gebeurd, had Meron in Amsterdam al gehoord dat het luxueuze café Sbaro op de hoek van Jaffa en King George door een zelfmoordenaar was opgeblazen. Zoals zoveel Israëliërs in het buitenland luisterde Meron al twintig jaar lang de hele dag naar de Israëlische zender.

In de loop van de middag belden ook Vera en Eva. Het was de periodiek weerkerende vraag: 'Zijn jullie allemaal gezond? Is geen van jullie geraakt?'

'We hebben geluk gehad. Alweer.'

Zelfmoordaanslagen, ontploffingen, doden, gewonden, loeiende sirenes van ambulances en politiewagens, het was aan de orde van de dag. Ze hoorden bij het dagelijks leven. Tegelijk hoorde je ook steeds weer over heldendaden. De chauffeur van een volle bus op weg naar Tiberias had een verdachte reiziger met geweld de berm in geduwd. Twee soldaten waren uit de bus gesprongen om te helpen de zelfmoordterrorist te overmeesteren. Daarna had de chauffeur eerst de bus een eindje verderop geparkeerd en toen de politie gebeld. De reizigers hadden nauwelijks in de gaten gehad wat er aan de hand was.

Ergens anders zat een man rustig te eten in een restaurant. Hij zag iemand binnenkomen met een verdacht pakket op zijn buik, was van tafel opgestaan en had hem met een vliegensvlugge judogreep in bedwang gehouden.

Een bewaker van een nachtclub weigerde een zelfmoordterrorist binnen te laten en ontplofte samen met hem op straat.

Twee soldaten die in een buitenwijk een verdachte figuur aanhielden, voorkwamen door hun dood samen met de terrorist de dood van tientallen burgers in het centrum van de stad.

'Zou jij dat durven?' vroeg Jardena aan haar man. 'Als je iemand ervan verdacht een zelfmoordterrorist te zijn, zou je dan niet hard weglopen?'
'Ik hoop van niet,' zei Nathan, 'maar zoiets weet je pas als je ervoor staat.'
'Je moet je zulke situaties van tevoren goed indenken,' was Jifrachs mening. 'Je moet je in gedachten trainen op de juiste reactie, zodat je, als het ooit zover komt, geen moment aarzelt.'
'Als je te veel nadenkt, verlies je de moed,' zei Shai. 'Het is beter om op je instinct te vertrouwen.'

Op 4 september stond Mario voor de deur. Hij had tranen in de ogen en legde in het Spaans uit dat hij aan het eind van z'n Latijn was. De nachten waren al behoorlijk koud, maar dat was het ergste niet. Er ging geen nacht voorbij of politieagenten schudden hem drie of vier keer wakker om naar zijn papieren te vragen. Nathan vroeg of hij terug wou naar zijn ouders op Gran Canaria, maar hij schudde zijn hoofd. Nee, hij was in Jeruzalem om God te dienen. Hier wou hij leven en sterven.
'Zover is het nog niet,' zei Nathan. 'Blijf eerst maar een paar nachten bij ons. Dan zien we daarna wel verder.'
In tegenstelling tot sommige andere gasten aan wie het echtpaar Jerushalmi in de loop van de jaren gastvrijheid had verleend, werkte Mario keihard voor de kost. Hij hielp Nathan om al zijn oude schilderijen van de planken te halen en schoon te poetsen, waarna Jardena ze één voor één fotografeerde. Hij schrobde de badkamer, deed de vaat en veegde de vloeren alsof zijn leven ervan afhing. Maar als Nathan hem wou betalen, weigerde hij koppig. Alleen een warme maaltijd en een paar tientjes als zakgeld nam hij schoorvoetend aan. 'Ik moet nu eenmaal eten,' voerde hij als verontschuldiging aan. 'Als ik niet eet, kan ik God niet dienen.'
Jardena kocht een leerboek Spaans, liet zich door Mario met de uitspraak helpen en begon al gauw een beetje in het Spaans te koeterwalen. In haar hart hoopte ze dat hij lang zou blijven.
Op 11 september belde Simcha op. 'Imma, zet onmiddellijk de televisie aan. Ik luister naar de radio. Er is iets vreselijks aan het gebeuren.'
Jardena rende naar de slaapkamer. Daar zat Nathan totaal uit het veld geslagen al naar het scherm te staren.
Samen zagen ze een vliegtuig dwars door een van de twee hoogste wolkenkrabbers van New York vliegen. Een gruwelfilm leek het. Even later

stortte eerst de ene en toen de andere toren letterlijk voor de ogen van de hele wereld in. De beelden werden steeds opnieuw uitgezonden, en toen er ook close-ups werden vertoond, zag je hoe mensen uit de hoogste verdiepingen waren gesprongen.

Men noemde cijfers. Tienduizend doden? Vijfentwintigduizend mensen begraven onder het puin? Kon het waar zijn? Wie had het bedacht? Wie had het gedaan?

En niet alleen in New York, ook in Washington. Een vliegtuig dat tegen het Pentagon op vloog. Tegen het symbool van macht en kracht. En dan het vierde vliegtuig. Van de wederwaardigheden en de moed van de passagiers in het vierde vliegtuig was Jardena nog het meest onder de indruk. Een paar passagiers hadden het nieuws over de tweelingtorens en het Pentagon via hun mobiele telefoons vernomen. Toen ze zich realiseerden dat ook zij ontvoerd waren, en dat ook hun vliegtuig bestemd was voor de spectaculaire dood van honderden, misschien duizenden, deelden ze telefonisch aan hun gelieven mee dat ze gingen proberen de terroristen te overmeesteren. Wat zich vervolgens precies afspeelde zou nooit bekend worden, maar niet lang daana viel het vliegtuig op een open terrein te pletter. Er waren geen overlevenden.

Mario hoorde het nieuws, maar weigerde naar de televisie te kijken. Het zou hem maar afleiden van zijn toewijding aan God.

De volgende dag stond hij bepakt en bezakt in de keuken. 'Ik moet verder trekken,' zei hij. 'Bedankt voor de gastvrijheid.'

'Waar wil je heen?' vroeg Nathan. 'Terug naar het park met de honden en de politieagenten? Wees niet zo eigenwijs. Het wordt winter. De nachten zijn koud.'

Mario schudde zijn hoofd en vertrok. Als hij iets wou, viel er niet aan te tornen.

Maar hij kwam terug. Hij kon op straat geen stap verzetten. Ieder moment hield een soldaat of politieagent hem aan. Meestal waren dat jonge vrouwen in uniform die hem geboden zijn handen omhoog te doen, terwijl ze zijn rugzak leeghaalden en naar verdachte voorwerpen zochten. Zijn paspoort en visum waren in orde, maar niemand vertrouwde een vreemde snoeshaan die met een rugzak door Jeruzalem zwalkte.

Jardena was blij. Zeker, Mario's terugkeer kwam haar vorderingen in het Spaans ten goede, maar dat was niet het belangrijkste. Ze was echt van de man gaan houden. En Nathan ook.

Op een dag vertelde hij hun zijn versie van hoe hij Jannai had leren kennen. Hij sprak langzaam en duidelijk en overtuigde zich ervan dat zijn gastheer en gastvrouw ieder woord verstonden. Nadat hij te voet in Jeruzalem was aangekomen was hij in Liberty Bell Park op het gras gaan liggen. Hij had geen rooie cent en kon zelfs geen stuk brood kopen. Water dronk hij uit de kraan in het park niet ver van het treintheater. Het was noch Jannai, noch Avigdor geweest die over hem gestruikeld was, maar een andere poppenspeler, genaamd Koby. Koby had gevraagd wat Mario daar deed, en Mario, die van zwakte bijna niet kon praten, had verteld dat hij al negen dagen niets had gegeten. Koby had om een heel andere reden tegen middernacht Jannai opgebeld. Terloops had hij hem verteld over de vreemde figuur die in het Liberty Bell Park op het gras lag, en die beweerde al negen dagen niet te hebben gegeten. Jannai had niets gezegd, maar was met een thermoskan vol hete soep en een plastic doosje met rijst en groente op zoek gegaan naar de man die Koby had beschreven. Nathan en Jardena kenden hun zoon. Ze waren ontroerd maar niet verbaasd.

Het duurde niet lang of de Amerikanen maakten bekend wie de schuldigen waren aan de viervoudige catastrofe op 11 september: de Taliban.

De Taliban? Wat was dat nou weer?

'Een sekte,' zei Jifrach.

'Een stam van vrouwenhaters,' zei Shai.

Jardena had geen idee, en Nathan, anders zo goed op de hoogte, meende te weten dat het een provincie was in Afghanistan.

Plotseling bleken er geheime videofilms te bestaan waarop je kon zien hoe vrouwen in het stadion van Kabul werden doodgeschoten. Wie had die video's gemaakt? Wie vermoordde die vrouwen? En waarom?

'Osama Bin Laden,' zeiden de Amerikanen. 'Zijn dagen zijn geteld. We bombarderen hem plat. Hem en heel Afghanistan.' Nauwelijks haalde het woord 'Taliban' de krantenkoppen, of het gerucht deed de ronde dat het om één van de tien verloren stammen van Israël ging. Dat was althans de mening van de antropologe Shalva Weil, die zei: 'Ook al mogen de Pathanen of Pashtun waartoe de meeste Taliban behoren er vandaag niet graag over horen, toch hielden ze een halve eeuw geleden zelf vol dat ze van Joodse nomaden afstamden. In een rapport uit de jaren vijftig staat dat het symbool dat hun mantels siert, op een chanoekakandelaar lijkt, dat hun gebedskleren lijken op die van westerse Joden, en dat ze op vrijdagavond kaarsen aansteken. Veel mannen dragen aan beide zijden van het hoofd een pijpenkrul. In sommige families worden de jongens op de achtste dag na hun geboorte besneden.'

En in de jaren tachtig had Shalva Weil zelf een legende opgetekend over een zekere Jeremias, niet de profeet uit het Oude Testament maar een zoon van koning Saul. De dochter van deze Jeremias zou Afghana hebben geheten, en de stammoeder zijn van het naar haar genoemde volk.

Andere goed gedocumenteerde bronnen, las Jardena in de krant, leidden naar de Iraanse stad Mashad, van oudsher het centrum van de Mashadi-Joden, die na een pogrom in 1839 gedwongen waren geweest zich tot de islam te bekeren, maar die, net als de marranen tijdens de Spaanse inquisitie, in het geheim Joods waren gebleven. Honderden van deze geheime Joden zouden in de loop der jaren naar Afghanistan zijn verhuisd. Zij vertegenwoordigen vandaag de dag de felste anti-Talibanbeweging. Met een flinke dosis fantasie kon je waarachtig tot de conclusie komen dat de onenigheid in Afghanistan niets anders was dan geharrewar tussen de vertegenwoordigers van twee verloren gewaande stammen van Israël.

Alsof dat niet genoeg was, beweerde de PLO in december in een radioreportage dat de Zionisten van plan waren om de Afghaanse geheime Joden naar Israël te evacueren om ze de nederzettingen in de Westbank te laten bewonen. Het zou maar liefst om anderhalf miljoen mensen gaan.

In de Koeweitse krant *al-Rai al-Am* stond te lezen dat hooggeplaatste Afghaanse Joden al weken in Israël vertoefden om de plannen tot massa-immigratie met de regering te coördineren. Kon het nog gekker? Zoals te verwachten was, bleek al gauw dat al die verhalen je reinste lariekoek waren, klinkklare nonsens.

Toen de gemoederen wat bedaard waren, nam Mario opnieuw afscheid.

'Neem dan alsjeblieft de sleutel van ons huis mee,' drong Jardena aan. 'Als je midden in de nacht in moeilijkheden komt, kun je tenminste ergens terecht.'

Die winter belde Malka Blumenthal op om te vragen of Nathan ter gelegenheid van Daans tiende *jahrzeit* mee kon gaan naar zijn graf. Twee van hun drie zoons waren in de loop van de jaren hoe langer hoe religieuzer geworden, en om de herdenking volgens de halachah te doen verlopen, waren tien mannen nodig. Ze wist niet zeker of al haar kleinzoons konden komen en nam graag het zekere voor het onzekere. Nathan was altijd bereid mensen een dienst te bewijzen, en al was Jardena niet onmisbaar voor de ceremonie, ze besloot met hem mee te gaan.

Ze waren aan de vroege kant, en in plaats van bij de ingang van de begraafplaats te wachten, liepen ze op hun gemak naar het graf. Daar troffen ze een paar tieners die bezig waren het graf met handen vol bloemen te versieren. Dat had niets met de halachah te maken en druiste zelfs enigszins tegen de gewoonte in, maar Daan was ook geen alledaagse grootvader voor ze geweest. Al gauw kwamen de naaste familieleden aanzetten.

Daans oudste zoon liep in het algemeen blootshoofds, maar haalde bij het graf een keppeltje uit zijn zak.

De tweede zoon, een boom van een kerel, die als vliegenier in de zesdaagse oorlog zo'n belangrijke rol had gespeeld, was inmiddels gescheiden, hertrouwd en orthodox geworden. Hij was op Europese wijze gekleed en geschoren, maar hield de hand vast van een tenger jongetje met pijpenkrullen langs zijn oren. Het accent waarmee dit ontegenzeggelijk Jemenitische kind de gebeden uitsprak was daarentegen puur Ashkenazisch. Een ouder kind uit het eerste huwelijk van de vliegenier liep in korte broek, had een oorbel in, en een zorgvuldig gladgeschoren schedel.

Daans jongste zoon, die al vroeg religieus was geworden, droeg een zwart pak en een breedgerande zwarte hoed. Zijn volle zwarte baard reikte bijna tot zijn middel. Hij had zich al jaren geleden aangesloten bij een religieuze gemeente waarvan de leden uit Irak kwamen, en hun accent was het zijne geworden. Zowel de zoons als de dochters van deze uiterst orthodoxe man hielden zich zo te zien fanatiek aan het gebod 'wees vruchtbaar en vermenigvuldig u'.

Al gauw leek het of Daans vrome zoons met elkaar wedijverden wie de religieuze teksten het vlugst kon afraffelen, terwijl de seculiere zoon tergend langzaam las, als om te demonstreren dat hij zich niet door zijn jongere broers de les liet lezen.

Na het officiële gedeelte van de herdenking nodigde Malka de deelnemers uit om met haar mee naar huis te komen en nog wat over Daan na te praten.

Onder het theedrinken vroeg de oudste zoon het woord. 'Ik denk vaak aan vader,' begon hij. 'Hij was begaafd, wijs en veelzijdig. Hij was belezen en hogelijk geïnteresseerd in de Griekse cultuur met zijn veelgodendom en rijke mythologie. Ook ik heb veel in Griekenland gereisd en van de sporen van deze cultuur genoten.'

Hoewel de vrome broers zichtbaar ontdaan waren door de loftuiting op de Griekse veelgoderij, waren ze toch te beleefd om aanmerkingen te maken.

Sommige kleinkinderen hadden het er moeilijker mee.

Veinzend dat hij zich van niets bewust was, vervolgde de spreker: 'Op meer dan één manier lijk ik op vader. Net als hij hou ik van muziek.'

'We houden allemaal van muziek,' riep iemand van de jongere garde.

'Stilte,' riep zijn vader. 'Je oom is aan het woord.'

'Net zoals vader hou ik van Bach. Ik wil daarom iets van Bach voor jullie spelen: "Jesu, joy of men's desiring".' Hij zette zich aan de piano en sloeg een paar akkoorden aan.

Eén van de vrome kleinzoons kon het niet langer uithouden. Hij opende de balkondeuren, haalde een paar driewielertjes naar binnen, en moedigde zijn kinderen aan erop door de kamer te rijden.

'Is dit nu wel nodig?' vroeg oma Malka.

'De kinderen vervelen zich,' verklaarde de jonge vader zonder zich aan de muziek te storen. 'Ze moeten wat beweging hebben.'

De pianist beëindigde het stuk en hervatte zijn relaas: 'Helaas hebben sommige leden van de jonge generatie Bach en zijn muziek de rug toegekeerd, en dat terwijl onze vader hem een groot man noemde. Niet alleen een groot componist, maar een groot man, die met zijn muziek de mensheid een weldaad heeft bewezen. Ik wil daarom nog een stuk voor u spelen. Sommige mensen zouden het misschien liever niet horen, maar daar is niets aan te doen. Het leven bestaat nu eenmaal niet alleen uit wat men graag zou willen. Het leven is soms uitermate pijnlijk.'

'Moeten we daaruit opmaken dat je speelt om ons pijn te doen?' vroeg een andere recalcitrante neef.

De vader van de fietsende kindertjes vond het welletjes. Hij stond op en zei: 'Helaas hou ook ik van Bach. Helaas ben ik met hem geboren en getogen, met hem wakker geworden en naar bed gegaan, met het gevolg dat hij een onafscheidelijk deel van mijzelf is geworden en dat het mij onmogelijk is niet van zijn muziek te houden. Zelfs nadat ik besloten had de Europees-christelijke cultuur, die niet de onze is, de rug toe te keren, is mij gebleken dat ik Bach niet uit mijzelf weg kan rukken en dat het mijn lot is voor altijd van hem te houden. Ik maak een ware crisis door, omdat ik niet kan beslissen of ik mijn kinderen misschien een heel ander soort opvoeding moet geven. Ik wil ze geen vreemde cultuur bijbrengen, maar Bach is een deel van mij, en het is niet makkelijk om mijn kinderen zijn muziek te onthouden. Ik wil nu zelf iets van Bach ten gehore brengen. Ik heb het heel lang niet gespeeld, en misschien kom ik niet tot het einde. Als ik niet verder kan, stop ik. Dat is alles.'

Met enig vallen en opstaan kwam de gefrustreerde Bachliefhebber tot halverwege het stuk. Daar aangekomen hief hij de handen van het klavier en zei bij wijze van verontschuldiging: 'Degene die echt kan spelen is mijn vrouw. Als zij Bach speelt, weet je niet wat je hoort. Maar natuurlijk speelt ze alleen 's nachts als we er zeker van zijn dat de buren slapen en niet horen dat er bij ons Bach wordt gespeeld.'

Jardena keek naar Malka, die glimlachend temidden van haar nazaten zat. Wat haar betrof hadden ze allen recht van spreken. Niet iedereen kon nu eenmaal zo wijs zijn als hun vader en grootvader.

Of het nu de oorlog in Afghanistan was die Jannai tot het besluit bracht dat hij voor zijn kinderen de Nederlandse nationaliteit wenste aan te vragen, of dat hij zich herinnerde hoeveel plezier hij zelf van zijn Europese paspoort had gehad toen hij in Parijs studeerde, kon hij zelf niet vertellen. Waarschijnlijk een combinatie.

Hoe dan ook, de Nederlandse wet bepaalt dat kinderen van Nederlandse vaders recht hebben op de Nederlandse nationaliteit, en Jannai wou van deze mogelijkheid gebruik maken. Aangezien hij echter geen woord Nederlands sprak, vroeg hij aan zijn moeder om bij de Nederlandse ambassade het woord voor hem te doen. Hoewel Jardena tegen het karwei opzag, wou ze Jannai haar hulp niet weigeren.

Intussen was haar eigen paspoort bijna verlopen. Zowel Jannai als Nathan bezwoer haar dat dit niet het juiste moment was om de Nederlandse nationaliteit op te geven. Het ging niet om haarzelf, betoogden ze, maar om haar kinderen en kleinkinderen.

De juffrouw achter het loket was niet in een bui om Nederlandse paspoorten aan Jan en alleman uit te delen. Waarom zouden Jannai's kinderen Nederlanders worden, vroeg ze nogal venijnig, en waarom zou Jardena na vijfenveertig jaar in Israël te hebben gewoond nog steeds haar Nederlanderschap willen aanhouden? Natuurlijk wist ze heel goed dat haar cliënten in hun recht stonden, maar ze behandelde ze zo onvriendelijk als ze maar durfde.

Jannai drukte zijn zaak ter plekke door, maar Jardena zou van haar verzoek hebben afgezien als de juffrouw achter het loket niet met alle geweld gelijk had willen krijgen. Dat ging toch te ver. De wet was de wet. Knap wie Jardena haar Nederlandse nationaliteit afnam. Ze was ermee geboren en zou ermee sterven! Daar kon dat wicht achter het loket het mee doen.

Het wicht eiste een geschreven verklaring van het ministerie van Binnenlandse Zaken in Jeruzalem dat Jardena de Israëlische nationaliteit niet bezat, nooit had bezeten, en nooit had geprobeerd te verkrijgen.

'Als u mij een dergelijk document kunt overleggen, mevrouw Jerushalmi,' beloofde ze treiterig, 'dan stuur ik u uw nieuwe paspoort per kerende post.'

'Schrijf de envelop dan maar vast!'

Ziezo, dat was dat.

De volgende dag ging ze naar het ministerie van Binnenlandse Zaken voor de vereiste verklaring. Vlug, vlug, dacht ze. Voor ik spijt krijg.

De persoon die haar te woord stond, had een kaartje op haar revers waarop je kon lezen dat ze Miri Biederman heette. Ze vond Jardena's verzoek belachelijk en maakte duidelijk dat ze niet van plan was aan dat soort onzin mee te werken. Maar toen ze Jardena drie uur had laten wachten, kon ze niet langer weigeren het gevraagde document te leveren.

Een week later ontving Jardena haar nieuwe Nederlandse paspoort. Ze was er niet eens blij mee.

2002

In februari kreeg Nathan een telefoontje van een politieagent.

'Kent u iemand die Mario heet?'

Ja, die kende hij en hij wou vreselijk graag weten hoe het met hem ging.

Mario had regen en natte sneeuw in een van de Jeruzalemse parken overleefd, en was, misschien vanwege eenzaamheid, misschien vanwege honger, op de eerste zonnige dag maar weer eens de stad in gewandeld. Een groepje mannen stond op straat te wachten op een *minyenmacher*. Eén van hen vroeg of hij Joods was. Mario antwoordde met zijn eeuwige: 'Soy Judio', en was de synagoge binnengeloodst om de mannen uit de brand te helpen.

Ze gaven hem een gebedenboek en begonnen de dienst. Mario sloeg de bladen van het boek om zoals hij het de anderen zag doen, maar na korte tijd ontdekte één der mannen dat hij het boek ondersteboven hield. Argwanend, zoals dat in deze tijd van zelfmoordterroristen nu eenmaal niet anders kon, belde de man de politie om te melden dat er in zijn synagoge een verdacht individu was die beweerde een Jood te zijn. Binnen een paar minuten was Mario gearresteerd.

Hij toonde de sleutel die Jardena hem had gegeven, maar zijn paspoort kon hij niet vinden. Had hij dat misschien bij de Jerushalmi's laten liggen?

Toen de politieagent van Jardena hoorde dat Mario een vriend des huizes was, en dat zij hem persoonlijk de sleutel had gegeven, was hij bereid samen met zijn arrestant te komen zoeken naar het verloren paspoort. Nathan en Jardena waren overgelukkig om Mario na zoveel maanden terug te zien. Hij zag er beter uit dan ze hadden durven hopen. Zijn haar en baard waren gegroeid, en hij was er niet magerder op geworden. Blijkbaar waren er genoeg goede gevers in Jeruzalem om een man als Mario in leven te houden.

Jardena rende naar beneden om te zien of Jannai toevallig thuis was. Ze had geluk. Jannai liet alles in de steek om Mario te komen omhelzen. De politieagent was zichtbaar ontroerd.

Maar het paspoort werd niet gevonden. Dat was niet best, zei de agent. Mario zou zeker het land uit worden gezet. Mario zei in het Spaans dat hij niets anders wou dan God dienen, zo mogelijk in Jeruzalem, en dat hij er alles voor overhad om er te mogen blijven.

'Is er niet iets wat we voor hem kunnen doen?' vroeg Nathan.

De agent gaf hem het telefoonnummer van de inspecteur die over de zaak ging. 'Bel morgen maar op,' zei hij. 'Dan hoort u misschien wat er over uw vriend is besloten.'

De volgende ochtend kreeg Nathan te horen dat Mario was vrijgelaten. Zijn visum was weliswaar verlopen, maar de inspecteur bij wie hij terecht was gekomen, hield zich niet bezig met mensen die illegaal in het land verbleven. Hij was op jacht naar terroristen, en had noch de tijd, noch de ruimte om een vredelievende Jood gevangen te houden.

Direct na Poerim ging Jardena aan de grote schoonmaak om, na enkele malen bij deze of gene van de kinderen te gast te zijn geweest, weer eens een sederavond thuis te kunnen vieren. Na'omie, die door Jardena nog steeds Noëlly werd genoemd, had gevraagd of ze met de kleine kinderen mocht komen, en Shai had zichzelf en zijn gezinnetje gemeld. Alles wat *chameets* was werd opgegeten, weggegooid of achter slot en grendel geborgen. Voor zichzelf had ze nooit zo haar best gedaan, maar Laury stelde prijs op een koshere Seder. Niemand zou haar en Jifrach willen missen, dus moest er rekening worden gehouden met haar wensen.

Op de dag zelf sleepten Nathan en Jifrach schragen en planken aan, zodat Jardena de tafel voor zesentwintig mensen kon dekken. Terwijl ze bezig was, werd er gebeld. Het was Noach, gehuld in kleurige doeken en met een gitaar over zijn schouder. Zijn moeder was in de wolken, en zijn grootouders niet minder. Zijn zusjes vlogen hem om de hals en ook hijzelf was zichtbaar ontroerd. Hij was ruim twee jaar weg geweest. Na een ouderwets huiselijke Seder met alles erop en eraan, hoorde Jardena hem tegen Josefina zeggen: 'Het is wel niks voor mij, dat religieuze gedoe, maar best wel fijn om weer eens bij de familie te zijn.'

Maar de volgende ochtend vertrok hij alweer, onder veel gewuif. Niemand wist waarheen, of tot wanneer.

De laatste vijf dagen van de pesachweek maakte een deel van de familie Jerushalmi met drie auto's een tocht naar het noorden. Simcha had lang geaarzeld of ze mee zou gaan. Op het allerlaatste moment gaf haar man toestemming. Jannai kwam met de achtjarige Adina. Shai en Josefina kwamen met hun dochtertje. Vered en haar man kwamen met Shalom. Jifrach kwam met de hoogzwangere Laury, en al had Nathan geen zin om mee te gaan, Jardena liet zich de pret niet ontnemen.

Vered had twee huisjes besproken in *moshav* Beth-Hillel. Alles was keurig verzorgd. De huisjes waren brandschoon en leuk ingericht. Vanaf hun terras zagen de vakantiegangers de besneeuwde top van de Hermon. Niets te klagen, maar treurig te bedenken dat de moshavim, net als de kibboetsim, al sinds jaren niet meer konden bestaan van landbouw en veeteelt, en dat de bewoners hun toevlucht moesten nemen tot het verhuren van vakantiehuisjes.

Simcha had haar eigen eten meegebracht. Omdat het keukengerei in het huisje naar alle waarschijnlijkheid chameets was, had ook Laury haar eigen spullen meegebracht. Bovendien bedekte ze direct na aankomst het gasfornuis met aluminiumfolie zodat alleen de pitten nog te zien waren, en borg ze het aanwezige serviesgoed in een kartonnen doos. In plaats daarvan deponeerde ze een grote stapel weggooiborden en weggooibestek op de eettafel.

Bij de eerste de beste maaltijd haalde Jannai weer een aardewerken bord van het huisje te voorschijn. Hoewel niemand er iets van zei, voelde hij zich verplicht uit te leggen: 'Voor mij is ecologie belangrijker dan religie. Ik kan echt niet iedere dag een papieren bord in de vuilnisbak gooien. Maar ik zal mijn eigen bord wel onder de buitenkraan wassen zodat het niet in aanraking komt met de koshere pannen.' De anderen knikten begrijpend.

De eerste dag wandelde het gezelschap in het prachtige Goelehreservaat temidden van waterschildpadden, katvissen en otters. De tweede dag bezocht men de bijna droge watervallen van de Banyas. Er was al drie winters bijna geen regen gevallen.

Simcha had haar man beloofd om op woensdag, de feestdag die de pesachweek afsloot, weer thuis te zijn. De reis van moshav Hillel naar Simcha's woonplaats in Beitar kon, met de gebruikelijke opstoppingen, wel zes uur duren. Ze moest daarom dinsdagochtend bijtijds vertrekken. Ehud had beloofd haar naar het busstation van Kirjat Sjemona te brengen. Jardena stond vroeg op om afscheid te nemen. Tot haar verbazing stond ook de fanatiek anti-religieuze Jannai voor dag en dauw buiten om zijn godsdienstige zus goede reis te wensen. Simcha's geloof stond haar echter niet toe haar broer te omhelzen. Jardena keek toe hoe broer en zus elkaar van een afstandje vriendelijk stonden toe te wuiven. Ehud had intussen de auto gehaald. Hij was niet zo op de hoogte van wat zijn streng orthodoxe schoonzuster wel of niet mocht, en hield beleefd het voorportier voor haar open. Simcha, die niet naast een andere man dan haar eigen mocht gaan zitten, stond zich even te bezinnen. Snel sprong Jardena in haar nachtpon op de voorbank en riep vrolijk: 'Ik ga mee om je weg te brengen.' Dankbaar kroop Simcha achterin.

Op de weg naar Kirjat Sjemona stonden heel wat soldaten te liften. Het was immers de vooravond van een feestdag en het openbaar vervoer zou vroeg ophouden te rijden. 'We gaan naar het busstation van Kirjat Sjemona,' riep Ehud uit het raam. 'Wie wil er mee?'

'Onze bus vertrekt over tien minuten,' riepen twee soldaten, en achter elkaar kropen ze op de achterbank. Met al hun pakken en zakken zaten ze stijf tegen elkaar en tegen Simcha aangedrukt. Geschrokken keek Jardena achterom. Dat was nu juist niet de bedoeling geweest. Maar Simcha glimlachte en gaf met een knipoogje te kennen dat haar moeder zich niet ongerust hoefde te maken. Ze draaide zich onopvallend van de soldaten af en keek uit het raam alsof er niets aan de hand was. Jardena moest denken aan de dag dat deze zelfde dochter, nauwelijks zes maanden oud, als buffer had gediend tussen Vered en de fanatieke zoon van Amram Bleuy. Nu stond Simcha waarachtig voor hetzelfde probleem. Het deed Jardena goed te zien wat voor haar prioriteit had als het ging om een snelle beslissing tussen twee tegenstrijdige mitsves: hulp aan soldaten die voor het ingaan van de feestdag thuis wilden zijn, en het verbod om naast een vreemde man te zitten.

De laatste dag van de vakantie viel samen met de laatste dag van de pesachweek, een dag waarop religieuze Joden zich bijna gedragen als op Shabbat, behalve dan dat enkele geboden van de Shabbat niet gelden. Zo mag je, net als op Shabbat, geen vuur ontsteken, maar, anders dan op Shabbat, mag je wel gebruik maken van een vlam die je voor aanvang van de feestdag hebt ontstoken om er een tweede vuur mee te maken. Waarom, dat moesten ze bij gelegenheid maar eens aan Simcha vragen, want Laury wist het niet zo precies. Om aan dit gebod te kunnen voldoen had ze een dikke kaars meegebracht die vierentwintig uur kon blijven branden. Die stak ze dinsdagavond voor het ingaan van de feestdag aan, zodat het gezelschap de volgende dag water zou kunnen koken en eten zou kunnen opwarmen. Woensdag na het ontbijt moesten de vakantiegangers de huisjes verlaten omdat de eigenaars nieuwe gasten verwachtten. Maar naar Jeruzalem terugrijden kon niet vanwege Laury, die immers op een religieuze feestdag niet wou rijden. Het plan was om te gaan picknicken in een natuurreservaat ongeveer anderhalf uur lopen van Beth-Hillel, en 's avonds de auto's te komen ophalen.

Maar het tweeënhalf jaar oude zoontje van Shai en Josefina weigerde een voet te verzetten. Na enig overleg werd besloten dat Ehud met hem naar het park zou rijden en dat de anderen zouden lopen. En als Ehud toch reed, kon hij het eten voor die dag ook wel in de auto meenemen.

'Neem dan gelijk de kaars mee,' zei Laury. 'Maar zorg wel dat hij blijft branden.'

Ehud knikte bereidwillig, maar even later was de kaars uit.

'Heb jij dat gedaan?' vroeg Laury. Ehud bezwoer haar van niet. De wind had hem parten gespeeld. Niets aan te doen. Toen het gezelschap na twee uur wandelen op de plaats van bestemming aankwam, stond de kaars weer vrolijk te branden. Niemand vroeg of ook dat aan de wind te danken was.

Terwijl de kinderen in het water speelden, maakte Ehud met behulp van de vlam een open vuurtje waarin hij aardappelen en kippenboutjes gaar liet worden. Intussen maakten Vered en Laury sla en pasten Josefina en Jardena op de kinderen. Alles smaakte even verrukkelijk. Jannai's dochter zat naast haar vader.

'Kun je de kip voor mij snijden?' vroeg ze. Maar dat was te veel gevraagd.

'Ik verbied je niet om vlees te eten, maar je moet van mij niet verwachten dat ik een beest in stukken snij. Dat doe je zelf maar.' Het klonk redelijk genoeg van de dierenbeschermer-vegetariër bij uitstek, en Adina kweet zich prima van haar taak.

Tegen een uur of vijf wou iedereen graag naar huis. De chauffeurs hadden nog een lange reis voor de boeg en sommigen moesten de volgende ochtend weer aan het werk. Maar wegrijden kon nog steeds niet. Jifrach had immers aan Laury beloofd niet gedurende de feestdag te rijden, en de anderen waren solidair. Ze bleven dus nog wat napraten en spelletjes met de kinderen doen. Om halfzes reden de drie chauffeurs in Ehuds auto naar de huisjes om daar de andere auto's en de bagage op te halen. Om zeven uur stond het hele gezelschap op de parkeerplaats van het natuurreservaat naar de hemel te turen. Om kwart over zeven ontwaarde Jifrach de eerste ster.

'Wat doet een mens als het bewolkt is?' vroeg Josefina.

'Dan wacht je tot het volkomen donker is. Dan weet je zeker dat er al sterren achter de wolken zijn', was Laury's antwoord. Gelukkig waren er geen wolken en waren er om halfacht drie sterren te zien.

'Vooruit jongens, in de auto's. We gaan,' riep Jifrach. Als Laury van plan was geweest *havdalah* te maken, en zo officieel de Shabbat van de weekdagen te scheiden, dan liet ze dat plan snel varen. Ze zag wel dat het gezelschap lang genoeg had gewacht.

Jardena kon niet nalaten op te merken: 'Als iedereen zo tolerant was als mijn kinderen, dan was de wereld één groot paradijs voor ons allemaal.'

Op 17 april publiceerde de Italiaanse journaliste Oriana Fallaci een artikel in de *Corriere della Sera.*

Nauwelijks was het artikel verschenen of de Engelse vertaling ervan bereikte via internet en e-mail alle uithoeken van de wereld. Ook Jardena kreeg het onder ogen.

'Ik vind het schandalig,' luidde de openingsparagraaf, die kennelijk geënt was op Zola's 'J'accuse', 'dat er in Rome een demonstratie kan plaatsvinden van individuen met pseudo-zelfmoordgordels om hun middel, die openlijk hun gif op Israël spuien en mensen opjutten tot Jodenhaat, en die, om Joden opnieuw in de gaskamers van Buchenwald en Bergen-Belsen te zien belanden, hun eigen moeder aan een harem zouden verkopen.

Ik vind het schandalig dat een in het Vaticaan woonachtige bisschop met die optocht meeloopt.

Ik vind het schandalig dat deze dienaar van God, die jaren geleden in Jeruzalem werd veroordeeld omdat hij in zijn heilige Mercedes wapens en explosieven vervoerde, in naam van God voor de microfoon gaat staan om de zelfmoordterroristen te bedanken voor hun uitroeiing van Joden in pizzeria's en supermarkten.

Ik vind het schandalig dat de Katholieke kerk dat toelaat.'

Jardena las het stuk voor aan Nathan.

'Dat gaat over Kapuchi,' zei hij. 'Weet je nog, die aartsbisschop die vlak bij Elnakam woonde?'

'Ook de andere landen van Europa komen er niet best af. Moet je horen wat Fallaci verder schrijft: "Ik vind het schandalig dat men in Frankrijk, het Frankrijk van Vrijheid, Gelijkheid en Broederschap, synagoges in brand steekt, Joden terroriseert en begraafplaatsen ontwijdt. Ik vind het schandalig dat de jeugd van Nederland, Duitsland en Denemarken uitdagend met de kafiya paradeert, zoals Mussolini's avant-garde destijds met de knuppel en het fascistische insigne paradeerde." En zo gaat het nog bladzijden lang verder.'

'Moedig mens,' vond Nathan. 'Ik hoop dat ze haar niet binnenkort om zeep brengen.'

Hun vijfenveertigjarige bruiloft vierden Nathan en Jardena in Praag. Dat je zomaar voor een lang weekend heen en weer kon vliegen, konden ze nog altijd nauwelijks bevatten, maar van de mogelijkheid genieten konden ze des te meer.

Eenmaal in Praag aangekomen, reden ze per bus en metro naar de Joodse buurt. Het was even vreemd om in een stad te zijn waar je niemand verstond, maar Tsjechisch is een Slavische taal, en al gauw merkte Jardena dat ze weer eens plezier van haar kennis van het Russisch had. Het doel van de reis was in de eerste plaats een bezoek aan de Pinchassynagoge, die in 1535 gebouwd was door Aharon Meshulam Horowitz, van wie Jardena een achterkleindochter in de zestiende graad was.

Ze dacht aan Kasha Kudelski, die had gemeend niets om afkomst te geven tot ze met de waarheid was geconfronteerd.

De Pinchassynagoge was niet meer als zodanig in gebruik. Hij was na de Tweede Wereldoorlog ingericht als herdenkingsmonument voor de Joden uit Bohemen en Moravië die door de nazi's waren vermoord. Hun namen stonden in rood en zwart op de wanden. Hoewel de letters klein waren en de wanden lang en hoog, was geen vierkante centimeter onbeschreven op de twee verdiepingen die de synagoge telde.

Wat zou Jardena's voorvader gedacht hebben als hij had geweten dat zijn synagoge een herdenkingsmonument zou worden voor honderden, misschien duizenden van zijn nakomelingen en andere familieleden?

En wat zou hij hebben gezegd als hij had geweten dat ten minste één van zijn nakomelingen haar gezin in Jeruzalem had gesticht, en dat ze vierhonderdtweeënvijftig jaar na zijn dood, haar huis om drie uur 's nachts had verlaten om door de lucht regelrecht naar Praag te vliegen en daar op tijd aan te komen voor het dagelijkse openingsuur van het gebouw?

Hoewel het verboden was binnen te fotograferen, mocht Jardena één plaatje schieten van de muursteen waarop haar voorvader in gebeitelde letters genoemd werd als degene die de synagoge had gebouwd in het jaar 5295 van de Joodse, dus in 1535 van de gebruikelijke jaartelling. Nathan kon de oude en bijna onleesbare woorden nauwelijks ontcijferen, maar hij had genoeg fantasie om er iets van te maken. Als je het met de leestekens niet te nauw nam stond er zoiets als:

> Een man stond op uit de stam van Levi en zijn naam was Aharon Meshulam. Hij was een hoogstaand mens die de geestelijke ladder beklom en trad in het pad van zijn voorvaderen, prinsen en edellieden. Hij bouwde deze synagoge, de schitterendste onder de gebouwen, met hulp van zijn vrouw, de dochter van Rabbi Menachem (zijn ziel ruste in vrede), mevrouw Nechama, en ter herinnering aan haar ziel. In het jaar 'hee-resh-tsadik-hee' werd het werk begonnen en beeindigd. Ter ere van God en de Torah, hier in de heilige gemeente van de inspirerende stad Praag (moge God hem beschermen) een hoofdstad met schildwachten. Aharon Meshulam, de zoon van Rabbi Yeshaya Halevi (hij ruste in vrede), in de wandel genaamd Zalman Horowitz!

Hoewel een steen uiteindelijk maar een steen is, betekende dit gedenkteken op dit moment heel wat meer dan gewoon een steen voor deze nakomeling van de oude Zalman Horowitz.

Ze gingen naar buiten en zochten naar de graven van Jardena's voorouders.

Voor haar vertrek had Jardena al bedacht dat ze er, naar Joods gebruik, steentjes op zou leggen. Ze had aan Jifrach gevraagd er een paar uit de pas blootgelegde rots onder hun huis te hakken. Toen bleek dat ze niet tussen de grafstenen mocht lopen, en de steentjes dus niet naar hun bestemming kon brengen, legde ze ze op grafstenen waarvan het opschrift door de tijd onleesbaar was geworden. Nathan was het met haar eens dat in de dood alle mensen gelijk zijn, en dat ze, door aan onbekenden eer te bewijzen, eer bewees aan allen, dus ook aan haar voorouders.

In juli kwam Itsik onverwacht aanwaaien. Hij zag er verwilderd uit en zei dat hij belangrijk nieuws had.

Eerst moest hij wat eten, daarna moest hij een paar telefoontjes afhandelen, maar toen hij echt geen smoesjes meer kon bedenken om het belangrijke nieuws langer voor zich te houden, bleek het maar zes woorden lang te zijn: 'Ik heb er een dochter bij.'

Nathan en Jardena keken hun zoon verbaasd aan.

'Enne ... wie is de moeder,' vroeg Jardena ten slotte. 'Of is dat een geheim?'

'Een vriendin van Noëlly. Ongetrouwd.'

'Ga je met haar trouwen? Zijn Noëlly en jij eigenlijk ooit gescheiden?'

'Ach nee, dat bureaucratische gedoe.'

'Ja maar dat nieuwe kind moet toch een vader hebben.'

'Ja, dat ben ik. En haar moeder is een ongetrouwde moeder. Samenwonen hoef ik niet nog een keer. Ik heb Noëlly nooit gevraagd om weg te gaan, maar nu het eenmaal zo is, heb ik mijn vrijheid lief.'

'Wat zegt Noëlly ervan?'

'Van het nieuwe kind, bedoel je? Noëlly zegt "Mazal tov".'

'Noëlly krijgt een tien voor goed gedrag,' zei Nathan

'Wat Noëlly kan, moeten wij ook doen,' zei Jardena. 'Mazal tov, jongen.'

Een paar dagen later reisde Jardena naar Frankrijk voor de geboorte van Consuela's derde zoon. Alles liep deze keer naar wens.

Na een heerlijke maand met haar kleinkinderen en hun ouders maakte Jardena zich op om naar Jeruzalem terug te keren. Bij het afscheid zei Consuela onverwachts: 'Weet je nog, Imma, dat je mij en mijn zusters na de geboorte van Noach vroeg hoe we zouden reageren als je ons plotseling vertelde dat je in werkelijkheid een Joodse vader en een niet-Joodse moeder had?'

'Nou en of, ik denk nog vaak aan jullie reacties.'

'Weet je nog wel dat ik zei dat het me niets zou kunnen schelen?'

'Jij en Vered waren het daarover eens. Perla zei dat ze zich tot het jodendom zou bekeren, en Simcha zei: als ik hoorde dat ik niet Joods was, zou ik mij erin verdiepen wat ik dan wel was.'

'Ik wil mijn antwoord wijzigen,' zei Consuela. 'Vandaag zou ik het antwoord van Perla geven.'

'Je bedoelt ...'

'Dat ik me tot het jodendom zou bekeren.'

'Wat zeg je me nu? Jij, die met een niet-Joodse man getrouwd bent, en die je kinderen niet hebt laten besnijden? Jij zou je tot het jodendom bekeren?'

Consuela zuchtte. 'Kijk, als ik met een Joodse man getrouwd was en in Israël leefde, zou het me allemaal niets kunnen schelen, maar juist het feit dat ik met een niet-Joodse man getrouwd ben, maakt alle verschil van de wereld. Ook al zijn mijn kinderen niet besneden, toch zou ik ze op geen enkele andere manier kunnen grootbrengen dan in het Hebreeuws en met de Joodse waarden en principes. Ik weet niets anders. Ik kan niets anders. Ik ben niets anders. Als ik nu wist dat ik ze iets bijbracht wat eigenlijk niet het mijne was, zou ik liever aan mezelf veranderen wat er te veranderen valt, dan het gevoel hebben dat ik mijn kinderen grootbracht in een wereld waarin ze volgens de maatstaven van die wereld zelf niet geaccepteerd worden.'

Toen Jardena dit later in de familiekring vertelde, lachte Simcha vrolijk: 'Ik wil mijn antwoord ook wijzigen. Vijftien jaar geleden wist ik nog niet precies wie ik was en wie ik wilde zijn, maar vandaag weet ik het precies. Als je me vandaag vertelde dat je moeder niet Joods was, zou ook ik me onmiddellijk tot het jodendom bekeren.'

Jifrach keek sip naar Laury die als een sfinx voor zich uit zat te staren. 'Ik misschien niet,' zei hij. 'Om me op mijn leeftijd nog een keer te laten besnijden ...'

'Ach joh, dat besnijden is het probleem niet,' vond Jannai. 'Kijk maar naar Avigdor Malkiël. Die heeft het toch ook gedaan. En al die Russische Joden, bij wie het vroeger niet is gebeurd, die doen het immers bij bosjes. Ze krijgen er geen van allen wat van.'

Ook Nathan deed een duit in het zakje: 'En alle Moslims over de hele wereld, die hun zoons pas laten besnijden tegen de tijd dat ze twaalf of dertien zijn.'

'Waarom zo laat eigenlijk?' vroeg Vered, die niet zo bijbelvast was.

'Omdat ze van Ishmael afstammen, natuurlijk,' zei Simcha. 'En die was al een grote jongen toen Yitshaq werd geboren en God Abraham gebood alle mannen in zijn huishouden te besnijden.'

'Bovendien zijn jullie al besneden,' kwam Jardena ertussen. 'Dus dat zou niet meer hoeven. Daar gaat het ook helemaal niet om. De vraag was: wat zou je doen als je altijd had gedacht dat je Joods was, en vandaag plotseling hoorde dat het niet zo was?'

'Absoluut niets,' zei Jannai met overtuiging. 'Waar het mij om gaat is dat ik een mens ben.'

'Toch heb je makkelijk praten,' vond Simcha. 'Ook al bleek dat jij niet

Joods was, dan zou het voor je kinderen niets uitmaken omdat je hun vader bent en niet hun moeder. Voor Consuela en mij ligt het probleem anders. Als wij vandaag ontdekten dat we niet Joods waren, zouden ook onze kinderen niet Joods zijn.'

'En wat zou dat?' Jannai stond op het punt om driftig te worden. 'Is het niet genoeg dat ze mensen zijn?'

'Jongens, jongens, wat een opluchting dat de vraag hypothetisch was,' zei Jardena. 'Ik heb jullie nooit voorgelogen. Mijn moeder was Joods, ik ben Joods, en jullie zijn Joods. En nu gaan we eten. Als ik mijn neus mag geloven heeft jullie vader weer wonderen verricht in de keuken.'

Vered en Jifrach hielpen hun moeder opdienen, Simcha haalde haar eigen superkoshere pakketje te voorschijn en het gezin Jerushalmi ging eensgezind aan tafel.

De plannen voor de Jeruzalemse tram waren definitief goedgekeurd. De Jaffastraat werd verbreed, hier en daar een paar meter, het stuk dat door Machaneh-Yehoedah liep meer dan twintig meter. Het had heel wat voeten in de aarde gehad voor men het met de bewoners en winkeliers eens was geworden over schadevergoeding en herhuisvesting, maar begin augustus was alles in kannen en kruiken en kon met de afbraak worden begonnen. Overal in de wijk werden briefjes aangeplakt waarop te lezen stond dat in de nacht van 6 op 7 augustus de drie eerste huizen van de straat waar Nathans ouderlijk huis stond met de grond gelijk zouden worden gemaakt. Wie er dichtbij woonde mocht op kosten van de gemeente de nacht in een hotel doorbrengen. Sommige buren, die nog nooit van hun leven in een hotel waren geweest, vonden dat een avontuur. Nathan en Jardena bleven liever thuis. Nathan plakte ramen en deuren stevig af tegen het stof, en wou van het hele gedoe niets weten. Jardena en Jifrach gingen gewapend met fototoestellen de straat op. Het werd een nacht die hun bij zou blijven.

Jardena vergat geen moment dat het weinig had gescheeld of het was hun eigen huis geweest dat tegen de vlakte was gegaan. Ook gingen haar gedachten uit naar Palestijnse ouders van wie de huizen verbrijzeld werden omdat hun kinderen terreurdaden hadden bedreven.

'Ja hoor eens, dan hadden ze hun kinderen maar moeten tegenhouden,' zei Jifrach, die gewoonlijk toch een toonbeeld van tolerantie was.

'Maar hoe?' vroeg Jardena. 'Vertellen kinderen al hun plannen van tevoren aan hun ouders? Doe jij dat altijd?'

'Er is veel onrecht,' gaf Jifrach toe. 'Je kunt niet alle Palestijnse ouders over één kam scheren. Maar we zien al te vaak op het nieuws hoe blij ouders zijn dat hun zoon voor de goede zaak de lucht in is gevlogen. En we hebben allemaal de videoclips gezien waarin zelfmoordenaars de namen noemen van degenen voor wie ze voorspraak zullen houden in het paradijs. En we weten allemaal dat hun ouders in afwachting van de dag dat ze daar roemrijk ontvangen zullen worden, tienduizend dollar van Saddam Hoessein krijgen. Natuurlijk hebben ouders vaak geen flauw benul van wat hun kinderen bekonkelen. Daar gaat het ook niet om. Wat ik bedoel is: als potentiële zelfmoordenaars weten dat hun ouders op straat komen te staan, misschien denken ze dan wel tweemaal na voordat ze hun aanslag plegen.'

Intussen waren meerdere buren bij de hoek van de straat samengekomen. Kinderen van vijf, zes jaar zaten op de schouders van hun vader. Er waren moeders met kinderwagens. Tieners sjouwden stoelen aan voor hun grootouders. Sommige vrouwen hadden het lumineuze idee gehad een thermosfles met koffie mee te brengen. Het werd bijna feestelijk. Natuurlijk kon je niet al te dicht bij de bulldozer komen, maar wat je kon zien was indrukwekkend genoeg.

Om halfvier in de ochtend was alles voorbij. Drie woonhuizen van twee verdiepingen, waar jarenlang buren hadden gewoond, waren gereduceerd tot brokken beton en gruis.

In oktober kwam Zevulun Markovitch onverwacht op bezoek. Hij was al jaren als rabbijn verbonden aan het Amerikaanse leger en bezocht eens per jaar zijn ouders in Mea Shearim. Ofschoon hij meestal maar een week bleef, verzuimde hij nooit een bezoek aan zijn vrienden in Machaneh-Yehoedah te brengen.

'Rabbijn in het Amerikaanse leger? Zijn daar dan zoveel orthodoxe Joodse soldaten?' vroeg Jardena.

'Het gaat niet alleen om de Joden. Er is ook een katholieke en een protestante aalmoezenier in mijn legereenheid,' vertelde Zevulun. 'Eigenlijk zijn we meer sociaal werkers. Voor specifieke geloofszaken komen Joodse soldaten bij mij en christelijke bij één van mijn collega's, maar soldaten die niet een speciaal geloof aanhangen en soldaten die algemene klachten hebben, last van psychische druk, onenigheid met de autoriteiten, komen bij wie op dat moment dienst heeft. Er komen bij mij heel veel niet-Joodse soldaten om raad.'

'En los je hun problemen dan op volgens de halachah?'

Zevulun lachte. 'Ik ben wie ik ben en ik weet wat ik weet. Ik put mijn kennis uit de Torah en de Talmoed, niet uit het Nieuwe Testament en de Koran of wat voor ander religieus geschrift ook. Er zijn er heel wat die dat hogelijk appreciëren.'

'En hoe gaat het met je vrouw en kinderen?'

'Mijn oudste dochter trouwt volgende maand. Ik hoop van harte dat ik er bij zal zijn.'

'Waarom zou je er niet bij kunnen zijn?'

'Ik heb mijn oproep voor Saoedia al binnen. De oorlog met Irak ... Het zal niet meer lang duren ... En dan te bedenken dat ik net terug ben uit Afghanistan.'

'Echt waar?'

'Jazeker. Ik was daar tijdens Rosh-Hashanah en Jom-Kippoer.'

'In Kabul? In de synagoge?'

'Ook daar, maar de dienst heb ik in het legerkamp gehouden.'

'En de Joden van Kabul? Waren die blij je te zien?'

'De Joden van Kabul! Dat zijn er twee. De twee laatste Joden van Kabul wonen allebei in de synagoge en hebben zo'n ruzie dat ze al jaren niet tegen elkaar praten.'

'Je meent het.'

'Nou en of. Het schijnt dat de Moslims ze ooit met de dood hebben bedreigd als ze zich niet tot de islam bekeerden. De ene heeft toegegeven en de andere heeft geweigerd. Ten slotte zijn ze allebei in leven gebleven. De zogenaamde bekeerling is ook gewoon Joods gebleven, maar de andere is niet bereid hem zijn moment van zwakte te vergeven.'

Aan het eind van de maand zag Jardena sterretjes voor haar linkeroog. De oogarts ontdekte niets dat het euvel kon veroorzaken en raadde haar aan een week later nog eens te komen. Dezelfde avond zag ze grote ronde vlekken in alle kleuren van de regenboog komen en gaan, komen en gaan.

De volgende dag voelde ze haar linkerhand niet meer. Nathan masseerde hem een beetje. Het gevoel in haar hand kwam terug. De vlekken voor haar ogen bleven. Een paar dagen later voelde ze haar halve lichaam niet meer. De sensatie duurde maar enkele minuten, maar dat ging haar toch te ver. Die middag ging ze naar de huisarts. Hij onderzocht haar, gaf haar een pil tegen te hoge bloeddruk en belde het ziekenhuis op dat ze onmiddellijk een ambulance moesten sturen omdat de patiënte midden in een herseninfarct was.

'Maar ik voel me heel normaal. Hoe kan dat nou?' wou Jardena weten.

'Een klein infarct is ook een infarct. Als we er op tijd bij zijn, loopt alles met een sisser af.'

Tegelijk met Jardena arriveerde een konvooi ambulances bij het ziekenhuis met de slachtoffers van een zelfmoordaanslag. Jardena ging ervan uit dat de artsen niet veel tijd zouden hebben voor een vrouw met een klein herseninfarctje. Maar nee, ze behandelden haar met grote aandacht en zorg. Na enige dagen was het ergste gevaar geweken.

'Van nu af aan is het een kwestie van de juiste medicijnen in de juiste dosering,' zei de huisarts. 'Als je je goed aan het regime houdt, kun je nog jaren mee.'

2003

De wrijvingen tussen links en rechts waren zo groot dat de verkiezingen moesten worden vervroegd. Met een schok realiseerde Jardena zich dat, als ze niks deed, ze alweer niet zou kunnen stemmen. Deze keer moest en zou ze op tijd van nationaliteit wisselen. Nathan vond het jammer. Itsik was teleurgesteld. Hij zou dit jaar veertig worden maar geloofde nog steeds dat hij op grond van zijn Nederlandse geboortebewijs en met zijn moeders Nederlandse paspoort ook zelf Nederlander zou kunnen worden, als hij maar een goede advocaat in de arm nam. Hij weerlegde ieder argument van Jardena met: 'Maar in Amerika is het anders!'

'Tja,' had Jardena al honderd keer gezegd, 'Nederland is geen Amerika.'

Maar Itsik met zijn eeuwige plannen om 'ergens anders' te gaan wonen, was niet te overtuigen. 'We hebben hier al een halve eeuw niets dan moord en doodslag,' bleef hij klagen. 'Hoe kun je de voordelen van een Europese nationaliteit opgeven voor een waardeloos Israëlisch paspoort? Waarom? Waarom?'

'Waarom? Dat zal ik je zeggen, Itsik. En de rest van de familie wordt verzocht mee te luisteren. Nederland is mijn geboorteland, en ik ben er om die reden aan gehecht. Ik vind het heerlijk om er zo nu en dan een vakantie door te brengen, maar mijn thuis is hier. Israël is mijn vaderland en Jeruzalem mijn woonplaats in voor- en tegenspoed. Vooral in tegenspoed. Hoe slechter de politieke situatie wordt, hoe belangrijker het is dat tolerante mensen trouw blijven aan dit kleine democratische eilandje in een oceaan van totalitarisme. Al heb ik me nooit met politiek bemoeid, ik heb wel degelijk mijn steentje bijgedragen, gewoon door verdraagzaam te zijn en een kring van verdraagzame en niet-verwende kinderen, aangetrouwde kinderen en kleinkinderen om me heen te verzamelen. Ik geloof in de macht van het voorbeeld. In een steeds gewelddadiger wordende gemeenschap telt ieder tolerant mens.

Bovendien: jullie hebben de Tweede Wereldoorlog en het nazisme niet meegemaakt. Zes miljoen Joden zijn in koelen bloede afgeslacht. En als

de oorlog nog langer had geduurd, was ook de rest uitgeroeid.'
'Ja, maar de oorlog is voorbij, Imma. Zoiets gebeurt niet weer.'
'Had je gedroomd! Weten jullie wat het schokkendste is wat ik ooit heb gehoord en gezien? Schokkender dan de waanzin van Hitler, omdat het gebeurde toen iedereen al heel goed wist wat de Joden gedurende de oorlog was aangedaan?'
Niet-begrijpend keken de kinderen haar aan.
'Het schokkendste was dat ná de poging van Hitler en zijn trawanten om het hele Joodse volk uit te roeien, ná de moedwillige moord op zes miljoen Joden, de paar armzalige stumpers die de slachting hadden overleefd, nergens ter wereld welkom waren. Dat ze door de Polen achteraf nog even werden vermoord en door de Engelsen op gammele schepen werden gezet, waarvan sommige met man en muis vergingen, en andere de opvarenden van hot naar her voerden, van het toenmalige Palestina naar Cyprus, naar Frankrijk, naar de duivel, naar de hel, en zelfs terug naar de concentratiekampen in Duitsland waar ze ten slotte toch nog van wanhoop verkommerden. Jullie hebben het allemaal op school geleerd, maar jullie zijn het net zo hard weer vergeten.'
Zelfs Itsik stond beduusd te kijken.
'Het naoorlogse anti-semitisme is niet een gevolg van het Zionisme,' vervolgde Jardena heftig. 'De kronkel zit hem niet in de wens van de Joden om een eigen staat te hebben. De meeste mensen hebben zo langzamerhand wel begrepen dat dat een noodzaak is, wil het Joodse volk zichzelf kunnen verdedigen. Nee, de kronkel in de kop van de anti-semieten zit hem erin dat ze van de Joden verwachten, ja zelfs eisen dat ze zich beter gedragen dan zijzelf. Geen enkel volk gedraagt zich ideaal. Ook wij niet. Verre van. Maar voor ons Joden is Israël beter dan wat we de laatste tweeduizend jaar hebben gehad. Sommigen van onze burgers zijn vroom, anderen zijn agnostisch of atheïstisch. Sommigen zijn eerlijk, anderen zijn dieven en oplichters. Sommigen zijn fanatiek, moordlustig, wraakzuchtig, anderen zijn tolerant, bereid om te delen en te begrijpen. Waar het om gaat is dat al die Joden net zoveel recht hebben om te bestaan en om hun stem te laten horen als wie dan ook op aarde. Ons Joodse vaderland is een land waar Joden met Joodse neuzen en Joodse pijpenkrullen mogen rondlopen, waar ze Joods mogen doen, Joods mogen praten, Joods mogen eten, en Joods mogen zijn zonder dat ze naar gaskamers worden gesleept. En nu jullie hier allemaal zo lief naar me zitten te luisteren, moet

me nog iets van het hart: Herzl heeft het Zionisme niet uitgevonden, maar hij heeft er wel zijn gezondheid en zijn persoonlijke geluk aan opgeofferd. Hij was een ziener die het Joodse volk in beweging bracht met gevleugelde woorden als "Als jullie het willen, is het geen sprookje", en "Zionisme is doen, hier en nu".

Mozes heeft het Heilige Land niet betreden en Herzl heeft de oprichting van de staat Israël niet beleefd, maar het was Mozes die ons uit Egypte heeft geleid en Herzl die ons de weg naar nieuwe onafhankelijkheid heeft gewezen, lang voordat Hitler aan de macht kwam. Als onze grootouders en ouders Herzls waarschuwingen in de wind hebben geslagen, dan hebben ze daarmee de fout van hun leven begaan. Die fout heb ik niet willen maken, en dat ga ik morgen beklinken door te doen wat ik al veel eerder had moeten doen: de Israëlische nationaliteit aanvragen zodat ik bij de komende verkiezingen mijn stem kan uitbrengen.'

De vrouw die Jardena op het ministerie van Binnenlandse Zaken te woord stond, was dezelfde die haar in 2001 uren had laten wachten voor een document dat moest aantonen dat ze de Israëlische nationaliteit nooit had aangevraagd. Natuurlijk herkende ze Jardena niet, maar het omgekeerde was wel degelijk het geval. Bovendien droeg ze nog altijd haar naamkaartje: Miri Biederman. Toen Jardena vertelde dat ze haar Nederlanderschap wilde opgeven in ruil voor de Israëlische nationaliteit, en wel omdat ze bij de komende verkiezingen wilde stemmen, overstelpte mevrouw Biederman haar met loftuitingen. Dat was nog eens verantwoordelijk burgerschap! 'Helaas is er een ellenlange wachtlijst van mensen die om allerlei redenen hun status willen veranderen,' voegde ze er met een diepe frons aan toe, 'en we komen zoals altijd personeel te kort om alle verzoeken op tijd af te werken. Ik zal mijn uiterste best doen uw aanvraag zo spoedig mogelijk te behandelen, maar het zal wel niet meer voor de komende verkiezingen lukken.'

'Dat heb ik aan mezelf te danken,' zei Jardena spijtig. 'Ik heb meer dan zesenveertig jaar de tijd gehad de beslissing te nemen.' Ondanks de teleurstelling ging ze opgelucht naar huis.

Op donderdagavond ging de telefoon: Miri Biederman voor Jardena. 'Ik bel u vanuit mijn huis,' zei ze. 'Aanstaande zondag om twaalf uur 's middags worden de lijsten van kiesgerechtigden definitief gesloten. Wie er dan nog niet op staat doet deze keer niet mee. Op vrijdag is ons kantoor gesloten, maar als u zondagochtend tussen tien en elf bij mij langskomt, zal ik ervoor zorgen dat uw naam nog aan de lijst wordt toegevoegd. En luister nu even goed naar me: het meisje achter het loket bij de ingang zal u naar kamer 104 verwijzen. Negeer haar instructies en kom regelrecht naar kamer 101.'

Jardena vroeg niet om verdere uitleg. Ze aanvaardde de hulp die haar werd geboden.

Een week later bracht de postbode een aangetekend pakje. Erin zat een gloednieuw Israëlisch paspoort ten name van Jardena Jerushalmi.

Eind januari zou Jardena haar stem uitbrengen voor het zestiende parlement. Maar erg feestelijk was het niet. Op welke partij je ook stemde, rechts zou winnen. Dat kon je op je vingers natellen.

'Toch maar op de Arbeiderspartij stemmen,' vond Vered. 'Al het andere is erger.'

'Zo links mogelijk stemmen,' zei Nathan. 'Dan hebben we tenminste een sterke oppositie.'

'Stem voor de religieuzen,' zei Simcha met overtuiging. 'Dan zit je altijd goed.'

Jannai aarzelde. 'Misschien voor de groenen? Als we de aarde verknallen, kunnen alle politieke partijen wel opkrassen.'

'Wat is er verkeerd aan Sharon,' vroeg Shai. 'Iemand moet ons toch verdedigen?'

Ten einde raad wendde Jardena zich tot haar jongste: 'Wat vind jij, Jifrach?'

Ook Jifrach, zelfs Jifrach, hief zijn handen in de lucht.

'Zie je wel,' zei Itsik. 'Daar had je je Nederlanderschap niet voor hoeven opgeven.'

'Kom,' zei Nathan toen ze uit het stemlokaal kwamen. 'We gaan de stad in om een cadeau voor je te kopen. Vanmiddag komen de kinderen om je verjaardag te vieren. Jardena schudde ongelovig het hoofd. 'Ben ik werkelijk al zeventig? Hoe bestaat het!'

Thuisgekomen zette ze zoals gewoonlijk snel haar computer aan. De mailbox zat vol felicitaties. In het briefje van Eva stond: 'Bedank me toch niet aldoor voor het redigeren van brieven en verhalen die zich in de loop van de jaren in mijn la hebben opgehoopt. Je weet toch met hoeveel plezier ik het doe. Wat ik bijdraag zijn allemaal dingetjes waarvan ik zeker weet dat – als je in Nederland was gebleven en je Nederlands niet een beetje archaïsch was geworden – je ze zelf ook had bedacht. Maar dat is nu juist het bijzondere: als je in Nederland was gebleven had je dat allemaal niet kunnen schrijven. We geven elkaar dus niet alleen een complíment, we zijn ook elkaars complément. Zo komt het goed uit dat jij destijds naar Israël bent gegaan, en dat ik in Nederland ben gebleven. Van harte gefeliciteerd.'

Van Noëlly was er een gezellig ouderwets epistel in de brievenbus. 'Ik heb voor je verjaardag een tweevoudig cadeau,' schreef ze. 'Beide hebben de vorm van mededelingen. Om te beginnen wordt Baroech, zoals je weet, aan het einde van het jaar dertien. Hij staat erop om bar-mitsvah te worden en zich op die manier als Jood te identificeren. Ofschoon ikzelf heb volstaan met het hebraïseren van mijn naam, heb ik bewondering voor mijn jongste zoon, die zo goed weet wat hij wil. Zowel Baroech als ik hopen dat jullie, zijn grootouders, hem zullen coachen bij deze belangrijke onderneming.

De tweede mededeling is moeilijker te formuleren. Het gaat over Moshiko. Ik heb hem gevraagd het jullie zelf te vertellen maar hij durft niet, dus moet ik hem een handje helpen. Weten jullie nog dat hij met Chanoeka bij jullie logeerde met dat Ethiopische vriendinnetje? Vorige week kreeg ik te horen dat ze al zes maanden zwanger is. Moshiko is nog geen achttien, en Re'uma nog geen negentien. Ze hebben geen van beiden een beroep en geen van beiden een inkomen. Moshiko is nogal uit zijn doen, en ikzelf kan er ook niet om juichen. Aan de familie van Re'uma durven ze het al helemaal niet te vertellen. Ethiopiërs leven wat dat betreft nog in de Middeleeuwen. Op dit moment wonen Moshiko en Re'uma bij mij, en ik hoef je niet te vertellen dat ik ook zonder hen al nauwelijks kan rondkomen. Nu pas realiseer ik me wat Nathan en jij allemaal van Itsik en mij te verduren hebben gehad, en met hoeveel geduld jullie ons altijd hebben gesteund. Al is het wat laat, ik dank jullie uit de grond van mijn hart.'

Als antwoord greep Jardena de telefoon. 'Kop op, Na'omie,' zei ze, daarbij spontaan voor het eerst de Hebreeuwse naam van haar schoondochter gebruikend. 'Elk nieuw kind brengt zijn zegen mee. We zullen ons eerste achterkleinkind met evenveel vreugde ontvangen als destijds ons eerste kleinkind, en al zijn broertjes en zusjes na hem. Zolang we bij elkaar mogen blijven, lossen we de problemen wel op.'

'Deze keer kan het niet missen,' zei ze tegen Nathan. 'Dit wordt er een met pikzwarte ogen.'

Maar Nathan had zijn esprit de contradiction hervonden. 'Een koffiebruine baby met hemelsblauwe ogen,' was zijn gok.

'Zelfs dat is mogelijk. Je kunt het zo gek niet bedenken of we hebben het in de familie.'

Twee dagen later opende Nathan een grote tentoonstelling van zijn recente werk in het Kunstenaarshuis in Jeruzalem. Op de uitnodigingen stond vermeld dat de rabbijn van de liberale gemeente een paar woorden zou spreken. Dat Jardena, nu de kinderen groot waren, haar zin voor religie enigszins had verloren, was voor Nathan de aanleiding geweest om trouw iedere vrijdagavond naar de synagoge te gaan, en met de leden van de gemeente, inclusief de rabbijn, de beste maatjes te worden. Toen op het laatste moment bleek dat de spreker verhinderd was te komen, vroeg Nathan aan Jardena om het publiek daarvan op de hoogte te stellen. Jardena deed wat haar gevraagd was, maar kondigde in één adem aan dat ze nu de tentoonstelling van haar man zelf ging openen. Ze zag Nathan schrikken, en ze kende hem goed genoeg om te begrijpen dat hij aan hun eerste ontmoeting dacht, toen zijn schilderijtje op de deur had gehangen van de wc van wat toen het Kunstenaarshuis was, en zij gezegd had: 'Ik vind het afschuwelijk.'

'Hoeveel inwoners van Jeruzalem kent u die na driekwart eeuw nog altijd wonen in het huis waar ze geboren zijn?' vroeg ze aan de aanwezigen. 'Hoeveel kunstenaars kent u die van de kamer waarin ze zijn geboren hun atelier hebben gemaakt? Nathan heet niet alleen Jeruzalem, hij schildert niet alleen Jeruzalem, hij ís Jeruzalem. Als Nathan terugkomt uit New York, schildert hij Jeruzalem. Als hij terugkomt uit Amsterdam, schildert hij Jeruzalem. Als hij terugkomt uit Parijs, Barcelona, Alexandrië, schildert hij Jeruzalem. Niet het Jeruzalem dat u en ik zien, niet de witte stad met muren uit de kinderverhalen, maar het Jeruzalem dat hij in de loop van bijna tachtig jaar in zichzelf heeft gevonden, of misschien in zichzelf heeft geschapen. Hij noemt deze tentoonstelling: "De stad van steen met in haar hart een muur". Met mijn verstand begrijp ik dat hij doelt op de muur tussen Israëliërs en Palestijnen, tussen orthodoxen en seculieren, Christenen en Joden, Moslims en Joden, politiek rechts en politiek links, de muur die hem verdriet doet, de muur die hij weg zou willen hebben. Maar Nathan werkt niet vanuit zijn hoofd. Hij werkt vanuit zijn hart. En als ik naar zijn schilderijen kijk, zie ik dan ook niet de stad van steen met in haar hart een muur, maar de stad van kleur met in haar hart muziek, de stad van verrassingen met in haar hart hoop, de stad van eeuwigheid, van onvergankelijkheid, van verscheidenheid, met in haar hart fantasie en optimisme. Als het aan mij lag zou ik deze tentoonstelling genoemd hebben: "De stad van Nathan met in haar hart zijn ziel." De bijzondere ziel van een bijzondere man. En als u dan bedenkt dat die man de mijne is, dan mag u mij van harte feliciteren.'

VERKLARENDE WOORDEN- EN BEGRIPPENLIJST

Namen van mensen hebben we zo veel mogelijk gelaten zoals ze die zelf in westerse letters spellen: Ben-Gurion en niet Ben-Goerion, Buber en niet Boeber. Maar ook Schalom Ben-Chorin, en niet Shalom Ben-Chorin, hoewel shalom verder in het boek zonder c wordt gespeld.

Bijna overal hebben we de Hebreeuwse letter *shin* getranscribeerd als sh, een enkele keer als sj, als het woord in het Groene boekje zo wordt gespeld.

Hebreeuwse woorden die op de Hebreeuwse letter *heh* eindigen, hebben we in de transcriptie op een 'h' laten eindigen als de klemtoon op de laatste lettergreep valt. Macha*neh*-Yehoe*dah*, en niet Ma*cha*ne-Je*hoe*da.

Maar als de klemtoon niet op de laatste lettergreep valt, hebben we in het Nederlands de 'h' weggelaten. Vandaar 'adi*nah*', teer, fijn, en A*di*na, de meisjesnaam.

In de zeer gangbare constructie genaamd *semichoet* die uit twee woorden bestaat, en die vergeleken kan worden met de tweede naamval, hebben we altijd een verbindingsstreepje gezet. Ben-Gurion (zoon van Gurion), Sha'arei-Tsedek (de poorten van rechtvaardigheid), Sde-Nehemia (het veld van Nehemia), Jom-Kippoer (de dag van boetedoening).

De Nederlandse vertalingen van korte bijbelteksten zijn overgenomen uit de Statenvertaling, de Nieuwe Vertaling of de vertaling van Jitschak Dasberg voor het Nederlands-Israëlitisch Kerkgenootschap, Amsterdam.

abaya (Arabisch)	wijde mantel die Arabische mannen dragen
abba, av	papa, vader
adinah	fijn, teer (vr.)
Adina	meisjesnaam
admor	samentrekking van de woorden *adonenoe* en *morenoe*, onze heer en meester, eretitel voor zeer geleerde rabbijnen
Agoedat-Jisrael	ultraorthodoxe politieke partij

ahoevah	geliefde (vr.)
Ahoeva	meisjesnaam
aliyah	emigratie naar Israël, letterlijk: het naar boven gaan
Allah akbar (Arabisch)	God is groot
ani	ik
artsa	naar het land
Artsa	de naam van een schip
Ashaf	de Hebreeuwse benaming van de PLO, zie ook onder PLO
Asjkenazen	Joden die eeuwenlang in Oost- en Midden-Europa hebben gewoond, en wier gebruiken en religieuze melodieën enigszins afwijken van die van de Sefarden
Ba'al haNes	bezitter van het wonder, vandaar de eretitel voor Rabbi Meir, wiens graf in de buurt van Safed jaarlijks door zijn bewonderaars wordt bezocht
baboeshka (Russisch)	grootmoedertje, benaming voor een set poppen die in elkaar passen
bar-mitsvah	jongen die oud genoeg is om verantwoordelijk te zijn voor zijn daden (vanaf de dertiende verjaardag), en dus ook in de synagoge uit de Torah mag voorlezen, en die kan dienen in het quorum van tien mannen dat nodig is voor bepaalde religieuze diensten
baroech	gezegend
Baroech	jongensnaam
bat-mitsvah	meisje dat oud genoeg is om verantwoordelijk te zijn voor haar daden (vanaf de twaalfde verjaardag)
Betselem	de naam van een Israëlische vereniging voor mensenrechten
be-tselem	naar het evenbeeld (van God)
Bikoer-Cholim	de naam van een ziekenhuis in Jeruzalem
bikoer-cholim	bezoek aan zieken
Binyak generali	gebouw waarin een dienst is gevestigd die vergelijkbaar is met wat Burgerzaken is
Bugaarse	uit een stad in Oezbekistan, voorheen een belangrijke handelsstad met een bloeiende Joodse gemeenschap

Chabad	een vorm van chassidisme (samentrekking van drie Hebreeuwse letters: *chet* / *chochmah*, wijsheid; *bet* / *binah*, verstand; *dalet* / *da'at*, kennis)
challe-brood	gevlochten brood speciaal voor de Shabbat
chameets	etenswaren waar gist in zit, worden niet gegeten gedurende de pesachweek
chamien	de Sefardische benaming van wat de Asjkenazen *tcholent* noemen, gerecht van vlees, bonen, aardappelen, rijst in een doekje, en eieren in de schaal, dat op vrijdagmiddag in de oven wordt gezet en de hele nacht blijft sudderen, zodat het op Shabbat kan worden gegeten
Chanoeka	het feest waarop de inwijding van de tempel wordt herdacht
chanoekah	inwijding
Chassied, Chassidim	aanhanger, aanhangers van het chassidisme
Chassidisme	een orthodoxe beweging met talrijke subgroepen, ontstaan in de achttiende eeuw, waarin het accent wordt verlegd van zuiver leren naar saamhorigheid en wederzijdse hulp
chayah	levende (vr.)
Chaya	meisjesnaam
chazan	voorzanger
chiloea (Arabisch)	mooi (vr.)
Chiloea	meisjesnaam
choemoes	een gerecht van fijngemalen kikkererwten dat in Israël heel veel wordt gegeten
choepah	huwelijksbaldakijn, vandaar ook huwelijksceremonie
choetspah	brutaliteit
dam	bloed
Das doppelte Lottchen (Duits)	*Het dubbele Lotje*, boek van Erich Kästner
diaspora	verstrooiing, ballingschap. Ook de landen waar Joden leefden na ballingschap
dolmo (Turks)	gerecht van rijst en kruiden gewikkeld in wingerdbladen
dvorah	bij

Dvora	meisjesnaam, in het Nederlands Debora
Elchanan	jongensnaam (combinatie van de woorden 'God' en 'vergeving')
Elnakam	jongensnaam (combinatie van de woorden 'God' en 'wraak')
esprit de contradiction (Frans)	behoefte aan tegenspreken
falashas (Ethiopisch)	vreemdelingen
Falashas	Ethiopische benaming voor de Ethiopische Joden
frum (Jiddisch)	vroom
gallabiya (Arabisch)	jurkachtig gewaad dat mannen in oosterse landen dragen
ger	oorspronkelijk vreemdeling, tegenwoordig uitsluitend gebruikt om iemand aan te duiden die zich tot het Jodendom heeft bekeerd
Gershom	naam van één van de zonen van Mozes, samentrekking van *ger* en *sham* of *shom* (daar, in dat land)
Gethsémané	verbastering van de samenstelling Gey-Shemanim, het dal van de olie (de olijfbomen) die men voor de dienst in de tempel gebruikte
ge'ulah	verlossing (uit slavernij)
Ge'ula	meisjesnaam die vooral populair was voor en vlak na het uitroepen van de staat Israël
gewalt (Jiddisch)	geweld, gebruikt in de zin van 'Help!'
Gey-Ben-Hinnom, ook wel Gey-Hinnom	het dal van Ben-Hinnom, dat van Jeruzalem oostwaarts loopt en waar vroeger jaarlijks een bok beladen met de zonden van de mensen (de zondebok) in werd gejaagd
geyhinnom	het Hebreeuwse woord voor purgatorium, hel
goy, goyim	oorspronkelijk: volk, volkeren, tegenwoordig bijna altijd gebruikt in de zin van niet-Jood, niet-Joden
groene kaart	in het Engels *green card*, vergunning om in de Verenigde Staten voor geld te werken
groene lijn	de grens zoals die vóór 1967 was
Groesh	verbastering van het Duitse *Groschen*, geldstukje, waarde te vergelijken met een cent
Hagadah	het boek dat op de sederavond wordt gelezen
halachah	de leefregels zoals die in de Torah worden genoemd (en

	daarvan afgeleide regels), waar vrome Joden zich strikt aan houden
Hamas, Chamas	Palestijnse, fundamenteel Islamitische terreurmilitia
Harei at mekoedeshet li	Ziehier, je bent aan mij gewijd
havdalah	de korte ceremonie die aan het eind van een Shabbat of feestdag wordt gehouden om 'heilig' van 'profaan' te scheiden, letterlijk: onderscheid, verschil
Heichal Shlomoh	naam van het gebouw van het opperrabbinaat in Jeruzalem, letterlijk: de zaal van Salomon
Hevenoe shalom aleichem	We hebben jullie vrede gebracht
Hezbollah, ook wel Hizbullah of Hizb'allah (Arabisch)	samentrekking van *hizb* (partij) en Allah (God), vandaar de naam van een fundamenteel Islamitische partij van de Libanese Shi'iten (de Shi'iten zijn aanhangers van één van de twee grote sekten van de islam, de aanhangers van een andere grote sekte zijn de Soennieten)
Imma, Iem	mama, moeder
intifada	opstand van de Palestijnen
islamitische Jihad	de naam van een kleine terreurgroep van de Palestijnen (afgeleid van het Arabische woord *jihad*, godsdienstoorlog, oorspronkelijk van de islam tegen heidenen, tegenwoordig ook tegen Joden en Christenen)
jahrzeit (Jiddisch)	jaarlijkse gedenkdag van iemands overlijden
jeshivah, jeshivot (Hebreeuws)/ jeshive (Jiddisch)	school (scholen) voor religieuze studies
jifrach	hij zal bloeien
Jifrach	jongensnaam
Jom-Kippoer	Grote Verzoendag, letterlijk: dag van boetedoening
kaddish	het gebed voor de zielenrust van de doden
kadima	vooruit, vort
kafiya (Arabisch)	hoofddoek van Arabische mannen
kasheer	rein
kashroet	reinheid, speciaal gebruikt voor de bereiding van voedsel
kasjeren (Jiddisch)	rein maken

katan	klein
kav	lijn
ketoebah	huwelijkscontract
kiddoesh	zegenspreuk over de wijn
kiddoeshbeker	de beker die ervoor wordt gebruikt
kiddoeshwijn	de wijn die ervoor wordt gebruikt
kleine tallith	mouwloos kledingstukje met aan vier hoeken kwasten, dat vrome Joden iedere dag dragen (één van de 613 mitsvot die in de Torah worden genoemd, Numeri 15:38 e.v.); het dragen van kwasten is te vergelijken met het leggen van een knoop in je zakdoek, in die zin dat de functie ervan is om Joodse mannen aan hun religieuze plichten te herinneren.
Knesset	het parlement (van: 'bij elkaar komen')
Kol Nidrei (Aramees)	het gebed waarmee men de Grote Verzoendag aanvangt; *kol* is 'alle'; *nidrei* is 'mijn eden', 'mijn beloften'
kosher (Jiddisch)	rein
Lag baOmer	de 33ste dag na Pesach; *lag* is een samentrekking van twee letters, *lamed* en *gimel*, die samen het getal 33 aanduiden; *ba* is 'in'. *Omer* is de oogsttijd (van Pesach tot het Wekenfeest)
lamed-vav tsedikiem	36 uitzonderlijk rechtvaardigen die te allen tijde op aarde zouden leven (*lamed* is 30, *vav* is 6, *tsedikiem* is rechtvaardigen)
Likud	de naam van de grootste politiek-rechtse partij in Israël
likoed	samenbundeling
lo	nee
Maccabia	benaming van een Joods sportfestival dat om de paar jaar in Israel wordt gehouden
machaneh	kamp
Mageen David Adom	equivalent van Het Rode Kruis, letterlijk het rode schild van David
malon	hotel
marranen (van het Spaanse marranos)	benaming voor Joden die zich tijdens de inquisitie zogenaamd tot het Christendom bekeerden, maar in het geheim Joods bleven, letterlijk varkens
Mea Shearim	naam van één van de oudste en vroomste wijken buiten de muren van Jeruzalem, letterlijk honderd poorten

melon	meloen
mezoeze (Jiddisch)/ mezoezah (Hebreeuws)	een stukje perkament waarop de essentiële belijdenis van het Jodendom staat (Deuteronomium 6:4-9, 11:13-21), het zit in een omhulsel en wordt aan de deurpost bevestigd
mikve	ritueel bad
milon	woordenboek
milon kies	zakwoordenboekje
minyenmacher (Jiddisch)	de tiende man (nodig voor bepaalde religieuze diensten)
Mishkenot-Sheananim	naam van de eerste Joodse wijk buiten de muren van Jeruzalem, letterlijk: oord van rust
mitsvah, mitsvot (Hebreeuws) / mitsve (Jiddisch)	een plicht (plichten) jegens je medemens, tegelijkertijd te beschouwen als een gunst aan jezelf, zoals hulp verlenen, zieken bezoeken enz.
moeazien (Arabisch)	omroeper die vijf keer per dag vanaf de top van een minaret de Moslims oproept om te bidden
moheel	man die besnijdenissen verricht
moshav, moshavim	collectief dorp, collectieve dorpen, commune
Naturei-Karta (Aramees)	zeer kleine, ultra-orthodoxe groep van Chassidim in Mea Shearim en Williamsburg, New York, die de Staat Israël niet erkent omdat deze mensen van mening zijn dat hij pas na de komst van de Messias kan en zal herrijzen, letterlijk: de bewakers van de (overdrachtelijk bedoelde) muren
Nechama	meisjesnaam
nechamah	troost
oelpan	instituut, in het bijzonder school waar nieuwe immigranten Hebreeuws leren
Omer	de zeven weken tussen Pesach en Shevoeot
omer	oogsttijd
parashah	iedere week van het jaar wordt een bepaald deel van de Torah gelezen; zo'n deel is een *parashah*
parashat-Balak	de parashah waarin verteld wordt over Balak (Num. 22:2-25:9)
perre-adam	wildeman, ongeciviliseerd individu (*adam* is mens, *perre* is wild)

Pesach	het Joodse paasfeest, waarop de bevrijding uit de slavernij in Egypte wordt gevierd
PLO	Palestine Liberation Organization (in het Hebreeuws Ashaf)
pninah	parel
Pnina	meisjesnaam
Poerim	Lotenfeest
poer, poerim	lot, loten
rabbanit	de vrouw van een rabbijn
Rambam	rabbi Moshe Ben-Maimon (in het Grieks Maimonides); samentrekking van R M B M
rebbetzin (Jiddisch)	de vrouw van een rabbijn
refuseniks	het Engelse woord voor weigeren, gevolgd door de Russische uitgang '-nik', benaming van de Russische Joden die geen vergunning kregen om de USSR te verlaten
Reu'el	de nieuwe naam van Yitro, de schoonvader van Mozes, combinatie van de woorden 'zien' en 'God'
Rosh-Hashanah	nieuwjaar, nieuwjaarsdag; letterlijk: hoofd van het jaar
Sabba	grootvader
sandak	de man op wiens knieën een pasgeboren jongetje wordt besneden, peetvader
sandakit	de vrouw die het te besnijden jongetje binnenbrengt, peetmoeder
sar, sarah	oorspronkelijk prins, prinses, tegenwoordig minister (m. en vr.)
Sara	meisjesnaam
savta	grootmoeder
sederavond	de vooravond van Pesach, waarop bepaalde verhalen in een bepaalde volgorde worden gelezen
Seder	het feest zelf
seder	volgorde
Sefarden	Joden uit oosterse landen
sgoek (Jemenitisch)	zeer scherpe specerij
Sha'arei-Tsedek	naam van een ziekenhuis in Jeruzalem; letterlijk: de poorten van rechtvaardigheid

shabbatklok	klok die zo gezet kan worden dat een elektrisch apparaat of lamp op de gewenste tijd automatisch aan- en uitgaat, speciaal bedoeld voor gebruik op Shabbat
shabbesgoy (Jiddisch)	een niet-Jood die op Shabbat bepaalde handelingen verricht die religieuze Joden zelf op die dag niet mogen verrichten
shalom	vrede, ook de normale dagelijkse groet
Shalom	jongensnaam
Shechinah	een kabbalistisch begrip waarmee de vrouwelijke, spirituele kant van God wordt aangeduid
sheroet	taxi die langs een vastliggende route rijdt, en waarin iedere passagier voor zijn eigen plaats betaalt; letterlijk: dienst
Shevoeot	Wekenfeest, ter afsluiting van de Omer
shavoea, shevoeot	week, weken
sjeik (Arabisch)	eerbiedwaardige, meestal oude man in een Moslimgemeenschap
sjikse (Jiddisch)	niet-Joodse vrouw, wordt denigrerend gebruikt
sjoel (Jiddisch)	synagoge, huis van samenkomst
Soefi (Arabisch)	spirituele beweging in de Islam
Subaru	Japans automerk. In de jaren negentig was het concern Subaru van alle Japanse autofabrikanten het enige dat de Arabische boycot durfde trotseren; de Subaru was daarom favoriet in Israël
tallith (in tegenstelling tot kleine tallith)	gebedsmantel
talmoed	collectie van commentaren op de Torah en commentaren op de commentaren
tamar	dadel, dadelpalm
Tamar	meisjesnaam
tikvah	hoop
Toe biShwat	de vijftiende dag van de maand Shwat
tomer	dadelpalm
Tomer	oorspronkelijk jongensnaam, tegenwoordig ook meisjesnaam
Torah	de wet die Mozes volgens het Joodse geloof op de Sinaïberg van God heeft ontvangen

torahrol (rollen)	de perkamenten rol (rollen) waarop de wet staat geschreven
treife (Jiddisch)	niet kosher, niet rein
tareef (Hebreeuws)	niet kasheer, niet rein
tsoer	rots
Tsoer	jongensnaam, ook naam van een stad in Libanon
UNHCR	United Nations High Commissioner (ook wel Commission) for Refugees
UNRWA	United Nations Relief and Works Agency for Palestine Refugees in the Near East, gesticht in 1948, vlak na de onafhankelijkheidsoorlog van Israël. Ten bate van de UNRWA worden jaarlijks grote bedragen gestort door vele landen, maar vooral door de VS
vered	roos
Vered	meisjesnaam
Wannsee Konferenz	conferentie van Nationaal-Socialisten op 20 januari 1942, bijgewoond door Eichmann, waar werd besloten het Joodse volk in Europa uit te roeien
Wieder-gutmachungs-pensioen	pensioen dat door Duitsland wordt betaald aan overlevenden van de holocaust
ze'ev	wolf
Ze'evi	achternaam: (De) Wolf